Collins

Collins
Dictionary

English-Portuguese
Português-Inglês

HarperCollins Publishers
Westerhill Road
Bishopbriggs
Glasgow
G64 2QT
Great Britain

Second Edition 2006

Previously published as
Collins Pocket Portuguese Dictionary

Reprint 10 9 8 7 6 5 4 3 2

© HarperCollins Publishers 1992, 1995,
2001, 2006

ISBN-13 978-0-00-722429-6
ISBN-10 0-00-722429-X

Collins® and Bank of English® are
registered trademarks of
HarperCollins Publishers Limited

www.collins.co.uk

A catalogue record for this book is
available from the British Library

Disal S.A.
Av. Marquês de São Vicente 182
Barra Funda
01139-000 São Paulo
Brazil

www.disal.com.br

ISBN-13 978-0-00-778735-7
ISBN-10 0-00-778735-9

Typeset by Wordcraft, Glasgow

Printed in Italy by
Rotolito Lombarda S.p.A

Acknowledgements
We would like to thank those authors
and publishers who kindly gave
permission for copyright material to
be used in the Collins Word Web. We
would also like to thank Times
Newspapers Ltd for providing
valuable data.

This book is set in CollinsFedra, a
typeface specially created for Collins
dictionaries by Peter Bil'ak.

ÍNDICE

CONTENTS

EDITORIAL STAFF

CONTRIBUTORS/COLABORADORES
John Whitlam
Vitoria Davies
Mike Harland
Jane Horwood
Lígia Xavier
Gerard Breslin
Helen Newstead
Laura Neves

EDITORIAL STAFF/REDAÇÃO
Emma McDade
Emma Aeppli
Marianne Davidson
Jennifer Baird

COMPUTING/INFORMÁTICA
Jane Creevy

This book is set in Collins Fedra, a typeface specially created for Collins dictionaries by Peter Bil'ak.

William Collins' dream of knowledge for all began with the publication of his first book in 1819. A self-educated mill worker, he not only enriched millions of lives, but also founded a flourishing publishing house. Today, staying true to this spirit, Collins books are packed with inspiration, innovation, and practical expertise. They place you at the centre of a world of possibility and give you exactly what you need to explore it.

Language is the key to this exploration, and at the heart of Collins Dictionaries is language as it is really used. New words, phrases, and meanings spring up every day, and all of them are captured and analysed by the Collins Word Web. Constantly updated, and with over 2.5 billion entries, this living language resource is unique to our dictionaries.

Words are tools for life. And a Collins Dictionary makes them work for you.

Collins. Do more

INTRODUÇÃO

Ficamos felizes com a sua decisão de comprar o Dicionário Inglês-Português Collins e esperamos que este lhe seja útil na escola, em casa, de férias ou no trabalho.

Esta introdução fornece algumas sugestões de como utilizar da melhor maneira possível o seu dicionário – não somente a partir da ampla lista de palavras mas também a partir das informações fornecidas em cada verbete. Este dicionário visa ajudá-lo a ler e a entender o inglês moderno assim como a exprimir-se corretamente.

No início do Dicionário Collins aparecem as abreviaturas utilizadas, e a ilustração dos sons através de símbolos fonéticos. Você encontrará, a seguir, quadros com verbos portugueses e verbos irregulares ingleses, seguidos por uma seção com números, horas e datas. E, por fim, o novo guia para viajantes fornece centenas de frases úteis que visam lhe dar ajuda prática em situações cotidianas durante uma viagem.

COMO UTILIZAR O DICIONÁRIO COLLINS

Um grande número de informações pode ser encontrado neste dicionário. Vários tipos e tamanhos de letras, símbolos, abreviaturas e parênteses foram utilizados. As convenções e símbolos usados são explicados nas seções seguintes.

VERBETES

As palavras que você procurar no dicionário – os verbetes – estão em ordem alfabética. Eles estão impressos **em cor** para uma rápida identificação. As palavras que aparecem no topo de cada página indicam o primeiro verbete (se for nas páginas pares) ou o último verbete (se for nas páginas ímpares) da página em questão. Informações sobre a utilização ou forma de certos verbetes são dadas entre parênteses e, em geral, aparecem em forma abreviada e em itálico (p. ex. *(fam), (Com)*).

Quando for apropriado, palavras derivadas aparecem agrupadas no mesmo verbete (**abade, abadia; produce, producer**) num formato ligeiramente menor do que o verbete.

As expressões comuns nas quais o verbete aparece estão impressas em um tamanho diferente de negrito romano. O símbolo '~' usado nas expressões representa o verbete principal no começo de cada parágrafo. Por exemplo, na entrada '**cold**', a expressão '**to be ~**' equivale a '**to be cold**'.

SIGNIFICADOS

A tradução para o verbete aparece em letra normal e quando há mais de um significado ou utilização, estes estão separados por um ponto e vírgula. Freqüentemente, você encontrará outras palavras em itálico e entre parênteses antes da tradução, sugerindo contextos nos quais o verbete pode aparecer (p. ex. **rough** *(voice)* ou *(weather)*), ou fornecendo sinônimos (p. ex. **rough** *(violent)*).

PALAVRAS 'CHAVES'

Atenção especial foi dada a certas palavras em inglês e em português consideradas palavras 'chaves' em cada língua. Elas podem, por exemplo, ser usadas com muita freqüência ou ter muitos tipos de utilização (p. ex. **be, get**). Verbetes destacados com números ajuda a distinguir as categorias gramaticais e diferentes significados. Informações complementares são fornecidas entre parênteses e em itálico na língua relevante para o usuário.

INFORMAÇÃO GRAMATICAL

As categorias gramaticais são dadas em itálico e abreviadas após a ortografia fonética do verbete (p. ex. *vt, adj, vi*).

Os adjetivos aparecem em ambos os gêneros quando forem diferentes (**interno, -a**). Esta distinção também é feita quando os adjetivos têm uma forma irregular no feminino ou no plural (p. ex. **ateu, atéia**). As formas irregulares de substantivos feminino ou plural também são indicadas (p. ex. **child** (*pl* **~ren**)).

We are delighted you have decided to buy the Collins Portuguese Dictionary and hope you will enjoy and benefit from using it at school, at home, on holiday or at work.

This introduction gives you a few tips on how to get the most out of your dictionary – not simply from its comprehensive wordlist but also from the information provided in each entry. This will help you to read and understand modern Portuguese, as well as communicate and express yourself in the language.

The Collins Portuguese Dictionary begins by listing the abbreviations used in the text and illustrating the sounds shown by the phonetic symbols. Next you will find Portuguese verb tables and English irregular verbs followed by a section on numbers, time, and dates. Finally, the new Phrasefinder supplement gives you hundreds of useful phrases which are intended to give you practical help in everyday situations when travelling.

USING YOUR COLLINS DICTIONARY
A wealth of information is presented in the dictionary, using various typefaces, sizes of type, symbols, abbreviations and brackets. The conventions and symbols used are explained in the following sections.

HEADWORDS
The words you look up in the dictionary – 'headwords' – are listed alphabetically. They are printed in colour for rapid identification. The headwords appearing at the top of each page indicate the first (if it appears on a left-hand page)

and last word (if it appears on a right-hand page) dealt with on the page in question.

Information about the usage or form of certain headwords is given in brackets after the phonetic spelling. This usually appears in abbreviated form and in italics. (e.g. (*fam*), (*Comm*)).

Where appropriate, words related to headwords are grouped in the same entry (**abade, abadia; produce, producer**) in a slightly smaller bold type than the headword. Common expressions in which the headword appears are shown in a different size of bold roman type. The swung dash, ~, represents the main headword at the start of each entry. For example, in the entry for '**caminho**', the phrase '**pôr-se a ~**' should be read '**pôr-se a caminho**'.

PHONETIC SPELLINGS
The phonetic spelling of each headword (indicating its pronunciation) is given in square brackets immediately after the headword (e.g. **grande** ['grãdʒi]). A list of these spellings is given on page xv.

MEANINGS
Headword translations are given in ordinary type and, where more than one meaning or usage exists, they are separated by a semicolon. You will often find other words in italics in brackets before the translations. These offer suggested contexts in which the headword might appear (e.g. **intenso** (*emoção*)) or provide synonyms (e.g. **cândido** (*inocente*)).

Special status is given to certain Portuguese and English words which are considered as 'key' words in each language. They may, for example, occur very frequently or have several types of usage (e.g. **bem, ficar**). A combination of lozenges and numbers helps you to distinguish different parts of speech and different meanings. Further helpful information is provided in brackets and in italics in the relevant language for the user.

GRAMMATICAL INFORMATION
Parts of speech are given in abbreviated form in italics after the phonetic spellings of headwords (e.g. *vt, adj, prep*).

Genders of Portuguese nouns are indicated as follows: *m* for a masculine and *f* for a feminine noun. Feminine and irregular plural forms of nouns are also shown next to the headword (**inglês, -esa**; **material** (*pl* **-ais**)). Adjectives are given in both masculine and feminine forms where these forms are different (**comilão, -lona**).

The gender of the Portuguese translation also appears in *italics* immediately following the key element of the translation, except where there is a regular masculine singular noun ending in 'o', or a regular feminine singular noun ending in 'a'.

ABREVIATURAS

ABBREVIATIONS

abreviatura	*ab(b)r*	abbreviation
adjetivo	*adj*	adjective
administração	*Admin*	administration
advérbio, locução adverbial	*adv*	adverb, adverbial phrase
aeronáutica	*Aer*	flying, air travel
agricultura	*Agr*	agriculture
anatomia	*Anat*	anatomy
arquitetura	*Arq, Arch*	architecture
artigo definido	*art def*	definite article
artigo indefinido	*art indef*	indefinite article
uso atributivo do substantivo	*atr*	compound element
automobilismo	*Aut(o)*	the motor car and motoring
auxiliar	*aux*	auxiliary
aeronáutica	*Aviat*	flying, air travel
biologia	*Bio*	biology
botânica, flores	*Bot*	botany
português do Brasil	BR	Brazilian Portuguese
inglês britânico	BRIT	British English
química	*Chem*	chemistry
linguagem coloquial (!chulo)	*col(!)*	colloquial (offensive!)
comércio, finanças, bancos	*Com(m)*	commerce, finance, banking
comparativo	*compar*	comparative
computação	*Comput*	computing
conjunção	*conj*	conjunction
construção	*Constr*	building
uso atributivo do substantivo	*cpd*	compound element
cozinha	*Culin*	cookery
artigo definido	*def art*	definite article
economia	*Econ*	economics
educação, escola e universidade	*Educ*	schooling, schools and universities
eletricidade, eletrônica	*Elet, Elec*	electricity, electronics
especialmente	*esp*	especially
exclamação	*excl*	exclamation
feminino	*f*	feminine
ferrovia	*Ferro*	railways
uso figurado	*fig*	figurative use
física	*Fís*	physics
fotografia	*Foto*	photography

(verbo inglês) do qual a partícula é inseparável	*fus*	(phrasal verb) where the particle is inseparable
geralmente	*gen*	generally
geografia, geologia	*Geo*	geography, geology
geralmente	*ger*	generally
impessoal	*impess, impers*	impersonal
artigo indefinido	*indef art*	indefinite article
linguagem coloquial (!chulo)	*inf(!)*	colloquial (offensive!)
infinitivo	*infin*	infinitive
invariável	*inv*	invariable
irregular	*irreg*	irregular
jurídico	*Jur*	law
gramática, lingüística	*Ling*	grammar, linguistics
masculino	*m*	masculine
matemática	*Mat(h)*	mathematics
medicina	*Med*	medicine
ou masculino ou feminino, dependendo do sexo da pessoa	*m/f*	masculine/feminine
militar, exército	*Mil*	military matters
música	*Mús, Mus*	music
substantivo	*n*	noun
navegação, náutica	*Náut, Naut*	sailing, navigation
adjetivo ou substantivo numérico	*num*	numeral adjective or noun
	o.s.	oneself
pejorativo	*pej*	pejorative
fotografia	*Phot*	photography
física	*Phys*	physics
fisiologia	*Physio*	physiology
plural	*pl*	plural
política	*Pol*	politics
particípio passado	*pp*	past participle
preposição	*prep*	preposition
pronome	*pron*	pronoun
português de Portugal	PT	European Portuguese
pretérito	*pt*	past tense
química	*Quím*	chemistry
religião e cultos	*Rel*	religion, church services
	sb	somebody
educação, escola e universidade	*Sch*	schooling, schools and universities
singular	*sg*	singular

ABREVIATURAS

ABBREVIATIONS

	sth	something
sujeito (gramatical)	*su(b)j*	(grammatical) subject
subjuntivo, conjuntivo	*sub(jun)*	subjunctive
superlativo	*superl*	superlative
também	*tb*	also
técnica, tecnologia	*Tec(h)*	technical term, technology
telecomunicações	*Tel*	telecommunications
tipografia, imprensa	*Tip*	typography, printing
televisão	*TV*	television
tipografia, imprensa	*Typ*	typography, printing
inglês americano	*US*	American English
ver	*V*	see
verbo	*vb*	verb
verbo intransitivo	*vi*	intransitive verb
verbo reflexivo	*vr*	reflexive verb
verbo transitivo	*vt*	transitive verb
zoologia	*Zool*	zoology
marca registrada	®	registered trademark
equivalente cultural	≈	cultural equivalent

PORTUGUESE PRONUNCIATION

The rules given below refer to Portuguese as spoken in the city and surrounding region of Rio de Janeiro, Brazil.

CONSONANTS

c	[k]	café	*c* before *a, o, u* is pronounced as in *c*at
ce, ci	[s]	cego	*c* before *e* or *i*, as in re*c*eive
ç	[s]	raça	*ç* is pronounced as in re*c*eive
ch	[ʃ]	chave	*ch* is pronounced as in *sh*ock
d	[d]	data	as in English EXCEPT
de, di	[dʒ]	difícil cidade	*d* before an *i* sound or final unstressed *e* is pronounced as in ju*dge*
g	[g]	gado	*g* before *a, o, u* as in *g*ap
ge, gi	[ʒ]	gíria	*g* before *e* or *i*, as *s* in lei*s*ure
h		humano	*h* is always silent in Portuguese
j	[ʒ]	jogo	*j* is pronounced as *s* in lei*s*ure
l	[l]	limpo, janela	as in English EXCEPT
	[w]	falta, total	*l* after a vowel tends to become *w*
lh	[ʎ]	trabalho	*lh* is pronounced like the *lli* in mi*lli*on
m	[m]	animal, massa	as in English EXCEPT
	[ãw]	cantam	*m* at the end of a syllable preceded by a vowel nasalizes the preceding vowel
	[ĩ]	sim	
n	[n]	nadar, penal	as in English EXCEPT
	[ã]	cansar	*n* at the end of a syllable, preceded by a vowel and followed by a consonant, nasalizes the preceding vowel
	[ẽ]	alento	
nh	[ɲ]	tamanho	*nh* is pronounced like the *ni* in oni*on*
q	[k]	queijo	*qu* before *i* or *e* is pronounced as in ki*ck*
q	[kw]	quanto cinqüenta	*qu* before *a* or *o*, or *qü* before *e* or *i*, is pronounced as in *qu*een
-r-	[r]	compra	*r* preceded by a consonant (except *n*) and followed by a vowel is pronounced with a single trill
r-, -r-	[x]	rato, arpão	inital *r*, *r* followed by a consonant and *rr* pronounced similar to the Scottish *ch* in lo*ch*
rr	[x]	borracha	
-r	[*]	pintar, dizer	word-final *r* before a word beginning with a consonant or at the end of a sentence is pronounced [x]; before a word beginning with a vowel it is pronounced [r]. In colloquial speech this variable sound is often not pronounced at all.
s-	[s]	sol	as in English EXCEPT

-s-	[z]	mesa	intervocalic *s* is pronounced as in ro*s*e
-s-	[ʒ]	rasgar, desmaio	*s* before *b, d, g, l, m, n, r*, and *v*, as in lei*s*ure
-s-, -s	[ʃ]	escada, livros	*s* before *c, f, p, qu, t* and finally, as in *s*ugar
-ss-	[s]	nosso	double *s* is always pronounced as in bo*s*s
t	[t]	todo	as in English EXCEPT
te, ti	[tʃ]	amante tipo	*t* followed by an *i* sound or final unstressed *e* is pronounced as *ch* in *ch*eer
x-	[ʃ]	xarope explorar	initial *x* or *x* before a consonant (except *c*) is pronounced as in *s*ugar
-xce-, -xci-	[s]	exceto excitar	*x* before *ce* or *ci* is unpronounced
ex-	[z]	exame	*x* in the prefix *ex* before a vowel is pronounced as *z* in squee*z*e
-x-	[ʃ]	relaxar	*x* in any other position may be pronounced
	[ks]	fixo	as in *s*ugar, a*x*e or *s*ail
	[s]	auxiliar	
z-, -z-	[z]	zangar	as in English EXCEPT
-z	[ʒ]	cartaz	final *z* is pronounced as in lei*s*ure

b, f, k, p, v, w are pronounced as in English.

VOWELS

a,á,à,â	[a]	mata	*a* is normally pronounced as in f*a*ther
ã	[ã]	irmã	*ã* is pronounced approximately as in s*u*ng
e	[e]	vejo	unstressed (except final) *e* is pronounced like *e* in th*ey*, stressed *e* is pronounced either as in th*ey* or as in b*e*t
-e	[i]	fome	final *e* is pronounced as in mon*ey*
é	[ɛ]	miséria	*é* is pronounced as in b*e*t
ê	[e]	pêlo	*ê* is pronounced as in th*ey*
i	[i]	vida	*i* is pronounced as in m*ea*n
o	[o]	locomotiva	unstressed (except final) *o* is pronounced as in l*o*cal;
	[ɔ]	loja	stressed *o* is pronounced either as in l*o*cal or as in r*o*ck
	[o]	globo	
-o	[u]	livro	final *o* is pronounced as in f*oo*t
ó	[ɔ]	óleo	*ó* is pronounced as in r*o*ck
ô	[o]	colônia	*ô* is pronounced as in l*o*cal
u	[u]	luva	*u* is pronounced as in r*u*le; it is silent in *gue, gui, que* and *qui*

DIPHTHONGS

ãe	[ãj]	mãe	nasalized, approximately as in fl*y*ing
ai	[aj]	vai	as is r*i*de
ao, au	[aw]	aos, auxílio	as is sh*ou*t
ão	[ãw]	vão	nasalized, approximately as in r*ou*nd
ei	[ej]	feira	as is th*ey*
eu	[ew]	d*eu*sa	both elements pronounced
oi	[oj]	b*oi*	as is t*oy*
ou	[o]	cen*ou*ra	as is l*o*cal
õe	[õj]	avi*õe*s	nasalized, approximately as in 'b*oi*ng!'

STRESS

The rules of stress in Portuguese are as follows:

(a)   when a word ends in *a, e, o, m* (except *im, um* and their plural forms) or *s*, the second last syllable is stressed;
camar*a*da; camar*a*das
p*a*rte; p*a*rtem

(b)   when a word ends in *i, u, im* (and plural), *um* (and plural), *n* or a consonant other than *m* or *s*, the stress falls on the last syllable: ven*di*, al*gum*, al*guns*, fa*lar*

(c)   when the rules set out in (a) and (b) are not applicable, an acute or circumflex accent appears over the stressed vowel: *ó*tica, *â*nimo, ing*lê*s

In the phonetic transcription, the symbol [¹] precedes the syllable on which the stress falls.

PRONÚNCIA INGLESA

VOGAIS

	Exemplo Inglês	Explicação
[a:]	father	Entre o a de padre e o o de nó; como em fada
[ʌ]	but, come	Aproximadamente como o primeiro a de cama
[æ]	man, cat	Som entre o a de lá e o e de pé
[ə]	father, ago	Som parecido com o e final pronunciado em Portugal
[ə:]	bird, heard	Entre o e aberto e o o fechado
[ε]	get, bed	Como em pé
[ɪ]	it, big	Mais breve do que em si
[i:]	tea, see	Como em fino
[ɔ]	hot, wash	Como em pó
[ɔ:]	saw, all	Como o o de porte
[u]	put, book	Som breve e mais fechado do que em burro
[u:]	too, you	Som aberto como em juro

DITONGOS

	Exemplo Inglês	Explicação
[aɪ]	fly, high	Como em baile
[au]	how, house	Como em causa
[εə]	there, bear	Como o e de aeroporto
[eɪ]	day, obey	Como o ei de lei
[ɪə]	here, hear	Como ia de companhia
[əu]	go, note	[ə] seguido de um u breve
[ɔɪ]	boy, oil	Como em bóia
[uə]	poor, sure	Como ua em sua

CONSOANTES

	Exemplo Inglês	Explicação
[d]	mended	Como em dado, andar
[g]	get, big	Como em grande
[dʒ]	gin, judge	Como em idade
[ŋ]	sing	Como em cinco
[h]	house, he	h aspirado
[j]	young, yes	Como em iogurte
[k]	come, mock	Como em cama
[r]	red, tread	r como em para, mas pronunciado no céu da boca
[s]	sand, yes	Como em sala
[z]	rose, zebra	Como em zebra

[ʃ]	she, machine	Como em *cha*péu
[tʃ]	chin, rich	Como *t* em *t*imbre
[w]	water, which	Como o *u* em á*g*ua
[ʒ]	vision	Como em *já*
[θ]	think, myth	Sem equivalente, aproximadamente como um *s* pronunciado entre os dentes
[ð]	this, the	Sem equivalente, aproximadamente como um *z* pronunciado entre os dentes

b, f, l, m, n, p, t, v pronunciam-se como em português.

O signo [*] indica que o r final escrito pronuncia-se apenas em inglês britânico, exceto quando a palavra seguinte começa por uma vogal. O signo ['] indica a sílaba acentuada.

PORTUGUESE SPELLING

The spelling of Portuguese as it is used in Europe differs significantly from that of Brazilian Portuguese. The differences, which affect consonant groups and accents, follow general patterns but do not on the whole conform to fixed rules. Limited space makes it impossible to cover all European forms in the dictionary text, but major differences in spelling and vocabulary have been included. In addition, the following guide is intended as a broad outline of these differences.

The following changes in spelling are consistent:

- Brazilian *güi* and *qüi* become European *gu* and *qu*, e.g. agüentar (BR), aguentar (PT); cinqüenta (BR), cinquenta (PT).
- Brazilian *-éia* becomes European *-eia*, e.g. idéia (BR), ideia (PT).
- European spelling links forms of the verb *haver de* with a hyphen, e.g. *hei de* (BR), *hei-de* (PT).
- The numbers dezesseis (BR), dezessete(BR), dezenove (BR) become dezasseis (PT), dezassete (PT), dezanove (PT).
- Adverbial forms of adjectives ending in *m* take double *m* in European spelling, single *m* in Brazilian, e.g. comu*m*ente (BR), comu*mm*ente (PT).
- European spelling adds an acute accent to the final *a* in first person plural preterite forms of irregular *-ar* verbs to distinguish them from the present tense, e.g. ama*m*os (BR), amá*m*os (PT).
- Brazilian conosco becomes European connosco.

The following changes may take place, but are not consistent:

CONSONANT CHANGES

- Brazilian *c* and *ç* double to *cc* and *cç*, acionista (BR), accionista (PT), seção (BR), secção (PT).
- Brazilian *t* becomes *ct*, e.g. elétrico (BR), eléctrico (PT).
- European spelling adds *b* to certain words, e.g. súdito (BR), súbdito (PT), sutilizar (BR), subtilizar (PT).
- European spelling changes *ç*, *t* to *pç*, *pt* , e.g. exceção (BR), excepção (PT), ótimo (BR), óptimo (PT).
- Brazilian *-n-* becomes *-mn-*, e.g. anistia (BR), amnistia (PT).
- Brazilian *tr* becomes *t*, e.g. registro (BR), registo (PT).

ACCENTUATION CHANGES

- Brazilian *ôo* loses circumflex accent, e.g. vôo (BR), voo (PT).
- European spelling changes circumflex accent on *e* and *o* to acute, e.g. tênis (BR), ténis (PT), abdômen (BR), abdómen (PT).

ENGLISH | PORTUGUESE

INGLÊS | PORTUGUÊS

abreviatura

abdomen ['æbdəmən] *n*
abdômen *m*

abduct [æb'dʌkt] *vt* seqüestrar

ability [ə'bɪlɪtɪ] *n* habilidade *f*,
capacidade *f*; (*talent*) talento

able ['eɪbl] *adj* capaz; (*skilled*) hábil,
competente; **to be ~ to do sth**
poder fazer algo

abnormal [æb'nɔ:məl] *adj*
anormal

aboard [ə'bɔ:d] *adv* a bordo ▷*prep*
a bordo de

abolish [ə'bɔlɪʃ] *vt* abolir

aborigine [æbə'rɪdʒɪnɪ] *n*
aborígene *m/f*

abort [ə'bɔ:t] *vt* (*Med*) abortar;
(*plan*) cancelar; **abortion** *n* aborto;
to have an abortion fazer um
aborto, abortar

○ KEYWORD

about [ə'baut] *adv* **1** (*approximately*)
aproximadamente; **it takes ~ 10
hours** leva mais ou menos 10 horas;
it's just ~ finished está quase
terminado
2 (*referring to place*) por toda parte,
por todo lado; **to run/walk** *etc* **~**
correr/andar *etc* por todos os lados
3: **to be ~ to do sth** estar a ponto
de fazer algo
▷*prep* **1** (*relating to*) acerca de, sobre;
what is it ~? do que se trata?, é
sobre o quê?; **what** *or* **how ~ doing
this?** que tal se fizermos isso?
2 (*place*) em redor de, por

A [eɪ] *n* (*Mus*) lá *m*

○ KEYWORD

a [eɪ, ə] *indef art* (*before vowel or
silent h: an*) **1** um(a); **~ book/girl** um
livro/uma menina; **an apple** uma
maçã; **she's ~ doctor** ela é médica
2 (*instead of the number "one"*) um(a);
~ year ago há um ano, um ano
atrás; **~ hundred/thousand** *etc*
pounds cem/mil *etc* libras
3 (*in expressing ratios, prices etc*): **3 ~
day/week** 3 por dia/semana; **10 km
an hour** 10 km por hora; **30p ~ kilo**
30p o quilo

aback [ə'bæk] *adv*: **to be taken ~**
ficar surpreendido, sobressaltar-se

abandon [ə'bændən] *vt*
abandonar ▷*n*: **with ~** com
desenfreio

abbey ['æbɪ] *n* abadia, mosteiro

abbreviation [əbri:vɪ'eɪʃən] *n*

above [ə'bʌv] *adv* em *or* por cima,
acima; (*greater*) acima ▷*prep* acima
de, por cima de; (*greater than: in
rank*) acima de; (: *in number*) mais de;
~ all sobretudo

abroad [ə'brɔ:d] *adv* (*be*) no
estrangeiro; (*go*) ao estrangeiro

abrupt [ə'brʌpt] *adj* (*sudden*)
brusco; (*curt*) ríspido

abscess ['æbsɪs] *n* abscesso (BR),
abcesso (PT)

absence ['æbsəns] *n* ausência

absent ['æbsənt] *adj* ausente;
absent-minded *adj* distraído

absolute ['æbsəlu:t] *adj* absoluto;
absolutely [æbsə'lu:tlɪ] *adv*
absolutamente

absorb [əb'zɔ:b] *vt* absorver;
(*business*) incorporar; (*changes*)
assimilar; (*information*) digerir;
absorbent cotton (US) *n* algodão
m hidrófilo

abstain [əb'steɪn] *vi*: **to ~ (from)**
abster-se (de)

abstract ['æbstrækt] *adj* abstrato

absurd [əb'sə:d] *adj* absurdo

abuse [*n* ə'bju:s, *vb* ə'bju:z] *n*
(*insults*) insultos *mpl*; (*ill-treatment*)
maus-tratos *mpl*; (*misuse*) abuso
▷*vt* insultar; maltratar; abusar de;
abusive [ə'bju:sɪv] *adj* ofensivo

abysmal [ə'bɪzməl] *adj* (*ignorance*)
profundo, total; (*failure*) péssimo

academic [ækə'dɛmɪk] *adj*
acadêmico; (*pej: issue*) teórico ▷*n*
universitário(-a)

academy [ə'kædəmɪ] *n* (*learned
body*) academia; **~ of music**
conservatório

accelerate [æk'sɛləreɪt] *vt*, *vi*
acelerar; **accelerator** *n* acelerador *m*

accent ['æksɛnt] *n* (*written*)
acento; (*pronunciation*) sotaque *m*;
(*fig: emphasis*) ênfase *f*

accept [ək'sɛpt] *vt* aceitar;
(*responsibility*) assumir;
acceptable *adj* (*offer*) bem-vindo;
(*risk*) aceitável; **acceptance** *n*
aceitação *f*

access ['æksɛs] *n* acesso;
accessible [æk'sɛsəbl] *adj*
acessível; (*available*) disponível

accessory [æk'sɛsərɪ] *n* acessório;

(*Law*): **~ to** cúmplice *m/f* de

accident ['æksɪdənt] *n* acidente
m; (*chance*) casualidade *f*; **by ~**
(*unintentionally*) sem querer; (*by
coincidence*) por acaso; **accidental**
[æksɪ'dɛntl] *adj* acidental;
accidentally [æksɪ'dɛntəlɪ] *adv*
sem querer

acclaim [ə'kleɪm] *n* aclamação *f*

accommodate [ə'kɔmədeɪt]
vt alojar; (*subj: car, hotel, etc*)
acomodar; (*oblige, help*) comprazer
a; **accommodation** [əkɔmə'deɪʃən]
n alojamento; **accommodations**
(US) *npl* = **accommodation**

accompany [ə'kʌmpənɪ] *vt*
acompanhar

accomplice [ə'kʌmplɪs] *n*
cúmplice *m/f*

accomplish [ə'kʌmplɪʃ] *vt*
(*task*) concluir; (*goal*) alcançar;
accomplishment *n* realização *f*

accord [ə'kɔ:d] *n* tratado ▷*vt*
conceder; **of his own ~** por sua
iniciativa; **accordance** [ə'kɔ:dəns]
n: **in accordance with** de acordo
com; **according: according to** *prep*
segundo, conforme; **accordingly**
adv por conseguinte; (*appropriately*)
do modo devido

account [ə'kaunt] *n* conta; (*report*)
relato; **~s** *npl* (*books, department*)
contabilidade *f*; **of no ~** sem
importância; **on ~** por conta; **on
no ~** de modo nenhum; **on ~ of**
por causa de; **to take into ~, take
~ of** levar em conta; **account for**
vt fus (*explain*) explicar; (*represent*)
representar; **accountant** *n*
contador(a) *m/f*(BR), contabilista
m/f(PT); **account number** *n*
número de conta

accumulate [ə'kju:mjuleɪt] *vt*
acumular ▷*vi* acumular-se

accuracy ['ækjurəsɪ] *n* exatidão
f, precisão *f*

accurate ['ækjurɪt] *adj*
(*description*) correto; (*person, device*)
preciso; **accurately** *adv* com
precisão

accusation [ækjuˈzeɪʃən] *n* (*act*)
incriminação *f*; (*instance*) acusação *f*

accuse [əˈkjuːz] *vt* acusar;
accused *n*: **the accused** o acusado
(a acusada)

ace [eɪs] *n* ás *m*

ache [eɪk] *n* dor *f* ▷ *vi* (*yearn*): **to ~
to do sth** ansiar por fazer algo; **my
head ~s** dói-me a cabeça

achieve [əˈtʃiːv] *vt* alcançar;
(*victory, success*) obter;
achievement *n* realização *f*;
(*success*) proeza

acid ['æsɪd] *adj* ácido; (*taste*) azedo
▷ *n* ácido

acknowledge [əkˈnɔlɪdʒ]
vt (*fact*) reconhecer; (*also*: **~
receipt of**) acusar o recebimento
de (BR) or a recepção de (PT);
acknowledgement *n* notificação *f*
de recebimento

acne ['æknɪ] *n* acne *f*

acorn ['eɪkɔːn] *n* bolota

acoustic [əˈkuːstɪk] *adj* acústico

acquire [əˈkwaɪə*] *vt* adquirir

acquit [əˈkwɪt] *vt* absolver; **to ~
o.s. well** desempenhar-se bem

acre ['eɪkə*] *n* acre *m* (= 4047m²)

across [əˈkrɔs] *prep* (*on the other
side of*) no outro lado de; (*crosswise*)
através de ▷ *adv*: **to go (**or **walk)
~** atravessar; **the lake is 12km ~**
o lago tem 12km de largura; **~ from**
em frente de

acrylic [əˈkrɪlɪk] *adj* acrílico ▷ *n*
acrílico

act [ækt] *n* ação *f*; (*Theatre*) ato;
(*in show*) número; (*Law*) lei *f* ▷ *vi*
tomar ação; (*behave, have effect,
Theatre*) agir; (*pretend*) fingir ▷ *vt*
(*part*) representar; **in the ~ of** no
ato de; **to ~ as** servir de; **acting** *adj*

interino ▷ *n*: **to do some acting**
fazer teatro

action ['ækʃən] *n* ação *f*; (*Mil*)
batalha, combate *m*; (*Law*) ação
judicial; **out of ~** (*person*) fora de
combate; (*thing*) com defeito;
to take ~ tomar atitude; **action
replay** *n* (TV) replay *m*

activate ['æktɪveɪt] *vt* acionar

active ['æktɪv] *adj* ativo; (*volcano*)
em atividade; **actively** *adv*
ativamente; **activity** [ækˈtɪvɪtɪ] *n*
atividade *f*

actor ['æktə*] *n* ator *m*

actress ['æktrɪs] *n* atriz *f*

actual ['æktjuəl] *adj* real; (*emphatic
use*) em si; **actually** *adv* realmente;
(*in fact*) na verdade; (*even*) mesmo

acute [əˈkjuːt] *adj* agudo; (*person*)
perspicaz

ad [æd] *n abbr* = **advertisement**

A.D. *adv abbr* (= *Anno Domini*) d.C.

adamant ['ædəmənt] *adj*
inflexível

adapt [əˈdæpt] *vt* adaptar ▷ *vi*: **to ~
(to)** adaptar-se (a); **adapter** *n* (*Elec*)
adaptador *m*

add [æd] *vt* acrescentar; (*figures:
also*: **~ up**) somar ▷ *vi*: **to ~ to**
aumentar

addict ['ædɪkt] *n* viciado(-a);
drug ~ toxicômano(-a); **addicted**
[əˈdɪktɪd] *adj*: **to be addicted to**
ser viciado em; (*fig*) ser fanático
por; **addiction** *n* dependência;
addictive *adj* que causa
dependência

addition [əˈdɪʃən] *n* adição *f*; (*thing
added*) acréscimo; **in ~** além disso;
in ~ to além de; **additional** *adj*
adicional

additive ['ædɪtɪv] *n* aditivo

address [əˈdrɛs] *n* endereço;
(*speech*) discurso ▷ *vt* (*letter*)
endereçar; (*speak to*) dirigir-se a,
dirigir a palavra a; **to ~ (o.s. to)**

enfocar

adequate [ˈædɪkwɪt] adj (enough) suficiente; (satisfactory) satisfatório

adhere [ədˈhɪəʳ] vi: **to ~ to** aderir a; (abide by) ater-se a

adhesive [ədˈhiːzɪv] n adesivo

adjective [ˈædʒɛktɪv] n adjetivo

adjoining [əˈdʒɔɪnɪŋ] adj adjacente

adjourn [əˈdʒəːn] vt (session) suspender ▷ vi ser suspenso

adjust [əˈdʒʌst] vt (change) ajustar; (clothes) arrumar; (machine) regular ▷ vi: **to ~ (to)** adaptar-se (a); **adjustment** n ajuste m; (of engine) regulagem f; (of prices, wages) reajuste m; (of person) adaptação f

administer [ədˈmɪnɪstəʳ] vt administrar; (justice) aplicar; (drug) ministrar; **administration** [ədmɪnɪsˈtreɪʃən] n administração f; (management) gerência; (government) governo; **administrative** [ədˈmɪnɪstrətɪv] adj administrativo

admiral [ˈædmərəl] n almirante m

admire [ədˈmaɪəʳ] vt (respect) respeitar; (appreciate) admirar

admission [ədˈmɪʃən] n (admittance) entrada; (fee) ingresso; (confession) confissão f

admit [ədˈmɪt] vt admitir; (accept) aceitar; (confess) confessar; **admit to** vt fus confessar; **admittance** n entrada; **admittedly** adv evidentemente

adolescent [ædəʊˈlɛsnt] adj, n adolescente m/f

adopt [əˈdɔpt] vt adotar; **adopted** adj adotivo; **adoption** n adoção f

adore [əˈdɔːʳ] vt adorar

Adriatic (Sea) [eɪdrɪˈætɪk-] n (mar m) Adriático

adrift [əˈdrɪft] adv à deriva

adult [ˈædʌlt] n adulto(-a) ▷ adj adulto; (literature, education) para

adultos

adultery [əˈdʌltərɪ] n adultério

advance [ədˈvɑːns] n avanço; (money) adiantamento ▷ adj antecipado ▷ vt (money) adiantar ▷ vi (move) avançar; (progress) progredir; **in ~** com antecedência; **to make ~s to sb** fazer propostas a alguém; **advanced** adj adiantado

advantage [ədˈvɑːntɪdʒ] n (gen, Tennis) vantagem f; (supremacy) supremacia; **to take ~ of** aproveitar-se de, levar vantagem de

adventure [ədˈvɛntʃəʳ] n façanha; (excitement in life) aventura

adverb [ˈædvəːb] n advérbio

adverse [ˈædvəːs] adj (effect) contrário; (weather, publicity) desfavorável

advert [ˈædvəːt] n abbr = **advertisement**

advertise [ˈædvətaɪz] vi anunciar ▷ vt (event, job) anunciar; (product) fazer a propaganda de; **to ~ for** (staff) procurar; **advertisement** [ədˈvəːtɪsmənt] n (classified) anúncio; (display, TV) propaganda, anúncio; **advertising** n publicidade f

advice [ədˈvaɪs] n conselhos mpl; (notification) aviso; **piece of ~** conselho; **to take legal ~** consultar um advogado

advise [ədˈvaɪz] vt aconselhar; (inform): **to ~ sb of sth** avisar alguém de algo; **to ~ sb against sth/doing sth** desaconselhar algo a alguém/aconselhar alguém a não fazer algo; **advisory** adj consultivo; **in an advisory capacity** na qualidade de assessor or consultor

advocate [vb ˈædvəkeɪt, n ˈædvəkɪt] vt defender; (recommend) advogar ▷ n advogado(-a); (supporter) defensor(a) m/f

Aegean [iːˈdʒiːən] n: **the ~ (Sea)** o

(mar) Egeu

aerial [ˈɛərɪəl] n antena ▷adj aéreo

aerobics [ɛəˈrəʊbɪks] n ginástica

aeroplane [ˈɛərəpleɪn] (BRIT) n
avião m

aerosol [ˈɛərəsɔl] n aerossol m

affair [əˈfɛə*] n (matter) assunto;
(business) negócio; (question)
questão f; (also: love ~) caso

affect [əˈfɛkt] vt afetar; (move)
comover; **affected** adj afetado

affection [əˈfɛkʃən] n afeto,
afeição f; **affectionate** adj
afetuoso

afflict [əˈflɪkt] vt afligir

affluent [ˈæfluənt] adj rico; **the
affluent society** a sociedade de
abundância

afford [əˈfɔːd] vt (provide) fornecer;
(goods etc) ter dinheiro suficiente
para; (permit o.s.): **I can't ~ the
time/to take that risk** não tenho
tempo/não posso correr esse risco

afraid [əˈfreɪd] adj assustado; **to
be ~ of/to** ter medo de; **I am ~ that**
lamento que; **I'm ~ so/not** receio
que sim/não

Africa [ˈæfrɪkə] n África; **African**
adj, n africano(-a)

after [ˈɑːftə*] prep depois de
▷adv depois ▷conj depois que; **a
quarter ~ two** (US) duas e quinze;
what/who are you ~? o que você
quer?/quem procura?; **~ having
done** tendo feito; **he was named
~ his grandfather** ele recebeu o
nome do avô; **to ask ~ sb** perguntar
por alguém; **~ all** afinal (de contas);
~ you! passe primeiro!; **aftermath**
n conseqüências fpl; **afternoon**
n tarde f; **after-shave (lotion)** n
loção f após-barba; **aftersun** n
loção f pós-sol; **afterwards** adv
depois

again [əˈgɛn] adv (once more) outra
vez; (repeatedly) de novo; **to do sth**

~ voltar a fazer algo; **not ... ~!** ... de
novo!; **~ and ~** repetidas vezes

against [əˈgɛnst] prep contra;
(compared to) em contraste com

age [eɪdʒ] n idade f; (period) época
▷vt, vi envelhecer; **he's 20 years of
~** ele tem 20 anos de idade; **to come
of ~** atingir a maioridade; **it's been
~s since I saw him** faz muito tempo
que eu não o vejo; **age group** n
faixa etária; **age limit** n idade f
mínima/máxima

agency [ˈeɪdʒənsɪ] n agência;
(government body) órgão m

agenda [əˈdʒɛndə] n ordem f
do dia

agent [ˈeɪdʒənt] n agente m/f

aggravate [ˈægrəveɪt] vt agravar;
(annoy) irritar

aggressive [əˈgrɛsɪv] adj
agressivo

AGM n abbr (= annual general
meeting) AGO f

ago [əˈgəʊ] adv: **2 days ~** há 2 dias
(atrás); **not long ~** há pouco tempo;
how long ~? há quanto tempo?

agony [ˈægənɪ] n (pain) dor f; **to be
in ~** sofrer dores terríveis

agree [əˈgriː] vt combinar ▷vi
(correspond) corresponder; **to
~ (with)** concordar (com); **to
~ to sth/to do sth** consentir
algo/aceitar fazer algo; **to ~
that** concordar or admitir que;
agreeable adj agradável; (willing)
disposto; **agreed** adj combinado;
agreement n acordo; (Comm)
contrato; **in agreement** de acordo

agricultural [ægrɪˈkʌltʃərəl] adj
(of crops) agrícola; (of crops and
cattle) agropecuário

agriculture [ˈægrɪkʌltʃə*] n (of
crops) agricultura; (of crops and
cattle) agropecuária

ahead [əˈhɛd] adv adiante; **go
right or straight ~** siga em frente;

go ~! (*fig*) vá em frente!; **~ of** na frente de

aid [eɪd] *n* ajuda; (*device*) aparelho ▷*vt* ajudar; **in ~ of** em benefício de; **to ~ and abet** (*Law*) ser cúmplice de

AIDS [eɪdz] *n abbr* (= *acquired immune deficiency syndrome*) AIDS *f* (*BR*), SIDA *f* (*PT*)

aim [eɪm] *vt*: **to ~ sth (at)** apontar algo (para); (*remark*) dirigir algo (a) ▷*vi* (*also*: **take ~**) apontar ▷*n* (*skill*) pontaria; (*objective*) objetivo; **to ~ at** mirar; **to ~ to do** pretender fazer

ain't [eɪnt] (*inf*) = **am not; aren't; isn't**

air [ɛə*] *n* ar *m*; (*appearance*) aparência, aspeto; (*tune*) melodia ▷*vt* arejar; (*grievances, ideas*) discutir ▷*cpd* aéreo; **to throw sth into the ~** jogar algo para cima; **by ~** (*travel*) de avião; **on the ~** (*Radio, TV*) no ar; **airbed** (*BRIT*) *n* colchão *m* de ar; **air conditioning** *n* ar condicionado; **aircraft** *n inv* aeronave *f*; **airfield** *n* campo de aviação; **Air Force** *n* Força Aérea, Aeronáutica; **air hostess** (*BRIT*) *n* aeromoça (*BR*), hospedeira (*PT*); **airline** *n* linha aérea; **airliner** *n* avião *m* de passageiros; **airmail** *n*: **by airmail** por via aérea; **airplane** (*US*) *n* avião *m*; **airport** *n* aeroporto; **airsick** *adj*: **to be airsick** enjoar (no avião); **airtight** *adj* hermético; **airy** *adj* (*room*) arejado; (*manner*) leviano

aisle [aɪl] *n* (*of church*) nave *f*; (*of theatre etc*) corredor *m*

ajar [ə'dʒɑ:*] *adj* entreaberto

alarm [ə'lɑ:m] *n* alarme *m*; (*anxiety*) inquietação *f* ▷*vt* alarmar; **alarm clock** *n* despertador *m*

album ['ælbəm] *n* (*for stamps etc*) álbum *m*; (*record*) elepê *m*

alcohol ['ælkəhɔl] *n* álcool *m*; **alcohol-free** *adj* sem álcool; **alcoholic** [ælkə'hɔlɪk] *adj*

alcoólico ▷*n* alcoólatra *m/f*

ale [eɪl] *n* cerveja

alert [ə'lə:t] *adj* atento; (*to danger, opportunity*) alerta ▷*n* alerta ▷*vt* alertar; **to be on the ~** estar alerta; (*Mil*) ficar de prontidão

Algarve [æl'gɑ:v] *m*: **the ~** o Algarve

algebra ['ældʒɪbrə] *n* álgebra

Algeria [æl'dʒɪərɪə] *n* Argélia

alias ['eɪlɪəs] *adv* também chamado ▷*n* (*of criminal*) alcunha; (*of writer*) pseudônimo

alibi ['ælɪbaɪ] *n* álibi *m*

alien ['eɪlɪən] *n* estrangeiro(-a); (*from space*) alienígena *m/f* ▷*adj*: **~ to** alheio a

alight [ə'laɪt] *adj* em chamas; (*eyes*) aceso; (*expression*) intento ▷*vi* (*passenger*) descer (de um veículo); (*bird*) pousar

alike [ə'laɪk] *adj* semelhante ▷*adv* similarmente, igualmente; **to look ~** parecer-se

alive [ə'laɪv] *adj* vivo; (*lively*) alegre

○ KEYWORD

all [ɔ:l] *adj* (*sg*) todo(-a); (*pl*) todos(-as); **~ day/night** o dia inteiro/a noite inteira; **~ five came** todos os cinco vieram; **~ the books/food** todos os livros/toda a comida
▷*pron* **1** tudo; **~ of us/the boys went** todos nós fomos/todos os meninos foram; **is that ~?** é só isso?; (*in shop*) mais alguma coisa?
2 (*in phrases*): **above ~** sobretudo; **after ~** afinal (de contas); **at ~**: **not at ~** (*in answer to question*) em absoluto, absolutamente não; **I'm not at ~ tired** não estou nada cansado; **anything at ~ will do** qualquer coisa serve; **~ in ~** ao todo
▷*adv* todo, completamente; **~**

alone completamente só; **it's not as hard as ~ that** não é tão difícil assim; **~ the more** ainda mais; **~ the better** tanto melhor, melhor ainda; **~ but** quase; **the score is 2 ~** o escore é 2 a 2

allegiance [əˈliːdʒəns] *n* lealdade *f*
allergic [əˈləːdʒɪk] *adj*: **~ (to)** alérgico (a)
allergy [ˈælədʒɪ] *n* alergia *f*
alleviate [əˈliːvɪeɪt] *vt* (*pain*) aliviar; (*difficulty*) minorar
alley [ˈælɪ] *n* viela
alliance [əˈlaɪəns] *n* aliança
all-in (BRIT) *adj, adv* (*charge*) tudo incluído
allocate [ˈæləkeɪt] *vt* destinar
allot [əˈlɔt] *vt*: **to ~ to** designar para
all-out *adj* (*effort etc*) máximo ▷*adv*: **all out** com toda a força
allow [əˈlau] *vt* permitir; (*claim, goal*) admitir; (*sum, time*) calcular; (*concede*) conceder; **to ~ that** reconhecer que; **to ~ sb to do** permitir a alguém fazer; **allow for** *vt fus* levar em conta; **allowance** [əˈlauəns] *n* ajuda de custo; (*welfare payment*) pensão *f*, auxílio; (*Tax*) abatimento; (*pocket money*) mesada; **to make allowances for** levar em consideração
all: **all right** *adv* (*well*) bem; (*correctly*) corretamente; (*as answer*) está bem!
ally [*n* ˈælaɪ, *vb* əˈlaɪ] *n* aliado ▷*vt*: **to ~ o.s. with** aliar-se com
almighty [ɔːlˈmaɪtɪ] *adj* onipotente; (*row etc*) a maior
almond [ˈɑːmənd] *n* amêndoa
almost [ˈɔːlməust] *adv* quase
alone [əˈləun] *adj* só, sozinho; (*unaided*) sozinho ▷*adv* só, somente, sozinho; **to leave sb ~** deixar alguém em paz; **to leave sth ~** não tocar em algo; **let ~ ...** sem

falar em ...
along [əˈlɔŋ] *prep* por, ao longo de ▷*adv*: **is he coming ~?** ele vem conosco?; **he was hopping/ limping ~** ele ia pulando/coxeando; **~ with** junto com; **all ~** o tempo tudo; **alongside** *prep* ao lado de ▷*adv* encostado
aloof [əˈluːf] *adj* afastado, altivo ▷*adv*: **to stand ~** afastar-se
aloud [əˈlaud] *adv* em voz alta
alphabet [ˈælfəbɛt] *n* alfabeto
Alps [ælps] *npl*: **the ~** os Alpes
already [ɔːlˈrɛdɪ] *adv* já
alright [ˈɔːlˈraɪt] (BRIT) *adv* = **all right**
also [ˈɔːlsəu] *adv* também; (*moreover*) além disso
altar [ˈɔltəʳ] *n* altar *m*
alter [ˈɔltəʳ] *vt* alterar ▷*vi* modificar-se
alternate [*adj* ɔlˈtəːnɪt, *vb* ˈɔltəːneɪt] *adj* alternado; (US: *alternative*) alternativo ▷*vi* alternar-se; **alternating current** corrente *f* alternada
alternative [ɔlˈtəːnətɪv] *adj* alternativo ▷*n* alternativa; **alternatively** *adv*: **alternatively one could ...** por outro lado se podia ...
although [ɔːlˈðəu] *conj* embora; (*given that*) se bem que
altitude [ˈæltɪtjuːd] *n* altitude *f*
altogether [ɔːltəˈgɛðəʳ] *adv* totalmente; (*on the whole*) no total
aluminium [æljuˈmɪnɪəm] (US **aluminum**) *n* alumínio
always [ˈɔːlweɪz] *adv* sempre
am [æm] *vb see* **be**
a.m. *adv abbr* (= *ante meridiem*) da manhã
amateur [ˈæmətəʳ] *adj, n* amador(a) *m/f*
amaze [əˈmeɪz] *vt* pasmar; **to be ~d (at)** espantar-se (de *or* com);

amazement n pasmo, espanto;
amazing adj surpreendente;
(fantastic) fantástico
Amazon ['æməzən] n Amazonas m
ambassador [æm'bæsədə°] n
embaixador (embaixatriz) m/f
amber ['æmbə°] n âmbar m; **at ~**
(BRIT: Aut) em amarelo
ambiguous [æm'bɪgjuəs] adj
ambíguo
ambition [æm'bɪʃən] n ambição f;
ambitious adj ambicioso
ambulance ['æmbjuləns] n
ambulância
ambush ['æmbuʃ] n emboscada
▷vt emboscar
amend [ə'mɛnd] vt emendar; **to
make ~s (for)** compensar
amenities [ə'mi:nɪtɪz] npl atrações
fpl, comodidades fpl
America [ə'mɛrɪkə] n (continent)
América; (USA) Estados Unidos mpl;
American adj americano; norte-
americano, estadunidense ▷n
americano(-a);
norte-americano(-a)
amicable ['æmɪkəbl] adj amigável
amid(st) [ə'mɪd(st)] prep em
meio a
ammunition [æmju'nɪʃən] n
munição f
among(st) [ə'mʌŋ(st)] prep entre,
no meio de
amount [ə'maunt] n quantidade
f; (of money etc) quantia ▷vi: **to ~
to** (total) montar a; (be same as)
equivaler a, significar
amp(ère) ['æmp(ɛə°)] n ampère m
ample ['æmpl] adj amplo;
(abundant) abundante; (enough)
suficiente
amplifier ['æmplɪfaɪə°] n
amplificador m
amuse [ə'mju:z] vt divertir;
(distract) distrair; **amusement** n
diversão f; (pleasure) divertimento;

(pastime) passatempo
an [æn, ən, n] indef art see **a**
anaesthetic [ænɪs'θɛtɪk] (US
anesthetic) n anestésico
analyse ['ænəlaɪz] (US **analyze**)
vt analisar; **analysis** [ə'næləsɪs]
(pl **analyses**) n análise f; **analyst**
['ænəlɪst] n analista m/f;
(psychoanalyst) psicanalista m/f
analyze ['ænəlaɪz] (US) vt =
analyse
anarchy ['ænəkɪ] n anarquia
anatomy [ə'nætəmɪ] n anatomia
ancestor ['ænsɪstə°] n
antepassado
anchor ['æŋkə°] n âncora ▷vi (also:
to drop ~) ancorar, fundear ▷vt
(fig): **to ~ sth to** firmar algo em; **to
weigh ~** levantar âncoras
anchovy ['æntʃəvɪ] n enchova
ancient ['eɪnʃənt] adj antigo;
(person, car) velho
and [ænd] conj e; **~ so on** e assim
por diante; **try ~ come** tente vir; **he
talked ~ talked** ele falou sem parar;
better ~ better cada vez melhor
Andes ['ændi:z] npl: **the ~** os Andes
angel ['eɪndʒəl] n anjo
anger ['æŋgə°] n raiva
angina [æn'dʒaɪnə] n angina
(de peito)
angle ['æŋgl] n ângulo; (viewpoint):
from their ~ do ponto de vista deles
Anglican ['æŋglɪkən] adj, n
anglicano(-a)
angling ['æŋglɪŋ] n pesca à vara
(BR) or à linha (PT)
angry ['æŋgrɪ] adj zangado; **to be
~ with sb/at sth** estar zangado
com alguém/algo; **to get ~**
zangar-se
anguish ['æŋgwɪʃ] n (physical) dor
f, sofrimento; (mental) angústia
animal ['ænɪməl] n animal m,
bicho ▷adj animal
aniseed ['ænɪsi:d] n erva-doce

f, anis *f*

ankle ['æŋkl] *n* tornozelo

annex [*n* 'ænɛks, *vb* ə'nɛks] *n* (*also*: BRIT: annexe: *building*) anexo ▷*vt* anexar

anniversary [ænɪ'vəːsərɪ] *n* aniversário

announce [ə'naʊns] *vt* anunciar; **announcement** *n* anúncio; (*official*) comunicação *f*; (*in letter etc*) aviso; **announcer** *n* (*Radio, TV*) locutor(a) *m/f*

annoy [ə'nɔɪ] *vt* aborrecer; **don't get ~ed!** não se aborreça!; **annoying** *adj* irritante

annual ['ænjuəl] *adj* anual ▷*n* (*Bot*) anual *m*; (*book*) anuário

anonymous [ə'nɔnɪməs] *adj* anônimo

anorak ['ænəræk] *n* anoraque *m* (BR), anorak *m* (PT)

another [ə'nʌðə°] *adj*: **~ book** (*one more*) outro livro, mais um livro; (*a different one*) um outro livro, um livro diferente ▷*pron* outro; *see also* **one**

answer ['ɑːnsə°] *n* resposta; (*to problem*) solução *f* ▷*vi* responder ▷*vt* (*reply to*) responder a; (*problem*) resolver; **in ~ to your letter** em resposta or respondendo à sua carta; **to ~ the phone** atender o telefone; **to ~ the bell** or **the door** atender à porta; **answer back** *vi* replicar, retrucar; **answer for** *vt fus* responder por, responsabilizar-se por; **answer to** *vt fus* (*description*) corresponder a; **answering machine** *n* secretária eletrônica

ant [ænt] *n* formiga

Antarctic [ænt'ɑːktɪk] *n*: **the ~** o Antártico

antenatal ['æntɪ'neɪtl] *adj* pré-natal

anthem ['ænθəm] *n*: **national ~** hino nacional

anticipate [æn'tɪsɪpeɪt] *vt* prever; (*expect*) esperar; (*look forward to*) aguardar, esperar; **anticipation** *n* expectativa; (*eagerness*) entusiasmo

anticlimax [æntɪ'klaɪmæks] *n* desapontamento

anticlockwise [æntɪ'klɔkwaɪz] (BRIT) *adv* em sentido anti-horário

antics ['æntɪks] *npl* bobices *fpl*; (*of child*) travessuras *fpl*

antifreeze ['æntɪfriːz] *n* anticongelante *m*

antihistamine [æntɪ'hɪstəmiːn] *n* anti-histamínico

antique [æn'tiːk] *n* antiguidade *f* ▷*adj* antigo; **antique shop** *n* loja de antiguidades

antiseptic [æntɪ'sɛptɪk] *n* anti-séptico

antisocial [æntɪ'səʊʃəl] *adj* anti-social

antivirus [æntɪ'vaɪərəs] *adj* antivírus *inv*; **~ software** software *m* (de) antivírus, antivírus *m*

antlers ['æntləz] *npl* esgalhos *mpl*, chifres *mpl*

anxiety [æŋ'zaɪətɪ] *n* (*worry*) inquietude *f*; (*Med*) ansiedade *f*; (*eagerness*): **~ to do** ânsia de fazer

anxious ['æŋkʃəs] *adj* (*worried*) preocupado; (*worrying*) angustiante; (*keen*): **~ to do** ansioso para fazer; **to be ~ that** desejar que

⭕ **KEYWORD**

any ['ɛnɪ] *adj* **1** (*in questions etc*) algum(a); **have you ~ butter/ children?** você tem manteiga/ filhos?; **if there are ~ tickets left** se houver alguns bilhetes sobrando **2** (*with negative*) nenhum(a); **I haven't ~ money/books** não tenho dinheiro/livros **3** (*no matter which*) qualquer; **choose ~ book you like** escolha

qualquer livro que quiser
4 (in phrases): **in ~ case** em todo
o caso; **~ day now** qualquer dia
desses; **at ~ moment** a qualquer
momento; **at ~ rate** de qualquer
modo; **~ time** a qualquer momento;
(whenever) quando quer que seja
▷pron **1** (in questions etc) algum(a);
have you got ~? tem algum?
2 (with negative) nenhum(a); **I
haven't ~ (of them)** não tenho
nenhum (deles)
3 (no matter which one(s)): **take ~
of those books (you like)** leve
qualquer um desses livros (que
você quiser)
▷adv **1** (in questions etc) algo; **do you
want ~ more soup/sandwiches?**
quer mais sopa/sanduíches?; **are
you feeling ~ better?** você está se
sentindo melhor?
2 (with negative) nada; **I can't hear
him ~ more** não consigo mais
ouvilo

anybody ['ɛnɪbɔdɪ] pron = **anyone**
anyhow ['ɛnɪhau] adv (at any rate)
de qualquer modo, de qualquer
maneira; (haphazard) de qualquer
jeito; **I shall go ~** eu irei de qualquer
jeito; **do it ~ you like** faça do
jeito que você quiser; **she leaves
things just ~** ela deixa as coisas de
qualquer maneira
anyone ['ɛnɪwʌn] pron (in questions
etc) alguém; (with negative)
ninguém; (no matter who) quem
quer que seja; **can you see ~?**
você pode ver alguém?; **if ~ should
phone ...** se alguém telefonar ...; **~
could do it** qualquer um(a) poderia
fazer isso
anything ['ɛnɪθɪŋ] pron (in
questions etc) alguma coisa; (with
negative) nada; (no matter what)
qualquer coisa; **can you see ~?** você

pode ver alguma coisa?
anyway ['ɛnɪweɪ] adv (at any
rate) de qualquer modo; (besides)
além disso; **I shall go ~** eu irei de
qualquer jeito
anywhere ['ɛnɪwɛə*] adv (in
questions etc) em algum lugar; (with
negative) em parte nenhuma; (no
matter where) não importa onde,
onde quer que seja; **can you see
him ~?** você pode vê-lo em algum
lugar?; **I can't see him ~** não o vejo
em parte nenhuma; **~ in the world**
em qualquer lugar do mundo
apart [ə'pɑːt] adv à parte, à
distância; (separately) separado;
(movement): **to move ~**
distanciar-se; (aside): **... ~,** ...
de lado, além de ...; **10 miles ~**
separados por 10 milhas; **to take ~**
desmontar; **~ from** com exceção de;
(in addition to) além de
apartment [ə'pɑːtmənt] (US) n
apartamento
ape [eɪp] n macaco ▷vt
macaquear, imitar
aperitif [ə'pɛrɪtɪv] n aperitivo
aperture ['æpətʃjuə*] n orifício;
(Phot) abertura
APEX n abbr (= advance purchase
excursion) tarifa aérea com desconto,
adquirida com antecedência
apologize [ə'pɔlədʒaɪz] vi: **to ~
(for sth to sb)** desculpar-se or pedir
desculpas (por or de algo a alguém);
apology n desculpas fpl
apostrophe [ə'pɔstrəfɪ] n
apóstrofo
appalling [ə'pɔːlɪŋ] adj horrível;
(ignorance) terrível
apparatus [æpə'reɪtəs] n
aparelho; (in gym) aparelhos mpl;
(organization) aparato
apparent [ə'pærənt] adj aparente;
(obvious) claro, patente; **apparently**
adv aparentemente, pelo(s) visto(s)

appeal [ə'pi:l] vi (Law) apelar, recorrer ▷n (Law) recurso, apelação f; (request) pedido; (plea) súplica; (charm) atração f; **to ~ (to sb) for sth** (request) pedir algo (a alguém); (plead) suplicar algo (a alguém); **to ~ to** atrair; **appealing** adj atraente

appear [ə'pɪə°] vi aparecer; (Law) apresentar-se, comparecer; (publication) ser publicado; (seem) parecer; **to ~ in "Hamlet"** trabalhar em "Hamlet"; **to ~ on TV** (person, news item) sair na televisão; (programme) passar na televisão; **appearance** n aparecimento; (presence) comparecimento; (look) aparência

appendicitis [əpɛndɪ'saɪtɪs] n apendicite f

appendix [ə'pɛndɪks] (pl **appendices**) n apêndice m

appetite ['æpɪtaɪt] n apetite m; (fig) desejo; **appetizer** n (food) tira-gosto; (drink) aperitivo

applaud [ə'plɔ:d] vi aplaudir ▷vt aplaudir; (praise) admirar; **applause** n aplausos mpl

apple ['æpl] n maçã f

appliance [ə'plaɪəns] n aparelho; **electrical** or **domestic ~s** eletrodomésticos mpl

applicant ['æplɪkənt] n (for post) candidato(-a); (for benefit etc) requerente m/f

application [æplɪ'keɪʃən] n aplicação f; (for a job, a grant etc) candidatura, requerimento; (hard work) esforço; **application form** n (formulário de) requerimento

apply [ə'plaɪ] vt (paint etc) usar; (law etc) pôr em prática ▷vi: **to ~ to** (be suitable for) ser aplicável a; (be relevant to) valer para; (ask) pedir; **to ~ for** (permit, grant) solicitar, pedir; (job) candidatar-se a; **to ~ o.s. to** aplicar-se a, dedicar-se a

appoint [ə'pɔɪnt] vt (to post) nomear; **appointment** n (engagement) encontro marcado, compromisso; (at doctor's etc) hora marcada; (act) nomeação f; (post) cargo; **to make an appointment (with sb)** marcar um encontro (com alguém)

appraisal [ə'preɪzl] n avaliação f

appreciate [ə'pri:ʃɪeɪt] vt (like) apreciar, estimar; (be grateful for) agradecer a; (understand) compreender ▷vi (Comm) valorizar-se; **appreciation** n apreciação f, estima; (understanding) compreensão f; (gratitude) agradecimento; (Comm) valorização f

apprehensive [æprɪ'hɛnsɪv] adj apreensivo, receoso

apprentice [ə'prɛntɪs] n aprendiz m/f

approach [ə'prəutʃ] vi aproximar-se ▷vt aproximar-se de; (ask, apply to) dirigir-se a; (subject, passer-by) abordar ▷n aproximação f; (access) acesso; (to problem, situation) enfoque m

appropriate [adj ə'prəuprɪɪt, vb ə'prəuprɪeɪt] adj (apt) apropriado; (relevant) adequado ▷vt apropriar-se de

approval [ə'pru:vəl] n aprovação f; **on ~** (Comm) a contento

approve [ə'pru:v] vt (publication, product) autorizar; (motion, decision) aprovar; **approve of** vt fus aprovar

approximate [ə'prɔksɪmɪt] adj aproximado; **approximately** adv aproximadamente

apricot ['eɪprɪkɔt] n damasco

April ['eɪprəl] n abril m

apron ['eɪprən] n avental m

apt [æpt] adj (suitable) adequado; (appropriate) apropriado; (likely): **~ to do** sujeito a fazer

Aquarius [əˈkwɛərɪəs] n Aquário

Arab [ˈærəb] adj, n árabe m/f

Arabian [əˈreɪbɪən] adj árabe

Arabic [ˈærəbɪk] adj árabe; (numerals) arábico ▷ n (Ling) árabe m

arbitrary [ˈɑːbɪtrərɪ] adj arbitrário

arbitration [ɑːbɪˈtreɪʃən] n arbitragem f

arcade [ɑːˈkeɪd] n arcos mpl; (passage with shops) galeria

arch [ɑːtʃ] n arco; (of foot) curvatura ▷ vt arquear, curvar

archaeology [ɑːkɪˈɔlədʒɪ] (US **archeology**) n arqueologia

archbishop [ɑːtʃˈbɪʃəp] n arcebispo

archeology etc [ɑːkɪˈɔlədʒɪ] (US) = **archaeology** etc

architect [ˈɑːkɪtɛkt] n arquiteto (-a); **architecture** n arquitetura

Arctic [ˈɑːktɪk] adj ártico ▷ n: **the ~** o Ártico

are [ɑː*] vb see **be**

area [ˈɛərɪə] n (zone) zona, região f; (part of place) região; (in room, of knowledge, experience) área; (Math) superfície f, extensão f; **area code** (US) n (Tel) código de discagem (BR), indicativo (PT)

aren't [ɑːnt] = **are not**

Argentina [ɑːdʒənˈtiːnə] n Argentina

arguably [ˈɑːgjuəblɪ] adv possivelmente

argue [ˈɑːgjuː] vi (quarrel) discutir; (reason) argumentar; **to ~ that** sustentar que

argument [ˈɑːgjumənt] n (reasons) argumento; (quarrel) briga, discussão f

Aries [ˈɛərɪz] n Áries m

arise [əˈraɪz] (pt **arose,** pp **arisen**) vi (emerge) surgir

arithmetic [əˈrɪθmətɪk] n aritmética

arm [ɑːm] n braço; (of clothing) manga; (of organization etc) divisão f ▷ vt armar; **~s** npl (weapons) armas fpl; (Heraldry) brasão m; **~ in ~** de braços dados

armchair [ˈɑːmtʃɛə*] n poltrona

armed [ɑːmd] adj armado

armour [ˈɑːmə*] (US **armor**) n armadura

armpit [ˈɑːmpɪt] n sovaco

armrest [ˈɑːmrɛst] n braço (de poltrona)

army [ˈɑːmɪ] n exército

aroma [əˈrəumə] n aroma; **aromatherapy** n aromaterapia

arose [əˈrəuz] pt of **arise**

around [əˈraund] adv em volta; (in the area) perto ▷ prep em volta de; (near) perto de; (fig: about) cerca de

arouse [əˈrauz] vt despertar; (anger) provocar

arrange [əˈreɪndʒ] vt (organize) organizar; (put in order) arrumar; **to ~ to do sth** combinar em or ficar de fazer algo; **arrangement** n (agreement) acordo; (order, layout) disposição f; **arrangements** npl (plans) planos mpl; (preparations) preparativos mpl; **home deliveries by arrangement** entregas a domicílio por convênio; **I'll make all the necessary arrangements** eu vou tomar todas as providências necessárias

array [əˈreɪ] n: **~ of** variedade f de

arrears [əˈrɪəz] npl atrasos mpl; **to be in ~ with one's rent** atrasar o aluguel

arrest [əˈrɛst] vt prender, deter; (sb's attention) chamar, prender ▷ n detenção f, prisão f; **under ~** preso

arrival [əˈraɪvəl] n chegada; **new ~** recém-chegado; (baby) recém-nascido

arrive [əˈraɪv] vi chegar

arrogant [ˈærəgənt] adj arrogante

arrow [ˈærəu] n flecha; (sign) seta

arse [ɑ:s] (BRIT: infl) n cu m (!)
arson ['ɑ:sn] n incêndio
premeditado
art [ɑ:t] n arte f; (skill) habilidade f,
jeito; **A~s** npl (Sch) letras fpl
artery ['ɑ:tərɪ] n (Med) artéria f; (fig)
estrada principal
art gallery n museu m de belas
artes; (small, private) galeria de arte
arthritis [ɑ:'θraɪtɪs] n artrite f
artichoke ['ɑ:tɪtʃəuk] n (also:
globe ~) alcachofra; (also:
Jerusalem ~) topinambo
article ['ɑ:tɪkl] n artigo; **~s** npl
(BRIT: Law: training) contrato de
aprendizagem; **~s of clothing**
peças fpl de vestuário
articulate [adj ɑ:'tɪkjulɪt, vb
ɑ:'tɪkjuleɪt] adj (speech) bem
articulado; (writing) bem escrito;
(person) eloqüente ▷vt expressar
artificial [ɑ:tɪ'fɪʃəl] adj artificial;
(manner) afetado
artist ['ɑ:tɪst] n artista m/f; (Mus)
intérprete m/f; **artistic** [ɑ:'tɪstɪk]
adj artístico
art school n ≈ escola de artes

O **KEYWORD**

as [æz, əz] conj 1 (time) quando; **~
the years went by** no decorrer dos
anos; **he came in ~ I was leaving**
ele chegou quando eu estava
saindo; **~ from tomorrow** a partir
de amanhã
2 (in comparisons) tão ... (como),
tanto(s) ... (como); **~ big ~** tão
grande como; **twice ~ big ~** duas
vezes maior que; **~ much/many
~** tanto/tantos como; **~ much
money/many books ~** tanto
dinheiro quanto/tantos livros
quanto; **~ soon ~** logo que, assim
que
3 (since, because) como

4 (referring to manner, way) como; **do
~ you wish** faça como quiser
5 (concerning): **~ for** or **to that**
quanto a isso
6: **~ if** or **though** como se; **he
looked ~ if he was ill** ele parecia
doente
▷prep (in the capacity of): **he works
~ a driver** ele trabalha como
motorista; **he gave it to me
~ a present** ele me deu isso de
presente; see also **long; such; well**

a.s.a.p. abbr = **as soon as possible**
asbestos [æz'bɛstəs] n asbesto,
amianto
ash [æʃ] n cinza; (tree, wood) freixo
ashamed [ə'feɪmd] adj
envergonhado; **to be ~ of** ter
vergonha de
ashore [ə'ʃɔ:°] adv em terra; **to go
~** descer à terra, desembarcar
ashtray ['æʃtreɪ] n cinzeiro
Asia ['eɪʃə] n Ásia; **Asian** adj, n
asiático(-a)
aside [ə'saɪd] adv à parte, de lado
▷n aparte m
ask [ɑ:sk] vt perguntar; (invite)
convidar; **to ~ sb sth/to do sth**
perguntar algo a alguém/pedir
para alguém fazer algo; **to ~ (sb)
a question** fazer uma pergunta
(a alguém); **to ~ sb out to dinner**
convidar alguém para jantar; **ask
after** vt fus perguntar por; **ask
for** vt fus pedir; **it's just ~ing for
trouble** é procurar encrenca
asleep [ə'sli:p] adj dormindo; **to
fall ~** dormir, adormecer
asparagus [əs'pærəgəs] n
aspargo (BR), espargo (PT)
aspect ['æspɛkt] n aspecto;
(direction in which a building etc faces)
direção f
aspire [əs'paɪə°] vi: **to ~ to** aspirar a
aspirin ['æsprɪn] n aspirina

ass [æs] n jumento, burro; (inf) imbecil m/f; (us: inf!) cu m (!)

assassinate [ə'sæsɪneɪt] vt assassinar

assault [ə'sɔːlt] n assalto; (Mil, fig) ataque m ▷vt assaltar, atacar; (sexually) agredir, violar

assemble [ə'sɛmbl] vt (people) reunir; (objects) juntar; (Tech) montar ▷vi reunir-se

assembly [ə'sɛmblɪ] n reunião f; (institution) assembléia

assert [ə'səːt] vt afirmar

assess [ə'sɛs] vt avaliar; (tax, damages) calcular; **assessment** n avaliação f, cálculo

asset ['æsɛt] n vantagem f, trunfo; **~s** npl (property, funds) bens mpl

assign [ə'saɪn] vt (date) fixar; **to ~ (to)** (task) designar (a); (resources) destinar (a); **assignment** n tarefa

assist [ə'sɪst] vt ajudar; **assistance** n ajuda, auxílio; **assistant** n assistente m/f, auxiliar m/f; (BRIT: also: **shop assistant**) vendedor(a) m/f

associate [adj, n ə'səʊʃɪɪt, vb ə'səʊʃɪeɪt] adj associado; (professor etc) adjunto ▷n sócio(-a) ▷vi: **to ~ with** associar-se com ▷vt associar; **association** [əsəʊsɪ'eɪʃən] n associação f; (link) ligação f

assorted [ə'sɔːtɪd] adj sortido

assortment [ə'sɔːtmənt] n (of shapes, colours) sortimento; (of books, people) variedade f

assume [ə'sjuːm] vt (suppose) supor, presumir; (responsibilities) assumir; (attitude, name) adotar, tomar; **assumption** [ə'sʌmpʃən] n suposição f, presunção f

assurance [ə'ʃuərəns] n garantia; (confidence) confiança; (insurance) seguro

assure [ə'ʃuə*] vt assegurar; (guarantee) garantir

asthma ['æsmə] n asma

astonish [ə'stɒnɪʃ] vt assombrar, espantar; **astonishment** n assombro, espanto

astound [ə'staund] vt pasmar, estarrecer

astray [ə'streɪ] adv: **to go ~** extraviar-se; **to lead ~** desencaminhar

astrology [əs'trɒlədʒɪ] n astrologia

astronaut ['æstrənɔːt] n astronauta m/f

astronomy [əs'trɒnəmɪ] n astronomia

asylum [ə'saɪləm] n (refuge) asilo; (hospital) manicômio

○ **KEYWORD**

at [æt] prep **1** (referring to position) em; (referring to direction) a; **~ the top** em cima; **~ home** em casa; **to look ~ sth** olhar para algo
2 (referring to time): **~ 4 o'clock** às quatro horas; **~ night** à noite; **~ Christmas** no Natal; **~ times** às vezes
3 (referring to rates, speed etc): **~ £1 a kilo** a uma libra o quilo; **two ~ a time** de dois em dois
4 (referring to manner): **~ a stroke** de um golpe; **~ peace** em paz
5 (referring to activity): **to be ~ work** estar no trabalho; **to play ~ cowboys** brincar de mocinho
6 (referring to cause): **to be shocked/ surprised/annoyed ~ sth** ficar chocado/surpreso/chateado com algo; **I went ~ his suggestion** eu fui por causa da sugestão dele
7 (symbol @) arroba

ate [eɪt] pt of **eat**

atheist ['eɪθɪɪst] n ateu (atéia) m/f

Athens ['æθɪnz] n Atenas

athlete ['æθli:t] n atleta m/f;
athletic [æθ'letɪk] adj atlético;
athletics n atletismo
Atlantic [ət'læntɪk] adj atlântico
▷n: **the ~ (Ocean)** o (oceano)
Atlântico
atlas ['ætləs] n atlas m inv
ATM n abbr (= automated telling
machine) caixa m automática
atmosphere ['ætməsfɪə*] n
atmosfera; (of place) ambiente m
atom ['ætəm] n átomo; **atomic**
[ə'tɒmɪk] adj atômico
attach [ə'tætʃ] vt prender;
(document) juntar, anexar;
(importance etc) dar; **to be ~ed
to sb/sth** (like) ter afeição por
alguém/algo
attachment [ə'tætʃmənt] n (tool)
acessório; (to e-mail) anexo; (love): ~
(to) afeição f(por)
attack [ə'tæk] vt atacar; (subj:
criminal) assaltar; (task etc)
empreender ▷n ataque m; (on
sb's life) atentado; **heart ~** ataque
cardíaco or de coração
attain [ə'teɪn] vt (also: ~ **to**:
happiness, results) alcançar, atingir;
(: knowledge) obter
attempt [ə'tempt] n tentativa ▷vt
tentar; **to make an ~ on sb's life**
atentar contra a vida de alguém;
attempted theft tentativa de
roubo
attend [ə'tend] vt (lectures)
assistir a; (school) cursar; (church)
ir a; (course) fazer; (patient)
tratar; **attend to** vt fus (matter)
encarregar-se de; (needs, customer)
atender a; (patient) tratar de;
attendance n comparecimento;
(people present) assistência;
attendant n servidor(a) m/f ▷adj
concomitante
attention [ə'tenʃən] n atenção
f; (care) cuidados mpl ▷excl (Mil)

sentido!; **for the ~ of ...** (Admin)
atenção ...
attic ['ætɪk] n sótão m
attitude ['ætɪtjuːd] n atitude f
attorney [ə'tə:nɪ] n (US: lawyer)
advogado(-a)
attract [ə'trækt] vt atrair,
chamar; **attraction** n atração f;
attractive adj atraente; (idea, offer)
interessante
attribute [n 'ætrɪbjuːt, vb
ə'trɪbjuːt] n atributo ▷vt: **to ~ sth
to** atribuir algo a
aubergine ['əubəʒiːn] n berinjela
auction ['ɔ:kʃən] n (also: **sale by ~**)
leilão m ▷vt leiloar
audience ['ɔ:dɪəns] n audiência;
(at concert, theatre) platéia; (public)
público
audit ['ɔ:dɪt] vt fazer a auditoria de
audition [ɔ:'dɪʃən] n audição f
August ['ɔ:gəst] n agosto
aunt [ɑ:nt] n tia; **auntie** n titia;
aunty n titia
au pair ['əu'pɛə*] n (also: ~ **girl**)
au pair f
Australia [ɔs'treɪlɪə] n Austrália;
Australian adj, n australiano(-a)
Austria ['ɔstrɪə] n Áustria;
Austrian adj, n austríaco(-a)
authentic [ɔ:'θentɪk] adj
autêntico
author ['ɔ:θə] n autor(a) m/f
authority [ɔ:'θɔrɪtɪ] n autoridade
f; (government body) jurisdição f;
(permission) autorização f; **the
authorities** npl (ruling body) as
autoridades
authorize ['ɔ:θəraɪz] vt autorizar
auto ['ɔ:təu] (US) n carro,
automóvel m
autobiography [ɔ:təbaɪ'ɔgrəfɪ] n
autobiografia
autograph ['ɔ:təgrɑ:f] n
autógrafo ▷vt (photo etc) autografar
automatic [ɔ:tə'mætɪk] adj

automático ⊳*n* (*gun*) pistola automática; (*washing machine*) máquina de lavar roupa automática; (*car*) carro automático

automobile ['ɔːtəməbiːl] (*US*) *n* carro, automóvel *m*

autonomy [ɔːˈtɔnəmɪ] *n* autonomia

autumn ['ɔːtəm] *n* outono

auxiliary [ɔːgˈzɪlɪərɪ] *adj, n* auxiliar *m/f*

available [əˈveɪləbl] *adj* disponível; (*time*) livre

avalanche ['ævəlɑːnʃ] *n* avalanche *f*

Ave. *abbr* (= *avenue*) Av., Avda.

avenue ['ævənjuː] *n* avenida; (*drive*) caminho; (*means*) solução *f*

average ['ævərɪdʒ] *n* média ⊳*adj* (*mean*) médio; (*ordinary*) regular ⊳*vt* alcançar uma média de; **on ~** em média; **average out** *vi*: **to ~ out at** dar uma média de

avert [əˈvəːt] *vt* prevenir; (*blow, one's eyes*) desviar

avocado [ævəˈkɑːdəu] *n* (*also*: BRIT: **~ pear**) abacate *m*

avoid [əˈvɔɪd] *vt* evitar

await [əˈweɪt] *vt* esperar, aguardar

awake [əˈweɪk] (*pt* **awoke** *or* **awoken**, *pp* **~d**) *adj* acordado ⊳*vt, vi* despertar, acordar; **~ to** atento a

award [əˈwɔːd] *n* prêmio, condecoração *f*; (*Law*) indenização *f* ⊳*vt* outorgar, conceder; indenizar

aware [əˈwɛə*] *adj*: **~ of** (*conscious*) consciente de; (*informed*) informado de *or* sobre; **to become ~ of** reparar em, saber de; **awareness** *n* consciência

away [əˈweɪ] *adv* fora; (*far~*) muito longe; **two kilometres ~** a dois quilômetros de distância; **the holiday was two weeks ~** faltavam duas semanas para as férias; **he's ~ for a week** está ausente

uma semana; **to take ~** levar; **to work ~** trabalhar *etc* sem parar; **to fade ~** (*colour*) desbotar; (*enthusiasm, sound*) diminuir

awe [ɔː] *n* temor *m* respeitoso

awful ['ɔːfəl] *adj* terrível, horrível; (*quantity*): **an ~ lot of** um monte de; **awfully** *adv* (*very*) muito

awkward ['ɔːkwəd] *adj* (*person, movement*) desajeitado; (*shape*) incômodo; (*problem*) difícil; (*situation*) embaraçoso, delicado

awoke [əˈwəuk] *pt of* **awake**; **awoken** [əˈwəukən] *pp of* **awake**

axe [æks] (*US* **ax**) *n* machado ⊳*vt* (*project etc*) abandonar; (*jobs*) reduzir

axle ['æksl] *n* (*also*: **~ tree**: *Aut*) eixo

b

B [biː] n (Mus) si m

baby ['beɪbɪ] n neném m/f, nenê m/f, bebê m/f; (us: inf) querido(-a); **baby carriage** (us) n carrinho de bebê; **baby-sit** (irreg) vi tomar conta da(s) criança(s); **baby-sitter** n baby-sitter m/f

bachelor ['bætʃələ°] n solteiro; **B~ of Arts/Science** ≈ bacharel m em Letras/Ciências

back [bæk] n (of person) costas fpl; (of animal) lombo; (of hand) dorso; (of car, train) parte f traseira; (of house) fundos mpl; (of chair) encosto; (of page) verso; (of book) lombada; (of crowd) fundo; (Football) zagueiro (BR), defesa m (PT) ▷ vt (candidate: also: ~ up) apoiar; (horse: at races) apostar em; (car) recuar ▷ vi (car etc: also: ~ up) dar marcha-ré (BR), fazer marcha atrás (PT) ▷ cpd (payment) atrasado; (Aut: seats, wheels) de trás ▷ adv (not forward) para trás; (returned): **he's ~** ele voltou; (restitution): **throw the ball ~** devolva a bola; (again): **he called ~** chamou de novo; **he ran ~** recuou correndo; **back down** vi desistir; **back out** vi (of promise) voltar atrás, recuar; **back up** vt (support) apoiar; (Comput) tirar um backup de; **backache** n dor f nas costas; **backbone** n coluna vertebral; (fig) esteio; **backfire** vi (Aut) engasgar; (plan) sair pela culatra; **background** n fundo; (of events) antecedentes mpl; (basic knowledge) bases fpl; (experience) conhecimentos mpl, experiência; **family background** antecedentes mpl familiares; **backing** n (fig) apoio; **backlog** n: **backlog of work** atrasos mpl; **backpack** n mochila; **back pay** n salário atrasado; **backstage** adv nos bastidores; **backstroke** n nado de costas; **backup** adj (train, plane) reserva inv; (Comput) de backup ▷ n (support) apoio; (Comput: also: **backup file**) backup m; **backward** adj (movement) para trás; (person, country) atrasado; **backwards** adv (move, go) para trás; (read a list) às avessas; (fall) de costas; **backyard** n quintal m

bacon ['beɪkən] n toucinho, bacon m

bacteria [bæk'tɪərɪə] npl bactérias fpl

bad [bæd] adj mau (má), ruim; (child) levado; (mistake) grave; (food) estragado; **his ~ leg** sua perna machucada; **to go ~** estragar-se

badge [bædʒ] n (of school etc) emblema m; (policeman's) crachá m

badger ['bædʒə°] n texugo

badly ['bædlɪ] adv mal; **~ wounded** gravemente ferido; **he needs it ~** faz-lhe grande falta; **to be ~ off (for money)** estar com pouco dinheiro

badminton ['bædmɪntən] n
badminton m

bad-tempered [-'tɛmp-] adj mal
humorado; (temporary) de mau
humor

bag [bæg] n saco, bolsa; (handbag)
bolsa; (satchel) sacola; (case) mala;
~s of ... (inf: lots of) ... de sobra;
baggage n bagagem f; **baggy** adj
folgado, largo; **bagpipes** npl gaita
de foles

bail [beɪl] n (payment) fiança;
(release) liberdade f sob fiança ⊳vt
(prisoner: gen: grant ~ to) libertar sob
fiança; (boat: also: ~ **out**) baldear a
água de; **on ~** sob fiança; **bail out** vt
(prisoner) afiançar

bait [beɪt] n isca, engodo; (for
criminal etc) atrativo, chamariz m
⊳vt iscar, cevar; (person) apoquentar

bake [beɪk] vt cozinhar ao forno;
(Tech: clay etc) cozer ⊳vi assar;
baked beans npl feijão m cozido
com molho de tomate; **baked
potato** n batata assada com
a casca; **baker** n padeiro(-a);
bakery n (for bread) padaria;
(for cakes) confeitaria; **baking** n
(act) cozimento; (batch) fornada
⊳adj (inf: hot) escaldante; **baking
powder** n fermento em pó

balance ['bæləns] n equilíbrio;
(scales) balança; (Comm) balanço;
(remainder) resto, saldo ⊳vt
equilibrar; (budget) nivelar; (account)
fazer o balanço de; **~ of trade/
payments** balança comercial/
balanço de pagamentos; **balanced**
adj (report) objetivo; (personality,
diet) equilibrado; **balance sheet** n
balanço geral

balcony ['bælkənɪ] n varanda;
(closed) galeria; (in theatre) balcão m

bald [bɔːld] adj calvo, careca;
(tyre) careca

ball [bɔːl] n bola; (of wool, string)
novelo; (dance) baile m; **to play ~
with sb** jogar bola com alguém; (fig)
fazer o jogo de alguém

ballerina [bælə'riːnə] n bailarina

ballet ['bæleɪ] n balé m; **ballet
dancer** n bailarino(-a)

balloon [bə'luːn] n balão m

ballot ['bælət] n votação f

ballpoint (pen) ['bɔːlpɔɪnt-] n
(caneta) esferográfica

ban [bæn] n proibição f, interdição
f; (suspension) exclusão f ⊳vt proibir,
interditar; excluir

banana [bə'nɑːnə] n banana

band [bænd] n (group) orquestra;
(Mil) banda; (strip) faixa, cinta; **band
together** vi juntar-se, associar-se

bandage ['bændɪdʒ] n atadura
(BR), ligadura (PT) ⊳vt enfaixar

bang [bæŋ] n estalo; (of door)
estrondo; (of gun, exhaust) explosão
f; (blow) pancada ⊳excl bum!,
bumba! ⊳vt (one's head etc) bater;
(door) fechar com violência ⊳vi
produzir estrondo; (door) bater;
(fireworks) soltar

bangs [bæŋz] (us) npl (fringe) franja

banish ['bænɪʃ] vt banir

banister(s) ['bænɪstə(z)] n(pl)
corrimão m

bank [bæŋk] n banco; (of river, lake)
margem f; (of earth) rampa, ladeira
⊳vi (Aviat) ladear-se; **bank on** vt
fus contar com, apostar em; **bank
account** n conta bancária; **bank
card** n cartão m de garantia de
cheques; **banker** n
banqueiro(-a); **Bank holiday** (BRIT)
n feriado nacional; **banking** n
transações fpl bancárias; **banknote**
n nota (bancária)

bankrupt ['bæŋkrʌpt] adj falido,
quebrado; **to go ~** falir

bank statement n extrato
bancário

banner ['bænə°] n faixa

baptism ['bæptɪzəm] n batismo

bar [bɑ:ᵉ] n barra; (rod) vara; (of window etc) grade f; (fig: hindrance) obstáculo; (prohibition) impedimento; (pub) bar m; (counter: in pub) balcão m ▷vt (road) obstruir; (person) excluir; (activity) proibir ▷prep: **~ none** sem exceção; **behind ~s** (prisoner) atrás das grades; **the B~** (Law) a advocacia

barbaric [bɑ:'bærɪk] adj bárbaro

barbecue ['bɑ:bɪkju:] n churrasco

barbed wire ['bɑ:bd-] n arame m farpado

barber ['bɑ:bəᵉ] n barbeiro, cabeleireiro

bar code n código de barras

bare [bεəᵉ] adj despido; (head) descoberto; (trees) sem vegetação; (minimum) básico ▷vt mostrar; **barefoot** adj, adv descalço; **barely** adv apenas, mal

bargain ['bɑ:gɪn] n negócio; (agreement) acordo; (good buy) pechincha ▷vi (haggle) regatear; (negotiate): **to ~ (with sb)** pechinchar (com alguém); **into the ~** ainda por cima; **bargain for** vt fus: **he got more than he ~ed for** ele conseguiu mais do que pediu

barge [bɑ:dʒ] n barcaça; **barge in** vi irromper

bark [bɑ:k] n (of tree) casca; (of dog) latido ▷vi latir

barley ['bɑ:lɪ] n cevada

barmaid ['bɑ:meɪd] n garçonete f (BR), empregada (de bar) (PT)

barman ['bɑ:mən] (irreg) n garçom m (BR), empregado (de bar) (PT)

barn [bɑ:n] n celeiro

barometer [bə'rɔmɪtəᵉ] n barômetro

baron ['bærən] n barão m; (of press, industry) magnata m; **baroness** ['bærənɪs] n baronesa

barracks ['bærəks] npl quartel

m, caserna

barrage ['bærɑ:ʒ] n (Mil) fogo de barragem; (dam) barragem f; (fig): **a ~ of questions** uma saraivada de perguntas

barrel ['bærəl] n barril m; (of gun) cano

barren ['bærən] adj (land) árido

barricade [bærɪ'keɪd] n barricada

barrier ['bærɪəᵉ] n barreira; (fig: to progress etc) obstáculo

barrister ['bærɪstəᵉ] (BRIT) n advogado(-a), causídico(-a)

barrow ['bærəu] n (wheel~) carrinho (de mão)

bartender ['bɑ:tεndəᵉ] (US) n garçom m (BR), empregado (de bar) (PT)

base [beɪs] n base f ▷vt (opinion, belief): **to ~ sth on** basear or fundamentar algo em ▷adj (thoughts) sujo; **baseball** n beisebol m

basement ['beɪsmənt] n porão m

bases¹ ['beɪsɪz] npl of **base**

bases² ['beɪsi:z] npl of **basis**

bash [bæʃ] (inf) vt (with fist) dar soco or murro em; (with object) bater em

basic ['beɪsɪk] adj básico; (facilities) mínimo; **basically** adv basicamente; (really) no fundo; **basics** npl: **the basics** o essencial

basin ['beɪsn] n (vessel, Geo) bacia; (also: **wash~**) pia

basis ['beɪsɪs] (pl **bases**) n base f; **on a part-time ~** num esquema de meio-expediente; **on a trial ~** em experiência

basket ['bɑ:skɪt] n cesto; (with handle) cesta; **basketball** n basquete(bol) m

bass [beɪs] n (Mus) baixo

bastard ['bɑ:stəd] n bastardo(-a); (inf!) filho-da-puta m (!)

bat [bæt] n (Zool) morcego; (for

ball games) bastão m; (BRIT: for table tennis) raquete f ▷vt: **he didn't ~ an eyelid** ele nem pestanejou

batch [bætʃ] n (of bread) fornada; (of papers) monte m

bath [bɑːθ] n banho; (bathtub) banheira f ▷vt banhar; **to have a ~** tomar banho (de banheira); see also **baths**

bathe [beɪð] vi banhar-se; (US: have a bath) tomar um banho ▷vt (wound) lavar; **bathing** n banho; **bathing costume** (US **bathing suit**) n (woman's) maiô m (BR), fato de banho (PT)

bathrobe ['bɑːθrəub] n roupão m de banho

bathroom ['bɑːθrum] n banheiro (BR), casa de banho (PT)

baths [bɑːðz] npl banhos mpl públicos

baton ['bætən] n (Mus) batuta; (Athletics) bastão m; (truncheon) cassetete m

batter ['bætə*] vt espancar; (subj: wind, rain) castigar ▷n massa (mole); **battered** ['bætəd] adj (hat, pan) amassado, surrado

battery ['bætərɪ] n bateria; (of torch) pilha

battle ['bætl] n batalha; (fig) luta ▷vi lutar; **battlefield** n campo de batalha

bay [beɪ] n (Geo) baía; **to hold sb at ~** manter alguém à distância

bazaar [bə'zɑː*] n bazar m

B & B n abbr = **bed and breakfast**

BBC n abbr (= British Broadcasting Corporation) companhia britânica de rádio e televisão

B.C. adv abbr (= before Christ) a.C.

○ **KEYWORD**

be [biː] (pt **was** or **were**, pp **been**) aux vb **1** (with present participle: forming continuous tense) estar; **what are you doing?** o que você está fazendo (BR) or a fazer (PT)?; **it is raining** está chovendo (BR) or a chover (PT); **I've been waiting for you for hours** há horas que eu espero por você

2 (with pp: forming passives): **to ~ killed** ser morto; **the box had been opened** a caixa tinha sido aberta; **the thief was nowhere to ~ seen** ninguém viu o ladrão

3 (in tag questions): **it was fun, wasn't it?** foi divertido, não foi?; **she's back again, is she?** ela voltou novamente, é?

4 (+ to + infin): **the house is to ~ sold** a casa está à venda; **you're to ~ congratulated for all your work** você devia ser cumprimentado pelo seu trabalho; **he's not to open it** ele não pode abrir isso

▷vb + complement **1** (gen): **I'm English** sou inglês; **I'm tired** estou cansado; **2 and 2 are 4** dois e dois são quatro; **~ careful!** tome cuidado!; **~ quiet!** fique quieto!, fique calado!; **~ good!** seja bonzinho!

2 (of health) estar; **how are you?** como está?

3 (of age): **how old are you?** quantos anos você tem?; **I'm twenty (years old)** tenho vinte anos

4 (cost) ser; **how much was the meal?** quanto foi a refeição?; **that'll ~ £5.75, please** são £5.75, por favor

▷vi **1** (exist, occur etc) existir, haver; **the best singer that ever was** o maior cantor de todos os tempos; **is there a God?** Deus existe?; **~ that as it may ...** de qualquer forma ...; **so ~ it** que seja assim

2 (referring to place) estar; **I won't ~ here tomorrow** eu não estarei aqui amanhã; **Edinburgh is in Scotland** Edimburgo é or fica na Escócia

3 (*referring to movement*) ir; **where have you been?** onde você foi?; **I've been in the garden** estava no quintal
▷*impers vb* **1** (*referring to time*) ser; **it's 8 o'clock** são 8 horas; **it's the 28th of April** é 28 de abril
2 (*referring to distance*) ficar; **it's 10 km to the village** fica a 10 km do lugarejo
3 (*referring to the weather*) estar; **it's too hot/cold** está quente/frio demais
4 (*emphatic*): **it's only me** sou eu!; **it was Maria who paid the bill** foi Maria quem pagou a conta

beach [biːtʃ] *n* praia ▷*vt* puxar para a terra *or* praia, encalhar
beacon ['biːkən] *n* (*lighthouse*) farol *m*; (*marker*) baliza
bead [biːd] *n* (*of necklace*) conta; (*of sweat*) gota
beak [biːk] *n* bico
beam [biːm] *n* (*Arch*) viga; (*of light*) raio ▷*vi* (*smile*) sorrir
bean [biːn] *n* feijão *m*; (*of coffee*) grão *m*; **runner/broad ~** vagem *f*/fava
bear [bɛə°] (*pt* **bore,** *pp* **borne**) *n* urso ▷*vt* (*carry, support*) arcar com; (*tolerate*) suportar ▷*vi*: **to ~ right/left** virar à direita/à esquerda; **bear out** *vt* (*theory, suspicion*) confirmar, corroborar; **bear up** *vi* agüentar, resistir
beard [biəd] *n* barba
bearing ['bɛərɪŋ] *n* porte *m*, comportamento; (*connection*) relação *f*; **~s** *npl* (*also:* **ball ~s**) rolimã *m*; **to take a ~** fazer marcação
beast [biːst] *n* bicho; (*inf*) fera
beat [biːt] (*pt* **beat,** *pp* **beaten**) *n* (*of heart*) batida; (*Mus*) ritmo, compasso; (*of policeman*) ronda ▷*vt* (*hit*) bater em; (*eggs*) bater; (*defeat*)

vencer, derrotar ▷*vi* (*heart*) bater; **to ~ it** (*inf*) cair fora; **off the ~en track** fora de mão; **beat off** *vt* repelir; (*eggs*) bater; **beating** *n* (*thrashing*) surra
beautiful ['bjuːtɪful] *adj* belo, lindo, formoso; **beautifully** *adv* admiravelmente
beauty ['bjuːtɪ] *n* beleza; (*person*) beldade *f*, beleza
beaver ['biːvə°] *n* castor *m*
because [bɪ'kɔz] *conj* porque; **~ of** por causa de
beckon ['bɛkən] *vt* (*also:* **~ to**) chamar com sinais, acenar para
become [bɪ'kʌm] (*irreg: like* **come**) *vi* (+ *n*) virar, fazer-se, tornar-se; (+ *adj*) tornar-se, ficar
bed [bɛd] *n* cama; (*of flowers*) canteiro; (*of coal, clay*) camada, base *f*; (*of sea, lake*) fundo; (*of river*) leito; **to go to ~** ir dormir, deitar(-se); **bed and breakfast** *n* (*place*) pensão *f*; (*terms*) cama e café da manhã (BR) *or* pequeno almoço (PT); **bedclothes** *npl* roupa de cama; **bedding** *n* roupa de cama
bed: bedroom *n* quarto, dormitório; **bedside** *n*: **at sb's bedside** à cabeceira de alguém; **bedsit** (BRIT) *n* conjugado; *ver quadro*

⬤ **BEDSIT**
⬤
⬤ Um bedsit é um quarto
⬤ mobiliado cujo aluguel inclui uso
⬤ de cozinha e banheiro comuns.
⬤ Esse sistema de alojamento é
⬤ muito comum na Grã-Bretanha
⬤ entre estudantes, jovens
⬤ profissionais liberais etc.

bedspread ['bɛdsprɛd] *n* colcha
bedtime ['bɛdtaɪm] *n* hora de ir para cama

bee [bi:] *n* abelha

beech [bi:tʃ] *n* faia

beef [bi:f] *n* carne *f* de vaca;
roast ~ rosbife *m*; **beefburger** *n*
hambúrguer *m*

been [bi:n] *pp of* **be**

beer [bɪə*] *n* cerveja

beetle ['bi:tl] *n* besouro

beetroot ['bi:tru:t] (BRIT) *n*
beterraba

before [bɪ'fɔ:*] *prep* (*of time*) antes
de; (*of space*) diante de ▷*conj* antes
que ▷*adv* antes, anteriormente;
à frente, na dianteira; **~ going**
antes de sair; **the week ~** a semana
anterior; **I've never seen it ~**
nunca *vi* isso antes; **beforehand**
adv antes

beg [bɛg] *vi* mendigar, pedir
esmola ▷*vt* (*also*: **~ for**) mendigar;
to ~ sb to do sth implorar a alguém
para fazer algo; *see also* **pardon**

began [bɪ'gæn] *pt of* **begin**

beggar ['bɛgə*] *n* mendigo(-a)

begin [bɪ'gɪn] (*pt* **began,** *pp* **begun**)
vt, *vi* começar, iniciar; **to ~ doing**
or **to do sth** começar a fazer algo;
beginner *n* principiante *m/f*;
beginning *n* início, começo

behalf [bɪ'hɑ:f] *n*: **on** *or* **in** (US) **~ of**
(*as representative of*) em nome de; (*for
benefit of*) no interesse de

behave [bɪ'heɪv] *vi* comportar-se;
(*well*: *also*: **~ o.s.**) comportar-se
(bem); **behaviour** (US **behavior**) *n*
comportamento

behind [bɪ'haɪnd] *prep* atrás de
▷*adv* atrás; (*move*) para trás ▷*n*
traseiro; **to be ~ (schedule) with
sth** estar atrasado *or* com atraso em
algo; **~ the scenes** nos bastidores

beige [beɪʒ] *adj* bege

Beijing [beɪ'ʒɪŋ] *m* Pequim

being ['bi:ɪŋ] *n* (*state*) existência;
(*entity*) ser *m*

belated [bɪ'leɪtɪd] *adj* atrasado

belch [bɛltʃ] *vi* arrotar ▷*vt* (*also*: **~
out**: *smoke etc*) vomitar

Belgian ['bɛldʒən] *adj*, *n* belga *m/f*

Belgium ['bɛldʒəm] *n* Bélgica

belief [bɪ'li:f] *n* (*opinion*) opinião *f*;
(*trust, faith*) fé *f*

believe [bɪ'li:v] *vt*: **to ~ sth/sb**
acreditar algo/em alguém ▷*vi*:
to ~ in (*God*) crer em; (*method,
person*) acreditar em; **believer** *n*
(*Rel*) crente *m/f*, fiel *m/f*; (*in idea*)
partidário(-a)

bell [bɛl] *n* sino; (*small, door~*)
campainha

bellow ['bɛləu] *vi* mugir; (*person*)
bramar

belly ['bɛlɪ] *n* barriga, ventre *m*

belong [bɪ'lɔŋ] *vi*: **~ to** pertencer
a; (*club etc*) ser sócio de; **the book
~s here** o livro fica guardado aqui;
belongings *npl* pertences *mpl*

beloved [bɪ'lʌvɪd] *adj* querido,
amado

below [bɪ'ləu] *prep* (*beneath*)
embaixo de; (*less than*) abaixo de
▷*adv* embaixo *or* abaixo

belt [bɛlt] *n* cinto; (*of land*) faixa;
(*Tech*) correia ▷*vt* (*thrash*) surrar;
beltway (US) *n* via circular

bemused [bɪ'mju:zd] *adj*
bestificado, estupidificado

bench [bɛntʃ] *n* banco; (*work ~*)
bancada (de carpinteiro); (BRIT: *Pol*)
assento num Parlamento; **the B~**
(*Law*: *judge*) o magistrado;
(: *judges*) os magistrados, o corpo
de magistrados

bend [bɛnd] (*pt*, *pp* **bent**) *vt* (*leg,
arm*) dobrar; (*pipe*) curvar ▷*vi*
dobrar-se, inclinar-se ▷*n* curva;
(*in pipe*) curvatura; **bend down**
vi abaixar-se; **bend over** *vi*
debruçar-se

beneath [bɪ'ni:θ] *prep* abaixo
de; (*unworthy of*) indigno de ▷*adv*
em baixo

beneficial [bɛnɪ'fɪʃəl] *adj*: ~ **(to)** benéfico (a)

benefit ['bɛnɪfɪt] *n* benefício, vantagem *f*; (*money*) subsídio, auxílio ▷*vt* beneficiar ▷*vi*: **to ~ from sth** beneficiar-se de algo

benign [bɪ'naɪn] *adj* (*person, smile*) afável, bondoso; (*Med*) benigno

bent [bɛnt] *pt, pp of* **bend** ▷*n* inclinação *f* ▷*adj*: **to be ~ on** estar empenhado em

bereaved [bɪ'riːvd] *npl*: **the ~** os enlutados

beret ['bɛreɪ] *n* boina

Berlin [bə:'lɪn] *n* Berlim

berry ['bɛrɪ] *n* baga

berth [bə:θ] *n* (*bed*) beliche *m*; (*cabin*) cabine *f*; (*on train*) leito; (*for ship*) ancoradouro ▷*vi* (*in harbour*) atracar, encostar-se; (*at anchor*) ancorar

beside [bɪ'saɪd] *prep* (*next to*) junto de, ao lado de, ao pé de; **to be ~ o.s. (with anger)** estar fora de si; **that's ~ the point** isso não tem nada a ver

besides [bɪ'saɪdz] *adv* além disso; (*in any case*) de qualquer jeito ▷*prep* (*as well as*) além de

best [bɛst] *adj* melhor ▷*adv* (o) melhor; **the ~ part of** (*quantity*) a maior parte de; **at ~** na melhor das hipóteses; **to make the ~ of sth** tirar o maior partido possível de algo; **to do one's ~** fazer o possível; **to the ~ of my knowledge** que eu saiba; **to the ~ of my ability** o melhor que eu puder; **best man** *n* padrinho de casamento

bet [bɛt] (*pt, pp* **bet** *or* **~ted**) *n* aposta ▷*vt, vi* apostar

betray [bɪ'treɪ] *vt* trair; (*denounce*) delatar

better ['bɛtə°] *adj, adv* melhor ▷*vt* melhorar; (*go above*) superar ▷*n*: **to get the ~ of** vencer; **you had ~ do it** é melhor você fazer

isso; **he thought ~ of it** pensou melhor, mudou de opinião; **to get ~** melhorar; (*fig*): **you'd be better off this way** seria melhor para você assim

betting ['bɛtɪŋ] *n* jogo; **betting shop** (*BRIT*) *n* agência de apostas

between [bɪ'twi:n] *prep* no meio de, entre ▷*adv* no meio

beverage ['bɛvərɪdʒ] *n* bebida

beware [bɪ'wɛə°] *vi*: **to ~ (of)** precaver-se (de), ter cuidado (com); **"~ of the dog"** "cuidado com o cachorro"

bewildered [bɪ'wɪldəd] *adj* atordeado; (*confused*) confuso

beyond [bɪ'jɒnd] *prep* (*in space*) além de; (*exceeding*) acima de, fora de; (*date*) mais tarde que; (*above*) acima de ▷*adv* além; (*in time*) mais longe, mais adiante; **~ doubt** fora de qualquer dúvida; **to be ~ repair** não ter conserto

bias ['baɪəs] *n* (*prejudice*) preconceito; **bias(s)ed** *adj* parcial

bib [bɪb] *n* babadouro, babador *m*

Bible ['baɪbl] *n* Bíblia

bicycle ['baɪsɪkl] *n* bicicleta

bid [bɪd] (*pt* **bade** *or* **bid**, *pp* **bidden** *or* **bid**) *n* oferta; (*at auction*) lance *m*; (*attempt*) tentativa ▷*vi* fazer lance ▷*vt* oferecer; **to ~ sb good day** dar bom dia a alguém

big [bɪg] *adj* grande; (*bulky*) volumoso; **~ brother/sister** irmão/irmã mais velho/a

bigheaded ['bɪg'hɛdɪd] *adj* convencido

bike [baɪk] *n* bicicleta

bikini [bɪ'kiːnɪ] *n* biquíni *m*

bilingual [baɪ'lɪŋgwəl] *adj* bilíngüe

bill [bɪl] *n* conta; (*invoice*) fatura; (*Pol*) projeto de lei; (*us: banknote*) bilhete *m*, nota; (*in restaurant*) conta, notinha; (*of bird*) bico; (*Theatre*)

cartaz *m*; **to fit** *or* **fill the ~** (*fig*) servir;
billboard *n* quadro para cartazes
billfold ['bɪlfəuld] (*us*) *n* carteira
billiards ['bɪlɪədz] *n* bilhar *m*
billion ['bɪlɪən] *n* (*BRIT*) trilhão *m*;
(*us*) bilhão *m*
bin [bɪn] *n* caixa; (*BRIT: for rubbish*)
lata de lixo
bind [baɪnd] (*pt, pp* **bound**) *vt* atar,
amarrar; (*oblige*) obrigar; (*book*)
encadernar ▷ *n* (*inf*) saco; (*nuisance*)
chatice *f*
binge [bɪndʒ] (*inf*) *n*: **to go on a ~**
tomar uma bebedeira
bingo ['bɪŋgəu] *n* bingo
binoculars [bɪ'nɔkjuləz] *npl*
binóculo
bio... [baɪəu] *prefix* bio...;
biochemistry *n* bioquímica;
biography *n* biografia; **biology** *n*
biologia; **biometric** *adj* biométrico
birch [bə:tʃ] *n* **bétula**
bird [bə:d] *n* ave *f*, pássaro; (*BRIT:*
inf: girl) gatinha; **bird flu** *n* gripe *f*
do frango
birth [bə:θ] *n* nascimento; **to**
give ~ to dar à luz, parir; **birth**
certificate *n* certidão *f* de
nascimento; **birth control** *n*
controle *m* de natalidade; (*methods*)
métodos *mpl* anticoncepcionais;
birthday *n* aniversário (*BR*), dia *m*
de anos (*PT*) ▷ *cpd* de aniversário; *see*
also **happy**
biscuit ['bɪskɪt] *n* (*BRIT*) bolacha,
biscoito; (*us*) pão *m* doce
bishop ['bɪʃəp] *n* bispo; (*Chess*) peça
de jogo de xadrez
bit [bɪt] *pt of* **bite** ▷ *n* pedaço,
bocado; (*of horse*) freio; (*Comput*) bit
m; **a ~ of** (*a little*) um pouco de; **~ by**
~ pouco a pouco
bitch [bɪtʃ] *n* (*dog*) cadela, cachorra;
(*inf!*) cadela (!), vagabunda (!)
bite [baɪt] (*pt* **bit**, *pp* **bitten**) *vt, vi*
morder; (*insect etc*) picar ▷ *n* (*insect*

~) picada; (*mouthful*) bocado; **to**
~ one's nails roer as unhas; **let's**
have a ~ (to eat) (*inf*) vamos fazer
uma boquinha
bitter ['bɪtə*] *adj* amargo; (*wind,*
criticism) cortante, penetrante;
(*weather*) horrível ▷ *n* (*BRIT: beer*)
cerveja amarga; (*anger*) rancor *m*
black [blæk] *adj* preto; (*humour*)
negro ▷ *n* (*colour*) cor *f* preta;
(*person*): **B~** negro(-a), preto(-a) ▷ *vt*
(*BRIT: INDUSTRY*) boicotar; **to give**
sb a ~ eye esmurrar alguém e deixá-
lo de olho roxo; **~ and blue** contuso,
contundido; **to be in the ~** (*in credit*)
estar com saldo credor; **blackberry**
n amora silvestre; **blackbird** *n*
melro; **blackboard** *n* quadro(-
negro); **black coffee** *n* café *m*
preto, bica (*PT*); **blackcurrant**
n groselha negra; **blackmail** *n*
chantagem *f* ▷ *vt* fazer chantagem
a; **black market** *n* mercado or
câmbio negro; **blackout** *n* blecaute
m; (*fainting*) desmaio; (*of radio signal*)
desvanecimento; **Black Sea** *n*: **the**
Black Sea o mar Negro
bladder ['blædə*] *n* bexiga
blade [bleɪd] *n* lâmina; (*of oar*) pá *f*;
a ~ of grass uma folha de relva
blame [bleɪm] *n* culpa ▷ *vt*: **to ~ sb**
for sth culpar alguém por algo; **to**
be to ~ ter a culpa
bland [blænd] *adj* (*taste*) brando
blank [blæŋk] *adj* em branco;
(*look*) sem expressão ▷ *n* (*on form*)
espaço em branco; (*cartridge*) bala
de festim; (*of memory*): **to go ~** dar
um branco
blanket ['blæŋkɪt] *n* cobertor *m*
blast [blɑ:st] *n* (*of wind*) rajada; (*of*
explosive) explosão *f* ▷ *vt* fazer voar
blatant ['bleɪtənt] *adj* descarado
blaze [bleɪz] *n* (*fire*) fogo; (*in*
building etc) incêndio; (*fig: of colour*)
esplendor *m*; (: *of glory, publicity*)

explosão f ▷vi (fire) arder; (guns) descarregar; (eyes) brilhar ▷vt: **to ~ a trail** (fig) abrir (um) caminho

blazer ['bleɪzə°] n casaco esportivo, blazer m

bleach [bliːtʃ] n (also: **household ~**) água sanitária ▷vt (linen) branquear

bleak [bliːk] adj (countryside) desolado; (prospect) desanimador(a), sombrio; (weather) ruim

bleed [bliːd] (pt, pp **bled**) vi sangrar

blemish ['blemɪʃ] n mancha; (on reputation) mácula

blend [blend] n mistura ▷vt misturar ▷vi (colours etc: also: **~ in**) combinar-se, misturar-se; **blender** n liquidificador m

bless [bles] (pt, pp **~ed** or **blest**) vt abençoar; **~ you!** (after sneeze) saúde!; **blessing** n bênção f; (godsend) graça, dádiva; (approval) aprovação f

blew [bluː] pt of **blow**

blind [blaɪnd] adj cego ▷n (for window) persiana; (: also: **Venetian ~**) veneziana ▷vt cegar; (dazzle) deslumbrar; **the ~** npl (~ people) os cegos; **blind alley** n beco-sem-saída m; **blindfold** n venda ▷adj, adv com os olhos vendados, às cegas ▷vt vendar os olhos a

blink [blɪŋk] vi piscar

bliss [blɪs] n felicidade f

blister ['blɪstə°] n (on skin) bolha; (in paint, rubber) empola ▷vi empolar-se

blizzard ['blɪzəd] n nevasca

bloated ['bləʊtɪd] adj (swollen) inchado; (full) empanturrado

blob [blɒb] n (drop) gota; (indistinct shape) ponto

block [blɒk] n (of wood) bloco; (of stone) laje f; (in pipes) entupimento; (of buildings) quarteirão m ▷vt obstruir, bloquear; (progress) impedir; **~ of flats** (BRIT) prédio (de apartamentos); **mental ~** bloqueio; **blockade** [blɒ'keɪd] n bloqueio; **blockage** n obstrução f; **blockbuster** n grande sucesso

blog [blɒg] (inf) n blog m, blogue m

blogger ['blɒgə°] (inf) n (person) blogueiro(-a)

bloke [bləʊk] (BRIT: inf) n cara m (BR), gajo (PT)

blond(e) [blɒnd] adj, n louro(-a)

blood [blʌd] n sangue m; **blood donor** n doador(a) m/f de sangue; **blood group** n grupo sangüíneo; **blood poisoning** n toxemia; **blood pressure** n pressão f arterial or sangüínea; **bloodshed** n matança, carnificina; **bloodshot** adj (eyes) injetado; **bloodstream** n corrente f sangüínea; **blood test** n exame m de sangue; **blood vessel** n vaso sangüíneo; **bloody** adj sangrento; (nose) ensangüentado; (BRIT: inf!): **this bloody ...** essa droga de ..., esse maldito ...; **bloody strong/good** forte/bom pra burro

bloom [bluːm] n flor f ▷vi florescer

blossom ['blɒsəm] n flor f ▷vi florescer; (fig): **to ~ into** (fig) tornar-se

blot [blɒt] n borrão m; (fig) mancha ▷vt borrar; **blot out** vt (view) tapar; (memory) apagar

blouse [blauz] n blusa

blow [bləʊ] (pt **blew**, pp **blown**) n golpe m; (punch) soco ▷vi soprar ▷vt (subj: wind) soprar; (instrument) tocar; (fuse) queimar; **to ~ one's nose** assoar o nariz; **blow away** vt levar, arrancar ▷vi ser levado pelo vento; **blow down** vt derrubar; **blow off** vt levar; **blow over** vi (storm, crisis) passar; **blow up** vi explodir ▷vt explodir; (tyre) encher; (Phot) ampliar; **blow-dry** n escova;

blow-out n (of tyre) furo
blue [bluː] adj azul; (depressed) deprimido; **~s** n (Mus): **the ~s** o blues; **~ film/joke** filme/anedota picante; **out of the ~** (fig) de estalo, inesperadamente; **bluebell** n campainha
bluff [blʌf] vi blefar ⊳n blefe m; **to call sb's ~** pagar para ver alguém
blunder ['blʌndə*] n gafe f ⊳vi cometer or fazer uma gafe
blunt [blʌnt] adj (knife) cego; (pencil) rombudo; (person) franco, direto
blur [bləː*] n borrão m ⊳vt (vision) embaçar; (distinction) reduzir, diminuir
blush [blʌʃ] vi corar, ruborizar-se ⊳n rubor m, vermelhidão f
board [bɔːd] n tábua; (card~) quadro; (notice ~) quadro de avisos; (for chess etc) tabuleiro; (committee) junta, conselho; (in firm) diretoria, conselho administrativo; (Naut, Aviat): **on ~** a bordo ⊳vt embarcar em; **full ~** (BRIT) pensão f completa; **half ~** (BRIT) meia-pensão f; **~ and lodging** casa e comida; **to go by the ~** ficar abandonado, dançar (inf); **board up** vt entabuar; **boarding card** n = **boarding pass**; **boarding pass** (BRIT) n cartão m de embarque; **boarding school** n internato
boast [bəust] vi: **to ~ (about or of)** gabar-se (de), jactar-se (de)
boat [bəut] n (small) bote m; (big) navio
bob [bɔb] vi balouçar-se; **bob up** vi aparecer, surgir
body ['bɔdɪ] n corpo; (corpse) cadáver m; (of car) carroceria; (fig: group) grupo; (: organization) organização f; (quantity) conjunto; (of wine) corpo; **body-building** n musculação f; **bodyguard** n

guarda-costas m inv; **bodywork** n lataria
bog [bɔg] n pântano, atoleiro ⊳vt: **to get ~ged down** (fig) atolar-se
bogus ['bəugəs] adj falso
boil [bɔɪl] vt ferver; (Culin) cozer, cozinhar ⊳vi ferver ⊳n (Med) furúnculo; **to come to the** (BRIT) or **a** (US) **~** começar a ferver; **boil down to** vt fus (fig) reduzir-se a; **boil over** vi transbordar; **boiled egg** n ovo cozido; **boiled potatoes** npl batatas fpl cozidas; **boiler** n caldeira; (for central heating) boiler m; **boiling point** n ponto de ebulição
bold [bəuld] adj corajoso; (pej) atrevido, insolente; (outline, colour) forte
Bolivia [bə'lɪvɪə] n Bolívia
bollard ['bɔləd] (BRIT) n (Aut) poste m de sinalização
bolt [bəult] n (lock) trinco, ferrolho; (with nut) parafuso, cavilha ⊳adv: **~ upright** direito como um fuso ⊳vt (door) fechar a ferrolho, trancar; (food) engolir às pressas ⊳vi fugir; (horse) disparar
bomb [bɔm] n bomba ⊳vt bombardear
bond [bɔnd] n (binding promise) compromisso; (link) vínculo, laço; (Finance) obrigação f; (Comm): **in ~** (goods) retido sob caução na alfândega
bone [bəun] n osso; (of fish) espinha ⊳vt desossar; tirar as espinhas de
bonfire ['bɔnfaɪə*] n fogueira
bonnet ['bɔnɪt] n toucado; (BRIT: of car) capô m
bonus ['bəunəs] n (payment) bônus m; (fig) gratificação f
boo [buː] vt vaiar ⊳excl ruuh!, bu!
book [buk] n livro; (of stamps, tickets) talão m ⊳vt reservar; (driver) autuar; (football player)

mostrar o cartão amarelo a; **~s** npl (Comm) contas fpl, contabilidade f; **bookcase** n estante f (para livros); **booking office** (BRIT) n (Rail, Theatre) bilheteria (BR), bilheteira (PT); **book-keeping** n escrituração f, contabilidade f; **booklet** n livrinho, brochura; **bookshop** n, **bookstore** n livraria

boom [buːm] n (noise) barulho, estrondo; (in sales) aumento rápido ▷ vi retumbar; (business) tomar surto

boost [buːst] n estímulo ▷ vt estimular

boot [buːt] n bota; (for football) chuteira; (BRIT: of car) porta-malas m (BR), porta-bagagem n (PT) ▷ vt (Comput) dar carga em; **to ~ ...** (in addition) ainda por cima ...

booth [buːð] n (at fair) barraca; (telephone ~, voting ~) cabine f

booze [buːz] (inf) n bebida alcoólica

border ['bɔːdə*] n margem f; (for flowers) borda; (of a country) fronteira; (on cloth etc) debrum m, remate m ▷ vt (also: **~ on**) limitar-se com; **border on** vt fus (fig) chegar às raias de; **borderline** n fronteira

bore [bɔː*] pt of **bear** ▷ vt (hole) abrir; (well) cavar; (person) aborrecer ▷ n (person) chato(-a), maçante m/f; (of gun) calibre m; **to be ~d** estar entediado; **boredom** n tédio, aborrecimento; **boring** adj chato, maçante

born [bɔːn] adj: **to be ~** nascer

borne [bɔːn] pp of **bear**

borough ['bʌrə] n município

borrow ['bɔrəu] vt: **to ~ sth (from sb)** pedir algo emprestado (a alguém)

bosom ['buzəm] n peito

boss [bɔs] n (employer) patrão(-troa) m/f ▷ vt (also: **~ about; ~ around**) mandar em; **bossy** adj mandão(-dona)

both [bəuθ] adj, pron ambos(-as), os dois (as duas) ▷ adv: **~ A and B** tanto A como B; **~ of** us **went, we ~ went** nós dois fomos, ambos fomos

bother ['bɔðə*] vt (worry) preocupar; (disturb) atrapalhar ▷ vi (also: **~ o.s.**) preocupar-se ▷ n preocupação f; (nuisance) amolação f, inconveniente m

bottle ['bɔtl] n garrafa; (of perfume, medicine) frasco; (baby's) mamadeira (BR), biberão m (PT) ▷ vt engarrafar; **bottle up** vt conter, refrear; **bottle bank** n depósito de vidro para reciclagem, vidrão m (PT); (fig) obstáculo, problema m; **bottle-opener** n abridor m (de garrafas) (BR), abre-garrafas m inv (PT)

bottom ['bɔtəm] n fundo; (buttocks) traseiro; (of page, list) pé m; (of class) nível m mais baixo ▷ adj (low) inferior, mais baixo; (last) último

bought [bɔːt] pt, pp of **buy**

boulder ['bəuldə*] n pedregulho, matacão m

bounce [bauns] vi saltar, quicar; (cheque) ser devolvido ▷ vt fazer saltar ▷ n (rebound) salto; **bouncer** (inf) n leão-de-chácara m

bound [baund] pt, pp of **bind** ▷ n (leap) pulo, salto; (gen pl: limit) limite m ▷ vi (leap) pular, saltar ▷ vt (border) demarcar ▷ adj: **~ by** limitado por; **to be ~ to do sth** (obliged) ter a obrigação de fazer algo; (likely) na certa ir fazer algo; **~ for** com destino a

boundary ['baundrɪ] n limite m, fronteira

bout [baut] n (of malaria etc) ataque m; (of activity) explosão f; (Boxing etc) combate m

bow¹ [bəu] n (knot) laço; (weapon, Mus) arco

bow² [bau] n (of the body) reverência; (of the head) inclinação f; (Naut: also: **~s**) proa ▷vi curvar-se, fazer uma reverência; (yield): **to ~ to** or **before** ceder ante, submeter-se a

bowels ['bauəlz] npl intestinos mpl, tripas fpl; (fig) entranhas fpl

bowl [bəul] n tigela; (ball) bola ▷vi (Cricket) arremessar a bola

bowler ['bəulə°] n (Cricket) lançador m (da bola); (BRIT: also: **~ hat**) chapéu-coco m

bowling ['bəulɪŋ] n (game) boliche m; **bowling alley** n boliche m; **bowling green** n gramado m (BR) or relvado (PT) para jogo de bolas

bowls [bəulz] n jogo de bolas

bow tie [bəu-] n gravata-borboleta

box [bɔks] n caixa; (Theatre) camarote m ▷vt encaixotar; (Sport) boxear contra ▷vi (Sport) boxear; **boxer** n (person) boxeador m, pugilista m; **boxer shorts** npl samba-canção m (BR), boxers mpl (PT); **boxing** n (Sport) boxe m, pugilismo; **Boxing Day** (BRIT) n Dia de Santo Estevão (26 de dezembro); **box office** n bilheteria (BR), bilheteira (PT)

boy [bɔɪ] n (young) menino, garoto; (older) moço, rapaz m; (son) filho

boycott ['bɔɪkɔt] n boicote m, boicotagem f ▷vt boicotar

boyfriend ['bɔɪfrɛnd] n namorado

bra [brɑ:] n sutiã m (BR), soutien m (PT)

brace [breɪs] n (on teeth) aparelho; (tool) arco de pua ▷vt retesar; **~s** npl (BRIT) suspensórios mpl; **to ~ o.s.** (also fig) preparar-se

bracelet ['breɪslɪt] n pulseira

bracket ['brækɪt] n (Tech) suporte m; (group) classe f, categoria; (range) faixa, parêntese m ▷vt pôr entre parênteses; (fig) agrupar

brag [bræg] vi gabar-se, contar vantagem

braid [breɪd] n (trimming) galão m; (of hair) trança

brain [breɪn] n cérebro; **~s** npl (Culin) miolos mpl; (intelligence) inteligência, miolos

braise [breɪz] vt assar na panela

brake [breɪk] n freio (BR), travão m (PT) ▷vt, vi frear (BR), travar (PT)

bran [bræn] n farelo

branch [brɑ:ntʃ] n ramo, galho; (Comm) sucursal f, filial f; **branch out** vi (fig) diversificar suas atividades; **to ~ out into** estender suas atividades a

brand [brænd] n marca; (fig: type) tipo ▷vt (cattle) marcar com ferro quente

brand-new adj novo em folha, novinho

brandy ['brændɪ] n conhaque m

brash [bræʃ] adj descarado

brass [brɑ:s] n latão m; **the ~** (Mus) os metais; **brass band** n banda de música

brat [bræt] (pej) n pirralho(-a), fedelho(-a), malcriado(-a)

brave [breɪv] adj valente, corajoso ▷vt (face up to) desafiar; **bravery** n coragem f, bravura

Brazil [brə'zɪl] n Brasil m; **Brazilian** adj, n brasileiro(-a)

breach [bri:tʃ] vt abrir brecha em ▷n (gap) brecha; (breaking): **~ of contract** inadimplência (BR), inadimplemento (PT); **~ of the peace** perturbação f da ordem pública

bread [brɛd] n pão m; (fig) ganha-pão m; **breadbin** (US **bread box**) n caixa de pão; **breadcrumbs** npl migalhas fpl; (Culin) farinha de rosca

breadth [brɛtθ] n largura; (fig) amplitude f

break [breɪk] (pt **broke,** pp **broken**) vt quebrar (BR), partir (PT); (promise) quebrar; (law) violar, transgredir; (record) bater ▷vi quebrar-se, partir-se; (storm) começar subitamente; (weather) mudar; (dawn) amanhecer; (story, news) revelar ▷n (gap) abertura; (fracture) fratura; (rest) descanso; (interval) intervalo; (at school) recreio; (chance) oportunidade f; **to ~ the news to sb** dar a notícia a alguém; **to ~ even** sair sem ganhar nem perder; **to ~ free** or **loose** soltar-se; **to ~ open** (door etc) arrombar; **break down** vt (figures, data) analisar ▷vi (machine, Aut) enguiçar, pifar (inf); (Med) sofrer uma crise nervosa; (person: cry) desatar a chorar; (talks) fracassar; **break in** vt (horse etc) domar ▷vi (burglar) forçar uma entrada; (interrupt) interromper; **break into** vt fus (house) arrombar; **break off** vi (speaker) parar-se, deter-se; (branch) partir; **break out** vi (war) estourar; (prisoner) libertar-se; **to ~ out in spots/a rash** aparecer coberto de manchas/brotoejas; **break up** vi (ship) partir-se; (partnership) acabar; (marriage) desmanchar-se; **you're ~ing up** (Tel) sua voz está falhando ▷vt (rocks) partir; (biscuit etc) quebrar; (journey) romper; (fight) intervir em; **breakdown** n (Aut) enguiço, avaria; (in communications) interrupção f; (of marriage) fracasso, término; (Med: also: **nervous breakdown**) esgotamento nervoso; (of figures) discriminação f, desdobramento

breakfast ['brɛkfəst] n café m da manhã (BR), pequeno almoço (PT)

break: break-in n roubo com arrombamento; **breakthrough** n (fig) avanço, novo progresso

breast [brɛst] n (of woman) peito, seio; (chest, meat) peito; **breast-feed** (irreg: like **feed**) vt, vi amamentar; **breast-stroke** n nado de peito

breath [brɛθ] n fôlego, respiração f; **out of ~** ofegante, sem fôlego

breathe [briːð] vt, vi respirar; **breathe in** vt, vi inspirar; **breathe out** vt, vi expirar; **breathing** n respiração f

breathless ['brɛθlɪs] adj sem fôlego

breed [briːd] (pt, pp **bred**) vt (animals) criar; (plants) multiplicar ▷vi criar, reproduzir ▷n raça

breeze [briːz] n brisa, aragem f; **breezy** adj (person) despreocupado, animado; (weather) ventoso

brew [bruː] vt (tea) fazer; (beer) fermentar ▷vi (storm, fig) armar-se; **brewery** n cervejaria

bribe [braɪb] n suborno ▷vt subornar; **bribery** n suborno

brick [brɪk] n tijolo; **bricklayer** n pedreiro

bride [braɪd] n noiva; **bridegroom** n noivo; **bridesmaid** n dama de honra

bridge [brɪdʒ] n ponte f; (Naut) ponte de comando; (Cards) bridge m; (of nose) cavalete m ▷vt transpor

bridle ['braɪdl] n cabeçada, freio

brief [briːf] adj breve ▷n (Law) causa; (task) tarefa ▷vt (inform) informar; **~s** npl (for men) cueca (BR), cuecas fpl (PT); (for women) calcinha (BR), cuecas fpl (PT); **briefcase** n pasta; **briefly** adv (glance) rapidamente; (say) em poucas palavras

bright [braɪt] adj claro, brilhante; (weather) resplandecente; (person: clever) inteligente; (: lively) alegre, animado; (colour) vivo; (future) promissor(a), favorável ▷vi (*weather*) clarear; (*person*) animar-se, alegrar-se; (*face*) iluminar-se; (*prospects*) tornar-se animado *or* favorável

brilliant ['brɪljənt] *adj* brilhante; (*inf: great*) sensacional

brim [brɪm] *n* borda; (*of hat*) aba

brine [braɪn] *n* (*Culin*) salmoura

bring [brɪŋ] (*pt, pp* **brought**) *vt* trazer; **bring about** *vt* ocasionar, produzir; **bring back** *vt* restabelecer; (*return*) devolver; **bring down** *vt* (*price*) abaixar; (*government, plane*) derrubar; **bring forward** *vt* adiantar; **bring off** *vt* (*plan*) levar a cabo; **bring out** *vt* (*object*) tirar; (*meaning*) salientar; (*book etc*) lançar; **bring round** *vt* fazer voltar a si; **bring up** *vt* (*person*) educar, criar; (*carry up*) subir; (*question*) introduzir; (*food*) vomitar

brisk [brɪsk] *adj* vigoroso; (*tone, person*) enérgico; (*trade*) ativo

bristle ['brɪsl] *n* (*of animal*) pêlo rijo; (*of beard*) pêlo de barba curta; (*of brush*) cerda ▷ *vi* (*in anger*) encolerizar-se

Britain ['brɪtən] *n* (*also:* **Great ~**) Grã-Bretanha

British ['brɪtɪʃ] *adj* britânico ▷ *npl:* **the ~** os britânicos; **British Isles** *npl:* **the British Isles** as ilhas Britânicas

Briton ['brɪtən] *n* britânico(-a)

brittle ['brɪtl] *adj* quebradiço, frágil

broad [brɔːd] *adj* (*street, range*) amplo; (*shoulders, smile*) largo; (*distinction*) geral; (*accent*) carregado; **in ~ daylight** em plena luz do dia; **broadband** *n* banda larga; **broadcast** (*pt, pp* **~cast**) *n* transmissão *f* ▷ *vt, vi* transmitir; **broaden** *vt* alargar ▷ *vi* alargar-se; **to broaden one's mind** abrir os horizontes; **broadly** *adv* em geral;

broad-minded *adj* tolerante, liberal

broccoli ['brɔkəlɪ] *n* brócolis *mpl*

brochure ['brəʊʃjuə*] *n* folheto, brochura

broke [brəuk] *pt of* **break** ▷ *adj* (*inf*) sem um vintém, duro; (: *company*): **to go ~** quebrar

broken ['brəukən] *pp of* **break** ▷ *adj* quebrado; **in ~ English** num inglês mascavado

broker ['brəukə*] *n* corretor(a) *m/f*

bronchitis [brɔŋ'kaɪtɪs] *n* bronquite *f*

bronze [brɔnz] *n* bronze *m*

brooch [brəutʃ] *n* broche *m*

brood [bruːd] *n* ninhada ▷ *vi* (*person*) cismar, remoer

broom [brum] *n* vassoura; (*Bot*) giesta-das-vassouras

Bros. *abbr* (*Comm*: = *brothers*) Irmãos

broth [brɔθ] *n* caldo

brothel ['brɔθl] *n* bordel *m*

brother ['brʌðə*] *n* irmão *m*; **brother-in-law** *n* cunhado

brought [brɔːt] *pt, pp of* **bring**

brow [brau] *n* (*forehead*) fronte *f*, testa; (*rare: gen: eye~*) sobrancelha; (*of hill*) cimo, cume *m*

brown [braun] *adj* marrom (BR), castanho (PT); (*hair*) castanho; (*tanned*) bronzeado, moreno ▷ *n* (*colour*) cor *f* marrom (BR) *or* castanha (PT) ▷ *vt* (*Culin*) dourar; **brown bread** *n* pão *m* integral; **Brownie** *n* (*also:* **Brownie Guide**) fadinha de bandeirante; **brown sugar** *n* açúcar *m* mascavo

browse [brauz] *vi* (*in shop*) dar uma olhada; **to ~ through a book** folhear um livro; **browser** ['brauzə*] *n* (*Comput*) browser *m*, navegador *m*

bruise [bruːz] *n* hematoma *m*, contusão *f* ▷ *vt* machucar

brunette [bruː'nɛt] *n* morena

brush [brʌʃ] n escova; (for painting, shaving) pincel m; (quarrel) bate-boca m ▷vt varrer; (groom) escovar; (also: ~ **against**) tocar ao passar, roçar; **brush aside** vt afastar, não fazer caso de; **brush up** vt retocar, revisar

Brussels ['brʌslz] n Bruxelas; **Brussels sprout** n couve-de-bruxelas f

brutal ['bru:tl] adj brutal

BSE n abbr (= bovine spongiform encephalopathy) BSE f

bubble ['bʌbl] n bolha (BR), borbulha (PT) ▷vi borbulhar; **bubble bath** n banho de espuma; **bubble gum** n chiclete m (de bola) (BR), pastilha elástica (PT)

buck [bʌk] n (rabbit) macho; (deer) cervo; (US: inf) dólar m ▷vi corcovear; **to pass the ~** fazer o jogo de empurra; **buck up** vi (cheer up) animar-se, cobrar ânimo

bucket ['bʌkɪt] n balde m

buckle ['bʌkl] n fivela ▷vt afivelar ▷vi torcer-se, cambar-se

bud [bʌd] n broto; (of flower) botão m ▷vi brotar, desabrochar

Buddhism ['budɪzəm] n budismo

buddy ['bʌdɪ] (US) n camarada m, companheiro

budge [bʌdʒ] vt mover ▷vi mexer-se

budgerigar ['bʌdʒərɪgɑː] n periquito

budget ['bʌdʒɪt] n orçamento ▷vi: **to ~ for sth** incluir algo no orçamento

budgie ['bʌdʒɪ] n = **budgerigar**

buff [bʌf] adj (colour) cor de camurça ▷n (inf: enthusiast) aficionado(-a)

buffalo ['bʌfələu] (pl ~ or ~**es**) n (BRIT) búfalo; (US: bison) bisão m

buffer ['bʌfə*] n pára-choque m; (Comput) buffer m, memória intermediária

buffet¹ ['bufeɪ] (BRIT) n (in station) bar m; (food) bufê m; **buffet car** (BRIT) n vagão-restaurante m

buffet² ['bʌfɪt] vt fustigar

bug [bʌg] n (esp US: insect) bicho; (fig: germ) micróbio; (spy device) microfone m oculto, escuta clandestina; (Comput: of program) erro ▷vt (inf: annoy) apoquentar, incomodar; (room) colocar microfones em; (phone) grampear

build [bɪld] (pt, pp **built**) n (of person) talhe m, estatura ▷vt construir, edificar; **build up** vt acumular; **builder** n construtor(a) m/f, empreiteiro(-a); **building** n (trade) construção f; (house, structure) edifício, prédio; **building society** (BRIT) n sociedade f de crédito imobiliário, financiadora

built [bɪlt] pt, pp of **build** ▷adj: ~-**in** embutido

bulb [bʌlb] n (Bot) bulbo; (Elec) lâmpada

Bulgaria [bʌl'gɛərɪə] n Bulgária

bulge [bʌldʒ] n bojo, saliência ▷vi inchar-se; (pocket etc) fazer bojo

bulk [bʌlk] n (of building, object) volume m; (of person) corpanzil m; **in ~** (Comm) a granel; **the ~ of** a maior parte de; **bulky** adj volumoso

bull [bul] n touro

bulldozer ['buldəuzə*] n buldôzer m, escavadora

bullet ['bulɪt] n bala

bulletin ['bulɪtɪn] n noticiário; (journal) boletim m

bullfight ['bulfaɪt] n tourada; **bullfighter** n toureiro; **bullfighting** n tauromaquia

bully ['bulɪ] n fanfarrão m, valentão m ▷vt intimidar, tiranizar

bum [bʌm] n (inf: backside) bum-bum m; (esp US: tramp)

vagabundo(-a), vadio(-a)
bumblebee [ˈbʌmblbiː] n
mamangaba
bump [bʌmp] n (in car) batida; (jolt)
sacudida; (on head) galo; (on road)
elevação f ▷vt bater contra, dar
encontrão em ▷vi dar sacudidas;
bump into vt fus chocar-se com or
contra, colidir com; (inf: person) dar
com, topar com; **bumper** n (BRIT)
pára-choque m ▷adj: **bumper crop**
supersafra; **bumpy** [ˈbʌmpɪ] adj
(road) acidentado, cheio de altos
e baixos
bun [bʌn] n pão m doce (BR),
pãozinho (PT); (in hair) coque m
bunch [bʌntʃ] n (of flowers) ramo;
(of keys) molho; (of bananas) cacho;
(of people) grupo; **~es** npl (in hair)
cachos mpl
bundle [ˈbʌndl] n trouxa,
embrulho; (of sticks) feixe m; (of
papers) maço ▷vt (also: ~ up)
embrulhar, atar; (put): **to ~ sth/sb
into** meter or enfiar algo/alguém
correndo em
bungalow [ˈbʌŋɡələu] n bangalô
m, chalé m
bunion [ˈbʌnjən] n joanete m
bunk [bʌŋk] n beliche m; **bunk
beds** npl beliche m, cama-beliche f
bunker [ˈbʌŋkəˈ] n (coal store)
carvoeira; (Mil) abrigo, casamata;
(Golf) bunker m
buoy [bɔɪ] n bóia; **buoy up** vt (fig)
animar; **buoyant** adj flutuante;
(person) alegre; (Comm: market)
animado
burden [ˈbəːdn] n
responsabilidade f, fardo; (load)
carga ▷vt sobrecarregar; (trouble):
to be a ~ to sb ser um estorvo para
alguém
bureau [bjuəˈrəu] (pl **~x**) n (BRIT:
desk) secretária, escrivaninha; (US:
chest of drawers) cômoda; (office)

escritório, agência
bureaucracy [bjuəˈrɔkrəsɪ] n
burocracia
burglar [ˈbəːɡləˈ] n ladrão m/f;
burglar alarm n alarma de roubo;
burglary n roubo
burial [ˈbɛrɪəl] n enterro
burn [bəːn] (pt, pp **~ed** or **burnt**)
vt queimar; (house) incendiar ▷vi
queimar-se, arder; (sting) arder,
picar ▷n queimadura; **burn
down** vt incendiar; **burning** adj
ardente; (hot: sand etc) abrasador(a);
(ambition) grande
burrow [ˈbʌrəu] n toca, lura ▷vi
fazer uma toca, cavar; (rummage)
esquadrinhar
burst [bəːst] (pt, pp **burst**) vt
arrebentar; (banks) romper ▷vi
estourar; (tyre) furar ▷n rajada;
to ~ into flames incendiar-se de
repente; **to ~ into tears** desatar a
chorar; **to ~ out laughing** cair na
gargalhada; **to be ~ing with** (subj:
room, container) estar abarrotado
de; (: person: emotion) estar tomado
de; **a ~ of energy** uma explosão de
energia; **burst into** vt fus (room etc)
irromper em
bury [ˈbɛrɪ] vt enterrar; (at funeral)
sepultar; **to ~ one's head in one's
hands** cobrir o rosto com as mãos;
to ~ one's head in the sand (fig)
bancar avestruz; **to ~ the hatchet**
(fig) fazer as pazes
bus [bʌs] n ônibus m inv (BR),
autocarro (PT)
bush [buʃ] n arbusto, mata;
(scrubland) sertão m; **to beat about
the ~** ser evasivo
business [ˈbɪznɪs] n negócio;
(trading) comércio, negócios
mpl; (firm) empresa; (occupation)
profissão f; **to be away on ~** estar
fora a negócios; **it's my ~ to ...**
encarrego-me de ...; **it's none**

of my ~ eu não tenho nada com isto; **he means ~** fala a sério; **businesslike** adj eficiente, metódico; **businessman** (irreg) n homem m de negócios f; **business trip** n viagem f de negócios; **businesswoman** (irreg) n mulher f de negócios

busker ['bʌskə*] (BRIT) n artista m/f de rua

bus: **bus station** n estação f rodoviária; **bus stop** n ponto de ônibus (BR), paragem f de autocarro (PT)

bust [bʌst] n (Anat) busto ▷ adj (inf: broken) quebrado; **to go ~** falir

busy ['bɪzɪ] adj (person) ocupado, atarefado; (place) movimentado; (US: Tel) ocupado (BR), impedido (PT) ▷ vt: **to ~ o.s. with** ocupar-se em or de

○ **KEYWORD**

but [bʌt] conj **1** (yet) mas, porém; **he's tired ~ Paul isn't** ele está cansado mas Paul não; **the trip was enjoyable ~ tiring** a viagem foi agradável porém cansativa
2 (however): **I'd love to come, ~ I'm busy** eu adoraria vir, mas estou ocupado
3 (showing disagreement, surprise etc) mas; **~ that's far too expensive!** mas isso é caro demais!
▷ prep (apart from, except) exceto, menos; **he was nothing ~ trouble** ele só deu problema; **no-one ~ him** só ele, ninguém a não ser ele; **~ for** sem, se não fosse; **(I'll do) anything ~ that** (eu faria) qualquer coisa menos isso
▷ adv (just, only) apenas; **had I ~ known** se eu soubesse; **I can ~ try** a única coisa que eu posso fazer é tentar; **all ~** quase

butcher ['butʃə*] n açougueiro (BR), homem m do talho (PT) ▷ vt (prisoners etc) chacinar, massacrar; (cattle etc for meat) abater e carnear; **butcher's (shop)** n açougue m (BR), talho (PT)

butler ['bʌtlə*] n mordomo

butt [bʌt] n (cask) tonel m; (of gun) coronha; (of cigarette) toco (BR), ponta (PT); (BRIT: fig: target) alvo ▷ vt (subj: goat) marrar; (: person) dar uma cabeçada em; **butt in** vi (interrupt) interromper

butter ['bʌtə*] n manteiga ▷ vt untar com manteiga

butterfly ['bʌtəflaɪ] n borboleta; (Swimming: also: **~ stroke**) nado borboleta

buttocks ['bʌtəks] npl nádegas fpl

button ['bʌtn] n botão m; (US: badge) emblema m ▷ vt (also: **~ up**) abotoar ▷ vi ter botões

buy [baɪ] (pt, pp bought) vt comprar ▷ n compra; **to ~ sb sth/sth from sb** comprar algo para alguém/algo a alguém; **to ~ sb a drink** pagar um drinque para alguém; **buyer** n comprador(a) m/f

buzz [bʌz] n zumbido; (inf: phone call): **to give sb a ~** dar uma ligada para alguém ▷ vi zumbir; **buzzer** n cigarra, vibrador m

○ **KEYWORD**

by [baɪ] prep **1** (referring to cause, agent) por, de; **killed ~ lightning** morto por um raio; **a painting ~ Picasso** um quadro de Picasso
2 (referring to method, manner, means) de, com; **~ bus/car/train** de ônibus/carro/trem; **to pay ~ cheque** pagar com cheque; **~ moonlight/candlelight** sob o luar/à luz de vela; **~ saving hard, he ...** economizando muito, ele ...

3 (*via, through*) por, via; **we came ~ Dover** viemos por *or* via Dover
4 (*close to*) perto de, ao pé de; **a holiday ~ the sea** férias à beira-mar; **she sat ~ his bed** ela sentou-se ao lado de seu leito
5 (*past*) por; **she rushed ~ me** ela passou por mim correndo
6 (*not later than*): **~ 4 o'clock** antes das quatro; **~ this time tomorrow** esta mesma hora amanhã; **~ the time I got here it was too late** quando eu cheguei aqui, já era tarde demais
7 (*during*): **~ daylight** durante o dia
8 (*amount*) por; **~ the kilometre** por quilômetro
9 (*Math, measure*) por; **it's broader ~ a metre** tem um metro a mais de largura
10 (*according to*) segundo, de acordo com; **it's all right ~ me** por mim tudo bem
11: **(all) ~ oneself** *etc* (completamente) só, sozinho; **he did it (all) ~ himself** ele fêz tudo sozinho
12: **~ the way** a propósito
▷*adv* **1** *see* **go; pass** *etc*
2: **~ and ~** logo, mais tarde; **~ and large** em geral

bye(-bye) ['baɪ('baɪ)] *excl* até logo (BR), tchau (BR), adeus (PT)
bypass ['baɪpɑːs] *n* via secundária, desvio; (*Med*) ponte *f* de safena ▷*vt* evitar
byte [baɪt] *n* (*Comput*) byte *m*

C [siː] *n* (*Mus*) dó *m*
cab [kæb] *n* táxi *m*; (*of truck etc*) boléia; (*of train*) cabina de maquinista
cabaret ['kæbəreɪ] *n* cabaré *m*
cabbage ['kæbɪdʒ] *n* repolho (BR), couve *f* (PT)
cabin ['kæbɪn] *n* cabana; (*on ship*) camarote *m*; (*on plane*) cabina de passageiros
cabinet ['kæbɪnɪt] *n* (*Pol*) gabinete *m*; (*furniture*) armário; (*also*: **display ~**) armário com vitrina
cable ['keɪbl] *n* cabo; (*telegram*) cabograma *m* ▷*vt* enviar cabograma para; **cable television** *n* televisão *f* a cabo
cactus ['kæktəs] (*pl* **cacti**) *n* cacto
café ['kæfeɪ] *n* café *m*
cage [keɪdʒ] *n* (*bird ~*) gaiola; (*for large animals*) jaula; (*of lift*) cabina
cagoule [kə'guːl] *n* casaco de náilon
Cairo ['kaɪərəu] *n* o Cairo

cake [keɪk] n (large) bolo; (small) doce m, bolinho; **~ of soap** sabonete m

calculate ['kælkjuleɪt] vt calcular; (estimate) avaliar; **calculation** n cálculo; **calculator** n calculador m, calculadora

calendar ['kæləndə°] n calendário; **~ month/year** mês m/ano civil

calf [kɑːf] (pl **calves**) n (of cow) bezerro, vitela; (of other animals) cria; (also: **~skin**) pele f or couro de bezerro; (Anat) barriga-da-perna

calibre ['kælɪbə°] (US **caliber**) n (of person) capacidade f, calibre m

call [kɔːl] vt chamar; (label) qualificar, descrever; (Tel) telefonar a, ligar para; (witness) citar; (meeting) convocar ▷vi chamar; (shout) gritar; (Tel) telefonar; (visit: also: **~ in; ~ round**) dar um pulo ▷n (shout) chamada; (also: **telephone ~**) chamada, telefonema m; (of bird) canto; **to be ~ed** chamar-se; **on ~** de plantão; **call back** vi (return) voltar, passar de novo; (Tel) ligar de volta; **call for** vt fus (demand) requerer, exigir; (fetch) ir buscar; **call off** vt (cancel) cancelar; **call on** vt fus (visit) visitar; (appeal to) pedir; **call out** vi gritar, bradar; **call up** vt (Mil) chamar às fileiras; (Tel) dar uma ligada; **callbox** (BRIT) n cabine f telefônica; **call centre** n (BRIT: Tel) central f de chamadas; **caller** n visita m/f; (Tel) chamador(a) m/f

callous ['kæləs] adj cruel, insensível

calm [kɑːm] adj calmo; (peaceful) tranqüilo; (weather) estável ▷n calma ▷vt acalmar; (fears, grief) abrandar; **calm down** vt acalmar, tranqüilizar ▷vi acalmar-se

calorie ['kælərɪ] n caloria

calves [kɑːvz] npl of **calf**

Cambodia [kæm'bəudjə] n Camboja

camcorder ['kæmkɔːdə°] n filmadora, máquina de filmar

came [keɪm] pt of **come**

camel ['kæməl] n camelo

camera ['kæmərə] n máquina fotográfica; (Cinema, TV) câmera; **in ~** (Law) em câmara; **camera phone** n celular m com câmera

camouflage ['kæməflɑːʒ] n camuflagem f ▷vt camuflar

camp [kæmp] n campo, acampamento; (Mil) acampamento; (for prisoners) campo; (faction) facção f ▷vi acampar ▷adj afeminado

campaign [kæm'peɪn] n (Mil, Pol etc) campanha ▷vi fazer campanha

camper ['kæmpə°] n campista m/f; (vehicle) reboque m

camping ['kæmpɪŋ] n camping m (BR), campismo (PT); **to go ~** acampar

campsite ['kæmpsaɪt] n camping m (BR), parque m de campismo (PT)

campus ['kæmpəs] n campus m, cidade f universitária

can¹ [kæn] n lata ▷vt enlatar

○ **KEYWORD**

can² [kæn] (negative **cannot** or **can't**, pt, conditional **could**) aux vb **1** (be able to) poder; **you ~ do it if you try** se você tentar, você consegue fazê-lo; **I'll help you all I ~** ajudarei você em tudo que puder; **she couldn't sleep that night** ela não conseguiu dormir aquela noite; **~ you hear me?** você está me ouvindo? **2** (know how to) saber; **I ~ swim** sei nadar; **~ you speak Portuguese?** você fala português? **3** (may) **could I have a word with you?** será que eu podia falar com você?

4 (*expressing disbelief, puzzlement*):
it CAN'T be true! não pode ser
verdade!; **what CAN he want?** o
que é que ele quer?
5 (*expressing possibility, suggestion
etc*): **he could be in the library** ele
talvez esteja na biblioteca; **they
could have forgotten** eles podiam
ter esquecido

Canada ['kænədə] *n* Canadá
m; **Canadian** [kə'neɪdɪən] *adj, n*
canadense *m/f*
canal [kə'næl] *n* canal *m*
canary [kə'nɛərɪ] *n* canário
cancel ['kænsəl] *vt* cancelar;
(*contract*) anular; (*cross out*)
riscar, invalidar; **cancellation**
[kænsə'leɪʃən] *n* cancelamento
cancer ['kænsə*] *n* câncer *m* (BR),
cancro (PT); **C~** (*Astrology*) Câncer
candidate ['kændɪdeɪt] *n*
candidato(-a)
candle ['kændl] *n* vela; (*in church*)
círio; **candlestick** *n* (*plain*) castiçal
m; (*bigger, ornate*) candelabro,
lustre *m*
candy ['kændɪ] *n* (*also:* **sugar-~**)
açúcar *m* cristalizado; (US) bala (BR),
rebuçado (PT)
cane [keɪn] *n* (*Bot*) cana; (*stick*)
bengala ▷*vt* (BRIT: *Sch*) castigar
(com bengala)
canister ['kænɪstə*] *n* lata
cannabis ['kænəbɪs] *n* maconha
canned [kænd] *adj* (*food*) em lata,
enlatado
cannon ['kænən] (*pl inv or* **~s**) *n*
canhão *m*
cannot ['kænɔt] = **can not**
canoe [kə'nu:] *n* canoa
can't [kɑ:nt] = **can not**
canteen [kæn'ti:n] *n* cantina;
(BRIT: *of cutlery*) jogo (de talheres)
canter ['kæntə*] *vi* ir a meio
galope

canvas ['kænvəs] *n* (*material*) lona;
(*for painting*) tela; (*Naut*) velas *fpl*
canvass ['kænvəs] *vi* (*Pol*): **to ~ for**
fazer campanha por ▷*vt* sondar
canyon ['kænjən] *n* canhão *m*
garganta, desfiladeiro
cap [kæp] *n* gorro; (*of pen, bottle*)
tampa; (*contraceptive: also:* **Dutch
~**) diafragma *m* ▷*vt* (*outdo*) superar;
(*put limit on*) limitar
capable ['keɪpəbl] *adj* (*of sth*)
capaz; (*competent*) competente,
hábil
capacity [kə'pæsɪtɪ] *n* capacidade
f; (*of stadium etc*) lotação *f*; (*role*)
condição *f*, posição *f*
cape [keɪp] *n* capa; (*Geo*) cabo
caper ['keɪpə*] *n* (*Culin: gen:* ~s)
alcaparra; (*prank*) travessura
capital ['kæpɪtl] *n* (*also:* ~ **city**)
capital *f*; (*money*) capital *m*; (*also:*
~ **letter**) maiúscula; **capitalism**
n capitalismo; **capitalist**
adj, n capitalista *m/f*; **capital
punishment** *n* pena de morte
Capitol ['kæpɪtl] *n*: **the ~** o
Capitólio; *ver quadro*

● **CAPITOL**
●
● O Capitólio (Capitol) é a sede do
● Congresso dos Estados Unidos,
● localizado no monte Capitólio
● (Capitol Hill), em Washington.

Capricorn ['kæprɪkɔ:n] *n*
Capricórnio
capsize [kæp'saɪz] *vt, vi* emborcar,
virar
capsule ['kæpsju:l] *n* cápsula
captain ['kæptɪn] *n* capitão *m*
caption ['kæpʃən] *n* legenda
capture ['kæptʃə*] *vt* prender,
aprisionar; (*person*) capturar; (*place*)
tomar; (*attention*) atrair, chamar ▷*n*
captura; (*of place*) tomada

car [kɑː*] *n* carro, automóvel *m*; (*Rail*) vagão *m*

caramel ['kærəməl] *n* (*sweet*) caramelo; (*burnt sugar*) caramelado

caravan ['kærəvæn] *n* reboque *m* (*BR*), trailer *m* (*BR*), rulote *f* (*PT*); (*in desert*) caravana

carbohydrate [kɑːbəu'haidreit] *n* hidrato de carbono; (*food*) carboidrato

carbon ['kɑːbən] *n* carbono; **carbon dioxide** [-daɪ'ɔksaɪd] *n* dióxido de carbono; **carbon monoxide** [-mɔn'ɔksaɪd] *n* monóxido de carbono

carburettor [kɑːbju'rɛtə*] (*US* **carburetor**) *n* carburador *m*

card [kɑːd] *n* (*also:* **playing ~**) carta; (*visiting ~*) cartão *m*; (*thin cardboard*) cartolina; **cardboard** *n* cartão *m*, papelão *m*

cardigan ['kɑːdɪgən] *n* casaco de lã, cardigã *m*

cardinal ['kɑːdɪnl] *adj* cardeal; (*Math*) cardinal ▷ *n* (*Rel*) cardeal *m*

care [kɛə*] *n* cuidado; (*worry*) preocupação *f*; (*charge*) encargo, custódia ▷ *vi*: **to ~ about** (*person, animal*) preocupar-se com; (*thing, idea*) ter interesse em; **~ of** (*on letter*) aos cuidados de; **in sb's ~** a cargo de alguém; **to take ~ (to do)** ter o cuidado (de fazer); **to take ~ of** (*person*) cuidar de; (*situation*) encarregar-se de; **I don't ~** não me importa; **I couldn't ~ less** não dou a mínima; **care for** *vt fus* cuidar de; (*like*) gostar de

career [kə'rɪə*] *n* carreira ▷ *vi* (*also:* **~ along**) correr a toda velocidade

carefree ['kɛəfriː] *adj* despreocupado

careful ['kɛəful] *adj* (*thorough*) cuidadoso; (*cautious*) cauteloso; **(be) ~!** tenha cuidado!; **carefully** *adv* cuidadosamente; cautelosamente

careless ['kɛəlɪs] *adj* descuidado; (*heedless*) desatento

caretaker ['kɛəteɪkə*] *n* zelador(a) *m/f*

car-ferry *n* barca para carros (*BR*), barco de passagem (*PT*)

cargo ['kɑːgəu] (*pl* **~es**) *n* carga

car hire (*BRIT*) *n* aluguel *m* (*BR*) or aluguer *m* (*PT*) de carros

Caribbean [kærɪ'biːən] *n*: **the ~ (Sea)** o Caribe

caring ['kɛərɪŋ] *adj* (*person*) bondoso; (*society*) humanitário

carnation [kɑː'neɪʃən] *n* cravo

carnival ['kɑːnɪvəl] *n* carnaval *m*; (*US: funfair*) parque *m* de diversões

carol ['kærəl] *n*: **(Christmas) ~** cântico de Natal

car park (*BRIT*) *n* estacionamento

carpenter ['kɑːpɪntə*] *n* carpinteiro

carpet ['kɑːpɪt] *n* tapete *m* ▷ *vt* atapetar

carriage ['kærɪdʒ] *n* carruagem *f*; (*BRIT: Rail*) vagão *m*; (*of goods*) transporte *m*; (*: cost*) porte *m*; **carriageway** (*BRIT*) *n* (*part of road*) pista

carrier ['kærɪə*] *n* transportador(a) *m/f*; (*company*) empresa de transportes, transportadora; (*Med*) portador(a) *m/f*; **carrier bag** (*BRIT*) *n* saco, sacola

carrot ['kærət] *n* cenoura

carry ['kærɪ] *vt* levar; (*transport*) transportar; (*involve: responsibilities etc*) implicar ▷ *vi* (*sound*) projetar-se; **to get carried away** (*fig*) exagerar; **carry on** *vi* seguir, continuar ▷ *vt* prosseguir, continuar; **carry out** *vt* (*orders*) cumprir; (*investigation*) levar a cabo, realizar

cart [kɑːt] *n* carroça, carreta ▷ *vt* transportar (em carroça)

carton ['kɑ:tən] n (box) caixa (de papelão); (of yogurt) pote m; (of milk) caixa; (packet) pacote m

cartoon [kɑ:'tu:n] n (drawing) desenho; (BRIT: comic strip) história em quadrinhos (BR), banda desenhada (PT); (film) desenho anima-do

cartridge ['kɑ:trɪdʒ] n cartucho; (of record player) cápsula

carve [kɑ:v] vt (meat) trinchar; (wood, stone) cinzelar, esculpir; (initials, design) gravar; **carve up** vt dividir, repartir; **carving** n (object) escultura; (design) talha, entalhe m

case [keɪs] n caso; (for spectacles etc) estojo; (Law) causa; (BRIT: also: **suitcase**) mala; (of wine etc) caixa; **in ~ (of)** em caso (de); **in any ~** em todo o caso; **just in ~** (conj) se por acaso ▷ adv por via das dúvidas

cash [kæʃ] n dinheiro (em espécie) ▷ vt descontar; **to pay (in) ~** pagar em dinheiro; **~ on delivery** pagamento contra entrega; **cash card** (BRIT) n cartão m de saque; **cash desk** (BRIT) n caixa; **cash dispenser** n caixa automática or eletrônica

cashew [kæ'ʃu:] n (also: **~ nut**) castanha de caju

cashier [kæ'ʃɪə°] n caixa m/f

cash register n caixa registradora

casino [kə'si:nəu] n cassino

casket ['kɑ:skɪt] n cofre m, porta-jóias m inv; (US: coffin) caixão m

casserole ['kæsərəul] n panela de ir ao forno; (food) ensopado (BR) no forno, guisado (PT) no forno

cassette [kæ'sɛt] n fita-cassete f; **cassette player** n toca-fitas m inv

cast [kɑ:st] (pt, pp **cast**) vt (throw) lançar, atirar; (Theatre): **to ~ sb as Hamlet** dar a alguém o papel de Hamlet ▷ n (Theatre) elenco; (also:

plaster ~) gesso; **to ~ one's vote** votar; **cast off** vi (Naut) soltar o cabo; (knitting) rematar os pontos; **cast on** vi montar os pontos

caster sugar ['kɑ:stə°-] (BRIT) n acuçar m branco refinado

castle ['kɑ:sl] n castelo; (Chess) torre f

casual ['kæʒjul] adj (by chance) fortuito; (work) eventual; (unconcerned) despreocupado; (clothes) descontraído, informal

casualty ['kæʒjultɪ] n ferido(-a); (dead) morto(-a); (of situation) vítima; (department) pronto-socorro

cat [kæt] n gato

catalogue ['kætəlɔg] (US **catalog**) n catálogo ▷ vt catalogar

catarrh [kə'tɑ:°] n catarro

catastrophe [kə'tæstrəfɪ] n catástrofe f

catch [kætʃ] (pt, pp **caught**) vt pegar (BR), apanhar (PT); (fish) pescar; (arrest) prender, deter; (person: by surprise) flagrar, surpreender; (attention) atrair; (hear) ouvir; (also: **~ up**) alcançar ▷ vi (fire) pegar; (in branches etc) ficar preso, prender-se ▷ n (fish) pesca; (game) manha, armadilha; (of lock) trinco, lingüeta; **to ~ fire** pegar fogo; (building) incendiar-se; **to ~ sight of** avistar; **catch on** vi (understand) entender (BR), perceber (PT); (grow popular) pegar; **catch up** vi equiparar-se ▷ vt (also: **~ up with**) alcançar; **catching** adj (Med) contagioso

category ['kætɪgərɪ] n categoria

cater ['keɪtə°] vi preparar comida; **cater for** vt fus (needs) atender a; (consumers) satisfazer

caterpillar ['kætəpɪlə°] n lagarta

cathedral [kə'θi:drəl] n catedral f

catholic ['kæθəlɪk] adj ecléctico;

Catholic *adj*, *n* (*Rel*) católico(-a)
cattle ['kætl] *npl* gado
caught [kɔːt] PT, *pp of* **catch**
cauliflower ['kɔliflauə*] *n*
couve-flor *f*
cause [kɔːz] *n* causa; (*reason*)
motivo, razão *f* ▷*vt* causar, provocar
caution ['kɔːʃən] *n* cautela,
prudência; (*warning*) aviso ▷*vt*
acautelar, avisar
cautious ['kɔːʃəs] *adj* cauteloso,
prudente, precavido
cave [keɪv] *n* caverna, gruta; **cave
in** *vi* ceder
cc *abbr* (= *cubic centimetre*) cc; (*on letter
etc*) = **carbon copy**
CD *n abbr* = **compact disc**; **compact
disc player**; **CD burner, CD writer**
n gravador *m* de CD; **CD-ROM** *n abbr*
(= *compact disc read-only memory*)
CD-ROM *m*
cease [siːs] *vt, vi* cessar; **ceasefire**
n cessar-fogo *m*
cedar ['siːdə*] *n* cedro
ceiling ['siːlɪŋ] *n* (*also fig*) teto
celebrate ['sɛlɪbreɪt] *vt* celebrar
▷*vi* celebrar; (*birthday, anniversary
etc*) festejar; (*Rel: mass*) rezar;
celebration [sɛlɪ'breɪʃən] *n* (*party*)
festa
celery ['sɛlərɪ] *n* aipo
cell [sɛl] *n* cela; (*Bio*) célula; (*Elec*)
pilha, elemento
cellar ['sɛlə*] *n* porão *m*; (*for wine*)
adega
cellphone ['sɛlfəun] *n* telefone
m celular
cement [sə'mɛnt] *n* cimento
cemetery ['sɛmɪtrɪ] *n* cemitério
censor ['sɛnsə*] *n* censor (a) *m/f*
▷*vt* censurar; **censorship** *n* censura
census ['sɛnsəs] *n* censo
cent [sɛnt] *n* cêntimo; *see also* **per**
centenary [sɛn'tiːnərɪ] *n*
centenário
center ['sɛntə*] (*US*) = **centre**

centigrade ['sɛntɪgreɪd] *adj*
centígrado
centimetre ['sɛntɪmiːtə*] (*US*
centimeter) *n* centímetro
central ['sɛntrəl] *adj* central;
Central America *n* América
Central; **central heating** *n*
aquecimento central
centre ['sɛntə*] (*US* **center**) *n*
centro; (*of room, circle etc*) meio
▷*vt* centrar
century ['sɛntjurɪ] *n* século; **20th
~** século vinte
ceramic [sɪ'ræmɪk] *adj* cerâmico
cereal ['siːrɪəl] *n* cereal *m*
ceremony ['sɛrɪmənɪ] *n*
cerimônia; (*ritual*) rito; **to stand on
~** fazer cerimônia
certain ['səːtən] *adj* (*sure*) seguro;
(*person*): **a ~ Mr Smith** um certo Sr.
Smith; (*particular*): **~ days/places**
certos dias/lugares; (*some*): **a ~
coldness/pleasure** uma certa
frieza/um certo prazer; **for ~** com
certeza; **certainly** *adv* certamente,
com certeza; **certainty** *n* certeza
certificate [sə'tɪfɪkɪt] *n* certidão *f*
certify ['səːtɪfaɪ] *vt* certificar
cf. *abbr* (= *compare*) cf.
CFC *n abbr* (= *chlorofluorocarbon*)
CFC *m*
chain [tʃeɪn] *n* corrente *f*; (*of islands*)
grupo; (*of mountains*) cordilheira; (*of
shops*) cadeia; (*of events*) série *f* ▷*vt*
(*also*: **~ up**) acorrentar
chair [tʃɛə*] *n* cadeira; (*armchair*)
poltrona; (*of university*) cátedra;
(*of meeting*) presidência, mesa
▷*vt* (*meeting*) presidir; **chairlift**
n teleférico; **chairman** (*irreg*) *n*
presidente *m*
chalk [tʃɔːk] *n* (*Geo*) greda; (*for
writing*) giz *m*
challenge ['tʃælɪndʒ] *n* desafio
▷*vt* desafiar; (*right*) disputar,
contestar; **challenging** *adj*

desafiante; (*tone*) de desafio

chamber ['tʃeɪmbə*] *n* câmara; (BRIT: *Law*: *gen pl*) sala de audiências; **~ of commerce** câmara de comércio; **chambermaid** *n* arrumadeira (BR), empregada (PT)

champagne [ʃæm'peɪn] *n* champanhe *m or f*

champion ['tʃæmpɪən] *n* campeão(-peã) *m/f*; (*of cause*) defensor(a) *m/f*; **championship** *n* campeonato

chance [tʃɑːns] *n* (*opportunity*) oportunidade, ocasião *f*; (*likelihood*) chance *f*; (*risk*) risco ▷*vt* arriscar ▷*adj* fortuito, casual; **to take a ~** arriscar-se; **by ~** por acaso; **to ~ it** arriscar-se

chancellor ['tʃɑːnsələ*] *n* chanceler *m*; **C~ of the Exchequer** (BRIT) Ministro da Economia (Fazenda e Planejamento)

chandelier [ʃændə'lɪə*] *n* lustre *m*

change [tʃeɪndʒ] *vt* (*alter*) mudar; (*wheel, money*) trocar; (*replace*) substituir; (*clothes, house*) mudar de, trocar de; (*nappy*) mudar, trocar; (*transform*): **to ~ sb into** transformar alguém em ▷*vi* mudar(-se); (*change clothes*) trocar-se; (*trains*) fazer baldeação (BR), mudar (PT); (*be transformed*): **to ~ into** transformar-se em ▷*n* mudança; (*exchange*) troca; (*difference*) diferença; (*of clothes*) muda; (*coins*) trocado; **to ~ gear** (*Aut*) trocar de marcha; **to ~ one's mind** mudar de idéia; **for a ~** para variar; **changeable** *adj* (*weather, mood*) instável

channel ['tʃænl] *n* canal *m*; (*of river*) leito; (*groove*) ranhura; (*fig: medium*) meio, via ▷*vt* canalizar; **the (English) C~** o Canal da Mancha

chant [tʃɑːnt] *n* canto; (*Rel*) cântico ▷*vt* cantar; (*slogan*) entoar

chaos ['keɪɔs] *n* caos *m*

chap [tʃæp] *n* (BRIT: *inf*: *man*) sujeito (BR), tipo (PT)

chapel ['tʃæpəl] *n* capela

chapter ['tʃæptə*] *n* capítulo

character ['kærɪktə*] *n* caráter *m*; (*in novel, film*) personagem *m/f*; (*letter*) letra; **characteristic** [kærɪktə'rɪstɪk] *adj* característico

charcoal ['tʃɑːkəul] *n* carvão *m* de lenha; (*Art*) carvão *m*

charge [tʃɑːdʒ] *n* (*Law*) encargo, acusação *f*; (*fee*) preço, custo; (*responsibility*) encargo ▷*vt* (*battery*) carregar; (*Mil*) atacar; (*customer*) cobrar dinheiro de; (*Law*): **to ~ sb (with)** acusar alguém (de) ▷*vi* precipitar-se; **~s** *npl*: **bank ~s** taxas *fpl* cobradas pelo banco; **to reverse the ~s** (BRIT: *Tel*) ligar a cobrar; **how much do you ~?** quanto você cobra?; **to ~ an expense (up) to sb's account** pôr a despesa na conta de alguém; **to take ~ of** encarregar-se de, tomar conta de; **to be in ~ of** estar a cargo de or encarregado de; **charge card** *n* cartão *m* de crédito (*emitido por uma loja*)

charity ['tʃærɪtɪ] *n* caridade *f*; (*organization*) obra de caridade; (*kindness*) compaixão *f*; (*gifts*) donativo

charm [tʃɑːm] *n* (*quality*) charme *m*; (*talisman*) amuleto; (*on bracelet*) berloque *m* ▷*vt* encantar, deliciar; **charming** *adj* encantador(a)

chart [tʃɑːt] *n* (*graph*) gráfico; (*diagram*) diagrama *m*; (*map*) carta de navegação ▷*vt* traçar; **~s** *npl* (*Mus*) paradas *fpl* (de sucesso)

charter ['tʃɑːtə*] *vt* fretar ▷*n* (*document*) carta, alvará *m*; **chartered accountant** (BRIT) *n* perito-contador (perita-contadora) *m/f*; **charter flight** *n* vôo charter or fretado

æsmeit] n colega

æsrum] n sala

"] n ruído, barulho; lm ⊳vi fazer

cláusula; (Ling)

animal) pata; (of a; (of lobster) pinça; rranhar; (tear) rasgar ila

j limpo; (story) npar; (hands etc) vt limpar; **clean** sear; **cleaner** n oduct) limpador m; o: **dry cleaner's**) ing n limpeza;

claro; raph) nétido; e; (glass, water) ad, way) limpo, tranqüilo; (skin) ') abrir; (room) spect) absolver; nspor; (cheque) weather) abrir; (sky) lissipar-se ⊳adv: ~ - **the table** tirar a 't limpar; (mystery) er; **clearance** n ssion) permissão em definido, n (in wood) clareira; ntamente; ente; (coherently) clearway (BRIT) n e pode estacionar t apertar, cerrar;

klə:rk] n auxiliar (US: sales person)

clever ['klɛvə*] adj inteligente; (deft) hábil; (arrangement) engenhoso

click [klɪk] vt (tongue) estalar; (heels) bater; (Comput) clicar em ⊳vi (make sound) estalar; (Comput) clicar

client ['klaɪənt] n cliente m/f

cliff [klɪf] n penhasco

climate ['klaɪmɪt] n clima m

climax ['klaɪmæks] n clímax m, ponto culminante; (sexual) clímax

climb [klaɪm] vi subir; (plant) trepar; (plane) ganhar altitude; (prices etc) escalar ⊳vt (stairs) subir; (tree) trepar em; (hill) escalar ⊳n subida; (of prices etc) escalada; **climber** n alpinista m/f; (plant) trepadeira; **climbing** n alpinismo

clinch [klɪntʃ] vt (deal) fechar; (argument) decidir, resolver

cling [klɪŋ] (pt, pp **clung**) vi: **to ~ to** pegar-se a, aderir a; (support, idea) agarrar-se a; (clothes) ajustar-se a

clinic ['klɪnɪk] n clínica

clip [klɪp] n (for hair) grampo (BR), gancho (PT); (also: **paper ~**) mola, clipe m; (TV, Cinema) clipe ⊳vt (cut) aparar; (fasten) grampear

cloak [kləuk] n capa, manto ⊳vt (fig) encobrir; **cloakroom** n vestiário; (BRIT: WC) sanitários mpl (BR), lavatórios mpl (PT)

clock [klɔk] n relógio; **clock in** or **on** (BRIT) vi assinar o ponto na entrada; **clock off** or **out** (BRIT) vi assinar o ponto na saída; **clockwise** adv em sentido horário; **clockwork** n mecanismo de relógio ⊳adj de corda

clog [klɔg] n tamanco ⊳vt entupir ⊳vi (also: **~ up**) entupir-se

close¹ [kləus] adj (near): **~ (to)** próximo (a); (friend) íntimo; (examination) minucioso; (watch) atento; (contest) apertado; (weather) abafado ⊳adv perto; **~ to** perto de;

chase [tʃeɪs] vt perseguir; (also: **~ away**) enxotar ⊳n perseguição f, caça

chat [tʃæt] vi (also: **have a ~**) conversar, bater papo (BR), cavaquear (PT) ⊳n conversa, bate-papo m (BR), cavaqueira (PT); **chatroom** n sala de bate-papo; **chat show** (BRIT) n programa m de entrevistas

chatter ['tʃætə*] vi (person) tagarelar; (animal) emitir sons; (teeth) tiritar ⊳n tagarelice f; emissão f de sons; (of birds) chilro

chauvinist ['ʃəuvɪnɪst] n chauvinista m/f; (also: **male ~**) machista m; (nationalist) chauvinista m/f

cheap [tʃiːp] adj barato; (poor quality) barato, de pouca qualidade; (behaviour) vulgar; (joke) de mau gosto ⊳adv barato; **cheaply** adv barato, por baixo preço

cheat [tʃiːt] vi trapacear; (at cards) roubar (BR), fazer batota (PT); (in exam) colar (BR), cabular (PT) ⊳vt: **to ~ sb (out of sth)** passar o conto do vigário em alguém ⊳n fraude f; (person) trapaceiro(-a)

check [tʃɛk] vt (examine) controlar; (facts) verificar; (halt) conter, impedir; (restrain) parar, refrear ⊳n controle m, inspeção f; (curb) freio; (US: bill) conta; (pattern: gen pl) xadrez m; (US) = **cheque** ⊳adj (pattern, cloth) xadrez inv; **check in** vi (in hotel) registrar-se; (in airport) apresentar-se ⊳vt (luggage) entregar; **check out** vi pagar a conta e sair; **check up** vi: **to ~ up on sth** verificar algo; **to ~ up on sb** investigar alguém; **checkers** (US) n (jogo de) damas fpl; **check-in (desk)** n check-in m; **checkout** n caixa; **checkpoint** n (ponto de) controle m; **checkroom** (US) n

depósito de bagagem; **checkup** n (Med) check-up m

cheek [tʃiːk] n bochecha; (impudence) folga, descaramento; **cheekbone** n maçã f do rosto; **cheeky** adj insolente, descarado

cheer [tʃɪə*] vt dar vivas a, aplaudir; (gladden) alegrar, animar ⊳vi gritar com entusiasmo ⊳n (gen pl) gritos mpl de entusiasmo; **~s** npl (of crowd) aplausos mpl; **~s!** saúde!; **cheer up** vi animar-se, alegrar-se ⊳vt alegrar, animar; **cheerful** adj alegre; **cheerio** (BRIT) excl tchau (BR), adeus (PT)

cheese [tʃiːz] n queijo

chef [ʃɛf] n cozinheiro-chefe (cozinheira-chefe) m/f

chemical ['kɛmɪkəl] adj químico ⊳n produto químico

chemist ['kɛmɪst] n (BRIT: pharmacist) farmacêutico(-a); (scientist) químico(-a); **chemistry** n química; **chemist's (shop)** (BRIT) n farmácia

cheque [tʃɛk] (BRIT) n cheque m; **chequebook** n talão m (BR) or livro (PT) de cheques; **cheque card** (BRIT) n cartão m (de garantia) de cheques

cherry ['tʃɛrɪ] n cereja; (also: **~ tree**) cerejeira

chess [tʃɛs] n xadrez m

chest [tʃɛst] n (Anat) peito; (box) caixa, cofre m; **~ of drawers** cômoda

chestnut ['tʃɛsnʌt] n castanha

chew [tʃuː] vt mastigar; **chewing gum** n chiclete m (BR), pastilha elástica (PT)

chic [ʃɪk] adj elegante

chick [tʃɪk] n pinto; (inf: girl) broto

chicken ['tʃɪkɪn] n galinha; (food) galinha, frango; (inf: coward) covarde m/f, galinha; **chicken out** (inf) vi agalinhar-se; **chickenpox** n catapora (BR), varicela (PT)

chief [tʃiːf] n (of tribe) cacique m,

morubixaba m; (of organization) chefe m/f ▷adj principal; **chiefly** adv principalmente

child [tʃaɪld] (pl **~ren**) n criança; (offspring) filho(-a); **childbirth** n parto; **childhood** n infância; **childish** adj infantil; **child minder** (BRIT) n cuidadora de crianças; **children** ['tʃɪldrən] npl of **child**

Chile ['tʃɪlɪ] n Chile m

chill [tʃɪl] n frio, friagem f; (Med) resfriamento ▷vt (Culin) semi-congelar; (person) congelar

chilli ['tʃɪlɪ] (US **chili**) n pimentão m picante

chilly ['tʃɪlɪ] adj frio; (person) friorento

chimpanzee [tʃɪmpæn'zi:] n chimpanzé m

chin [tʃɪn] n queixo

China ['tʃaɪnə] n China

china ['tʃaɪnə] n porcelana; (crockery) louça fina

Chinese [tʃaɪ'ni:z] adj chinês(-esa) ▷n inv chinês(-esa) m/f; (Ling) chinês m

chip [tʃɪp] n (gen pl: Culin) batata frita; (: US: also: **potato ~**) batatinha frita; (of wood) lasca; (of glass, stone) lasca, pedaço; (Comput: also: **micro~**) chip m ▷vt (cup, plate) lascar; **chip in** (inf) vi interromper; (contribute) compartilhar as despesas

chiropodist [kɪ'rɔpədɪst] (BRIT) n pedicuro(-a)

chisel ['tʃɪzl] n (for wood) formão m; (for stone) cinzel m

chives [tʃaɪvz] npl cebolinha

chocolate ['tʃɔklɪt] n chocolate m

choice [tʃɔɪs] n (selection) seleção f; (option) escolha; (preference) preferência ▷adj seleto, escolhido

choir ['kwaɪə'] n coro

choke [tʃəuk] vi sufocar-se; (on food) engasgar ▷vt estrangular;

(block) obstruir ▷n (Aut) afogador m (BR), ar m (PT)

cholesterol [kə'lɛstərɔl] n colesterol m

choose [tʃu:z] (PT **chose**, pp **chosen**) vt escolher; **to ~ to do** optar por fazer;

chop [tʃɔp] vt (wood) cortar, talhar; (Culin: also: **~ up**) cortar em pedaços; (meat) picar ▷n golpe m; (Culin) costeleta; **~s** npl (inf: jaws) beiços mpl

chopsticks ['tʃɔpstɪks] npl pauzinhos mpl, palitos mpl

chord [kɔ:d] n (Mus) acorde m

chore [tʃɔ:'] n tarefa; (routine task) trabalho de rotina

chorus ['kɔ:rəs] n (group) coro; (song) coral m; (refrain) estribilho

chose [tʃəuz] PT of **choose**; **chosen** pp of **choose**

Christ [kraɪst] n Cristo

christen ['krɪsn] vt batizar; (nickname) apelidar

Christian ['krɪstɪən] adj, n cristão(-tã) m/f; **Christianity** [krɪstɪ'ænɪtɪ] n cristianismo; **Christian name** n prenome m, nome m de batismo

Christmas ['krɪsməs] n Natal m; **Happy** or **Merry ~!** Feliz Natal!; **Christmas card** n cartão m de Natal; **Christmas cracker** n busca-pé-surpresa m; ver quadro

○ **CHRISTMAS CRACKER**
○
○ Um cilindro de papelão que ao
○ ser aberto faz estourar uma
○ bombi-nha. Contém um presente
○ surpresa e um chapéu de papel
○ que cada convidado coloca na
○ cabe a durante a ceia de Natal.

Christmas: **Christmas Day** n dia m de Natal; **Christmas Eve** n véspera de Natal; **Christmas tree** n

árvore f de Natal

chronic ['krɔnɪk] adj crônico

chubby ['tʃʌbɪ] adj roliço, gorducho

chuck [tʃʌk] vt jogar (BR), deitar (PT); (BRIT: also: **~ up**, **~ in**: job) largar; (: person) acabar com; **chuck out** vt (thing) jogar (BR) or deitar (PT) fora; (person) expulsar

chuckle ['tʃʌkl] vi rir

chum [tʃʌm] n camarada m/f

church [tʃə:tʃ] n igreja; **churchyard** n adro, cemitério

churn [tʃə:n] n (for butter) batedeira; (also: **milk ~**) lata, vasilha; **churn out** vt produzir em série

chute [ʃu:t] n rampa; (also: **rubbish ~**) despejador m

CIA (US) n abbr (= Central Intelligence Agency) CIA f

CID (BRIT) n abbr = **Criminal Investigation Department**

cider ['saɪdə'] n sidra

cigar [sɪ'gɑ:'] n charuto

cigarette [sɪgə'rɛt] n cigarro

cinema ['sɪnəmə] n cinema m

cinnamon ['sɪnəmən] n canela

circle ['sə:kl] n círculo; (in cinema) balcão m ▷vi dar voltas ▷vt (surround) rodear, cercar; (move round) dar a volta de

circuit ['sə:kɪt] n circuito; (lap) volta; (track) pista

circular ['sə:kjulə'] adj circular ▷n (carta) circular f

circulate ['sə:kjuleɪt] vt, vi circular; **circulation** [sə:kju'leɪʃən] n circulação f; (of newspaper, book etc) tiragem f

circumstances ['sə:kəmstənsɪz] npl circunstâncias fpl; (conditions) condições fpl; (financial condition) situação f econômica

circus ['sə:kəs] n circo

citizen ['sɪtɪzn] n (of country) cidadão(-dã) m/f; (of town)

h
ci
cit
fi
civ
civ
d
a
civ
civ
p
S
c
cla
(
c
t
i
f
r
cl
cl
t
t

c
c
c

classmate m/f de aula
classroom de aula
clatter ['klæ (of hooves) tro barulho or ru
clause [klɔ:z oração f
claw [klɔ:] n bird of prey) ga claw at vt fu
clay [kleɪ] n
clean [kli:n] inocente ▷vt lavar; **clean o up** vt limpar, faxineiro(-a); **cleaner's** n (tinturaria; **cle** (purify) purific
clear [klɪə'] (footprint, pho (obvious) evide transparente; livre; (conscien macio ▷vt (sp esvaziar; (Law (fence) saltar, compensar ▷ clarear; (fog et **of** a salvo de; mesa; **clear u** resolver, escla remoção f; (pe f; **clear-cut** a nítido; **clearin**
clearly adv d (obviously) clar coerentement estrada onde n
clench [klɛnt (teeth) trincar
clerk [klɑ:k, (m/f de escritór balconista m/

~ by perto, pertinho; **~ at hand** = **~ by**; **to have a ~ shave** (*fig*) livrar-se por um triz

close² [kləuz] *vt* fechar; (*end*) encerrar ▷*vi* fechar; (*end*) concluir-se, terminar-se ▷*n* (*end*) fim *m*, conclusão *f*, terminação *f*; **close down** *vi* fechar definitivamente; **closed** *adj* fechado

closely ['kləuslı] *adv* (*watch*) de perto; (*connected, related*) intimamente; (*resemble*) muito

closet ['klɔzıt] *n* (*cupboard*) armário

close-up [kləus-] *n* close *m*, close-up *m*

closure ['kləuʒə°] *n* fechamento

clot [klɔt] *n* (*gen: blood* ~) coágulo; (*inf: idiot*) imbecil *m/f* ▷*vi* coagular-se

cloth [klɔθ] *n* (*material*) tecido, fazenda; (*rag*) pano

clothes [kləuðz] *npl* roupa

clothing ['kləuðıŋ] *n* = **clothes**

cloud [klaud] *n* nuvem *f*; **cloudy** *adj* nublado; (*liquid*) turvo

clove [kləuv] *n* cravo; **~ of garlic** dente *m* de alho

clown [klaun] *n* palhaço ▷*vi* (*also:* **~ about; ~ around**) fazer palhaçadas

club [klʌb] *n* (*society*) clube *m*; (*weapon*) cacete *m*; (*also:* **golf ~**) taco ▷*vt* esbordoar ▷*vi*: **to ~ together** cotizar-se; **~s** *npl* (*Cards*) paus *mpl*

clue [klu:] *n* indício, pista; (*in crossword*) definição *f*; **I haven't a ~** não faço idéia

clumsy ['klʌmzı] *adj* (*person*) desajeitado; (*movement*) deselegante, mal-feito; (*attempt*) inábil

clung [klʌŋ] *pt, pp of* **cling**

cluster ['klʌstə°] *n* grupo; (*of flowers*) ramo ▷*vi* agrupar-se, apinhar-se

clutch [klʌtʃ] *n* (*grip, grasp*)

garra; (*Aut*) embreagem *f* (BR), embraiagem *f* (PT) ▷*vt* empunhar, pegar em

Co. *abbr* = **county**; (= *company*) Cia.

c/o *abbr* (= *care of*) a/c

coach [kəutʃ] *n* (*bus*) ônibus *m* (BR), autocarro (PT); (*horse-drawn*) carruagem *f*, coche *m*; (*of train*) vagão *m*; (*Sport*) treinador(a) *m/f*, instrutor(a) *m/f*; (*tutor*) professor(a) *m/f* particular ▷*vt* (*Sport*) treinar; (*student*) preparar, ensinar; **coach trip** *n* passeio de ônibus (BR) or autocarro (PT)

coal [kəul] *n* carvão *m*

coalition [kəuə'lıʃən] *n* (*Pol*) coalizão *f*

coarse [kɔ:s] *adj* grosso, áspero; (*vulgar*) grosseiro, ordinário

coast [kəust] *n* costa, litoral *m* ▷*vi* (*Aut*) ir em ponto morto; **coastal** *adj* costeiro; **coastguard** *n* (*person*) guarda *m* que policia a costa; (*service*) guarda costeira; **coastline** *n* litoral *m*

coat [kəut] *n* (*overcoat*) sobretudo; (*of animal*) pelo; (*of paint*) demão *f*, camada ▷*vt* cobrir, revestir; **coat hanger** *n* cabide *m*; **coating** *n* camada

coax [kəuks] *vt* persuadir com meiguice

cobweb ['kɔbwɛb] *n* teia de aranha

cocaine [kɔ'keın] *n* cocaína

cock [kɔk] *n* (*rooster*) galo; (*male bird*) macho ▷*vt* (*gun*) engatilhar; **cockerel** *n* frango, galo pequeno

cockney ['kɔknı] *n* londrino(-a) (*nativo dos bairros populares do leste de Londres*)

cockpit ['kɔkpıt] *n* (*in aircraft*) cabina; (*in car*) compartimento do piloto

cockroach ['kɔkrəutʃ] *n* barata

cocktail ['kɔkteıl] *n* coquetel *m*

(BR), cocktail m (PT)

cocoa ['kəukəu] n cacau m; (drink) chocolate m

coconut ['kəukənʌt] n coco

cod [kɔd] n inv bacalhau m

code [kəud] n cifra; (dialling ~, post ~) código; **~ of practice** deontologia

coffee ['kɔfɪ] n café m; **coffee bar** (BRIT) n café m, lanchonete f; **coffee bean** n grão m de café; **coffeepot** n cafeteira; **coffee table** n mesinha de centro

coffin ['kɔfɪn] n caixão m

coil [kɔɪl] n rolo; (Elec) bobina; (contraceptive) DIU m ▷ vt enrolar

coin [kɔɪn] n moeda ▷ vt (word) cunhar, criar

coincide [kəuɪn'saɪd] vi coincidir; **coincidence** [kəu'ɪnsɪdəns] n coincidência

coke [kəuk] n (coal) coque m

colander ['kɔləndə*] n coador m, passador m

cold [kəuld] adj frio ▷ n frio; (Med) resfriado (BR), constipação f (PT); **it's ~** está frio; **to be** or **feel ~** (person) estar com frio; (object) estar frio; **to catch ~** resfriar-se (BR), apanhar constipação (PT); **to catch a ~** apanhar um resfriado (BR) or uma constipação (PT); **in ~ blood** a sangue frio; **cold sore** n herpes m labial

coleslaw ['kəulslɔ:] n salada de repolho cru

collapse [kə'læps] vi cair, tombar; (building) desabar; (resistance, government) sucumbir; (Med) desmaiar ▷ n desabamento, desmoronamento; (of government) queda; (Med) colapso

collar ['kɔlə*] n (of shirt) colarinho; (of coat etc) gola; (for dog) coleira; (Tech) aro, colar m; **collarbone** n clavícula

colleague ['kɔli:g] n colega m/f

collect [kə'lɛkt] vt (as a hobby) colecionar; (gather) recolher; (wages, debts) cobrar; (donations, subscriptions) colher; (mail) coletar; (BRIT: call for) (ir) buscar, vir apanhar ▷ vi (people) reunir-se ▷ adv: **to call ~** (US: Tel) ligar a cobrar; **collection** n coleção f; (of people) grupo; (of donations) arrecadação f; (of post, for charity) coleta; (of writings) coletânea; **collector** n colecionador(a) m/f; (of taxes etc) cobrador(a) m/f

college ['kɔlɪdʒ] n (of university) faculdade f; (of technology, agriculture) escola de nível superior; ver quadro

● **COLLEGE**
●
● Além de "universidade", college
● também se refere a um centro
● de educação superior para
● jovens que terminaram a
● educação obrigatória, secondary
● school. Alguns oferecem
● cursos de especialização em
● matérias técnicas, artísticas
● ou comerciais, outros oferecem
● disciplinas universitárias.

collide [kə'laɪd] vi: **to ~ (with)** colidir (com)

collision [kə'lɪʒən] n colisão f

Colombia [kə'lɔmbɪə] n Colômbia

colon ['kəulən] n (sign) dois pontos; (Med) cólon m

colonel ['kə:nl] n coronel m

colony ['kɔlənɪ] n colônia

colour ['kʌlə*] (US **color**) n cor f ▷ vt colorir; (with crayons) colorir, pintar; (dye) tingir; (fig: account) falsear ▷ vi (blush) corar; **~s** npl (of party, club) cores fpl; **in ~** (photograph etc) a cores; **colour in** vt (drawing) colorir; **colour-blind** adj daltônico;

coloured adj colorido; (person) de cor; **colour film** n filme m a cores; **colourful** adj colorido; (account) vívido; (personality) vivo, animado; **colouring** ['kʌlərɪŋ] n colorido; (complexion) tez f; (in food) colorante m; **colour television** n televisão f a cores

column ['kɒləm] n coluna; (of smoke) faixa; (of people) fila

coma ['kəumə] n coma

comb [kəum] n pente m; (ornamental) crista ▷vt pentear; (area) vasculhar

combat ['kɒmbæt] n combate m ▷vt combater

combination [kɒmbɪ'neɪʃən] n combinação f; (of safe) segredo

combine [vb kəm'baɪn, n 'kɒmbaɪn] vt combinar; (qualities) reunir ▷vi combinar-se ▷n (Econ) associação f

○ **KEYWORD**

come [kʌm] (pt **came**, pp **come**) vi
1 (movement towards) vir; **~ with me** vem comigo; **to ~ running** vir correndo
2 (arrive) chegar; **she's ~ here to work** ela veio aqui para trabalhar; **to ~ home** chegar em casa
3 (reach): **to ~ to** chegar a; **the bill came to £40** a conta deu £40; **her hair came to her waist** o cabelo dela batia na cintura
4 (occur): **an idea came to me** uma idéia me ocorreu
5 (be, become) ficar; **to ~ loose/ undone** soltar-se/desfazer-se; **I've ~ to like him** passei a gostar dele
come about vi suceder, acontecer
come across vt fus (person) topar com; (thing) encontrar
come away vi (leave) ir-se embora; (become detached) desprender-se, soltar-se

come back vi (return) voltar
come by vt fus (acquire) conseguir
come down vi (price) baixar; (tree) cair; (building) desmoronar-se
come forward vi apresentar-se
come from vt fus (subj: person) ser de; (: thing) originar-se de
come in vi entrar; (on deal) participar; (be involved) estar envolvido
come in for vt fus (criticism) merecer
come into vt fus (money) herdar; (fashion) ser; (be involved) estar envolvi-do em
come off vi (button) desprender-se, soltar-se; (attempt) dar certo
come on vi (pupil, work, project) avançar; (lights, electricity) ser ligado; **~ on!** vamos!, vai!
come out vi (fact) vir à tona; (book) ser publicado; (stain, sun) sair
come round vi voltar a si
come to vi voltar a si
come up vi (sun) nascer; (in conversation) surgir; (event) acontecer
come up against vt fus (resistance, difficulties) tropeçar com, esbarrar em
come up with vt fus (idea) propor, sugerir; (money) contribuir
come upon vt fus encontrar, achar

comedian [kə'miːdɪən] n cômico, humorista m

comedy ['kɒmɪdɪ] n comédia

comfort ['kʌmfət] n (well-being) bem-estar m; (relief) alívio ▷vt consolar, confortar; **~s** npl (of home etc) conforto; **comfortable** adj confortável; (financially) tranqüilo; (walk, climb etc) fácil

comic ['kɒmɪk] adj (also: **~al**) cômico ▷n (person) humorista m/f; (BRIT: magazine) revista em quadrinhos (BR), revista de banda

desenhada (PT), gibi m (BR: inf)
comma ['kɔmə] n vírgula
command [kə'mɑːnd] n ordem f,
mandado; (control) controle m; (Mil:
authority) comando; (mastery)
domínio ▷vt mandar; **commander**
n (Mil) comandante m/f
commemorate [kə'mɛmərєit] vt
(with monument) comemorar; (with
celebration) celebrar
commence [kə'mɛns] vt, vi
começar, iniciar
commend [kə'mɛnd] vt elogiar,
louvar; (recommend) recomendar
comment ['kɔmɛnt] n
comentário ▷vi: **to ~ (on)** comentar
(sobre); **"no ~"** "sem comentário";
commentary ['kɔmɛntəri] n
comentário; **commentator**
['kɔmɛnteıtə°] n comentarista m/f
commerce ['kɔməːs] n comércio
commercial [kə'məːʃəl] adj
comercial ▷n anúncio, comercial m
commission [kə'mıʃən] n
comis-são f; (order) empreitada,
encomenda ▷vt (work of art)
encomendar; **out of ~** com defeito;
commissioner n comissário(-a)
commit [kə'mıt] vt cometer;
(resources) alocar; (to sb's care)
entregar; **to ~ o.s. (to do)**
comprometer-se (a fazer); **to ~
suicide** suicidar-se; **commitment**
n compromisso; (political etc)
engajamento; (undertaking)
promessa
committee [kə'mıtı] n comitê m
commodity [kə'mɔdıtı] n
mercadoria
common ['kɔmən] adj comum;
(vulgar) vulgar ▷n área verde
aberta ao público; **C~s** npl (BRIT:
Pol): **the (House of) C~s** a
Câmara dos Comuns; **in ~**
em comum; **commonly** adv
geralmente; **commonplace** adj

vulgar; **common sense** n bom
senso; **Commonwealth** n: **the
Commonwealth** a Comunidade
Britânica
communal ['kɔmjuːnl] adj
comum
commune [n 'kɔmjuːn, vb
kə'mjuːn] n (group) comuna ▷vi: **to
~ with** comunicar-se com
communicate [kə'mjuː
nıkeıt] vt comunicar ▷vi: **to
~ (with)** comunicar-se (com);
communication [kəmju
nı'keıʃən] n comunicação f; (letter,
call) mensagem f
communion [kə'mjuːnıən] n
(also: **Holy C~**) comunhão f
communism ['kɔmjunızəm] n
comunismo; **communist** adj, n
comunista m/f
community [kə'mjuːnıtı] n
comunidade f; **community centre**
n centro social
commute [kə'mjuːt] vi viajar
diariamente ▷vt comutar;
commuter n viajante m/f habitual
compact [adj kəm'pækt, n
'kɔmpækt] adj compacto ▷n (also:
powder ~) estojo; **compact disc**
n disco laser, CD m; **compact disc
player** n som cd m
companion [kəm'pænıən] n
companheiro(-a)
company ['kʌmpənı] n
companhia; (Comm) sociedade f,
companhia; **to keep sb ~** fazer
companhia a alguém
comparative [kəm'pærətıv]
adj (study) comparativo; (peace,
safety) relativo; (stranger) meio;
comparatively adj relativamente
compare [kəm'pєə°] vt comparar
▷vi: **to ~ with** comparar-se com;
comparison [kəm'pærısn] n
comparação f
compartment [kəm'pɑːtmənt] n

compartimento; (of wallet) divisão f

compass ['kʌmpəs] n bússola; **~es**
npl compasso

compassion [kəm'pæʃən] n
compaixão f

compatible [kəm'pætɪbl] adj
compatível

compel [kəm'pɛl] vt obrigar

compensate ['kɔmpənseɪt] vt
indenizar ▷vi: **to ~ for** compensar;
compensation [kɔmpən'seɪʃən]
n compensação f; (damages)
indenização f

compete [kəm'pi:t] vi (take
part) competir; (vie): **to ~ (with)**
competir (com), fazer competição
(com)

competent ['kɔmpɪtənt] adj
competente

competition [kɔmpɪ'tɪʃən]
n (contest) concurso; (Econ)
concorrência; (rivalry) competição f

competitive [kəm'pɛtɪtɪv] adj
competitivo; (person)
competi-dor(a)

competitor [kəm'pɛtɪtə*] n (rival)
competidor(a) m/f; (participant,
Econ) concorrente m/f

complain [kəm'pleɪn] vi
queixar-se; **to ~ of** (pain) queixar-se
de; **complaint** n (objection) objeção
f; (criticism) queixa; (Med) achaque
m, doença

complement ['kɔmplɪmənt]
n complemento; (esp ship's crew)
tripulação f ▷vt complementar

complete [kəm'pli:t] adj
completo; (finished) acabado ▷vt
(finish: building, task) acabar;
(: set, group) completar; (a form)
preencher; **completely** adv
completamente; **completion** n
conclusão f, término; (of contract
etc) realização f

complex ['kɔmplɛks] adj
complexo ▷n complexo; (of

buildings) conjunto

complexion [kəm'plɛkʃən] n (of
face) cor f, tez f

complicate ['kɔmplɪkeɪt] vt
complicar; **complicated** adj
complicado; **complication**
[kɔmplɪ'keɪʃən] n problema m;
(Med) complicação f

compliment [n 'kɔmplɪmənt,
vb 'kɔmplɪmɛnt] n (praise)
elogio ▷vt elogiar; **~s** npl (regards)
cumprimentos mpl; **to pay sb a ~**
elogiar alguém; **complimentary**
[kɔmplɪ'mɛntərɪ] adj lisonjeiro;
(free) gratuito

comply [kəm'plaɪ] vi: **to ~ with**
cumprir com

component [kəm'pəunənt] adj
componente ▷n (part) peça

compose [kəm'pəuz] vt compor;
to be ~d of compor-se de; **to ~ o.s.**
tranqüilizar-se; **composer** n (Mus)
compositor(a) m/f; **composition**
[kɔmpə'zɪʃən] n composição f

compound ['kɔmpaund] n (Chem,
Ling) composto; (enclosure) recinto
▷adj composto

comprehensive [kɔmprɪ'hɛnsɪv]
adj abrangente; (Insurance) total;
comprehensive (school) (BRIT) n
escola secundária de amplo programa;
ver quadro

● **COMPREHENSIVE SCHOOL**
●
● Criadas na década de 1960 pelo
● governo trabalhista da época,
● as comprehensive schools são
● estabelecimentos de ensino
● secundário polivalentes
● concebidos para acolher todos
● os alunos sem distinção e
● lhes oferecer oportunidades
● iguais, em oposição ao sistema
● seletivo das grammar schools.
● A maioria dos estudantes

- británicos freqüenta atualmente
- uma comprehensive school,
- mas as grammar schools não
- desapareceram de todo.

compress [vb kəm'prɛs, n 'kɔm-prɛs] vt comprimir; (text, information etc) reduzir ▷n (Med) compressa

comprise [kəm'praɪz] vt (also: **be ~d of**) compreender, constar de; (constitute) constituir

compromise ['kɔmprəmaɪz] n meio-termo ▷vt comprometer ▷vi chegar a um meio-termo

compulsive [kəm'pʌlsɪv] adj compulsório

compulsory [kəm'pʌlsərɪ] adj obrigatório; (retirement) compulsório

computer [kəm'pju:tə*] n computador m; **computer game** n vídeo game m; **computerize** vt informatizar, computadorizar; **computing** n computação f; (science) informática

conceal [kən'si:l] vt ocultar; (information) omitir

conceited [kən'si:tɪd] adj vaidoso

conceive [kən'si:v] vt conceber ▷vi conceber, engravidar

concentrate ['kɔnsəntreɪt] vi concentrar-se ▷vt concentrar; **concentration** n concentração f

concept ['kɔnsɛpt] n conceito

concern [kən'sə:n] n (Comm) empresa; (anxiety) preocupação f ▷vt preocupar; (involve) envolver; (relate to) dizer respeito a; **to be ~ed (about)** preocupar-se (com); **concerning** prep sobre, a respeito de, acerca de

concert ['kɔnsət] n concerto

concession [kən'sɛʃən] n concessão f; **tax ~** redução no imposto

conclude [kən'klu:d] vt (finish) acabar, concluir; (treaty etc) firmar; (agreement) chegar a; (decide) decidir; **conclusion** [kən'klu:ʒən] n conclusão f

concrete ['kɔnkri:t] n concreto (BR), betão m (PT) ▷adj concreto

concussion [kən'kʌʃən] n (Med) concussão f cerebral

condemn [kən'dɛm] vt denunciar; (prisoner, building) condenar

condensation [kɔndɛn'seɪʃən] n condensação f

condense [kən'dɛns] vi condensar-se ▷vt condensar

condition [kən'dɪʃən] n condição f; (Med: illness) doença ▷vt condicionar; **~s** npl (circumstances) circunstâncias fpl; **on ~ that** com a condição (de) que; **conditioner** n (for hair) condicionador m; (for fabrics) amaciante m

condom ['kɔndɔm] n preservativo, camisinha, camisa-de-Venus f

condominium [kɔndə'mɪnɪəm] (US) n (building) edifício

condone [kən'dəun] vt admitir, aceitar

conduct [n 'kɔndʌkt, vb kən'dʌkt] n conduta, comportamento ▷vt (research etc) fazer; (heat, electricity) conduzir; (Mus) reger; **to ~ o.s.** comportar-se; **conducted tour** n viagem f organizada; **conductor** n (of orchestra) regente m/f; (on bus) cobrador(a) m/f; (US: Rail) revisor(a) m/f; (Elec) condutor m

cone [kəun] n cone m; (Bot) pinha; (for ice-cream) casquinha; (on road) cone colorido para sinalizar obras

confectionery [kən'fɛkʃənrɪ] n (sweetmeats) doces mpl; (sweets) balas fpl

confer [kən'fə:*] vt: **to ~ sth on** conferir algo a; (advantage) conceder

algo a ▷*vi* conferenciar
conference ['kɒnfərns] *n*
congresso
confess [kən'fɛs] *vt* confessar
▷*vi* (*admit*) admitir; **confession** *n*
admissão *f*; (*Rel*) confissão *f*
confide [kən'faɪd] *vi*: **to ~ in** confiar
em, fiar-se em
confidence ['kɒnfɪdns] *n*
confiança; (*faith*) fé *f*; (*secret*)
confidência; **in ~** em confidência;
confident *adj* confiante, convicto;
(*positive*) seguro; **confidential**
[kɒnfɪ'dɛnʃəl] *adj* confidencial
confine [kən'faɪn] *vt* (*shut up*)
encarcerar; (*limit*): **to ~ (to)** confinar
(a); **confined** *adj* (*space*) reduzido
confirm [kən'fə:m] *vt* confirmar;
confirmation [kɒnfə'meɪʃən] *n*
confirmação *f*; (*Rel*) crisma
confiscate ['kɒnfɪskeɪt] *vt*
confiscar
conflict [*n* 'kɒnflɪkt, *vb* kən'flɪkt]
n (*disagreement*) divergência; (*of
interests, loyalties etc*) conflito;
(*fighting*) combate *m* ▷*vi* estar em
conflito; (*opinions*) divergir
conform [kən'fɔ:m] *vi*
conformar-se; **to ~ to** ajustar-se a,
acomodar-se a
confront [kən'frʌnt] *vt* (*problems*)
enfrentar; (*enemy, danger*)
defrontar-se com; **confrontation**
[kɒnfrən'teɪʃən] *n* confrontação *f*
confuse [kən'fju:z] *vt* (*perplex*)
desconcertar; (*mix up*) confundir,
misturar; (*complicate*) complicar;
confused *adj* confuso; **confusing**
adj confuso; **confusion** [kən'fju:
ʒən] *n* (*mix-up*) mal-entendido;
(*perplexity*) perplexidade *f*; (*disorder*)
confusão *f*
congestion [kən'dʒestʃən]
n (*Med*) congestão *f*; (*traffic*)
congestionamento
congratulate [kən'grætjuleɪt]

vt parabenizar; **congratulations**
[kəngrætju'leɪʃənz] *npl* parabéns
mpl
congress ['kɒŋgrɛs] *n* congresso;
(*US*): **C~** Congresso; *ver quadro*

- **CONGRESS**
-
- O Congresso é o Parlamento
- dos Estados Unidos. Consiste
- na House of Representatives
- e no Senado Senate. Os
- representantes e senadores são
- eleitos por sufrágio universal
- direto. O Congresso se reúne no
- Capitol, em Washington.

congressman (*US*) (*irreg*) *n*
deputado
conjure ['kʌndʒə*] *vi* fazer
truques; **conjure up** *vt* (*ghost,
spirit*) fazer aparecer, invocar;
(*memories*) evocar
connect [kə'nɛkt] *vt* (*Elec, Tel*)
ligar; (*fig: associate*) associar; (*join*):
to ~ sth (to) juntar *or* unir algo (a)
▷*vi*: **to ~ with** (*train*) conectar com;
to be ~ed with estar relacionado
com; **I'm trying to ~ you** (*Tel*) estou
tentando completar a ligação;
connection *n* ligação *f*; (*Elec, Rail,
fig*) conexão *f*; (*Tel*) ligação *f*
conquer ['kɒŋkə*] *vt* conquistar;
(*enemy*) vencer; (*feelings*) superar;
conquest ['kɒŋkwɛst] *n* conquista
conscience ['kɒnʃəns] *n*
consciência
conscientious [kɒnʃɪ'ɛnʃəs] *adj*
consciencioso
conscious ['kɒnʃəs] *adj*
consciente; (*deliberate*)
intencional; **consciousness** *n*
consciência; (*Med*): **to lose/regain
consciousness** perder/recuperar
os sentidos
consent [kən'sɛnt] *n*

consentimento ▷ vi: **to ~ to** consentir em

consequence ['kɔnsɪkwəns] n conseqüência; (*significance*): **of ~** de importância; **consequently** adv por conseguinte

conservation [kɔnsə'veɪʃən] n conservação f; (*of the environment*) preservação f

conservative [kən'sə:vətɪv] adj conservador(a); (*cautious*) moderado; (BRIT: *Pol*): **C~** conservador(a) ▷ n (BRIT: *Pol*) conservador(a) m/f

conservatory [kən'sə:vətrɪ] n (*Mus*) conservatório; (*greenhouse*) estufa

consider [kən'sɪdə*] vt considerar; (*take into account*) levar em consideração; (*study*) estudar, examinar; **to ~ doing sth** pensar em fazer algo

considerable [kən'sɪdərəbl] adj considerável; (*sum*) importante

considerate [kən'sɪdərɪt] adj atencioso; **consideration** [kənsɪdə'reɪʃən] n consideração f; (*deliberation*) deliberação f; (*factor*) fator m

considering [kən'sɪdərɪŋ] prep em vista de

consist [kən'sɪst] vi: **to ~ of** (*comprise*) consistir em

consistency [kən'sɪstənsɪ] n coerência; (*thickness*) consistência

consistent [kən'sɪstənt] adj (*person*) coerente, estável; (*idea*) sólido

consolation [kɔnsə'leɪʃən] n conforto

console [vb kən'səul, n 'kɔnsəul] vt confortar ▷ n consolo

consonant ['kɔnsənənt] n consoante f

conspicuous [kən'spɪkjuəs] adj conspícuo

conspiracy [kən'spɪrəsɪ] n conspiração f, trama

constable ['kʌnstəbl] (BRIT) n policial m/f (BR), polícia m/f (PT); **chief ~** chefe m/f de polícia

constant ['kɔnstənt] adj constante

constipated ['kɔnstɪpeɪtəd] adj com prisão de ventre

constipation [kɔnstɪ'peɪʃən] n prisão f de ventre

constituency [kən'stɪtjuənsɪ] n (*Pol*) distrito eleitoral; (*people*) eleitorado

constitution [kɔnstɪ'tju:ʃən] n constituição f; (*health*) compleição f

constraint [kən'streɪnt] n coação f, pressão f; (*restriction*) limitação f

construct [kən'strʌkt] vt construir; **construction** n construção f; (*structure*) estrutura

consul ['kɔnsl] n cônsul m/f; **consulate** ['kɔnsjulɪt] n consulado

consult [kən'sʌlt] vt consultar; **consultant** n (*Med*) (médico(-a)) especialista m/f; (*other specialist*) assessor(a) m/f, consultor(a) m/f; **consulting room** (BRIT) n consultório

consume [kən'sju:m] vt (*eat*) comer; (*drink*) beber; (*fire etc, Comm*) consumir; **consumer** n consumidor(a) m/f

consumption [kən'sʌmpʃən] n consumação f; (*buying, amount*) consumo

cont. abbr = **continued**

contact ['kɔntækt] n contato ▷ vt entrar or pôr-se em contato com; **contact lenses** npl lentes fpl de contato

contagious [kən'teɪdʒəs] adj contagioso; (*fig: laughter etc*) contagiante

contain [kən'teɪn] vt conter;

to ~ o.s. conter-se; **container**
n recipiente m; (for shipping etc)
container m, cofre m de carga
contaminate [kən'tæmɪneɪt] vt
contaminar
cont'd abbr = **continued**
contemplate ['kɔntəmpleɪt]
vt (idea) considerar; (person etc)
contemplar
contemporary [kən'tɛmpərərɪ]
adj (account) contemporâneo;
(design) moderno ▷n
contemporâneo(-a)
contempt [kən'tɛmpt] n
desprezo; **~ of court** (Law) desacato
à autoridade do tribunal
contend [kən'tɛnd] vt (assert):
to ~ that afirmar que ▷vi: **to ~
with** (struggle) lutar com; (difficulty)
enfrentar; (compete): **to ~ for**
competir por
content [adj, vb kən'tɛnt, n
'kɔntɛnt] adj (happy) contente;
(satisfied) satisfeito ▷vt contentar,
satisfazer ▷n conteúdo; (fat ~,
moisture ~ etc) quantidade f; **~s**
npl (of packet, book) conteúdo;
contented adj contente, satisfeito
contest [n 'kɔntɛst, vb kən'tɛst] n
contenda; (competition) concurso
▷vt (legal case) defender; (Pol) ser
candidato a; (competition) disputar;
(statement) contestar; **contestant**
[kən'tɛstənt] n competidor(a) m/f;
(in fight) adversário(-a)
context ['kɔntɛkst] n contexto
continent ['kɔntɪnənt] n
continente m; **the C~** (BRIT) o
continente europeu; **continental**
[kɔntɪ'nɛntl] adj continental;
continental quilt (BRIT) n
edredom m
continual [kən'tɪnjuəl] adj
contínuo
continue [kən'tɪnju:] vi
prosseguir, continuar ▷vt

continuar; (start again) recomeçar,
retomar; **continuous** [kən'tɪnjuəs]
adj contínuo
contour ['kɔntuə*] n contorno;
(also: **~ line**) curva de nível
contraceptive [kɔntrə'sɛptɪv]
adj anticoncepcional ▷n
anticoncepcional f
contract [n 'kɔntrækt, vb
kən'trækt] n contrato ▷vi
(become smaller) contrair-se,
encolher-se; (Comm): **to ~ to do sth**
comprometer-se por contrato a
fazer algo ▷vt contrair
contradict [kɔntrə'dɪkt] vt
contradizer, desmentir
contrary¹ ['kɔntrərɪ] adj contrário
▷n contrário; **on the ~** muito pelo
contrário; **unless you hear to the
~** salvo aviso contrário
contrary² [kən'trɛərɪ] adj teimoso
contrast [n 'kɔntrɑ:st, vb
kən'trɑ:st] n contraste m ▷vt
comparar; **in ~ to** em contraste
com, ao contrário de
contribute [kən'trɪbju:t] vt
contribuir ▷vi dar; **to ~ to** (charity)
contribuir para; (newspaper)
escrever para; (discussion) participar
de; **contribution** [kɔntrɪ'bju:
ʃən] n (donation) doação f; (BRIT:
for social security) contribuição
f; (to debate) intervenção f; (to
journal) colaboração f; **contributor**
[kən'trɪbjutə*] n (to appeal)
contribuinte m/f; (to newspaper)
colaborador(a) m/f
control [kən'trəul] vt controlar;
(machinery) regular; (temper)
dominar ▷n controle m; (of car)
direção f (BR), condução f (PT);
(check) freio, controle; **~s** npl
(of vehicle) instrumentos mpl de
controle; (on radio, television etc)
controle; (governmental) medidas
fpl de controle; **to be in ~ of** ter

o controle de; (*in charge of*) ser responsável por

controversial [kɔntrə'və:ʃl] *adj* controvertido, polêmico

controversy ['kɔntrəvə:sɪ] *n* controvérsia, polêmica

convenience [kən'vi:nɪəns] *n* (*easiness*) facilidade *f*; (*suitability*) conveniência; (*advantage*) vantagem *f*, conveniência; **at your ~** quando lhe convier; **all modern ~s** (*also*: BRIT: *all mod cons*) com todos os confortos

convenient [kən'vi:nɪənt] *adj* conveniente

convent ['kɔnvənt] *n* convento

convention [kən'vɛnʃən] *n* (*custom*) costume *m*; (*agreement*) convenção *f*; (*meeting*) assembléia; **conventional** *adj* convencional

conversation [kɔnvə'seɪʃən] *n* conversação *f*, conversa

convert [*vb* kən'və:t, *n* 'kɔnvə:t] *vt* converter ▷*n* convertido(-a); **convertible** [kən'və:təbl] *n* conversível *m*

convey [kən'veɪ] *vt* transportar, levar; (*thanks*) expressar; (*information*) exprimir; **conveyor belt** *n* correia transportadora

convict [*vb* kən'vɪkt, *n* 'kɔnvɪkt] *vt* condenar ▷*n* presidiário(-a); **conviction** *n* condenação *f*; (*belief*) convicção *f*; (*certainty*) certeza

convince [kən'vɪns] *vt* (*assure*) assegurar; (*persuade*) convencer; **convincing** *adj* convincente

cook [kuk] *vt* cozinhar; (*meal*) preparar ▷*vi* cozinhar ▷*n* cozinheiro(-a); **cookbook** *n* livro de receitas; **cooker** *n* fogão *m*; **cookery** *n* culinária; **cookery book** (BRIT) *n* = **cookbook**; **cookie** (US) *n* bolacha, biscoito; **cooking** *n* cozinha

cool [ku:l] *adj* fresco; (*calm*) calmo;

(*unfriendly*) frio ▷*vt* resfriar ▷*vi* esfriar

cop [kɔp] (*inf*) *n* polícia *m/f* (BR), policial *m/f*, tira *m* (*inf*)

cope [kəup] *vi*: **to ~ with** poder com, arcar com; (*problem*) estar à altura de

copper ['kɔpə*] *n* (*metal*) cobre *m*; (BRIT: *inf*: *policeman/woman*) polícia *m/f*, policial *m/f* (BR); **~s** *npl* (*coins*) moedas *fpl* de pouco valor

copy ['kɔpɪ] *n* duplicata; (*of book etc*) exemplar *m* ▷*vt* copiar; (*imitate*) imitar; **copyright** *n* direitos *mpl* autorais, copirraite *m*

coral ['kɔrəl] *n* coral *m*

cord [kɔ:d] *n* corda; (*Elec*) fio, cabo; (*fabric*) veludo cotelê

corduroy ['kɔ:dərɔɪ] *n* veludo cotelê

core [kɔ:*] *n* centro; (*of fruit*) caroço; (*of problem*) âmago ▷*vt* descaroçar

cork [kɔ:k] *n* rolha; (*tree*) cortiça; **corkscrew** *n* saca-rolhas *m inv*

corn [kɔ:n] *n* (BRIT) trigo; (US: *maize*) milho; **~ on the cob** (*Culin*) espiga de milho

corned beef ['kɔ:nd-] *n* carne *f* de boi enlatada

corner ['kɔ:nə*] *n* (*outside*) esquina; (*inside*) canto; (*in road*) curva; (*Football, Boxing*) córner *m* ▷*vt* (*trap*) encurralar; (*Comm*) açambarcar, monopolizar ▷*vi* fazer uma curva

cornflakes ['kɔ:nfleɪks] *npl* flocos *mpl* de milho

cornflour ['kɔ:nflauə*] (BRIT) *n* farinha de milho, maisena ®

cornstarch ['kɔ:nstɑ:tʃ] (US) *n* = **cornflour**

Cornwall ['kɔ:nwəl] *n* Cornualha

coronary ['kɔrənərɪ] *n*: **~ (thrombosis)** trombose *f* (coronária)

coronation [kɔrə'neɪʃən] n coroação f

coroner ['kɔrənə*] n magistrado que investiga mortes suspeitas

corporal ['kɔ:pərl] n cabo ▷ adj: **~ punishment** castigo corporal

corporate ['kɔ:pərit] adj coletivo; (finance) corporativo; (image) de empresa

corporation [kɔ:pə'reɪʃən] n (of town) município, junta; (Comm) sociedade f

corps [kɔ:*, pl kɔ:z] (pl **corps**) n (Mil) unidade f; (diplomatic) corpo; **the press ~** a imprensa

corpse [kɔ:ps] n cadáver m

correct [kə'rekt] adj exato; (proper) correto ▷ vt corrigir; **correction** n correção f

correspond [kɔrɪs'pɔnd] vi (write): **to ~ (with)** corresponder-se (com); (be equal to): **to ~ to** corresponder a; (be in accordance): **to ~ (with)** corresponder a; **correspondence** n correspondência; **correspondent** n correspondente m/f

corridor ['kɔrɪdɔ:*] n corredor m

corrode [kə'rəud] vt corroer ▷ vi corroer-se

corrupt [kə'rʌpt] adj corrupto; (Comput) corrupto, danificado ▷ vt corromper; corromper, danificar; **corruption** n corrupção f; corrupção, danificação f

Corsica ['kɔ:sɪkə] n Córsega

cosmetic [kɔz'mɛtɪk] n cosmético ▷ adj (fig) simbólico, artificial

cost [kɔst] (pt, pp **cost**) n (price) preço ▷ vt custar; **~s** npl (Comm: overheads) custos mpl; (Law) custas fpl; **at all ~s** custe o que custar

co-star ['kəu-] n co-estrela m/f

Costa Rica ['kɔstə'ri:kə] n Costa Rica

costly ['kɔstlɪ] adj caro

costume ['kɔstju:m] n traje m;

(BRIT: also: **swimming ~**: woman's) maiô m (BR), fato de banho (PT); (: man's) calção m (de banho) (BR), calções mpl de banho (PT)

cosy ['kəuzɪ] (US **cozy**) adj aconchegante; (person) confortável

cot [kɔt] n (BRIT) cama (de criança), berço; (US) cama de lona

cottage ['kɔtɪdʒ] n casa de campo; **cottage cheese** n ricota (BR), queijo creme (PT)

cotton ['kɔtn] n algodão m; (thread) fio, linha; **cotton on** (inf) vi: **to ~ on (to sth)** sacar (algo); **cotton candy** (US) n algodão m doce; **cotton wool** (BRIT) n algodão m (hidrófilo)

couch [kautʃ] n sofá m; (doctor's) cama; (psychiatrist's) divã m

cough [kɔf] vi tossir ▷ n tosse f

could [kud] pt, conditional of **can²**

couldn't ['kudnt] = **could not**

council ['kaunsl] n conselho; **city** or **town ~** câmara municipal; **council estate** (BRIT) n conjunto habitacional; **council house** (BRIT) n casa popular; **councillor** n vereador(a) m/f

counsellor ['kaunsələ*] (US **counselor**) n conselheiro(-a); (US: Law) advogado(-a)

count [kaunt] vt contar; (include) incluir ▷ vi contar ▷ n (of votes etc) contagem f; (of pollen, alcohol) nível m; (nobleman) conde m; **count on** vt fus (expect) esperar; (depend on) contar com; **countdown** n contagem f regressiva

counter ['kauntə*] n (in shop) balcão m; (in post office etc) guichê m; (in games) ficha ▷ vt contrariar ▷ adv: **~ to** ao contrário de

counterfeit ['kauntəfɪt] n falsificação f ▷ vt falsificar ▷ adj falso, falsificado

counterpart ['kauntəpɑ:t] n (of

person) homólogo(-a); (*of company etc*) equivalente *m/f*

countess ['kauntıs] *n* condessa

countless ['kauntlıs] *adj* inumerável

country ['kʌntrı] *n* país *m*; (*nation*) nação *f*; (*native land*) terra; (*as opposed to town*) campo; (*region*) região *f*, terra; (*rural*) camponês *m*; **countryside** *n* campo

county ['kauntı] *n* condado

coup [ku:] *n* golpe *m* de mestre; (*also*: **~ d'état**) golpe (de estado)

couple ['kʌpl] *n* (*of things, people*) par *m*; (*married ~*) casal *m*; **a ~ of** um par de; (*a few*) alguns (algumas)

coupon ['ku:pɔn] *n* cupom *m* (BR), cupão *m* (PT); (*voucher*) vale *m*

courage ['kʌrıdʒ] *n* coragem *f*

courier ['kurıə*] *n* correio; (*for tourists*) guia *m/f*, agente *m/f* de turismo

course [kɔ:s] *n* (*direction*) direção *f*; (*process*) desenvolvimento; (*of river, Sch*) curso; (*of ship*) rumo; (*Golf*) campo; (*part of meal*) prato; **~ of treatment** tratamento; **of ~** naturalmente; (*certainly*) certamente; **of ~!** claro!, lógico!

court [kɔ:t] *n* (*royal*) corte *f*; (*Law*) tribunal *m*; (*Tennis etc*) quadra ▷ *vt* (*woman*) cortejar, namorar; **to take to ~** demandar, levar a julgamento

courtesy ['kə:təsı] *n* cortesia; **(by) ~ of** com permissão de

court-house (US) *n* palácio de justiça

courtroom ['kɔ:trum] *n* sala de tribunal

courtyard ['kɔ:tjɑ:d] *n* pátio

cousin ['kʌzn] *n* primo *m/f*; **first ~** primo irmão (prima irmã)

cover ['kʌvə*] *vt* cobrir; (*with lid*) tapar; (*chairs etc*) revestir; (*distance*) percorrer; (*include*) abranger; (*protect*) abrigar; (*issues*) tratar ▷ *n*

(*lid*) tampa; (*for chair etc*) capa; (*for bed*) cobertor *m*; (*of book, magazine*) capa; (*shelter*) abrigo; (*Insurance: also: of spy*) cobertura; **to take ~** abrigar-se; **under ~** (*indoors*) abrigado; **under separate ~** (*Comm*) em separado; **cover up** *vi*: **to ~ up for sb** cobrir alguém; **coverage** *n* cobertura; **cover charge** *n* couvert *m*

cover-up *n* encobrimento (dos fatos)

cow [kau] *n* vaca ▷ *vt* intimidar

coward ['kauəd] *n* covarde *m/f*; **cowardly** *adj* covarde

cowboy ['kaubɔı] *n* vaqueiro

cozy ['kəuzı] (US) *adj* = **cosy**

crab [kræb] *n* caranguejo

crack [kræk] *n* rachadura; (*gap*) brecha; (*noise*) estalo; (*drug*) crack *m* ▷ *vt* quebrar; (*nut*) partir, descascar; (*wall*) rachar; (*whip etc*) estalar; (*joke*) soltar; (*mystery*) resolver; (*code*) decifrar ▷ *adj* (*expert*) de primeira classe; **crack down on** *vt fus* (*crime*) ser linha dura com; **crack up** *vi* (*Psych*) sofrer um colapso nervoso; **cracker** *n* (*biscuit*) biscoito; (*Christmas ~*) busca-pé-surpresa *m*

crackle ['krækl] *vi* crepitar

cradle ['kreıdl] *n* berço

craft [krɑ:ft] *n* (*skill*) arte *f*; (*trade*) ofício; (*boat: pl inv*) barco; (*plane: pl inv*) avião; **craftsman** (*irreg*) *n* artífice *m*, artesão *m*; **craftsmanship** *n* qualidade *f*

cram [kræm] *vt* (*fill*): **to ~ sth with** encher *or* abarrotar algo de; (*put*): **to ~ sth into** enfiar algo em ▷ *vi* (*for exams*) estudar na última hora

cramp [kræmp] *n* (*Med*) cãibra; **cramped** *adj* apertado, confinado

cranberry ['krænbərı] *n* oxicoco

crane [kreın] *n* (*Tech*) guindaste *m*; (*bird*) grou *m*

crash [kræʃ] *n* (*noise*) estrondo;

(of car) batida; (of plane) desastre m
de avião; (Comm) falência, quebra;
(Stock Exchange) craque m ▷vt (car)
colidir; (plane) espatifar ▷vi bater;
cair, espatifar-se; (cars) colidir,
bater; (Comm) falir, quebrar; **crash
course** n curso intensivo

crate [kreɪt] n caixote m; (for
bottles) engradado

crave [kreɪv] vt, vi: **to ~ for**
ansiar por

crawl [krɔːl] vi arrastar-se; (child)
engatinhar; (insect) andar; (vehicle)
arrastar-se a passo de tartaruga ▷n
(Swimming) crawl m

crayfish ['kreɪfɪʃ] n inv (freshwater)
camarão-d'água-doce m; (saltwater)
lagostim m

crayon ['kreɪən] n lápis m de cera,
crayon m

craze [kreɪz] n (fashion) moda

crazy ['kreɪzɪ] adj louco, maluco,
doido

creak [kriːk] vi chiar, ranger

cream [kriːm] n (of milk) nata;
(artificial ~, cosmetic) creme m; (élite):
the ~ of a fina flor de ▷adj (colour)
creme inv; **cream cheese** n ricota
(BR), queijo creme (PT); **creamy** adj
(colour) creme inv; (taste) cremoso

crease [kriːs] n (fold) dobra, vinco;
(in trousers) vinco; (wrinkle) ruga ▷vt
(wrinkle) amassar, amarrotar ▷vi
amassar-se, amarrotar-se

create [kriːˈeɪt] vt criar; (produce)
produzir

creature ['kriːtʃəʳ] n (animal)
animal m, bicho; (living thing)
criatura

credit ['krɛdɪt] n crédito; (merit)
mérito ▷vt (also: **give ~ to**)
acreditar; (Comm) creditar; **~s** npl
(Cinema, TV) crédito; **to ~ sb with
sth** (fig) atribuir algo a alguém; **to
be in ~** ter fundos; **credit card** n
cartão m de crédito

creek [kriːk] n enseada; (US) riacho

creep [kriːp] (pt, pp **crept**) vi
(animal) rastejar; (person)
deslizar(-se)

cremate [krɪˈmeɪt] vt cremar;
crematorium (pl **crematoria**) n
crematório

crept [krɛpt] pt, pp of **creep**

crescent ['krɛsnt] n meia-lua;
(street) rua semicircular

cress [krɛs] n agrião m

crest [krɛst] n (of bird) crista; (of
hill) cimo, topo; (of coat of arms)
timbre m

crew [kruː] n (of ship) tripulação f;
(Cinema) equipe f

crib [krɪb] n manjedoira, presépio;
(US: cot) berço ▷vt (inf) colar

cricket ['krɪkɪt] n (insect) grilo;
(game) criquete m, cricket m

crime [kraɪm] n (no pl: illegal
activities) crime m; (offence) delito;
(fig) pecado, maldade f; **criminal**
['krɪmɪnl] n criminoso ▷adj
criminal; (morally wrong) imoral

crimson ['krɪmzn] adj carmesim
inv

cringe [krɪndʒ] vi encolher-se

cripple ['krɪpl] n aleijado(-a) ▷vt
aleijar

crisis ['kraɪsɪs] (pl **crises**) n crise f

crisp [krɪsp] adj fresco; (bacon etc)
torrado; (manner) seco; **crisps** (BRIT)
npl batatinhas fpl fritas

criterion [kraɪˈtɪərɪən] (pl **criteria**)
n critério

critic ['krɪtɪk] n crítico(-a); **critical**
adj crítico; (illness) grave; **to be
critical of sth/sb** criticar algo/
alguém; (speak) criticamente; (ill)
gravemente; **criticism** ['krɪtɪsɪzəm]
n crítica; **criticize** ['krɪtɪsaɪz] vt
criticar

Croatia [krəʊˈeɪʃə] n Croácia

crockery ['krɔkərɪ] n louça

crocodile ['krɔkədaɪl] n crocodilo

crocus ['krəukəs] *n* açafrão-da-primavera *m*
crook [kruk] *n* (*inf*: *criminal*) vigarista *m/f*; (*of shepherd*) cajado; **crooked** ['krukıd] *adj* torto; (*dishonest*) desonesto
crop [krɔp] *n* (*produce*) colheita; (*amount produced*) safra; (*riding* ~) chicotinho ▷*vt* cortar; **crop up** *vi* surgir
cross [krɔs] *n* cruz *f*; (*hybrid*) cruzamento ▷*vt* cruzar; (*street etc*) atravessar; (*thwart*) contrariar ▷*adj* zangado, mal-humorado; **cross out** *vt* riscar; **cross over** *vi* atravessar; **crossing** *n* (*sea passage*) travessia; (*also*: **pedestrian crossing**) faixa (para pedestres) (BR), passadeira (PT); **crossroads** *n* cruzamento; **crosswalk** (US) *n* faixa (para pedestres) (BR), passadeira (PT); **crossword** *n* palavras *fpl* cruzadas
crouch [krautʃ] *vi* agachar-se
crow [krəu] *n* (*bird*) corvo; (*of cock*) canto, cocoricó *m* ▷*vi* (*cock*) cantar, cocoricar
crowd [kraud] *n* multidão *f* ▷*vt* (*fill*) apinhar ▷*vi* (*gather*): **to ~ round** reunir-se; (*cram*): **to ~ in** apinhar-se em; **crowded** *adj* (*full*) lotado; (*densely populated*) superlotado
crown [kraun] *n* coroa; (*of head, hill*) topo ▷*vt* coroar; (*fig*) rematar; **crown jewels** *npl* jóias *fpl* reais
crucial ['kru:ʃl] *adj* (*decision*) vital; (*vote*) decisivo
crucifix ['kru:sıfıks] *n* crucifixo
crude [kru:d] *adj* (*materials*) bruto; (*fig*: *basic*) tosco; (: *vulgar*) grosseiro
cruel ['kruəl] *adj* cruel
cruise [kru:z] *n* cruzeiro ▷*vi* (*ship*) fazer um cruzeiro; (*car*): **to ~ at ... km/h** ir a ... km por hora
crumb [krʌm] *n* (*of bread*) migalha; (*of cake*) farelo
crumble ['krʌmbl] *vt* esfarelar

▷*vi* (*building*) desmoronar-se; (*plaster, earth*) esfacelar-se; (*fig*) desintegrar-se
crumpet ['krʌmpıt] *n* bolo leve
crumple ['krʌmpl] *vt* (*paper*) amassar; (*material*) amarrotar
crunch [krʌntʃ] *vt* (*food etc*) mastigar; (*underfoot*) esmagar ▷*n* (*fig*): **the ~** o momento decisivo; **crunchy** *adj* crocante
crush [krʌʃ] *n* (*crowd*) aglomeração *f*; (*love*): **to have a ~ on sb** ter um rabicho por alguém; (*drink*): **lemon ~** limonada ▷*vt* (*press*) esmagar; (*squeeze*) espremer; (*paper*) amassar; (*cloth*) enrugar; (*army, opposition*) aniquilar; (*hopes*) destruir; (*person*) arrasar
crust [krʌst] *n* (*of bread*) casca; (*of snow*) crosta; (*of earth*) camada
crutch [krʌtʃ] *n* muleta
cry [kraı] *vi* chorar; (*shout: also*: ~ **out**) gritar ▷*n* grito; (*of bird*) pio; (*of animal*) voz *f*; **cry off** *vi* desistir
crystal ['krıstl] *n* cristal *m*
cub [kʌb] *n* filhote *m*; (*also*: ~ **scout**) lobinho
Cuba ['kju:bə] *n* Cuba
cube [kju:b] *n* cubo ▷*vt* (*Math*) elevar ao cubo; **cubic** *adj* cúbico
cubicle ['kju:bıkl] *n* cubículo
cuckoo ['kuku:] *n* cuco
cucumber ['kju:kʌmbə*] *n* pepino
cuddle ['kʌdl] *vt* abraçar ▷*vi* abraçar-se
cue [kju:] *n* (*Snooker*) taco; (*Theatre etc*) deixa
cuff [kʌf] *n* (*of shirt, coat etc*) punho; (*US*: *on trousers*) bainha; (*blow*) bofetada; **off the ~** de improviso
cul-de-sac ['kʌldəsæk] *n* beco sem saída
cull [kʌl] *vt* (*story, idea*) escolher, selecionar ▷*n* matança seletiva
culminate ['kʌlmıneıt] *vi*: **to ~ in**

terminar em
culprit ['kʌlprɪt] *n* culpado(-a)
cult [kʌlt] *n* culto
cultivate ['kʌltɪveɪt] *vt* cultivar
cultural ['kʌltʃərəl] *adj* cultural
culture ['kʌltʃə*] *n* cultura
cunning ['kʌnɪŋ] *n* astúcia ▷*adj*
astuto, malandro; (*device, idea*)
engenhoso
cup [kʌp] *n* xícara (BR), chávena
(PT); (*prize, of bra*) taça
cupboard ['kʌbəd] *n* armário
curator [kjuə'reɪtə*] *n* diretor(a)
m/f
curb [kə:b] *vt* refrear ▷*n* freio;
(US: *kerb*) meio-fio (BR), borda do
passeio (PT)
curdle ['kə:dl] *vi* coalhar
cure [kjuə*] *vt* curar ▷*n* (*Med*)
tratamento, cura; (*solution*) remédio
curfew ['kə:fju:] *n* toque *m* de
recolher
curious ['kjuərɪəs] *adj* curioso;
(*nosy*) abelhudo; (*unusual*) estranho
curl [kə:l] *n* (*of hair*) cacho ▷*vt*
(*loosely*) frisar; (: *tightly*) encrespar
▷*vi* (*hair*) encaracolar; **curl up** *vi*
encaracolar-se; **curler** *n* rolo, bobe
m; **curly** *adj* cacheado, crespo
currant ['kʌrnt] *n* passa de
corinto; (*black~, red~*) groselha
currency ['kʌrnsɪ] *n* moeda; **to**
gain ~ (*fig*) consagrar-se
current ['kʌrnt] *n* corrente *f* ▷*adj*
corrente; (*present*) atual; **current**
account (BRIT) *n* conta corrente;
current affairs *npl* atualidades *fpl*;
currently *adv* atualmente
curriculum [kə'rɪkjuləm] (*pl*
~s *or* **curricula**) *n* programa *m*
de estudos; **curriculum vitae** *n*
curriculum vitae *m*, currículo
curry ['kʌrɪ] *n* caril *m* ▷*vt*: **to ~**
favour with captar simpatia de
curse [kə:s] *vi* xingar (BR),
praguejar (PT) ▷*vt* (*swear at*) xingar

(BR); (*bemoan*) amaldiçoar ▷*n*
maldição *f*; (*swearword*) palavrão *m*
(BR), baixo calão *m* (PT); (*problem*)
castigo
cursor ['kə:sə*] *n* (*Comput*)
cursor *m*
curt [kə:t] *adj* seco, brusco
curtain ['kə:tn] *n* cortina; (*Theatre*)
pano
curve [kə:v] *n* curva ▷*vi* encurvar-
se, torcer-se; (*road*) fazer (uma)
curva
cushion ['kuʃən] *n* almofada; (*of*
air) colchão *m* ▷*vt* amortecer
custard ['kʌstəd] *n* nata, creme *m*
custody ['kʌstədɪ] *n* custódia; **to**
take into ~ deter
custom ['kʌstəm] *n* (*tradition*)
tradição *f*; (*convention*) costume *m*;
(*habit*) hábito; (*Comm*) clientela;
customer *n* cliente *m/f*;
customized *adj* (*car etc*) feito sob
encomenda
customs ['kʌstəmz] *npl* alfândega;
customs officer *n* inspetor(a) *m/f*
da alfândega, aduaneiro(-a)
cut [kʌt] (*pt, pp* **cut**) *vt* cortar;
(*reduce*) reduzir ▷*vi* cortar ▷*n*
corte *m*; (*in spending*) redução *f*; (*of*
garment) talho; **cut down** *vt* (*tree*)
derrubar; (*consumption*) reduzir;
cut off *vt* (*piece, Tel*) cortar; (*person,*
village) isolar; (*supply*) suspender;
cut out *vt* (*shape*) recortar; (*activity*
etc) suprimir; (*remove*) remover; **cut**
up *vt* cortar em pedaços
cute [kju:t] *adj* bonitinho,
gracinha
cutlery ['kʌtlərɪ] *n* talheres *mpl*
cutlet ['kʌtlɪt] *n* costeleta;
(*vegetable ~, nut ~*) medalhão *m*
cut: **cut-price** (US **cut-rate**) *adj*
a preço reduzido; **cutting** *adj*
cortante ▷*n* (BRIT: *from newspaper*)
recorte *m*; (*from plant*) muda
CV *n abbr* = **curriculum vitae**

cybercafé ['saɪbəkæfeɪ] *n* cibercafé *m*

cyberspace ['saɪbəspeɪs] *n* ciberespaço

cycle ['saɪkl] *n* ciclo; (*bicycle*) bicicleta ▷*vi* andar de bicicleta

cycling ['saɪklɪŋ] *n* ciclismo

cyclist ['saɪklɪst] *n* ciclista *m/f*

cylinder ['sɪlɪndə*] *n* cilindro; (*of gas*) bujão *m*

Cyprus ['saɪprəs] *n* Chipre *f*

cyst [sɪst] *n* cisto; **cystitis** *n* cistite *f*

czar [zɑ:*] *n* czar *m*

Czech [tʃɛk] *adj* tcheco ▷*n* tcheco(-a); (*Ling*) tcheco; **Czech Republic** *n*: **the Czech Republic** a República Tcheca

d

D [di:] *n* (*Mus*) ré *m*

dab [dæb] *vt* (*eyes, wound*) tocar (de leve); (*paint, cream*) aplicar de leve

dad [dæd] (*inf*) *n* papai *m*

daddy ['dædɪ] *n* = **dad**

daffodil ['dæfədɪl] *n* narciso-dos-prados *m*

daft [dɑ:ft] *adj* bobo, besta

dagger ['dægə*] *n* punhal *m*, adaga

daily ['deɪlɪ] *adj* diário ▷*n* (*paper*) jornal *m*, diário ▷*adv* diariamente

dairy ['dɛərɪ] *n* leiteria

daisy ['deɪzɪ] *n* margarida

dam [dæm] *n* represa, barragem *f* ▷*vt* represar

damage ['dæmɪdʒ] *n* (*harm*) prejuízo; (*dents etc*) avaria ▷*vt* danificar; (*harm*) prejudicar; **~s** *npl* (*Law*) indenização *f* por perdas e danos

damn [dæm] *vt* condenar; (*curse*) maldizer ▷*n* (*inf*): **I don't give a ~** não dou a mínima, estou me lixando ▷*adj* (*inf: also:* **~ed**) danado, maldito; **~ (it)!** (que) droga!

damp [dæmp] *adj* úmido ▷*n* umidade *f* ▷*vt* (*also:* **~en:** *cloth, rag*) umedecer; (: *enthusiasm etc*) jogar água fria em

dance [dɑːns] *n* dança; (*party etc*) baile *m* ▷*vi* dançar; **dancer** *n* dançarino(-a); (*professional*) bailarino(-a); **dancing** *n* dança

dandelion ['dændɪlaɪən] *n* dente-de-leão *m*

dandruff ['dændrəf] *n* caspa

Dane [deɪn] *n* dinamarquês (-esa) *m/f*

danger ['deɪndʒə*] *n* perigo; (*risk*) risco; **"~!"** (*on sign*) "perigo!"; **to be in ~ of** correr o risco de; **in ~** em perigo; **dangerous** *adj* perigoso

dangle ['dæŋgl] *vt* balançar ▷*vi* pender balançando

Danish ['deɪnɪʃ] *adj* dinamarquês (-esa) ▷*n* (*Ling*) dinamarquês *m*

dare [dɛə*] *vt:* **to ~ sb to do sth** desafiar alguém a fazer algo ▷*vi:* **to ~ (to) do sth** atrever-se a fazer algo, ousar fazer algo; **I ~ say** (*I suppose*) acho provável que; **daring** *adj* audacioso; (*bold*) ousado ▷*n* coragem *f*, destemor *m*

dark [dɑːk] *adj* escuro; (*complexion*) moreno ▷*n* escuro; **to be in the ~ about** (*fig*) estar no escuro sobre; **after ~** depois de escurecer; **darken** *vt* escurecer; (*colour*) fazer mais escuro ▷*vi* escurecer-se; **darkness** *n* escuridão *f*; **dark-room** *n* câmara escura

darling ['dɑːlɪŋ] *adj, n* querido(-a)

dart [dɑːt] *n* dardo; (*in sewing*) alinhavo ▷*vi* precipitar-se, correr para; **to ~ away/along** ir-se/seguir precipitadamente; **darts** *n* (*game*) jogo de dardos

dash [dæʃ] *n* (*sign*) hífen *m*; (: *long*) travessão *m*; (*quantity*) pontinha

▷*vt* arremessar; (*hopes*) frustrar ▷*vi* correr para, ir depressa; **dash away** *vi* sair apressado; **dash off** *vi* = **dash away**

dashboard ['dæʃbɔːd] *n* painel *m* de instrumentos

data ['deɪtə] *npl* dados *mpl*; **database** *n* banco de dados; **data processing** *n* processamento de dados

date [deɪt] *n* data; (*with friend*) encontro; (*fruit*) tâmara ▷*vt* datar; (*person*) namorar; **to ~** até agora; **out of ~** fora de moda; (*expired*) desatualizado; **up to ~** moderno; **dated** ['deɪtɪd] *adj* antiquado

daughter ['dɔːtə*] *n* filha; **daughter-in-law** (*pl* **~s-in-law**) *n* nora

daunting ['dɔːntɪŋ] *adj* desanimador(a)

dawn [dɔːn] *n* alvorada, amanhecer *m*; (*of period, situation*) surgimento, início ▷*vi* (*day*) amanhecer; (*fig*): **it ~ed on him that ...** começou a perceber que ...

day [deɪ] *n* dia *m*; (*working ~*) jornada, dia útil; (*heyday*) apogeu *m*; **the ~ before** a véspera; **the ~ before yesterday** anteontem; **the ~ after tomorrow** depois de amanhã; **by ~** de dia; **daydream** *vi* devanear; **daylight** *n* luz *f* (do dia); **day return** (BRIT) *n* bilhete *m* de ida e volta no mesmo dia; **daytime** *n* dia *m*; **day-to-day** *adj* cotidiano

dazzle ['dæzl] *vt* (*bewitch*) deslumbrar; (*blind*) ofuscar

dead [dɛd] *adj* morto; (*numb*) dormente; (*telephone*) cortado; (*Elec*) sem corrente ▷*adv* completamente; (*exactly*) absolutamente ▷*npl:* **the ~** os mortos; **to shoot sb ~** matar alguém a tiro; **~ tired** morto de cansado; **to stop ~** estacar; (*pain*) anestesiar; **dead end** *n* beco sem

saída; **deadline** n prazo final;
deadly adj mortal, fatal; (accuracy,
insult) devastador(a); (weapon)
mortífero
deaf [dɛf] adj surdo; **deafen** vt
ensurdecer
deal [di:l] (pt, pp **dealt**) n
(agreement) acordo ▷vt (cards,
blows) dar; **a good ~ great ~ (of)**
bastante, muito; **deal in** vt fus
(Comm) negociar em or com; **deal
with** vt fus (people) tratar com;
(problem) ocupar-se de; (subject)
tratar de; **dealer** n negociante m/f;
dealings npl transações fpl
dean [di:n] n (Rel) decano;
(Sch: BRIT) reitor(a) m/f; (: US)
orientador(a) m/f de estudos
dear [dɪə°] adj querido, caro;
(expensive) caro ▷n: **my ~** meu
querido (minha querida) ▷excl: **~
me!** ai, meu Deus!; **D~ Sir/Madam**
(in letter) Ilmo. Senhor (Exma.
Senhora) (BR), Exmo. Senhor (Exma.
Senhora) (PT); **D~ Mr/Mrs X** Caro
Sr. X/Cara Sra. X; **dearly** adv (love)
ternamente; (pay) caro
death [dɛθ] n morte f; (Admin)
óbito; **death penalty** n pena de
morte
debate [dɪ'beɪt] n debate m ▷vt
debater
debit ['dɛbɪt] n débito ▷vt: **to ~ a
sum to sb** or **to sb's account** lançar
uma quantia ao débito de alguém or
à conta de alguém
debt [dɛt] n dívida; (state)
endividamento; **to be in ~** ter
dívidas, estar endividado
decade ['dɛkeɪd] n década
decaffeinated [dɪ'kæfɪneɪtɪd] adj
descafeinado
decay [dɪ'keɪ] n ruína; (also: **tooth
~**) cárie f ▷vi (rot) apodrecer-se
deceased [dɪ'si:st] n falecido(-a)
deceit [dɪ'si:t] n engano; (duplicity)

fraude f
deceive [dɪ'si:v] vt enganar
December [dɪ'sɛmbə°] n
dezembro
decent ['di:sənt] adj (proper)
decente; (kind, honest) honesto,
amável
deception [dɪ'sɛpʃən] n engano;
(deceitful act) fraude f; **deceptive** adj
enganador(a)
decide [dɪ'saɪd] vt (person)
convencer; (question) resolver ▷vi
decidir; **to ~ on sth** decidir-se
por algo
decimal ['dɛsɪməl] adj decimal ▷n
decimal m
decision [dɪ'sɪʒən] n (choice)
escolha; (act of choosing) decisão f;
(decisiveness) resolução f
decisive [dɪ'saɪsɪv] adj (action)
decisivo; (person) decidido
deck [dɛk] n (Naut) convés m; (of
bus): **top ~** andar m de cima; (of
cards) baralho; **record ~** toca-discos
m inv; **deckchair** n cadeira de lona,
espreguiçadeira
declare [dɪ'klɛə°] vt (intention)
revelar; (result) divulgar; (income, at
customs) declarar
decline [dɪ'klaɪn] n declínio;
(lessening) diminuição f, baixa ▷vt
recusar ▷vi diminuir
decorate ['dɛkəreɪt] vt (adorn)
adornar; (paint) pintar; (paper)
decorar com papel; **decoration**
[dɛkə'reɪʃən] n enfeite m; (act)
decoração f; (medal) condecoração f;
decorator n (painter) pintor(a) m/f
decrease [n 'di:kri:s, vb di:'kri:s]
n: **~ (in)** diminuição f (de) ▷vt
reduzir ▷vi diminuir
decree [dɪ'kri:] n decreto
dedicate ['dɛdɪkeɪt] vt dedicar;
dedication [dɛdɪ'keɪʃən] n
dedicação f; (in book) dedicatória;
(on radio) mensagem f

deduce [dɪ'dju:s] vt deduzir
deduct [dɪ'dʌkt] vt deduzir;
  deduction n (deducting) redução
  f; (amount) subtração f; (deducing)
  dedução f
deed [di:d] n feito; (Law) escritura,
  título
deep [di:p] adj profundo; (voice)
  baixo, grave; (breath) fundo;
  (colour) forte, carregado ▷adv:
  the spectators stood 20 ~ os
  espectadores formaram-se em
  20 fileiras; **to be 4 metres ~** ter 4
  metros de profundidade; **deeply**
  adv fundo; (moved) profundamente
deer [dɪə°] n inv veado, cervo
default [dɪ'fɔ:lt] n (Comput: also: ~
  value) valor m de default; **by ~** (win)
  por desistência
defeat [dɪ'fi:t] n derrota; (failure)
  malogro ▷vt derrotar, vencer
defect [n 'di:fɛkt, vb dɪ'fɛkt] n
  defeito ▷vi: **to ~ to the enemy**
  desertar para se juntar ao
  inimigo; **defective** [dɪ'fɛktɪv] adj
  defeituoso
defence [dɪ'fɛns] (US **defense**) n
  defesa, justificação f
defend [dɪ'fɛnd] vt defender;
  (Law) contestar; **defendant** n
  acusado(-a); (in civil case) réu (ré)
  m/f; **defender** n defensor(a) m/f;
  (Sport) defesa
defer [dɪ'fə:°] vt (postpone) adiar
defiance [dɪ'faɪəns] n desafio,
  rebeldia; **in ~ of** a despeito de
defiant [dɪ'faɪənt] adj
  desafiador(a)
deficiency [dɪ'fɪʃənsɪ] n (lack)
  deficiência, falta; (defect) defeito
deficit ['dɛfɪsɪt] n déficit m
define [dɪ'faɪn] vt definir
definite ['dɛfɪnɪt] adj (fixed)
  definitivo; (clear, obvious) claro,
  categórico; (certain) certo; **he
  was ~ about it** ele foi categórico;

definitely adv sem dúvida
deflate [di:'fleɪt] vt esvaziar
deflect [dɪ'flɛkt] vt desviar
defraud [dɪ'frɔ:d] vt: **to ~ sb (of
  sth)** trapacear alguém (por causa
  de algo)
defrost [di:'frɒst] vt descongelar
defuse [di:'fju:z] vt tirar o
  estopim or a espoleta de; (situation)
  neutralizar
defy [dɪ'faɪ] vt desafiar; (resist)
  opor-se a
degree [dɪ'gri:] n grau m; (Sch)
  diploma m, título; **~ in maths**
  formatura em matemática; **by ~s**
  (gradually) pouco a pouco; **to some
  ~, to a certain ~** até certo ponto
dehydrated [di:haɪ'dreɪtɪd] adj
  desidratado; (eggs, milk) em pó
delay [dɪ'leɪ] vt (decision etc)
  retardar, atrasar; (train) atrasar ▷vi
  hesitar ▷n demora; (postponement)
  adiamento; **to be ~ed** estar
  atrasado; **without ~** sem demora
  or atraso
delegate [n 'dɛlɪgɪt, vb 'dɛlɪgeɪt] n
  delegado(-a) ▷vt (person) autorizar;
  (task) delegar
delete [dɪ'li:t] vt eliminar, riscar;
  (Comput) deletar
deliberate [adj dɪ'lɪbərɪt, vb
  dɪ'lɪbəreɪt] adj (intentional)
  intencional; (slow) pausado, lento
  ▷vi considerar; **deliberately**
  [dɪ'lɪbərɪtlɪ] adv (on purpose) de
  propósito
delicacy ['dɛlɪkəsɪ] n delicadeza;
  (of problem) dificuldade f; (food)
  iguaria
delicate ['dɛlɪkɪt] adj delicado;
  (health) frágil
delicatessen [dɛlɪkə'tɛsn] n
  delicatessen m
delicious [dɪ'lɪʃəs] adj delicioso;
  (food) saboroso
delight [dɪ'laɪt] n prazer m, deleite

m; (*person*) encanto; (*experience*)
delícia ▷*vt* encantar, deleitar;
to take (a) ~ in deleitar-se com;
delighted *adj*: **delighted (at** *or*
with) encantado (com); **delightful**
adj encantador(a), delicioso
delinquent [dɪ'lɪŋkwənt] *adj*, *n*
delinqüente *m/f*
deliver [dɪ'lɪvə°] *vt* (*distribute*)
distribuir; (*hand over*) entregar;
(*message*) comunicar; (*speech*)
proferir; (*Med*) partejar; **delivery**
n distribuição *f*; (*of speaker*)
enunciação *f*; (*Med*) parto; **to take
delivery of** receber
delusion [dɪ'lu:ʒən] *n* ilusão *f*
demand [dɪ'mɑ:nd] *vt* exigir;
(*rights*) reivindicar, reclamar ▷*n*
exigência; (*claim*) reivindicação *f*;
(*Econ*) procura; **to be in ~** estar em
demanda; **on ~** à vista; **demanding**
adj (*boss*) exigente; (*work*)
absorvente
demise [dɪ'maɪz] *n* falecimento
demo ['dɛməu] (*inf*) *n abbr* (=
demonstration) passeata
democracy [dɪ'mɔkrəsɪ]
n democracia; **democrat**
['dɛməkræt] *n* democrata *m/f*;
democratic [dɛmə'krætɪk] *adj*
democrático
demolish [dɪ'mɔlɪʃ] *vt* demolir,
derrubar; (*argument*) refutar,
contestar
demonstrate ['dɛmənstreɪt] *vt*
demonstrar ▷*vi*: **to ~ (for/against)**
manifestar-se (a favor de/contra);
demonstration [dɛmən'streɪʃən]
n (*Pol*) manifestação *f*; (: *march*)
passeata; (*proof*) demonstração
f; (*exhibition*) exibição *f*;
demonstrator *n* manifestante *m/f*
demote [dɪ'məut] *vt* rebaixar
de posto
den [dɛn] *n* (*of animal*) covil *m*; (*of
thieves*) antro, esconderijo; (*room*)

aposento privado, cantinho
denial [dɪ'naɪəl] *n* refutação *f*;
(*refusal*) negativa
denim ['dɛnɪm] *n* brim *m*, zuarte
m; **~s** *npl* jeans *m* (*BR*), jeans *mpl* (*PT*)
Denmark ['dɛnmɑ:k] *n*
Dinamarca
denomination [dɪnɔmɪ'neɪʃən]
n valor *m*, denominação *f*; (*Rel*)
confissão *f*, seita
denounce [dɪ'nauns] *vt*
denunciar
dense [dɛns] *adj* denso, espesso;
(*inf: stupid*) estúpido, bronco
density ['dɛnsɪtɪ] *n* densidade
f; **single/double ~ disk** (*Comput*)
disco de densidade simples/dupla
dent [dɛnt] *n* amolgadura,
depressão *f* ▷*vt* amolgar, dentar
dental ['dɛntl] *adj* (*treatment*)
dentário; (*hygiene*) dental
dentist ['dɛntɪst] *n* dentista *m/f*
dentures ['dɛntʃəz] *npl* dentadura
deny [dɪ'naɪ] *vt* negar; (*refuse*)
recusar
deodorant [di:'əudərənt] *n*
desodorante *m* (*BR*), desodorizante
m (*PT*)
depart [dɪ'pɑ:t] *vi* ir-se, partir;
(*train etc*) sair; **to ~ from** (*fig: differ
from*) afastar-se de
department [dɪ'pɑ:tmənt] *n*
(*Sch*) departamento; (*Comm*) seção
f; (*Pol*) repartição *f*; **department
store** *n* magazine *m* (*BR*), grande
armazém *m* (*PT*)
departure [dɪ'pɑ:tʃə°] *n*
partida, ida; (*of train etc*) saída; (*of
employee*) saída; **a new ~** uma nova
orientação; **departure lounge** *n*
sala de embarque
depend [dɪ'pɛnd] *vi*: **to ~ (up)on**
depender de; (*rely on*) contar com;
it ~s depende; **~ing on the result
...** dependendo do resultado ...;
dependant *n* dependente *m/f*;

dependent adj: **to be dependent (on)** depender (de), ser dependente (de) ▷n = **dependant**

depict [dɪ'pɪkt] vt (in picture) retratar, representar; (describe) descrever

deport [dɪ'pɔːt] vt deportar

deposit [dɪ'pɒzɪt] n (Comm, Geo) depósito; (Chem) sedimento; (of ore, oil) jazida; (down payment) sinal m ▷vt depositar; (luggage) guardar; **deposit account** n conta de depósito a prazo

depot ['dɛpəu] n (storehouse) depósito, armazém m; (for vehicles) garagem f, parque m; (US) estação f

depress [dɪ'prɛs] vt deprimir; (wages) reduzir; (press down) apertar; **depressed** adj deprimido; (area) em depressão; **depressing** adj deprimente; **depression** n depressão f; (hollow) achatamento

deprive [dɪ'praɪv] vt: **to ~ sb of** privar alguém de; **deprived** adj carente

depth [dɛpθ] n profundidade f; (of feeling) intensidade f; **in the ~s of despair** no auge do desespero; **to be out of one's ~** (BRIT: swimmer) estar sem pé; (fig) estar voando

deputy ['dɛpjutɪ] adj: **~ chairman** vice-presidente/a m/f ▷n (assistant) adjunto(-a); (Pol: MP) deputado(-a); **~ head** (BRIT: Sch) diretor adjunto (diretora adjunta) m/f

derail [dɪ'reɪl] vt: **to be ~ed** descarrilhar

derelict ['dɛrɪlɪkt] adj abandonado

derive [dɪ'raɪv] vt: **to ~ (from)** obter or tirar (de) ▷vi: **to ~ from** derivar-se de

descend [dɪ'sɛnd] vt, vi descer; **to ~ from** descer de; **to ~ to** descambar em; **descent** n descida; (origin) descendência

describe [dɪs'kraɪb] vt descrever; **description** [dɪs'krɪpʃən] n descrição f; (sort) classe f, espécie f

desert [n 'dɛzət, vb dɪ'zəːt] n deserto ▷vt (place) desertar; (partner, family) abandonar ▷vi (Mil) desertar

deserve [dɪ'zəːv] vt merecer

design [dɪ'zaɪn] n (sketch) desenho, esboço; (layout, shape) plano, projeto; (pattern) desenho, padrão m; (art) design m; (intention) propósito, intenção f ▷vt (plan) projetar

designer [dɪ'zaɪnə*] n (Art) artista m/f gráfico(-a); (Tech) desenhista m/f, projetista m/f; (fashion ~) estilista m/f

desire [dɪ'zaɪə*] n anseio; (sexual) desejo ▷vt querer, desejar, cobiçar

desk [dɛsk] n (in office) mesa, secretária; (for pupil) carteira f; (at airport) balcão m; (in hotel) recepção f; (BRIT: in shop, restaurant) caixa

despair [dɪs'pɛə*] n desesperança ▷vi: **to ~ of** desesperar-se de

despatch [dɪs'pætʃ] n, vt = **dispatch**

desperate ['dɛspərɪt] adj desesperado; (situation) desesperador(a); (fugitive) violento; **to be ~ for sth/to do** estar louco por algo/para fazer; **desperately** adv desesperadamente; (very: unhappy) terrivelmente; (: ill) gravemente; **desperation** [dɛspə'reɪʃən] n desespero, desesperança; **in (sheer) desperation** desesperado

despise [dɪs'paɪz] vt desprezar

despite [dɪs'paɪt] prep apesar de, a despeito de

dessert [dɪ'zəːt] n sobremesa

destination [dɛstɪ'neɪʃən] n destino

destined ['dɛstɪnd] adj: **to be ~ to**

do sth estar destinado a fazer algo; **~ for** com destino a

destiny ['dɛstɪnɪ] n destino

destroy [dɪs'trɔɪ] vt destruir; (animal) sacrificiar; **destruction** n destruição f

detach [dɪ'tætʃ] vt separar; (unstick) desprender; **detached** adj (attitude) imparcial, objetivo; (house) independente, isolado

detail ['di:teɪl] n detalhe m; (trifle) bobagem f ▷vt detalhar; **in ~** pormenorizado, em detalhe

detain [dɪ'teɪn] vt deter; (in captivity) prender; (in hospital) hospitalizar

detect [dɪ'tɛkt] vt perceber; (Med, Police) identificar; (Mil, Radar, Tech) detectar; **detection** n descoberta; **detective** n detetive m/f; **detective story** n romance m policial

detention [dɪ'tɛnʃən] n detenção f, prisão f; (Sch) castigo

deter [dɪ'tə:°] vt (discourage) desanimar; (dissuade) dissuadir

detergent [dɪ'tə:dʒənt] n detergente m

deteriorate [dɪ'tɪərɪəreɪt] vi deteriorar-se

determine [dɪ'tə:mɪn] vt descobrir; (limits) demarcar; **determined** adj (person) resoluto; **determined to do** decidido a fazer

detour ['di:tuə°] n desvio

detract [dɪ'trækt] vi: **to ~ from** diminuir

detrimental [dɛtrɪ'mɛntl] adj: **~ (to)** prejudicial (a)

develop [dɪ'vɛləp] vt desenvolver; (Phot) revelar; (disease) contrair; (resources) explotar ▷vi (advance) progredir; (evolve) evoluir; (appear) aparecer; **development** [dɪ'vɛləpmənt] n desenvolvimento; (advance) progresso; (of land)

urbanização f

device [dɪ'vaɪs] n aparelho, dispositivo

devil ['dɛvl] n diabo

devious ['di:vɪəs] adj (person) malandro, esperto

devise [dɪ'vaɪz] vt (plan) criar; (machine) inventar

devote [dɪ'vəut] vt: **to ~ sth to** dedicar algo a; **devoted** [dɪ'vəutɪd] adj (friendship) leal; (partner) fiel; **to be devoted to** estar devotado a; **the book is devoted to politics** o livro trata de política; **devotion** n devoção f; (to duty) dedicação f

devour [dɪ'vauə°] vt devorar

devout [dɪ'vaut] adj devoto

dew [dju:] n orvalho

diabetes [daɪə'bi:ti:z] n diabete f

diagnosis [daɪəg'nəusɪs] (pl **diagnoses**) n diagnóstico

diagonal [daɪ'ægənl] adj diagonal ▷n diagonal f

diagram ['daɪəgræm] n diagrama m, esquema m

dial ['daɪəl] n disco ▷vt (number) discar (BR), marcar (PT)

dialect ['daɪəlɛkt] n dialeto

dialling code ['daɪəlɪŋ-] (US **dial code**) n código de discagem

dialling tone ['daɪəlɪŋ-] (US **dial tone**) n sinal m de discagem (BR) or de marcar (PT)

dialogue ['daɪəlɔg] (US **dialog**) n diálogo; (conversation) conversa

diameter [daɪ'æmɪtə°] n diâmetro

diamond ['daɪəmənd] n diamante m; (shape) losango, rombo; **~s** npl (Cards) ouros mpl

diarrhoea [daɪə'ri:ə] (US **diarrhea**) n diarréia

diary ['daɪərɪ] n (daily account) diário; (engagements book) agenda

dice [daɪs] n inv dado ▷vt (Culin) cortar em cubos

dictate [dɪk'teɪt] vt ditar;
dictation n (of letter) ditado; (of
orders) ordem f
dictator [dɪk'teɪtə°] n ditador(a)
m/f
dictionary ['dɪkʃənrɪ] n dicionário
did [dɪd] pt of **do**
didn't ['dɪdnt] = **did not**
die [daɪ] vi morrer; (fig: fade)
murchar; **to be dying for sth/to
do sth** estar louco por algo/para
fazer algo; **die away** vi (sound, light)
extinguir-se lentamente; **die down**
vi (fire) apagar-se; (wind) abrandar;
(excitement) diminuir; **die out** vi
desaparecer
diesel ['di:zl] n diesel m; (also: ~ **oil**)
óleo diesel
diet ['daɪət] n dieta; (restricted food)
regime m ▷vi (also: **be on a ~**) estar
de dieta, fazer regime
differ ['dɪfə°] vi (be different):
to ~ from sth ser diferente de
algo, diferenciar-se de algo;
(disagree): **to ~ (about)** discordar
(sobre); **difference** n diferença;
(disagreement) divergência;
different adj diferente;
differentiate [dɪfə'rɛnʃɪeɪt] vi: **to
differentiate (between)** distinguir
(entre)
difficult ['dɪfɪkəlt] adj difícil;
difficulty n dificuldade f
dig [dɪg] (pt, pp **dug**) vt cavar ▷n
(prod) pontada; (archaeological)
excavação f; (remark) alfinetada;
to ~ one's nails into sth cravar
as unhas em algo; **dig into** vt fus
(savings) gastar; **dig up** vt (plant)
arrancar; (information) trazer à tona
digest [vb daɪ'dʒɛst, n 'daɪdʒɛst] vt
(food) digerir; (facts) assimilar ▷n
sumário; **digestion** [dɪ'dʒɛstʃən]
n digestão f
digit ['dɪdʒɪt] n (Math) dígito;
(finger) dedo; **digital** adj digital;

digital camera n câmara digital;
digital TV n televisão f digital
dignified ['dɪgnɪfaɪd] adj digno
dignity ['dɪgnɪtɪ] n dignidade f
dilemma [daɪ'lɛmə] n dilema m
dilute [daɪ'lu:t] vt diluir
dim [dɪm] adj fraco; (outline)
indistinto; (room) escuro; (inf:
person) burro ▷vt diminuir; (us:
Aut) baixar
dime [daɪm] (us) n dez centavos
dimension [dɪ'mɛnʃən] n
dimensão f; (measurement) medida;
(also: ~**s**: scale, size) tamanho
diminish [dɪ'mɪnɪʃ] vi diminuir
din [dɪn] n zoeira
dine [daɪn] vi jantar; **diner** n
comensal m/f; (us: eating place)
lanchonete f
dinghy ['dɪŋgɪ] n dingue m; (also:
rubber ~) bote m; (: also: **sailing ~**)
bote de borracha
dingy ['dɪndʒɪ] adj (room) sombrio,
lúgubre; (clothes, curtains etc) sujo
dining car ['daɪnɪŋ-] (BRIT) n (Rail)
vagão-restaurante m
dining room ['daɪnɪŋ-] n sala
de jantar
dinner ['dɪnə°] n (evening meal)
jantar m; (lunch) almoço; (banquet)
banquete m; **dinner jacket** n
smoking m; **dinner party** n jantar
m; **dinner time** n (midday) hora de
almoçar; (evening) hora de jantar
dip [dɪp] n (slope) inclinação f;
(in sea) mergulho; (Culin) pasta
para servir com salgadinhos ▷vt (in
water) mergulhar; (ladle) meter;
(BRIT: Aut: lights) baixar ▷vi descer
subitamente
diploma [dɪ'pləumə] n diploma m
diplomat ['dɪpləmæt] n diplomata
m/f
dipstick ['dɪpstɪk] (us **diprod**) n
(Aut) vareta medidora
dire [daɪə°] adj terrível

direct [daɪ'rɛkt] *adj* direto; *(route)* reto; *(manner)* franco, sincero ▷*vt* dirigir; *(order)*: **to ~ sb to do sth** ordenar alguém para fazer algo ▷*adv* direto; **can you ~ me to ...?** pode me indicar o caminho a ...?; **direction** *n (way)* indicação *f*; *(TV, Radio, Cinema)* direção *f*; **directions** *npl (instructions)* instruções *fpl*; **directions for use** modo de usar; **directly** *adv* diretamente; *(at once)* imediatamente; **director** *n* diretor(a) *m/f*

directory [dɪ'rɛktərɪ] *n (Tel)* lista (telefônica); *(also: Comm)* anuário comercial; *(Comput)* diretório; **directory enquiries** (US **directory assistance**) *n* informações *fpl*

dirt [də:t] *n* sujeira (BR), sujidade (PT); **dirty** *adj* sujo; *(joke)* indecente ▷*vt* sujar

disability [dɪsə'bɪlɪtɪ] *n* incapacidade *f*

disabled [dɪs'eɪbld] *adj* deficiente ▷*npl*: **the ~** os deficientes

disadvantage [dɪsəd'vɑ:ntɪdʒ] *n* desvantagem *f*; *(prejudice)* inconveniente *m*

disagree [dɪsə'gri:] *vi (differ)* diferir; *(be against, think otherwise)*: **to ~ (with)** não concordar (com), dis-cordar (de); **disagreeable** *adj* desagradável; **disagreement** *n* desacordo; *(quarrel)* desavença

disappear [dɪsə'pɪə°] *vi* desaparecer, sumir; *(custom etc)* acabar; **disappearance** *n* desaparecimento, desaparição *f*

disappoint [dɪsə'pɔɪnt] *vt* decepcionar; **disappointed** *adj* desiludido; **disappointment** *n* decepção *f*; *(cause)* desapontamento

disapproval [dɪsə'pru:vəl] *n* desaprovação *f*

disapprove [dɪsə'pru:v] *vi*: **to ~ of** desaprovar

disarmament [dɪs'ɑ:məmənt] *n* desarmamento

disaster [dɪ'zɑ:stə°] *n (accident)* desastre *m*; *(natural)* catástrofe *f*

disbelief [dɪsbə'li:f] *n* incredulidade *f*

disc [dɪsk] *n* disco; *(Comput)* = **disk**

discard [dɪs'kɑ:d] *vt (old things)* desfazer-se de; *(fig)* descartar

discharge [*vb* dɪs'tʃɑ:dʒ, *n* 'dɪstʃɑ:dʒ] *vt (duties)* cumprir, desempenhar; *(patient)* dar alta a; *(employee)* despedir; *(soldier)* dar baixa em, dispensar; *(defendant)* pôr em liberdade; *(waste etc)* descarregar, despejar ▷*n (Elec, Chem)* descarga; *(dismissal)* despedida; *(of duty)* desempenho; *(of debt)* quitação *f*; *(from hospital)* alta; *(from army)* baixa; *(Law)* absolvição *f*; *(Med)* secreção *f*

discipline ['dɪsɪplɪn] *n* disciplina ▷*vt* disciplinar; *(punish)* punir

disc jockey *n (on radio)* radialista *m/f*; *(in disco)* discotecário(-a)

disclose [dɪs'kləuz] *vt* revelar

disco ['dɪskəu] *n abbr* discoteca

discomfort [dɪs'kʌmfət] *n (unease)* inquietação *f*; *(physical)* desconforto

disconnect [dɪskə'nɛkt] *vt* desligar; *(pipe, tap)* desmembrar

discontent [dɪskən'tɛnt] *n* descontentamento

discontinue [dɪskən'tɪnju:] *vt* in-terromper; *(payments)* suspender; **"~d"** *(Comm)* "fora de linha"

discount [*n* 'dɪskaunt, *vb* dɪs'kaunt] *n* desconto ▷*vt* descontar; *(idea)* ignorar

discourage [dɪs'kʌrɪdʒ] *vt (dishearten)* desanimar; *(advise against)*: **to ~ sth/sb from doing** desaconselhar algo/alguém a fazer

discover [dɪs'kʌvə°] *vt* descobrir; *(missing person)* encontrar; *(mistake)* achar; **discovery** n descoberta

discredit [dɪs'krɛdɪt] vt
desacreditar; (claim) desmerecer

discreet [dɪ'skri:t] adj discreto;
(careful) cauteloso

discrepancy [dɪ'skrɛpənsɪ] n
diferença

discretion [dɪ'skrɛʃən] n discrição
f; **at the ~ of** ao arbítrio de

discriminate [dɪ'skrɪmɪneɪt] vi:
to ~ between fazer distinção entre;
to ~ against discriminar contra;
discrimination [dɪskrɪmɪ'neɪʃən]
n (discernment) discernimento; (bias)
discriminação f

discuss [dɪ'skʌs] vt discutir;
(analyse) analisar; **discussion** n
discussão f; (debate) debate m

disease [dɪ'zi:z] n doença

disembark [dɪsɪm'bɑːk] vt, vi
desembarcar

disgrace [dɪs'ɡreɪs] n
ignomínia; (shame) desonra ▷vt
(family) envergonhar; (name,
country) desonrar; **disgraceful**
adj vergonhoso; (behaviour)
escandaloso

disgruntled [dɪs'ɡrʌntld] adj
descontente

disguise [dɪs'ɡaɪz] n disfarce m
▷vt: **to ~ (as)** disfarçar (de); **in ~**
disfarçado

disgust [dɪs'ɡʌst] n repugnância
▷vt repugnar a, dar nojo em;
disgusting adj repugnante;
(unacceptable) inaceitável

dish [dɪʃ] n prato; (serving ~)
travessa; **to do** or **wash the ~es**
lavar os pratos or a louça; **dish
out** vt repartir; **dish up** vt servir;
dishcloth n pano de prato or
de louça

dishonest [dɪs'ɔnɪst] adj (person)
desonesto; (means) fraudulento

dishwasher ['dɪʃwɔʃə°] n
máquina de lavar louça or pratos

disillusion [dɪsɪ'lu:ʒən] vt
desiludir

disinfectant [dɪsɪn'fɛktənt] n
desinfetante m

disintegrate [dɪs'ɪntɪɡreɪt] vi
desintegrar-se

disk [dɪsk] n (Comput) disco;
single-/double-sided ~ disquete
de face simples/dupla; **disk drive**
n unidade f de disco; **diskette**
[dɪs'kɛt] (US) n = **disk**

dislike [dɪs'laɪk] n (feeling)
desagrado; (gen pl: object of ~)
antipatia, aversão f ▷vt antipatizar
com, não gostar de

dislocate ['dɪsləkeɪt] vt deslocar

disloyal [dɪs'lɔɪəl] adj desleal

dismal ['dɪzml] adj (depressing)
deprimente; (very bad) horrível

dismantle [dɪs'mæntl] vt
desmontar, desmantelar

dismay [dɪs'meɪ] n consternação f
▷vt consternar

dismiss [dɪs'mɪs] vt (worker)
despedir; (pupils) dispensar;
(soldiers) dar baixa a; (Law,
possibility) rejeitar; **dismissal** n
demissão f

disobedient adj desobediente

disobey [dɪsə'beɪ] vt desobedecer
a; (rules) transgredir

disorder [dɪs'ɔːdə°] n desordem
f; (rioting) distúrbios mpl, tumulto;
(Med) distúrbio

disown [dɪs'əun] vt repudiar;
(child) rejeitar

dispatch [dɪs'pætʃ] vt (send: parcel
etc) expedir; (: messenger) enviar ▷n
(sending) remessa, urgência; (Press)
comunicado; (Mil) parte f

dispel [dɪs'pɛl] vt dissipar

dispense [dɪs'pɛns] vt (medicine)
preparar (e vender); **dispense with**
vt fus prescindir de; **dispenser** n
(device) distribuidor m automático

disperse [dɪs'pə:s] vt espalhar;

(crowd) dispersar ▷vi dispersar-se
display [dɪs'pleɪ] n (in shop)
mostra; (exhibition) exposição
f; (Comput, Tech: information)
apresentação f visual; (: device)
display m; (of feeling) manifestação
f ▷vt mostrar; (ostentatiously)
ostentar
displease [dɪs'pli:z] vt (offend)
ofender; (annoy) aborrecer
disposable [dɪs'pəuzəbl] adj
descartável; (income) disponível
disposal [dɪs'pəuzl] n (of rubbish)
destruição f; (of property etc) venda,
traspasse m; **at sb's ~** à disposição
de alguém
dispute [dɪs'pju:t] n (domestic)
briga; (also: **industrial ~**) conflito,
disputa ▷vt (fact, statement)
questionar; (ownership) contestar
disqualify [dɪs'kwɔlɪfaɪ] vt (Sport)
desclassificar; **to ~ sb for sth/from
doing sth** desqualificar alguém
para o/de fazer algo
disregard [dɪsrɪ'gɑ:d] vt ignorar
disrupt [dɪs'rʌpt] vt (plans)
desfazer; (conversation) perturbar,
interromper
dissect [dɪ'sɛkt] vt dissecar
dissent [dɪ'sɛnt] n dissensão f
dissertation [dɪsə'teɪʃən] n (also:
Sch) dissertação f, tese f
dissolve [dɪ'zɔlv] vt dissolver
▷vi dissolver-se; **to ~ in(to) tears**
debulhar-se em lágrimas
distance ['dɪstns] n distância; **in
the ~** ao longe
distant ['dɪstnt] adj distante;
(manner) afastado, reservado
distil [dɪs'tɪl] (us **distill**) vt destilar;
distillery n destilaria
distinct [dɪs'tɪŋkt] adj distinto;
(clear) claro; (unmistakable) nítido; **as
~ from** em oposição a; **distinction**
n diferença; (honour) honra; (in
exam) distinção f

distinguish [dɪs'tɪŋgwɪʃ] vt
(differentiate) diferenciar; (identify)
identificar; **to ~ o.s.** distinguir-
se; **distinguished** adj (eminent)
eminente; (in appearance) distinto
distort [dɪs'tɔ:t] vt distorcer
distract [dɪs'trækt] vt distrair;
(attention) desviar; **distracted**
adj distraído; (anxious) aturdido;
distraction n distração
f; (confusion) aturdimento,
perplexidade f; (amusement)
divertimento
distraught [dɪs'trɔ:t] adj
desesperado
distress [dɪs'trɛs] n angústia ▷vt
afligir; **distressing** adj angustiante
distribute [dɪs'trɪbju:t] vt
distribuir; (share out) repartir,
dividir; **distribution** [dɪstrɪ'bju:-
ʃən] n distribuição f; (of profits)
repartição f; **distributor** n
(Aut) distribuidor m; (Comm)
distribuidor(a) m/f
district ['dɪstrɪkt] n (of country)
região f; (of town) zona; (Admin)
distrito; **district attorney** (us)
n promotor público (promotora
pública) m/f
distrust [dɪs'trʌst] n desconfiança
▷vt desconfiar de
disturb [dɪs'tə:b] vt (disorganize)
perturbar; (upset) incomodar;
(interrupt) atrapalhar; **disturbance**
n (upheaval) convulsão f;
(political, violent) distúrbio; (of
mind) transtorno; **disturbed** adj
perturbado; (childhood) infeliz; **to
be emotionally disturbed** ter
problemas emocionais; **disturbing**
adj perturbador(a)
ditch [dɪtʃ] n fosso; (irrigation ~)
rego ▷vt (inf: partner) abandonar;
(: car, plan etc) desfazer-se de
ditto ['dɪtəu] adv idem
dive [daɪv] n (from board) salto;

(*underwater*) mergulho ▷ *vi*
mergulhar; **to ~ into** (*bag, drawer*)
enfiar a mão em; (*shop, car*) enfiar-se
em; **diver** *n* mergulhador(a) *m/f*
diversion [daɪˈvəːʃən] *n* (BRIT: Aut)
desvio; (*distraction*) diversão *f*; (*of
funds*) desvio
divert [daɪˈvəːt] *vt* desviar
divide [dɪˈvaɪd] *vt* (*math*) dividir;
(*separate*) separar; (*share out*)
repartir ▷ *vi* dividir-se; (*road*)
bifurcar-se; **divided highway** (*us*)
n pista dupla
divine [dɪˈvaɪn] *adj* (*also fig*) divino
diving [ˈdaɪvɪŋ] *n* salto;
(*underwater*) mergulho; **diving
board** *n* trampolim *m*
division [dɪˈvɪʒən] *n* divisão *f*; (*sharing
out*) repartição *f*; (*disagreement*)
discórdia; (*football*) grupo
divorce [dɪˈvɔːs] *n* divórcio
▷ *vt* divorciar-se de; (*dissociate*)
dissociar; **divorced** *adj* divorciado;
divorcee *n* divorciado(-a)
DIY *n abbr* = **do-it-yourself**
dizzy [ˈdɪzɪ] *adj* tonto
DJ *n abbr* = **disc jockey**

○ KEYWORD

do [duː] (*pt* **did**, *pp* **done**) *vb aux*
1 (*in negative constructions*): **I don't
understand** eu não compreendo
2 (*to form questions*): **didn't you
know?** você não sabia?; **what ~ you
think?** o que você acha?
3 (*for emphasis, in polite expressions*)
she does seem rather late ela está
muito atrasada; **~ sit down/help
yourself** sente-se/sirva-se; **~ take
care!** tome cuidado!
4 (*used to avoid repeating vb*): **she
swims better than I ~** ela nada
melhor que eu; **~ you agree? – yes,
I ~/no, I don't** você concorda?
– sim, concordo/não, não concordo;

she lives in Glasgow – so ~ I ela
mora em Glasgow – eu também;
who broke it? – I did quem
quebrou isso? – (fui) eu
5 (*in question tags*): **you like him,
don't you?** você gosta dele, não é?; **he
laughed, didn't he?** ele riu, não foi?
▷ *vt* **1** (*gen: carry out, perform etc*)
fazer; **what are you ~ing tonight?**
o que você vai fazer hoje à noite?;
to ~ the washing-up/cooking
lavar a louça/cozinhar; **to ~ one's
teeth/nails** escovar os dentes/
fazer as unhas; **to ~ one's hair**
(*comb*) pentear-se; (*style*) fazer um
penteado; **we're ~ing Othello
at school** (*studying*) nós estamos
estudando Otelo na escola;
(*performing*) nós vamos encenar
Otelo na escola
2 (*Aut etc*): **the car was ~ing 100**
o carro estava a 100 por hora;
we've done 200 km already nós
já fizemos 200 km; **he can ~ 100
in that car** ele consegue dar 100
nesse carro
▷ *vi* **1** (*act, behave*) fazer; **~ as I ~** faça
como eu faço
2 (*get on, fare*) ir; **how ~ you ~?** como
você está indo?
3 (*suit*) servir; **will it ~?** serve?
4 (*be sufficient*) bastar; **will £10 ~?** £10
dá?; **that'll ~** é suficiente; **that'll
~!** (*in annoyance*) basta!, chega!; **to
make ~ (with)** contentar-se (com)
▷ *n* (*inf: party etc*) festa; **it was
rather a ~** foi uma festança
do away with *vt fus* (*kill*) matar;
(*law etc*) abolir; (*withdraw*) retirar
do up *vt* (*laces*) atar; (*zip*) fechar;
(*dress, skirt*) abotoar; (*renovate: room,
house*) arrumar, renovar
do with *vt fus* (*need*): **I could ~ with
a drink/some help** eu bem que
gostaria de tomar alguma coisa/eu
bem que precisaria de uma ajuda;

(*be connected*) ter a ver com; **what has it got to ~ with you?** o que é que isso tem a ver com você? **do without** vi: **if you're late for tea then you'll ~ without** se você chegar atrasado ficará sem almoço ▷ *vt fus* passar sem

dock [dɔk] *n* (*Naut*) doca; (*law*) banco (dos réus) ▷ vi (*Naut: enter* ~) entrar no estaleiro; (*space*) unir-se no espaço; **~s** *npl* docas *fpl*

doctor ['dɔktə*] *n* médico(-a); (*PhD etc*) doutor (a) *m/f* ▷ *vt* (*drink etc*) falsificar

document ['dɔkjumənt] *n* documento; **documentary** [dɔkju'mentərɪ] *adj* documental ▷ *n* documentário

dodge [dɔdʒ] *n* (*trick*) trapaça ▷ *vt* esquivar-se de, evitar; (*tax*) sonegar; (*blow*) furtar-se a

does [dʌz] *vb see* **do; doesn't** = **does not**

dog [dɔg] *n* cachorro, cão *m* ▷ *vt* (*subj: person*) seguir; (: *bad luck*) perseguir

do-it-yourself *n* sistema *m* faça-você-mesmo

dole [dəul] (*BRIT*) *n* (*payment*) subsídio de desemprego; **on the ~** desempregado; **dole out** *vt* distribuir

doll [dɔl] *n* boneca; (*us: inf: woman*) mulher *f* jovem e bonita

dollar ['dɔlə*] *n* dólar *m*

dolphin ['dɔlfɪn] *n* golfinho

dome [dəum] *n* (*arch*) cúpula

domestic [də'mɛstɪk] *adj* doméstico; (*national*) nacional

dominate ['dɔmɪneɪt] *vt* dominar

domino ['dɔmɪnəu] (*pl* **~es**) *n* peça de dominó; **~es** *n* (*game*) dominó *m*

donate [də'neɪt] *vt*: **to ~ (to)** doar (para)

done [dʌn] *pp of* **do**

donkey ['dɔŋkɪ] *n* burro

donor ['dəunə*] *n* doador(a) *m/f*; **donor card** *n* cartão *m* de doador

don't [dəunt] = **do not**

doodle ['du:dl] *vi* rabiscar

doom [du:m] *n* (*fate*) destino ▷ *vt*: **to be ~ed to failure** estar destinado *or* fadado ao fracasso

door [dɔ:*] *n* porta; **doorbell** *n* campainha; **door-step** *n* degrau *m* da porta, soleira; **doorway** *n* vão *m* da porta, entrada

dope [dəup] *n* (*inf: person*) imbecil *m/f*; (: *drug*) maconha ▷ *vt* (*horse etc*) dopar

dormitory ['dɔ:mɪtrɪ] *n* dormitório; (*us*) *residência universitária*

dose [dəus] *n* dose *f*

dot [dɔt] *n* ponto; (*speck*) marca pequena ▷ *vt*: **~ted with** salpicado de; **on the ~** em ponto

dotcom [dɔt'kɔm] *n* empresa pontocom

double ['dʌbl] *adj* duplo ▷ *adv* (*twice*): **to cost ~ (sth)** custar o dobro (de algo) ▷ *n* (*person*) duplo(-a) ▷ *vt* dobrar ▷ *vi* dobrar; **at the ~** (*BRIT*), **on the ~** em passo acelerado; **double bass** *n* contrabaixo; **double bed** *n* cama de casal; **double-click** *vi* (*comput*) dar um clique duplo; (*betray*) atraiçoar; **doubledecker** *n* ônibus *m* (*BR*) *or* autocarro (*PT*) de dois andares; **double room** *n* quarto de casal

doubt [daut] *n* dúvida ▷ *vt* duvidar; (*suspect*) desconfiar de; **to ~ if** *or* **whether** duvidar que; **doubtful** *adj* duvidoso; **doubtless** *adv* sem dúvida

dough [dəu] *n* massa; **doughnut** (*us* **donut**) *n* sonho (*BR*), bola de Berlim (*PT*)

dove [dʌv] *n* pomba

down [daun] *n* (*feathers*) penugem

f ▷ adv (~wards) para baixo; (on the ground) por terra ▷ prep (towards lower level) embaixo de; (movement along) ao longo de ▷ vt (inf: drink) tomar de um gole só; **~ with X!** abaixo X!; **down-and-out** n (tramp) vagabundo(-a); **downfall** n queda, ruína; **downhill** adv: **to go downhill** descer, ir morro abaixo; (fig: business) degringolar

Downing Street ['daʊnɪŋ-] (BRIT) n ver quadro

down: download [daʊn'ləʊd] vt (comput) fazer o download de, baixar; **downright** adj (lie) patente; (refusal) categórico; **downstairs** adv (below) lá em baixo; (downwards) para baixo; **down-to-earth** adj prático, realista; **downtown** adv no centro da cidade; **down under** adv na Austrália (or Nova Zelândia); **downward** adj, adv para baixo; **downwards** adv = **downward**

doze [dəʊz] vi dormitar; **doze off** vi cochilar

dozen ['dʌzn] n dúzia; **a ~ books** uma dúzia de livros; **~s of** milhares de

drab [dræb] adj sombrio

draft [drɑːft] n (first copy) rascunho; (pol: of bill) projeto de lei; (bank ~) saque m, letra; (us: call-up) recrutamento ▷ vt (plan) esboçar; (speech, letter) rascunhar; see also **draught**

drag [dræg] vt arrastar; (river) dragar ▷ vi arrastar-se ▷ n (inf) chatice f (BR), maçada (PT); (women's clothing): **in ~** em travesti; **drag on** vi arrastar-se

dragon ['drægən] n dragão m

dragonfly ['drægənflaɪ] n libélula

drain [dreɪn] n bueiro; (source of loss) sorvedouro ▷ vt (glass) esvaziar; (land, marshes) drenar; (vegetables) coar ▷ vi (water) escorrer, escoar-se; **drainage** n (act) drenagem f; (system) esgoto; **drainpipe** n cano de esgoto

drama ['drɑːmə] n (art) teatro; (play) drama m; **dramatic** [drə'mætɪk] adj dramático; (theatrical) teatral

drank [dræŋk] pt of **drink**

drape [dreɪp] vt ornar, cobrir

drastic ['dræstɪk] adj drástico

draught [drɑːft] (us **draft**) n (of air) corrente f; (Naut) calado; (beer) chope m; **on ~** (beer) de barril; **draughts** (BRIT) n (jogo de) damas fpl

draw [drɔː] (pt drew, pp drawn) vt desenhar; (cart) puxar; (curtain) fechar; (gun) sacar; (attract) atrair; (money) tirar; (: from bank) sacar ▷ vi empatar ▷ n empate m; (lottery) sorteio; **to ~ near** aproximar-se; **draw out** vt (money) sacar; **draw up** vi (stop) parar(-se) ▷ vt (chair etc) puxar; (document) redigir; **drawback** n inconveniente m, desvantagem f; **drawer** n gaveta; **drawing** n desenho; **drawing pin** (BRIT) n tachinha (BR), pionés m (PT); **drawing room** n sala de visitas

drawn [drɔːn] pp of **draw**

dread [drɛd] n medo, pavor m ▷ vt temer, recear, ter medo de; **dreadful** adj terrível

dream [driːm] (*pt, pp* ~**ed** *or* ~**t**) *n* sonho ▷ *vt, vi* sonhar

dreary ['drɪərɪ] *adj* (*talk, time*) monótono; (*weather*) sombrio

drench [drɛntʃ] *vt* encharcar

dress [drɛs] *n* vestido; (*no pl: clothing*) traje *m* ▷ *vt* vestir; (*wound*) fazer curativo em ▷ *vi* vestir-se; **to get ~ed** vestir-se; **dress up** *vi* vestir-se com elegância; (*in fancy dress*) fantasiar-se; **dress circle** (BRIT) *n* balcão *m* nobre; **dresser** *n* (BRIT: *cupboard*) aparador *m*; (US: *chest of drawers*) cômoda *f* de espelho; **dressing** *n* (*med*) curativo; (*culin*) molho; **dressing gown** (BRIT) *n* roupão *m*; (*woman's*) peignoir *m*; **dressing room** *n* (*theatre*) camarim *m*; (*sport*) vestiário; **dressing table** *n* penteadeira (BR), toucador *m* (PT); **dressmaker** *n* costureira(-a)

drew [druː] *pt of* **draw**

dribble ['drɪbl] *vi* (*baby*) babar ▷ *vt* (*ball*) driblar

dried [draɪd] *adj* (*fruit, beans*) seco; (*eggs, milk*) em pó

drier ['draɪə°] *n* = **dryer**

drift [drɪft] *n* (*of current etc*) força; (*of snow*) monte *m*; (*meaning*) sentido ▷ *vi* (*boat*) derivar; (*sand, snow*) amontoar-se

drill [drɪl] *n* furadeira; (*of dentist*) broca; (*for mining etc*) broca, furadeira; (*mil*) exercícios *mpl* militares ▷ *vt* furar, brocar; (*mil*) exercitar ▷ *vi* (*for oil*) perfurar

drink [drɪŋk] (*pt* **drank,** *pp* **drunk**) *n* bebida; (*sip*) gole *m* ▷ *vt, vi* beber; **a ~ of water** um copo d'água; **drinker** *n* bebedor(a) *m/f*; **drinking water** *n* água potável

drip [drɪp] *n* gotejar *m*; (*one ~*) gota, pingo; (*med*) gota a gota *m* ▷ *vi* gotejar; (*tap*) pingar

drive [draɪv] (*pt* **drove,** *pp* **driven**) *n* passeio (de automóvel); (*journey*) trajeto, percurso; (*also:* ~**way**) entrada; (*energy*) energia, vigor *m*; (*campaign*) campanha; (*comput: also:* **disk ~**) unidade *f* de disco ▷ *vt* (*car*) dirigir (BR), guiar (PT); (*push*) empurrar; (*tech: motor*) acionar; (*nail etc*) cravar ▷ *vi* (Aut: *at controls*) dirigir (BR), guiar (PT); (*: travel*) ir de carro; **left-/right-hand ~** direção à esquerda/direita; **to ~ sb mad** deixar alguém louco

driver ['draɪvə°] *n* motorista *m/f*; (*rail*) maquinista *m*; **driver's license** (US) *n* carteira de motorista (BR), carta de condução (PT)

driveway ['draɪvweɪ] *n* entrada

driving ['draɪvɪŋ] *n* direção *f* (BR), condução *f* (PT); **driving instructor** *n* instrutor(a) *m/f* de autoescola (BR) *or* de condução (PT); **driving licence** (BRIT) *n* carteira de motorista (BR), carta de condução (PT); **driving test** *n* exame *m* de motorista

drizzle ['drɪzl] *n* chuvisco

droop [druːp] *vi* pender

drop [drɔp] *n* (*of water*) gota; (*lessening*) diminuição *f*; (*fall: distance*) declive *m* ▷ *vt* (*allow to fall*) deixar cair; (*voice, eyes, price*) baixar; (*set down from car*) deixar (saltar/descer); (*omit*) omitir ▷ *vi* cair; (*wind*) parar; **~s** *npl* (*med*) gotas *fpl*; **drop off** *vi* (*sleep*) cochilar ▷ *vt* (*passenger*) deixar (saltar/descer); **drop-out** *n* pessoa que abandona o trabalho, os estudos etc

drought [draut] *n* seca

drove [drəuv] *pt of* **drive**

drown [draun] *vt* afogar; (*also:* ~**out:** *sound*) encobrir ▷ *vi* afogar-se

drowsy ['drauzɪ] *adj* sonolento

drug [drʌɡ] *n* remédio, medicamento; (*narcotic*) droga ▷ *vt* drogar; **to be on ~s** estar viciado em drogas; (*med*) estar

sob medicação; **drug addict** n
toxicômano(-a); **druggist** (us) n
farmacêutico(-a); **drug-store** (us)
n drogaria

drum [drʌm] n tambor m; (for oil,
petrol) tambor, barril m; **~s** npl (kit)
bateria; **drummer** n baterista m/f

drunk [drʌŋk] pp of **drink** ▷ adj
bêbado ▷ n (also: **~ard**) bêbado(-a);
drunken adj (laughter) de bêbado;
(party) cheio de bêbado; (person)
bêbado

dry [draɪ] adj seco; (day) sem
chuva; (humour) irônico ▷ vt secar,
enxugar; (tears) limpar ▷ vi secar;
dry up vi secar completamente;
dry-cleaner's n tinturaria; **dryer** n
secador m; (us: spin-dryer)
secadora

DSS (brit) n abbr (= Department of
Social Security) ≈ INAMPS m

DTP n abbr (= desktop publishing) DTP
m, editoração f eletrônica

dual ['djuəl] adj dual, duplo; **dual
carriageway** (brit) n pista dupla

dubious ['dju:bɪəs] adj duvidoso;
(reputation, company) suspeitoso

duck [dʌk] n pato ▷ vi abaixar-se
repentinamente

due [dju:] adj (proper) devido;
(expected) esperado ▷ n: **to give sb
his (or her) ~** ser justo com alguém
▷ adv: **~ north** exatamente ao
norte; **~s** npl (for club, union) quota;
(in harbour) direitos mpl; **in ~ course**
no devido tempo; (eventually) no
final; **~ to** devido a

duet [dju:'ɛt] n dueto

dug [dʌg] pt, pp of **dig**

duke [dju:k] n duque m

dull [dʌl] adj (light) sombrio; (wit)
lento; (boring) enfadonho; (sound,
pain) surdo; (weather) nublado,
carregado ▷ vt (pain) aliviar; (mind,
senses) entorpecer

dumb [dʌm] adj mudo; (pej: stupid)

estúpido

dummy ['dʌmɪ] n (tailor's model)
manequim m; (mock-up) modelo;
(brit: for baby) chupeta ▷ adj falso

dump [dʌmp] n (also: **rubbish ~**)
depósito de lixo; (inf: place)
chiqueiro ▷ vt (put down) depositar,
descarregar; (get rid of) desfazer-se
de; (comput) tirar um dump de

dumpling ['dʌmplɪŋ] n bolinho
cozido

dungarees [dʌŋgə'ri:z] npl
macacão m (br), fato macaco (pt)

dungeon ['dʌndʒən] n calabouço

duplex ['dju:plɛks] (us) n casa
geminada; (also: **~ apartment)**
duplex m

duplicate [n 'dju:plɪkət, vb
'dju:plɪkeɪt] n (of document)
duplicata; (of key) cópia ▷ vt
duplicar; (photocopy) multigrafar;
(repeat) reproduzir

durable ['djuərəbl] adj durável;
(clothes, metal) resistente

during ['djuərɪŋ] prep durante

dusk [dʌsk] n crepúsculo,
anoitecer m

dust [dʌst] n pó m, poeira ▷ vt
(furniture) tirar o pó de; (cake etc):
to ~ with polvilhar com; **dustbin**
n (brit) lata de lixo; **duster** n pano
de pó; **dustman** (brit) (irreg) n
lixeiro, gari m (br: inf); **dusty** adj
empoeirado

Dutch [dʌtʃ] adj holandês(-esa)
▷ n (ling) holandês m ▷ adv: **let's
go ~** (inf) cada um paga o seu,
vamos rachar; **the ~** npl (people) os
holandeses; **Dutchman** (irreg) n
holandês m; **Dutchwoman** (irreg)
n holandesa

duty ['dju:tɪ] n dever m; (tax) taxa;
on ~ de serviço; **off ~** de folga;
duty-free adj livre de impostos

duvet ['du:veɪ] (brit) n edredom m
(br), edredão m (pt)

DVD n abbr (= digital versatile or video disc) DVD m; **DVD burner, DVD writer** n gravador m de DVD
dwarf [dwɔːf] (pl **dwarves**) n anão (anã) m/f ▷ vt ananicar
dwindle ['dwɪndl] vi diminuir
dye [daɪ] n tintura, tinta ▷ vt tingir
dynamite ['daɪnəmaɪt] n dinamite f
dyslexia [dɪs'lɛksɪə] n dislexia

E [iː] n (mus) mi m
each [iːtʃ] adj cada inv ▷ pron cada um(a); **~ other** um ao outro; **they hate ~ other** (eles) se odeiam
eager ['iːgə°] adj ávido; **to be ~ for/to do sth** ansiar por/por fazer algo
eagle ['iːgl] n águia
ear [ɪə°] n (external) orelha; (inner, fig) ouvido; (of corn) espiga; **earache** n dor f de ouvidos; **eardrum** n tímpano
earl [əːl] (BRIT) n conde m
earlier ['əːlɪə°] adj mais adiantado; (edition) anterior ▷ adv mais cedo
early ['əːlɪ] adv cedo; (before time) com antecedência ▷ adj cedo; (sooner than expected) prematuro; (reply) pronto; (Christians, settlers) primeiro; (man) primitivo; (life, work) juvenil; **in the ~** or **~ in the spring/19th century** no princípio da primavera/do século dezenove

earmark ['ɪəmɑːk] vt: **to ~ sth for** reservar or destinar algo para

earn [əːn] vt ganhar; (comm: interest) render; (praise) merecer

earnest ['əːnɪst] adj (wish) intenso; (manner) sério; **in ~** a sério

earnings ['əːnɪŋz] npl (personal) vencimentos mpl salário, ordenado; (of company) lucro

ear: earphones npl fones mpl de ouvido; **earring** n brinco

earth [əːθ] n terra; (BRIT: elec) fio terra ⊳ vt (BRIT: elec) ligar à terra; **earthquake** n terremoto (BR), terramoto (PT)

ease [iːz] n facilidade f; (relaxed state) sossego; (comfort) conforto ⊳ vt facilitar; (pain, tension) aliviar; (help pass): **to ~ sth in/out** meter/ tirar algo com cuidado; **at ~!** (mil) descansar!; **ease off** vi acalmar-se; (wind) baixar; (rain) moderar-se; **ease up** vi = **ease off**

easily ['iːzɪlɪ] adv facilmente, fácil (inf)

east [iːst] n leste m ⊳ adj (region) leste; (wind) do leste ⊳ adv para o leste; **the E~** o Oriente; (pol) o leste

Easter ['iːstəˀ] n Páscoa; **Easter egg** n ovo de Páscoa

eastern ['iːstən] adj do leste, oriental

easy ['iːzɪ] adj fácil; (comfortable) folgado, cômodo; (relaxed) natural, complacente; (victim, prey) desprotegido ⊳ adv: **to take it** or **things ~** (not worry) levar as coisas com calma; (go slowly) ir devagar; (rest) descansar; **easy-going** adj pacato, fácil

eat [iːt] (pt **ate**, pp **eaten**) vt, vi comer; **eat away** vt corroer; **eat away at** vt fus corroer; **eat into** vt fus = **eat away at**

eavesdrop ['iːvzdrɔp] vi: **to ~ (on)** escutar às escondidas

eccentric [ɪk'sɛntrɪk] adj, n excêntrico(-a)

echo ['ɛkəʊ] (pl **-es**) n eco ⊳ vt ecoar, repetir ⊳ vi ressoar, repetir

eclipse [ɪ'klɪps] n eclipse m

ecology [ɪ'kɔlədʒɪ] n ecologia

e-commerce [iː'kɒmɜːs] n abbr (= electronic commerce) comércio eletrônico

economic [iːkə'nɔmɪk] adj econômico; (business etc) rentável; **economical** adj econômico; **economics** n economia ⊳ npl aspectos mpl econômicos

economize [ɪ'kɔnəmaɪz] vi economizar, fazer economias

economy [ɪ'kɔnəmɪ] n economia; **economy class** n (aviat) classe f econômica

ecstasy ['ɛkstəsɪ] n êxtase m; **ecstatic** [ɛks'tætɪk] adj extasiado

eczema ['ɛksɪmə] n eczema m

edge [ɛdʒ] n (of knife etc) fio; (of table, chair etc) borda; (of lake etc) margem f ⊳ vt (trim) embainhar; **on ~** (fig) = **edgy; to ~ away from** afastar-se pouco a pouco de; **edgy** adj nervoso, inquieto

edible ['ɛdɪbl] adj comestível

Edinburgh ['ɛdɪnbərə] n Edimburgo

edit ['ɛdɪt] vt editar; (be editor of) dirigir; (cut) cortar, redigir; (comput, tv) editar; (cinema) montar; **edition** [ɪ'dɪʃən] n edição f; **editor** n redator(a) m/f; (of newspaper) diretor(a) m/f; (of column) editor(a) m/f; (of book) organizador(a) m/f; **editorial** [ɛdɪ'tɔːrɪəl] adj editorial

educate ['ɛdjukeɪt] vt educar

education [ɛdju'keɪʃən] n educação f; (schooling) ensino; (teaching) pedagogia; **educational** adj (policy, experience) educacional; (toy etc) educativo

eel [iːl] n enguia

eerie ['ɪərɪ] adj (strange) estranho;

(*mysterious*) misterioso
effect [ɪ'fɛkt] n efeito ▷ vt (*repairs*) fazer; (*savings*) efetuar; **to take ~** (*law*) entrar em vigor; (*drug*) fazer efeito; **in ~** na realidade; **effective** [ɪ'fɛktɪv] adj eficaz; (*actual*) efetivo
efficiency [ɪ'fɪʃənsɪ] n eficiência
efficient [ɪ'fɪʃənt] adj eficiente; (*machine*) rentável
effort ['ɛfət] n esforço; **effortless** adj fácil
e.g. adv abbr (= *exempli gratia*) p. ex.
egg [ɛg] n ovo; **hard-boiled/soft-boiled ~** ovo duro/mole; **egg on** vt incitar; **eggcup** n oveiro; **eggplant** (*esp us*) n beringela; **egg-shell** n casca de ovo
ego ['iːgəu] n ego
Egypt ['iːdʒɪpt] n Egito; **Egyptian** [ɪ'dʒɪpʃən] adj, n egípcio(-a)
eight [eɪt] num oito; **eighteen** [eɪ'tiːn] num dezoito; **eighth** [eɪtθ] num oitavo; **eighty** ['eɪtɪ] num oitenta
Eire ['ɛərə] n (República da) Irlanda
either ['aɪðə°] adj (*one or other*) um ou outro; (*each*) cada; (*both*) ambos ▷ pron: **~ (of them)** qualquer (dos dois) ▷ adv: **no, I don't ~** eu também não ▷ conj: **~ yes or no** ou sim ou não
eject [ɪ'dʒɛkt] vt expulsar
elaborate [adj ɪ'læbərɪt, vb ɪ'læbəreɪt] adj complicado ▷ vt (*expand*) expandir; (*refine*) aperfeiçoar ▷ vi: **to ~ on** acrescentar detalhes a
elastic [ɪ'læstɪk] adj elástico; (*adaptable*) flexível, adaptável ▷ n elástico; **elastic band** (*BRIT*) n elástico
elbow ['ɛlbəu] n cotovelo
elder ['ɛldə°] adj mais velho ▷ n (*tree*) sabugueiro; (*person*) o mais velho (a mais velha); **elderly** adj idoso, de idade ▷ npl: **the elderly** as

pessoas de idade, os idosos
eldest ['ɛldɪst] adj mais velho ▷ n o mais velho (a mais velha)
elect [ɪ'lɛkt] vt eleger ▷ adj: **the president ~** o presidente eleito; **to ~ to do** (*choose*) optar por fazer; **election** n (*voting*) votação f; (*installation*) eleição f; **electorate** n eleitorado
electric [ɪ'lɛktrɪk] adj elétrico; **electrical** adj elétrico; **electric fire** lareira elétrica
electrician [ɪlɛk'trɪʃən] n eletricista m/f
electricity [ɪlɛk'trɪsɪtɪ] n eletricidade f
electrify [ɪ'lɛktrɪfaɪ] vt (*fence, rail*) eletrificar; (*audience*) eletrizar
electronic [ɪlɛk'trɔnɪk] adj eletrônico; **electronic mail** n correio eletrônico; **electronics** n eletrônica
elegant ['ɛlɪgənt] adj (*person, building*) elegante; (*idea*) refinado
element ['ɛlɪmənt] n elemento; **elementary** [ɛlɪ'mɛntərɪ] adj (*gen*) elementar; (*primitive*) rudimentar; **elementary school** (*us*) n escola primária; *ver quadro*

● **ELEMENTARY SCHOOL**
●
● Nos Estados Unidos e no
● Canadá, uma **elementary school**
● (também chamada de *grade*
● *school* ou *grammar school* nos
● Estados Unidos) é uma escola
● pública onde os alunos passam
● de seis a oito dos primeiros anos
● escolares.

elephant ['ɛlɪfənt] n elefante (-a) m/f
elevator ['ɛlɪveɪtə°] (*us*) n elevador m
eleven [ɪ'lɛvn] num onze; **eleventh**

num décimo-primeiro
eligible ['ɛlɪdʒəbl] *adj* elegível,
apto; **to be ~ for sth** (*job etc*) ter
qualificações para algo
elm [ɛlm] *n* olmo
eloquent ['ɛləkwənt] *adj*
eloqüente
El Salvador [el'sælvədɔ:°] *n* El
Salvador
else [ɛls] *adv* outro, mais;
something ~ outra coisa; **nobody
~ spoke** ninguém mais falou;
elsewhere *adv* (*be*) em outro lugar
(BR), noutro sítio (PT); (*go*) para
outro lugar (BR), a outro sítio (PT)
elusive [ɪ'lu:sɪv] *adj* esquivo;
(*quality*) indescritível
e-mail ['i:meɪl] *n* e-mail *m*, correio
eletrônico ⊳ *vt* (*person*) enviar
um e-mail a; **e-mail account** *n*
conta de e-mail, conta de correio
eletrônico; **e-mail address** *n* e-mail
m, endereço eletrônico
embark [ɪm'bɑːk] *vi* embarcar ⊳ *vt*
embarcar; **to ~ on** (*fig*) empreender,
começar
embarrass [ɪm'bærəs] *vt*
constranger; (*politician*) embaraçar;
embarrassed *adj* desconfortável;
embarrassing *adj* embaraçoso,
constrangedor(a); **embarrassment**
n embaraço, constrangimento
embassy ['ɛmbəsɪ] *n* embaixada
embrace [ɪm'breɪs] *vt* abraçar,
dar um abraço em; (*include*) abarcar,
abranger ⊳ *vi* abraçar-se ⊳ *n* abraço
embroider [ɪm'brɔɪdə°] *vt* bordar;
embroidery *n* bordado
emerald ['ɛmərəld] *n* esmeralda
emerge [ɪ'mɜːdʒ] *vi* sair; (*from
sleep*) acordar; (*fact, idea*) emergir
emergency [ɪ'mɜːdʒənsɪ] *n*
emergência; **in an ~** em caso
de urgência; **emergency exit** *n*
saída de emergência; **emergency
landing** *n* aterrissagem *f* forçada

(BR), aterragem *f* forçosa (PT)
emigrate ['ɛmɪgreɪt] *vi* emigrar
eminent ['ɛmɪnənt] *adj* eminente
emit [ɪ'mɪt] *vt* (*smoke*) soltar; (*smell*)
exalar; (*sound*) produzir
emotion [ɪ'məʊʃən] *n* emoção *f*;
emotional *adj* (*needs*) emocional;
(*person*) sentimental, emotivo;
(*scene*) comovente; (*tone*)
emocionante
emperor ['ɛmpərə°] *n* imperador
m
emphasis ['ɛmfəsɪs] (*pl
emphases*) *n* ênfase *f*
emphasize ['ɛmfəsaɪz] *vt* (*word,
point*) enfatizar, acentuar; (*feature*)
salientar
empire ['ɛmpaɪə°] *n* império
employ [ɪm'plɔɪ] *vt* empregar;
(*tool*) utilizar; **employee** *n*
empregado(-a); **employer** *n*
empregador(a) *m/f*, patrão(-troa)
m/f; **employment** *n* (*gen*)
emprego; (*work*) trabalho
empress ['ɛmprɪs] *n* imperatriz *f*
emptiness ['ɛmptɪnɪs] *n* vazio,
vácuo
empty ['ɛmptɪ] *adj* vazio; (*place*)
deserto; (*house*) desocupado;
(*threat*) vão (vã) ⊳ *vt* esvaziar; (*place*)
evacuar ⊳ *vi* esvaziar-se; (*place*) ficar
deserto; **empty-handed** *adj* de
mãos vazias
emulsion [ɪ'mʌlʃən] *n* emulsão *f*;
(*also: ~ paint*) tinta plástica
enable [ɪ'neɪbl] *vt*: **to ~ sb to do
sth** (*allow*) permitir que alguém faça
algo; (*make possible*) tornar possível
que alguém faça algo
enamel [ɪ'næməl] *n* esmalte *m*
enclose [ɪn'kləʊz] *vt* (*land*) cercar;
(*with letter*) anexar (BR), enviar junto
(PT); **please find ~d** segue junto
enclosure [ɪn'kləʊʒə°] *n* cercado
encore [ɔŋ'kɔ:°] *excl* bis!, outra!
⊳ *n* bis *m*

encounter [ɪn'kauntə°] n
encontro ▷ vt encontrar, topar com;
(difficulty) enfrentar
encourage [ɪn'kʌrɪdʒ] vt
(activity) encorajar; (growth)
estimular; (person): **to ~ sb to do
sth** animar alguém a fazer algo;
encouragement n estímulo
encyclop(a)edia [ɛnsaɪkləu'pi:
dɪə] n enciclopédia
end [ɛnd] n fim m; (of table, rope etc)
ponta; (of street, town) final m ▷ vt
acabar, terminar; (also: **bring to an
~, put an ~ to**) acabar com, pôr fim
a ▷ vi terminar, acabar; **in the ~** ao
fim, por fim, finalmente; **on ~** na
ponta; **to stand on ~** (hair)
arrepiar-se; **for hours on ~** por
horas a fio; **end up** vi: **to ~ up in**
terminar em; (place) ir parar em
endanger [ɪn'deɪndʒə°] vt pôr
em risco
endearing [ɪn'dɪərɪŋ] adj
simpático, atrativo
endeavour [ɪn'dɛvə°] (US
endeavor) n esforço; (attempt)
tentativa ▷ vi: **to ~ to do**
esforçar-se para fazer; (try) tentar
fazer
ending [ˈɛndɪŋ] n fim m,
conclusão f; (of book) desenlace m;
(ling) terminação f
endless [ˈɛndlɪs] adj interminável;
(possibilities) infinito
endorse [ɪn'dɔːs] vt (cheque)
endossar; (approve) aprovar;
endorsement n (BRIT: on driving
licence) descrição f das multas;
(approval) aval m
endure [ɪn'djuə°] vt (bear)
agüentar, suportar ▷ vi (last) durar
enemy [ˈɛnəmɪ] adj, n inimigo(-a)
energy [ˈɛnədʒɪ] n energia
enforce [ɪn'fɔːs] vt (law) fazer
cumprir
engage [ɪn'geɪdʒ] vt (attention)

chamar; (interest) atrair; (lawyer)
contratar; (clutch) engrenar ▷ vi
engrenar; **to ~ in** dedicar-se
a, ocupar-se com; **to ~ sb in
conversation** travar conversa
com alguém; **engaged** adj (BRIT:
phone) ocupado (BR), impedido
(PT); (: toilet) ocupado; (betrothed)
noivo; **to get engaged** ficar noivo;
engaged tone (BRIT) n (tel) sinal m
de ocupado (BR) or de impedido (PT);
engagement n encontro; (booking)
contrato; (to marry) noivado;
engagement ring n aliança de
noivado
engine [ˈɛndʒɪn] n (Aut) motor m;
(rail) locomotiva
engineer [ɛndʒɪ'nɪə°] n
engenheiro(-a); (US: rail)
maquinista m/f; (BRIT: for repairs)
técnico(-a); (on ship) engenheiro(-a)
naval; **engineering** n engenharia
England [ˈɪŋglənd] n Inglaterra
English [ˈɪŋglɪʃ] adj inglês (inglesa)
▷ n (ling) inglês m; **the ~** npl (people)
os ingleses; **English Channel** n:
the English Channel o Canal da
Mancha;
engraving [ɪn'greɪvɪŋ] n gravura
enhance [ɪn'hɑːns] vt (gen)
ressaltar, salientar; (enjoyment)
aumentar; (beauty) realçar;
(reputation) melhorar; (add to)
aumentar
enjoy [ɪn'dʒɔɪ] vt gostar de;
(health, privilege) desfrutar de; **to
~ o.s.** divertir-se; **enjoyable** adj
agradável; **enjoyment** n prazer m
enlarge [ɪn'lɑːdʒ] vt aumentar;
(phot) ampliar ▷ vi: **to ~ on** (subject)
desenvolver, estender-se sobre
enlist [ɪn'lɪst] vt alistar; (support)
conseguir, aliciar ▷ vi alistar-se
enormous [ɪ'nɔːməs] adj enorme
enough [ɪ'nʌf] adj: **~ time/books**
tempo suficiente/livros suficientes

▷ *pron*: **have you got ~?** você tem o suficiente? ▷ *adv*: **big ~** suficientemente grande; **~!** basta!, chega!; **that's ~, thanks** chega, obrigado; **I've had ~ of him** estou farto dele; **which, funnily** *or* **oddly ~ ...** o que, por estranho que pareça ...

enquire [ɪn'kwaɪə*] *vt, vi* = **inquire**

enrage [ɪn'reɪdʒ] *vt* enfurecer, enraivecer

enrol [ɪn'rəul] (*us* **enroll**) *vt* inscrever; (*sch*) matricular ▷ *vi* inscrever-se; matricular-se; **enrolment** *n* inscrição *f*; (*sch*) matrícula

ensure [ɪn'ʃuə*] *vt* assegurar

entail [ɪn'teɪl] *vt* implicar

enter ['entə*] *vt* entrar em; (*club*) ficar *or* fazer-se sócio de; (*army*) alistar-se em; (*competition*) inscrever-se em; (*sb for a competition*) inscrever; (*write down*) completar; (*comput*) entrar com ▷ *vi* entrar; **enter for** *vt fus* inscrever-se em; **enter into** *vt fus* estabelecer; (*plans*) fazer parte de; (*debate*) entrar em; (*agreement*) chegar a, firmar

enterprise ['entəpraɪz] *n* empresa; (*undertaking*) empreendimento; (*initiative*) iniciativa; **enterprising** *adj* empreendedor(a)

entertain [entə'teɪn] *vt* divertir, entreter; (*guest*) receber (em casa); (*idea*) estudar; **entertainer** *n* artista *m/f*; **entertaining** *adj* divertido; **entertainment** *n* (*amusement*) entretenimento, diversão *f*; (*show*) espetáculo

enthusiasm [ɪn'θuːzɪæzəm] *n* entusiasmo

enthusiast [ɪn'θuːzɪæst] *n* entusiasta *m/f*; **enthusiastic** [ɪnθuːzɪ'æstɪk] *adj* entusiasmado; **to be enthusiastic about** entusiasmar-se por

entire [ɪn'taɪə*] *adj* inteiro; **entirely** *adv* totalmente, completamente

entitle [ɪn'taɪtl] *vt*: **to ~ sb to sth** dar a alguém direito a algo; **entitled** [ɪn'taɪtld] *adj* (*book etc*) intitulado; **to be entitled to do** ter direito de fazer

entrance [*n* 'entrns, *vb* ɪn'trɑːns] *n* entrada; (*arrival*) chegada ▷ *vt* encantar, fascinar; **to gain ~ to** (*university etc*) ser admitido em; **entrance examination** *n* exame *m* de admissão; **entrance fee** *n* jóia

entrant ['entrənt] *n* participante *m/f*; (*BRIT: in exam*) candidato(-a)

entrepreneur [ɔntrəprə'nə:*] *n* empresário(-a)

entrust [ɪn'trʌst] *vt*: **to ~ sth to sb** confiar algo a alguém

entry ['entrɪ] *n* entrada; (*in competition*) participante *m/f*; (*in register*) registro, assentamento; (*in account*) lançamento; (*in dictionary*) verbete *m*; (*arrival*) chegada; **"no ~"** "entrada proibida"; (*Aut*) "contramão" (*BR*), "entrada proibida" (*PT*)

envelope ['envələup] *n* envelope *m*

envious ['envɪəs] *adj* invejoso; (*look*) de inveja

environment [ɪn'vaɪərnmənt] *n* meio ambiente *m*; **environmental** [ɪnvaɪərn'mentl] *adj* ambiental; **environmentally friendly** *adj* (*products, industry*) não agressivo ao meio ambiente

envisage [ɪn'vɪzɪdʒ] *vt* prever

envoy ['envɔɪ] *n* enviado(-a)

envy ['envɪ] *n* inveja ▷ *vt* ter inveja de; **to ~ sb sth** invejar alguém por algo, cobiçar algo de alguém

epic ['epɪk] *n* epopéia ▷ *adj* épico

epidemic [epɪ'demɪk] *n* epidemia

epilepsy ['ɛpɪlɛpsɪ] n epilepsia
episode ['ɛpɪsəud] n episódio
equal ['iːkwl] adj igual; (treatment) equitativo, equivalente ▷ n igual m/f ▷ vt ser igual a; **to be ~ to** (task) estar à altura de; **equality** [iːˈkwɒlɪtɪ] n igualdade f; **equalize** vi igualar; (sport) empatar; **equally** adv igualmente; (share etc) por igual
equator [ɪˈkweɪtə*] n equador m
equip [ɪˈkwɪp] vt equipar; (person) prover, munir; **to be well ~ped** estar bem preparado or equipado; **equipment** n equipamento m; (machines) equipamentos mpl, aparelhagem f
equivalent [ɪˈkwɪvəlnt] adj: **~ (to)** equivalente (a) ▷ n equivalente m
era ['ɪərə] n era, época
erase [ɪˈreɪz] vt apagar; **eraser** n borracha (de apagar)
erect [ɪˈrɛkt] adj (posture) ereto; (tail, ears) levantado ▷ vt erigir, levantar; (assemble) montar; **erection** n construção f; (of tent, physio) ereção f; (assembly) montagem f
erode [ɪˈrəud] vt (geo) causar erosão em; (confidence) minar
erotic [ɪˈrɒtɪk] adj erótico
errand ['ɛrnd] n recado, mensagem f
erratic [ɪˈrætɪk] adj imprevisível
error ['ɛrə*] n erro
erupt [ɪˈrʌpt] vi entrar em erupção; (fig) explodir, estourar; **eruption** n erupção f; explosão f
escalate ['ɛskəleɪt] vi intensificar-se
escalator ['ɛskəleɪtə*] n escada rolante
escape [ɪˈskeɪp] n fuga; (of gas) escapatória ▷ vi escapar; (flee) fugir, evadir-se; (leak) vazar, escapar ▷ vt fugir de; (elude): **his name ~s me** o nome dele me foge a memória; **to**

~ from (place) escapar de; (person) escapulir de
escort [n ˈɛskɔːt, vb ɪsˈkɔːt] n acompanhante m/f; (mil) escolta ▷ vt acompanhar
especially [ɪˈspɛʃlɪ] adv (above all) sobretudo; (particularly) em particular
espionage ['ɛspɪɑːnɑːʒ] n espionagem f
essay ['ɛseɪ] n ensaio
essence ['ɛsns] n essência
essential [ɪˈsɛnʃl] adj (necessary) indispensável; (basic) essencial ▷ n elemento essencial
establish [ɪˈstæblɪʃ] vt estabelecer; (facts) verificar; (proof) demonstrar; (reputation) firmar; (business) estabelecido; **establishment** n estabelecimento; **the Establishment** a classe dirigente
estate [ɪˈsteɪt] n (land) fazenda (BR), propriedade f (PT); (law) herança; (pol) estado; (BRIT: also: **housing ~**) conjunto habitacional; **estate agent** (BRIT) n corretor(a) m/f de imóveis (BR), agente m/f imobiliário(-a) (PT); **estate car** (BRIT) n perua (BR), canadiana (PT)
estimate [n ˈɛstɪmət, vb ˈɛstɪmeɪt] n (assessment) avaliação f; (calculation) cálculo; (comm) orçamento ▷ vt estimar, avaliar, calcular
etc. abbr (= et cetera) etc.
eternal [ɪˈtəːnl] adj eterno
eternity [ɪˈtəːnɪtɪ] n eternidade f
ethical ['ɛθɪkl] adj ético
ethics ['ɛθɪks] n ética ▷ npl moral f
Ethiopia [iːθɪˈəupɪə] n Etiópia
ethnic ['ɛθnɪk] adj étnico; (culture) folclórico
e-ticket ['iːtɪkɪt] n bilhete m eletrônico
etiquette ['ɛtɪkɛt] n etiqueta

EU n abbr (= European Union) UE f

euro ['juərəu] n (currency) euro m

Europe ['juərəp] n Europa; **European** [juərə'pi:ən] adj, n europeu(-péia); **European Union** n: **the European Union** a União Européia

evacuate [ɪ'vækjueɪt] vt evacuar

evade [ɪ'veɪd] vt (person) evitar; (question, duties) evadir; (tax) sonegar

evaporate [ɪ'væpəreɪt] vi evaporar-se

eve [i:v] n: **on the ~ of** na véspera de

even ['i:vn] adj (level) plano; (smooth) liso; (equal) igual; (number) par ▷ adv até, mesmo; (showing surprise) até (mesmo); (introducing a comparison) ainda; **~ if** mesmo que; **~ though** mesmo que, embora; **~ more** ainda mais; **~ so** mesmo assim; **not ~** nem; **to get ~ with sb** ficar quite com alguém; **even out** vi nivelar-se

evening ['i:vnɪŋ] n (early) tarde f; (late) noite f; (event) noitada; **in the ~** à noite; **evening class** n aula noturna

event [ɪ'vɛnt] n acontecimento; (sport) prova; **in the ~ of** no caso de; **eventful** adj movimentado, cheio de acontecimentos; (game etc) cheio de emoção, agitado

eventual [ɪ'vɛntʃuəl] adj final; **eventually** adv finalmente; (in time) por fim

ever ['ɛvə°] adv (always) sempre; (at any time) em qualquer momento; (in question): **why ~ not?** por que não?; **the best ~** o melhor que já se viu; **have you ~ seen it?** você alguma vez já viu isto?; **better than ~** melhor que nunca; **~ since** ▷ adv desde então ▷ conj depois que;

evergreen n sempre-verde f

○ **KEYWORD**

every ['ɛvrɪ] adj 1 (each) cada; **~ one of them** cada um deles; **~ shop in the town was closed** todas as lojas da cidade estavam fechadas

2 (all possible) todo(-a); **I have ~ confidence in her** tenho confiança absoluta confiança nela; **we wish you ~ success** desejamolhe o maior sucesso; **he's ~ bit as clever as his brother** ele é tão inteligente quanto o irmão

3 (showing recurrence) todo(-a); **~ other car had been broken into** cada dois carros foram arrombados; **she visits me ~ other/third day** ele me visita cada dois/três dias; **~ now and then** de vez em quando

everybody ['ɛvrɪbɔdɪ] pron todos, todo mundo (BR), toda a gente (PT)

everyday ['ɛvrɪdeɪ] adj (daily) diário; (usual) corrente; (common) comum

everyone ['ɛvrɪwʌn] pron = **everybody**

everything ['ɛvrɪθɪŋ] pron tudo

everywhere ['ɛvrɪwɛə°] adv (be) em todo lugar (BR), em toda a parte (PT); (go) a todo lugar (BR), a toda a parte (PT); (wherever): **~ you go you meet ...** aonde quer que se vá, encontra-se ...

evict [ɪ'vɪkt] vt despejar

evidence ['ɛvɪdəns] n (proof) prova(s) f (pl); (of witness) testemunho, depoimento; (indication) sinal m; **to give ~** testemunhar, prestar depoimento

evident ['ɛvɪdənt] adj evidente; **evidently** adv evidentemente; (apparently) aparentemente

evil ['i:vl] adj mau (má) ▷ n mal m,

maldade f

evoke [ɪ'vəuk] vt evocar

evolution [iːvə'luːʃən] n evolução f; (development) desenvolvimento

evolve [ɪ'vɔlv] vt desenvolver ▷ vi desenvolver-se

exact [ɪg'zækt] adj exato; (person) meticuloso ▷ vt: **to ~ sth (from)** exigir algo (de); **exactly** adv exatamente; (indicating agreement) isso mesmo

exaggerate [ɪg'zædʒəreɪt] vt, vi exagerar; **exaggeration** [ɪgzædʒə'reɪʃən] n exagero f

exam [ɪg'zæm] n abbr = **examination**

examination [ɪgzæmɪ'neɪʃən] n exame m; (inquiry) investigação f

examine [ɪg'zæmɪn] vt examinar; (inspect) inspecionar; **examiner** n examinador(a) m/f

example [ɪg'zɑːmpl] n exemplo; **for ~** por exemplo

excavate ['ɛkskəveɪt] vt escavar

exceed [ɪk'siːd] vt exceder; (number) ser superior a; (speed limit) ultrapassar; (limits) ir além de; (powers) exceder-se em; (hopes) superar; **exceedingly** adv extremamente

excellent ['ɛksələnt] adj excelente

except [ɪk'sɛpt] prep (also: **~ for, ~ing**) exceto, a não ser ▷ vt excluir; **~ if/when** a menos que, a não ser que; **exception** n exceção f; **to take exception to** ressentir-se de

excerpt ['ɛksəːpt] n trecho

excess [ɪk'sɛs] n excesso; **excess baggage** n excesso de bagagem; **excessive** adj excessivo

exchange [ɪks'tʃeɪndʒ] n troca; (of teachers, students) intercâmbio m; (also: **telephone ~**) estação f telefônica (BR), central f telefônica (PT) ▷ vt: **to ~ (for)** trocar (por); **exchange rate** n (taxa de) câmbio

excite [ɪk'saɪt] vt excitar; **to get ~d** entusiasmar-se; **excitement** n emoções fpl; (agitation) agitação f; **exciting** adj emocionante, empolgante

exclaim [ɪk'skleɪm] vi exclamar; **exclamation** [ɛksklə'meɪʃən] n exclamação f; **exclamation mark** n ponto de exclamação (BR) or de admiração (PT)

exclude [ɪk'skluːd] vt excluir

exclusive [ɪk'skluːsɪv] adj exclusivo; **~ of tax** sem incluir os impostos

excruciating [ɪk'skruːʃɪeɪtɪŋ] adj doloroso, martirizante

excursion [ɪk'skəːʃən] n excursão f

excuse [n ɪks'kjuːs, vb ɪks'kjuːz] n desculpa ▷ vt desculpar, perdoar; **to ~ sb from doing sth** dispensar alguém de fazer algo; **~ me!** desculpe!; **if you will ~ me ...** com a sua licença ...

execute ['ɛksɪkjuːt] vt (plan) realizar; (order) cumprir; (person, movement) executar; **execution** n realização f; (killing) execução f

executive [ɪg'zɛkjutɪv] adj, n executivo(-a)

exempt [ɪg'zɛmpt] adj isento ▷ vt: **to ~ sb from** dispensar or isentar alguém de

exercise ['ɛksəsaɪz] n exercício ▷ vt exercer; (right) valer-se de; (dog) levar para passear; (mind) ocupar ▷ vi (also: **to take ~**) fazer exercício; **exercise book** n caderno

exert [ɪg'zəːt] vt exercer; **to ~ o.s.** esforçar-se, empenhar-se; **exertion** n esforço

exhale [ɛks'heɪl] vt expirar; (air) exalar; (smoke) emitir ▷ vi expirar

exhaust [ɪg'zɔːst] n (auto: also: **~ pipe**) escape m, exaustor m; (fumes) escapamento (de gás) ▷ vt esgotar; **exhaustion** n exaustão f

exhibit [ɪgˈzɪbɪt] n (art) obra
exposta; (law) objeto exposto ▷ vt
(courage) manifestar, mostrar;
(quality, emotion) demonstrar;
(paintings) expor; **exhibition**
[ɛksɪˈbɪʃən] n exposição f; (of talent
etc) mostra

exhilarating [ɪgˈzɪləreɪtɪŋ] adj
estimulante, tônico

exile [ˈɛksaɪl] n exílio; (person)
exilado(-a) ▷ vt desterrar, exilar

exist [ɪgˈzɪst] vi existir; (live) viver;
existence n existência; vida;
existing adj atual

exit [ˈɛksɪt] n saída ▷ vi (comput,
theatre) sair

exotic [ɪgˈzɒtɪk] adj exótico

expand [ɪkˈspænd] vt aumentar
▷ vi aumentar; (gas etc) expandir-se;
(metal) dilatar-se

expansion [ɪkˈspænʃən] n (of
town) desenvolvimento; (of trade)
expansão f; (of population) aumento

expect [ɪkˈspɛkt] vt esperar;
(suppose) supor; (require) exigir
▷ vi: **to be ~ing** estar grávida;
expectation [ɛkspɛkˈteɪʃən] n
esperança; (belief) expectativa

expedition [ɛkspəˈdɪʃən] n
expedição f

expel [ɪkˈspɛl] vt expelir; (from
place, school) expulsar

expense [ɪkˈspɛns] n gasto,
despesa; (expenditure) despesas fpl;
~s npl (costs) despesas fpl; **at the ~
of** à custa de; **expense account** n
relatório de despesas

expensive [ɪkˈspɛnsɪv] adj caro

experience [ɪkˈspɪərɪəns]
n experiência ▷ vt (situation)
enfrentar; (feeling) sentir;
experienced adj experiente

experiment [ɪkˈspɛrɪmənt] n
experimento, experiência ▷ vi: **to
~ (with/on)** fazer experiências
(com/em)

expert [ˈɛkspəːt] adj hábil, perito
▷ n especialista m/f; **expertise**
[ɛkspəːˈtiːz] n perícia

expire [ɪkˈspaɪəʳ] vi expirar; (run
out) vencer; **expiry** n expiração f,
vencimento

explain [ɪkˈspleɪn] vt explicar;
(clarify) esclarecer

explicit [ɪkˈsplɪsɪt] adj explícito

explode [ɪkˈspləud] vi estourar,
explodir

exploit [n ˈɛksplɔɪt, vb ɪksˈplɔɪt] n
façanha ▷ vt explorar; **exploitation**
[ɛksplɔɪˈteɪʃən] n exploração f

explore [ɪkˈsplɔːʳ] vt explorar; (fig)
examinar, pesquisar; **explorer** n
explorador(a) m/f

explosion [ɪkˈspləuʒən] n explosão f

explosive [ɪkˈspləusɪv] adj
explosivo ▷ n explosivo

export [vb ɛksˈpɔːt, n ˈɛkspɔːt]
vt exportar ▷ n exportação f
▷ cpd de exportação; **exporter** n
exportador(a) m/f

expose [ɪkˈspəuz] vt expor;
(unmask) desmascarar; **exposed** adj
(house etc) desabrigado

exposure [ɪkˈspəuʒəʳ] n exposição
f; (publicity) publicidade f; (phot)
revelação f; **to die from ~** (med)
morrer de frio

express [ɪkˈsprɛs] adj expresso,
explícito; (BRIT: letter etc) urgente
▷ n rápido ▷ vt exprimir, expressar;
(quantity) representar; **expression**
n expressão f; **expressway** (US) n
rodovia (BR), auto-estrada (PT)

extend [ɪkˈstɛnd] vt (visit, street)
prolongar; (building) aumentar;
(offer) fazer; (hand) estender

extension [ɪkˈstɛnʃən] n (elec)
extensão f; (building) acréscimo,
expansão f; (of time) prorrogação
f; (of rights) ampliação f; (tel) ramal
m (BR), extensão f (PT); (of deadline)
prolongamento, prorrogação f

extensive [ɪk'stɛnsɪv] *adj* extenso; *(damage)* considerável; *(coverage)* amplo; *(broad)* vasto, amplo

extent [ɪk'stɛnt] *n (breadth)* extensão *f*; *(of damage etc)* dimensão *f*; *(scope)* alcance *m*; **to some ~** até certo ponto

exterior [ɛk'stɪərɪə°] *adj* externo ▷ *n* exterior *m*; *(appearance)* aspecto

external [ɛk'stə:nl] *adj* externo

extinct [ɪk'stɪŋkt] *adj* extinto

extinguish [ɪk'stɪŋgwɪʃ] *vt* extinguir

extra ['ɛkstrə] *adj* adicional ▷ *adv* adicionalmente ▷ *n (luxury)* luxo; *(surcharge)* extra *m*, suplemento; *(cinema, theatre)* figurante *m/f*

extract [*vb* ɪks'trækt, *n* 'ɛkstrækt] *vt* tirar, extrair; *(tooth)* arrancar; *(mineral)* extrair; *(money)* extorquir; *(promise)* conseguir, obter ▷ *n* extrato

extradite ['ɛkstrədaɪt] *vt (from country)* extraditar; *(to country)* obter a extradição de

extraordinary [ɪk'strɔ:dnrɪ] *adj* extraordinário; *(odd)* estranho

extravagance [ɪk'strævəgəns] *n* extravagância; *(no pl: spending)* esbanjamento

extravagant [ɪk'strævəgənt] *adj (lavish)* extravagante; *(wasteful)* gastador(a), esbanjador(a)

extreme [ɪk'stri:m] *adj* extremo ▷ *n* extremo; **extremely** *adv* muito, extremamente

extrovert ['ɛkstrəvə:t] *n* extrovertido(-a)

eye [aɪ] *n* olho; *(of needle)* buraco ▷ *vt* olhar, observar; **to keep an ~ on** vigiar, ficar de olho em; **eyebrow** *n* sobrancelha; **eyedrops** *npl* gotas *fpl* para os olhos; **eyelash** *n* cílio; **eyelid** *n* pálpebra; **eyeliner** *n* delineador *m*; grande surpresa; **eyeshadow** *n* sombra de olhos; **eyesight** *n* vista, visão *f*

fabric ['fæbrɪk] *n* tecido, pano

face [feɪs] *n* cara, rosto; *(grimace)* careta; *(of clock)* mostrador *m*; *(side)* superfície *f*; *(of building)* frente *f*, fachada ▷ *vt (facts)* enfrentar; *(direction)* dar para; **~ down** de bruços; *(card)* virado para baixo; **to lose ~** perder o prestígio; **to save ~** salvar as aparências; **to make** or **pull a ~** fazer careta; **in the ~ of** diante de, à vista de; **on the ~ of it** a julgar pelas aparências, à primeira vista; **face up to** *vt fus* enfrentar; **face cloth** (BRIT) *n* toalhinha de rosto

facilities [fə'sɪlɪtɪz] *npl* facilidades *fpl*, instalações *fpl*; **credit ~** crediário

fact [fækt] *n* fato; **in ~** realmente, na verdade

factor ['fæktə°] *n* fator *m*

factory ['fæktərɪ] *n* fábrica

factual ['fæktjuəl] *adj* real, fatual

faculty ['fækəltɪ] n faculdade f;
(US) corpo docente

fad [fæd] (inf) n mania, modismo

fade [feɪd] vi desbotar; (sound,
hope) desvanecer-se; (light)
apagar-se; (flower) murchar

fag [fæg] (BRIT: inf) n cigarro

fail [feɪl] vt (candidate) reprovar;
(exam) não passar em, ser reprovado
em; (subj: leader) fracassar;
(: courage): **his courage ~ed him**
faltou-lhe coragem; (: memory)
falhar ▷ vi fracassar; (brakes)
falhar; (health) deteriorar; (light)
desaparecer; **to ~ to do sth** deixar
de fazer algo; (be unable) não
conseguir fazer algo; **without ~**
sem falta; **failing** n defeito ▷ prep
na or à falta de; **failing that** senão;
failure n fracasso; (mechanical)
falha

faint [feɪnt] adj fraco; (recollection)
vago; (mark) indistinto; (smell) leve
▷ n desmaio ▷ vi desmaiar; **to feel
~** sentir tonteira

fair [feə²] adj justo; (hair) louro;
(complexion) branco; (weather) bom;
(good enough) razoável; (sizeable)
considerável ▷ adv: **to play ~**
fazer jogo limpo ▷ n (also: **trade
~**) feira; (BRIT: funfair) parque m de
diversões; **fairly** adv (justly) com
justiça; (quite) bastante

fairy ['feərɪ] n fada

faith [feɪθ] n fé f; (trust) confiança;
(denomination) seita; **faithful** adj
fiel; (account) exato; **faithfully** adv
fielmente; **yours faithfully** (BRIT: in
letters) atenciosamente

fake [feɪk] n (painting etc)
falsificação f; (person) impostor(a)
m/f ▷ adj falso ▷ vt fingir; (painting
etc) falsificar

falcon ['fɔ:lkən] n falcão m

fall [fɔ:l] (pt **fell**, pp **fallen**) n
queda; (US: autumn) outono ▷ vi
cair; (price) baixar; (country) render-
se; **~s** npl (waterfall) cascata,
queda d'água; **to ~ flat** cair de cara
no chão; (plan) falhar; (joke) não
agradar; **fall back** vi retroceder;
fall back on vt fus recorrer a; **fall
behind** vi ficar para trás; **fall down**
vi (person) cair; (building) desabar;
fall for vt fus (trick) cair em; (person)
enamorar-se de; **fall in** vi ruir; (Mil)
alinhar-se; **fall off** vi cair; (diminish)
declinar, diminuir; **fall out** vi cair;
(friends etc) brigar; **fall through**
vi furar

fallout ['fɔ:laut] n chuva
radioativa

false [fɔ:ls] adj falso; **under ~
pretences** por meios fraudulentos;
false teeth (BRIT) npl dentadura
postiça

fame [feɪm] n fama

familiar [fə'mɪlɪə²] adj (well-
known) conhecido; (tone) familiar,
íntimo; **to be ~ with** (subject) estar
familiarizado com

family ['fæmɪlɪ] n família

famine ['fæmɪn] n fome f

famous ['feɪməs] adj famoso,
célebre

fan [fæn] n (hand-held) leque m;
(Elec) ventilador m; (person) fã
m/f (BR), fan m/f (PT) ▷ vt abanar;
(fire, quarrel) atiçar; **fan out** vi
espalhar-se

fanatic [fə'nætɪk] n fanático(-a)

fan belt n correia do ventilador
(BR) or da ventoinha (PT)

fancy ['fænsɪ] n capricho;
(imagination) imaginação f; (fantasy)
fantasia ▷ adj ornamental; (clothes)
extravagante; (food) elaborado;
(luxury) luxoso ▷ vt desejar, querer;
(imagine) imaginar; (think) acreditar,
achar; **to take a ~ to** tomar gosto
por; **he fancies her** (inf) ele está a
fim dela; **fancy dress** n fantasia

fantastic [fæn'tæstɪk] *adj* fantástico

fantasy ['fæntəsɪ] *n* (*dream*) sonho; (*unreality*) fantasia; (*imagination*) imaginação *f*

far [fɑːˁ] *adj* (*distant*) distante ▷ *adv* muito; (*also*: **~ away, ~ off**) longe; **at the ~ side/end** do lado/ extremo mais afastado; **~ better** muito melhor; **~ from** longe de; **by ~** de longe; **go as ~ as the farm** vá até a (BR) *or* à (PT) fazenda; **as ~ as I know** que eu saiba; **how ~?** até onde?; (*fig*) até que ponto?

farce [fɑːs] *n* farsa

fare [fɛəˁ] *n* (*on trains, buses*) preço (da passagem); (*in taxi: cost*) tarifa; (*food*) comida; **half/full ~** meia/ inteira passagem

Far East *n*: **the ~** o Extremo Oriente

farewell [fɛəˈwɛl] *excl* adeus ▷ *n* despedida

farm [fɑːm] *n* fazenda (BR), quinta (PT) ▷ *vt* cultivar; **farmer** *n* fazendeiro(-a), agricultor *m*; **farmhouse** *n* casa da fazenda (BR) *or* da quinta (PT); **farming** *n* agricultura; (*tilling*) cultura; (*of animals*) criação *f*; **farmyard** *n* curral *m*

far-reaching [-'riːtʃɪŋ] *adj* de grande alcance, abrangente

fart [fɑːt] (*inf!*) *vi* soltar um peido (!), peidar (!)

farther ['fɑːðəˁ] *adv* mais longe ▷ *adj* mais distante, mais afastado

farthest ['fɑːðɪst] *superl* of **far**

fascinate ['fæsɪneɪt] *vt* fascinar

fashion ['fæʃən] *n* moda; (*~ industry*) indústria da moda; (*manner*) maneira ▷ *vt* modelar, dar feitio a; **in ~** na moda; **fashionable** *adj* da moda, elegante; **fashion show** *n* desfile *m* de modas

fast [fɑːst] *adj* rápido; (*dye, colour*) firme, permanente; (*clock*): **to be ~** estar adiantado ▷ *adv* rápido, rapidamente, depressa; (*stuck, held*) firmemente ▷ *n* jejum *m* ▷ *vi* jejuar; **~ asleep** dormindo profundamente

fasten ['fɑːsn] *vt* fixar, prender; (*coat*) fechar; (*belt*) apertar ▷ *vi* prender-se, fixar-se

fast food *n* fast food *f*

fat [fæt] *adj* gordo; (*book*) grosso; (*wallet*) recheado; (*profit*) grande ▷ *n* gordura; (*lard*) banha, gordura

fatal ['feɪtl] *adj* fatal; (*injury*) mortal

fate [feɪt] *n* destino; (*of person*) sorte *f*

father ['fɑːðəˁ] *n* pai *m*; **father-in-law** *n* sogro

fatigue [fəˈtiːɡ] *n* fadiga, cansaço

fatty ['fætɪ] *adj* (*food*) gorduroso ▷ *n* (*inf*) gorducho(-a)

fault [fɔːlt] *n* (*blame*) culpa; (*defect*) defeito; (*Geo*) falha; (*tennis*) falta, bola fora ▷ *vt* criticar; **to find ~ with** criticar, queixar-se de; **at ~** culpado; **faulty** *adj* defeituoso

favour ['feɪvəˁ] (*US* **favor**) *n* favor *m* ▷ *vt* favorecer; (*assist*) auxiliar; **to do sb a ~** fazer favor a alguém; **to find ~ with** cair nas boas graças de; **in ~ of** em favor de; **favourite** ['feɪvrɪt] *adj* predileto ▷ *n* favorito(-a)

fawn [fɔːn] *n* cervo novo, cervato ▷ *adj* (*also*: **~-coloured**) castanho-claro *inv* ▷ *vi*: **to ~ (up)on** bajular

fax [fæks] *n* fax *m*, fac-símile *m* ▷ *vt* enviar por fax *or* fac-símile

FBI *n abbr* (= *Federal Bureau of Investigation*) FBI *m*

fear [fɪəˁ] *n* medo ▷ *vt* ter medo de, temer; **for ~ of** com medo de; **fearful** *adj* medonho, temível; (*cowardly*) medroso; (*awful*) terrível

feasible ['fiːzəbl] *adj* viável

feast [fiːst] n banquete m; (Rel: also: **~ day**) festa ▷ vi banquetear-se

feat [fiːt] n façanha, feito

feather ['fɛðə°] n pena, pluma

feature ['fiːtʃə°] n característica; (article) reportagem f ▷ vt (subj: film) apresentar ▷ vi: **to ~ in** figurar em; **~s** npl (of face) feições fpl

February ['fɛbruərɪ] n fevereiro

fed [fɛd] pt, pp of **feed**

federal ['fɛdərəl] adj federal

fed up adj: **to be ~** estar (de saco) cheio (BR), estar farto (PT)

fee [fiː] n taxa (BR), propina (PT); (of school) matrícula; (of doctor, lawyer) honorários mpl

feeble ['fiːbl] adj fraco; (attempt) ineficaz

feed [fiːd] (pt, pp **fed**) n (of baby) alimento infantil; (of animal) ração f; (on printer) mecanismo alimentador ▷ vt alimentar; (baby) amamentar; (animal) dar de comer a; (data): **to ~ into** introduzir em; **feed on** vt fus alimentar-se de; **feedback** m reação f

feel [fiːl] (pt, pp **felt**) n sensação f; (sense) tato; (impression) impressão f ▷ vt tocar, apalpar; (anger, pain etc) sentir; (think) achar, acreditar; **to ~ hungry/cold** estar com fome/frio (BR), ter fome/frio (PT); **to ~ lonely/ better** sentir-se só/melhor; **I don't ~ well** não estou me sentindo bem; **it ~s soft** é macio; **to ~ like** querer; **to ~ about** or **around** tatear; **feeling** n sensação f; (emotion) sentimento; (impression) impressão f

feet [fiːt] npl of **foot**

fell [fɛl] pt of **fall** ▷ vt (tree) lançar por terra, derrubar

fellow ['fɛləu] n camarada m/f; (inf: man) cara m (BR), tipo (PT); (of learned society) membro ▷ cpd: **~ students** colegas m/fpl de

curso; **fellowship** n amizade f; (grant) bolsa de estudo; (society) associação f

felony ['fɛlənɪ] n crime m

felt [fɛlt] pt, pp of **feel** ▷ n feltro

female ['fiːmeɪl] n (Zool) fêmea; (pej: woman) mulher f ▷ adj fêmeo(-a); (sex, character) feminino; (vote) das mulheres; (child) do sexo feminino

feminine ['fɛmɪnɪn] adj feminino

feminist ['fɛmɪnɪst] n feminista m/f

fence [fɛns] n cerca ▷ vt (also: ~ in) cercar ▷ vi esgrimir; **fencing** n (sport) esgrima

fend [fɛnd] vi: **to ~ for o.s.** defender-se, virar-se; **fend off** vt defender-se de

ferment [vb fə'mɛnt, n 'fəːmɛnt] vi fermentar ▷ n (fig) agitação f

fern [fəːn] n samambaia (BR), feto (PT)

ferocious [fə'rəuʃəs] adj feroz

ferret ['fɛrɪt] n furão m; **ferret out** vt (information) desenterrar, descobrir

ferry ['fɛrɪ] n (small) barco (de travessia); (large: also: **~boat**) balsa ▷ vt transportar

fertile ['fəːtaɪl] adj fértil; (Bio) fecundo; **fertilizer** ['fəːtɪlaɪzə°] n adubo, fertilizante m

festival ['fɛstɪvəl] n (Rel) festa; (art, Mus) festival m

festive ['fɛstɪv] adj festivo; **the ~ season** (BRIT: Christmas) a época do Natal

fetch [fɛtʃ] vt ir buscar, trazer; (sell for) alcançar

fête [feɪt] n festa

feud [fjuːd] n disputa, rixa

fever ['fiːvə°] n febre f; **feverish** adj febril

few [fjuː] adj, pron poucos(-as); **a ~ ...** alguns (algumas) ...; **fewer**

['fju:ə*] *adj* menos; **fewest**
['fju:ɪst] *adj* o menor número de
fib [fɪb] *n* lorota
fickle ['fɪkl] *adj* inconstante;
(*weather*) instável
fiction ['fɪkʃən] *n* ficção *f*;
fictional *adj* de ficção
fiddle ['fɪdl] *n* (*Mus*) violino;
(*swindle*) trapaça ▷ *vt* (*BRIT*:
accounts) falsificar; **fiddle with** *vt*
fus brincar com
fidget ['fɪdʒɪt] *vi* estar irrequieto,
mexer-se
field [fi:ld] *n* campo; (*fig*) área,
esfera, especialidade *f*
fierce [fɪəs] *adj* feroz; (*wind*)
violento; (*heat*) intenso
fifteen [fɪf'ti:n] *num* quinze
fifth [fɪfθ] *num* quinto
fifty ['fɪftɪ] *num* cinqüenta; **fifty-
fifty** *adv*: **to share** *or* **go fifty-fifty
with sb** dividir meio a meio com
alguém, rachar com alguém ▷ *adj*:
to have a fifty-fifty chance ter
50% de chance
fig [fɪg] *n* figo
fight [faɪt] (*pt, pp* **fought**) *n* briga;
(*Mil*) combate *m*; (*struggle: against
illness etc*) luta ▷ *vt* lutar contra;
(*cancer, alcoholism*) combater;
(*election*) competir ▷ *vi* lutar, brigar,
bater-se
figure ['fɪgə*] *n* (*drawing, Math*)
figura, desenho; (*number*) número,
cifra; (*outline*) forma; (*person*)
personagem *m* ▷ *vt* (*esp US*)
imaginar ▷ *vi* figurar; **figure out** *vt*
compreender
file [faɪl] *n* (*tool*) lixa; (*dossier*) dossiê
m, pasta; (*folder*) pasta; (*Comput*)
arquivo; (*row*) fila, coluna ▷ *vt* (*wood,
nails*) lixar; (*papers*) arquivar; (*law:
claim*) apresentar, dar entrada em
▷ *vi*: **to ~ in/out** entrar/sair em
fila
fill [fɪl] *vt*: **to ~ with** encher

com; (*vacancy*) preencher; (*need*)
satisfazer ▷ *n*: **to eat one's ~**
encher-se *or* fartar-se de comer; **fill
in** *vt* (*form*) preencher; (*hole*) tapar;
(*time*) encher; **fill up** *vt* encher ▷ *vi*
(*Aut*) abastecer o carro
fillet ['fɪlɪt] *n* filete *m*, filé *m*; **fillet
steak** *n* filé *m*
filling ['fɪlɪŋ] *n* (*Culin*) recheio;
(*for tooth*) obturação *f* (*BR*), chumbo
(*PT*); **filling station** *n* posto de
gasolina
film [fɪlm] *n* filme *m*; (*of liquid*)
camada, veu *m* ▷ *vt* rodar, filmar
▷ *vi* filmar; **film star** *n* astro/estrela
do cinema
filter ['fɪltə*] *n* filtro ▷ *vt* filtrar
filth [fɪlθ] *n* sujeira (*BR*), sujidade
f (*PT*); **filthy** *adj* sujo; (*language*)
indecente, obsceno
fin [fɪn] *n* barbatana
final ['faɪnl] *adj* final, último;
(*ultimate*) maior; (*definitive*)
definitivo ▷ *n* (*sport*) final *f*; **~s**
npl (*Sch*) exames *mpl* finais; **finale**
[fɪ'nɑ:lɪ] *n* final *m*; **finalize** *vt*
concluir, completar; **finally** *adv*
finalmente, por fim
finance [faɪ'næns] *n* fundos *mpl*;
(*money management*) finanças *fpl*
▷ *vt* financiar; **~s** *npl* (*personal* **~s**)
finanças; **financial** [faɪ'nænʃəl] *adj*
financeiro
find [faɪnd] (*pt, pp* **found**) *vt*
encontrar, achar; (*discover*)
descobrir ▷ *n* achado, descoberta;
to ~ sb guilty (*law*) declarar alguém
culpado; **find out** *vt* descobrir;
(*person*) desmascarar ▷ *vi*: **to ~ out
about** (*by chance*) saber de; **findings**
npl (*law*) veredito, decisão *f*; (*of
report*) constatações *fpl*
fine [faɪn] *adj* fino; (*excellent*)
excelente; (*subtle*) sutil ▷ *adv* muito
bem ▷ *n* (*law*) multa ▷ *vt* (*law*)
multar; **to be ~** (*person*) estar bem;

(*weather*) estar bom; **fine arts** *npl*
belas artes *fpl*

finger ['fɪŋgə*] *n* dedo ▷ *vt*
manusear; **fingernail** *n* unha;
fingerprint *n* impressão *f* digital;
fingertip *n* ponta do dedo

finish ['fɪnɪʃ] *n* fim *m*; (*sport*)
chegada; (*on wood etc*) acabamento
▷ *vt*, *vi* terminar, acabar; **to ~
doing sth** terminar de fazer algo;
to ~ third chegar no terceiro
lugar; **finish off** *vt* terminar; (*kill*)
liquidar; **finish up** *vt* acabar ▷ *vi*
ir parar

Finland ['fɪnlənd] *n* Finlândia

Finn [fɪn] *n* finlandês(-esa) *m/f*;
Finnish *adj* finlandês(-esa) ▷ *n*
(*Ling*) finlandês *m*

fir [fə:*] *n* abeto

fire ['faɪə*] *n* fogo; (*accidental*)
incêndio; (*gas ~, electric ~*)
aquecedor *m* ▷ *vt* (*gun*) disparar;
(*arrow*) atirar; (*interest*) estimular;
(*dismiss*) despedir ▷ *vi* disparar;
on ~ em chamas; **fire alarm** *n*
alarme *m* de incêndio; **firearm**
n arma de fogo; **fire brigade** (*US*
fire department) *n* (corpo de)
bombeiros *mpl*; **fire engine** *n* carro
de bombeiro; **fire escape** *n* escada
de incêndio; **fire extinguisher** *n*
extintor *m* de incêndio; **fireman**
(*irreg*) *n* bombeiro; **fireplace** *n*
lareira; **fire station** *n* posto de
bombeiros; **firewall** *n* (*Comput*)
firewall *m*; **firewood** *n* lenha;
fireworks *npl* fogos *mpl* de artifício

firm [fə:m] *adj* firme ▷ *n* firma

first [fə:st] *adj* primeiro ▷ *adv*
(*before others*) primeiro; (*listing
reasons*) em primeiro lugar ▷ *n* (*in
race*) primeiro(-a); (*Aut*) primeira;
(*BRIT: Sch*) menção *f* honrosa; **at ~**
no início; **~ of all** antes de tudo,
antes de mais nada; **first aid** *n*
primeiros socorros *mpl*; **first-aid**

kit *n* estojo de primeiros socorros;
first-class *adj* de primeira classe;
first-hand *adj* de primeira mão;
first lady (*US*) *n* primeira dama;
firstly *adv* primeiramente, em
primeiro lugar; **first name** *n*
primeiro nome *m*; **first-rate** *adj* de
primeira categoria

fish [fɪʃ] *n inv* peixe *m* ▷ *vt*, *vi*
pescar; **to go ~ing** ir pescar;
fisherman (*irreg*) *n* pescador *m*;
fishing boat *n* barco de pesca;
fishing line *n* linha de pesca;
fishmonger's (shop) *n* peixaria;
fishy (*inf*) *adj* (*tale*) suspeito

fist [fɪst] *n* punho

fit [fɪt] *adj* em (boa) forma;
(*suitable*) adequado, apropriado
▷ *vt* (*subj: clothes*) caber em; (*put
in*) colocar; (*equip*) equipar; (*suit*)
assentar a ▷ *vi* (*clothes*) servir;
(*parts*) ajustar-se; (*in space*)
caber ▷ *n* (*Med*) ataque *m*; (*of
anger*) acesso; **~ to** bom para; **~
for** adequado para; **by fits and
starts** espasmodicamente; **fit
in** *vi* encaixar-se; (*person*) dar-se
bem (com todos); **fitness** *n* (*Med*)
saúde *f*, boa forma; **fitting** *adj*
apropriado ▷ *n* (*of dress*) prova;
fittings *npl* (*in building*) instalações
fpl, acessórios *mpl*

five [faɪv] *num* cinco; **fiver** (*inf*) *n*
(*BRIT*) nota de cinco libras; (*US*) nota
de cinco dólares

fix [fɪks] *vt* (*secure*) fixar, colocar;
(*arrange*) arranjar; (*mend*) consertar;
(*meal, drink*) preparar ▷ *n*: **to be
in a ~** estar em apuros; **fix up** *vt*
(*meeting*) marcar; **to ~ sb up with
sth** arranjar algo para alguém;
fixed *adj* (*prices, smile*) fixo; **fixture**
n (*furniture*) móvel *m* fixo; (*sport*)
desafio, encontro

fizzy ['fɪzɪ] *adj* com gás, gasoso

flag [flæg] *n* bandeira; (*for

signalling) bandeirola; (*~stone*) laje f ▷ vi acabar-se, descair; **flag down** vt: **to ~ sb down** fazer sinais a alguém para que pare

flagpole ['flægpəʊl] n mastro de bandeira

flair [flɛə*] n (*talent*) talento; (*style*) habilidade f

flake [fleɪk] n (*of rust, paint*) lasca; (*of snow, soap powder*) floco ▷ vi (*also: ~ off*) lascar, descamar-se

flamboyant [flæm'bɔɪənt] adj (*dress*) espalhafatoso; (*person*) extravagante

flame [fleɪm] n chama

flammable ['flæməbl] adj inflamável

flan [flæn] (*BRIT*) n torta

flannel ['flænl] n (*BRIT: also:* **face ~**) toalhinha de rosto; (*fabric*) flanela; **~s** npl calça (*BR*) or calças fpl (*PT*) de flanela

flap [flæp] n (*of pocket*) aba; (*of envelope*) dobra ▷ vt (*arms*) oscilar; (*wings*) bater ▷ vi (*sail, flag*) ondular; (*inf: also:* **be in a ~**) estar atarantado

flare [flɛə*] n fogacho, chama; (*Mil*) artifício de sinalização; (*in skirt etc*) folga; **flare up** vi chamejar; (*fig: person*) encolerizar-se; (: *violence*) irromper

flash [flæʃ] n (*of lightning*) clarão m; (*also:* **news ~**) notícias fpl de última hora; (*Phot*) flash m ▷ vt piscar; (*news, message*) transmitir; (*look, smile*) brilhar ▷ vi brilhar; (*light on ambulance, eyes etc*) piscar; **in a ~** num instante; **to ~ by** or **past** passar como um raio; **flashlight** n lanterna de bolso

flat [flæt] adj plano, (*battery*) descarregado; (*tyre*) vazio; (*beer*) choco; (*denial*) categórico; (*Mus*) abemolado; (: *voice*) desafinado; (*rate*) único; (*fee*) fixo ▷ n (*BRIT: apartment*) apartamento; (*Mus*)

bemol m; (*Aut*) pneu m furado; **~ out** (*work*) a toque de caixa; **flatten** vt (*also:* **flatten out**) aplanar; (*demolish*) arrasar

flatter ['flætə*] vt lisonjear; **flattering** adj lisonjeiro; (*clothes etc*) favorecedor(a)

flaunt [flɔ:nt] vt ostentar, pavonear

flavour ['fleɪvə*] (*US* **flavor**) n sabor m ▷ vt condimentar, aromatizar; **strawberry-~ed** com sabor de morango

flaw [flɔ:] n defeito; (*in character*) falha; **flawless** adj impecável

flea [fli:] n pulga

flee [fli:] (*pt, pp* **fled**) vt fugir de ▷ vi fugir

fleece [fli:s] n tosão m; (*wool*) lã f; (*coat*) velo ▷ vt (*inf*) espoliar

fleet [fli:t] n (*of lorries etc*) frota; (*of ships*) esquadra

fleeting ['fli:tɪŋ] adj (*glimpse, happiness*) fugaz; (*visit*) passageiro

Flemish ['flemɪʃ] adj flamengo

flesh [fleʃ] n carne f; (*of fruit*) polpa

flew [flu:] pt of **fly**

flex [fleks] n fio ▷ vt (*muscles*) flexionar; **flexible** adj flexível

flick [flɪk] n pancada leve; (*with finger*) peteleco, piparote m; (*with whip*) chicotada ▷ vt dar um peteleco; (*towel*) dar uma lambada; (*whip*) dar uma chicotada; (*switch*) apertar; **flick through** vt fus folhear

flicker ['flɪkə*] vi tremular; (*eyelids*) tremer

flight [flaɪt] n vôo m; (*escape*) fuga; (*of steps*) lance m; **flight attendant** (*US*) n comissário(-a) de bordo

flimsy ['flɪmzɪ] adj (*thin*) delgado, franzino; (*shoes*) ordinário; (*clothes*) de tecido fino; (*building*) barato; (*weak*) débil; (*excuse*) fraco

flinch [flɪntʃ] vi encolher-se; **to ~ from sth/from doing sth** vacilar

diante de algo/em fazer algo
fling [flɪŋ] (pt, pp **flung**) vt lançar
flint [flɪnt] n pederneira; (in lighter) pedra
flipper ['flɪpə*] n (of animal) nadadeira; (for swimmer) pé-de-pato, nadadeira
flirt [flə:t] vi flertar ▷ n namorador(a) m/f, paquerador(a) m/f
float [fləut] n bóia; (in procession) carro alegórico; (sum of money) caixa ▷ vi flutuar; (swimmer) boiar
flock [flɔk] n rebanho; (of birds) bando ▷ vi: **to ~ to** afluir a
flood [flʌd] n enchente f, inundação f; (of letters, imports etc) enxurrada ▷ vt inundar, alagar ▷ vi (place) alagar; (people, goods): **to ~ into** inundar; **flooding** n inundação f; **floodlight** n refletor m, holofote m
floor [flɔ:*] n chão m; (storey) andar m; (of sea) fundo ▷ vt (fig: confuse) confundir, pasmar; (subj: blow) derrubar; (: question, remark) aturdir; **ground ~** = (BRIT) or **first ~** (US) andar térreo (BR), rés-do-chão (PT); **first ~** (BRIT) or **second ~** (US) primeiro andar; **floorboard** n tábua de assoalho; **floor show** n show m
flop [flɔp] n fracasso ▷ vi fracassar; (into chair) cair pesadamente
floppy ['flɔpɪ] adj frouxo, mole; **floppy (disk)** n disquete m
florist ['flɔrɪst] n florista m/f; **florist's (shop)** n floricultura
flour ['flauə*] n farinha
flourish ['flʌrɪʃ] vi florescer ▷ vt brandir, menear ▷ n gesto floreado
flow [fləu] n fluxo; (of river, Elec) corrente f; (of blood) circulação f ▷ vi correr; (traffic) fluir; (blood, Elec) circular; (clothes, hair) ondular
flower ['flauə*] n flor f ▷ vi

florescer, florir; **flower bed** n canteiro; **flowerpot** n vaso
flown [fləun] pp of **fly**
flu [flu:] n gripe f
fluctuate ['flʌktjueɪt] vi flutuar; (temperature) variar
fluent ['flu:ənt] adj fluente; **he speaks ~ French, he's ~ in French** ele fala francês fluentemente
fluff [flʌf] n felpa, penugem f; **fluffy** adj macio, fofo; (toy) de pelúcia
fluid ['flu:ɪd] adj fluido ▷ n fluido
fluke [flu:k] (inf) n sorte f
flung [flʌŋ] pt, pp of **fling**
fluoride ['fluəraɪd] n fluoreto
flurry ['flʌrɪ] n (of snow) lufada; **~ of activity** muita atividade
flush [flʌʃ] n (on face) rubor m; (fig) resplendor m ▷ vt lavar com água ▷ vi ruborizar-se ▷ adj: **~ with** rente com; **to ~ the toilet** dar descarga; **flush out** vt levantar
flute [flu:t] n flauta
flutter ['flʌtə*] n agitação f; (of wings) bater m ▷ vi esvoaçar
fly [flaɪ] (pt **flew**, pp **flown**) n mosca; (on trousers: also: **flies**) braguilha ▷ vt (plane) pilotar; (passengers, cargo) transportar (de avião); (distances) percorrer ▷ vi voar; (passengers) ir de avião; (escape) fugir; (flag) hastear-se; **fly away** or **off** vi voar; **flying** n aviação f ▷ adj: **flying visit** visita de médico; **with flying colours** brilhantemente; **flying saucer** n disco voador; **flyover** (BRIT) n viaduto
foal [fəul] n potro
foam [fəum] n espuma; (also: **~ rubber**) espuma de borracha ▷ vi espumar
focus ['fəukəs] (pl **~es**) n foco ▷ vt enfocar ▷ vi: **to ~ on** enfocar, focalizar; **in/out of ~** em foco/fora

de foco
fog [fɔg] n nevoeiro; **foggy** adj: **it's foggy** está nevoento
foil [fɔil] vt frustrar ▷ n folha metálica; (also: **kitchen ~**) folha or papel m de alumínio; (complement) contraste m, complemento; (fencing) florete m
fold [fəuld] n dobra, vinco, prega; (of skin) ruga; (Agr) redil m, curral m ▷ vt dobrar; (arms) cruzar; **fold up** vi dobrar; (business) abrir falência ▷ vt dobrar; **folder** n pasta; **folding** adj dobrável
folk [fəuk] npl gente f ▷ cpd popular, folclórico; **~s** npl (family) família, parentes mpl; (parents) pais mpl; **folklore** ['fəuklɔ:ʰ] n folclore m
follow ['fɔləu] vt seguir; (event, story) acompanhar ▷ vi seguir; (person, period of time) acompanhar; (result) resultar; **to ~ suit** fazer o mesmo; **follow up** vt (letter) responder a; (offer) levar adiante; (case) acompanhar; **follower** n seguidor(a) m/f; **following** adj seguinte ▷ n adeptos mpl
fond [fɔnd] adj carinhoso; (hopes) absurdo, descabido; **to be ~ of** gostar de
food [fu:d] n comida; **food mixer** n batedeira; **food poisoning** n intoxicação f alimentar; **food processor** n multiprocessador m de cozinha
fool [fu:l] n tolo(-a); (Culin) purê m de frutas com creme ▷ vt enganar ▷ vi (gen: ~ around) brincar; **foolish** adj burro; (careless) imprudente; **foolproof** adj infalível
foot [fut] (pl **feet**) n pé m; (of animal) pata; (measure) pé (304 mm; 12 inches) ▷ vt (bill) pagar; **on ~** a pé; **footage** n (Cinema: length) ≈ metragem f (: material) seqüências

fpl; **football** n bola; (game: BRIT) futebol m; (: US) futebol norte-americano; **football player** n (BRIT: also: **footballer**) jogador m de futebol; **footbridge** n passarela; **foothold** n apoio para o pé; **footing** n (fig) posição f; **to lose one's footing** escorregar; **footnote** n nota ao pé da página, nota de rodapé; **footpath** n caminho, atalho; **footprint** n pegada; **footstep** n passo; **footwear** n calçados mpl

○ **KEYWORD**

for [fɔ:ʰ] prep **1** (indicating destination, direction) para; **he went ~ the paper** foi pegar o jornal; **is this ~ me?** é para mim?; **it's time ~ lunch** é hora de almoçar
2 (indicating purpose) para; **what's it ~?** para quê serve?; **to pray ~ peace** orar pela paz
3 (on behalf of, representing) por; **he works ~ the government/a local firm** ele trabalha para o governo/uma firma local; **G ~ George** G de George
4 (because of) por; **~ this reason** por esta razão; **~ fear of being criticised** com medo de ser criticado
5 (with regard to) para; **it's cold ~ July** está frio para julho
6 (in exchange for) por; **it was sold ~ £5** foi vendido por £5
7 (in favour of) a favor de; **are you ~ or against us?** você está a favor de ou contra nós?; **I'm all ~ it** concordo plenamente, tem todo o meu apoio; **vote ~ X** vote em X
8 (referring to distance): **there are roadworks ~ 5 km** há obras na estrada por 5 quilômetros; **we walked ~ miles** andamos

quilômetros
9 (*referring to time*) **she will be away
~ a month** ela ficará fora um mês;
I have known her ~ years eu a
conheço há anos; **can you do it ~
tomorrow?** você pode fazer isso
para amanhã?
10 (*with infinite clause*): **it is not ~
me to decide** não cabeça mim
decidir; **it would be best ~ you to
leave** seria melhor que você fosse
embora; **there is still time ~ you
to do it** ainda há tempo para você
fazer isso; **~ this to be possible ...**
para que isso seja possível ...
11 (*in spite of*) apesar de
▷ *conj* (*since, as: rather formal*) pois,
porque

forbid [fə'bɪd] (*pt* **forbad(e),** *pp*
forbidden) *vt* proibir; **to ~ sb to
do sth** proibir alguém de fazer algo
force [fɔ:s] *n* força ▷ *vt* forçar;
the F~s *npl* (*BRIT*) as Forças
Armadas; **in ~** em vigor; **forceful**
adj enérgico, vigoroso
ford [fɔ:d] *n* vau *m*
fore [fɔ:*] *n*: **to come to the ~**
salientar-se
forearm ['fɔ:rɑ:m] *n* antebraço
forecast ['fɔ:kɑ:st] (*irreg: like* **cast**)
n previsão *f*; (*also:* **weather ~**)
previsão do tempo ▷ *vt*
prognosticar, prever
forefinger ['fɔ:fɪŋgə*] *n* (dedo)
indicador *m*
foreground ['fɔ:graund] *n*
primeiro plano
forehead ['fɔrɪd] *n* testa
foreign ['fɔrɪn] *adj* estrangeiro;
(*trade*) exterior; (*object,
matter*) estranho; **foreigner** *n*
estrangeiro(-a); **foreign exchange**
n câmbio; **Foreign Office** (*BRIT*) *n*
Ministério das Relações Exteriores
foreman ['fɔ:mən] (*irreg*) *n*

capataz *m*; (*in construction*)
contramestre *m*
foremost ['fɔ:məust] *adj*
principal ▷ *adv*: **first and ~** antes
de mais nada
forensic [fə'rɛnsɪk] *adj* forense; **~
medicine** medicina legal
foresee [fɔ:'si:] (*irreg: like* **see**) *vt*
prever; **foreseeable** *adj* previsível
forest ['fɔrɪst] *n* floresta
forestry ['fɔrɪstrɪ] *n* silvicultura
forever [fə'rɛvə*] *adv* para sempre
foreword ['fɔ:wə:d] *n* prefácio
forfeit ['fɔ:fɪt] *vt* perder (direito a)
forgave [fə'geɪv] *pt of* **forgive**
forge [fɔ:dʒ] *n* ferraria ▷ *vt*
falsificar; (*metal*) forjar; **forge
ahead** *vi* avançar constantemente;
forger *n* falsificador(a) *m/f*;
forgery *n* falsificação *f*
forget [fə'gɛt] (*pt* **forgot,** *pp*
forgotten) *vt*, *vi* esquecer;
forgetful *adj* esquecido
forgive [fə'gɪv] (*pt* **forgave,** *pp* **~n**)
vt perdoar; **to ~ sb for sth** perdoar
algo a alguém, perdoar alguém
de algo
fork [fɔ:k] *n* (*for eating*) garfo; (*for
gardening*) forquilha; (*of roads etc*)
bifurcação *f* ▷ *vi* bifurcar-se; **fork
out** (*inf*) *vt* (*pay*) desembolsar,
morrer em
forlorn [fə'lɔ:n] *adj* desolado;
(*attempt*) desesperado; (*hope*) último
form [fɔ:m] *n* forma; (*type*)
tipo; (*Sch*) série *f*; (*questionnaire*)
formulário ▷ *vt* formar;
(*organization*) criar; **to ~ a queue**
(*BRIT*) fazer fila; **in top ~** em plena
forma
formal ['fɔ:məl] *adj* (*offer*) oficial;
(*person*) cerimonioso; (*occasion,
education*) formal; (*dress*) a rigor
(*BR*), de cerimônia (*PT*); (*garden*)
simétrico
format ['fɔ:mæt] *n* formato ▷ *vt*

(Comput) formatar

former ['fɔːmə°] adj anterior; (earlier) antigo; **the ~ ... the latter ...** aquele ... este ...; **formerly** adv anteriormente

formidable ['fɔːmɪdəbl] adj terrível, temível

formula ['fɔːmjulə] (pl ~s or ~e) n fórmula

fort [fɔːt] n forte m

fortify ['fɔːtɪfaɪ] vt (city) fortificar; (person) fortalecer

fortnight ['fɔːtnaɪt] (BRIT) n quinzena, quinze dias mpl; **fortnightly** adj quinzenal ▷ adv quinzenalmente

fortunate ['fɔːtʃənɪt] adj (event) feliz; (person): **to be ~** ter sorte; **it is ~ that ...** é uma sorte que ...; **fortunately** adv felizmente

fortune ['fɔːtʃən] n sorte f; (wealth) fortuna; **fortune-teller** n adivinho(-a)

forty ['fɔːtɪ] num quarenta

forward ['fɔːwəd] adj (movement) para a frente; (position) avançado; (in time) futuro; (not shy) imodesto, presunçoso ▷ n (sport) atacante m ▷ vt (letter) remeter; (goods, parcel) expedir; (career) promover; (plans) ativar; **to move ~** avançar; **forward(s)** adv para a frente

foster ['fɔstə°] vt adotar (por um tempo limitado); (activity) promover; **foster child** (irreg) n filho adotivo (por um tempo limitado)

fought [fɔːt] pt, pp of **fight**

foul [faul] adj horrível; (language) obsceno ▷ n (sport) falta ▷ vt sujar; **foul play** n (law) crime m

found [faund] pt, pp of **find** ▷ vt (establish) fundar; **foundation** [faun'deɪʃən] n (act, organization) fundação f; (base) base f; (also: **foundation cream**) creme m

base; **foundations** npl (of building) alicerces mpl

founder ['faundə°] n fundador(a) m/f ▷ vi naufragar

fountain ['fauntɪn] n chafariz m; **fountain pen** n caneta-tinteiro f

four [fɔː°] num quatro; **on all ~s** de quatro; **fourteen** num catorze; **fourth** num quarto

fowl [faul] n ave f (doméstica)

fox [fɔks] n raposa ▷ vt deixar perplexo

foyer ['fɔɪeɪ] n saguão m

fraction ['frækʃən] n fração f

fracture ['fræktʃə°] n fratura ▷ vt fraturar

fragile ['frædʒaɪl] adj frágil

fragment ['frægmənt] n fragmento

frail [freɪl] adj (person) fraco; (structure) frágil

frame [freɪm] n (of building) estrutura; (body) corpo; (of picture, door) moldura; (of spectacles: also: **~s**) armação f, aro ▷ vt (picture) emoldurar; **framework** n armação f

France [frɑːns] n França f

frank [fræŋk] adj franco ▷ vt (letter) franquear; **frankly** adv francamente; (candidly) abertamente

frantic ['fræntɪk] adj frenético; (person) fora de si

fraud [frɔːd] n fraude f; (person) impostor(a) m/f

fraught [frɔːt] adj tenso; **~ with** repleto de

fray [freɪ] n guerra ▷ vi esfiapar-se; **tempers were ~ed** estavam com os nervos em frangalhos

freak [friːk] n (person) anormal m/f; (event) anomalia

freckle ['frekl] n sarda

free [friː] adj livre; (seat) desocupado; (costing nothing) grátis,

gratuito ▷ vt pôr em liberdade;
(*jammed object*) soltar; ~ **(of
charge)** grátis, de graça; **freedom**
n liberdade f; **freelance** adj
autônomo; **freely** adv livremente;
free-range adj (*egg*) caseiro;
freeway (*us*) n auto-estrada; **free
will** n livre arbítrio; **of one's own
free will** por sua própria vontade
freeze [fri:z] (*pt* **froze**, *pp* **frozen**)
vi gelar-se, congelar-se ▷ vt
congelar ▷ n geada; (*on arms,
wages*) congelamento; **freezer**
n congelador m, freezer m (*br*);
freezing adj: **freezing (cold)**
(*weather*) glacial; (*water*) gelado;
3 degrees below freezing 3 graus
abaixo de zero; **freezing point** n
ponto de congelamento
freight [freɪt] n (*goods*) carga;
(*money charged*) frete m; **freight
train** (*us*) n trem m de carga
French [frɛntʃ] adj francês(-esa)
▷ n (*Ling*) francês m; **the ~** npl
(*people*) os franceses; **French bean**
(*brit*) n feijão m comum; **French
fried potatoes** (*us* **French fries**)
npl batatas fpl fritas; **Frenchman**
(*irreg*) n francês m; **Frenchwoman**
(*irreg*) n francesa
frenzy ['frɛnzɪ] n frenesi m
frequent [adj 'fri:kwənt, vt
frɪ'kwɛnt] adj freqüente ▷ vt
freqüentar; **frequently** adv
freqüentemente, a miúdo
fresh [frɛʃ] adj fresco; (*new*) novo;
(*cheeky*) atrevido; **freshen** vi (*wind,
air*) tornar-se mais forte; **freshen
up** vi (*person*) lavar-se, refrescar-
se; **freshly** adv recentemente,
há pouco
fret [frɛt] vi afligir-se
friction ['frɪkʃən] n fricção f;
(*between people*) atrito
Friday ['fraɪdɪ] n sexta-feira f
fridge [frɪdʒ] (*brit*) n geladeira

(*br*), frigorífico (*pt*)
fried [fraɪd] adj frito; ~ **egg** ovo
estrelado *or* frito
friend [frɛnd] n amigo(-a);
friendly adj simpático; (*match*)
amistoso; **friendship** n amizade f
fright [fraɪt] n terror m; (*scare*)
pavor m; **to take ~** assustar-se;
frighten vt assustar; **frightened**
adj: **to be frightened of** ter medo
de; **frightening** adj assustador(a);
frightful adj terrível, horrível
frill [frɪl] n babado
fringe [frɪndʒ] n franja; (*on shawl
etc*) beira, orla; (*edge: of forest etc*)
margem f
fritter ['frɪtə*] n bolinho frito;
fritter away vt desperdiçar
frivolous ['frɪvələs] adj frívolo;
(*activity*) fútil
fro [frəu] adj *see* **to**
frock [frɔk] n vestido
frog [frɔg] n rã f; **frogman** (*irreg*) n
homem-rã m

○ **KEYWORD**

from [frɔm] prep **1** (*indicating
starting place*) de; **where do
you come ~?** de onde você é?; ~
London to Glasgow de Londres
para Glasgow; **to escape ~ sth/sb**
escapar de algo/alguém
2 (*indicating origin etc*) de; **a letter/
telephone call ~ my sister** uma
carta/um telefonema da minha
irmã; **tell him ~ me that ...** diga a
ele que da minha parte ...; **to drink
~ the bottle** beber na garrafa
3 (*indicating time*): ~ **one o'clock
to** *or* **until** *or* **till two** da uma hora
até às duas; ~ **May (on)** a partir
de maio
4 (*indicating distance*) de; **we're still
a long way ~ home** ainda estamos
muito longe de casa

5 (indicating price, number etc) de;
prices range ~ £10 to £50 os preços
vão de £10 a £50
6 (indicating difference) de; **he can't
tell red ~ green** ele não pode
diferenciar vermelho do verde
7 (because of/on the basis of): **~ what
he says** pelo que ele diz; **to act
~ conviction** agir por convicção;
weak ~ hunger fraco de fome

front [frʌnt] n frente f; (of vehicle)
parte f dianteira; (of house, fig)
fachada; (also: **sea ~**) orla marítima
▷ adj da frente; **in ~ (of)** em frente
(de); **front door** n porta principal;
frontier ['frʌntɪə°] n fronteira;
front page n primeira página
frost [frɔst] n geada; (also: **hoar~**)
gelo; **frostbite** n ulceração f
produzida pelo frio; **frosty** adj
(window) coberto de geada;
(welcome) glacial
froth [frɔθ] n espuma
frown [fraun] vi franzir as
sobrancelhas, amarrar a cara
froze [frəuz] pt of **freeze**
frozen ['frəuzn] pp of **freeze**
fruit [fru:t] n inv fruta; (fig: pl **~s**)
fruto; **fruit juice** n suco (BR) or
sumo (PT) de frutas; **fruit machine**
(BRIT) n caça-níqueis m inv (BR),
máquina de jogo (PT); **fruit salad** n
salada de frutas
frustrate [frʌs'treɪt] vt frustrar
fry [fraɪ] (pt, pp **fried**) vt fritar;
frying pan n frigideira
fudge [fʌdʒ] n (Culin) ≈ doce m
de leite
fuel [fjuəl] n (for heating)
combustível m; (for propelling)
carburante m; **fuel tank** n depósito
de combustível
fulfil [ful'fɪl] (US **fulfill**) vt (function)
cumprir; (condition) satisfazer; (wish,
desire) realizar

full [ful] adj cheio; (use, volume)
máximo; (complete) completo;
(information) detalhado; (price)
integral; (skirt) folgado ▷ adv: **~
well** perfeitamente; **I'm ~ (up)**
estou satisfeito; **~ employment**
pleno emprego; **a ~ two hours**
duas horas completas; **at ~
speed** a toda a velocidade; **in ~**
integralmente; **full stop** n ponto
(final); **full-time** adj, adv (work)
de tempo completo or integral;
fully adv completamente; (at least)
pelo menos
fumble ['fʌmbl] vi: **to ~ with** ▷ vt
fus atrapalhar-se com
fume [fju:m] vi fumegar; (be
angry) estar com raiva; **fumes** npl
gases mpl
fun [fʌn] n divertimento; **to have
~** divertir-se; **for ~** de brincadeira;
to make ~ of fazer troça de,
zombar de
function ['fʌŋkʃən] n função f;
(reception, dinner) recepção f ▷ vi
funcionar
fund [fʌnd] n fundo; (source, store)
fonte f; **~s** npl (money) fundos mpl
fundamental [fʌndə'mɛntl] adj
fundamental
funeral ['fju:nərəl] n (burial)
enterro
funfair ['fʌnfɛə°] (BRIT) n parque
m de diversões
fungus ['fʌŋgəs] (pl fungi) n
fungo; (mould) bolor m, mofo
funnel ['fʌnl] n funil m; (of ship)
chaminé m
funny ['fʌnɪ] adj engraçado,
divertido; (strange) esquisito,
estranho
fur [fə:°] n pele f; (BRIT: in kettle etc)
depósito, crosta
furious ['fjuərɪəs] adj furioso;
(effort) incrível
furnish ['fə:nɪʃ] vt mobiliar

(*BR*), mobilar (*PT*); (*supply*): **to ~ sb with sth** fornecer algo a alguém; **furnishings** *npl* mobília

furniture ['fə:nɪtʃə*] *n* mobília, móveis *mpl*; **piece of ~** móvel *m*

furry ['fə:rɪ] *adj* peludo

further ['fə:ðə*] *adj* novo, adicional ▷ *adv* mais longe; (*more*) mais; (*moreover*) além disso ▷ *vt* promover; **further education** (*BRIT*) *n* educação *f* superior; **furthermore** *adv* além disso

furthest ['fə:ðɪst] *superl of* **far**

fury ['fjuərɪ] *n* fúria

fuse [fju:z] *n* fusível *m*; (*for bomb etc*) espoleta, mecha ▷ *vt* fundir; (*fig*) unir ▷ *vi* (*metal*) fundir-se; unir-se; **to ~ the lights** (*BRIT: Elec*) queimar as luzes; **fuse box** *n* caixa de fusíveis

fuss [fʌs] *n* estardalhaço; (*complaining*) escândalo; **to make a ~** criar caso; **to make a ~ of sb** paparicar alguém; **fussy** *adj* (*person*) exigente; (*dress, style*) espalhafatoso

future ['fju:tʃə*] *adj* futuro ▷ *n* futuro; **in ~** no futuro

fuze [fju:z] (*US*) = **fuse**

fuzzy ['fʌzɪ] *adj* (*Phot*) indistinto; (*hair*) frisado, encrespado

g

G [dʒi:] *n* (*Mus*) sol *m*

gadget ['gædʒɪt] *n* aparelho, engenhoca

Gaelic ['geɪlɪk] *adj* gaélico(-a) ▷ *n* (*Ling*) gaélico

gag [gæg] *n* (*on mouth*) mordaça; (*joke*) piada ▷ *vt* amordaçar

gain [geɪn] *n* ganho; (*profit*) lucro ▷ *vt* ganhar ▷ *vi* (*watch*) adiantar-se; (*benefit*): **to ~ from sth** tirar proveito de algo; **to ~ on sb** aproximar-se de alguém; **to ~ 3lbs (in weight)** engordar 3 libras

gal. *abbr* = **gallon**

gale [geɪl] *n* ventania; **~ force 10** vento de força 10

gallery ['gælərɪ] *n* (*in theatre etc*) galeria; (*also*: **art ~**: *public*) museu *m*; (: *private*) galeria (de arte)

gallon ['gæln] *n* galão *m* (= 8 *pints*; *BRIT* = 4.5*l*; *US* = 3.8*l*)

gallop ['gæləp] *n* galope *m* ▷ *vi* galopar

gallstone ['gɔːlstəun] n cálculo biliar

gamble ['gæmbl] n risco ▷ vt apostar ▷ vi jogar, arriscar; **gambler** n jogador(a) m/f; **gambling** n jogo

game [geɪm] n jogo; (match) partida; (esp tennis) jogada; (strategy) plano, esquema m; (hunting) caça ▷ adj (willing): **to be ~ for anything** topar qualquer parada; **big ~** caça grossa

gang [gæŋ] n bando, grupo; (of criminals) gangue f; (of workmen) turma ▷ vi: **to ~ up on sb** conspirar contra alguém

gangster ['gæŋstə*] n gângster m, bandido

gap [gæp] n brecha, fenda; (in trees, traffic) abertura; (in time) intervalo; (difference) diferença

gape [geɪp] vi (person) estar or ficar boquiaberto; (hole) abrir-se

garage ['gærɑːʒ] n garagem f; (for car repairs) oficina (mecânica)

garbage ['gɑːbɪdʒ] n (US) lixo; (inf: nonsense) disparates mpl; **garbage can** (US) n lata de lixo

garden ['gɑːdn] n jardim m; **~s** npl (public park) jardim público, parque m; **gardener** n jardineiro (-a); **gardening** n jardinagem f

garlic ['gɑːlɪk] n alho

garment ['gɑːmənt] n peça de roupa

garrison ['gærɪsn] n guarnição f

gas [gæs] n gás m; (US: gasoline) gasolina ▷ vt asfixiar com gás; **gas cooker** (BRIT) n fogão m a gás; **gas cylinder** n bujão m de gás; **gas fire** (BRIT) n aquecedor m a gás

gasket ['gæskɪt] n (Aut) junta, gaxeta

gasoline ['gæsəliːn] (US) n gasolina

gasp [gɑːsp] n arfada ▷ vi arfar; **gasp out** vt dizer com voz entrecortada

gas station (US) n posto de gasolina

gate [geɪt] n portão m; **gatecrash** (BRIT) vt entrar de penetra em; **gateway** n portão m, passagem f

gather ['gæðə*] vt colher; (assemble) reunir; (sewing) franzir; (understand) compreender ▷ vi reunir-se; **to ~ speed** acelerar-se; **gathering** n reunião f, assembléia

gauge [geɪdʒ] n (instrument) medidor m ▷ vt (fig: character) avaliar

gave [geɪv] pt of **give**

gay [geɪ] adj (homosexual) gay; (old-fashioned: cheerful) alegre; (colour) vistoso; (music) vivo

gaze [geɪz] n olhar m fixo ▷ vi: **to ~ at sth** fitar algo

GB abbr = **Great Britain**

gear [gɪə*] n equipamento; (Tech) engrenagem f; (Aut) velocidade f, marcha (BR), mudança (PT) ▷ vt (fig: adapt): **to ~ sth to** preparar algo para; **top** (BRIT) or **high** (US)/**low ~** quarta/primeira (marcha); **in ~** engrenado

geese [giːs] npl of **goose**

gel [dʒel] n gel m

gem [dʒem] n jóia, gema

Gemini ['dʒemɪnaɪ] n Gêminis m, Gêmeos mpl

gender ['dʒendə*] n gênero

general ['dʒenərl] n general m ▷ adj geral; **in ~** em geral; **general anaesthetic** n anestesia geral; **generally** adv geralmente; **general practitioner** n clínico(-a) geral

generate ['dʒenəreɪt] vt gerar; **generator** n gerador m

generous ['dʒenərəs] adj generoso; (measure etc) abundante

Geneva [dʒɪˈniːvə] n Genebra

genitals ['dʒɛnɪtlz] *npl* órgãos
mpl genitais

genius ['dʒiːnɪəs] *n* gênio

gentle ['dʒɛntl] *adj* (*touch*) leve,
suave; (*landscape*) suave; (*animal*)
manso

gentleman ['dʒɛntlmən] (*irreg*) *n*
senhor *m*; (*social position*) fidalgo;
(*well-bred man*) cavalheiro

gently ['dʒɛntlɪ] *adv* suavemente

gents [dʒɛnts] *n* banheiro de
homens (BR), casa de banho dos
homens (PT)

genuine ['dʒɛnjuɪn] *adj*
autêntico; (*person*) sincero

geography [dʒɪ'ɔɡrəfɪ] *n*
geografia

geology [dʒɪ'ɔlədʒɪ] *n* geologia

geometry [dʒɪ'ɔmətrɪ] *n*
geometria

geranium [dʒɪ'reɪnjəm] *n* gerânio

geriatric [dʒɛrɪ'ætrɪk] *adj*
geriátrico

germ [dʒəːm] *n* micróbio, bacilo

German ['dʒəːmən] *adj*
alemão(-mã) ⊳ *n* alemão(-mã) *m/f*;
(*Ling*) alemão *m*; **German measles**
n rubéola

Germany ['dʒəːmənɪ] *n*
Alemanha

gesture ['dʒɛstjə°] *n* gesto

○ **KEYWORD**

get [ɡɛt] (*pt, pp* **got**) (*US: pp* **gotten**)
vi **1**(*become, be*) ficar, tornar-se; **to ~
old/tired/cold** envelhecer/cansar-
se/resfriar-se; **to ~ annoyed/bored**
aborrecer-se/amuar-se; **to ~
drunk** embebedar-se; **to ~ dirty**
sujar-se; **to ~ killed/married** ser
morto/casar-se; **when do I ~ paid?**
quando eu recebo?, quando eu
vou ser pago?; **it's ~ting late** está
ficando tarde
2(*go*): **to ~ to/from** ir para/de; **to ~**

home chegar em casa
3(*begin*) começar a; **to ~ to know
sb** começar a conhecer alguém;
let's ~ going *or* **started** vamos lá!
⊳ *modal aux vb*: **you've got to do it**
você tem que fazê-lo
⊳ *vt* **1**: **to ~ sth done** (*do*) fazer algo;
(*have done*) mandar fazer algo; **to
~ one's hair cut** cortar o cabelo;
to ~ the car going *or* **to go** fazer
o carro andar; **to ~ sb to do sth**
convencer alguém a fazer algo;
**to ~ sth/
sb ready** preparar algo/arrumar
alguém
2(*obtain*) ter; (*find*) achar; (*fetch*)
buscar; **to ~ sth for sb** arranjar
algo para alguém; (*fetch*) ir buscar
algo para alguém; **~ me Mr Jones,
please** (*Tel*) pode chamar o Sr Jones
por favor; **can I ~ you a drink?** você
está servido?
3(*receive: present, letter*) receber;
(*acquire: reputation, prize*) ganhar
4(*catch*) agarrar; (*hit: target etc*)
pegar; **to ~ sb by the arm/throat**
agarrar alguém pelo braço/pela
garganta; **~ him!** pega ele!
5(*take, move*) levar; **to ~ sth to sb**
levar algo para alguém; **I can't ~ it
in/out/through** não consigo enfiá-
lo/tirá-lo/passá-lo; **do you think
we'll ~ it through the door?** você
acha que conseguiremos passar
isto na porta?
6(*plane, bus etc*) pegar, tomar
7(*understand*) entender; (*hear*) ouvir;
I've got it entendi; **I don't ~ your
meaning** não entendo o que você
quer dizer
8(*have, possess*): **to have got** ter
get about *vi* (*news*) espalhar-se
get along *vi* (*agree*) entender-se;
(*depart*) ir embora; (*manage*) = **get by**
get around = **get round**
get at *vt fus* (*attack, criticize*) atacar;

(*reach*) alcançar; **what are you ~ting at?** o que você está querendo dizer?

get away vi (*leave*) partir; (*escape*) escapar

get away with vt fus conseguir fazer impunemente

get back vi (*return*) regressar, voltar ▷ vt receber de volta, recobrar

get by vi (*pass*) passar; (*manage*) virar-se

get down vi descer ▷ vt fus abaixar ▷ vt (*object*) abaixar, descer; (*depress: person*) deprimir

get down to vt fus (*work*) pôr-se a (fazer)

get in vi entrar; (*train*) chegar; (*arrive home*) voltar para casa

get into vt fus entrar em; (*vehicle*) subir em; (*clothes*) pôr, vestir, enfiar; **to ~ into bed/a rage** meter-se na cama/ficar com raiva

get off vi (*from train etc*) saltar (BR), descer (PT); (*depart*) sair; (*escape*) escapar ▷ vt (*remove: clothes, stain*) tirar; (*send off*) mandar ▷ vt fus (*train, bus*) saltar de (BR), sair de (PT)

get on vi (*at exam etc*): **how are you ~ting on?** como vai?; (*agree*): **to ~ on (with)** entender-se (com) ▷ vt fus (*train etc*) subir em (BR), subir para (PT); (*horse*) montar em

get out vi (*of place, vehicle*) sair ▷ vt (*take out*) tirar

get out of vt fus (*duty etc*) escapar de

get over vt fus (*illness*) restabelecer-se de

get round vt fus rodear; (*fig: person*) convencer

get through vi (*Tel*) completar a ligação

get through to vt fus (*Tel*) comunicar-se com

get together vi (*people*) reunir-se

▷ vt reunir

get up vi levantar-se ▷ vt fus levantar

get up to vt fus (*reach*) chegar a; (BRIT: *prank etc*) fazer

getaway ['gɛtəweɪ] n fuga, escape m

ghastly ['gɑːstlɪ] adj horrível; (*building*) medonho; (*appearance*) horripilante; (*pale*) pálido

ghost [gəʊst] n fantasma m

giant ['dʒaɪənt] n gigante m ▷ adj gigantesco, gigante

gift [gɪft] n presente m, dádiva; (*ability*) dom m, talento; **gifted** adj bem-dotado

gigantic [dʒaɪ'gæntɪk] adj gigantesco

giggle ['gɪgl] vi dar risadinha boba

gills [gɪlz] npl (*of fish*) guelras fpl, brânquias fpl

gilt [gɪlt] adj dourado ▷ n dourado

gimmick ['gɪmɪk] n truque m or macete m (publicitário)

gin [dʒɪn] n gim m, genebra

ginger ['dʒɪndʒə*] n gengibre m

gipsy ['dʒɪpsɪ] n cigano

giraffe [dʒɪ'rɑːf] n girafa

girl [gəːl] n (*small*) menina (BR), rapariga (PT); (*young woman*) jovem f, moça; (*daughter*) filha; **girlfriend** n (*of girl*) amiga; (*of boy*) namorada

gist [dʒɪst] n essencial m

O **KEYWORD**

give [gɪv] (pt **gave**, pp **given**) vt
1 (*hand over*) dar; **to ~ sb sth, ~ sth to sb** dar algo a alguém
2 (*used with n to replace a vb*): **to ~ a cry/sigh/push** etc dar um grito/suspiro/empurrão etc; **to ~ a speech/a lecture** fazer um discurso/uma palestra
3 (*tell, deliver: news, advice, message*

etc) dar; **to ~ the right/wrong answer** dar a resposta certa/errada **4** (*supply, provide: opportunity, job etc*) dar; (*bestow: title, right*) conceder; **the sun ~s warmth and light** o sol fornece calor e luz **5** (*dedicate: time, one's life*) dedicar; **she gave it all her attention** ela dedicou toda sua atenção a isto **6** (*organize*): **to ~ a party/dinner** *etc* dar uma festa/jantar *etc* ▷ *vi* **1** (*also: ~ way: break, collapse*) dar folga; **his legs gave beneath him** suas pernas bambearam; **the roof/floor gave as I stepped on it** o telhado/chão desabou quando eu pisei nele **2** (*stretch: fabric*) dar de si **give away** *vt* (*money, opportunity*) dar; (*secret, information*) revelar **give back** *vt* devolver **give in** *vi* (*yield*) ceder ▷ *vt* (*essay etc*) entregar **give off** *vt* (*heat, smoke*) soltar **give out** *vt* (*distribute*) distribuir; (*make known*) divulgar **give up** *vi* (*surrender*) desistir, dar-se por vencido ▷ *vt* (*job, boyfriend, habit*) renunciar a; (*idea, hope*) abandonar; **to ~ up smoking** deixar de fumar; **to ~ o.s. up** entregar-se **give way** *vi* (*yield*) ceder; (*break, collapse: rope*) arrebentar; (*: ladder*) quebrar; (BRIT: *Aut*) dar a preferência (BR), dar prioridade (PT)

glacier ['glæsɪə*] *n* glaciar *m*, geleira

glad [glæd] *adj* contente

gladly ['glædlɪ] *adv* com muito prazer

glamorous ['glæmərəs] *adj* encantador(a), glamouroso

glamour ['glæmə*] *n* encanto, glamour *m*

glance [glɑːns] *n* relance *m*, vista de olhos ▷ *vi*: **to ~ at** olhar (de relance); **glance off** *vt fus* (*bullet*) ricochetear de

gland [glænd] *n* glândula

glare [glɛə*] *n* (*of anger*) olhar *m* furioso; (*of light*) luminosidade *f*; (*of publicity*) foco ▷ *vi* brilhar; **to ~ at** olhar furiosamente para; **glaring** *adj* (*mistake*) notório

glass [glɑːs] *n* vidro, cristal *m*; (*for drinking*) copo; **~es** *npl* (*spectacles*) óculos *mpl*

glaze [gleɪz] *vt* (*door*) envidraçar; (*pottery*) vitrificar ▷ *n* verniz *m*

gleam [gliːm] *vi* brilhar

glide [glaɪd] *vi* deslizar; (*Aviat, birds*) planar; **glider** *n* (*Aviat*) planador *m*

glimmer ['glɪmə*] *n* luz *f* trêmula; (*of interest, hope*) lampejo

glimpse [glɪmps] *n* vista rápida, vislumbre *m* ▷ *vt* vislumbrar, ver de relance

glint [glɪnt] *vi* cintilar

glisten ['glɪsn] *vi* brilhar

glitter ['glɪtə*] *vi* reluzir, brilhar

global ['gləubl] *adj* mundial; **globalization** [gləubəlaɪ'zeɪʃən] *n* globalização *f*; **global warming** *n* aquecimento global

globe [gləub] *n* globo, esfera

gloom [gluːm] *n* escuridão *f*; (*sadness*) tristeza; **gloomy** *adj* escuro; triste

glorious ['glɔːrɪəs] *adj* (*weather*) magnífico; (*future*) glorioso

glory ['glɔːrɪ] *n* glória

gloss [glɔs] *n* (*shine*) brilho; (*also: ~ paint*) pintura brilhante, esmalte *m*; **gloss over** *vt fus* encobrir

glossary ['glɔsərɪ] *n* glossário

glossy ['glɔsɪ] *adj* lustroso

glove [glʌv] *n* luva

glow [gləu] *vi* (*shine*) brilhar; (*fire*) arder

glucose ['glu:kəus] n glicose f
glue [glu:] n cola ▷ vt colar
GM adj abbr (= genetically modified)
geneticamente modificado
gnaw [nɔ:] vt roer

○ **KEYWORD**

go [gəu] (pt **went**, pp **gone**, pl **~es**)
vi **1** ir; (travel, move) viajar; **a car
went by** um carro passou; **he has
gone to Aberdeen** ele foi para
Aberdeen
2 (depart) partir, ir-se
3 (attend) ir; **she went to
university in Rio** ela fez
universidade no Rio; **he ~es to
the local church** ele freqüenta a
igreja local
4 (take part in an activity) ir; **to ~ for
a walk** ir passear
5 (work) funcionar; **the bell went
just then** a campainha acabou
de tocar
6 (become): **to ~ pale/mouldy** ficar
pálido/mofado
7 (be sold): **to ~ for £10** ser vendido
por £10
8 (fit, suit): **to ~ with** acompanhar,
combinar com
9 (be about to, intend to): **he's ~ing
to do it** ele vai fazê-lo; **are you ~ing
to come?** você vem?
10 (time) passar
11 (event, activity) ser; **how did it ~?**
como foi?
12 (be given): **the job is to ~ to
someone else** o emprego vai ser
dado para outra pessoa
13 (break) romper-se; **the fuse went**
o fusível queimou; **the leg of the
chair went** a perna da cadeira
quebrou
14 (be placed): **where does this cup
~?** onde é que põe esta xícara?;
the milk ~es in the fridge pode

guardar o leite na geladeira
▷ n **1** (try): **to have a ~ (at)** tentar a
sorte (com)
2 (turn) vez f
3 (move): **to be on the ~** ter muito
para fazer
go about vi (also: **~ around**:
rumour) espalhar-se
▷ vt fus: **how do I ~ about this?**
como é que eu faço isto?
go ahead vi (make progress)
progredir; (get going) ir em frente
go along vi ir ▷ vt fus ladear; **to ~
along with** concordar com
go away vi (leave) ir-se, ir embora
go back vi (return) voltar; (go again)
ir de novo
go back on vt fus (promise) faltar
com
go by vi (years, time) passar ▷ vt fus
(book, rule) guiar-se por
go down vi (descend) descer, baixar;
(ship) afundar; (sun) pôr-se ▷ vt fus
(stairs, ladder) descer
go for vt fus (fetch) ir buscar; (like)
gostar de; (attack) atacar
go in vi (enter) entrar
go in for vt fus (competition)
inscrever-se em; (like) gostar de
go into vt fus (enter) entrar em;
(investigate) investigar; (embark on)
embarcar em
go off vi (leave) ir-se; (food) estragar,
apodrecer; (bomb, gun) explodir;
(event) realizar-se ▷ vt fus (person,
food etc) deixar de gostar de
go on vi (continue) seguir, continuar;
(happen) acontecer, ocorrer
go out vi (sair); (for entertainment):
are you ~ing out tonight? você
vai sair hoje à noite?; (couple):
they went out for 3 years eles
namoraram 3 anos; (fire, light)
apagar-se
go over vi (ship) soçobrar ▷ vt fus
(check) revisar

go round vi (news, rumour) circular
go through vt fus (town etc)
atravessar; (search through)
vascular; (examine) percorrer de
cabo a rabo
go up vi subir; (price) aumentar
go without vt fus passar sem

go-ahead adj empreendedor(a)
▷ n luz f verde
goal [gəul] n meta, alvo; (sport)
gol m (BR), golo (PT); **goalkeeper**
n goleiro(-a) (BR), guarda-redes
m/f inv (PT)
goat [gəut] n cabra
gobble ['gɔbl] vt (also: ~ **down**, ~
up) engolir rapidamente, devorar
god [gɔd] n deus m; **G~** Deus;
godchild n afilhado(-a); **goddess**
n deusa; **godfather** n padrinho;
godmother n madrinha
goggles ['gɔglz] npl óculos mpl
de proteção
going ['gəuɪŋ] n (conditions) estado
do terreno ▷ adj: **the ~ rate** tarifa
corrente or em vigor
gold [gəuld] n ouro ▷ adj de ouro;
golden adj (made of gold) de ouro;
(gold in colour) dourado; **goldfish** n
inv peixe-dourado m; **gold-plated**
adj plaquê inv
golf [gɔlf] n golfe m; **golf ball** n
bola de golfe; (on typewriter) esfera;
golf club n clube m de golfe;
(stick) taco; **golf course** n campo
de golfe; **golfer** n jogador(a) m/f,
golfista m/f
gone [gɔn] pp of **go**
gong [gɔŋ] n gongo
good [gud] adj bom (boa); (kind)
bom, bondoso; (well-behaved)
educado ▷ n bem m; **~s** npl (Comm)
mercadorias fpl; **~!** bom!; **to be ~
at** ser bom em; **to be ~ for** servir
para; **it's ~ for you** faz-lhe bem;
a ~ deal (of) muito; **a ~ many**

muitos; **to make ~** reparar; **it's
no ~ complaining** não adianta
se queixar; **for ~** para sempre,
definitivamente; **~ morning/
afternoon/evening!** bom dia/boa
tarde/boa noite!; **~ night!** boa
noite!; **goodbye** excl até logo
(BR), adeus (PT); **to say goodbye**
despedir-se; **Good Friday** n Sexta-
Feira Santa; **good-looking** adj
bonito; **good-natured** adj (person)
de bom gênio; (pet) de boa índole;
goodwill n boa vontade f
google ['gugl] vi, vt pesquisar no
Google ®
goose [gu:s] (pl **geese**) n ganso
gooseberry ['guzbərɪ] n groselha;
to play ~ (BRIT) ficar de vela
gorge [gɔːdʒ] n desfiladeiro ▷ vt:
to ~ o.s. (on) empanturrar-se (de)
gorgeous ['gɔːdʒəs] adj
magnífico, maravilhoso; (person)
lindo
gorilla [gə'rɪlə] n gorila m
gospel ['gɔspl] n evangelho
gossip ['gɔsɪp] n (scandal) fofocas
fpl (BR), mexericos mpl (PT);
(chat) conversa; (scandalmonger)
fofoqueiro(-a) (BR), mexeriqueiro(-
a) (PT) ▷ vi (chat) bater (um) papo
(BR), cavaquear (PT)
got [gɔt] pt, pp of **get**
gotten ['gɔtn] (US) pp of **get**
govern ['gʌvən] vt governar;
(event) controlar
government ['gʌvnmənt] n
governo
governor ['gʌvənə°] n
governador(a) m/f; (of school,
hospital, jail) diretor(a) m/f
gown [gaun] n vestido; (of teacher,
judge) toga
GP n abbr (Med) = **general
practitioner**
grab [græb] vt agarrar ▷ vi: **to ~ at**
tentar agarrar

grace [greɪs] n (Rel) graça; (gracefulness) elegância, fineza ▷ vt (honour) honrar; (adorn) adornar; **5 days' ~** um prazo de 5 dias; **graceful** adj elegante, gracioso; **gracious** ['greɪʃəs] adj gracioso, afável

grade [greɪd] n (quality) classe f, qualidade f; (degree) grau m; (Us: Sch) série f, classe ▷ vt classificar; **grade school** (Us) n escola primária

gradient ['greɪdɪənt] n declive m

gradual ['grædjuəl] adj gradual, gradativo; **gradually** adv gradualmente, pouco a pouco

graduate [n 'grædjuɪt, vb 'grædju-eɪt] n graduado, licenciado; (Us) diplomado do colégio ▷ vi formar-se, licenciar-se; **graduation** [grædju'eɪʃən] n formatura

graffiti [grə'fiːtɪ] n, npl pichações fpl

graft [grɑːft] n (Agr, Med) enxerto; (BRIT: inf) trabalho pesado; (bribery) suborno ▷ vt enxertar

grain [greɪn] n grão m; (no pl: cereals) cereais mpl; (in wood) veio, fibra

gram [græm] n grama m

grammar ['græmə*] n gramática; **grammar school** (BRIT) ≈ liceo

gramme [græm] n = **gram**

grand [grænd] adj esplêndido; (inf: wonderful) ótimo, formidável; **granddad** n vovô m; **granddaughter** n neta; **grandfather** n avô m; **grandma** n avó f, vovó f; **grandmother** n avó f; **grandpa** n = **grandad; grandparents** npl avós mpl; **grand piano** n piano de cauda; **grandson** n neto

granite ['grænɪt] n granito

granny ['grænɪ] n (inf) avó f, vovó f

grant [grɑːnt] vt (concede) conceder; (a request etc) anuir a; (admit) admitir ▷ n (Sch) bolsa; (Admin) subvenção f, subsídio; **to take sth for ~ed** dar algo por certo

grape [greɪp] n uva

grapefruit ['greɪpfruːt] (pl inv or **~s**) n toranja, grapefruit m (BR)

graph [grɑːf] n gráfico; **graphic** ['græfɪk] adj gráfico; **graphics** n (art) artes fpl gráficas ▷ npl (drawings) dessenhos mpl

grasp [grɑːsp] vt agarrar, segurar; (understand) compreender, entender ▷ n aperto de mão; (understanding) compreensão f

grass [grɑːs] n grama (BR), relva (PT); **grasshopper** n gafanhoto

grate [greɪt] n (fireplace) lareira ▷ vi ranger ▷ vt (Culin) ralar

grateful ['greɪtful] adj agradecido, grato

grater ['greɪtə*] n ralador m

gratitude ['grætɪtjuːd] n agradecimento

grave [greɪv] n cova, sepultura ▷ adj sério; (mistake) grave

gravestone ['greɪvstəun] n lápide f

graveyard ['greɪvjɑːd] n cemitério

gravity ['grævɪtɪ] n (Phys) gravidade f; (seriousness) seriedade f, gravidade

gravy ['greɪvɪ] n molho (de carne)

gray [greɪ] (Us) adj = **grey**

graze [greɪz] vi pastar ▷ vt (touch lightly) roçar; (scrape) raspar ▷ n (Med) esfoladura, arranhadura

grease [griːs] n (fat) gordura; (lubricant) graxa, lubrificante m ▷ vt untar, lubrificar, engraxar; **greasy** adj gordurento, gorduroso; (skin, hair) oleoso

great [greɪt] adj grande; (inf) genial; (pain, heat) forte; (important) importante; **Great Britain** n Grã-Bretanha; *ver quadro*

great: great-grandfather n bisavô m; **great-grandmother** n bisavó f; **greatly** adv imensamente, muito
Greece [griːs] n Grécia
greed [griːd] n (*also*: **~iness**) avidez f, cobiça; **greedy** adj avarento; (*for food*) guloso
Greek [griːk] adj grego ▷ n grego(-a); (*Ling*) grego
green [griːn] adj verde; (*inexperienced*) inexperiente, ingênuo ▷ n verde m; (*stretch of grass*) gramado (BR), relvado (PT); (*on golf course*) green m; **~s** npl (*vegetables*) verduras fpl; **greenhouse** n estufa;
Greenland ['griːnlənd] n Groenlândia
greet [griːt] vt acolher; (*news*) receber; **greeting** n acolhimento; **greeting(s) card** n cartão m comemorativo
grew [gruː] pt of **grow**
grey [greɪ] (US **gray**) adj cinzento; (*dismal*) sombrio; **grey-haired** adj

grisalho; **greyhound** n galgo
grid [grɪd] n grade f; (*Elec*) rede f
grief [griːf] n dor f, pesar m
grievance ['griːvəns] n motivo de queixa, agravo
grieve [griːv] vi sofrer ▷ vt dar pena a, afligir; **to ~ for** chorar por
grill [grɪl] n (*on cooker*) grelha; (*also*: **mixed ~**) prato de grelhados ▷ vt (BRIT) grelhar; (*inf: question*) interrogar cerradamente
grille [grɪl] n grade f; (*Aut*) grelha
grim [grɪm] adj desagradável; (*unattractive*) feio; (*stern*) severo
grime [graɪm] n sujeira (BR), sujidade f (PT)
grin [grɪn] n sorriso largo ▷ vi: **to ~ (at)** dar um sorriso largo (para)
grind [graɪnd] (*pt, pp* **ground**) vt triturar; (*coffee etc*) moer; (*make sharp*) afiar; (US: *meat*) picar ▷ n (*work*) trabalho (repetitivo e maçante)
grip [grɪp] n (*of person*) aperto de mão; (*of animal*) força; (*handle*) punho; (*of tyre, shoe*) aderência; (*holdall*) valise f ▷ vt agarrar; (*attention*) prender; **to come to ~s with** arcar com
gripping ['grɪpɪŋ] adj absorvente, emocionante
grit [grɪt] n areia, grão m de areia; (*courage*) coragem f ▷ vt (*road*) pôr areia em; **to ~ one's teeth** cerrar os dentes
groan [grəʊn] n gemido ▷ vi gemer
grocer ['grəʊsə°] n dono(-a) de mercearia; **groceries** npl comestíveis mpl; **grocer's (shop)** n mercearia
groin [grɔɪn] n virilha
groom [gruːm] n cavalariço; (*also*: **bride~**) noivo ▷ vt (*horse*) tratar; (*fig*): **to ~ sb for sth** preparar alguém para algo; **well-~ed** bem-

posto

groove [gru:v] n ranhura, entalhe m

grope [grəup] vi: **to ~ for** procurar às cegas

gross [grəus] adj (flagrant) grave; (vulgar) vulgar; (: building) de maugosto; (Comm) bruto

ground [graund] pt, pp of **grind** ▷ n terra, chão m; (sport) campo; (land) terreno; (reason: gen pl) motivo, razão f; (us: also: **~wire**) (ligação f à) terra, fio-terra m ▷ vt (plane) manter em terra; (us: Elec) ligar à terra; **~s** npl (of coffee etc) borra; (gardens etc) jardins mpl, parque m; **on the ~** no chão; **to the ~** por terra; **groundsheet** (BRIT) n capa impermeável; **groundwork** n base f, preparação f

group [gru:p] n grupo; (also: **pop ~**) conjunto ▷ vt (also: **~ together**) agrupar ▷ vi (also: **~ together**) agrupar-se

grouse [graus] n inv (bird) tetraz m, galo-silvestre m ▷ vi (complain) queixar-se, resmungar

grovel ['grɔvl] vi (fig): **to ~ (before)** abaixar-se (diante de)

grow [grəu] (pt **grew**, pp **grown**) vi crescer; (increase) aumentar; (develop): **to ~ to (out of/from)** originar-se; (become): **to ~ rich/ weak** enriquecer(-se)/ enfraquecer-se ▷ vt plantar, cultivar; (beard) deixar crescer; **grow up** vi crescer, fazer-se homem/ mulher

growl [graul] vi rosnar

grown [grəun] pp of **grow**

grown-up n adulto(-a), pessoa mais velha

growth [grəuθ] n crescimento; (increase) aumento; (Med) abcesso, tumor m

grub [grʌb] n larva, lagarta; (inf: food) comida, rango (BR)

grubby ['grʌbɪ] adj encardido

grudge [grʌdʒ] n motivo de rancor ▷ vt: **to ~ sb sth** dar algo a alguém de má vontade, invejar algo a alguém; **to bear sb a ~ for sth** guardar rancor de alguém por algo

gruelling ['gruəlɪŋ] (us **grueling**) adj duro, árduo

gruesome ['gru:səm] adj horrível

grumble ['grʌmbl] vi resmungar, bufar

grumpy ['grʌmpɪ] adj rabugento

grunt [grʌnt] vi grunhir

guarantee [gærən'ti:] n garantia ▷ vt garantir

guard [gɑ:d] n guarda; (one person) guarda m; (BRIT: rail) guarda-freio; (on machine) dispositivo de segurança; (also: **fire~**) guarda-fogo ▷ vt (protect): **to ~ (against)** proteger (contra); (prisoner) vigiar; **to be on one's ~** estar prevenido; **guard against** vt fus prevenir-se contra; **guardian** n protetor(a) m/f; (of minor) tutor(a) m/f

Guatemala [gwɔtə'mɑ:lə] n Guatemala

guerrilla [gə'rɪlə] n guerrilheiro(-a)

guess [gɛs] vt, vi (estimate) avaliar, conjeturar; (answer) adivinhar; (us) achar, supor ▷ n suposição f, conjetura; **to take** or **have a ~** adivinhar, chutar (inf)

guest [gɛst] n convidado(-a); (in hotel) hóspede m/f;

guidance ['gaɪdəns] n conselhos mpl

guide [gaɪd] n (person) guia m/f; (book, fig) guia m; (BRIT: also: **girl ~**) escoteira ▷ vt guiar; **guidebook** n guia m; **guide dog** n cão m de guia; **guidelines** npl (advice) orientação f

guilt [gɪlt] n culpa; **guilty** adj

culpado

guinea pig ['gını-] n porquinho-da-Índia m, cobaia; (fig) cobaia

guitar [gı'ta:ʰ] n violão m

gulf [gʌlf] n golfo; (abyss: also fig) abismo

gull [gʌl] n gaivota

gulp [gʌlp] vi engolir em seco ▷ vt (also: ~ **down**) engolir

gum [gʌm] n (Anat) gengiva; (glue) goma; (also: ~ **drop**) bala de goma; (also: **chewing-~**) chiclete m (BR), pastilha elástica (PT) ▷ vt colar

gun [gʌn] n (gen) arma (de fogo); (revolver) revólver m; (small) pistola; (rifle) espingarda; (cannon) canhão m; **gunfire** n tiroteio; **gunman** (irreg) n pistoleiro; **gunpoint** n: **at gunpoint** sob a ameaça de uma arma; **gunpowder** n pólvora; **gunshot** n tiro (de arma de fogo)

gust [gʌst] n (of wind) rajada

gut [gʌt] n intestino, tripa; **~s** npl (Anat) entranhas fpl; (inf: courage) coragem f, raça (inf)

gutter ['gʌtəʰ] n (of roof) calha; (in street) sarjeta

guy [gaı] n (also: ~**rope**) corda; (inf: man) cara m (BR), tipo (PT); **Guy Fawkes' Night** n ver quadro

GUY FAWKES' NIGHT

A **Guy Fawkes' Night**, também chamada de *bonfire night*, é a ocasião em que se comemora o fracasso da conspiração (a *Gunpowder Plot*) contra James I e o Parlamento, em 5 de novembro de 1605. Um dos conspiradores, Guy Fawkes, foi surpreendido no porão do Parlamento quando estava prestes a atear fogo a explosivos. Todo ano, no dia 5 de novembro, as crianças preparam antecipadamente um boneco de Guy Fawkes e pedem às pessoas que passam na rua *a penny for the Guy* (uma moedinha para o Guy), com o qual compram fogos de artifício.

gym [dʒım] n (also: **gymnasium**) ginásio; (also: **gymnastics**) ginástica

gymnast ['dʒımnæst] n ginasta m/f

gymnastics [dʒım'næstıks] n ginástica

gynaecologist [gaını'kɔlədʒıst] (US **gynecologist**) n ginecologista m/f

gypsy ['dʒıpsı] n = **gipsy**

h

haberdashery ['hæbə'dæʃərɪ] (BRIT) n armarinho

habit ['hæbɪt] n hábito, costume m; (addiction) vício; (Rel) hábito

hack [hæk] vt (cut) cortar; (chop) talhar ▷ n (pej: writer) escrevinhador(a) m/f; **hacker** n (Comput) pirata m (de dados de computador)

had [hæd] pt, pp of **have**

haddock ['hædək] (pl inv or **~s**) n hadoque m (BR), eglefim m (PT)

hadn't ['hædnt] = **had not**

haemorrhage ['hɛmərɪdʒ] (US **hemorrhage**) n hemorragia

haemorrhoids ['hɛmərɔɪdz] (US **hemorrhoids**) npl hemorróidas fpl

haggle ['hægl] vi pechinchar, regatear

hail [heɪl] n granizo; (of objects) chuva; (of criticism) torrente f ▷ vt (greet) cumprimentar; (taxi) chamar; (person, event) saudar ▷ vi chover

granizo; **hailstone** n pedra de granizo

hair [hɛə*] n (of human) cabelo; (of animal) pêlo; **to do one's ~** pentear-se; **hairbrush** n escova de cabelo; **haircut** n corte m de cabelo; **hairdo** n penteado; **hairdresser** n cabeleireiro(-a); **hairdresser's** n cabeleireiro; **hair dryer** n secador m de cabelo; **hair gel** n gel m para o cabelo; **hair spray** n laquê m (BR), laca (PT); **hairstyle** n penteado; **hairy** adj cabeludo, peludo; (inf: situation) perigoso

hake [heɪk] (pl inv or **~s**) n abrótea

half [hɑːf] (pl **halves**) n metade f; (rail, bus, of beer etc) meia ▷ adj meio ▷ adv meio, pela metade; **~ a pound** meia libra; **two and a ~** dois e meio; **~ a dozen** meia-dúzia; **to cut sth in ~** cortar algo ao meio; **~ asleep/empty/closed** meio adormecido/vazio/fechado; **half-hearted** adj irresoluto, indiferente; **half-hour** n meia hora; **half-price** adj, adv pela metade do preço; **half term** (BRIT) n (Sch) dias de folga no meio do semestre; **half-time** n meio tempo; **halfway** adv a meio caminho; (in time) no meio

hall [hɔːl] n (for concerts) sala; (entrance way) hall m, entrada

hallmark ['hɔːlmɑːk] n (also fig) marca

hall of residence (BRIT) (pl **halls of residence**) n residência universitária

Hallowe'en ['hæləu'iːn] n Dia m das Bruxas (31 de outubro); ver quadro

- **HALLOWE'EN**
-
- Segundo a tradição, **Hallowe'en**
- é a noite dos fantasmas e dos
- bruxos. Na Escócia e nos Estados
- Unidos, sobretudo (bem menos

- na Inglaterra), as crianças,
- para festejar o **Hallowe'en**, se
- fantasiam e batem de porta
- em porta pedindo prendas
- (chocolates, maçãs etc).

hallway ['hɔːlweɪ] n hall m, entrada

halo ['heɪləʊ] n (of saint etc) auréola

halt [hɔːlt] n parada (BR), paragem f (PT) ▷ vi parar ▷ vt deter; (process) interromper

halve [hɑːv] vt (divide) dividir ao meio; (reduce by half) reduzir à metade

halves [hɑːvz] npl of **half**

ham [hæm] n presunto, fiambre m (PT)

hamburger ['hæmbəːgəʳ] n hambúrguer m

hammer ['hæməʳ] n martelo ▷ vt martelar ▷ vi (on door) bater insistentemente

hammock ['hæmək] n rede f

hamper ['hæmpəʳ] vt dificultar, atrapalhar ▷ n cesto

hamster ['hæmstəʳ] n hamster m

hand [hænd] n mão f; (of clock) ponteiro; (writing) letra; (of cards) cartas fpl; (worker) trabalhador m ▷ vt dar, passar; **to give** or **lend sb a ~** dar uma mãozinha a alguém, dar uma ajuda a alguém; **at ~** à mão, disponível; **in ~** livre; (situation) sob controle; **to be on ~** (person) estar disponível; (emergency services) estar num estado de prontidão; **on the one ~ ..., on the other ~ ...** por um lado ..., por outro (lado) ...; **hand in** vt entregar; **hand out** vt distribuir; **hand over** vt entregar; (responsibility) transferir; **handbag** n bolsa; **handbook** n manual m; **handbrake** n freio (BR) or travão m (PT) de mão; **handcuffs** npl

algemas fpl; **handful** n punhado; (of people) grupo

handicap ['hændɪkæp] n (Med) incapacidade f; (disadvantage) desvantagem f; (sport) handicap m ▷ vt prejudicar; **mentally/ physically ~ped** deficiente menta/físico

handkerchief ['hæŋkətʃɪf] n lenço

handle ['hændl] n (of door etc) maçaneta; (of cup etc) asa; (of knife etc) cabo; (for winding) manivela ▷ vt manusear; (deal with) tratar de; (treat: people) lidar com; **"~ with care"** "cuidado – frágil"; **to fly off the ~** perder as estribeiras; **handlebar(s)** n (pl) guidom m (BR), guidão m (PT)

hand: handmade adj feito a mão; **handout** n (money, food) doação f; (leaflet) folheto; (at lecture) apostila; **hands-free kit** or **set** n viva-voz m

handsome ['hænsəm] adj bonito, elegante; (profit) considerável

handwriting ['hændraɪtɪŋ] n letra, caligrafia

handy ['hændɪ] adj (close at hand) à mão; (useful) útil; (skilful) habilidoso, hábil

hang [hæŋ] (pt, pp hung) vt pendurar; (criminal: pt, pp ~ed) enforcar ▷ vi estar pendurado; (hair, drapery) cair ▷ n (inf): **to get the ~ of sth** pegar o jeito de algo; **hang about** or **around** vi vadiar, vagabundear; **hang on** vi (wait) esperar; **hang up** vt (coat) pendurar ▷ vi (Tel) desligar; **to ~ up on sb** bater o telefone na cara de alguém

hanger ['hæŋəʳ] n cabide m

hang-gliding n vôo livre

hangover ['hæŋəʊvəʳ] n ressaca

happen ['hæpən] vi acontecer; **to ~ to do sth** fazer algo por acaso; **as**

it ~s ... acontece que ...

happily ['hæpɪlɪ] adv (luckily) felizmente; (cheerfully) alegremente

happiness ['hæpɪnɪs] n felicidade f

happy ['hæpɪ] adj feliz; (cheerful) contente; **to be ~ (with)** estar contente (com); **to be ~ to do** (willing) estar disposto a fazer; **~ birthday!** feliz aniversário

harass ['hærəs] vt importunar; **harassment** n perseguição f

harbour ['hɑːbəˀ] (us **harbor**) n porto ▷ vt (hope etc) abrigar; (hide) esconder

hard [hɑːd] adj duro; (difficult) difícil; (work) árduo; (person) severo, cruel; (facts) verdadeiro ▷ adv (work) muito, diligentemente; (think, try) seriamente; **to look ~ at** olhar firme or fixamente para; **no ~ feelings!** sem ressentimentos!; **to be ~ of hearing** ser surdo; **to be ~ done by** ser tratado injustamente; **hardback** n livro de capa dura; **hard disk** n (Comput) disco rígido; **harden** vt endurecer; (steel) temperar; (fig) tornar insensível ▷ vi endurecer-se

hardly ['hɑːdlɪ] adv (scarcely) apenas; (no sooner) mal; **~ ever/anywhere** quase nunca/em lugar nenhum

hardship ['hɑːdʃɪp] n privação f

hard shoulder n acostamento m

hardware ['hɑːdwɛəˀ] n ferragens fpl; (Comput) hardware m

hard-working adj trabalhador(a); (student) aplicado

hardy ['hɑːdɪ] adj forte; (plant) resistente

hare [hɛəˀ] n lebre f

harm [hɑːm] n mal m; (damage) dano ▷ vt (person) fazer mal a, prejudicar; (thing) danificar; **out of ~'s way** a salvo; **harmful** adj prejudicial, nocivo; **harmless** adj inofensivo

harmony ['hɑːmənɪ] n harmonia

harness ['hɑːnɪs] n (for horse) arreios mpl; (for child) correia; (safety ~) correia de segurança ▷ vt (horse) arrear, pôr arreios em; (resources) aproveitar

harp [hɑːp] n harpa ▷ vi: **to ~ on about** bater sempre na mesma tecla sobre

harsh [hɑːʃ] adj (life) duro; (sound) desarmonioso; (light) forte

harvest ['hɑːvɪst] n colheita ▷ vt colher

has [hæz] vb see **have**

hasn't ['hæznt] = **has not**

hassle ['hæsl] (inf) n complicação f

haste [heɪst] n pressa; **hasten** ['heɪsn] vt acelerar ▷ vi: **to hasten to do sth** apressar-se em fazer algo; **hastily** adv depressa; **hasty** adj apressado; (rash) precipitado

hat [hæt] n chapéu m

hatch [hætʃ] n (Naut: also: **~way**) escotilha; (also: **service ~**) comunicação f entre a cozinha e a sala de jantar ▷ vi sair do ovo, chocar

hate [heɪt] vt odiar, detestar ▷ n ódio; **hatred** ['heɪtrɪd] n ódio

haul [hɔːl] vt puxar ▷ n (of fish) redada; (of stolen goods etc) pilhagem f, presa

haunt [hɔːnt] vt (subj: ghost) assombrar; (: problem, memory) perseguir ▷ n reduto; (~ed house) casa mal-assombrada

⭕ **KEYWORD**

have [hæv] (pt, pp **had**) aux vb **1** (gen) ter; **to ~ gone/eaten** ter ido/comido; **he has been kind/promoted** ele foi bondoso/promovido; **having finished** or

when he had finished, he left
quando ele terminou, foi embora
2 (*in tag questions*): **you've done
it, ~n't you?** você fez isto, não foi?;
he hasn't done it, has he? ele não
fez isto, fez?
3 (*in short questions and answers*):
**you've made a mistake – no I
~n't/so I ~** você fez um erro – não,
eu não fiz/sim, eu fiz; **I've been
there before, ~ you?** eu já estive
lá, e você?
▷ *modal aux vb* (*be obliged*): **to ~
(got) to do sth** ter que fazer algo;
I ~n't got *or* **I don't ~ to wear
glasses** eu não preciso usar óculos
▷ *vt* **1** (*possess*) ter; **he has (got)
blue eyes/dark hair** ele tem olhos
azuis/cabelo escuro
2 (*referring to meals etc*): **to ~
breakfast** tomar café (BR), tomar
o pequeno almoço (PT); **to ~
lunch/dinner** almoçar/jantar; **to
~ a drink/a cigarette** tomar um
drinque/fumar um cigarro
3 (*receive, obtain etc*): **may I ~
your address?** pode me dar seu
endereço?; **you can ~ it for 5
pounds** você pode levá-lo por 5
libras; **to ~ a baby** dar à luz (BR), ter
um nenê *or* bebê (PT)
4 (*maintain, allow*): **he will ~ it
that he is right** ele vai insistir que
ele está certo; **I won't ~ it/this
nonsense!** não vou agüentar isso/
este absurdo!; **we can't ~ that** não
podemos permitir isto
5: to ~ sth done mandar fazer
algo; **to ~ one's hair cut** ir cortar
o cabelo; **to ~ sb do sth** mandar
alguém fazer algo
6 (*experience, suffer*): **to ~ a cold**
estar resfriado (BR) *or* constipado
(PT); **to ~ flu** estar com gripe; **she
had her bag stolen** ela teve sua
bolsa roubada; **to ~ an operation**
fazer uma operação
7 (+ *n: take, hold etc*): **to ~ a swim/
walk/bath/rest** ir nadar/passear/
tomar um banho/descansar; **let's ~
a look** vamos dar uma olhada; **to ~
a party** fazer uma festa
8 (*inf: dupe*): **he's been had** ele
comprou gato por lebre
have out *vt*: **to ~ it out with sb**
(*settle a problem*) explicar-se com
alguém

haven ['heivn] *n* porto; (*fig*)
abrigo, refúgio
haven't ['hævnt] = **have not**
havoc ['hævək] *n* destruição *f*; **to
play ~ with** (*fig*) estragar
hawk [hɔːk] *n* falcão *m*
hay [hei] *n* feno; **hay fever** *n* febre
f do feno; **haystack** *n* palheiro
hazard ['hæzəd] *n* perigo,
risco ▷ *vt* aventurar, arriscar;
hazard warning lights *npl* (Aut)
piscaalerta *m*
haze [heiz] *n* névoa
hazelnut ['heizlnʌt] *n* avelã *f*
hazy ['heizi] *adj* nublado; (*idea*)
confuso
he [hiː] *pron* ele; **~ who ...** quem ...,
aquele que ...
head [hɛd] *n* cabeça; (*of table*)
cabeceira; (*of queue*) frente *f*; (*of
organization*) chefe *m/f*; (*of school*)
diretor(a) *m/f* ▷ *vt* (*list*) encabeçar;
(*group*) liderar; (*ball*) cabecear; **~s
or tails** cara ou coroa; **~ first** de
cabeça; **~ over heels** de pernas
para o ar; **~ over heels in love**
apaixonadíssimo; **head for** *vt
fus* dirigir-se a; (*disaster*) estar
procurando; **headache** *n* dor
f de cabeça; **heading** *n* título,
cabeçalho; **headlamp** (BRIT) *n* =
headlight; headlight *n* farol *m*;
headline *n* manchete *f*; **head
office** *n* matriz *f*; **headphones** *npl*

fones *mpl* de ouvido; **headquarters** *npl* sede *f*; (*Mil*) quartel *m* general; **headroom** *n* (*in car*) espaço (para a cabeça); (*under bridge*) vão *m* livre; **headscarf** (*irreg*) *n* lenço de cabeça

heal [hiːl] *vt* curar ▷ *vi* cicatrizar

health [hɛlθ] *n* saúde *f*; **good ~!** saúde!; **healthy** *adj* (*person*) saudável; (*air, walk*) sadio; (*economy*) próspero, forte

heap [hiːp] *n* pilha, montão *m* ▷ *vt*: **to ~ sth with** encher algo de; **~s (of)** (*inf*) um monte (de); **to ~ sth on** empilhar algo em

hear [hɪə*] (*pt, pp* **~d** [hɜːd]) *vt* ouvir; (*listen to*) escutar; (*news*) saber; **to ~ about** ouvir falar de; **to ~ from sb** ter notícias de alguém; **hearing** *n* (*sense*) audição *f*; (*law*) audiência; **hearing aid** *n* aparelho para a surdez

hearse [hɜːs] *n* carro fúnebre

heart [hɑːt] *n* coração *m*; (*of problem, city*) centro; **~s** *npl* (*cards*) copas *fpl*; **to lose/take ~** perder o ânimo/criar coragem; **at ~** no fundo; **by ~** (*learn, know*) de cor; **heart attack** *n* ataque *m* de coração; **heartbeat** *n* batida do coração; **heartbroken** *adj*: **to be heartbroken** estar inconsolável; **heartburn** *n* azia

hearty ['hɑːtɪ] *adj* (*person*) energético; (*laugh*) animado; (*appetite*) bom (boa); (*welcome*) sincero; (*dislike*) absoluto

heat [hiːt] *n* calor *m*; (*excitement*) ardor *m*; (*sport: also*: **qualifying ~**) (*prova*) eliminatória ▷ *vt* esquentar; (*room, house*) aquecer; **heat up** *vi* aquecer-se, esquentar ▷ *vt* esquentar; **heated** *adj* aquecido; (*fig*) acalorado; **heater** *n* aquecedor *m*

heather ['hɛðə*] *n* urze *f*

heating ['hiːtɪŋ] *n* aquecimento,

calefação *f*

heaven ['hɛvn] *n* céu *m*, paraíso; **heavenly** *adj* celestial; (*Rel*) divino

heavily ['hɛvɪlɪ] *adv* pesadamente; (*drink, smoke*) excessivamente; (*sleep, depend*) profundamente

heavy ['hɛvɪ] *adj* pesado; (*work*) duro; (*responsibility*) grande; (*rain, meal*) forte; (*drinker, smoker*) inveterado; (*weather*) carregado

Hebrew ['hiːbruː] *adj* hebreu (hebréia) ▷ *n* (*Ling*) hebraico

Hebrides ['hɛbrɪdiːz] *npl*: **the ~** as (ilhas) Hébridas

hectic ['hɛktɪk] *adj* agitado

he'd [hiːd] = **he would; he had**

hedge [hɛdʒ] *n* cerca viva, sebe *f* ▷ *vi* dar evasivas ▷ *vt*: **to ~ one's bets** (*fig*) resguardar-se

hedgehog ['hɛdʒhɔg] *n* ouriço

heed [hiːd] *vt* (*also*: **take ~ of**) prestar atenção a

heel [hiːl] *n* (*of shoe*) salto; (*of foot*) calcanhar *m* ▷ *vt* (*shoe*) pôr salto em

hefty ['hɛftɪ] *adj* (*person*) robusto; (*parcel*) pesado; (*profit*) alto

height [haɪt] *n* (*of person*) estatura; (*of building, tree*) altura; (*altitude*) altitude *f*; (*high ground*) monte *m*; (*fig: of power*) auge *m*; (: *of luxury*) máximo; (: *of stupidity*) cúmulo; **heighten** *vt* elevar; (*fig*) aumentar

heir [ɛə*] *n* herdeiro; **heiress** *n* herdeira

held [hɛld] *pt, pp* of **hold**

helicopter ['hɛlɪkɔptə*] *n* helicóptero

hell [hɛl] *n* inferno; **~!** (*inf*) droga!

he'll [hiːl] = **he will; he shall**

hello [hə'ləu] *excl* oi! (*BR*), olá! (*PT*); (*surprise*) ora essa!

helmet ['hɛlmɪt] *n* capacete *m*

help [hɛlp] *n* ajuda; (*charwoman*) faxineira ▷ *vt* ajudar; **to ~ sb**; **~ yourself** sirva-se; **he can't ~ it** não tem culpa; **helper** *n* ajudante *m/f*; **helpful** *adj* prestativo; *(advice)* útil; **helping** *n* porção *f*; **helpless** *adj (incapable)* incapaz; *(defenceless)* indefeso

hem [hɛm] *n* bainha ▷ *vt* embainhar; **hem in** *vt* cercar, encurralar

hemorrhage [ˈhɛmərɪdʒ] *(US)* *n* = **haemorrhage**

hemorrhoids [ˈhɛmərɔɪdz] *(US)* *npl* = **haemorrhoids**

hen [hɛn] *n* galinha; *(female bird)* fêmea

hence [hɛns] *adv* daí, portanto; **2 years ~** daqui a 2 anos

her [həː*] *pron (direct)* a; *(indirect)* lhe; *(stressed, after prep)* ela ▷ *adj* seu (sua), dela; *see also* **me; my**

herb [həːb] *n* erva

herd [həːd] *n* rebanho

here [hɪə*] *adv* aqui; *(at this point)* nesse ponto; **~!** *(present)* presente!; **~ is/are** aqui está/estão; **~ she is!** aqui está ela!

heritage [ˈhɛrɪtɪdʒ] *n* patrimônio

hernia [ˈhəːnɪə] *n* hérnia

hero [ˈhɪərəu] *(pl* **~es)** *n* herói *m*; *(of book, film)* protagonista *m*

heroin [ˈhɛrəuɪn] *n* heroína

heroine [ˈhɛrəuɪn] *n* heroína; *(of book, film)* protagonista

heron [ˈhɛrən] *n* garça

herring [ˈhɛrɪŋ] *(pl inv or* **~s)** *n* arenque *m*

hers [həːz] *pron* o seu (a sua), o(a) dela; *see also* **mine**[1]

herself [həːˈsɛlf] *pron (reflexive)* se; *(emphatic)* ela mesma; *(after prep)* si (mesma); *see also* **oneself**

he's [hiːz] = **he is; he has**

hesitant [ˈhɛzɪtənt] *adj* hesitante, indeciso

hesitate [ˈhɛzɪteɪt] *vi* hesitar; **hesitation** [hɛzɪˈteɪʃən] *n* hesitação *f*, indecisão *f*

heterosexual [ˈhɛtərəuˈsɛksjuəl]

adj heterossexual

heyday [ˈheɪdeɪ] *n*: **the ~ of** o auge or apogeu de

hi [haɪ] *excl* oi!

hibernate [ˈhaɪbəneɪt] *vi* hibernar

hiccough [ˈhɪkʌp] *vi* soluçar ▷ *npl*: **~s**; **to have (the) ~s** estar com soluço

hiccup [ˈhɪkʌp] = **hiccough**

hide [haɪd] *(pt* **hid,** *pp* **hidden)** *n* *(skin)* pele *f* ▷ *vt* esconder, ocultar; *(view)* obscurecer ▷ *vi*: **to ~ (from sb)** esconder-se or ocultar-se (de alguém)

hideous [ˈhɪdɪəs] *adj* horrível

hiding [ˈhaɪdɪŋ] *n (beating)* surra; **to be in ~** *(concealed)* estar escondido

hi-fi [ˈhaɪfaɪ] *n* alta-fidelidade *f*; *(system)* som *m* ▷ *adj* de alta-fidelidade

high [haɪ] *adj* alto; *(number)* grande; *(price)* alto, elevado; *(wind)* forte; *(voice)* agudo; *(opinion)* ótimo; *(principles)* nobre ▷ *adv* alto, a grande altura; **it is 20 m ~** tem 20 m de altura; **~ in the air** nas alturas; **highchair** *n* cadeira alta (para criança); **higher education** *n* ensino superior; **high jump** *n (sport)* salto em altura; **the Highlands** *npl* a Alta Escócia; **highlight** *n (fig)* ponto alto; *(in hair)* mecha ▷ *vt* realçar, ressaltar; **highly** *adv*: **highly paid** muito bem pago; *(a lot)*: **to speak/think highly of** falar elogiosamente de/pensar muito bem de; **highrise** *adj* alto; **high school** *n (BRIT)* escola secundária; *(US)* científico; *ver quadro*

● **HIGH SCHOOL**
●
● Uma **high school** é um
● estabelecimento de ensino

secundário. Nos Estados Unidos, existem a *Junior High School*, que equivale aproximadamente aos dois últimos anos do primeiro grau, e a *Senior High School*, que corresponde ao segundo grau. Na Grã-Bretanha, esse termo às vezes é utilizado para as escolas secundárias.

high street (BRIT) n rua principal
highway ['haɪweɪ] (US) n estrada; (*main road*) rodovia
hijack ['haɪdʒæk] vt seqüestrar; **hijacker** n seqüestrador(a) m/f (de avião)
hike [haɪk] vi caminhar ▷ n caminhada, excursão f a pé; **hiker** n caminhante m/f, andarilho(-a)
hilarious [hɪ'lɛərɪəs] adj hilariante
hill [hɪl] n colina; (*high*) montanha; (*slope*) ladeira, rampa; **hillside** n vertente f; **hilly** adj montanhoso
him [hɪm] pron (*direct*) o; (*indirect*) lhe; (*stressed, after prep*) ele; *see also* **me; himself** pron (*reflexive*) se; (*emphatic*) ele mesmo; (*after prep*) si (mesmo); *see also* **oneself**
hinder ['hɪndə*] vt retardar
hindsight ['haɪndsaɪt] n: **with ~** em retrospecto
Hindu ['hɪndu:] adj hindu
hinge [hɪndʒ] n dobradiça ▷ vi (*fig*): **to ~ on** depender de
hint [hɪnt] n (*suggestion*) insinuação f; (*advice*) palpite m, dica; (*sign*) sinal m ▷ vt: **to ~ that** insinuar que ▷ vi: **to ~ at** fazer alusão a
hip [hɪp] n quadril m
hippopotamus [hɪpə'pɒtəməs] (*pl* **~es** *or* **hippopotami**) n hipopótamo
hire ['haɪə*] vt (BRIT: *car, equipment*) alugar; (*worker*) contratar ▷ n aluguel m (BR), aluguer m (PT); **for ~**

aluga-se; (*taxi*) livre; **hire purchase** (BRIT) n compra a prazo
his [hɪz] pron o seu (a sua), o(a) dele ▷ adj seu (sua), dele; *see also* **my; mine**[1]
hiss [hɪs] vi (*snake, fat*) assoviar; (*gas*) silvar; (*boo*) vaiar
historic(al) [hɪ'stɒrɪk(l)] adj histórico
history ['hɪstərɪ] n história
hit [hɪt] (*pt, pp* **hit**) vt bater em; (*target*) acertar, alcançar; (*car*) bater em, colidir com; (*fig: affect*) atingir ▷ n golpe m; (*success*) sucesso; (*Internet visit*) visita; **to ~ it off with sb** dar-se bem com alguém
hitch [hɪtʃ] vt (*fasten*) atar, amarrar; (*also:* **~ up**) levantar ▷ n (*difficulty*) dificuldade f; **to ~ a lift** pegar carona (BR), arranjar uma boleia (PT)
hitch-hike vi pegar carona (BR), andar à boleia (PT); **hitch-hiker** n pessoa que pega carona (BR) *or* anda à boleia (PT)
hi-tech adj tecnologicamente avançado ▷ n alta tecnologia
HIV *abbr:* **~-negative/-positive** ▷ adj HIV negativo/positivo
hive [haɪv] n colméia; **hive off** (*inf*) vt transferir
hoard [hɔ:d] n provisão f; (*of money*) tesouro ▷ vt acumular
hoarse [hɔ:s] adj rouco
hoax [həʊks] n trote m
hob [hɒb] n parte de cima do fogão
hobble ['hɒbl] vi mancar
hobby ['hɒbɪ] n hobby m, passatempo predileto
hobo ['həʊbəʊ] (US) n vagabundo
hockey ['hɒkɪ] n hóquei m
hog [hɒg] n porco ▷ vt (*fig*) monopolizar; **to go the whole ~** ir até o fim
hoist [hɔɪst] vt içar
hold [həʊld] (*pt, pp* **held**) vt segurar; (*contain*) conter; (*have*) ter;

(*record etc: meeting*) realizar; (*detain*) deter; (*consider*): **to ~ sb responsible (for sth)** responsabilizar alguém (por algo); (*keep in certain position*): **to ~ one's head up** manter a cabeça erigida ▷ *vi* (*withstand pressure*) resistir; (*be valid*) ser válido ▷ *n* (*grasp*) pressão *f*; (: *fig*) influência, domínio; (*of ship*) porão *m*; (*of plane*) compartimento para cargo; (*control*) controle *m*; **~ the line!** (*Tel*) não desligue!; **to ~ one's own** (*fig*) virar-se, sair-se bem; **to catch** *or* **get (a) ~ of** agarrar, pegar; **hold back** *vt* reter; (*secret*) manter, guardar; **hold down** *vt* (*person*) segurar; (*job*) manter; **hold off** *vt* (*enemy*) afastar, repelir; **hold on** *vi* agarrar-se; (*wait*) esperar; **~ on!** espera aí!; (*Tel*) não desligue!; **hold on to** *vt fus* agarrar-se a; (*keep*) guardar, ficar com; **hold out** *vt* (*hand*) estender; (*hope*) ter ▷ *vi* (*resist*) resistir; (*support*) apoiar; (*delay*) atrasar; (*rob*) assaltar; **holdall** (BRIT) *n* bolsa de viagem; **holder** *n* (*container*) recipiente *m*; (*of ticket*) portador(a) *m/f*; (*of record*) detentor(a) *m/f*; (*of office, title*) titular *m/f*; **hold-up** *n* (*robbery*) assalto; (*delay*) demora; (BRIT: *in traffic*) engarrafamento
hole [həul] *n* buraco; (*small: in sock etc*) furo ▷ *vt* esburacar
holiday ['hɔlədɪ] *n* (BRIT: *vacation*) férias *fpl*; (*day off*) dia *m* de folga; (*public ~*) feriado; **on ~** de férias; **holiday camp** (BRIT) *n* colônia de férias; **holiday-maker** (BRIT) *n* pessoa (que está) de férias; **holiday resort** *n* local *m* de férias
Holland ['hɔlənd] *n* Holanda
hollow ['hɔləu] *adj* oco, vazio; (*cheeks*) côncavo; (*eyes*) fundo; (*sound*) surdo; (*laugh, claim*) falso ▷ *n* (*in ground*) cavidade *f*, depressão *f* ▷ *vt*: **to ~ out** escavar

holly ['hɔlɪ] *n* azevinho
holy ['həulɪ] *adj* sagrado; (*person*) santo, bento
home [həum] *n* casa, lar *m*; (*country*) pátria; (*institution*) asilo ▷ *cpd* caseiro, doméstico; (*Econ, Pol*) nacional, interno; (*sport: team*) de casa; (: *game*) no próprio campo ▷ *adv* (*direction*) para casa; (*right in: nail etc*) até o fundo; **at ~** em casa; **make yourself at ~** fique à vontade; **home address** *n* endereço residencial; **homeland** *n* terra (natal); **homeless** *adj* sem casa, desabrigado; **homely** *adj* (*simple*) simples *inv*; **home-made** *adj* caseiro; **Home Office** (BRIT) *n* Ministério do Interior; **home page** *n* (*Comput*) home page *f*, página inicial; **Home Secretary** (BRIT) *n* Ministro(-a) do Interior; **homesick** *adj*: **to be homesick** estar com saudades (do lar); **home town** *n* cidade *f* natal; **homework** *n* dever *m* de casa
homoeopathic [həumɪəu'pæθɪk] (US **homeopathic**) *adj* homeopático
homosexual [hɔməu'sɛksjuəl] *adj, n* homossexual *m/f*
Honduras [hɔn'djuərəs] *n* Honduras *f* (*no article*)
honest ['ɔnɪst] *adj* (*truthful*) franco; (*trustworthy*) honesto; (*sincere*) sincero; **honestly** *adv* honestamente; **honesty** *n* honestidade *f*, sinceridade *f*
honey ['hʌnɪ] *n* mel *m*; **honeymoon** *n* lua-de-mel *f*; (*trip*) viagem *f* de lua-de-mel
honorary ['ɔnərərɪ] *adj* (*unpaid*) não remunerado; (*duty, title*) honorário
honour ['ɔnə*] (US **honor**) *vt* honrar ▷ *n* honra; **honourable** *adj* honrado

hood [hud] n capuz m; (of cooker) tampa; (BRIT: Aut) capota; (US: Aut) capô m

hoof [hu:f] (pl **hooves**) n casco, pata

hook [huk] n gancho; (on dress) gancho, colchete m; (for fishing) anzol m ▷ vt prender com gancho (or colchete); (fish) fisgar

hooligan ['hu:lɪgən] n desordeiro(-a), bagunceiro(-a)

hoop [hu:p] n arco

hooray [hu:'reɪ] excl = **hurrah**

hoot [hu:t] vi (Aut) buzinar; (siren) tocar; (owl) piar

hooves [hu:vz] npl of **hoof**

hop [hɔp] vi saltar, pular; (on one foot) pular num pé só

hope [həup] vt, vi esperar ▷ n esperança; **I ~ so/not** espero que sim/não; **hopeful** adj (person) otimista, esperançoso; (situation) promissor(a); **hopefully** adv esperançosamente; **hopefully, they'll come back** é de esperar or esperamos que voltem; **hopeless** adj desesperado, irremediável; (useless) inútil

horizon [hə'raɪzn] n horizonte m; **horizontal** [hɔrɪ'zɔntl] adj horizontal

horn [hɔ:n] n corno, chifre m; (material) chifre; (Mus) trompa; (Aut) buzina

horoscope ['hɔrəskəup] n horóscopo

horrendous [hə'rɛndəs] adj horrendo

horrible ['hɔrɪbl] adj horrível; (terrifying) terrível

horrid ['hɔrɪd] adj horrível

horror ['hɔrə*] n horror m; **horror film** n filme m de terror

horse [hɔ:s] n cavalo; **horseback: on horseback** adj, adv a cavalo; **horse chestnut** n castanha-da-índia; **horsepower** n cavalo-vapor m; **horseracing** n corridas fpl de cavalo, turfe m

hose [həuz] n (also: **~pipe**) mangueira

hospital ['hɔspɪtl] n hospital m

hospitality [hɔspɪ'tælɪtɪ] n hospitalidade f

host [həust] n anfitrião m; (TV, Radio) apresentador(a) m/f; (Rel) hóstia; (large number): **a ~ of** uma multidão de

hostage ['hɔstɪdʒ] n refém m/f

hostel ['hɔstl] n albergue m, abrigo; (also: **youth ~**) albergue da juventude

hostess ['həustɪs] n anfitriã f; (BRIT: air ~) aeromoça (BR), hospedeira de bordo (PT); (TV, Radio) apresentadora

hostile ['hɔstaɪl] adj hostil

hostility [hɔ'stɪlɪtɪ] n hostilidade f

hot [hɔt] adj quente; (as opposed to only warm) muito quente; (spicy) picante; (fierce) ardente; **to be ~** (person) estar com calor; (thing, weather) estar quente; **hot dog** n cachorro-quente m

hotel [həu'tɛl] n hotel m

hound [haund] vt acossar, perseguir ▷ n cão m de caça, sabujo

hour ['auə*] n hora; **hourly** adj de hora em hora; (rate) por hora

house [n haus, vb hauz] n (gen, firm) casa; (Pol) câmara; (theatre) assistência, lotação f ▷ vt (person) alojar; (collection) abrigar; **on the ~** (fig) por conta da casa; **household** n família; (house) casa; **housekeeper** n governanta; **housekeeping** n (work) trabalhos mpl domésticos; (money) economia doméstica; **housewife** (irreg) n dona de casa; **housework** n trabalhos mpl domésticos; **housing** n (provision) alojamento m; (houses) residências *fpl*; **housing development** (*BRIT* **housing estate**) *n* conjunto residencial

hover ['hɔvə*] *vi* pairar; **hovercraft** *n* aerobarco

○ **KEYWORD**

how [hau] *adv* **1** (*in what way*) como; **~ was the film?** que tal o filme?; **~ are you?** como vai?
2 (*to what degree*) quanto; **~ much milk/many people?** quanto de leite/quantas pessoas?; **~ long have you been here?** quanto tempo você está aqui?; **~ old are you?** quantos anos você tem?; **~ tall is he?** qual é a altura dele?; **~ lovely/ awful!** que ótimo/terrível!

however [hau'evə*] *adv* de qualquer modo; (+ *adj*) por mais ... que; (*in questions*) como ▷ *conj* no entanto, contudo
howl [haul] *vi* uivar
h.p. *abbr* (*Aut*: = *horsepower*) CV
HQ *n abbr* (= *headquarters*) QG *m*
HTML *n abbr* (= *Hypertext Mark-up Language*) HTML *f*
huddle ['hʌdl] *vi*: **to ~ together** aconchegar-se
huff [hʌf] *n*: **in a ~** com raiva
hug [hʌg] *vt* abraçar; (*thing*) agarrar, prender
huge [hju:dʒ] *adj* enorme, imenso
hull [hʌl] *n* (*of ship*) casco
hum [hʌm] *vt* cantarolar ▷ *vi* cantarolar; (*insect, machine etc*) zumbir
human ['hju:mən] *adj* humano ▷ *n* (*also*: **~ being**) ser *m* humano
humane [hju:'meɪn] *adj* humano
humanitarian [hju: mænɪ'tɛərɪən] *adj* humanitário
humanity [hju:'mænɪtɪ] *n* humanidade *f*

humble ['hʌmbl] *adj* humilde ▷ *vt* humilhar
humid ['hju:mɪd] *adj* úmido
humiliate [hju:'mɪlɪeɪt] *vt* humilhar
humorous ['hju:mərəs] *adj* humorístico; (*person*) engraçado
humour ['hju:mə*] (*US* **humor**) *n* humorismo, senso de humor; (*mood*) humor *m* ▷ *vt* fazer a vontade de
hump [hʌmp] *n* (*in ground*) elevação *f*; (*camel's*) corcova, giba; (*deformity*) corcunda
hunch [hʌntʃ] *n* (*premonition*) pressentimento, palpite *m*
hundred ['hʌndrəd] *num* cem; (*before lower numbers*) cento; **~s of people** centenas de pessoas
hung [hʌŋ] *pt, pp of* **hang**
Hungary ['hʌŋgərɪ] *n* Hungria
hunger ['hʌŋgə*] *n* fome *f* ▷ *vi*: **to ~ for** (*desire*) desejar ardentemente
hungry ['hʌŋgrɪ] *adj* faminto, esfomeado; (*keen*): **~ for** (*fig*) ávido de, ansioso por; **to be ~** estar com fome
hunt [hʌnt] *vt* buscar; (*criminal, fugitive*) perseguir; (*sport, for food*) caçar ▷ *vi* caçar; (*search*) **to ~ (for)** procurar (por) ▷ *n* caça, caçada; **hunter** *n* caçador(a) *m/f*; **hunting** *n* caça
hurdle ['hə:dl] *n* (*sport*) barreira; (*fig*) obstáculo
hurl [hə:l] *vt* arremessar, lançar; (*abuse*) gritar
hurrah [hu'rɑ:] *excl* oba!, viva!
hurray [hu'reɪ] *excl* = **hurrah**
hurricane ['hʌrɪkən] *n* furacão *m*
hurry ['hʌrɪ] *n* pressa ▷ *vi* (*also*: **~ up**) apressar-se ▷ *vt* (*also*: **~ up**: *person*) apressar; (: *work*) acelerar; **to be in a ~** estar com pressa
hurt [hə:t] (*pt, pp* **hurt**) *vt* machucar; (*injure*) ferir; (*fig*) magoar ▷ *vi* doer

husband [ˈhʌzbənd] n marido, esposo

hush [hʌʃ] n silêncio, quietude f ▷ vt silenciar, fazer calar; **~!** silêncio!, psiu!; **hush up** vt abafar, encobrir

husky [ˈhʌskɪ] adj rouco ▷ n cão m esquimó

hut [hʌt] n cabana, choupana; (shed) alpendre m

hyacinth [ˈhaɪəsɪnθ] n jacinto

hydrofoil [ˈhaɪdrəfɔɪl] n hidrofoil m, aliscafo

hydrogen [ˈhaɪdrədʒən] n hidrogênio

hygiene [ˈhaɪdʒiːn] n higiene f

hymn [hɪm] n hino

hype [haɪp] (inf) n tititi m, falatório

hypermarket [ˈhaɪpəmɑːkɪt] (BRIT) n hipermercado

hyphen [ˈhaɪfn] n hífen m

hypnotize [ˈhɪpnətaɪz] vt hipnotizar

hypocrite [ˈhɪpəkrɪt] n hipócrita m/f; **hypocritical** adj hipócrita

hysterical [hɪˈstɛrɪkl] adj histérico; (funny) hilariante; **hysterics** npl: **to be in** or **have hysterics** (anger, panic) ter uma crise histérica; (laughter) ter um ataque de riso

I [aɪ] pron eu

ice [aɪs] n gelo; (~ cream) sorvete m ▷ vt (cake) cobrir com glacê ▷ vi (also: **~ over**, **~ up**) gelar; **iceberg** n iceberg m; **ice cream** n sorvete m (BR), gelado (PT); **ice cube** n pedra de gelo; **ice hockey** n hóquei m sobre o gelo

Iceland [ˈaɪslənd] n Islândia

ice: ice lolly (BRIT) n picolé m; **ice rink** n pista de gelo, rinque m

icing [ˈaɪsɪŋ] n (Culin) glacê m; **icing sugar** (BRIT) n açúcar m glacê

icon [ˈaɪkɔn] n (gen, Comput) ícone m

icy [ˈaɪsɪ] adj gelado

I'd [aɪd] = **I would; I had**

idea [aɪˈdɪə] n idéia

ideal [aɪˈdɪəl] n ideal m ▷ adj ideal

identical [aɪˈdɛntɪkl] adj idêntico

identification [aɪdɛntɪfɪˈkeɪʃən] n identificação f; **means of ~** documentos pessoais

identify [aɪ'dɛntɪfaɪ] vt identificar

identity [aɪ'dɛntɪtɪ] n identidade f; **identity card** n carteira de identidade

idiom ['ɪdɪəm] n expressão f idiomática; (style) idioma m, linguagem f

idiot ['ɪdɪət] n idiota m/f

idle ['aɪdl] adj ocioso; (lazy) preguiçoso; (unemployed) desempregado; (question, conversation) fútil; (pleasure) descontraído ▷ vi (machine) funcionar com a transmissão desligada; **idle away** vt: **to ~ away the time** perder or desperdiçar tempo

idol ['aɪdl] n ídolo

i.e. abbr (= id est: that is) i.e., isto é

○ **KEYWORD**

if [ɪf] conj 1 (conditional use) se; **~ necessary** se necessário; **~ I were you** se eu fôsse você
2 (whenever) quando
3 (although): **(even) ~** mesmo que
4 (whether) se
5: **~ so/not** sendo assim/do contrário; **~ only** se pelo menos; see also **as**

ignition [ɪg'nɪʃən] n (Aut) ignição f; **to switch on/off the ~** ligar/desligar o motor

ignorant ['ɪgnərənt] adj ignorante; **to be ~ of** ignorar

ignore [ɪg'nɔː] vt (person) não fazer caso de; (fact) não levar em consideração, ignorar

I'll [aɪl] = **I will; I shall**

ill [ɪl] adj doente; (harmful: effects) nocivo ▷ n mal m ▷ adv: **to speak/think ~ of sb** falar/pensar mal de alguém; **to be taken ~** ficar doente

illegal [ɪ'liːgl] adj ilegal

illegible [ɪ'lɛdʒɪbl] adj ilegível

illegitimate [ɪlɪ'dʒɪtɪmət] adj ilegítimo

illiterate [ɪ'lɪtərət] adj analfabeto

illness ['ɪlnɪs] n doença

illuminate [ɪ'luːmɪneɪt] vt iluminar, clarear

illusion [ɪ'luːʒən] n ilusão f

illustrate [ɪ'lʌstreɪt] vt ilustrar; (point) exemplificar; **illustration** [ɪlə'streɪʃən] n ilustração f; (example) exemplo; (explanation) esclarecimento

I'm [aɪm] = **I am**

image ['ɪmɪdʒ] n imagem f

imaginary [ɪ'mædʒɪnərɪ] adj imaginário

imagination [ɪmædʒɪ'neɪʃən] n imaginação f; (inventiveness) inventividade f

imagine [ɪ'mædʒɪn] vt imaginar

imbalance [ɪm'bæləns] n desigualdade f

imitate ['ɪmɪteɪt] vt imitar; **imitation** [ɪmɪ'teɪʃən] n imitação f; (copy) cópia; (mimicry) mímica

immaculate [ɪ'mækjulət] adj impecável; (Rel) imaculado

immature [ɪmə'tjuə°] adj imaturo; (fruit) verde; (cheese) fresco

immediate [ɪ'miːdɪət] adj imediato; (pressing) urgente, premente; (neighbourhood, family) próximo; **immediately** adv imediatamente; (directly) diretamente; **immediately next to** bem junto a

immense [ɪ'mɛns] adj imenso; (importance) enorme

immerse [ɪ'məːs] vt submergir; **to be ~d in** (fig) estar absorto em

immigrant ['ɪmɪgrənt] n imigrante m/f

immigration [ɪmɪ'greɪʃən] n imigração f

imminent ['ɪmɪnənt] adj iminente

immoral [ɪ'mɔrl] adj imoral

immortal [ɪˈmɔːtl] *adj* imortal

immune [ɪˈmjuːn] *adj*: **~ to** imune a, imunizado contra

impact [ˈɪmpækt] *n* impacto (BR), impacte *m* (PT)

impair [ɪmˈpɛə°] *vt* prejudicar

impartial [ɪmˈpɑːʃl] *adj* imparcial

impatience [ɪmˈpeɪʃəns] *n* impaciência

impatient [ɪmˈpeɪʃənt] *adj* impaciente; **to get** *or* **grow ~** impacientar-se

impeccable [ɪmˈpɛkəbl] *adj* impecável

impending [ɪmˈpɛndɪŋ] *adj* iminente, próximo

imperative [ɪmˈpɛrətɪv] *adj* (*tone*) imperioso, obrigatório; (*need*) vital; (*necessary*) indispensável ▷ *n* (*Ling*) imperativo

imperfect [ɪmˈpəːfɪkt] *adj* imperfeito; (*goods etc*) defeituoso ▷ *n* (*Ling: also:* **~ tense**) imperfeito

imperial [ɪmˈpɪərɪəl] *adj* imperial

impersonal [ɪmˈpəːsənl] *adj* impessoal

impersonate [ɪmˈpəːsəneɪt] *vt* fazer-se passar por, personificar; (*theatre*) imitar

implement [*n* ˈɪmplɪmənt, *vb* ˈɪmplɪmɛnt] *n* instrumento, ferramenta; (*for cooking*) utensílio ▷ *vt* efetivar

implicit [ɪmˈplɪsɪt] *adj* implícito; (*complete*) absoluto

imply [ɪmˈplaɪ] *vt* (*mean*) significar; (*hint*) dar a entender que

impolite [ɪmpəˈlaɪt] *adj* indelicado, mal-educado

import [*vb* ɪmˈpɔːt, *n* ˈɪmpɔːt] *vt* importar ▷ *n* importação *f*; (*article*) mercadoria importada

importance [ɪmˈpɔːtəns] *n* importância

important [ɪmˈpɔːtənt] *adj* importante; **it's not ~** não tem importância, não importa

impose [ɪmˈpəuz] *vt* impor ▷ *vi*: **to ~ on sb** abusar de alguém; **imposing** *adj* imponente

impossible [ɪmˈpɔsɪbl] *adj* impossível; (*situation*) inviável; (*person*) insuportável

impotent [ˈɪmpətənt] *adj* impotente

impoverished [ɪmˈpɔvərɪʃt] *adj* empobrecido; (*land*) esgotado

impractical [ɪmˈpræktɪkl] *adj* pouco prático

impress [ɪmˈprɛs] *vt* impressionar; (*mark*) imprimir; **to ~ sth on sb** inculcar algo em alguém

impression [ɪmˈprɛʃən] *n* impressão *f*; (*imitation*) caricatura; **to be under the ~ that** estar com a impressão de que

impressive [ɪmˈprɛsɪv] *adj* impressionante

imprison [ɪmˈprɪzn] *vt* encarcerar

improbable [ɪmˈprɔbəbl] *adj* improvável; (*story*) inverossímil (BR), inverosímil (PT)

improper [ɪmˈprɔpə°] *adj* (*unsuitable*) impróprio; (*dishonest*) desonesto

improve [ɪmˈpruːv] *vt* melhorar ▷ *vi* melhorar; (*pupils*) progredir; **improvement** *n* melhora; progresso

improvise [ˈɪmprəvaɪz] *vt*, *vi* improvisar

impulse [ˈɪmpʌls] *n* impulso; **on ~** sem pensar, num impulso

○ **KEYWORD**

in [ɪn] *prep* **1** (*indicating place, position*) em; **~ the house/garden** na casa/no jardim; **I have it ~ my hand** eu estou assegurando isto; **~ here/there** aqui dentro/lá dentro **2** (*with place names: of town, country,* *region*) em; **~ London/Rio** em Londres/no Rio; **~ England/Japan/ the United States** na Inglaterra/no Japão/nos Estados Unidos

3 (*indicating time: during*) em; **~ spring/autumn** na primavera/no outono; **~ 1988** em 1988; **~ May** em maio; **I'll see you ~ July** até julho; **~ the morning** de manhã; **at 4 o'clock ~ the afternoon** às 4 da tarde

4 (*indicating time: in the space of*) em; **I did it ~ 3 hours/days** fiz isto em 3 horas/dias; **~ 2 weeks** or **~ 2 weeks' time** daqui a 2 semanas

5 (*indicating manner etc*): **~ a loud/ soft voice** em voz alta/numa voz sauve; **written ~ pencil/ink** escrito a lápis/à caneta; **~ English/ Portuguese** em inglês/português; **the boy ~ the blue shirt** o menino de camisa azul

6 (*indicating circumstances*): **~ the sun** ao or sob o sol; **~ the rain** na chuva; **a rise ~ prices** um aumento nos preços

7 (*indicating mood, state*): **~ tears** aos prantos; **~ anger/despair** com raiva/desesperado; **~ good condition** em boas condições

8 (*with ratios, numbers*): **1 ~ 10** 1 em 10, 1 em cada 10; **20 pence ~ the pound** vinte pênis numa libra; **they lined up ~ twos** eles se alinharam dois a dois

9 (*referring to people, works*) em

10 (*indicating profession etc*): **to be ~ teaching/publishing** ser professor/ trabalhar numa editora

11 (*after superl*): **the best pupil ~ the class** o melhor aluno da classe; **the biggest/smallest ~ Europe** o maior/menor na Europa

12 (*with present participle*): **~ saying this** ao dizer isto
▷ *adv*: **to be ~** (*person: at home*)

estar em casa; (: *at work*) estar no trabalho; (*fashion*) estar na moda; (*ship, plane, train*): **it's ~** chegou; **is he ~?** ele está?; **to ask sb ~** convidar alguém para entrar; **to run/limp** *etc* **~** entrar correndo/mancando *etc*
▷ *n*: **the ~s and outs** (*of proposal, situation etc*) os cantos e recantos, os pormenores

in. *abbr* = **inch(es)**

inability [ɪnəˈbɪlɪtɪ] *n*: **~ (to do)** incapacidade *f* (de fazer)

inaccurate [ɪnˈækjurət] *adj* inexato, impreciso

inadequate [ɪnˈædɪkwət] *adj* insuficiente; (*person*) impróprio

inadvertently [ɪnədˈvəːtntlɪ] *adv* inadvertidamente, sem querer

inappropriate [ɪnəˈprəuprɪət] *adj* inadequado; (*word, expression*) impróprio

incapable [ɪnˈkeɪpəbl] *adj* incapaz

incense [*n* ˈɪnsɛns, *vb* ɪnˈsɛns] *n* incenso ▷ *vt* (*anger*) exasperar, enraivecer

incentive [ɪnˈsɛntɪv] *n* incentivo

inch [ɪntʃ] *n* polegada (= 25 *mm*; 12 *in a foot*); **to be within an ~ of** estar a um passo de; **he didn't give an ~** ele não cedeu nem um milímetro; **inch forward** *vi* avançar palmo a palmo

incident [ˈɪnsɪdnt] *n* incidente *m*, evento

inclination [ɪnklɪˈneɪʃən] *n* (*tendency*) tendência; (*disposition*) inclinação *f*

incline [*n* ˈɪnklaɪn, *vb* ɪnˈklaɪn] *n* inclinação *f*, ladeira ▷ *vt* curvar, inclinar ▷ *vi* inclinar-se; **to be ~d to** tender a, ser propenso a

include [ɪnˈkluːd] *vt* incluir

including [ɪnˈkluːdɪŋ] *prep* inclusive

inclusive [ɪnˈkluːsɪv] *adj* incluído, incluso; **~ of** incluindo

income ['ɪŋkʌm] n (earnings)
renda, rendimentos mpl; (unearned)
renda; **income tax** n imposto de
renda (BR), imposto complementar
(PT)

incoming ['ɪnkʌmɪŋ] adj (flight)
de chegada; (mail) de entrada;
(government) novo; (tide) enchente

incompetent [ɪn'kɔmpɪtənt] adj
incompetente

incomplete [ɪnkəm'pli:t] adj
incompleto; (unfinished) por
terminar

inconsistent [ɪnkən'sɪstnt] adj
inconsistente; **~ with** incompatível
com

inconvenience [ɪnkən'vi:njəns]
n (quality) inconveniência; (problem)
inconveniente m ▷ vt incomodar

inconvenient [ɪnkən'vi:njənt]
adj inconveniente, incômodo;
(time, place) inoportuno

incorporate [ɪn'kɔ:pəreɪt] vt
incorporar; (contain) compreender

incorrect [ɪnkə'rekt] adj incorreto

increase [n 'ɪnkri:s, vb ɪn'kri:s] n
aumento ▷ vi, vt aumentar

incredible [ɪn'kredɪbl] adj
inacreditável; (enormous) incrível

incur [ɪn'kə:°] vt incorrer em;
(expenses) contrair

indecent [ɪn'di:snt] adj indecente

indeed [ɪn'di:d] adv de fato;
(certainly) certamente; (furthermore)
aliás; **yes ~!** claro que sim!

indefinitely [ɪn'defɪnɪtlɪ] adv
indefinidamente

independence [ɪndɪ'pendns] n
independência; **Independence
Day** n Dia m da Independência;
ver quadro

- INDEPENDENCE DAY
-
- **Independence Day** é a
- festa nacional dos Estados

- Unidos. Todo dia 4 de julho os
- americanos comemoram a
- adoção, em 1776, da declaração
- de Independência escrita
- por Thomas Jefferson que
- proclamava a separação das 13
- colônias americanas da Grã-
- Bretanha.

independent [ɪndɪ'pendnt] adj
independente; (inquiry) imparcial

index ['ɪndeks] (pl **~es**) n (in book)
índice m; (in library etc) catálogo;
(pl: indices: ratio, sign) índice m,
ex-poente m

India ['ɪndɪə] n Índia; **Indian** adj, n
(from India) indiano(-a); (American,
Brazilian) índio(-a); **Red Indian**
índio(-a) pele vermelha

indicate ['ɪndɪkeɪt] vt (show)
sugerir; (point to, mention) indicar;
indication [ɪndɪ'keɪʃən] n indício,
sinal m; **indicative** [ɪn'dɪkətɪv]
adj: **indicative of** sintomático de
▷ n (Ling) indicativo; **indicator** n
indicador m; (Aut) pisca-pisca m

indices ['ɪndɪsi:z] npl of **index**

indifferent [ɪn'dɪfrənt] adj
indiferente; (quality) medíocre

indigenous [ɪn'dɪdʒɪnəs] adj
indígena, nativo

indigestion [ɪndɪ'dʒestʃən] n
indigestão f

indignant [ɪn'dɪgnənt] adj: **to be ~
about sth/with sb** estar indignado
com algo/alguém, indignar-se de
algo/alguém

indirect [ɪndɪ'rekt] adj indireto

individual [ɪndɪ'vɪdjuəl] n
indivíduo ▷ adj individual;
(personal) pessoal; (characteristic)
particular

Indonesia [ɪndə'ni:zɪə] n
Indonésia

indoor ['ɪndɔ:°] adj (inner)
interno, interior; (inside) dentro de

casa; (*plant*) para dentro de casa; (*swimming pool*) coberto; (*games, sport*) de salão; **indoors** *adv* em lugar fechado

induce [ɪnˈdjuːs] *vt* (*Med*) induzir; (*bring about*) causar, produzir

indulge [ɪnˈdʌldʒ] *vt* (*desire*) satisfazer; (*whim*) condescender com; (*person*) comprazer; (*child*) fazer a vontade de ▷ *vi*: **to ~ in** entregar-se a, satisfazer-se com; **indulgent** *adj* indulgente

industrial [ɪnˈdʌstrɪəl] *adj* industrial

industry [ˈɪndəstrɪ] *n* indústria; (*diligence*) aplicação *f*, diligência

inefficient [ɪnɪˈfɪʃənt] *adj* ineficiente

inequality [ɪnɪˈkwɔlɪtɪ] *n* desigualdade *f*

inevitable [ɪnˈɛvɪtəbl] *adj* inevitável; **inevitably** *adv* inevitavelmente

inexpensive [ɪnɪkˈspɛnsɪv] *adj* barato, econômico

inexperienced [ɪnɪkˈspɪərɪənst] *adj* inexperiente

infamous [ˈɪnfəməs] *adj* infame, abominável

infant [ˈɪnfənt] *n* (*baby*) bebê *m*; (*young child*) criança

infant school (*BRIT*) *n* pré-escola

infect [ɪnˈfɛkt] *vt* (*person*) contagiar; (*food*) contaminar; **infection** *n* infecção *f*; **infectious** *adj* contagioso; (*fig*) infeccioso

infer [ɪnˈfəː°] *vt* deduzir, inferir

inferior [ɪnˈfɪərɪə°] *adj* inferior; (*goods*) de qualidade inferior ▷ *n* inferior *m/f*; (*in rank*) subalterno(-a)

infertile [ɪnˈfəːtaɪl] *adj* infértil; (*person, animal*) estéril

infinite [ˈɪnfɪnɪt] *adj* infinito

infirmary [ɪnˈfəːmərɪ] *n* enfermaria, hospital *m*

inflamed [ɪnˈfleɪmd] *adj* inflamado

inflammation [ɪnfləˈmeɪʃən] *n* inflamação *f*

inflatable [ɪnˈfleɪtəbl] *adj* inflável

inflate [ɪnˈfleɪt] *vt* (*tyre, balloon*) inflar, encher; (*price*) inflar; **inflation** *n* (*Econ*) inflação *f*

inflict [ɪnˈflɪkt] *vt*: **to ~ on** infligir em

influence [ˈɪnfluəns] *n* influência ▷ *vt* influir em, influenciar; **under the ~ of alcohol** sob o efeito do álcool; **influential** [ɪnfluˈɛnʃl] *adj* influente

influenza [ɪnfluˈɛnzə] *n* gripe *f*

inform [ɪnˈfɔːm] *vt* informar ▷ *vi*: **to ~ on sb** delatar alguém

informal [ɪnˈfɔːml] *adj* informal; (*visit, discussion*) extra-oficial

information [ɪnfəˈmeɪʃən] *n* informação *f*, informações *fpl*; (*knowledge*) conhecimento; **a piece of ~** uma informação

informative [ɪnˈfɔːmətɪv] *adj* informativo

infuriating [ɪnˈfjuərɪeɪtɪŋ] *adj* de dar raiva, enfurecedor(a)

ingenious [ɪnˈdʒiːnjəs] *adj* engenhoso

ingredient [ɪnˈgriːdɪənt] *n* ingrediente *m*; (*of situation*) fator *m*

inhabit [ɪnˈhæbɪt] *vt* habitar; **inhabitant** *n* habitante *m/f*

inhale [ɪnˈheɪl] *vt* inalar ▷ *vi* (*smoking*) tragar

inherent [ɪnˈhɪərənt] *adj*: **~ in** or **to** inerente a

inherit [ɪnˈhɛrɪt] *vt* herdar; **inheritance** *n* herança

inhibit [ɪnˈhɪbɪt] *vt* inibir; **inhibition** [ɪnhɪˈbɪʃən] *n* inibição *f*

initial [ɪˈnɪʃl] *adj* inicial ▷ *n* inicial *f* ▷ *vt* marcar com iniciais; **~s** *npl* (*of name*) iniciais *fpl*; **initially** *adv* inicialmente, no início

initiate [ɪˈnɪʃɪeɪt] *vt* (*start*) iniciar,

começar; (*person*) iniciar; **to ~ sb into a secret** revelar um segredo a alguém

initiative [ɪ'nɪʃətɪv] *n* iniciativa

inject [ɪn'dʒɛkt] *vt* (*liquid, fig: money*) injetar; (*person*) dar uma injeção em; **injection** *n* injeção f

injure ['ɪndʒə°] *vt* ferir; (*reputation etc*) prejudicar; (*feelings*) ofender; **injured** *adj* ferido; (*feelings*) ofendido, magoado; **injury** *n* ferida

injustice [ɪn'dʒʌstɪs] *n* injustiça

ink [ɪŋk] *n* tinta

inland [*adj* 'ɪnlənd, *adv* ɪn'lænd] *adj* interior, interno ▷ *adv* para o interior; **Inland Revenue** (*BRIT*) *n* ≈ fisco, receita federal (*BR*)

inmate ['ɪnmeɪt] *n* (*in prison*) presidiário(-a); (*in asylum*) internado(-a)

inn [ɪn] *n* hospedaria, taberna

inner ['ɪnə°] *adj* (*place*) interno; (*feeling*) interior; **inner city** *n* aglomeração f urbana, metrópole f

innocent ['ɪnəsnt] *adj* inocente

in-patient *n* paciente *m/f* interno(-a)

input ['ɪnput] *n* entrada; (*resources*) investimento

inquest ['ɪnkwɛst] *n* inquérito judicial

inquire [ɪn'kwaɪə°] *vi* pedir informação ▷ *vt* perguntar; **inquire about** *vt fus* pedir informações sobre; **inquire into** *vt fus* investigar, indagar; **inquiry** *n* pergunta; (*law*) investigação f, inquérito

ins. *abbr* = **inches**

insane [ɪn'seɪn] *adj* louco, doido; (*Med*) demente, insano; **insanity** [ɪn'sænɪtɪ] *n* loucura; insanidade f, demência

inscrutable [ɪn'skruːtəbl] *adj* inescrutável, impenetrável

insect ['ɪnsɛkt] *n* inseto

insecure [ɪnsɪ'kjuə°] *adj* inseguro

insensitive [ɪn'sɛnsɪtɪv] *adj* insensível

insert [ɪn'səːt] *vt* (*between things*) intercalar; (*into sth*) introduzir, inserir

inside ['ɪn'saɪd] *n* interior *m* ▷ *adj* interior, interno ▷ *adv* (*be*) dentro; (*go*) para dentro ▷ *prep* dentro de; (*of time*): **~ 10 minutes** em menos de 10 minutos; **~s** *npl* (*inf*) entranhas *fpl*; **inside out** *adv* às avessas; (*know*) muito bem; **to turn sth inside out** virar algo pelo avesso

insight ['ɪnsaɪt] *n* insight *m*

insignificant [ɪnsɪg'nɪfɪknt] *adj* insignificante

insincere [ɪnsɪn'sɪə°] *adj* insincero

insist [ɪn'sɪst] *vi* insistir; **to ~ on doing** insistir em fazer; **to ~ that** insistir que; (*claim*) cismar que; **insistent** *adj* insistente, pertinaz; (*continual*) persistente

insomnia [ɪn'sɔmnɪə] *n* insônia

inspect [ɪn'spɛkt] *vt* inspecionar; (*building*) vistoriar; (*BRIT: tickets*) fiscalizar; (*troops*) passar revista em; **inspection** *n* inspeção f, vistoria; fiscalização f; **inspector** *n* inspetor(a) *m/f*; (*BRIT: on buses, trains*) fiscal *m*

inspire [ɪn'spaɪə°] *vt* inspirar

install [ɪn'stɔːl] *vt* instalar; (*official*) nomear; **installation** [ɪnstə'leɪʃən] *n* instalação f

instalment [ɪn'stɔːlmənt] (*US* **installment**) *n* (*of money*) prestação f; (*of story*) fascículo; (*of TV serial etc*) capítulo; **in ~s** (*pay*) a prestações; (*receive*) em várias vezes

instance ['ɪnstəns] *n* exemplo; **for ~** por exemplo; **in the first ~** em primeiro lugar

instant ['ɪnstənt] *n* instante *m*, momento ▷ *adj* imediato;

(*coffee*) instantâneo; **instantly** *adv* imediatamente; **instant messaging** *n* mensagens *fpl* instantâneas, sistema *m* de mensagens instantâneas

instead [ɪnˈstɛd] *adv* em vez disso; **~ of** em vez de, em lugar de

instinct [ˈɪnstɪŋkt] *n* instinto

institute [ˈɪnstɪtjuːt] *n* instituto; (*professional body*) associação *f* ▷ *vt* (*inquiry*) começar, iniciar; (*proceedings*) instituir, estabelecer

institution [ɪnstɪˈtjuːʃən] *n* instituição *f*; (*organization*) instituto; (*Med: home*) asilo; (*asylum*) manicômio; (*custom*) costume *m*

instruct [ɪnˈstrʌkt] *vt*: **to ~ sb in sth** instruir alguém em *or* sobre algo; **to ~ sb to do sth** dar instruções a alguém para fazer algo; **instruction** *n* (*teaching*) instrução *f*; **instructions** *npl* (*orders*) ordens *fpl*; **instructions (for use)** modo de usar; **instructor** *n* instrutor(a) *m/f*

instrument [ˈɪnstrumənt] *n* instrumento

insufficient [ɪnsəˈfɪʃənt] *adj* insuficiente

insulate [ˈɪnsjuleɪt] *vt* isolar; (*protect*) segregar; **insulation** [ɪnsjuˈleɪʃən] *n* isolamento

insulin [ˈɪnsjulɪn] *n* insulina

insult [*n* ˈɪnsʌlt, *vb* ɪnˈsʌlt] *n* ofensa ▷ *vt* insultar, ofender

insurance [ɪnˈʃuərəns] *n* seguro; **fire/life ~** seguro contra incêndio/ de vida

insure [ɪnˈʃuəˈ] *vt* segurar

intact [ɪnˈtækt] *adj* intacto, íntegro; (*unharmed*) ileso, são e salvo

intake [ˈɪnteɪk] *n* (*of food*) quantidade *f* ingerida; (*BRIT: Sch*): **an ~ of 200 a year** 200 matriculados por ano

integral [ˈɪntɪgrəl] *adj* (*part*)

integrante, essencial

integrate [ˈɪntɪgreɪt] *vt* integrar ▷ *vi* integrar-se

intellect [ˈɪntəlɛkt] *n* intelecto; **intellectual** [ɪntəˈlɛktjuəl] *adj*, *n* intelectual *m/f*

intelligence [ɪnˈtɛlɪdʒəns] *n* inteligência; (*Mil etc*) informações *fpl*

intelligent [ɪnˈtɛlɪdʒənt] *adj* inteligente

intend [ɪnˈtɛnd] *vt* (*gift etc*): **to ~ sth for** destinar algo a; **to ~ to do sth** tencionar *or* pretender fazer algo; (*plan*) planejar fazer algo

intense [ɪnˈtɛns] *adj* intenso; (*person*) muito emotivo

intensive [ɪnˈtɛnsɪv] *adj* intensivo; **intensive care unit** *n* unidade *f* de tratamento intensivo

intent [ɪnˈtɛnt] *n* intenção *f* ▷ *adj*: **to be ~ on doing sth** estar resolvido a fazer algo; **to all ~s and purposes** para todos os efeitos

intention [ɪnˈtɛnʃən] *n* intenção *f*, propósito; **intentional** *adj* intencional, proposital

interact [ɪntərˈækt] *vi* interagir; **interactive** *adj* interactivo

interchange [ˈɪntətʃeɪndʒ] *n* intercâmbio; (*exchange*) troca, permuta; (*on motorway*) trevo

intercourse [ˈɪntəkɔːs] *n*: **sexual ~** relações *fpl* sexuais

interest [ˈɪntrɪst] *n* interesse *m*; (*Comm: sum*) juros *mpl*; (*: in company*) participação *f* ▷ *vt* interessar; **to be ~ed in** interessar-se por, estar interessado em; **interesting** *adj* interessante

interface [ˈɪntəfeɪs] *n* (*Comput*) interface *f*

interfere [ɪntəˈfɪəˈ] *vi*: **to ~ in** interferir or intrometer-se em; **to ~ with** (*objects*) mexer em; (*hinder*) impedir; (*plans*) interferir em

interference [ɪntəˈfɪərəns]
n intromissão *f*; (*Radio, TV*)
interferência

interior [ɪnˈtɪərɪə*] *n* interior *m*
▷ *adj* interno; (*ministry*) do interior

intermediate [ɪntəˈmi:dɪət] *adj*
intermediário

intermission [ɪntəˈmɪʃən] *n*
intervalo

intern [*vb* ɪnˈtə:n, *n* ˈɪntə:n] *vt*
internar ▷ *n* (*us*) médico-interno
(médica-interna)

internal [ɪnˈtə:nl] *adj* interno

international [ɪntəˈnæʃənl] *adj*
internacional ▷ *n* (*BRIT: sport: game*)
jogo internacional

Internet [ˈɪntənɛt] *n*: **the ~** a
Internet; **Internet café** *n* cibercafé
m; **Internet Service Provider** *n*
provedor *m* de acesso à Internet

interpret [ɪnˈtə:prɪt] *vt*
interpretar; (*translate*) traduzir
▷ *vi* interpretar; **interpreter** *n*
intérprete *m/f*

interrogate [ɪnˈtɛrəugeɪt]
vt interrogar; **interrogation**
[ɪntɛrəuˈgeɪʃən] *n* interrogatório

interrupt [ɪntəˈrʌpt] *vt, vi*
interromper; **interruption** *n*
interrupção *f*

interval [ˈɪntəvl] *n* intervalo

intervene [ɪntəˈvi:n] *vi* intervir;
(*event*) ocorrer; (*time*) decorrer

interview [ˈɪntəvju:] *n* entrevista
▷ *vt* entrevistar; **interviewer** *n*
entrevistador(a) *m/f*

intimate [*adj* ˈɪntɪmət, *vb*
ˈɪntɪmeɪt] *adj* íntimo; (*knowledge*)
profundo ▷ *vt* insinuar, sugerir

into [ˈɪntu] *prep* em; **she burst ~
tears** ela desatou a chorar; **come
~ the house** venha para dentro;
research ~ cancer pesquisa sobre
o câncer; **he worked late ~ the
night** ele trabalhou até altas horas;
he was shocked ~ silence ele ficou

mudo de choque; **~ 3 pieces/French**
em 3 pedaços/para o francês

intolerant [ɪnˈtɔlərənt] *adj*: **~ (of)**
intolerante (com *or* para com)

intranet [ˈɪntrənet] *n* intranet *f*

intricate [ˈɪntrɪkət] *adj* complexo,
complicado

intrigue [ɪnˈtri:g] *n* intriga
▷ *vt* intrigar; (*fascinate*) fascinar;
intriguing *adj* curioso

introduce [ɪntrəˈdju:s] *vt*
introduzir; **to ~ sb (to sb)**
apresentar alguém (a alguém);
to ~ sb to (*pastime, technique*)
iniciar alguém em; **introduction**
n introdução *f*; (*of person*)
apresentação *f*; **introductory** *adj*
introdutório

intrude [ɪnˈtru:d] *vi*: **to ~ (on)**
intrometer-se (em); **intruder** *n*
intruso(-a)

inundate [ˈɪnʌndeɪt] *vt*: **to ~ with**
inundar de

invade [ɪnˈveɪd] *vt* invadir

invalid [*n* ˈɪnvəlɪd, *adj* ɪnˈvælɪd] *n*
inválido(-a) ▷ *adj* inválido, nulo

invaluable [ɪnˈvæljuəbl] *adj*
valioso, inestimável

invariably [ɪnˈvɛərɪəblɪ] *adv*
invariavelmente

invent [ɪnˈvɛnt] *vt* inventar;
invention *n* invenção *f*;
(*inventiveness*) engenho; (*lie*) ficção
f, mentira; **inventor** *n* inventor(a)
m/f

inventory [ˈɪnvəntrɪ] *n*
inventário, relação *f*

invest [ɪnˈvɛst] *vt* investir ▷ *vi*: **to
~ in** investir em; (*acquire*) comprar

investigate [ɪnˈvɛstɪgeɪt]
vt investigar; **investigation**
[ɪnvɛstɪˈgeɪʃən] *n* investigação *f*

investment [ɪnˈvɛstmənt] *n*
investimento

invisible [ɪnˈvɪzɪbl] *adj* invisível

invitation [ɪnvɪˈteɪʃən] *n*

convite *m*
invite [ɪn'vaɪt] *vt* convidar;
(*opinions etc*) incitar; **inviting** *adj*
convidativo
invoice ['ɪnvɔɪs] *n* fatura ▷ *vt*
faturar
involve [ɪn'vɔlv] *vt* (*entail*)
implicar; (*require*) exigir; (*concern*)
envolver; **to ~ sb (in)** envolver
alguém (em); **involved** *adj*
(*complex*) complexo; **to be involved
in** estar envolvido em; **involvement**
n envolvimento
inward ['ɪnwəd] *adj* (*movement*)
interior, interno; (*thought, feeling*)
íntimo; **inward(s)** *adv* para dentro
IQ *n abbr* (= *intelligence quotient*) QI *m*
IRA *n abbr* (= *Irish Republican Army*)
IRA *m*
Iran [ɪ'rɑːn] *n* Irã *m* (BR), Irão
m (PT)
Iraq [ɪ'rɑːk] *n* Iraque *m*
Ireland ['aɪələnd] *n* Irlanda
iris ['aɪrɪs] (*pl* **~es**) *n* íris *f*
Irish ['aɪrɪʃ] *adj* irlandês(-esa)
▷ *npl*: **the ~** os irlandeses; **Irishman**
(*irreg*) *n* irlandês *m*; **Irish Sea** *n*:
the Irish Sea o mar da Irlanda;
Irishwoman (*irreg*) *n* irlandesa
iron ['aɪən] *n* ferro; (*for clothes*)
ferro de passar roupa ▷ *adj* de ferro
▷ *vt* (*clothes*) passar; **iron out** *vt*
(*problem*) resolver
ironic(al) [aɪ'rɔnɪk(l)] *adj* irônico
ironing ['aɪənɪŋ] *n* (*activity*) passar
m roupa; (*clothes*) roupa passada;
ironing board *n* tábua de passar
roupa
irony ['aɪrənɪ] *n* ironia
irrational [ɪ'ræʃənl] *adj* irracional
irregular [ɪ'rɛgjulə°] *adj* irregular;
(*surface*) desigual
irrelevant [ɪ'rɛləvənt] *adj*
irrelevante
irresistible [ɪrɪ'zɪstɪbl] *adj*
irresistível

irresponsible [ɪrɪ'spɔnsɪbl] *adj*
irresponsável
irrigation [ɪrɪ'geɪʃən] *n* irrigação *f*
irritate ['ɪrɪteɪt] *vt* irritar;
irritating *adj* irritante; **irritation**
[ɪrɪ'teɪʃən] *n* irritação *f*
is [ɪz] *vb see* **be**
ISDN *n abbr* (= *Integrated Services
Digital Network*) RDSI *f*, ISDN *f*
Islam ['ɪzlɑːm] *n* islamismo
island ['aɪlənd] *n* ilha; **islander** *n*
ilhéu (ilhoa) *m/f*
isle [aɪl] *n* ilhota, ilha
isn't ['ɪznt] = **is not**
ISP *n abbr* = **Internet Service
Provider**
Israel ['ɪzreɪl] *n* Israel *m* (*no article*);
Israeli [ɪz'reɪlɪ] *adj*, *n* israelense
m/f
issue ['ɪsjuː] *n* questão *f*, tema
m; (*of book*) edição *f*; (*of stamps*)
emissão *f* ▷ *vt* (*statement*) fazer;
(*rations, equipment*) distribuir;
(*orders*) dar; **at ~** em debate; **to take
~ with sb (over sth)** discordar de
alguém (sobre algo); **to make an ~
of sth** criar caso com algo

○ **KEYWORD**

it [ɪt] *pron* **1** (*specific: subject*) ele
(ela); (: *direct object*) o (a); (: *indirect
object*) lhe; **~'s on the table** está
em cima da mesa; **I can't find ~**
não consigo achá-lo; **give ~ to me**
dê-mo; **about/from ~** sobre/de
isto; **did you go to ~?** (*party, concert
etc*) você foi?
2 (*impers*) isto, isso; (*after prep*) ele,
ela; **~'s raining** está chovendo (BR)
or a chover (PT); **~'s six o'clock/the
10th of August** são seis horas/hoje
é (dia) 10 de agosto; **who is ~? - ~'s
me** quem é? - sou eu

Italian [ɪ'tæljən] *adj* italiano ▷ *n*

italiano(-a); (*Ling*) italiano
italics [ɪ'tælɪks] *npl* itálico
Italy ['ɪtəlɪ] *n* Itália
itch [ɪtʃ] *n* comichão *f*, coceira
▷ *vi* (*person*) estar com *or* sentir
comichão *or* coceira; (*part of body*)
comichar, coçar; **I'm itching to
do sth** estou louco para fazer algo;
itchy *adj* que coça; **to be itchy**
= **to itch**
it'd ['ɪtd] = **it would; it had**
item ['aɪtəm] *n* item *m*; (*on agenda*)
assunto; (*in programme*) número;
(*also:* **news ~**) notícia
itinerary [aɪ'tɪnərərɪ] *n* itinerário
it'll ['ɪtl] = **it will; it shall**
its [ɪts] *adj* seu (sua), dele (dela)
▷ *pron* o seu (a sua), o dele (a dela)
it's [ɪts] = **it is; it has**
itself [ɪt'sɛlf] *pron* (*reflexive*) si
mesmo(-a); (*emphatic*) ele mesmo
(ela mesma)
ITV (*BRIT*) *n abbr* (= *Independent
Television*) *canal de televisão comercial*
I've [aɪv] = **I have**
ivory ['aɪvərɪ] *n* marfim *m*
ivy ['aɪvɪ] *n* he

jab [dʒæb] *vt* cutucar ▷ *n*
cotovelada, murro; (*Med: inf*)
injeção *f*; **to ~ sth into sth** cravar
algo em algo
jack [dʒæk] *n* (*Aut*) macaco; (*cards*)
valete *m*; **jack up** *vt* (*Aut*) levantar
com macaco
jacket ['dʒækɪt] *n* jaqueta, casaco
curto, forro; (*of book*) sobrecapa;
jacket potato *n* batata assada
com a casca
jackpot ['dʒækpɔt] *n* bolada, sorte
f grande
jagged ['dʒægɪd] *adj* dentado,
denteado
jail [dʒeɪl] *n* prisão *f*, cadeia ▷ *vt*
encarcerar
jam [dʒæm] *n* geléia; (*also:* **traffic ~**)
engarrafamento; (*inf*) apuro ▷ *vt*
obstruir, atravancar; (*mechanism*)
emperrar; (*Radio*) bloquear,
interferir ▷ *vi* (*mechanism, drawer
etc*) emperrar; **to ~ sth into sth**

forçar algo dentro de algo

Jamaica [dʒə'meɪkə] n Jamaica

janitor ['dʒænɪtə*] n zelador m

January ['dʒænjuərɪ] n janeiro

Japan [dʒə'pæn] n Japão m;
Japanese [dʒæpə'niːz] adj
japonês(-esa) ▷ n inv japonês(-esa)
m/f; (Ling) japonês m

jar [dʒɑː*] n jarro ▷ vi (sound)
ranger, chiar; (colours) destoar

jargon ['dʒɑːgən] n jargão m

javelin ['dʒævlɪn] n dardo de
arremesso

jaw [dʒɔː] n mandíbula, maxilar m

jazz [dʒæz] n jazz m; **jazz up** vt
animar, avivar

jealous ['dʒeləs] adj ciumento;
jealousy n ciúmes mpl

jeans [dʒiːnz] npl jeans m (pl PT)

jelly ['dʒelɪ] n gelatina; (jam) geléia;
jellyfish ['dʒelɪfɪʃ] n inv água-viva

jerk [dʒɜːk] n solavanco, sacudida;
(wrench) puxão m; (inf: idiot)
babaca m ▷ vt sacudir ▷ vi dar um
solavanco

jersey ['dʒɜːzɪ] n suéter m or f
(BR), camisola (PT); (fabric) jérsei
m, malha

Jesus ['dʒiːzəs] n Jesus m

jet [dʒet] n (of gas, liquid) jato;
(Aviat) avião m a jato; (stone)
azeviche m; **jet lag** n cansaço
devido à diferença de fuso horário

jetty ['dʒetɪ] n quebra-mar m,
cais m

Jew [dʒuː] n judeu(-dia) m/f

jewel ['dʒuːəl] n jóia; **jeweller** (US
jeweler) n joalheiro(-a); **jeweller's
(shop)** n joalheria; **jewellery** (US
jewelry) n jóias fpl

Jewish ['dʒuːɪʃ] adj judeu (judia)

jigsaw ['dʒɪgsɔː] n (also: ~ puzzle)
quebra-cabeça m

job [dʒɔb] n trabalho; (task) tarefa;
(duty) dever m; (post) emprego;
it's not my ~ não faz parte das

minhas funções; **it's a good ~
that ...** ainda bem que ...; **just the
~!** justo o que queria!; **jobless** adj
desempregado

jockey ['dʒɔkɪ] n jóquei m ▷ vi:
to ~ for position manobrar para
conseguir uma posição

jog [dʒɔg] vt empurrar, sacudir ▷ vi
fazer jogging or cooper; **jog along**
vi ir levando; **jogging** n jogging m

join [dʒɔɪn] vt (things) juntar, unir;
(queue) entrar em; (become member
of) associar-se a; (meet) encontrar-se
com; (accompany) juntar-se a ▷ vi
(roads, rivers) confluir ▷ n junção
f; **join in** vi participar ▷ vt fus
participar em; **join up** vi unir-se;
(Mil) alistar-se

joint [dʒɔɪnt] n (Tech) junta,
união f; (wood) encaixe m; (Anat)
articulação f; (BRIT: Culin) quarto;
(inf: place) espelunca; (: of marijuana)
baseado ▷ adj comum; (combined)
conjunto; (committee) misto

joke [dʒəuk] n piada; (also:
practical ~) brincadeira, peça ▷ vi
brincar; **to play a ~ on** pregar uma
peça em; **joker** n (cards) curingão m

jolly ['dʒɔlɪ] adj (merry) alegre;
(enjoyable) divertido ▷ adv (BRIT: inf)
muito, extremamente

jolt [dʒəult] n (shake) sacudida,
solavanco; (shock) susto ▷ vt
sacudir; (emotionally) abalar

Jordan ['dʒɔːdən] n Jordânia; (river)
Jordão m

journal ['dʒɜːnl] n jornal m;
(magazine) revista; (diary) diário;
journalism n jornalismo;
journalist n jornalista m/f

journey ['dʒɜːnɪ] n viagem f;
(distance covered) trajeto

joy [dʒɔɪ] n alegria

judge [dʒʌdʒ] n juiz (juíza m/f);
(in competition) árbitro; (fig: expert)
especialista m/f, conhecedor(a)

m/f ▷ *vt* julgar; *(competition)* arbitrar; *(estimate)* avaliar; *(consider)* considerar

judo ['dʒu:dəʊ] *n* judô *m*

jug [dʒʌg] *n* jarro

juggle ['dʒʌgl] *vi* fazer malabarismos; **juggler** *n* malabarista *m/f*

juice [dʒu:s] *n* suco (BR), sumo (PT); **juicy** *adj* suculento

July [dʒu:'laɪ] *n* julho

jumble ['dʒʌmbl] *n* confusão *f*, mixórdia ▷ *vt* (also: **~ up:** *mix up*) misturar; **jumble sale** *n* (BRIT) bazar *m*; *ver quadro*

● **JUMBLE SALE**
●
● As **jumble sales** têm lugar
● dentro de igrejas, salões de festa
● e escolas, onde são vendidos
● diversos tipos de mercadorias,
● em geral baratas e sobretudo de
● segunda mão, a fim de coletar
● dinheiro para uma obra de
● caridade, uma escola ou uma
● igreja.

jump [dʒʌmp] *vi* saltar, pular; *(start)* sobressaltar-se; *(increase)* disparar ▷ *vt* pular, saltar ▷ *n* pulo, salto; *(increase)* alta; *(fence)* obstáculo; **to ~ the queue** (BRIT) furar a fila (BR), pôr-se à frente (PT)

jumper ['dʒʌmpə°] *n* (BRIT: *pullover*) suéter *m* (BR), camisola (PT); (US: *pinafore dress*) avental *m*; **jumper cables** (US) *npl* =**jump leads**

jump leads (BRIT) *npl* cabos *mpl* para ligar a bateria

Jun. *abbr* =**junior**

junction ['dʒʌŋkʃən] (BRIT) *n* (*of roads*) cruzamento; (*rail*) entroncamento

June [dʒu:n] *n* junho

jungle ['dʒʌŋgl] *n* selva, mato

junior ['dʒu:nɪə°] *adj* (*in age*) mais novo *or* moço; (*position*) subalterno ▷ *n* jovem *m/f*

junk [dʒʌŋk] *n* (*cheap goods*) tranqueira, velharias *fpl*; (*rubbish*) lixo; **junk food** *n* comida pronta de baixo valor nutritivo; **junk mail** *n* correspondência não-solicitada

jury ['dʒuərɪ] *n* júri *m*

just [dʒʌst] *adj* justo ▷ *adv* (*exactly*) justamente, exatamente; (*only*) apenas, somente; **he's ~ done it/left** ele acabou (BR) *or* acaba (PT) de fazê-lo/ir; **~ right** perfeito; **~ two o'clock** duas (horas) em ponto; **she's ~ as clever as you** ela é tão inteligente como você; **it's ~ as well that ...** ainda bem que ...; **~ as he was leaving** no momento em que ele saía; **~ before/enough** justo antes/o suficiente; **~ here** bem aqui; **he ~ missed** falhou por pouco; **~ listen** escute aqui!

justice ['dʒʌstɪs] *n* justiça; (US: *judge*) juiz (juíza) *m/f*; **to do ~ to** (*fig*) apreciar devidamente

justify ['dʒʌstɪfaɪ] *vt* justificar

jut [dʒʌt] *vi* (also: **~ out**) sobressair

juvenile ['dʒu:vənaɪl] *adj* juvenil; (*court*) de menores; (*books*) para adolescentes; (*humour, mentality*) infantil ▷ *n* menor *m/f* de idade

K abbr (= kilobyte) K ▷ n abbr (= one thousand) mil

kangaroo [kæŋgə'ru:] n canguru m

karate [kə'rɑːtɪ] n karatê m

kebab [kə'bæb] n churrasquinho, espetinho

keen [ki:n] adj (interest, desire) grande, vivo; (eye, intelligence) penetrante; (competition) acirrado, intenso; (edge) afiado; (eager) entusiasmado; **to be ~ to do** or **on doing sth** sentir muita vontade de fazer algo; **to be ~ on sth/sb** gostar de algo/alguém

keep [ki:p] (pt, pp **kept**) vt guardar, ficar com; (house etc) cuidar; (detain) deter; (shop etc) tomar conta de; (preserve) conservar; (accounts, family) manter; (promise) cumprir; (chickens, bees etc) criar; (prevent): **to ~ sb from doing sth** impedir alguém de fazer algo ▷ vi (food) conservar-se; (remain) ficar ▷ n (of castle) torre f de menagem; (food etc): **to earn one's ~** ganhar a vida; (inf): **for ~s** para sempre; **to ~ doing sth** continuar fazendo algo; **to ~ sb happy** manter alguém satisfeito; **to ~ a place tidy** manter um lugar limpo; **keep on** vi: **to ~ on doing** continuar fazendo algo; **to ~ on (about sth)** falar sem parar sobre algo; **keep out** vt impedir de entrar; **"~ out"** "entrada proibida"; **keep up** vt manter ▷ vi não atrasar-se, acompanhar; **to ~ up with** (pace) acompanhar; (level) manter-se ao nível de; **keeper** n guarda m, guardião(-diã) m/f

kennel ['kɛnl] n casa de cachorro; **~s** n (establishment) canil m

kerb [kə:b] (BRIT) n meio-fio (BR), borda do passeio (PT)

kettle ['kɛtl] n chaleira

key [ki:] n chave f; (Mus) clave f; (of piano, typewriter) tecla ▷ cpd (issue etc) chave ▷ vt (also: **~ in**) colocar; **keyboard** n teclado; **keyhole** n buraco da fechadura; **keyring** n chaveiro

khaki ['kɑːkɪ] adj cáqui

kick [kɪk] vt dar um pontapé em; (ball) chutar; (inf: habit) conseguir superar ▷ vi (horse) dar coices ▷ n (from person) pontapé m; (from animal) coice m, patada; (to ball) chute m; (inf: thrill): **he does it for ~s** faz isso para curtir; **kick off** vi (sport) dar o chute inicial

kid [kɪd] n (inf: child) criança; (animal) cabrito; (leather) pelica ▷ vi (inf) brincar

kidnap ['kɪdnæp] vt seqüestrar

kidney ['kɪdnɪ] n rim m

kill [kɪl] vt matar; (murder) assassinar ▷ n ato de matar; **killer** n assassino(-a); **killing** n assassinato; **to make a killing** (inf) faturar uma boa nota

kiln [kıln] n forno

kilo ['ki:ləʊ] n quilo; **kilobyte**
n quilobyte m; **kilogram(me)**
n quilograma m; **kilometre** (US
kilometer) n quilômetro; **kilowatt**
n quilowatt m

kilt [kɪlt] n saiote m escocês

kin [kɪn] n see **next**

kind [kaɪnd] adj (friendly) gentil;
(generous) generoso; (good) bom
(boa) bondoso, amável; (voice)
suave ▷ n espécie f, classe f;
(species) gênero; **in ~** (Comm) em
espécie

kindergarten ['kɪndəgɑːtn] n
jardim m de infância

kindly ['kaɪndlɪ] adj bom
(boa) bondoso; (gentle) gentil,
carinhoso ▷ adv bondosamente,
amavelmente; **will you ~ ...** você
pode fazer o favor de ...

kindness ['kaɪndnɪs] n bondade
f, gentileza

king [kɪŋ] n rei m; **kingdom** n
reino; **kingfisher** n
martim-pescador m

kiosk ['kiːɔsk] n banca (BR),
quiosque m (PT); (BRIT: Tel) cabine f

kipper ['kɪpə°] n arenque defumado

kiss [kɪs] n beijo ▷ vt beijar; **to ~
(each other)** beijar-se; **kiss of life**
(BRIT) n respiração f artificial

kit [kɪt] n (for sport etc) kit m;
(equipment) equipamento; (tools)
caixa de ferramentas; (for assembly)
kit m para montar

kitchen ['kɪtʃɪn] n cozinha

kite [kaɪt] n (toy) papagaio, pipa

kitten ['kɪtn] n gatinho

kitty ['kɪtɪ] n fundo comum,
vaquinha

km abbr (= kilometre) km

knack [næk] n jeito

knee [niː] n joelho; **kneecap**
n rótula

kneel [niːl] (pt, pp **knelt**) vi (also: ~
down) ajoelhar-se

knew [njuː] pt of **know**

knickers ['nɪkəz] (BRIT) npl
calcinha (BR), cuecas fpl (PT)

knife [naɪf] (pl **knives**) n faca ▷ vt
esfaquear

knight [naɪt] n cavaleiro; (chess)
cavalo

knit [nɪt] vt tricotar; (brows) franzir
▷ vi tricotar (BR), fazer malha (PT);
(bones) consolidar-se; **knitting** n
tricô m; **knitting needle** n agulha
de tricô (BR) or de malha (PT);
knitwear n roupa de malha

knives [naɪvz] npl of **knife**

knob [nɔb] n (of door) maçaneta;
(of stick) castão m; (on TV etc)
botão m

knock [nɔk] vt bater em; (bump
into) colidir com; (inf) criticar,
malhar ▷ n pancada, golpe m; (on
door) batida ▷ vi: **to ~ at** or **on the
door** bater à porta; **knock down**
vt derrubar; (pedestrian) atropelar;
knock off vi (inf: finish) terminar
▷ vt (inf: steal) abafar; (from price):
to ~ off £10 fazer um desconto de
£10; **knock out** vt pôr nocaute,
nocautear; (defeat) eliminar; **knock
over** vt derrubar; (pedestrian)
atropelar

knot [nɔt] n nó m ▷ vt dar nó em

know [nəʊ] (pt **knew**, pp **known**)
vt saber; (person, author, place)
conhecer; **to ~ how to swim** saber
nadar; **to ~ about** or **of sth** saber
de algo; **know-how** n know-
how m, experiência; **knowingly**
adv de propósito; (spitefully)
maliciosamente

knowledge ['nɔlɪdʒ] n
conhecimento; (learning)
saber m, conhecimentos mpl;
knowledgeable adj entendido,
versado

knuckle ['nʌkl] *n* nó *m*
Koran [kɔ'rɑːn] *n*: **the ~** o Alcorão
Korea [kə'rɪə] *n* Coréia
kosher ['kəuʃə*] *adj* kosher *inv*
Kosovo ['kɔsəvəu] *n* Kosovo *m*

L (*BRIT*) *abbr* (*Aut*) *of* **learner**
lab [læb] *n abbr* = **laboratory**
label ['leɪbl] *n* etiqueta, rótulo ▷ *vt*
  etiquetar, rotular
labor *etc* ['leɪbə*] (*US*) = **labour** *etc*
laboratory [lə'bɔrətərɪ] *n*
  laboratório
labour ['leɪbə*] (*US* **labor**) *n*
  trabalho; (*workforce*) mão-de-obra *f*;
  (*Med*): **to be in ~** estar em trabalho
  de parto ▷ *vi* trabalhar ▷ *vt* insistir
  em; **the Labour Party** (*BRIT*) o
  Partido Trabalhista; **labourer**
  n operário; **farm labourer**
  trabalhador *m* rural, peão *m*
lace [leɪs] *n* renda; (*of shoe etc*)
  cadarço ▷ *vt* (*shoe*) amarrar
lack [læk] *n* falta ▷ *vt* (*money,
  confidence*) faltar; (*intelligence*)
  carecer de; **through** *or* **for ~ of** por
  falta de; **to be ~ing** faltar; **to be
  ~ing in** carecer de
lacquer ['lækə*] *n* laca; (*hair ~*)

fixador m

lad [læd] n menino, rapaz m, moço

ladder ['lædə*] n escada f de mão; (BRIT: in tights) defeito (em forma de escada)

ladle ['leɪdl] n concha (de sopa)

lady ['leɪdɪ] n senhora; (distinguished, noble) dama; (in address): **ladies and gentlemen ...** senhoras e senhores ...; **young ~** senhorita; **"ladies' (toilets)"** "senhoras"; **ladybird** (US **ladybug**) n joaninha

lag [læg] n atraso, retardamento ▷ vi (also: **~ behind**) ficar para trás ▷ vt (pipes) revestir com isolante térmico

lager ['lɑ:gə*] n cerveja leve e clara

lagoon [lə'gu:n] n lagoa

laid [leɪd] pt, pp of **lay**

lain [leɪn] pp of **lie**

lake [leɪk] n lago

lamb [læm] n cordeiro

lame [leɪm] adj coxo, manco; (excuse, argument) pouco convincente, fraco

lament [lə'mɛnt] n lamento, queixa ▷ vt lamentar-se de

lamp [læmp] n lâmpada; **lamppost** (BRIT) n poste m; **lampshade** n abajur m, quebraluz m

land [lænd] n terra; (country) país m; (piece of ~) terreno; (estate) terras fpl, propriedades fpl ▷ vi (from ship) desembarcar; (Aviat) pousar, aterrissar (BR), aterrar (PT); (fig: arrive) cair, terminar ▷ vt desembarcar; **to ~ sb with sth** (inf) sobrecarregar alguém com algo; **land up** vi ir parar; **landing** n (Aviat) pouso, aterrissagem f (BR), aterragem f (PT); (of staircase) patamar m; **landlady** n senhoria; (of pub) dona, proprietária; **landlord** n senhorio, locador m; (of pub)

dono, proprietário; **landmark** n lugar m conhecido; (fig) marco; **landowner** n latifundiário(-a)

landscape ['lændskeɪp] n paisagem f

landslide ['lændslaɪd] n (Geo) desmoronamento, desabamento; (fig: Pol) vitória esmagadora

lane [leɪn] n caminho, estrada estreita; (Aut) pista; (in race) raia

language ['læŋgwɪdʒ] n língua; (way one speaks) linguagem f; **bad ~** palavrões mpl; **language laboratory** n laboratório de línguas; **language school** n escola de línguas

lantern ['læntn] n lanterna

lap [læp] n (of track) volta; (of person) colo ▷ vt (also: **~ up**) lamber ▷ vi (waves) marulhar; **lap up** vt (fig) receber com sofreguidão

lapel [lə'pɛl] n lapela

lapse [læps] n lapso; (bad behaviour) deslize m ▷ vi (law) prescrever; **to ~ into bad habits** adquirir maus hábitos

laptop (computer) ['læptɔp-] n laptop m

lard [lɑ:d] n banha de porco

larder ['lɑ:də*] n despensa

large [lɑ:dʒ] adj grande; **at ~** (free) em liberdade; (generally) em geral; **largely** adv em grande parte; (introducing reason) principalmente; **large-scale** adj (map) em grande escala; (fig) importante, de grande alcance

lark [lɑ:k] n (bird) cotovia; (joke) brincadeira, peça; **lark about** vi divertir-se, brincar

laryngitis [lærɪn'dʒaɪtɪs] n laringite f

laser ['leɪzə*] n laser m; **laser printer** n impressora a laser

lash [læʃ] n (blow) chicotada; (also: **eye~**) pestana, cílio ▷ vt chicotear, açoitar; (subj: rain, wind) castigar; (tie) atar; **lash out** vi: **to ~ out at sb** atacar alguém violentamente; (criticize) atacar alguém verbalmente

lass [læs] (BRIT) n moça

last [lɑːst] adj último; (final) derradeiro ▷ adv em último lugar ▷ vi durar; (continue) continuar; **~ night/week** ontem à noite/na semana passada; **at ~** finalmente; **~ but one** penúltimo; **lastly** adv por fim, por último; (finally) finalmente; **last-minute** adj de última hora

latch [lætʃ] n trinco, fecho, tranca

late [leɪt] adj (not on time) atrasado; (far on in day etc) tardio; (former) antigo, ex-, anterior; (dead) falecido ▷ adv tarde; (behind time, schedule) atrasado; **of ~** recentemente; **in ~ May** no final de maio; **latecomer** n retardatário(-a); **lately** adv ultimamente

later ['leɪtə*] adj (date etc) posterior; (version etc) mais recente ▷ adv mais tarde, depois; **~ on** mais tarde

latest ['leɪtɪst] adj último; **at the ~** no mais tardar

lather ['lɑːðə*] n espuma (de sabão) ▷ vt ensaboar

Latin ['lætɪn] n (Ling) latim m ▷ adj latino; **Latin America** n América Latina; **Latin American** adj, n latino-americano(-a)

latitude ['lætɪtjuːd] n latitude f

latter ['lætə*] adj último; (of two) segundo ▷ n: **the ~** o último, este

laugh [lɑːf] n riso, risada ▷ vi rir, dar risada (or gargalhada); **(to do sth) for a ~** (fazer algo) só de curtição; **laugh at** vt fus rir de; **laugh off** vt disfarçar sorrindo; **laughter** n riso, risada

launch [lɔːntʃ] n (boat) lancha; (Comm, of rocket etc) lançamento ▷ vt lançar; **launch into** vt fus lançar-se a

laundry ['lɔːndrɪ] n lavanderia; (clothes) roupa para lavar

lava ['lɑːvə] n lava

lavatory ['lævətərɪ] n privada (BR), casa de banho (PT)

lavender ['lævəndə*] n lavanda

lavish ['lævɪʃ] adj (amount) generoso; (person): **~ with** pródigo em, generoso com ▷ vt: **to ~ sth on sb** encher or cobrir alguém de algo

law [lɔː] n lei f; (rule) regra; (Sch) direito; **lawful** adj legal, lícito

lawn [lɔːn] n gramado (BR), relvado (PT); **lawnmower** n cortador m de grama (BR) or de relva (PT)

lawsuit ['lɔːsuːt] n ação f judicial, processo

lawyer ['lɔːjə*] n advogado(-a); (for sales, wills etc) notário(-a), tabelião(-liã) m/f

lax [læks] adj (discipline) relaxado; (person) negligente

laxative ['læksətɪv] n laxante m

lay [leɪ] (pt, pp **laid**) pt of **lie** ▷ adj leigo ▷ vt colocar; (eggs, table) pôr; **lay aside** or **by** vt pôr de lado; **lay down** vt depositar; (rules etc) impor, estabelecer; **to ~ down the law** (pej) impor regras; **to ~ down one's life** sacrificar voluntariamente a vida; **lay off** vt (workers) demitir; **lay on** vt (meal etc) prover; **lay out** vt (spread out) dispor em ordem; **lay-by** (BRIT) n acostamento

layer ['leɪə*] n camada

layman ['leɪmən] (irreg) n leigo

layout ['leɪaʊt] n (of garden, building) desenho; (of writing) leiaute m

lazy ['leɪzɪ] adj preguiçoso; (movement) lento

lb. abbr = **pound** (weight)

lead¹ [liːd] (*pt, pp* **led**) *n* (*front position*) dianteira; (*sport*) liderança; (*fig*) vantagem *f*; (*clue*) pista; (*Elec*) fio; (*for dog*) correia; (*in play, film*) papel *m* principal ▷ *vt* levar; (*be leader of*) chefiar; (*start, guide: activity*) encabeçar ▷ *vi* encabeçar; **to be in the ~** (*sport: in race*) estar na frente; (: *in match*) estar ganhando; **to ~ the way** assumir a direção; **lead away** *vt* levar; **lead back** *vt* levar de volta; **lead on** *vt* (*tease*) provocar; **lead to** *vt fus* levar a, conduzir a; **lead up to** *vt fus* conduzir a
lead² [lɛd] *n* chumbo; (*in pencil*) grafite *f*
leader ['liːdə*] *n* líder *m/f*; **leadership** *n* liderança; (*quality*) poder *m* de liderança
lead-free [lɛd-] *adj* sem chumbo
leading ['liːdɪŋ] *adj* principal; (*role*) de destaque; (*first, front*) primeiro, dianteiro
lead singer [liːd-] *n* cantor(a) *m/f*
leaf [liːf] (*pl* **leaves**) *n* folha ▷ *vi*: **to ~ through** (*book*) folhear; **to turn over a new ~** mudar de vida, partir para outra (*inf*)
leaflet ['liːflɪt] *n* folheto
league [liːg] *n* liga; **to be in ~ with** estar de comum acordo com
leak [liːk] *n* (*of liquid, gas*) escape *m*, vazamento; (*hole*) buraco, rombo; (*in roof*) goteira; (*fig: of information*) vazamento ▷ *vi* (*ship*) fazer água; (*shoe*) deixar entrar água; (*roof*) gotejar; (*pipe, container, liquid*) vazar; (*gas*) escapar ▷ *vt* (*news*) vazar
lean [liːn] (*pt, pp* **~ed** *or* **~t**) *adj* magro ▷ *vt*: **to ~ sth on** encostar *or* apoiar algo em ▷ *vi* inclinar-se; **to ~ against** encostar-se *or* apoiar-se contra; **to ~ on** encostar-se *or* apoiar-se em; **lean forward/back**

vi inclinar-se para frente/para trás; **lean out** *vi* inclinar-se; **lean over** *vi* debruçar-se ▷ *vt fus* debruçar-se sobre
leap [liːp] (*pt, pp* **~ed** *or* **~t**) *n* salto, pulo ▷ *vi* saltar; **leap year** *n* ano bissexto
learn [lɜːn] (*pt, pp* **~ed** *or* **~t**) *vt* aprender; (*by heart*) decorar ▷ *vi* aprender; **to ~ about sth** (*Sch: hear, read*) saber de algo; **learner** *n* principiante *m/f*; (*BRIT: also*: **learner driver**) aprendiz *m/f* de motorista
lease [liːs] *n* arrendamento ▷ *vt* arrendar
leash [liːʃ] *n* correia
least [liːst] *adj*: **the ~** + *n* o(a) menor; (*smallest amount of*) a menor quantidade de ▷ *adv*: **the ~** + *adj* o(a) menos; **at ~** pelo menos; **not in the ~** de maneira nenhuma
leather ['lɛðə*] *n* couro
leave [liːv] (*pt, pp* **left**) *vt* deixar; (*go away from*) abandonar ▷ *vi* ir-se, sair; (*train*) sair ▷ *n* licença; **to ~ sth to sb** deixar algo para alguém; **to be left** sobrar; **leave behind** *vt* deixar para trás; (*forget*) esquecer; **leave out** *vt* omitir
leaves [liːvz] *npl of* **leaf**
Lebanon ['lɛbənən] *n* Líbano
lecture ['lɛktʃə*] *n* conferência, palestra; (*Sch*) aula ▷ *vi* dar aulas, lecionar ▷ *vt* (*scold*) passar um sermão em; **lecturer** (*BRIT*) *n* (*at university*) professor(a) *m/f*
led [lɛd] *pt, pp of* **lead¹**
ledge [lɛdʒ] *n* (*of window*) peitoril *m*; (*of mountain*) saliência, proeminência
leek [liːk] *n* alho-poró *m*
left [lɛft] *pt, pp of* **leave** ▷ *adj* esquerdo ▷ *n* esquerda ▷ *adv* à esquerda; **on the ~** à esquerda; **to the ~** para a esquerda; **the Left**

(*Pol*) a Esquerda; **left-handed** *adj* canhoto; **left-luggage (office)** (*BRIT*) *n* depósito de bagagem; **left-wing** *adj* (*Pol*) de esquerda, esquerdista

leg [lɛg] *n* perna; (*of animal*) pata; (*Culin: of meat*) perna; (*of journey*) etapa; **lst/2nd ~** (*sport*) primeiro/ segundo turno

legacy ['lɛgəsɪ] *n* legado; (*fig*) herança

legal ['li:gl] *adj* legal

legend ['lɛdʒənd] *n* lenda; (*person*) mito

leggings ['lɛgɪŋz] *npl* legging *f*

legislation [lɛdʒɪs'leɪʃən] *n* legislação *f*

legitimate [lɪ'dʒɪtɪmət] *adj* legítimo

leisure ['lɛʒə°] *n* lazer *m*; **at ~** desocupado, livre

lemon ['lɛmən] *n* limão(-galego) *m*; **lemonade** [lɛmə'neɪd] *n* limonada; **lemon tea** *n* chá *m* de limão

lend [lɛnd] (*pt, pp* **lent**) *vt* emprestar

length [lɛŋθ] *n* comprimento, extensão *f*; (*amount of time*) duração *f*; **at ~** (*at last*) finalmente, afinal; (*lengthily*) por extenso; **lengthen** *vt* encompridar, alongar ▷ *vi* encompridar-se; **lengthways** *adv* longitudinalmente, ao comprido; **lengthy** *adj* comprido, longo; (*meeting*) prolongado

lens [lɛnz] *n* (*of spectacles*) lente *f*; (*of camera*) objetiva

Lent [lɛnt] *n* Quaresma

lent [lɛnt] *pt, pp of* **lend**

lentil ['lɛntl] *n* lentilha

Leo ['li:əu] *n* Leão *m*

leotard ['li:ətɑ:d] *n* collant *m*

lesbian ['lɛzbɪən] *n* lésbica

less [lɛs] *adj, pron, adv* menos ▷ *prep*: **~ tax/10% discount** menos

imposto/10% de desconto; **~ than ever** menos do que nunca; **~ and ~** cada vez menos; **the ~ he works ...** quanto menos trabalha ...

lessen ['lɛsn] *vi* diminuir, minguar ▷ *vt* diminuir, reduzir

lesser ['lɛsə°] *adj* menor; **to a ~ extent** nem tanto

lesson ['lɛsn] *n* aula; (*example, warning*) lição *f*; **to teach sb a ~** (*fig*) dar uma lição em alguém

let [lɛt] (*pt, pp* **let**) *vt* (*allow*) deixar; (*BRIT: lease*) alugar; **to ~ sb know sth** avisar alguém de algo; **~'s go!** vamos!; **"to ~"** "aluga-se"; **let down** *vt* (*tyre*) esvaziar; (*disappoint*) desapontar; **let go** *vt, vi* soltar; **let in** *vt* deixar entrar; (*visitor etc*) fazer entrar; **let off** *vt* (*culprit*) perdoar; (*firework etc*) soltar; **let on** *vi* revelar; **let out** *vt* deixar sair; (*scream*) soltar; **let up** *vi* cessar, afrouxar

lethal ['li:θl] *adj* letal

letter ['lɛtə°] *n* (*of alphabet*) letra; (*correspondence*) carta; **letterbox** (*BRIT*) *n* caixa do correio

lettuce ['lɛtɪs] *n* alface *f*

leukaemia [lu:'ki:mɪə] (*US* **leukemia**) *n* leucemia

level ['lɛvl] *adj* (*flat*) plano ▷ *adv*: **to draw ~ with** alcançar ▷ *n* nível *m*; (*height*) altura ▷ *vt* aplanar; **to be ~ with** estar no mesmo nível que; **on the ~** em nível; (*fig: honest*) sincero; **"A" levels** (*BRIT*) *npl* ≈ vestibular *m*; **"O" levels** *npl* exames *optativos feitos após o término do 10 Grau*; **level off** *or* **out** *vi* (*prices etc*) estabilizar-se; **level crossing** (*BRIT*) *n* passagem *f* de nível

lever ['li:və°] *n* alavanca; (*fig*) estratagema *m*; **leverage** *n* força de uma alavanca; (*fig: influence*) influência

liability [laɪə'bɪlətɪ] *n*

responsabilidade f; (handicap) desvantagem f; **liabilities** npl (Comm) exigibilidades fpl, obrigações fpl

liable ['laɪəbl] adj (subject): ~ **to** sujeito a; (responsible): ~ **for** responsável por; (likely): ~ **to do** capaz de fazer

liaise [li:'eɪz] vi: **to ~ (with)** cooperar (com)

liar ['laɪə°] n mentiroso(-a)

libel ['laɪbl] n difamação f ▷ vt caluniar, difamar

liberal ['lɪbərl] adj liberal; (generous) generoso

liberation [lɪbə'reɪʃən] n liberação f, libertação f

liberty ['lɪbətɪ] n liberdade f; (criminal): **to be at ~** estar livre; **to be at ~ to do** ser livre de fazer

Libra ['li:brə] n Libra, Balança

librarian [laɪ'brɛərɪən] n bibliotecário(-a)

library ['laɪbrərɪ] n biblioteca

Libya ['lɪbɪə] n Líbia

licence ['laɪsns] (US **license**) n (gen, Comm) licença; (Aut) carta de motorista (BR), carta de condução (PT)

license ['laɪsns] (US) = **licence** ▷ vt autorizar, dar licença a; **licensed** adj (car) autorizado oficialmente; (for alcohol) autorizado a vender bebidas alcoólicas; **license plate** (US) n (Aut) placa (de identificação) (do carro)

lick [lɪk] vt lamber; (inf: defeat) arrasar, surrar; **to ~ one's lips** (also fig) lamber os beiços

lid [lɪd] n tampa; (eye~) pálpebra

lie [laɪ] (pt **lay**, pp **lain**) vi (act) deitar-se; (state) estar deitado; (object: be situated) estar, encontrar-se; (fig: problem, cause) residir; (in race, league) ocupar; (tell ~s: pt, pp ~d) mentir ▷ n mentira; **to ~ low** (fig)

esconder-se; **lie about** or **around** vi (things) estar espalhado; (people) vadiar; **lie-in** (BRIT) n: **to have a lie-in** dormir até tarde

lieutenant [lɛf'tɛnənt, (US) lu:'tɛnənt] n (Mil) tenente m

life [laɪf] (pl **lives**) n vida; **to come to ~** animar-se; **lifeboat** n barco salva-vidas; **lifeguard** n (guarda m/f) salva-vidas m/f inv; **life jacket** n colete m salva-vidas; **lifelike** adj natural; (realistic) realista; **life preserver** (US) n = **lifebelt; life jacket; life sentence** n pena de prisão perpétua; **lifetime** n vida

lift [lɪft] vt levantar ▷ vi (fog) dispersar-se, dissipar-se ▷ n (BRIT: elevator) elevador m; **to give sb a ~** (BRIT) dar uma carona para alguém (BR), dar uma boleia a alguém (PT); **lift-off** n decolagem f

light [laɪt] n (pt, pp **lit**) n luz f; (Aut: headlight) farol m; (: rear ~) luz traseira; (for cigarette etc): **have you got a ~?** tem fogo? ▷ vt acender; (room) iluminar ▷ adj (colour, room) claro; (not heavy, fig) leve; (rain, traffic) fraco; (movement) delicado; **~s** npl (Aut) sinal m de trânsito; **to come to ~** vir à tona; **in the ~ of** à luz de; **light up** vi iluminar-se ▷ vt iluminar; **light bulb** n lâmpada; **lighten** vt tornar mais leve; **lighter** n (also: **cigarette lighter**) isqueiro, acendedor m; **light-hearted** adj alegre, despreocupado; **light-house** n farol m; **lighting** n iluminação f; **lightly** adv ligeiramente; **to get off lightly** conseguir se safar, livrar a cara (inf)

lightning ['laɪtnɪŋ] n relâmpago, raio

lightweight ['laɪtweɪt] adj (suit) leve; (boxing) peso-leve

like [laɪk] vt gostar de ▷ prep como; (such as) tal qual ▷ adj

parecido, semelhante ▷ n: **the ~**
coisas fpl parecidas; **his ~s and
dislikes** seus gostos e aversões; **I
would ~, I'd ~** (eu) gostaria de; **to
be** or **look ~ sb/sth** parecer-se com
alguém/algo, parecer alguém/algo;
do it ~ this faça isso assim; **it is
nothing ~ ...** não se parece nada
com ...; **likeable** adj simpático,
agradável

likelihood ['laɪklɪhud] n
probabilidade f

likely ['laɪklɪ] adj provável; **he's ~
to leave** é provável que ele se vá;
not ~! (inf) nem morto!

likewise ['laɪkwaɪz] adv
igualmente; **to do ~** fazer o mesmo

liking ['laɪkɪŋ] n afeição f,
simpatia; **to be to sb's ~** ser ao
gosto de alguém

lilac ['laɪlək] n lilás m

lily ['lɪlɪ] n lírio, açucena

limb [lɪm] n membro

limbo ['lɪmbəu] n: **to be in ~** (fig)
viver na expectativa

lime [laɪm] n (tree) limeira; (fruit)
limão m; (also: **~ juice**) suco (BR) or
sumo (PT) de limão; (Geo) cal f

limelight ['laɪmlaɪt] n: **to be in
the ~** ser o centro das atenções

limestone ['laɪmstəun] n pedra
calcária

limit ['lɪmɪt] n limite m ▷ vt
limitar; **limited** adj limitado; **to be
limited to** limitar-se a

limp [lɪmp] n: **to have a ~** mancar,
ser coxo ▷ vi mancar ▷ adj frouxo

line [laɪn] n linha; (rope) corda;
(wire) fio; (row) fila, fileira; (on face)
ruga ▷ vt (road, room) encarreirar;
(container, clothing) forrar; **to ~ the
streets** ladear as ruas; **in ~ with** de
acordo com; **line up** vi enfileirar-se
▷ vt enfileirar; (set up, have ready)
preparar, arranjar

linen ['lɪnɪn] n artigos de cama e

mesa; (cloth) linho

liner ['laɪnə*] n navio de linha
regular; (also: **bin ~**) saco para lata
de lixo

linger ['lɪŋɡə*] vi demorar-se,
retardar-se; (smell, tradition)
persistir

lining ['laɪnɪŋ] n forro; (Anat)
parede f

link [lɪŋk] n (of a chain) elo;
(connection) conexão f ▷ vt vincular,
unir; (associate): **to ~ with** or **to** unir
a; **~s** npl (golf) campo de golfe; **link
up** vt acoplar ▷ vi unir-se

lion ['laɪən] n leão m; **lioness** n leoa

lip [lɪp] n lábio; **lipread** (irreg) vi ler
os lábios; **lip salve** n pomada para
os lábios; **lipstick** n batom m

liqueur [lɪ'kjuə*] n licor m

liquid ['lɪkwɪd] adj líquido ▷ n
líquido

liquor ['lɪkə*] n licor m, bebida
al-coólica

liquor store (US) n loja que vende
bebidas alcoólicas

Lisbon ['lɪzbən] n Lisboa

lisp [lɪsp] n ceceio ▷ vi cecear, falar
com a língua presa

list [lɪst] n lista ▷ vt (write down)
fazer uma lista or relação de;
(enumerate) enumerar

listen ['lɪsn] vi escutar, ouvir; **to ~
to** escutar; **listener** n ouvinte m/f

lit [lɪt] pt, pp of **light**

liter ['liːtə*] (US) n = **litre**

literacy ['lɪtərəsɪ] n capacidade f
de ler e escrever, alfabetização f

literal ['lɪtərl] adj literal

literary ['lɪtərərɪ] adj literário

literate ['lɪtərət] adj alfabetizado,
instruído; (educated) culto, letrado

literature ['lɪtərɪtʃə*] n literatura;
(brochures etc) folhetos mpl

litre ['liːtə*] (US **liter**) n litro

litter ['lɪtə*] n (rubbish) lixo; (young
animals) ninhada; **litter bin** (BRIT)

n lata de lixo

little ['lɪtl] *adj* (*small*) pequeno; (*not much*) pouco ▷ *often translated by suffix: eg:* **~ house** casinha ▷ *adv* pouco; **a ~** um pouco (de); **for a ~ while** por um instante; **as ~ as possible** o menos possível; **~ by ~** pouco a pouco

live [*vb* lɪv, *adj* laɪv] *vi* viver; (*reside*) morar ▷ *adj* vivo; (*wire*) eletrizado; (*broadcast*) ao vivo; (*shell*) carregado; **~ ammunition** munição de guerra; **live down** *vt* redimir; **live on** *vt fus* viver de, alimentar-se de; **to ~ on £50 a week** viver com £50 por semana; **live together** *vi* viver juntos; **live up to** *vt fus* (*fulfil*) cumprir

livelihood ['laɪvlɪhʊd] *n* meio de vida, subsistência

lively ['laɪvlɪ] *adj* vivo

liven up ['laɪvn-] *vt* animar ▷ *vi* animar-se

liver ['lɪvə°] *n* fígado

lives [laɪvz] *npl of* **life**

living ['lɪvɪŋ] *adj* vivo ▷ *n*: **to earn** *or* **make a ~** ganhar a vida; **living room** *n* sala de estar

lizard ['lɪzəd] *n* lagarto

load [ləʊd] *n* carga; (*weight*) peso ▷ *vt* (*gen*, *Comput*) carregar; **a ~ of**, **~s of** (*fig*) um monte de, uma porção de; **loaded** *adj* (*vehicle*): **to be loaded with** estar carregado de; (*question*) intencionado; (*inf: rich*) cheio da nota

loaf [ləʊf] (*pl* **loaves**) *n* pão-de-forma *m*

loan [ləʊn] *n* empréstimo ▷ *vt* emprestar; **on ~** emprestado

loathe [ləʊð] *vt* detestar, odiar

loaves [ləʊvz] *npl of* **loaf**

lobby ['lɔbɪ] *n* vestíbulo, saguão *m*; (*Pol: pressure group*) grupo de pressão, lobby *m* ▷ *vt* pressionar

lobster ['lɔbstə°] *n* lagostim *m*;

(*large*) lagosta

local ['ləʊkl] *adj* local ▷ *n* (*pub*) bar *m* (local); **the ~s** *npl* (*~ inhabitants*) os moradores locais; **local anaesthetic** *n* anestesia local

locate [ləʊ'keɪt] *vt* (*find*) localizar, situar; (*situate*): **to be ~d in** estar localizado em

location [ləʊ'keɪʃən] *n* local *m*, posição *f*; **on ~** (*Cinema*) em externas

loch [lɔx] *n* lago

lock [lɔk] *n* (*of door, box*) fechadura; (*of canal*) eclusa; (*of hair*) anel *m*, mecha ▷ *vt* (*with key*) trancar ▷ *vi* (*door etc*) fechar-se à chave; (*wheels*) travar-se; **lock in** *vt* trancar dentro; **lock out** *vt* trancar do lado de fora; **lock up** *vt* (*criminal, mental patient*) prender; (*house*) trancar ▷ *vi* fechar tudo

locker ['lɔkə°] *n* compartimento com chave

locksmith ['lɔksmɪθ] *n* serralheiro(-a)

lodge [lɔdʒ] *n* casa do guarda, guarita; (*hunting ~*) pavilhão *m* de caça ▷ *vi* (*person*): **to ~ (with)** alojar-se (na casa de) ▷ *vt* (*complaint*) apresentar; **lodger** *n* inquilino(-a), hóspede *m/f*

loft [lɔft] *n* sótão *m*

log [lɔg] *n* (*of wood*) tora

logbook ['lɔgbʊk] *n* (*Naut*) diário de bordo; (*Aviat*) diário de vôo; (*of car*) documentação *f* (do carro)

logic ['lɔdʒɪk] *n* lógica; **logical** *adj* lógico

lollipop ['lɔlɪpɔp] *n* pirulito (BR), chupa-chupa *m* (PT); **lollipop lady/ man** *n* (BRIT) *ver quadro*

● **LOLLIPOP LADY/MAN**
●
● **Lollipop ladies/men** são
● as pessoas que ajudam as

crianças a atravessar a rua nas proximidades das escolas na hora da entrada e da saída. São facilmente localizados graças a suas longas capas brancas e à placa redonda com a qual pedem aos motoristas que parem. São chamados assim por causa da forma circular da placa, que lembra um pirulito (*lollipop*).

London [ˈlʌndən] *n* Londres; **Londoner** *n* londrino(-a)

lone [ləun] *adj* (*person*) solitário; (*thing*) único

loneliness [ˈləunlɪnɪs] *n* solidão f, isolamento

lonely [ˈləunlɪ] *adj* (*person*) só; (*place*) solitário, isolado

long [lɔŋ] *adj* longo; (*road, hair, table*) comprido ▷ *adv* muito tempo ▷ *vi*: **to ~ for sth** ansiar *or* suspirar por algo; **how ~ is the street?** qual é a extensão da rua?; **how ~ is the lesson?** quanto dura a lição?; **all night ~** a noite inteira; **he no ~er comes** ele não vem mais; **~ before/after** muito antes/depois; **before ~** (+*future*) dentro de pouco; (+*past*) pouco tempo depois; **at ~ last** por fim, no final; **so** *or* **as ~ as** contanto que; **long-distance** *adj* (*travel*) de longa distância; (*call*) interurbano; **longing** *n* desejo, anseio

longitude [ˈlɔŋgɪtjuːd] *n* longitude f

long: long jump *n* salto em distância; **long-sighted** *adj* presbita; **long-standing** *adj* de muito tempo; **long-term** *adj* a longo prazo

loo [luː] (BRIT: *inf*) *n* banheiro (BR), casa de banho (PT)

look [luk] *vi* olhar; (*seem*) parecer; (*building etc*) **to ~ south/(out) onto the sea** dar para o sul/o mar ▷ *n* olhar *m*; (*glance*) olhada, vista de olhos; (*appearance*) aparência, aspecto; **~s** *npl* (*good* **~s**) físico, aparência; **~ (here)!** (*annoyance*) escuta aqui!; **~!** (*surprise*) olha!; **look after** *vt fus* cuidar de; (*deal with*) lidar com; **look at** *vt fus* olhar (para); (*read quickly*) ler rapidamente; (*consider*) considerar; **look back** *vi*: **to ~ back on** (*remember*) recordar, rever; **look down on** *vt fus* (*fig*) desdenhar, desprezar; **look for** *vt fus* procurar; **look forward to** *vt fus* aguardar com prazer, ansiar por; (*in letter*): **we ~ forward to hearing from you** no aguardo de suas notícias; **look into** *vt fus* investigar; **look on** *vi* assistir; **look out** *vi* (*beware*): **to ~ out (for)** tomar cuidado (com); **look out for** *vt fus* (*await*) esperar; **look round** *vi* virar a cabeça, voltar-se; **look through** *vt fus* (*papers, book*) examinar; **look to** *vt fus* (*rely on*) contar com; **look up** *vi* levantar os olhos; (*improve*) melhorar ▷ *vt* (*word*) procurar

loop [luːp] *n* laço ▷ *vt*: **to ~ sth round sth** prender algo em torno de algo

loose [luːs] *adj* solto; (*not tight*) frouxo ▷ *n*: **to be on the ~** estar solto; **loosely** *adv* frouxamente, folgadamente; **loosen** *vt* (*free*) soltar; (*slacken*) afrouxar

loot [luːt] *n* saque *m*, despojo ▷ *vt* saquear, pilhar

lord [lɔːd] *n* senhor *m*; **L~ Smith** Lord Smith; **the L~** (*Rel*) o Senhor; **good L~!** Deus meu!; **the (House of) L~s** (BRIT) a Câmara dos Lordes

lorry [ˈlɔrɪ] (BRIT) *n* caminhão *m* (BR), camião *m* (PT); **lorry driver** (BRIT) *n* caminhoneiro (BR), camionista *m/f* (PT)

lose [luːz] (*pt, pp* **lost**) *vt, vi* perder;

to ~ (time) (clock) atrasar-se; **loser** n perdedor(a) m/f; (inf: failure) derrotado(-a), fracassado(-a)

loss [lɔs] n perda; (Comm): **to make a ~** sair com prejuízo; **heavy ~es** (Mil) grandes perdas; **to be at a ~** estar perplexo

lost [lɔst] pt, pp of **lose** ▷ adj perdido; **~ and found** (US) (seção f de) perdidos e achados mpl; **lost property** (BRIT) n (objetos mpl) perdidos e achados mpl

lot [lɔt] n (set of things) porção f; (at auctions) lote m; **the ~** tudo, todos(-as); **a ~** muito, bastante; **a ~ of**, **~s of** muito(s); **I read a ~** leio bastante; **to draw ~s** tirar à sorte

lotion ['ləuʃən] n loção f

lottery ['lɔtərɪ] n loteria

loud [laud] adj (voice) alto; (shout) forte; (noise) barulhento; (support, condemnation) veemente; (gaudy) berrante ▷ adv alto; **out ~** em voz alta; **loudly** adv ruidosamente; (aloud) em voz alta; **loudspeaker** n alto-falante m

lounge [laundʒ] n sala f de estar; (of airport) salão m; (BRIT: also: **~ bar**) bar m social ▷ vi recostar-se, espreguiçar-se; **lounge about** vi ficar à toa; **lounge around** vi = **lounge about**

lousy ['lauzɪ] (inf) adj ruim, péssimo; (ill): **to feel ~** sentir-se mal

love [lʌv] n amor m ▷ vt amar; (care for) gostar; (activity): **to ~ to do** gostar (muito); **~ (from) Anne** (on letter) um abraço or um beijo, Anne; **I ~ you** eu te amo (BR), amo-te (PT); **I ~ coffee** adoro o café; **"15 ~"** (tennis) "15 a zero"; **to be in ~ with** estar apaixonado por; **to fall in ~ with** apaixonar-se por; **to make ~** fazer amor; **love affair** n aventura (amorosa), caso (de amor); **love life** n vida sentimental

lovely ['lʌvlɪ] adj encantador(a), delicioso; (beautiful) lindo, belo; (holiday) muito agradável, maravilhoso

lover ['lʌvə*] n amante m/f

loving ['lʌvɪŋ] adj carinhoso, afetuoso; (actions) dedicado

low [ləu] adj baixo; (depressed) deprimido; (ill) doente ▷ adv baixo ▷ n (meteorology) área de baixa pressão; **to be ~ on** (supplies) ter pouco; **to reach a new or an all-time ~** cair para o seu nível mais baixo; **low-alcohol** adj de baixo teor alcoólico; **low-calorie** adj de baixas calorias; **lower** adj mais baixo; (less important) inferior ▷ vt abaixar; (reduce) reduzir, diminuir; **low-fat** adj magro

loyal ['lɔɪəl] adj leal; **loyalty** n lealdade f; **loyalty card** n (BRIT) cartão m de fidelidade

L-plates ['ɛlpleɪts] (BRIT) npl placas fpl de aprendiz de motorista; ver quadro

⬤ **L-PLATES**
⬤
⬤ As **L-plates** são placas quadradas
⬤ com um "L" vermelho que são
⬤ colocadas na parte de trás
⬤ do carro para mostrar que a
⬤ pessoa ao volante ainda não
⬤ tem carteira de motorista.
⬤ Até a obtenção da carteira,
⬤ o motorista aprendiz possui
⬤ uma permissão provisória e
⬤ não tem direito de dirigir sem
⬤ um motorista qualificado ao
⬤ lado. Os motoristas aprendizes
⬤ não podem dirigir em
⬤ rodovias mesmo que estejam
⬤ acompanhados.

Ltd (BRIT) abbr (= limited (liability) company) SA

luck [lʌk] n sorte f; **bad ~** azar m;

good ~! boa sorte!; **bad** or **hard** or **tough ~!** que azar!; **luckily** adv por sorte, felizmente; **lucky** adj (person) sortudo; (situation) afortunado; (object) de sorte

ludicrous ['luːdɪkrəs] adj ridículo

luggage ['lʌgɪdʒ] n bagagem f; **luggage rack** n porta-bagagem m, bagageiro

lukewarm ['luːkwɔːm] adj morno, tépido; (fig) indiferente

lull [lʌl] n pausa, interrupção f ▷ vt: **to ~ sb to sleep** acalentar alguém; **to be ~ed into a false sense of security** ser acalmado com uma falsa sensação de segurança

lullaby ['lʌləbaɪ] n canção f de ninar

lumber ['lʌmbə°] n (junk) trastes mpl velhos; (wood) madeira serrada, tábua ▷ vt: **to ~ sb with sth/sb** empurrar algo/alguém para cima de alguém

luminous ['luːmɪnəs] adj luminoso

lump [lʌmp] n torrão m; (fragment) pedaço; (on body) galo, caroço; (also: **sugar ~**) cubo de açúcar ▷ vt: **to ~ together** amontoar; **a ~ sum** uma quantia global; **lumpy** adj encaroçado

lunatic ['luːnətɪk] adj louco(-a)

lunch [lʌntʃ] n almoço

lung [lʌŋ] n pulmão m

lure [luə°] n isca ▷ vt atrair, seduzir

lurk [ləːk] vi (hide) esconder-se; (wait) estar à espreita

lush [lʌʃ] adj exuberante

lust [lʌst] n luxúria; (greed) cobiça; **lust after** or **for** vt fus cobiçar

Luxembourg ['lʌksəmbəːg] n Luxemburgo

luxurious [lʌgˈzjuərɪəs] adj luxuoso

luxury ['lʌkʃərɪ] n luxo ▷ cpd de luxo

lying ['laɪɪŋ] n mentira(s) f (pl) ▷ adj mentiroso, falso

lyrics ['lɪrɪks] npl (of song) letra

M.A. abbr (Sch) = **Master of Arts**
mac [mæk] (BRIT) n capa
impermeável
macaroni [mækə'rəunɪ] n
macarrão m
machine [mə'ʃiːn] n máquina
▷ vt (dress etc) costurar à máquina;
(Tech) usinar; **machine gun** n
metralhadora; **machinery** n
maquinaria; (fig) máquina
mackerel ['mækrl] n inv cavala
mackintosh ['mækɪntɔʃ] (BRIT) n
capa impermeável
mad [mæd] adj louco; (foolish) tolo;
(angry) furioso, brabo; (keen): **to be ~
about** ser louco por
madam ['mædəm] n senhora,
madame f
made [meɪd] pt, pp of **make**
made-to-measure (BRIT) adj
feito sob medida
madly ['mædlɪ] adv loucamente; **~
in love** louco de amor

madman ['mædmən] (irreg) n
louco
madness ['mædnɪs] n loucura;
(foolishness) tolice f
magazine [mægə'ziːn] n (press)
revista; (Radio, TV) programa m de
atualidades
maggot ['mægət] n larva de
inseto
magic ['mædʒɪk] n magia, mágica
▷ adj mágico; **magical** adj mágico;
magician [mə'dʒɪʃən] n mago(-a);
(entertainer) mágico(-a)
magistrate ['mædʒɪstreɪt] n
magistrado(-a), juiz (juíza) m/f
magnet ['mægnɪt] n ímã m;
magnetic [mæg'nɛtɪk] adj
magnético
magnificent [mæg'nɪfɪsnt] adj
magnífico
magnify ['mægnɪfaɪ] vt
aumentar; **magnifying glass** n
lupa, lente f de aumento
magpie ['mægpaɪ] n pega
mahogany [mə'hɔgənɪ] n
mogno, acaju m
maid [meɪd] n empregada; **old ~**
(pej) solteirona
maiden name n nome m de
solteira
mail [meɪl] n correio; (letters)
cartas fpl ▷ vt pôr no correio;
mailbox (US) n caixa do correio;
mailing list n lista de clientes,
mailing list m
main [meɪn] adj principal ▷ n
(pipe) cano or esgoto principal; **the
~s** npl (Elec, gas, water) a rede; **in the
~** na maior parte; **mainland** n: **the
mainland** o continente; **mainly**
adv principalmente; **main road** n
estrada principal; **mainstream** n
corrente f principal
maintain [meɪn'teɪn] vt manter;
(keep up) conservar (em bom
estado); (affirm) sustentar, afirmar;

maintenance ['meɪntənəns] n
manutenção f; (alimony) alimentos
mpl, pensão f alimentícia

maize [meɪz] n milho

majesty ['mædʒɪstɪ] n majestade
f

major ['meɪdʒəʳ] n (Mil) major m
▷ adj (main) principal; (considerable)
importante; (Mus) maior

Majorca [məˈjɔːkə] n Maiorca

majority [məˈdʒɔrɪtɪ] n maioria

make [meɪk] (pt, pp **made**) vt
fazer; (manufacture) fabricar,
produzir; (cause to be): **to ~ sb sad**
entristecer alguém, fazer alguém
ficar triste; (force): **to ~ sb do sth**
fazer com que alguém faça algo;
(equal): **2 and 2 ~ 4** dois e dois são
quatro ▷ n marca; **to ~ a profit/
loss** ter um lucro/uma perda; **to ~ it**
(arrive) chegar; (succeed) ter sucesso;
what time do you ~ it? que horas
você tem?; **to ~ do with** contentar-
se com; **make for** vt fus (place)
dirigir-se a; **make out** vt (decipher)
decifrar; (understand) compreender;
(see) divisar, avistar; (cheque)
preencher; **make up** vt (constitute)
constituir; (invent) inventar; (parcel)
embrulhar ▷ vi reconciliar-se;
(with cosmetics) maquilar-se (BR),
maquilhar-se (PT); **make up for** vt
fus compensar; **maker** n (of film etc)
criador m; (manufacturer) fabricante
m/f; **makeshift** adj provisório;
make-up n maquilagem f (BR),
maquilhagem f (PT)

malaria [məˈlɛərɪə] n malária

Malaysia [məˈleɪzɪə] n Malaísia
(BR), Malásia (PT)

male [meɪl] n macho ▷ adj
masculino; (child etc) do sexo
masculino

malignant [məˈlɪgnənt] adj (Med)
maligno

mall [mɔːl] n (also: **shopping ~**)
shopping m

mallet ['mælɪt] n maço, marreta

malt [mɔːlt] n malte m

Malta ['mɔːltə] n Malta

mammal ['mæml] n mamífero

mammoth ['mæməθ] n mamute
m ▷ adj gigantesco, imenso

man [mæn] (pl **men**) n homem m
▷ vt (Naut) tripular; (Mil) guarnecer;
(machine) operar; **an old ~** um velho;
~ and wife marido e mulher

manage ['mænɪdʒ] vi arranjar-
se, virar-se ▷ (be in charge of)
dirigir, administrar; (business)
gerenciar; (ship, person) controlar;
manageable adj manejável;
(task etc) viável; **management**
n administração f, direção f,
gerência; **manager** n gerente m/f;
(sport) técnico(-a); **manageress**
[mænɪdʒəˈrɛs] n gerente f;
managerial [mænɪˈdʒɪərɪəl]
adj administrativo, gerencial;
managing director n diretor(a)
m/f geral, diretor-gerente (diretora-
gerente) m/f

mandarin ['mændərɪn] n (fruit)
tangerina; (person) mandarim m

mandatory ['mændətərɪ] adj
obrigatório

mane [meɪn] n (of horse) crina;
(of lion) juba

maneuver [məˈnuːvəʳ] (US) =
manoeuvre

mango ['mæŋgəu] (pl **~es**) n
manga

manhole ['mænhəul] n poço de
inspeção

manhood ['mænhud] n (age)
idade f adulta; (masculinity)
virilidade f

mania ['meɪnɪə] n mania; **maniac**
['meɪnɪæk] n maníaco(-a); (fig)
louco(-a)

manic ['mænɪk] adj maníaco

manicure ['mænɪkjuəʳ] n

manicure f (BR), manicura (PT)
manifest ['mænɪfɛst] vt
manifestar, mostrar ▷ adj
manifesto, evidente
manipulate [mə'nɪpjuleɪt] vt
manipular
mankind [mæn'kaɪnd] n
humanidade f, raça humana
man-made adj sintético, artificial
manner ['mænə°] n modo,
maneira; (behaviour) conduta,
comportamento; (type): **all ~ of
things** todos os tipos de coisa;
~s npl (conduct) boas maneiras
fpl, educação f; **bad ~s** falta de
educação; **all ~ of** todo tipo de
manoeuvre [mə'nu:və°]
(US **maneuver**) vt manobrar;
(manipulate) manipular ▷ vi
manobrar ▷ n manobra
manpower ['mænpauə°] n
potencial m humano, mão-de-
obra f
mansion ['mænʃən] n mansão f,
palacete m
manslaughter ['mænslɔ:tə°] n
homicídio involuntário
mantelpiece ['mæntlpi:s] n
consolo da lareira
manual ['mænjuəl] adj manual
▷ n manual m
manufacture [mænju'fæktʃə°]
vt manufaturar, fabricar ▷ n
fabricação f; **manufacturer** n
fabricante m/f
manure [mə'njuə°] n estrume
m, adubo
manuscript ['mænjuskrɪpt] n
manuscrito
many ['mɛnɪ] adj, pron
muitos(-as); **a great ~**
muitíssimos; **~ a time** muitas vezes
map [mæp] n mapa m; **map out**
vt traçar
maple ['meɪpl] n bordo
mar [mɑ:°] vt estragar

marathon ['mærəθən] n
maratona
marble ['mɑ:bl] n mármore m;
(toy) bola de gude
March [mɑ:tʃ] n março
march [mɑ:tʃ] vi marchar;
(demonstrators) desfilar ▷ n marcha;
passeata
mare [mɛə°] n égua
margarine [mɑ:dʒə'ri:n] n
margarina
margin ['mɑ:dʒɪn] n margem f;
marginal adj marginal; **marginal
seat** (Pol) cadeira ganha por
pequena maioria
marigold ['mærɪgəuld] n
malmequer m
marijuana [mærɪ'wɑ:nə] n
maconha
marine [mə'ri:n] adj marinho;
(engineer) naval ▷ n fuzileiro naval
marital ['mærɪtl] adj
matrimonial, marital; **~ status**
estado civil
marjoram ['mɑ:dʒərəm] n
manjerona
mark [mɑ:k] n marca, sinal
m; (imprint) impressão f; (stain)
mancha; (BRIT: Sch) nota; (currency)
marco ▷ vt marcar; (stain) manchar;
(indicate) indicar; (commemorate)
comemorar; (BRIT: Sch) dar nota em;
(: correct) corrigir; **to ~ time** marcar
passo; **marker** n (sign) marcador
m, marca; (bookmark) marcador
market ['mɑ:kɪt] n mercado ▷ vt
(Comm) comercializar; **marketing**
n marketing m; **marketplace**
n mercado; **market research** n
pesquisa de mercado
marmalade ['mɑ:məleɪd] n
geléia de laranja
maroon [mə'ru:n] vt: **to be ~ed**
ficar abandonado (numa ilha) ▷ adj
de cor castanho-avermelhado,
vinho inv

marquee [mɑːˈkiː] n toldo, tenda

marriage [ˈmærɪdʒ] n casamento

married [ˈmærɪd] adj casado; (life, love) conjugal

marrow [ˈmærəu] n medula; (vegetable) abóbora

marry [ˈmærɪ] vt casar(-se) com; (subj: father, priest etc) casar, unir ▷ vi (also: **get married**) casar(-se)

Mars [mɑːz] n Marte m

marsh [mɑːʃ] n pântano; (salt ~) marisma

marshal [ˈmɑːʃl] n (Mil: also: **field ~**) marechal m; (at sports meeting etc) oficial m ▷ vt (thoughts, support) organizar; (soldiers) formar

martyr [ˈmɑːtə°] n mártir m/f

marvel [ˈmɑːvl] n maravilha ▷ vi: **to ~ (at)** maravilhar-se (de or com); **marvellous** (US **marvelous**) adj maravilhoso

Marxist [ˈmɑːksɪst] adj, n marxista m/f

mascara [mæsˈkɑːrə] n rímel ® m

masculine [ˈmæskjulɪn] adj masculino

mash [mæʃ] vt (Culin) fazer um purê de; (crush) amassar

mask [mɑːsk] n máscara ▷ vt (face) encobrir; (feelings) esconder, ocultar

mason [ˈmeɪsn] n (also: **stone ~**) pedreiro(-a) (also: **free~**) maçom m; **masonry** n alvenaria

mass [mæs] n quantidade f; (people) multidão f; (Phys) massa; (Rel) missa; (great quantity) montão m ▷ cpd de massa ▷ vi reunir-se; (Mil) concentrar-se; **the ~es** npl (ordinary people) as massas; **~es of** (inf) montes de

massacre [ˈmæsəkə°] n massacre m, carnificina

massage [ˈmæsɑːʒ] n massagem f

massive [ˈmæsɪv] adj (large) enorme; (support) massivo

mass media npl meios mpl de comunicação de massa, mídia

mast [mɑːst] n (Naut) mastro; (Radio etc) antena

master [ˈmɑːstə°] n mestre m; (fig: of situation) dono; (in secondary school) professor m; (title for boys): **M~ X** o menino X ▷ vt controlar; (learn) conhecer a fundo; **mastermind** n (fig) cabeça ▷ vt dirigir, planejar; **Master of Arts/Science** n (degree) mestrado; **masterpiece** n obra-prima

mat [mæt] n esteira; (also: **door~**) capacho; (also: **table~**) descanso

match [mætʃ] n fósforo; (game) jogo, partida; (equal) igual m/f ▷ vt (also: **~ up**) casar, emparelhar; (go well with) combinar com; (equal) igualar; (correspond to) corresponder a ▷ vi combinar; (couple) formar um bom casal; **matchbox** n caixa de fósforos; **matching** adj que combina (com)

mate [meɪt] n (inf) colega m/f; (assistant) ajudante m/f; (animal) macho/fêmea; (in merchant navy) imediato ▷ vi acasalar-se

material [məˈtɪərɪəl] n (substance) matéria; (equipment) material m; (cloth) pano, tecido; (data) dados mpl ▷ adj material; **~s** npl (equipment) material

maternal [məˈtəːnl] adj maternal

maternity [məˈtəːnɪtɪ] n maternidade f

mathematical [mæθəˈmætɪkl] adj matemático

mathematics [mæθəˈmætɪks] n matemática

maths [mæθs] (US **math**) n matemática

matron [ˈmeɪtrən] n (in hospital) enfermeira-chefe f; (in school) inspetora

matter [ˈmætə°] n questão f, assunto; (Phys) matéria; (substance) substância; (*reading ~ etc*) material m; (*Med: pus*) pus m ▷ vi importar; **~s** npl (*affairs*) questões fpl; **it doesn't ~** não importa; (*I don't mind*) tanto faz; **what's the ~?** o que (é que) há?, qual é o problema?; **no ~ what** aconteça o que acontecer; **as a ~ of course** por rotina; **as a ~ of fact** na realidade, de fato

mattress ['mætrɪs] n colchão m

mature [mə'tjuə°] adj maduro; (*cheese, wine*) amadurecido ▷ vi amadurecer

maul [mɔːl] vt machucar, maltratar

mauve [məuv] adj cor de malva inv

maximum ['mæksɪməm] (*pl* **maxima** or **~s**) adj máximo ▷ n máximo

May [meɪ] n maio

may [meɪ] (*pt, conditional* **might**) aux vb (*indicating possibility*): **he ~ come** pode ser que ele venha, é capaz de vir; (*be allowed to*): **~ I smoke?** posso fumar?; (*wishes*): **~ God bless you!** que Deus lhe abençoe

maybe ['meɪbiː] adv talvez; **~ not** talvez não

mayhem ['meɪhɛm] n caos m

mayonnaise [meɪə'neɪz] n maionese f

mayor [mɛə°] n prefeito (BR), presidente m do município (PT); **mayoress** n prefeita (BR), presidenta do município (PT)

maze [meɪz] n labirinto

me [miː] pron me; (*stressed, after prep*) mim; **he heard ~** ele me ouviu; **it's ~** sou eu; **he gave ~ the money** ele deu o dinheiro para mim; **give it to ~** dê-mo; **with ~** comigo; **without ~** sem mim

meadow ['mɛdəu] n prado, campina

meagre ['miːgə°] (*US* **meager**) adj escasso

meal [miːl] n refeição f; (*flour*) farinha; **mealtime** n hora da refeição

mean [miːn] (*pt, pp* **~t**) adj (*with money*) sovina, avarento, pão-duro inv (BR); (*unkind*) mesquinho; (*shabby*) malcuidado, dilapidado; (*average*) médio ▷ vt (*signify*) significar, querer dizer; (*refer to*): **I thought you ~t her** eu pensei que você estivesse se referindo a ela; (*intend*): **to ~ to do sth** pretender or tencionar fazer algo ▷ n meio, meio termo; **~s** npl (*way, money*) meio; **by ~s of** por meio de, mediante; **by all ~s!** claro que sim!, pois não; **do you ~ it?** você está falando sério?

meaning ['miːnɪŋ] n sentido, significado; **meaningful** adj significativo; (*relationship*) sério; **meaningless** adj sem sentido

meant [mɛnt] pt, pp of **mean**

meantime ['miːntaɪm] adv (*also:* **in the ~**) entretanto, enquanto isso

meanwhile ['miːnwaɪl] adv = **meantime**

measles ['miːzlz] n sarampo

measure ['mɛʒə°] vt, vi medir ▷ n medida; (*ruler: also:* **tape ~**) fita métrica; **measurements** npl (*size*) medidas fpl

meat [miːt] n carne f; **cold ~s** (BRIT) frios; **meatball** n almôndega

Mecca ['mɛkə] n Meca; (*fig*): **a ~ (for)** a meca (de)

mechanic [mɪ'kænɪk] n mecânico; **mechanical** adj mecânico

mechanism ['mɛkənɪzəm] n mecanismo

medal ['mɛdl] n medalha

meddle ['mɛdl] vi: **to ~ in** meter-se em, intrometer-se em; **to ~ with sth** mexer em algo

media ['miːdɪə] npl meios mpl de comunicação, mídia

mediaeval [mɛdɪ'iːvl] adj =

medieval
mediate ['mi:dɪeɪt] vi mediar
medical ['mɛdɪkl] adj médico ▷ n
(examination) exame m médico
medication [mɛdɪ'keɪʃən] n
medicação f
medicine ['mɛdsɪn] n medicina;
(drug) remédio, medicamento
medieval [mɛdɪ'i:vl] adj medieval
mediocre [mi:dɪ'əukə°] adj
medíocre
meditate ['mɛdɪteɪt] vi meditar
Mediterranean [mɛdɪtə'reɪnɪən]
adj mediterrâneo; **the ~ (Sea)** o
(mar) Mediterrâneo
medium ['mi:dɪəm] (pl **media** or
~s) adj médio ▷ n (means) meio; (pl
~s: person) médium m/f
meek [mi:k] adj manso, dócil
meet [mi:t] (pt, pp **met**) vt
encontrar; (accidentally) topar com,
dar de cara com; (by arrangement)
encontrar-se com, ir ao encontro
de; (for the first time) conhecer;
(go and fetch) ir buscar; (opponent,
problem) enfrentar; (obligations)
cumprir; (need) satisfazer ▷ vi
encontrar-se; (for talks) reunir-se;
(join) unir-se; (get to know)
conhecer-se; **meet with** vt fus
reunir-se com; (difficulty) encontrar;
meeting n encontro; (session:
of club etc) reunião f; (assembly)
assembléia; (sport) corrida
megabyte ['mɛgəbaɪt] n (Comput)
megabyte m
megaphone ['mɛgəfəun] n
megafone m
megapixel ['mɛgəpɪksl] n
megapixel m
melancholy ['mɛlənkəlɪ] n
melancolia ▷ adj melancólico
melody ['mɛlədɪ] n melodia
melon ['mɛlən] n melão m
melt [mɛlt] vi (metal) fundir-se;
(snow) derreter ▷ vt derreter; **melt**

down vt fundir
member ['mɛmbə°] n
membro(a); (of club) sócio(a);
(Anat) membro; **M~ of Parliament**
(BRIT) deputado(a); **membership** n
(state) adesão f; (members) número
de sócios; **membership card** n
carteira de sócio
memento [mə'mɛntəu] n
lembrança
memo ['mɛməu] n memorando,
nota
memorandum [mɛmə'rændəm]
(pl **memoranda**) n memorando
memorial [mɪ'mɔ:rɪəl] n
monumento comemorativo ▷ adj
comemorativo; **Memorial Day** (US)
n ver quadro

> **MEMORIAL DAY**
>
> **Memorial Day** é um feriado
> nos Estados Unidos, a última
> segunda-feira de maio na maior
> parte dos estados, em memória
> aos soldados americanos mortos
> em combate.

memorize ['mɛməraɪz] vt
decorar, aprender de cor
memory ['mɛmərɪ] n memória;
(recollection) lembrança ; **memory
card** n placa de memória
men [mɛn] npl of **man**
menace ['mɛnəs] n ameaça;
(nuisance) droga ▷ vt ameaçar
mend [mɛnd] vt consertar,
reparar; (darn) remendar ▷ n: **to be
on the ~** estar melhorando
meningitis [mɛnɪn'dʒaɪtɪs] n
meningite f
menopause ['mɛnəupɔ:z] n
menopausa
menstruation [mɛnstru'eɪʃən] n
menstruação f
mental ['mɛntl] adj mental;

mentality [mɛn'tælɪtɪ] n
mentalidade f
mention ['mɛnʃən] n menção
f ▷ vt (speak of) falar de; **don't ~ it!**
não tem de quê!, de nada!
menu ['mɛnjuː] n (set ~, Comput)
menu m; (printed) cardápio (BR),
ementa (PT)
MEP n abbr n abbr = **Member of the
European Parliament**
mercenary ['mɜːsɪnərɪ] adj
mercenário ▷ n mercenário
merchandise ['mɜːtʃəndaɪz] n
mercadorias fpl
merchant ['mɜːtʃənt] n
comerciante m/f
merciless ['mɜːsɪlɪs] n desumano,
inclemente
mercury ['mɜːkjʊrɪ] n mercúrio
mercy ['mɜːsɪ] n piedade f; (Rel)
misericórdia; **at the ~ of** à mercê de
mere [mɪə*] adj mero, simples
inv; **merely** adv simplesmente,
somente, apenas
merge [mɜːdʒ] vt unir ▷ vi unir-se;
(Comm) fundir-se; **merger** n fusão f
meringue [mə'ræŋ] n suspiro,
merengue m
merit ['mɛrɪt] n mérito;
(advantage) vantagem f ▷ vt merecer
mermaid ['mɜːmeɪd] n sereia
merry ['mɛrɪ] adj alegre; **M~
Christmas!** Feliz Natal!; **merry-go-
round** n carrossel m
mesh [mɛʃ] n malha
mess [mɛs] n confusão f; (in room)
bagunça; (Mil) rancho; **to be in a
~** ser uma bagunça, estar numa
bagunça; **mess about** (inf) vi
perder tempo; (pass the time) vadiar;
mess about with (inf) vt fus mexer
com; **mess around** (inf) vi = **mess
about**; **mess around with** (inf) vt
fus = **mess about with**; **mess up** vt
(spoil) estragar; (dirty) sujar
message ['mɛsɪdʒ] n recado,

mensagem f
messenger ['mɛsɪndʒə*] n
mensageiro(-a)
messy ['mɛsɪ] adj (dirty) sujo;
(untidy) desarrumado
met [mɛt] pt, pp of **meet**
metal ['mɛtl] n metal m
meteorology [miːtɪə'rɔlədʒɪ] n
meteorologia
meter ['miːtə*] n (instrument)
medidor m; (also: **parking ~**)
parcômetro; (US: unit) = **metre**
method ['mɛθəd] n método;
methodical [mɪ'θɔdɪkl] adj
metódico
metre ['miːtə*] (US **meter**) n
metro
metric ['mɛtrɪk] adj métrico
metropolitan [mɛtrə'pɔlɪtən] adj
metropolitano
Mexico ['mɛksɪkəu] n México
mice [maɪs] npl of **mouse**
micro... [maɪkrəu] prefix micro...;
microchip n microchip m;
microphone n microfone m;
microscope n microscópio;
microwave n (also: **microwave
oven**) forno microondas
mid [mɪd] adj: **~ May/afternoon**
meados de maio (meio da tarde);
in ~ air em plenoçar; **midday** n
meio-dia m
middle ['mɪdl] n meio; (waist)
cintura ▷ adj meio; (quantity, size)
médio, mediano; **middle-aged** adj
de meia-idade; **Middle Ages** npl:
the Middle Ages a Idade Média;
Middle East n: **the Middle East**
o Oriente Médio; **middle name** n
segundo nome m
midge [mɪdʒ] n mosquito
midget ['mɪdʒɪt] n anão (anã) m/f
midnight ['mɪdnaɪt] n meianoite
f
midst [mɪdst] n: **in the ~ of** no
meio de, entre

midsummer [mɪd'sʌmə*] n: **a ~ day** um dia em pleno verão

midway [mɪd'weɪ] adj, adv: **~ (between)** no meio do caminho (entre)

midweek [mɪd'wi:k] adv no meio da semana

midwife ['mɪdwaɪf] (pl **midwives**) n parteira

might [maɪt] see **may** n ▷ n poder m, força; **mighty** adj poderoso, forte

migraine ['mi:greɪn] n enxaqueca

migrant ['maɪgrənt] adj migratório; (worker) emigrante

migrate [maɪ'greɪt] vi emigrar; (birds) arribar

mike [maɪk] n abbr = **microphone**

mild [maɪld] adj (character) pacífico; (climate) temperado; (taste) suave; (illness) leve, benigno; (interest) pequeno

mile [maɪl] n milha (1609 m); **mileage** n número de milhas; (Aut) ≈ quilometragem f

milestone ['maɪlstəun] n marco miliário

military ['mɪlɪtərɪ] adj militar

milk [mɪlk] n leite m ▷ vt (cow) ordenhar; (fig) explorar, chupar; **milk chocolate** n chocolate m de leite; **milkman** (irreg) n leiteiro; **milky** adj leitoso

mill [mɪl] n (wind~ etc) moinho; (coffee ~) moedor m de café; (factory) moinho, engenho ▷ vt moer ▷ vi (also: **~ about**) aglomerar-se, remoinhar

millimetre (us **millimeter**) n milímetro

million ['mɪljən] n milhão m; **a ~ times** um milhão de vezes; **millionaire** n milionário(-a)

mime [maɪm] n mimo; (actor) mímico(-a), comediante m/f ▷ vt imitar ▷ vi fazer mímica

mimic ['mɪmɪk] n mímico(-a), imitador(a) m/f ▷ vt imitar, parodiar

min. abbr (= minute, minimum) min.

mince [mɪns] vt moer ▷ vi (in walking) andar com afetação ▷ n (BRIT: Culin) carne f moída; **mincemeat** n recheio de sebo e frutas picadas; (US: meat) carne f moída; **mince pie** n pastel com recheio de sebo e frutas picadas

mind [maɪnd] n mente f; (intellect) intelecto; (opinion): **to my ~** a meu ver; (sanity): **to be out of one's ~** estar fora de si ▷ vt (attend to, look after) tomar conta de, cuidar de; (be careful of) ter cuidado com; (object to): **I don't ~ the noise** o barulho não me incomoda; **it is on my ~** não me sai da cabeça; **to keep** or **bear sth in ~** levar algo em consideração, não esquecer-se de algo; **to make up one's ~** decidir-se; **I don't ~** (it doesn't worry me) eu nem ligo; (it's all the same to me) para mim tanto faz; **~ you, ...** se bem que ...; **never ~!** não faz mal!, não importa!; (don't worry) não se preocupe!; **"~ the step"** "cuidado com o degrau"; **mindless** adj (violence) insensato; (job) monótono

mine¹ [maɪn] pron (o) meu m, (a) minha f; **a friend of ~** um amigo meu

mine² [maɪn] n mina ▷ vt (coal) extrair, explorar; (ship, beach) minar

miner ['maɪnə*] n mineiro

mineral ['mɪnərəl] adj mineral ▷ n mineral m; **~s** npl (BRIT: soft drinks) refrigerantes mpl; **mineral water** n água mineral

mingle ['mɪŋgl] vi: **to ~ with** misturar-se com

miniature ['mɪnətʃə*] adj em miniatura ▷ n miniatura

minibus ['mɪnɪbʌs] n

microônibus m

minimal ['mınıml] *adj* mínimo

minimum ['mınıməm] (*pl* **minima**) *adj* mínimo ▷ *n* mínimo

mining ['maınıŋ] *n* exploração *f* de minas

miniskirt ['mınıskə:t] *n* minissaia

minister ['mınıstə°] *n* (BRIT: Pol) ministro(-a); (Rel) pastor *m* ▷ *vi*: **to ~ to sb** prestar assistência a alguém; **to ~ to sb's needs** atender às necessidades de alguém

ministry ['mınıstrı] *n* (BRIT: Pol) ministério; (Rel): **to go into the ~** ingressar no sacerdócio

minor ['maınə°] *adj* menor; (unimportant) de pouca importância; (Mus) menor ▷ *n* (law) menor *m/f* de idade

minority [maɪ'nɒrɪtɪ] *n* minoria

mint [mınt] *n* (plant) hortelã *f*; (sweet) bala de hortelã ▷ *vt* (coins) cunhar; **the (Royal) M~** (BRIT) *or* **the (US) M~** (US) ≈ a Casa da Moeda; **in ~ condition** em perfeito estado

minus ['maınəs] *n* (also: ~ **sign**) sinal *m* de subtração ▷ *prep* menos

minute¹ [maɪ'nju:t] *adj* miúdo, diminuto; (search) minucioso

minute² ['mınıt] *n* minuto; **~s** *npl* (of meeting) atas *fpl*; **at the last ~** no último momento

miracle ['mırəkl] *n* milagre *m*

mirage ['mıra:ʒ] *n* miragem *f*

mirror ['mırə°] *n* espelho; (in car) retrovisor *m*

misbehave [mısbı'heıv] *vi* comportar-se mal

miscarriage ['mıskærıdʒ] *n* (Med) aborto (espontâneo); (failure): **~ of justice** erro judicial

miscellaneous [mısı'leınıəs] *adj* (items, expenses) diverso; (selection) variado

mischief ['mıstʃıf] *n*

(naughtiness) travessura; (fun) diabrura; (maliciousness) malícia; **mischievous** ['mıstʃıvəs] *adj* (naughty) travesso; (playful) traquino

misconception [mıskən'sɛpʃən] *n* concepção *f* errada, conceito errado

misconduct [mıs'kɒndʌkt] *n* comportamento impróprio; **professional ~** má conduta profissional

miser ['maızə°] *n* avaro(-a), sovina *m/f*

miserable ['mızərəbl] *adj* triste; (wretched) miserável; (weather, person) deprimente; (contemptible: offer) desprezível; (: failure) humilhante

misery ['mızərı] *n* (unhappiness) tristeza; (wretchedness) miséria

misfortune [mıs'fɔ:tʃən] *n* desgraça, infortúnio

misguided [mıs'gaıdıd] *adj* enganado

mishap ['mıshæp] *n* desgraça, contratempo

misinterpret [mısın'tə:prıt] *vt* interpretar mal

misjudge [mıs'dʒʌdʒ] *vt* fazer um juízo errado de, julgar mal

mislay [mıs'leı] (irreg) *vt* extraviar, perder

mislead [mıs'li:d] (irreg) *vt* induzir em erro, enganar; **misleading** *adj* enganoso, errôneo

misplace [mıs'pleıs] *vt* extraviar, perder

misprint ['mısprınt] *n* erro tipográfico

Miss [mıs] *n* Senhorita (BR), a menina (PT)

miss [mıs] *vt* (train, class, opportunity) perder; (fail to hit) errar, não acertar em; (fail to see): **you can't ~ it** e impossível não ver; (regret the absence of): **I ~ him** sinto a falta dele ▷ vi falhar ▷ n (shot) tiro perdido or errado; **miss out** (BRIT) vt omitir

missile ['mɪsaɪl] n míssil m; (object thrown) projétil m

missing ['mɪsɪŋ] adj (pupil) ausente; (thing) perdido; (removed) que está faltando; (Mil) desaparecido; **to be ~** estar desaparecido; **to go ~** desaparecer

mission ['mɪʃən] n missão f; (official representatives) delegação f

mist [mɪst] n (light) neblina; (heavy) névoa; (at sea) bruma ▷ vi (eyes: also: **~ over**) enevoar-se; (BRIT: also: **~ over, ~ up**: windows) embaçar

mistake [mɪs'teɪk] (irreg) n erro, engano ▷ vt entender or interpretar mal; **by ~** por engano; **to make a ~** fazer um erro; **to ~ A for B** confundir A com B; **mistaken** pp of **mistake** ▷ adj errado; **to be mistaken** enganar-se, equivocar-se

mister ['mɪstə*] (inf) n senhor m; see **Mr**

mistletoe ['mɪsltəu] n visco

mistook [mɪs'tuk] pt of **mistake**

mistress ['mɪstrɪs] n (lover) amante f; (of house) dona (da casa); (BRIT: in school) professora, mestra; (of situation) dona; see **Mrs**

mistrust [mɪs'trʌst] vt desconfiar de

misty ['mɪstɪ] adj (day) nublado; (glasses etc) embaçado

misunderstand [mɪsʌndə'stænd] (irreg) vt, vi entender or interpretar mal; **misunderstanding** n mal-entendido; (disagreement) desentendimento

misuse [n mɪs'juːs, vb mɪs'juːz] n uso impróprio; (of power) abuso; (of funds) desvio ▷ vt abusar de; desviar

mix [mɪks] vt misturar; (combine) combinar ▷ vi (people) entrosar-se ▷ n mistura; (combination) combinação f; **mix up** vt (confuse: things) misturar; (: people) confundir;

mixed adj misto; **mixed-up** adj confuso; **mixer** n (for food) batedeira; (person) pessoa sociável; **mixture** n mistura; (Med) preparado; **mix-up** n trapalhada, confusão f

mm abbr (= millimetre) mm

moan [məun] n gemido ▷ vi gemer; (inf: complain): **to ~ (about)** queixar-se (de), bufar (sobre) (inf)

moat [məut] n fosso

mob [mɔb] n multidão f ▷ vt cercar

mob. abbr (= mobile phone) cel.

mobile ['məubaɪl] adj móvel ▷ n móvel m; **mobile phone** n telefone m celular

mock [mɔk] vt ridicularizar; (laugh at) zombar de, gozar de ▷ adj falso, fingido; (exam etc) simulado; **mockery** n zombaria; **to make a mockery of** ridicularizar

mode [məud] n modo; (of transport) meio

model ['mɔdl] n modelo; (Arch) maqueta; (person: for fashion, art) modelo m/f ▷ adj exemplar ▷ vt modelar ▷ vi servir de modelo; (in fashion) trabalhar como modelo; **to ~ o.s. on** mirar-se em

modem ['məudɛm] n modem m

moderate [adj 'mɔdərət, vb 'mɔdəreɪt] adj moderado ▷ vi moderar-se, acalmar-se ▷ vt moderar

modern ['mɔdən] adj moderno; **modernize** vt modernizar, atualizar

modest ['mɔdɪst] adj modesto; **modesty** n modéstia

modify ['mɔdɪfaɪ] vt modificar

moist [mɔɪst] adj úmido (BR), húmido (PT), molhado; **moisture** n umidade f (BR), humidade f (PT);

moisturizer n creme m hidratante
mole [məul] n (animal) toupeira;
(spot) sinal m, lunar m; (spy)
espião(-piã) m/f
molest [məu'lɛst] vt molestar;
(attack sexually) atacar sexualmente
molten [məultən] adj fundido;
(lava) liquefeito
mom [mɔm] (US) n = **mum**
moment ['məumənt] n
momento; **at the ~** neste
momento; **momentary** adj
momentâneo; **momentous**
[məu'mɛntəs] adj
importantíssimo
momentum [məu'mɛntəm] n
momento; (fig) ímpeto; **to gather ~**
ganhar ímpeto
mommy ['mɔmɪ] (US) n = **mummy**
Monaco ['mɔnəkəu] n Mônaco
(no article)
monarch ['mɔnək] n monarca
m/f; **monarchy** n monarquia
monastery ['mɔnəstərɪ] n
mosteiro, convento
Monday ['mʌndɪ] n segunda-feira
monetary ['mʌnɪtərɪ] adj monetário
money ['mʌnɪ] n dinheiro;
(currency) moeda; **to make ~** ganhar
dinheiro; **money order** n vale m
(postal)
mongrel ['mʌŋgrəl] n (dog)
viralata m
monitor ['mɔnɪtə°] n (TV,
Comput) terminal m (de vídeo)
▷ vt (heartbeat, pulse) controlar;
(broadcasts, progress) monitorar
monk [mʌŋk] n monge m
monkey ['mʌŋkɪ] n macaco
monopoly [mə'nɔpəlɪ] n
monopólio
monotonous [mə'nɔtənəs] adj
monótono
monsoon [mɔn'su:n] n monção f
monster ['mɔnstə°] n monstro
month [mʌnθ] n mês m; **monthly**

adj mensal ▷ adv mensalmente
monument ['mɔnjumənt] n
monumento
mood [mu:d] n humor m; (of
crowd) atmosfera; **to be in a good/
bad ~** estar de bom/mau humor;
moody adj (variable) caprichoso, de
veneta; (sullen) rabugento
moon [mu:n] n lua; **moonlight**
n luar m ▷ vi ter dois empregos,
ter um bico
moor [muə°] n charneca ▷ vt (ship)
amarrar ▷ vi fundear, atracar
moose [mu:s] n inv alce m
mop [mɔp] n esfregão m; (for
dishes) esponja com cabeça; (of
hair) grenha ▷ vt esfregar; **mop up**
vt limpar
mope [məup] vi estar or andar
deprimido or desanimado
moped ['məupɛd] n moto f
pequena (BR), motorizada (PT)
moral ['mɔrl] adj moral ▷ n moral
f; **~s** npl (principles) moralidade f,
costumes mpl
morale [mɔ'rɑ:l] n moral f, estado
de espírito
morality [mə'rælɪtɪ] n
moralidade f; (correctness) retidão f,
probidade f

○ **KEYWORD**

more [mɔ:°] adj 1 (greater in
number etc) mais; **~ people/work/
letters than we expected** mais
pessoas/trabalho/cartas do que
esperávamos
2 (additional) mais; **do you want
(some) ~ tea?** você quer mais chá?;
I have no or **I don't have any ~
money** não tenho mais dinheiro
▷ pron 1 (greater amount) mais; **~
than 10** mais de 10; **it cost ~ than
we expected** custou mais do que
esperávamos

2 (*further or additional amount*) mais;
is there any ~? tem ainda mais?;
there's no ~ não tem mais
▷ *adv* mais; **~ dangerous/difficult**
etc **than** mais perigoso/difícil *etc*
do que; **~ easily (than)** mais fácil
(do que); **~ and ~** cada vez mais; **~**
or less mais ou menos; **~ than ever**
mais do que nunca

moreover [mɔː'rəuvə°] *adv* além
do mais, além disso
morning ['mɔːnɪŋ] *n* manhã
f; (*early ~*) madrugada ▷ *cpd* da
manhã; **in the ~** de manhã; **7**
o'clock in the ~ (as) 7 da manhã;
morning sickness *n* náusea
matinal
Morocco [mə'rɔkəu] *n* Marrocos
m
moron ['mɔːrɔn] (*inf*) *n* débil
mental *m/f*, idiota *m/f*
Morse [mɔːs] *n* (*also*: **~ code**)
código Morse
mortar ['mɔːtə°] *n* (*cannon*)
morteiro; (*Constr*) argamassa; (*dish*)
pilão *m*, almofariz *m*
mortgage ['mɔːgɪdʒ] *n* hipoteca
▷ *vt* hipotecar
mortuary ['mɔːtjuərɪ] *n*
necrotério
mosaic [məu'zeɪɪk] *n* mosaico
Moscow ['mɔskəu] *n* Moscou
(BR), Moscovo (PT)
Moslem ['mɔzləm] *adj*, *n* =
Muslim
mosque [mɔsk] *n* mesquita
mosquito [mɔs'kiːtəu] (*pl* **~es**) *n*
mosquito
moss [mɔs] *n* musgo

○ **KEYWORD**

most [məust] *adj* **1** (*almost all*:
people, things etc) a maior parte de,
a maioria de; **~ people** a maioria

das pessoas
2 (*largest, greatest: interest*) máximo;
(*money*): **who has (the) ~ money?**
quem é que tem mais dinheiro?;
he derived the ~ pleasure from
her visit ele teve o maior prazer
em recebê-la
▷ *pron* (*greatest quantity, number*)
a maior parte, a maioria; **~ of**
it/them a maioria dele/deles; **~**
of the money a maior parte do
dinheiro; **do the ~ you can** faça o
máximo que você puder; **I saw the**
~ vi mais; **to make the ~ of sth**
aproveitar algo ao máximo; **at the**
(very) ~ quando muito, no máximo
▷ *adv* (+ *vb*) o mais; (+ *adj*): **the**
~ intelligent/expensive *etc* o
mais inteligente/caro *etc*; (+*adv*:
carefully, easily etc) o mais; (*very*:
polite, interesting etc) muito; **a**
~ interesting book um livro
interessantíssimo

mostly ['məustlɪ] *adv*
principalmente, na maior parte
MOT (BRIT) *n abbr* (= *Ministry of*
Transport): **the ~ (test)** vistoria anual
dos veículos automotores
motel [məu'tɛl] *n* motel *m*
moth [mɔθ] *n* mariposa; (*clothes ~*)
traça
mother ['mʌðə°] *n* mãe *f* ▷ *adj*
materno ▷ *vt* (*care for*) cuidar de
(como uma mãe); **motherhood**
n maternidade *f*; **mother-in-**
law *n* sogra; **mother-of-pearl**
n madrepérola; **mother-to-be** *n*
futura mamãe *f*; **mother tongue**
n língua materna
motion ['məuʃən] *n* movimento;
(*gesture*) gesto, sinal *m*; (*at meeting*)
moção *f* ▷ *vt, vi*: **to ~ (to) sb to**
do sth fazer sinal a alguém para
que faça algo; **motionless** *adj*
imóvel; **motion picture** *n* filme *m*

(cinematográfico)

motive ['məʊtɪv] n motivo

motor ['məʊtə*] n motor m; (BRIT: inf: vehicle) carro, automóvel m ▷ cpd (industry) de automóvel; **motorbike** n moto(cicleta) f, motoca (inf); **motorboat** n barco a motor; **motorcar** (BRIT) n carro, automóvel m; **motorcycle** n motocicleta; **motorist** n motorista m/f; **motor racing** (BRIT) n corrida de carros, automobilismo; **motorway** (BRIT) n rodovia (BR), autoestrada (PT)

motto ['mɔtəʊ] (pl ~es) n lema m

mound [maʊnd] n (of earth) monte m; (of blankets, leaves etc) pilha, montanha

mount [maʊnt] n monte m ▷ vt (horse etc) montar em, subir a; (stairs) subir; (exhibition) montar; (picture) emoldurar ▷ vi (increase) aumentar; **mount up** vi aumentar

mountain ['maʊntɪn] n montanha ▷ cpd de montanha; **mountain bike** n mountain bike f; **mountaineer** [maʊntɪ'nɪə*] n alpinista m/f, montanhista m/f; **mountaineering** n alpinismo; **mountainous** adj montanhoso;

mourn [mɔːn] vt chorar, lamentar ▷ vi: **to ~ for** chorar or lamentar a morte de; **mourning** n luto; **in mourning** de luto

mouse [maʊs] (pl mice) n camundongo (BR), rato (PT); (Comput) mouse m; **mouse mat** or **pad** n (Comput) mouse pad m

mousse [muːs] n musse f; (for hair) mousse f

moustache [məs'tɑːʃ] (US **mustache**) n bigode m

mouth [maʊθ] n boca; (of cave, hole) entrada; (of river) desembocadura; **mouthful** n bocado; **mouth organ** n gaita; **mouthwash** n colutório

move [muːv] n movimento; (in game) lance m, jogada; (: turn to play) turno, vez f; (of house, job) mudança ▷ vt (change position of) mudar; (: in game) jogar; (emotionally) comover; (Pol: resolution etc) propor ▷ vi mexer-se, mover-se; (traffic) circular; (also: ~ house) mudar-se; (develop: situation) de-senvolver; **to ~ sb to do sth** convencer alguém a fazer algo; **to get a ~ on** apressar-se; **move about** or **around** vi (fidget) mexer-se; (travel) deslocar-se; **move along** vi avançar; **move away** vi afastar-se; **move back** vi voltar; **move forward** vi avançar; **move in** vi (to a house) instalar-se (numa casa); **move on** vi ir andando; **move out** vi sair (de uma casa); **move over** vi afastar-se; **move up** vi ser promovido

movement ['muːvmənt] n movimento; (gesture) gesto; (of goods) transporte m; (in attitude) mudança

movie ['muːvɪ] n filme m; **to go to the ~s** ir ao cinema

moving ['muːvɪŋ] adj (emotional) comovente; (that moves) móvel

mow [məʊ] (pt ~ed, pp ~ed or ~n) vt (grass) cortar; (corn) ceifar; **mow down** vt (massacre) chacinar; **mower** n ceifeira; (also: **lawnmower**) cortador m de grama (BR) or de relva (PT)

Mozambique [məʊzəm'biːk] n Moçambique m (no article)

MP n abbr = **Member of Parliament**

MP3 player n tocador m MP3

mph *abbr* = **miles per hour** (60 mph = 96 km/h)

Mr ['mɪstə°] *n*: **~ Smith** (o) Sr. Smith

Mrs ['mɪsɪz] *n*: **~ Smith** (a) Sra. Smith

Ms [mɪz] *n* (= Miss or Mrs) ver quadro

● **MS**
●
● Ms é um título utilizado em
● lugar de Mrs (senhora) ou de
● Miss (senhorita) para evitar
● a distinção tradicional entre
● mulheres casadas e solteiras.
● É aceito, portanto, como o
● equivalente de Mr (senhor)
● para os homens. Muitas vezes
● reprovado por ter surgido como
● manifestação de um feminismo
● exacerbado, é uma forma de
● tratamento muito comum hoje
● em dia.

MSc *n abbr* = **Master of Science**

○ **KEYWORD**

much [mʌtʃ] *adj* muito; **how ~ money/time do you need?** quanto dinheiro/tempo você precisa?; **he's done so ~ work for the charity** ele trabalhou muito para a obra de caridade; **as ~ as** tanto como ▷ *pron* muito; **~ has been gained from our discussions** nossas discussões foram muito proveitosas; **how ~ does it cost? – too ~** quanto custa isso? – caro demais ▷ *adv* **1** (greatly) muito; **thank you very ~** muito obrigado(-a); **we are very ~ looking forward to your visit** estamos aguardando a sua visita com muita ansiedade; **he is**

very ~ **the gentleman/politician** ele é muito cavalheiro/político; **as ~ as** tanto como; **as ~ as you** tanto quanto você
2 (by far) de longe; **I'm ~ better now** estou bem melhor agora
3 (almost) quase; **how are you feeling? – ~ the same** como você está (se sentindo)? – do mesmo jeito

muck [mʌk] *n* (dirt) sujeira (BR), sujidade *f* (PT); **muck about** *or* **around** (inf) *vi* fazer besteiras; **muck up** (inf) *vt* estragar

mud [mʌd] *n* lama

muddle ['mʌdl] *n* confusão *f*, bagunça; (mix-up) trapalhada ▷ *vt* (also: **~ up**: person, story) confundir; (: things) misturar; **muddle through** *vi* virar-se

muddy ['mʌdɪ] *adj* (road) lamacento

mudguard ['mʌdgɑːd] *n* pára-lama *m*

muesli ['mjuːzlɪ] *n* muesli *m*

muffin ['mʌfɪn] *n* bolinho redondo e chato

mug [mʌg] *n* (cup) caneca; (: for beer) caneco, canecão; (inf: face) careta; (: fool) bobo(-a) ▷ *vt* (assault) assaltar; **mugging** *n* assalto

muggy ['mʌgɪ] *adj* abafado

mule [mjuːl] *n* mula

multimedia [mʌltɪ'miːdɪə] *adj* multimídia

multiple ['mʌltɪpl] *adj* múltiplo ▷ *n* múltiplo; **multiple sclerosis** [-sklɪ'rəusɪs] *n* esclerose *f* múltipla

multiply ['mʌltɪplaɪ] *vt* multiplicar ▷ *vi* multiplicar-se

multistorey ['mʌltɪ'stɔːrɪ] (BRIT) *adj* de vários andares

mum [mʌm] *n* (BRIT: inf) mamãe *f* ▷ *adj*: **to keep ~** ficar calado

mumble ['mʌmbl] *vt*, *vi* resmungar, murmurar

mummy ['mʌmɪ] n (BRIT: mother)
mamãe f; (embalmed) múmia

mumps [mʌmps] n caxumba

municipal [mju:'nɪsɪpl] adj
municipal

murder ['mə:də°] n assassinato
▷ vt assassinar; **murderer** n
assassino

murky ['mə:kɪ] adj escuro; (water)
turvo

murmur ['mə:mə°] n murmúrio
▷ vt, vi murmurar

muscle ['mʌsl] n músculo; (fig:
strength) força (muscular); **muscle
in** vi imiscuir-se, impor-se;
muscular adj muscular; (person)
musculoso

museum [mju:'zɪəm] n museu m

mushroom ['mʌʃrum] n
cogumelo ▷ vi crescer da noite para
o dia, pipocar

music ['mju:zɪk] n música;
musical adj musical; (harmonious)
melodioso ▷ n musical m;
musician [mju:'zɪʃən] n
músico(-a)

Muslim ['mʌzlɪm] adj, n
muçulmano(-a)

mussel ['mʌsl] n mexilhão m

must [mʌst] aux vb (obligation):
I ~ do it tenho que or devo fazer
isso; (probability): **he ~ be there by
now** ele já deve estar lá; (suggestion,
invitation): **you ~ come and see me
soon** você tem que vir me ver em
breve; (indicating sth unwelcome):
why ~ he behave so badly? por
que ele tem que se comportar tão
mal? ▷ n necessidade f; **it's a ~** é
imprescindível

mustache ['mʌstæʃ] (US) n =
moustache

mustard ['mʌstəd] n mostarda

mustn't ['mʌsnt] = **must not**

mute [mju:t] adj mudo

mutiny ['mju:tɪnɪ] n motim m,
rebelião f

mutter ['mʌtə°] vt, vi resmungar,
murmurar

mutton ['mʌtn] n carne f de
carneiro

mutual ['mju:tʃuəl] adj mútuo;
(shared) comum

muzzle ['mʌzl] n (of animal)
focinho; (guard: for dog) focinheira;
(of gun) boca ▷ vt pôr focinheira em

my [maɪ] adj meu (minha); **this
is ~ house/car/brother** esta é a
minha casa/meu carro/meu irmão;
I've washed ~ hair/cut ~ finger
lavei meu cabelo/cortei meu dedo

myself [maɪ'sɛlf] pron (reflexive)
me; (emphatic) eu mesmo; (after
prep) mim mesmo; see also **oneself**

mysterious [mɪs'tɪərɪəs] adj
misterioso

mystery ['mɪstərɪ] n mistério

mystify ['mɪstɪfaɪ] vt mistificar

myth [mɪθ] n mito; **mythology**
[mɪ'θɔlədʒɪ] n mitologia

n

nag [næg] vt ralhar, apoquentar
nail [neɪl] n (human) unha; (metal)
prego ▷ vt pregar; **to ~ sb down
to a date/price** conseguir que
alguém se defina sobre a data/o
preço; **nailbrush** n escova de
unhas; **nailfile** n lixa de unhas; **nail
polish** n esmalte m (BR) or verniz m
(PT) de unhas; **nail polish remover**
n removedor m de esmalte (BR)
or verniz (PT); **nail scissors** npl
tesourinha de unhas; **nail varnish**
(BRIT) n = **nail polish**
naïve [naɪˈiːv] adj ingênuo
naked [ˈneɪkɪd] adj nu (nua)
name [neɪm] n nome m; (surname)
sobrenome m; (reputation)
reputação f, fama ▷ vt (child) pôr
nome em; (criminal) apontar; (price)
fixar; (date) marcar; **what's your
~?** qual é o seu nome?, como (você)
se chama?; **by ~** de nome; **in the
~ of** em nome de; **namely** adv a
saber, isto é
nanny [ˈnænɪ] n babá f
nap [næp] n (sleep) soneca ▷ vi:
to be caught ~ping ser pego de
surpresa
napkin [ˈnæpkɪn] n (also: **table ~**)
guardanapo
nappy [ˈnæpɪ] (BRIT) n fralda
narrative [ˈnærətɪv] n
narrativa
narrow [ˈnærəu] adj estreito;
(fig: majority) pequeno; (: ideas)
tacanho ▷ vi (road) estreitar-se;
(difference) diminuir; **to have a ~
escape** escapar por um triz; **to ~
sth down to** restringir or reduzir
algo a; **narrowly** adv (miss) por
pouco; **narrow-minded** adj de
visão limitada
nasty [ˈnɑːstɪ] adj (remark)
desagradável; (: person) mau,
ruim; (malicious) maldoso; (rude)
grosseiro, obsceno; (taste, smell)
repugnante, asqueroso; (wound etc)
grave, sério
nation [ˈneɪʃən] n nação f
national [ˈnæʃənl] adj, n nacional
m/f; **national anthem** n hino
nacional; **National Health Service**
(BRIT) n ≈ Instituto Nacional de
Assistência Médica e Previdência
Social, ≈ INAMPS m; **nationality**
[næʃəˈnælɪtɪ] n nacionalidade
f; **nationalize** vt nacionalizar;
national park n parque m
nacional; **National Trust** (BRIT) n
ver quadro

● **NATIONAL TRUST**
●
● O **National Trust** é uma
● instituição independente,
● sem fins lucrativos, cuja
● missão é proteger e valorizar
● os monumentos e a paisagem
● da Grã-Bretanha devido a seu

- interesse histórico ou beleza
- natural.

nationwide ['neɪʃənwaɪd] *adj* de âmbito *or* a nível nacional ▷ *adv* em todo o país

native ['neɪtɪv] *n* natural *m/f*, nativo(-a); (*in colonies*) indígena *m/f*, nativo(-a) ▷ *adj* (*indigenous*) indígena; (*of one's birth*) natal; (*language*) materno; (*innate*) inato, natural; **a ~ speaker of Portuguese** uma pessoa de língua (materna) portuguesa

NATO ['neɪtəu] *n abbr* (= *North Atlantic Treaty Organization*) OTAN *f*

natural ['nætʃrəl] *adj* natural; **naturally** *adv* naturalmente; (*of course*) claro, evidentemente

nature ['neɪtʃə°] *n* natureza; (*character*) caráter *m*, índole *f*

naughty ['nɔːtɪ] *adj* travesso, levado

nausea ['nɔːsɪə] *n* náusea

naval ['neɪvl] *adj* naval

nave [neɪv] *n* nave *f*

navel ['neɪvl] *n* umbigo

navigate ['nævɪgeɪt] *vi* navegar; (*Aut*) ler o mapa; **navigation** [nævɪ'geɪʃən] *n* (*action*) navegação *f*; (*science*) náutica

navy ['neɪvɪ] *n* marinha (de guerra)

Nazi ['nɑːtsɪ] *n* nazista *m/f* (BR), nazi *m/f* (PT)

NB *abbr* (= *nota bene*) NB

near [nɪə°] *adj* (*place*) vizinho; (*time*) próximo; (*relation*) íntimo ▷ *adv* perto ▷ *prep* (*also*: **~ to**: *space*) perto de; (: *time*) perto de, quase ▷ *vt* aproximar-se de; **nearby** [nɪə'baɪ] *adj* próximo, vizinho ▷ *adv* à mão, perto; **nearly** *adv* quase; **I nearly fell** quase que caí; **near-sighted** *adj* míope

neat [niːt] *adj* (*place*) arrumado, em ordem; (*person*) asseado,

arrumado; (*work*) organizado; (*plan*) engenhoso, bem bolado; (*spirits*) puro; **neatly** *adv* caprichosamente, com capricho; (*skilfully*) habilmente

necessarily ['nɛsɪsrɪlɪ] *adv* necessariamente

necessary ['nɛsɪsrɪ] *adj* necessário

necessity [nɪ'sɛsɪtɪ] *n* (*thing needed*) necessidade *f*, requisito; (*compelling circumstances*) necessidade; **necessities** *npl* (*essentials*) artigos *mpl* de primeira necessidade

neck [nɛk] *n* (*Anat*) pescoço; (*of garment*) gola; (*of bottle*) gargalo ▷ *vi* (*inf*) ficar de agarramento; **~ and ~** emparelhados

necklace ['nɛklɪs] *n* colar *m*

necktie ['nɛktaɪ] (*esp US*) *n* gravata

need [niːd] *n* (*lack*) falta, carência; (*necessity*) necessidade *f*; (*thing*) requisito, necessidade ▷ *vt* precisar de; **I ~ to do it** preciso fazê-lo

needle ['niːdl] *n* agulha ▷ *vt* (*inf*) provocar, alfinetar

needless ['niːdlɪs] *adj* inútil, desnecessário; **~ to say ...** desnecessário dizer que ...

needlework ['niːdlwə:k] *n* (*item(s)*) trabalho de agulha; (*activity*) costura

needn't ['niːdnt] = **need not**

needy ['niːdɪ] *adj* necessitado, carente

negative ['nɛgətɪv] *adj* negativo ▷ *n* (*Phot*) negativo; (*Ling*) negativa

neglect [nɪ'glɛkt] *vt* (*one's duty*) negligenciar, não cumprir com; (*child*) descuidar, esquecer-se de ▷ *n* (*of child*) descuido, desatenção *f*; (*of house etc*) abandono; (*of duty*) negligência

negotiate [nɪ'gəuʃɪeɪt] *vi*: **to ~ (with)** negociar (com) ▷ *vt* (*treaty*,

transaction) negociar; (*obstacle*)
contornar; (*bend in road*) fazer;
negotiation [nɪɡəʊʃɪ'eɪʃən] *n*
negociação *f*

neighbour ['neɪbə*] (*us* **neighbor**)
n vizinho(-a); **neighbourhood** *n*
(*place*) vizinhança, bairro; (*people*)
vizinhos *mpl*; **neighbouring** *adj*
vizinho

neither ['naɪðə*] *conj*: **I didn't
move and ~ did he** não me movi
nem ele ▷ *adj, pron* nenhum (dos
dois), nem um nem outro ▷ *adv*:
~ good nor bad nem bom nem
mau; **~ story is true** nenhuma das
estórias é verdade

neon ['niːɔn] *n* neônio, néon *m*

nephew ['nevjuː] *n* sobrinho

nerve [nəːv] *n* (*Anat*) nervo;
(*courage*) coragem *f*; (*impudence*)
descaramento, atrevimento;
to have a fit of ~s ter uma crise
nervosa

nervous ['nəːvəs] *adj* (*Anat*)
nervoso; (*anxious*) apreensivo;
(*timid*) tímido, acanhado; **nervous
breakdown** *n* crise *f* nervosa

nest [nest] *vi* aninhar-se ▷ *n* (*of
bird*) ninho; (*of wasp*) vespeiro

net [net] *n* rede *f*; (*fabric*) filó *m*;
(*fig*) sistema *m* ▷ *adj* (*Comm*) líquido
▷ *vt* pegar na rede; (*money: subj:
person*) faturar; (*: deal, sale*) render;
the N~ (*the Internet*) a Rede; **netball**
n espécie de basquetebol

Netherlands ['neðələndz] *npl*: **the
~** os Países Baixos

nett [net] *adj* = **net**

nettle ['netl] *n* urtiga

network ['netwəːk] *n* rede *f*;
there's no ~ coverage here (*Tel*)
aqui não tem cobertura

neurotic [njuə'rɔtɪk] *adj, n*
neurótico(-a)

neuter ['njuːtə*] *adj* neutro ▷ *vt*
(*cat etc*) castrar, capar

neutral ['njuːtrəl] *adj* neutro ▷ *n*
(*Aut*) ponto morto

never ['nevə*] *adv* nunca; *see also*
mind; **never-ending** *adj* sem fim,
interminável; **nevertheless** *adv*
todavia, contudo

new [njuː] *adj* novo; **newborn**
adj recém-nascido; **newcomer**
n recém-chegado(-a), novato(-a);
newly *adv* recém, novamente

news [njuːz] *n* notícias *fpl*;
(*Radio, TV*) noticiário; **a piece of
~** uma notícia; **newsagent** (*BRIT*)
n jornaleiro(-a); **newscaster** *n*
locutor(a) *m/f*; **newsletter** *n*
boletim *m* informativo; **newspaper**
n jornal *m*; **newsreader** *n* =
newscaster

newt [njuːt] *n* tritão *m*

New Year *n* ano novo; **New Year's
Day** *n* dia *m* de ano novo; **New
Year's Eve** *n* véspera de ano novo

New Zealand [-'ziːlənd] *n* Nova
Zelândia; **New Zealander** *n*
neozelandês(-esa) *m/f*

next [nekst] *adj* (*in space*) próximo,
vizinho; (*in time*) seguinte, próximo
▷ *adv* depois; depois, logo; **~ time**
na próxima vez; **~ year** o ano que
vem; **~ to** ao lado de; **~ to nothing**
quase nada; **next door** *adv* na casa
do lado ▷ *adj* vizinho; **next-of-kin**
n parentes *mpl* mais próximos

NHS *n abbr* = **National Health
Service**

nibble ['nɪbl] *vt* mordiscar, beliscar

Nicaragua [nɪkə'ræɡjuə] *n*
Nicarágua

nice [naɪs] *adj* (*likeable*) simpático;
(*kind*) amável, atencioso; (*pleasant*)
agradável; (*attractive*) bonito; **nicely**
adv agradavelmente, bem

nick [nɪk] *n* (*wound*) corte *m*; (*cut,
indentation*) entalhe *m*, incisão *f* ▷ *vt*
(*inf: steal*) furtar, arrochar; **in the
~ of time** na hora H, no momento

exato

nickel ['nɪkl] n níquel m; (US) moeda de 5 centavos

nickname ['nɪkneɪm] n apelido (BR), alcunha (PT) ▷ vt apelidar de (BR), alcunhar de (PT)

niece [niːs] n sobrinha

Nigeria [naɪ'dʒɪərɪə] n Nigéria

night [naɪt] n noite f; **at** or **by ~** à or de noite; **the ~ before last** anteontem à noite; **nightclub** n boate f

nightlife ['naɪtlaɪf] n vida noturna

nightly ['naɪtlɪ] adj noturno, de noite ▷ adv todas as noites, cada noite

nightmare ['naɪtmeə°] n pesadelo

night-time n noite f

nil [nɪl] n nada; (BRIT: sport) zero

nine [naɪn] num nove; **nineteen** ['naɪn'tiːn] num dezenove (BR), dezanove (PT); **ninety** ['naɪntɪ] num noventa; **ninth** [naɪnθ] num nono

nip [nɪp] vt (pinch) beliscar; (bite) morder

nipple ['nɪpl] n (Anat) bico do seio, mamilo

nitrogen ['naɪtrədʒən] n nitrogênio

○ **KEYWORD**

no [nəu] (pl **~es**) adv (opposite of "yes") não; **are you coming? – ~ (I'm not)** você vem? – não (eu não) ▷ adj (not any) nenhum(a), não ... algum(a); **I have ~ more money/ time/books** não tenho mais dinheiro/tempo/livros; **"~ entry"** "entrada proibida"; **"~ smoking"** "é proibido fumar" ▷ n não m, negativa

nobility [nəu'bɪlɪtɪ] n nobreza

noble ['nəubl] adj (person) nobre; (title) de nobreza

nobody ['nəubədɪ] pron ninguém

nod [nɔd] vi (greeting) cumprimentar com a cabeça; (in agreement) acenar (que sim) com a cabeça; (doze) cochilar, dormitar ▷ vt: **to ~ one's head** inclinar a cabeça ▷ n inclinação f da cabeça; **nod off** vi cochilar

noise [nɔɪz] n barulho; **noisy** adj barulhento

nominate ['nɔmineit] vt (propose) propor; (appoint) nomear; **nominee** [nɔmi'niː] n pessoa nomeada, candidato(-a)

none [nʌn] pron (person) ninguém; (thing) nenhum(a), nada; **~ of you** nenhum de vocês; **I've ~ left** não tenho mais

nonetheless [nʌnðə'lɛs] adv no entanto, apesar disso, contudo

non-fiction [nɔn-] n literatura de não-ficção

nonsense ['nɔnsəns] n disparate m, besteira, absurdo; **~!** bobagem!, que nada!

non [nɔn-]: **non-smoker** n não-fumante m/f; **non-stick** adj tefal®, não-aderente

noodles ['nuːdlz] npl talharim m

noon [nuːn] n meio-dia m

no-one pron = **nobody**

nor [nɔː°] conj = **neither** ▷ adv see **neither**

norm [nɔːm] n (convention) norma; (requirement) regra

normal ['nɔːml] adj normal

north [nɔːθ] n norte m ▷ adj do norte, setentrional ▷ adv ao or para o norte; **North America** n América do Norte; **north-east** n nordeste m; **northern** ['nɔːðən] adj do norte, setentrional; **Northern Ireland** n Irlanda do Norte; **North Pole** n: **the North Pole** o Pólo

Norte; **North Sea** n: **the North Sea** o Mar do Norte; **north-west** n noroeste m

Norway ['nɔːweɪ] n Noruega; **Norwegian** [nɔː'wiːdʒən] adj norueguês(-esa) ▷ n norueguês(-esa) m/f; (Ling) norueguês m

nose [nəuz] n (Anat) nariz m; (Zool) focinho; (sense of smell: of person) olfato; (: of animal) faro; **nose about** ▷ vi bisbilhotar; **nose around** vi = **nose about**; **nosebleed** n hemorragia nasal; **nosey** (inf) adj = **nosy**

nostalgia [nɔs'tældʒɪə] n nostalgia

nostril ['nɔstrɪl] n narina

nosy ['nəuzɪ] (inf) adj intrometido, abelhudo

not [nɔt] adv não; **he is ~ or isn't here** ele não está aqui; **it's too late, isn't it?** é muito tarde, não?; **he asked me ~ to do it** ele me pediu para não fazer isto; **~ yet/now** ainda/agora não; see also **all; only**

notably ['nəutəblɪ] adv (particularly) particularmente; (markedly) notavelmente

notch [nɔtʃ] n (in wood) entalhe m; (in blade) corte m

note [nəut] n (Mus, bank~) nota; (letter) nota, bilhete m; (record) nota, anotação f; (tone) tom m ▷ vt (observe) observar, reparar em; (also: **~ down**) anotar, tomar nota de; **notebook** n caderno; **notepad** n bloco de anotações; **notepaper** n papel m de carta

nothing ['nʌθɪŋ] n nada; (zero) zero; **he does ~** ele não faz nada; **~ new/much** nada de novo/quase nada; **for ~** de graça, grátis; (in vain) em vão, por nada

notice ['nəutɪs] n (sign) aviso, anúncio; (warning) aviso; (dismissal) demissão f; (of leaving) aviso prévio; (period of time) prazo ▷ vt reparar em, notar; **at short ~** de repente, em cima da hora; **until further ~** até nova ordem; **to hand in one's ~** demitir, pedir a demissão; **to take ~ of** prestar atenção a, fazer caso de; **to bring sth to sb's ~** levar algo ao conhecimento de alguém; **noticeable** adj evidente, visível; **notice board** (BRIT) n quadro de avisos

notify ['nəutɪfaɪ] vt: **to ~ sb of sth** avisar alguém de algo

notion ['nəuʃən] n noção f, idéia

nought [nɔːt] n zero

noun [naun] n substantivo

nourish ['nʌrɪʃ] vt nutrir, alimentar; (fig) fomentar, alentar; **nourishment** n alimento, nutrimento

novel ['nɔvl] n romance m ▷ adj novo, recente; **novelist** n romancista m/f; **novelty** n novidade f

November [nəu'vɛmbə*] n novembro

now [nau] adv agora; (these days) atualmente, hoje em dia ▷ conj: **~ (that)** agora que; **right ~** agora mesmo; **by ~** já; **just ~** atualmente; **~ and then, ~ and again** de vez em quando; **from ~ on** de agora em diante; **nowadays** adv hoje em dia

nowhere ['nəuwɛə*] adv (go) a lugar nenhum; (be) em nenhum lugar

nozzle ['nɔzl] n bocal m

nuclear ['njuːklɪə*] adj nuclear

nucleus ['njuːklɪəs] (pl **nuclei**) n núcleo

nude [njuːd] adj nu (nua) ▷ n (art) nu m; **in the ~** nu, pelado

nudge [nʌdʒ] vt acotovelar, cutucar (BR)

nudist ['njuːdɪst] n nudista m/f

nuisance ['nju:sns] *n* amolação f, aborrecimento; (*person*) chato; **what a ~!** que saco! (*BR*), que chatice! (*PT*)

numb [nʌm] *adj*: **~ with cold** duro de frio; **~ with fear** paralisado de medo

number ['nʌmbə*] *n* número; (*numeral*) algarismo ▷ *vt* (*pages etc*) numerar; (*amount to*) montar a; **a ~ of** vários, muitos; **to be ~ed among** figurar entre; **they were ten in ~** eram em número de dez; **number plate** (*BRIT*) *n* placa (do carro)

numerous ['nju:mərəs] *adj* numeroso

nun [nʌn] *n* freira

nurse [nə:s] *n* enfermeiro(-a) (*also*: **~maid**) ama-seca, babá f ▷ *vt* (*patient*) cuidar de, tratar de

nursery ['nə:səri] *n* (*institution*) creche f; (*room*) quarto das crianças; (*for plants*) viveiro; **nursery rhyme** *n* poesia infantil; **nursery school** *n* escola maternal

nursing ['nə:sɪʌ] *n* (*profession*) enfermagem f; (*care*) cuidado, assistência; **nursing home** *n* sanatório, clínica de repouso

nut [nʌt] *n* (*Tech*) porca; (*Bot*) noz f

nutmeg ['nʌtmɛg] *n* nozmoscada

nutritious [nju:'trɪʃəs] *adj* nutritivo

nuts [nʌts] (*inf*) *adj*: **he's ~** ele é doido

nylon ['naɪlɔn] *n* náilon *m* (*BR*), nylon *m* (*PT*) ▷ *adj* de náilon

O

oak [əuk] *n* carvalho ▷ *adj* de carvalho

OAP (*BRIT*) *n abbr* = **old-age pensioner**

oar [ɔ:*] *n* remo

oasis [əu'eɪsɪs] (*pl* **oases**) *n* oásis *m inv*

oath [əuθ] *n* juramento; (*swear word*) palavrão *m*

oatmeal ['əutmi:l] *n* farinha *or* mingau *m* de aveia

oats [əuts] *n* aveia

obedient [ə'bi:dɪənt] *adj* obediente

obey [ə'beɪ] *vt* obedecer a; (*instructions, regulations*) cumprir

obituary [ə'bɪtjuərɪ] *n* necrológio

object [*n* 'ɔbdʒɪkt, *vb* əb'dʒɛkt] *n* objeto; (*purpose*) objetivo ▷ *vi*: **to ~ to** (*attitude*) desaprovar, objetar a; (*proposal*) opor-se a; **I ~!** protesto!; **he ~ed that ...** ele objetou que

...; **expense is no ~** o preço não é problema; **objection** [əb'dʒɛkʃən] n objeção f; **I have no objection to ...** não tenho nada contra ...; **objective** n objetivo

obligation [ɔblɪ'geɪʃən] n obrigação f; **without ~** sem compromisso

obligatory [ə'blɪɡətərɪ] adj obrigatório

oblige [ə'blaɪdʒ] vt (do a favour for) obsequiar, fazer um favor a; (force) obrigar, forçar; **to be ~d to sb for doing sth** ficar agradecido por alguém fazer algo

oblong ['ɔblɔŋ] adj oblongo, retangular ▷ n retângulo

obnoxious [əb'nɔkʃəs] adj odioso, detestável; (smell) enjoativo

oboe ['əubəu] n oboé m

obscene [əb'siːn] adj obsceno

obscure [əb'skjuə*] adj obscuro, desconhecido; (difficult to understand) pouco claro ▷ vt ocultar, escurecer; (hide: sun etc) esconder

observant [əb'zəːvnt] adj observador(a)

observation [ɔbzə'veɪʃən] n observação f; (Med) exame m

observatory [əb'zəːvətrɪ] n observatório

observe [əb'zəːv] vt observar; (rule) cumprir; **observer** n observador(a) m/f

obsess [əb'sɛs] vt obsedar, obcecar

obsolete ['ɔbsəliːt] adj obsoleto

obstacle ['ɔbstəkl] n obstáculo; (hindrance) estorvo, impedimento

obstinate ['ɔbstɪnɪt] adj obstinado

obstruct [əb'strʌkt] vt obstruir; (block: hinder) estorvar

obtain [əb'teɪn] vt obter; (achieve) conseguir

obvious ['ɔbvɪəs] adj óbvio; **obviously** adv evidentemente;

obviously not! (é) claro que não!

occasion [ə'keɪʒən] n ocasião f; (event) acontecimento; **occasional** adj de vez em quando; **occasionally** adv de vez em quando

occupation [ɔkju'peɪʃən] n ocupação f; (job) profissão f

occupy ['ɔkjupaɪ] vt ocupar; (house) morar em; **to ~ o.s. in doing** ocupar-se de fazer

occur [ə'kəː*] vi ocorrer; (phenomenon) acontecer; **to ~ to sb** ocorrer a alguém; **occurrence** n ocorrência, acontecimento; (existence) existência

ocean ['əuʃən] n oceano

o'clock [ə'klɔk] adv: **it is 5 ~** são cinco horas

October [ɔk'təubə*] n outubro

octopus ['ɔktəpəs] n polvo

odd [ɔd] adj (strange) estranho, esquisito; (number) ímpar; (sock etc) desemparelhado; **60-~** 60 e tantos; **at ~ times** às vezes, de vez em quando; **to be the ~ one out** ficar sobrando, ser a exceção; **oddly** adv curiosamente; see also **enough**; **odds** npl (in betting) pontos mpl de vantagem; **it makes no odds** dá no mesmo; **at odds** brigados (-as), de mal

odour ['əudə*] (US **odor**) n odor m, cheiro; (unpleasant) fedor m

○ **KEYWORD**

of [ɔv, əv] prep **1** (gen) de; **a friend ~ ours** um amigo nosso; **a boy ~ 10** um menino de 10 anos; **that was very kind ~ you** foi muito gentil da sua parte

2 (expressing quantity, amount, dates etc) de; **how much ~ this do you need?** de quanto você precisa?; **3 ~ them** 3 deles; **3 ~ us went** 3 de nós foram; **the 5th ~ July** dia 5 de julho

3 (from, out of) de; **made ~ wood**

feito de madeira

○ **KEYWORD**

off [ɔf] adv 1 (distance, time): **it's a long way ~** fica bem longe; **the game is 3 days ~** o jogo é daqui a 3 dias 2 (departure): **I'm ~** estou de partida; **to go ~ to Paris/Italy** ir para Paris/a Itália; **I must be ~** devo ir-me 3 (removal): **to take ~ one's hat/coat/clothes** tirar o chapéu/o casaco/a roupa; **the button came ~** o botão caiu; **10% ~** (Comm) 10% de abatimento or desconto 4 (not at work): **to have a day ~** tirar um dia de folga; (: sick): **to be ~ sick** estar ausente por motivo de saúde ▷ adj 1 (not turned on: machine, water, gas) desligado; (: light) apagado; (: tap) fechado 2 (cancelled) cancelado 3 (BRIT: not fresh: food) passado; (: milk) talhado, anulado 4: **on the ~ chance** (just in case) ao acaso; **today I had an ~ day** (not as good as usual) hoje não foi o meu dia ▷ prep 1 (indicating motion, removal etc) de; **the button came ~ my coat** o botão do meu casaco caiu 2 (distant from) de; **5 km ~ (the road)** a 5 km (da estrada); **~ the coast** em frente à costa 3: **to be ~ meat** (no longer eat it) não comer mais carne; (no longer like it) enjoar de carne

offence [əˈfɛns] (US **offense**) n (crime) delito; **to take ~ at** ofender-se com, melindrar-se com
offend [əˈfɛnd] vt ofender; **offender** n delinqüente m/f
offensive [əˈfɛnsɪv] adj (weapon, remark) ofensivo; (smell etc) repugnante ▷ n (Mil) ofensiva
offer [ˈɔfə*] n oferta; (proposal)

proposta ▷ vt oferecer; (opportunity) proporcionar; **"on ~"** (Comm) "em oferta"
office [ˈɔfɪs] n (place) escritório; (room) gabinete m; (position) cargo, função f; **to take ~** tomar posse; **doctor's ~** (US) consultório; **office block** (US **office building**) n conjunto de escritórios
officer [ˈɔfɪsə*] n (Mil etc) oficial m/f; (of organization) diretor(a) m/f; (also: **police ~**) agente m/f policial or de polícia
office worker n empregado(-a) or funcionário(-a) de escritório
official [əˈfɪʃl] adj oficial ▷ n oficial m/f; (civil servant) funcionário público (funcionária pública)
off-licence (BRIT) n ver quadro

● **OFF-LICENCE**
●
● Uma loja **off-licence** vende
● bebidas alcoólicas (para
● viagem) nos horários em que
● os pubs estão fechados. Nesses
● estabelecimentos também se
● pode comprar bebidas não-
● alcoólicas, cigarros, batatas
● fritas, balas, chocolates etc.

off: off line adj, adv (Comput) fora de linha; **off-peak** adj (heating etc) de período de pouco consumo; (ticket, train) de período de pouco movimento; **off-putting** (BRIT) adj desconcertante; **off-season** adj, adv fora de estação or temporada
offset [ˈɔfsɛt] (irreg) vt compensar, contrabalançar
offshore [ɔfˈʃɔ:*] adj (breeze) de terra; (fishing) costeiro; **~ oilfield** campo petrolífero ao largo
offside [ˈɔfsaɪd] adj (sport) impedido; (Aut) do lado do motorista

offspring ['ɔfsprɪŋ] *n* descendência, prole *f*

often ['ɔfn] *adv* muitas vezes, freqüentemente; **how ~ do you go?** quantas vezes você vai?

oil [ɔɪl] *n* (*Culin*) azeite *m*; (*petroleum*) petróleo; (*for heating*) óleo ▷ *vt* (*machine*) lubrificar; **oil painting** *n* pintura a óleo; **oil rig** *n* torre *f* de perfuração; **oil slick** *n* mancha negra; **oil tanker** *n* (*ship*) petroleiro; (*truck*) carro-tanque *m* de petróleo; **oil well** *n* poço petrolífero; **oily** *adj* oleoso; (*food*) gorduroso

ointment ['ɔɪntmənt] *n* pomada

O.K. ['əʊ'keɪ] *excl* está bem, está bom, tá (bem *or* bom) (*inf*) ▷ *adj* bom; (*correct*) certo ▷ *vt* aprovar

old [əʊld] *adj* velho; (*former*) antigo, anterior; **how ~ are you?** quantos anos você tem?; **he's 10 years ~** ele tem 10 anos; **~er brother** irmão mais velho; **old age** *n* velhice *f*; **old-age pensioner** (*BRIT*) *n* aposentado(-a) (*BR*), reformado(-a) (*PT*); **old-fashioned** *adj* fora de moda; (*person*) antiquado; (*values*) absoleto, retrógrado

olive ['ɔlɪv] *n* (*fruit*) azeitona; (*tree*) oliveira ▷ *adj* (*also*: **~-green**) verde-oliva *inv*; **olive oil** *n* azeite *m* de oliva

Olympic [əʊ'lɪmpɪk] *adj* olímpico

omelet(te) ['ɔmlɪt] *n* omelete *f* (*BR*), omeleta (*PT*)

omen ['əʊmən] *n* presságio, agouro

ominous ['ɔmɪnəs] *adj* preocupante

omit [əʊ'mɪt] *vt* omitir

○ **KEYWORD**

on [ɔn] *prep* 1 (*indicating position*) sobre, em (cima de); **~ the wall** na parede; **~ the left** à esquerda 2 (*indicating means, method, condition etc*): **~ foot** a pé; **~ the train/plane** no trem/avião; **~ the telephone/radio** no telefone/ rádio; **~ television** na televisão; **to be ~ drugs** (*addicted*) ser viciado em drogas; (*Med*) estar sob medicação; **to be ~ holiday** estar de férias 3 (*referring to time*): **~ Friday** na sexta-feira; **a week ~ Friday** sem ser esta sexta-feira, a outra; **~ arrival** ao chegar; **~ seeing this** ao ver isto 4 (*about, concerning*) sobre ▷ *adv* 1 (*referring to dress, covering*): **to have one's coat ~** estar de casaco; **what's she got ~?** o que ela está usando?; **she put her boots ~** ela calçou as botas; **he put his gloves/hat ~** ele colocou as luvas/o chapéu; **screw the lid ~ tightly** atarraxar bem a tampa 2 (*further, continuously*): **to walk/ drive ~** continuar andando/ dirigindo; **to go ~** continuar (em frente); **to read ~** continuar a ler ▷ *adj* 1 (*functioning, in operation: machine*) em funcionamento; (*light*) aceso; (*Radio*) ligado; (*tap*) aberto; (*brakes: of car etc*): **to be ~** estar frea-do; (*meeting*): **is the meeting still ~?** (*in progress*) a reunião ainda está sendo realizada?; (*not cancelled*) ainda vai haver reunião?; **there's a good film ~ at the cinema** tem um bom filme passando no cinema 2: **that's not ~!** (*inf: of behaviour*) isso não se faz!

once [wʌns] *adv* uma vez; (*formerly*) outrora ▷ *conj* depois que; **~ he had left/it was done** depois que ele saiu/foi feito; **at ~** imediatamente; (*simultaneously*) de uma vez, ao mesmo tempo; **~ more** mais uma

vez; **~ and for all** uma vez por todas;
~ upon a time era uma vez
oncoming ['ɔnkʌmɪŋ] *adj* (*traffic*)
que vem de frente

○ KEYWORD

one [wʌn] *num* um(a); **~ hundred
and fifty** cento e cinqüenta; **~ by ~**
um por um
▷ *adj* 1 (*sole*) único; **the ~ book
which ...** o único livro que ...
2 (*same*) mesmo; **they came in the
~ car** eles vieram no mesmo carro
▷ *pron* 1 um(a); **this ~** este (esta);
that ~ esse (essa), aquele (aquela);
I've already got ~/a red ~ eu já
tenho um/um vermelho
2 : **~ another** um ao outro; **do you
two ever see ~ another?** vocês dois
se vêem de vez em quando?
3 (*impers*): **~ never knows** nunca se
sabe; **to cut ~'s finger** cortar o dedo;
~ needs to eat é preciso comer

oneself [wʌn'sɛlf] *pron* (*reflexive*)
se; (*after prep, emphatic*) si
(mesmo(-a)); **by ~** sozinho(-a); **to
hurt ~** ferir-se; **to keep sth for ~**
guardar algo para si mesmo; **to talk
to ~** falar consigo mesmo
one: one-sided *adj* (*argument*)
parcial; **one-way** *adj* (*street, traffic*)
de mão única (BR), de sentido único (PT)
ongoing ['ɔngəʊɪŋ] *adj* (*project*)
em andamento; (*situation*) existente
onion ['ʌnjən] *n* cebola
on line *adj* (*Comput*) on-line, em
linha ▷ *adv* em linha
onlooker ['ɔnlukə°] *n*
espectador(a) *m/f*
only ['əʊnlɪ] *adv* somente, apenas
▷ *adj* único, só ▷ *conj* só que,
porém; **an ~ child** um filho único;
not ~ ... but also ... não só ... mas
também ...

onset ['ɔnsɛt] *n* começo
onto ['ɔntu] *prep* = **on to**
onward(s) ['ɔnwəd(z)] *adv* (*move*)
para diante, para a frente; **from this
time ~** de (ag)ora em diante
ooze [uːz] *vi* ressumar, filtrar-se
opaque [əʊ'peɪk] *adj* opaco, fosco
open ['əʊpn] *adj* aberto; (*car*)
descoberto; (*road*) livre; (*fig: frank*)
aberto, franco; (*meeting*) aberto,
sem restrições ▷ *vt* abrir ▷ *vi*
abrir(-se); (*book etc*) começar; **in the
~ (air)** aoçar livre; **open on to** *vt fus*
(*subj: room, door*) dar para; **open up**
vt abrir; (*blocked road*) desobstruir
▷ *vi* (*Comm*) abrir; **opening** *adj*
de abertura ▷ *n* abertura; (*start*)
início; (*opportunity*) oportunidade
f; **openly** *adv* abertamente; **open-
minded** *adj* aberto, imparcial;
open-necked *adj* aberto no
colo; **open-plan** *adj* sem paredes
divisórias; **Open University** (BRIT)
n ver quadro

● OPEN UNIVERSITY
●
● Fundada em 1969, a **Open
● University** oferece um tipo de
● ensino que compreende cursos
● (alguns blocos da programação
● da TV e do rádio são reservados
● para esse fim), deveres que são
● enviados pelo aluno ao diretor
● ou di-retora de estudos e uma
● estada obrigatória em uma
● universidade de verão. É preciso
● cumprir um certo número de
● unidades ao longo de um período
● determinado e obter a média
● em um certo número delas para
● receber o diploma almejado.

opera ['ɔpərə] *n* ópera
operate ['ɔpəreɪt] *vt* fazer
funcionar, pôr em funcionamento

▷ *vi* funcionar; *(Med)*: **to ~ on sb** operar alguém

operation [ɔpə'reɪʃən] *n* operação *f*; *(of machine)* funcionamento; **to be in ~** *(system)* estar em vigor

operator ['ɔpəreɪtə°] *n* *(of machine)* operador(a) *m/f*, manipulador(a) *m/f*; *(Tel)* telefonista *m/f*

opinion [ə'pɪnɪən] *n* opinião *f*; **in my ~** na minha opinião, a meu ver

opponent [ə'pəunənt] *n* oponente *m/f*; *(Mil, sport)* adversário(-a)

opportunity [ɔpə'tjuːnɪtɪ] *n* oportunidade *f*; **to take the ~ of doing** aproveitar a oportunidade para fazer

oppose [ə'pəuz] *vt* opor-se a; **to be ~d to sth** opor-se a algo, estar contra algo; **as ~d to** em oposição a

opposite ['ɔpəzɪt] *adj* oposto; *(house etc)* em frente ▷ *adv* (lá) em frente ▷ *prep* em frente de, defronte de ▷ *n* oposto, contrário

opposition [ɔpə'zɪʃən] *n* oposição *f*

opt [ɔpt] *vi*: **to ~ for** optar por; **to ~ to do** optar por fazer; **opt out: to ~ out of doing sth** optar por não fazer algo

optician [ɔp'tɪʃən] *n* oculista *m/f*

optimist ['ɔptɪmɪst] *n* otimista *m/f*; **optimistic** [ɔptɪ'mɪstɪk] *adj* otimista

option ['ɔpʃən] *n* opção *f*; **optional** *adj* opcional, facultativo

or [ɔː°] *conj* ou; *(with negative)*: **he hasn't seen ~ heard anything** ele não viu nem ouviu nada; **~ else** senão

oral ['ɔːrəl] *adj* oral ▷ *n* (exame *m*) oral *f*

orange ['ɔrɪndʒ] *n* *(fruit)* laranja ▷ *adj* cor de laranja *inv*, alaranjado

orbit ['ɔːbɪt] *n* órbita ▷ *vt* orbitar

orchard ['ɔːtʃəd] *n* pomar *m*

orchestra ['ɔːkɪstrə] *n* orquestra; *(us: seating)* platéia

orchid ['ɔːkɪd] *n* orquídea

ordeal [ɔː'diːl] *n* experiência penosa, provação *f*

order ['ɔːdə°] *n* ordem *f*; *(Comm)* encomenda; *(good ~)* bom estado ▷ *vt* *(also:* **put in ~)** pôr em ordem, arrumar; *(in restaurant)* pedir; *(Comm)* encomendar; *(command)* mandar, ordenar; **in (working) ~** em bom estado; **in ~ to do/that** para fazer/que (+ *sub*); **on ~** *(Comm)* encomendado; **out of ~** com defeito, enguiçado; **order form** *n* impresso para encomendas;

orderly *n* *(Mil)* ordenança *m*; *(Med)* servente *m/f* ▷ *adj* *(room)* arrumado, ordenado; *(person)* metódico

ordinary ['ɔːdnrɪ] *adj* comum, usual; *(pej)* ordinário, medíocre; **out of the ~** fora do comum, extraordinário

ore [ɔː°] *n* minério

organ ['ɔːgən] *n* órgão *m*; **organic** [ɔː'gænɪk] *adj* orgânico

organization [ɔːgənaɪ'zeɪʃən] *n* organização *f*

organize ['ɔːgənaɪz] *vt* organizar

orgasm ['ɔːgæzəm] *n* orgasmo

origin ['ɔrɪdʒɪn] *n* origem *f*

original [ə'rɪdʒɪnl] *adj* original ▷ *n* original *m*

originate [ə'rɪdʒɪneɪt] *vi*: **to ~ from** originar-se de, surgir de; **to ~ in** ter origem em

Orkneys ['ɔːknɪz] *npl*: **the ~** *(also:* **the Orkney Islands)** as ilhas îrcadas

ornament ['ɔːnəmənt] *n* ornamento; *(on dress)* enfeite *m*; **ornamental** [ɔːnə'mɛntl] *adj* decorativo, ornamental

ornate [ɔː'neɪt] *adj* enfeitado, requintado

orphan ['ɔːfn] *n* órfão (órfã) *m/f*

orthopaedic [ɔːθə'piːdɪk] *(us*

orthopedic) *adj* ortopédico
ostrich ['ɔstrɪtʃ] *n* avestruz *m/f*
other ['ʌðə°] *adj* outro ▷ *pron:*
the ~ (one) o outro (a outra)
▷ *adv* (*usually in negatives*): **~ than**
(*apart from*) a não ser; (*anything
but*) exceto; **~s** (*~ people*) outros;
otherwise *adv* (*in a different way*)
de outra maneira; (*apart from that*)
do contrário, caso contrário ▷ *conj*
(*if not*) senão
otter ['ɔtə°] *n* lontra
ouch [autʃ] *excl* ai!
ought [ɔːt] (*pt* **ought**) *aux vb:* **I ~ to
do it** eu deveria fazê-lo; **he ~ to win**
(*probability*) ele deve ganhar
ounce [auns] *n* onça (= 28.35g; 16
in a pound)
our ['auə°] *adj* nosso; *see also* **my**;
ours *pron* (o) nosso/(a) nossa)
etc; *see also* **mine¹**; **ourselves**
[auə'sɛlvz] *pron pl* (*reflexive, after
prep*) nós; (*emphatic*) nós
mesmos(-as); *see also* **oneself**
oust [aust] *vt* expulsar

○ **KEYWORD**

out [aut] *adv* **1** (*not in*) fora; **(to
stand) ~ in the rain/snow** (estar
em pé) na chuva/neve; **~ loud** em
voz alta
2 (*not at home, absent*) fora (de casa);
Mr Green is ~ at the moment Sr.
Green não está no momento; **to
have a day/night ~** passar o dia
fora/sair à noite
3 (*indicating distance*): **the boat
was 10 km ~** o barco estava a 10
km da costa
4 (*sport*): **the ball is/has gone ~** a
bola caiu fora; **~!** (*tennis etc*) fora!
▷ *adj* **1**: **to be ~** (*unconscious*) estar
inconsciente; (*~ of game*) estar fora;
(*~ of fashion*) estar fora de moda
2 (*have appeared: news, secret*) do

conhecimento público; (*: flowers*):
the flowers are ~ as flores
desabrocham
3 (*extinguished: light, fire*) apagado;
before the week was ~ (*finished*)
antes da semana acabar
4: **to be ~ to do sth** (*intend*)
pretender fazer algo; **to be ~
in one's calculations** (*wrong*)
enganar-se nos cálculos
▷ *prep*: **~ of 1** (*outside, beyond*): **~ of**
fora de; **to go ~ of the house** sair
da casa; **to look ~ of the window**
olhar pela janela
2 (*cause, motive*) por
3 (*origin*): **to drink sth ~ of a cup**
beber algo na xícara
4 (*from among*): **1 ~ of every 3** 1 entre 3
5 (*without*) sem; **to be ~ of milk/
sugar/petrol** *etc* não ter leite/
açúcar/gasolina *etc*

outback ['autbæk] *n* (*in Australia*):
the ~ o interior
outbreak ['autbreɪk] *n* (*of war*)
deflagração *f*; (*of disease*) surto; (*of
violence etc*) explosão *f*
outburst ['autbəːst] *n* explosão *f*
outcast ['autkɑːst] *n* pária *m/f*
outcome ['autkʌm] *n* resultado
outcry ['autkraɪ] *n* clamor *m* (de
protesto)
outdated [aut'deɪtɪd] *adj*
antiquado, fora de moda
outdoor [aut'dɔː°] *adj* ao ar livre;
(*clothes*) de sair; **outdoors** *adv* ao
ar livre
outer ['autə°] *adj* exterior, externo;
outer space n espaço (exterior)
outfit ['autfɪt] *n* roupa, traje *m*
outgoing ['autgəuɪŋ] *adj* de
saída; (*character*) extrovertido,
sociável; **outgoings** (BRIT) *npl*
despesas *fpl*
outing ['autɪŋ] *n* excursão *f*
outlaw ['autlɔː] *n* fora-da-lei *m/f*

▷ vt (*person*) declarar fora da lei;
(*practice*) declarar ilegal

outlay ['autleɪ] n despesas fpl

outlet ['autlɛt] n saída, escape m;
(*of pipe*) desagüe m, escoadouro;
(*us: Elec*) tomada; (*also:* **retail ~**)
posto de venda

outline ['autlaɪn] n (*shape*)
contorno, perfil m; (*of plan*) traçado;
(*sketch*) esboço, linhas fpl gerais ▷ vt
(*theory, plan*) traçar, delinear

outlook ['autluk] n (*attitude*)
ponto de vista; (*fig: prospects*)
perspectiva; (: *for weather*) previsão f

outnumber [aut'nʌmbə*] vt
exceder em número

out-of-date adj (*passport, ticket*)
sem validade; (*clothes*) fora de moda

out-of-the-way adj remoto,
afastado

outpatient ['autpeɪʃənt] n
paciente m/f externo(-a) or de
ambulatório

outpost ['autpəust] n posto
avançado

output ['autput] n (*volume* m de)
produção f; (*Comput*) saída ▷ vt
(*Comput*) liberar

outrage ['autreɪdʒ] n escândalo;
(*atrocity*) atrocidade f ▷ vt ultrajar;
outrageous [aut'reɪdʒəs] adj
ultrajante, escandaloso

outright [adv aut'raɪt,
adj 'autraɪt] adv (*kill, win*)
completamente; (*ask, refuse*)
abertamente; ▷ adj completo; franco

outset ['autsɛt] n início, princípio

outside [aut'saɪd] n exterior m
▷ adj exterior, externo ▷ adv (*lá*)
fora ▷ prep fora de; (*beyond*) além
(dos limites) de; **at the ~** (*fig*) no
máximo; **outsider** n (*stranger*)
estra-nho(-a), forasteiro(-a)

outsize ['autsaɪz] adj (*clothes*) de
tamanho extra-grande or especial

outskirts ['autskə:ts] npl

arredores mpl, subúrbios mpl

outspoken [aut'spəukən] adj
franco, sem rodeios

outstanding [aut'stændɪŋ] adj
ex-cepcional; (*work, debt*) pendente

outward ['autwəd] adj externo;
(*journey*) de ida

outweigh [aut'weɪ] vt ter mais
valor do que

oval ['əuvl] adj ovalado ▷ n oval m;
Oval Office n ver quadro

● **OVAL OFFICE**
●
● O Salão Oval (**Oval Office**)
● é o escritório particular do
● presidente dos Estados Unidos
● na Casa Branca, assim chamado
● devido a sua forma oval. Por
● extensão, o termo se refere à
● presidência em si.

ovary ['əuvərɪ] n ovário

oven ['ʌvn] n forno

○ **KEYWORD**

over ['əuvə*] adv **1** (*across: walk,
jump, fly etc*) por cima; **to cross
~ to the other side of the road**
atravessar para o outro lado da rua;
~ here por aqui, cá; **~ there** por
ali, lá; **to ask sb ~** (*to one's home*)
convidar alguém
2: **to fall ~** cair; **to knock ~**
derrubar; **to turn ~** virar; **to bend ~**
curvar-se, debruçar-se
3 (*finished*): **to be ~** estar acabado
4 (*excessively: clever, rich, fat etc*)
muito, demais; **she's not ~
intelligent** ela não é superdotada
5 (*remaining: money, food etc*): **there
are 3 ~** tem 3 sobrando/sobraram 3
6: **all ~** (*everywhere*) por todos
os lados; **~ and ~ (again)**
repetidamente

▷ prep **1** (*on top of*) sobre; (*above*) acima de **2** (*on the other side of*) no outro lado de; **he jumped ~ the wall** ele pulou o muro
3 (*more than*) mais de; **~ and above** além de
4 (*during*) durante

overall [*adj, n* 'əuvərɔːl, *adv* əuvər'ɔːl] *adj* (*length*) total; (*study*) global ▷ *adv* (*view*) globalmente; (*measure, paint*) totalmente ▷ *n* (*also:* **~s**) macacão *m* (BR), (*fato*) macaco (PT)
overboard ['əuvəbɔːd] *adv* (*Naut*) ao mar
overcast ['əuvəkaːst] *adj* nublado, fechado
overcharge [əuvə'tʃaːdʒ] *vt*: **to ~ sb** cobrar em excesso a alguém
overcoat ['əuvəkəut] *n* sobretudo
overcome [əuvə'kʌm] (*irreg*) *vt* vencer, dominar; (*difficulty*) superar
overcrowded [əuvə'kraudɪd] *adj* superlotado
overdo [əuvə'duː] (*irreg*) *vt* exagerar; (*overcook*) cozinhar demais; **to ~ it** (*work too hard*) exceder-se
overdose ['əuvədəus] *n* overdose *f*, dose *f* excessiva
overdraft ['əuvədraːft] *n* saldo negativo
overdrawn [əuvə'drɔːn] *adj* (*account*) sem fundos, a descoberto
overdue [əuvə'djuː] *adj* atrasado; (*change*) tardio
overestimate [əuvər'ɛstɪmeɪt] *vt* sobrestimar
overflow [*vb* əuvə'fləu, *n* 'əuvəfləu] *vi* transbordar ▷ *n* (*also:* **~ pipe**) tubo de descarga, ladrão *m*
overgrown [əuvə'grəun] *adj* (*garden*) coberto de vegetação
overhaul [*vb* əuvə'hɔːl, *n* 'əuvəhɔːl] *vt* revisar ▷ *n* revisão *f*
overhead [*adv* əuvə'hɛd, *adj, n* 'əuvəhɛd] *adv* por cima, em cima;

(*in the sky*) no céu ▷ *adj* (*lighting*) superior; (*railway*) suspenso ▷ *n* (*US*) = **~s**; **~s** *npl* (*expenses*) despesas *fpl* gerais
overhear [əuvə'hɪə*] (*irreg*) *vt* ouvir por acaso
overheat [əuvə'hiːt] *vi* (*engine*) aquecer demais
overland ['əuvəlænd] *adj, adv* por terra
overlap [əuvə'læp] *vi* (*edges*) sobrepor-se em parte; (*fig*) coincidir
overload [əuvə'ləud] *vt* sobrecarregar
overlook [əuvə'luk] *vt* (*have view on*) dar para; (*miss*) omitir; (*forgive*) fazer vista grossa a
overnight [*adv* əuvə'naɪt, *adj* 'əuvənaɪt] *adv* durante a noite; (*fig*) da noite para o dia ▷ *adj* de uma (or de) noite; **to stay ~** passar a noite, pernoitar
overpass ['əuvəpaːs] (*esp US*) *n* viaduto
overpower [əuvə'pauə*] *vt* dominar, subjugar; (*fig*) assolar
overrule [əuvə'ruːl] *vt* (*decision*) anular; (*claim*) indeferir
overrun [əuvə'rʌn] (*irreg*) *vt* (*country etc*) invadir; (*time limit*) ultrapassar, exceder
overseas [əuvə'siːz] *adv* (*abroad*) no estrangeiro, no exterior ▷ *adj* (*trade*) exterior; (*visitor*) estrangeiro
overshadow [əuvə'ʃædəu] *vt* ofuscar
oversight ['əuvəsaɪt] *n* descuido
oversleep [əuvə'sliːp] (*irreg*) *vi* dormir além da hora
overt [əu'vəːt] *adj* aberto, indissimulado
overtake [əuvə'teɪk] (*irreg*) *vt* ultrapassar
overthrow [əuvə'θrəu] (*irreg*) *vt* (*government*) derrubar
overtime ['əuvətaɪm] *n* horas

fpl extras

overturn [əuvə'tə:n] *vt* virar; *(system)* derrubar; *(decision)* anular ▷ *vi (car etc)* capotar

overweight [əuvə'weɪt] *adj* gordo demais, com excesso de peso

overwhelm [əuvə'wɛlm] *vt* esmagar, assolar; **overwhelming** *adj (victory, defeat)* esmagador(a); *(heat)* sufocante; *(desire)* irresistível

owe [əu] *vt*: **to ~ sb sth, to ~ sth to sb** dever algo a alguém; **owing to** *prep* devido a, por causa de

owl [aul] *n* coruja

own [əun] *adj* próprio ▷ *vt* possuir, ter; **a room of my ~** meu próprio quarto; **to get one's ~ back** ir à forra; **on one's ~** sozinho; **own up** *vi*: **to ~ up to sth** confessar algo; **owner** *n* dono(-a), proprietário(-a); **ownership** *n* posse *f*

ox [ɔks] (*pl* **~en**) *n* boi *m*

oxygen ['ɔksɪdʒən] *n* oxigênio

oyster ['ɔɪstə*] *n* ostra

oz. *abbr* = **ounce(s)**

ozone ['əuzəun] *n* ozônio

p [pi:] *abbr* (= *page*) p; (*BRIT*) = **penny; pence**

p.a. *abbr* (= *per annum*) p.a.

pace [peɪs] *n* passo; *(speed)* velocidade *f* ▷ *vi*: **to ~ up and down** andar de um lado para o outro; **to keep ~ with** acompanhar o passo de; **pacemaker** *n* (*Med*) marcapasso *m*

Pacific [pə'sɪfɪk] *n*: **the ~ (Ocean)** o (Oceano) Pacífico

pack [pæk] *n* pacote *m*, embrulho; (*US: of cigarettes*) maço; (*of hounds*) matilha; (*of thieves*) bando, quadrilha; (*of cards*) baralho; (*back~*) mochila ▷ *vt* encher; (*in suitcase*) arrumar (na mala); (*cram*): **to ~ into** entupir de, entulhar com; **to ~ (one's bags)** fazer as malas; **to ~ sb off** despedir alguém; **~ it in!** pára com isso!

package ['pækɪdʒ] *n* pacote *m*; (*bulky*) embrulho, fardo; (*also:*

~ deal) acordo global, pacote; **package tour** (*BRIT*) *n* excursão *f* organizada

packed lunch [pækt-] (*BRIT*) *n* merenda

packet ['pækɪt] *n* pacote *m*; (*of cigarettes*) maço; (*of washing powder etc*) caixa

packing ['pækɪŋ] *n* embalagem *f*; (*act*) empacotamento

pad [pæd] *n* (*of paper*) bloco; (*to prevent friction*) acolchoado; (*inf: home*) casa ▷ *vt* acolchoar, enchumaçar

paddle ['pædl] *n* remo curto; (*us: for table tennis*) raquete *f* ▷ *vt* remar ▷ *vi* patinhar; **paddling pool** (*BRIT*) *n* lago de recreação

paddock ['pædək] *n* cercado; (*at race course*) paddock *m*

padlock ['pædlɔk] *n* cadeado

page [peɪdʒ] *n* página; (*also:* **~ boy**) mensageiro ▷ *vt* mandar chamar

pager ['peɪdʒə°], **paging device** ['peɪdʒɪŋ-] *n* bip *m*

paid [peɪd] *pt, pp of* **pay** ▷ *adj* (*work*) remunerado; (*holiday*) pago; (*official*) assalariado; **to put ~ to** (*BRIT*) acabar com

pain [peɪn] *n* dor *f*; **to be in ~** sofrer *or* sentir dor; **to take ~s to do sth** dar-se ao trabalho de fazer algo; **painful** *adj* doloroso; (*laborious*) penoso; (*unpleasant*) desagradável; **painkiller** *n* analgésico; **painstaking** ['peɪnzteɪkɪŋ] *adj* (*work*) esmerado; (*person*) meticuloso

paint [peɪnt] *n* pintura ▷ *vt* pintar; **paintbrush** *n* (*artist's*) pincel *m*; (*decorator's*) broxa; **painter** *n* (*artist*) pintor(a) *m/f*; (*decorator*) pintor(a) de paredes; **painting** *n* pintura; (*picture*) tela, quadro

pair [peə°] *n* par *m*; **a ~ of scissors** uma tesoura; **a ~ of trousers** uma calça (*BR*), umas calças (*PT*)

pajamas [pɪ'dʒɑːməz] (*us*) *npl* pijama *m*

Pakistan [pɑːkɪ'stɑːn] *n* Paquistão *m*; **Pakistani** *adj*, *n* paquistanês(-esa) *m/f*

pal [pæl] (*inf*) *n* camarada *m/f*, colega *m/f*

palace ['pæləs] *n* palácio

pale [peɪl] *adj* pálido; (*colour*) claro; (*light*) fraco ▷ *vi* empalidecer ▷ *n*: **to be beyond the ~** passar dos limites

Palestine ['pælɪstaɪn] *n* Palestina; **Palestinian** [pælɪs'tɪnɪən] *adj*, *n* palestino(-a)

palm [pɑːm] *n* (*of hand*) palma; (*also:* **~ tree**) palmeira ▷ *vt*: **to ~ sth off on sb** (*inf*) impingir algo a alguém

pamper ['pæmpə°] *vt* paparicar, mimar

pamphlet ['pæmflət] *n* panfleto

pan [pæn] *n* (*also:* **sauce~**) panela (*BR*), caçarola (*PT*); (*also:* **frying ~**) frigideira

Panama ['pænəmɑː] *n* Panamá *m*

pancake ['pænkeɪk] *n* panqueca

panda ['pændə] *n* panda *m/f*

pane [peɪn] *n* vidraça, vidro

panel ['pænl] *n* (*of wood, Radio, TV*) painel *m*

panic ['pænɪk] *n* pânico ▷ *vi* entrar em pânico

pansy ['pænzɪ] *n* (*Bot*) amorperfeito; (*inf: pej*) bicha (*BR*), maricas *m* (*PT*)

pant [pænt] *vi* arquejar, ofegar

panther ['pænθə°] *n* pantera

panties ['pæntɪz] *npl* calcinha (*BR*), cuecas *fpl* (*PT*)

pantomime ['pæntəmaɪm] (*BRIT*) *n* pantomima; *ver quadro*

● **PANTOMIME**
●
● Uma **pantomime**, também
● chamada simplesmente de

panto, é um gênero de comédia
em que o personagem principal
em geral é um rapaz e na qual
há sempre uma *dame*, isto é,
uma mulher idosa representada
por um homem, e um vilão. Na
maior parte das vezes, a história
é baseada em um conto de fadas,
como "A gata borralheira" ou
"O gato de botas", e a platéia
é encorajada a participar
prevenindo os heróis dos perigos
que estão por vir. Esse tipo de
espetáculo, voltado sobretudo
para as crianças, visa também
ao público adulto por meio de
diversas brincadeiras que fazem
alusão aos fatos atuais.

pants [pænts] *npl* (BRIT: *underwear*: *woman's*) calcinha (BR), cuecas *fpl* (PT); (: *man's*) cueca (BR), cuecas (PT); (US: *trousers*) calça (BR), calças *fpl* (PT)

paper ['peɪpə°] *n* papel *m*; (*also*: **news~**) jornal *m*; (*also*: **wall~**) papel de parede; (*study, article*) artigo, dissertação *f*; (*exam*) exame *m*, prova ▷ *adj* de papel ▷ *vt* (*room*) revestir (com papel de parede); **~s** *npl* (*also*: **identity ~s**) documentos *mpl*; **paperback** *n* livro de capa mole; **paper bag** *n* saco de papel; **paper clip** *n* clipe *m*; **paperwork** *n* trabalho burocrático; (*pej*) papelada

par [pɑ:°] *n* paridade *f*, igualdade *f*; (*golf*) média *f*; **on a ~ with** em pé de igualdade com

parachute ['pærəʃuːt] *n* páraquedas *m inv*

parade [pə'reɪd] *n* desfile *m* ▷ *vt* (*show off*) exibir ▷ *vi* (*Mil*) passar revista

paradise ['pærədaɪs] *n* paraíso

paraffin ['pærəfɪn] (BRIT) *n*: **~ (oil)** querosene *m*

paragraph ['pærəgrɑ:f] *n* parágrafo

Paraguay ['pærəgwaɪ] *n* Paraguai *m*

parallel ['pærəlɛl] *adj* (*lines etc*) paralelo; (*fig*) correspondente ▷ *n* paralela; correspondência

paralysis [pə'rælɪsɪs] (*pl* **paralyses**) *n* paralisia

paranoid ['pærənɔɪd] *adj* paranóico

parcel ['pɑ:sl] *n* pacote *m* ▷ *vt* (*also*: **~ up**) embrulhar, empacotar

pardon ['pɑ:dn] *n* (*law*) indulto ▷ *vt* perdoar; **~ me!, I beg your ~** (*apologizing*) desculpe(-me); **(I beg your) ~?** (BRIT), **~ me?** (US) (*not hearing*) como?, como disse?

parent ['pɛərənt] *n* (*father*) pai *m*; (*mother*) mãe *f*; **~s** *npl* (*mother and father*) pais *mpl*

Paris ['pærɪs] *n* Paris

parish ['pærɪʃ] *n* paróquia, freguesia

park [pɑ:k] *n* parque *m* ▷ *vt*, *vi* estacionar

parking ['pɑ:kɪŋ] *n* estacionamento; **"no ~"** "estacionamento proibido"; **parking lot** (US) *n* (parque *m* de) estacionamento; **parking meter** *n* parquímetro; **parking ticket** *n* multa por estacionamento proibido

parliament ['pɑ:ləmənt] (BRIT) *n* parlamento

parole [pə'rəul] *n*: **on ~** em liberdade condicional, sob promessa

parrot ['pærət] *n* papagaio

parsley ['pɑ:slɪ] *n* salsa

parsnip ['pɑ:snɪp] *n* cherivia, pastinaga

parson ['pɑ:sn] *n* padre *m*, clérigo; (*in Church of England*) pastor *m*

part [pɑ:t] *n* parte *f*; (*of machine*) peça; (*theatre etc*) papel *m*; (*of serial*) capítulo; (US: in hair) risca, repartido ▷ adv = **partly** ▷ vt dividir; (hair) repartir ▷ vi (people) separar-se; (crowd) dispersar-se; **to take ~ in** participar de, tomar parte em; **to take sb's ~** defender alguém; **for my ~** pela minha parte; **for the most ~** na maior parte; **to take sth in good ~** não se ofender com algo; **part with** vt fus ceder, entregar; (money) pagar

partial ['pɑːʃl] adj parcial; **to be ~ to** gostar de, ser apreciador(a) de

participate [pɑːˈtɪsɪpeɪt] vi: **to ~ in** participar de f

particle ['pɑːtɪkl] n partícula; (of dust) grão m

particular [pəˈtɪkjulə*] adj (special) especial; (specific) específico; (fussy) exigente, minucioso; **in ~** em particular; **particularly** adv em particular, especialmente; **particulars** npl detalhes mpl; (personal details) dados mpl pessoais

parting ['pɑːtɪŋ] n (act) separação f; (farewell) despedida; (BRIT: in hair) risca, repartido ▷ adj de despedida

partition [pɑːˈtɪʃən] n (Pol) divisão f; (wall) tabique m, divisória

partly ['pɑːtlɪ] adv em parte

partner ['pɑːtnə*] n (Comm) sócio(-a); (sport) parceiro(-a); (at dance) par m; (spouse) cônjuge m/f; **partnership** n associação f, parceria; (Comm) sociedade f

partridge ['pɑːtrɪdʒ] n perdiz f

part-time adj, adv de meio expediente

party ['pɑːtɪ] n (Pol) partido; (celebration) festa; (group) grupo; (law) parte f interessada, litigante m/f ▷ cpd (Pol) do partido, partidário

pass [pɑːs] vt passar; (exam) passar em; (place) passar por; (overtake) ultrapassar; (approve) aprovar ▷ vi passar; (Sch) ser aprovado, passar ▷ n (permit) passe m; (membership card) carteira; (in mountains) desfiladeiro; (sport) passe m; (Sch): **to get a ~ in** ser aprovado em; **to make a ~ at sb** tomar liberdade com alguém; **pass away** vi falecer; **pass by** vi passar ▷ vt passar por cima de; **pass for** vt fus passar por; **pass on** vt (news, illness) transmitir; (object) passar para; **pass out** vi desmaiar; **pass up** vt deixar passar; **passable** adj (road) transitável; (work) aceitável

passage ['pæsɪdʒ] n (also: **~way**: indoors) corredor m; (: outdoors) passagem f; (Anat) via; (act of passing) trânsito; (in book) passagem, trecho; (by boat) travessia

passenger ['pæsɪndʒə*] n passageiro(-a)

passer-by ['pɑːsə*-] (pl **passers-by**) n transeunte m/f

passion ['pæʃən] n paixão f; **passionate** adj apaixonado

passive ['pæsɪv] adj passivo

passport ['pɑːspɔːt] n passaporte m

password ['pɑːswəːd] n senha, contra-senha

past [pɑːst] prep (in front of) por; (beyond) mais além de; (later than) depois de ▷ adj passado; (president etc) ex-, anterior ▷ n passado; **he's ~ forty** ele tem mais de quarenta anos; **ten/quarter ~ four** quatro e dez/quinze; **for the ~ few/3 days** nos últimos/3 dias

pasta ['pæstə] n massa

paste [peɪst] n pasta; (glue) grude m, cola ▷ vt grudar; **tomato ~** massa de tomate

pasteurized ['pæstəraɪzd] adj pasteurizado

pastime ['pɑ:staɪm] n
passatempo
pastry ['peɪstrɪ] n massa; (cake)
bolo
pasture ['pɑ:stʃə°] n pasto
pasty [n 'pæstɪ, adj 'peɪstɪ]
n empadão m de carne ▷ adj
(complexion) pálido
pat [pæt] vt dar palmadinhas em;
(dog etc) fazer festa em
patch [pætʃ] n retalho; (eye ~)
tapa-olho m, tampão m; (area)
aréa pequena; (mend) remendo ▷ vt
remendar; **(to go through) a bad ~**
(passar por) um mau pedaço; **patch
up** vt consertar provisoriamente;
(quarrel) resolver; **patchy** adj
(colour) desigual; (information)
incompleto
pâté ['pæteɪ] n patê m
patent ['peɪtnt] n patente f ▷ vt
patentear ▷ adj patente, evidente
paternal [pə'tə:nl] adj paternal;
(relation) paterno
path [pɑ:θ] n caminho; (trail, track)
trilha, senda; (trajectory) trajetória
pathetic [pə'θetɪk] adj (pitiful)
patético, digno de pena; (very bad)
péssimo
pathway ['pɑ:θweɪ] n caminho,
tri-lha
patience ['peɪʃns] n paciência
patient ['peɪʃnt] adj, n paciente
m/f
patio ['pætɪəu] n pátio
patrol [pə'trəul] n patrulha ▷ vt
patrulhar; **patrol car** n carro de
patrulha
patron ['peɪtrən] n (customer)
cliente m/f, freguês(-esa) m/f; (of
charity) benfeitor(a) m/f; **~ of the
arts** mecenas m
pattern ['pætən] n (sewing) molde
m; (design) desenho
pause [pɔ:z] n pausa ▷ vi fazer
uma pausa

pave [peɪv] vt pavimentar; **to ~
the way for** preparar o terreno para
pavement ['peɪvmənt] (BRIT) n
calçada (BR), passeio (PT)
pavilion [pə'vɪlɪən] n (sport)
barraca
paving ['peɪvɪŋ] n pavimento,
calçamento
paw [pɔ:] n pata; (of cat) garra
pawn [pɔ:n] n (chess) peão m;
(fig) títere m ▷ vt empenhar;
pawnbroker n agiota m/f
pay [peɪ] (pt, pp **paid**) n salário;
(of manual worker) paga ▷ vt pagar;
(debt) liquidar, saldar; (visit) fazer
▷ vi valer a pena, render; **to ~
attention (to)** prestar atenção (a);
to ~ one's respects to sb fazer uma
visita de cortesia a alguém; **pay
back** vt (money) devolver; (person)
pagar; **pay for** vt fus pagar a; (fig)
recompensar; **pay in** vt depositar;
pay off vt (debts) saldar, liquidar;
(creditor) pagar, reembolsar ▷ vi
(plan) valer a pena; **pay up** vt pagar;
payable adj pagável; (cheque):
payable to nominal em favor de;
payment n pagamento; **monthly
payment** pagamento mensal;
pay packet (BRIT) n envelope m de
pagamento; **pay phone** n telefone
m público; **payroll** n folha de
pagamento
PC n abbr (= personal computer) PC m
PDA n abbr (= personal digital
assistant) PDA m (assistente digital
pessoal)
pea [pi:] n ervilha
peace [pi:s] n paz f; (calm)
tranqüilidade f, quietude f;
peaceful adj (person) tranqüilo,
pacífico; (place, time) tranqüilo,
sossegado
peach [pi:tʃ] n pêssego
peacock ['pi:kɔk] n pavão m
peak [pi:k] n (of mountain: top)

cume m; (of cap) pala, viseira; (fig)
apogeu m

peanut ['piːnʌt] n amendoim
m; **peanut butter** n manteiga de
amendoim

pear [pɛə*] n pêra

pearl [pɜːl] n pérola

peasant ['pɛznt] n
camponês(-esa) m/f

peat [piːt] n turfa

pebble ['pɛbl] n seixo, calhau m

peck [pɛk] vt (also: ~ **at**) bicar,
dar bicadas em ▷ n bicada; (kiss)
beijoca; **peckish** (BRIT: inf) adj: **I
feel peckish** estou a fim de comer
alguma coisa

peculiar [pɪˈkjuːlɪə*] adj (strange)
estranho, esquisito; (belonging to): ~
to próprio de

pedal ['pɛdl] n pedal m ▷ vi
pedalar

pedestrian [pɪˈdɛstrɪən] n
pedestre m/f (BR), peão m (PT) ▷ adj
(fig) prosaico; **pedestrian crossing**
(BRIT) n passagem f para pedestres
(BR), passadeira (PT)

pedigree ['pɛdɪɡriː] n raça; (fig)
genealogia ▷ cpd (animal) de raça

pee [piː] (inf) vi fazer xixi, mijar

peek [piːk] vi: **to ~ at** espiar,
espreitar

peel [piːl] n casca ▷ vt descascar
▷ vi (paint, skin) descascar;
(wallpaper) desprender-se

peep [piːp] n (BRIT: look) espiadela;
(sound) pio ▷ vi espreitar; **peep out**
(BRIT) vi mostrar-se, surgir

peer [pɪə*] vi: **to ~ at** perscrutar,
fitar ▷ n (noble) par m/f; (equal)
igual m/f; (contemporary)
contemporâneo(-a)

peg [pɛɡ] n (for coat etc) cabide m;
(BRIT: also: **clothes ~**) pregador m

pelican ['pɛlɪkən] n pelicano

pelt [pɛlt] vt: **to ~ sb with sth** atirar
algo em alguém ▷ vi (rain: also: ~

down) chover a cântaros; (inf: run)
correr ▷ n pele f (não curtida)

pelvis ['pɛlvɪs] n pelvis f, bacia

pen [pɛn] n caneta; (for sheep etc)
redil m, cercado

penalty ['pɛnltɪ] n pena,
penalidade f; (fine) multa; (sport)
punição f

pence [pɛns] (BRIT) npl of **penny**

pencil ['pɛnsl] n lápis m; **pencil
case** n lapiseira, porta-lápis m inv;
pencil sharpener n apontador m
(de lápis) (BR), apara-lápis m inv (PT)

pendant ['pɛndnt] n pingente m

pending ['pɛndɪŋ] prep, adj
pendente

penetrate ['pɛnɪtreɪt] vt penetrar

penfriend ['pɛnfrɛnd] (BRIT) n =
penpal

penguin ['pɛŋɡwɪn] n pingüim m

peninsula [pəˈnɪnsjʊlə] n
península

penis ['piːnɪs] n pênis m

penitentiary [pɛnɪˈtɛnʃərɪ] (US) n
penitenciária, presídio

penknife ['pɛnnaɪf] (irreg) n
canivete m

penniless ['pɛnɪlɪs] adj sem
dinheiro, sem um tostão

penny ['pɛnɪ] (pl **pennies** or (BRIT)
pence) n pêni m; (US) cêntimo

penpal ['pɛnpæl] n amigo(-a) por
correspondência, correspondente
m/f

pension ['pɛnʃən] n pensão f;
(old-age ~) aposentadoria, pensão
do governo; **pensioner** (BRIT) n
aposentado(-a) (BR), reformado
(-a) (PT)

Pentagon ['pɛntəɡən] n: **the ~** o
Pentágono; ver quadro

● **PENTAGON**
●
● O Pentágono **Pentagon** é o
● nome dado aos escritórios do

Ministério da Defesa americano, localizados em Arlington, no estado da Virgínia, por causa da forma pentagonal do edifício onde se encontram. Por extensão, o termo é utilizado também para se referir ao ministério.

penthouse ['pɛnthaus] n cobertura

people ['pi:pl] npl gente f, pessoas fpl; (inhabitants) habitantes m/fpl; (citizens) povo; (Pol): **the ~** o povo ▷ n povo; **several ~ came** vieram várias pessoas; **~ say that ...** dizem que ...

pepper ['pɛpə°] n pimenta; (vegetable) pimentão m ▷ vt apimentar; (fig): **to ~ with** salpicar de; **peppermint** n (sweet) bala de hortelã

per [pə:°] prep por

perceive [pə'si:v] vt perceber; (notice) notar; (realize) compreender

per cent n por cento

percentage [pə'sɛntɪdʒ] n porcentagem f, percentagem f

perch [pə:tʃ] (pl **~es**) n (for bird) poleiro; (pl: inv or **~es**: fish) perca ▷ vi: **to ~ (on)** (bird) empoleirar-se (em); (person) encarapitar-se (em)

perfect [adj, n 'pə:fɪkt, vb pə'fɛkt] adj perfeito; (utter) completo ▷ n (also: **~ tense**) perfeito ▷ vt aperfeiçoar; **perfectly** adv perfeitamente

perform [pə'fɔ:m] vt (carry out) realizar, fazer; (piece of music) interpretar ▷ vi (well, badly) interpretar; **performance** n desempenho; (of play, by artist) atuação f; (of car) performance f; **performer** n (actor) artista m/f, ator (atriz) m/f; (Mus) intérprete m/f

perfume ['pə:fju:m] n perfume m

perhaps [pə'hæps] adv talvez

perimeter [pə'rɪmɪtə°] n perímetro

period ['pɪərɪəd] n período; (Sch) aula; (full stop) ponto final; (Med) menstruação f, regra ▷ adj (costume, furniture) da época

perish ['pɛrɪʃ] vi perecer; (decay) deteriorar-se

perjury ['pə:dʒərɪ] n (law) perjúrio, falso testemunho

perk [pə:k] (inf) n mordomia, regalia; **perk up** vi (cheer up) animar-se

perm [pə:m] n permanente f

permanent ['pə:mənənt] adj permanente

permission [pə'mɪʃən] n permissão f; (authorization) autorização f

permit [n 'pə:mɪt, vb pə'mɪt] n licença; (to enter) passe m ▷ vt permitir; (authorize) autorizar

perplex [pə'plɛks] vt deixar perplexo

persecute ['pə:sɪkju:t] vt importunar

persevere [pə:sɪ'vɪə°] vi perseverar

Persian ['pə:ʃən] adj persa ▷ n (Ling) persa m; **the (~) Gulf** o golfo Pérsico

persist [pə'sɪst] vi: **to ~ (in)** persistir (em); **persistent** [pə'sɪstənt] adj persistente; (determined) teimoso

person ['pə:sn] n pessoa; **in ~** em pessoa; **personal** adj pessoal; (private) particular; (visit) em pessoa, pessoal; **personal assistant** n secretário(-a) particular; **personal computer** n computador m pessoal; **personality** [pə:sə'nælɪtɪ] n personalidade f; **personal**

organizer n agenda
personnel [pə:sə'nɛl] n pessoal m
perspective [pə'spɛktɪv] n perspectiva
perspiration [pə:spɪ'reɪʃən] n transpiração f
persuade [pə'sweɪd] vt: **to ~ sb to do sth** persuadir alguém a fazer algo
Peru [pə'ru:] n Peru m
pervert [n 'pə:və:t, vb pə'və:t] n pervertido(-a) ▷ vt perverter, corromper; (truth) distorcer
pessimist ['pɛsɪmɪst] n pessimista m/f; **pessimistic** [pɛsɪ'mɪstɪk] adj pessimista
pest [pɛst] n (insect) inseto nocivo; (fig) peste f
pester ['pɛstə*] vt incomodar
pet [pɛt] n animal m de estimação ▷ cpd predileto ▷ vt acariciar ▷ vi (inf) acariciar-se; **teacher's ~** (favourite) preferido(-a) do professor
petal ['pɛtl] n pétala
petite [pə'ti:t] adj delicado, mignon
petition [pə'tɪʃən] n petição f; (list of signatures) abaixo-assinado
petrified ['pɛtrɪfaɪd] adj (fig) petrificado, paralisado
petrol ['pɛtrəl] (BRIT) n gasolina; **two-/four-star ~** gasolina de duas/quatro estrelas
petroleum [pə'trəʊlɪəm] n petróleo
petrol: petrol pump (BRIT) n bomba de gasolina; **petrol station** (BRIT) n posto (BR) or bomba (PT) de gasolina; **petrol tank** (BRIT) n tanque m de gasolina
petticoat ['pɛtɪkəʊt] n anágua
petty ['pɛtɪ] adj (mean) mesquinho; (unimportant) insignificante
pew [pju:] n banco (de igreja)
pewter ['pju:tə*] n peltre m
phantom ['fæntəm] n fantasma m

pharmacy ['fɑ:məsɪ] n farmácia
phase [feɪz] n fase f ▷ vt: **to ~ in/out** introduzir/retirar por etapas
PhD n abbr = **Doctor of Philosophy**
pheasant ['fɛznt] n faisão m
phenomenon [fə'nɔmɪnən] (pl **phenomena**) n fenômeno
philosophical [fɪlə'sɔfɪkl] adj filosófico; (fig) calmo, sereno
philosophy [fɪ'lɔsəfɪ] n filosofia
phishing ['fɪʃɪŋ] n phishing m; **phishing attack** golpe m de phishing
phobia ['fəʊbɪə] n fobia
phone [fəʊn] n telefone m ▷ vt telefonar, ligar para; **to be on the ~** ter telefone; (be calling) estar no telefone; **phone back** vt, vi ligar de volta; **phone up** vt telefonar para ▷ vi telefonar; **phone book** n lista telefônica; **phone box** (BRIT) n cabine f telefônica; **phone call** n telefonema m, ligada; **phone card** n cartão para uso em telefone público; **phone number** n (número de) telefone m
phonetics [fə'nɛtɪks] n fonética
phoney ['fəʊnɪ] adj falso; (person) fingido
photo ['fəʊtəʊ] n foto f
photo... ['fəʊtəʊ] prefix foto...; **photocopier** n fotocopiadora f; **photocopy** n fotocópia, xerox ® m ▷ vt fotocopiar, xerocar
photograph ['fəʊtəgrɑ:f] n fotografia ▷ vt fotografar; **photographer** [fə'tɔgrəfə*] n fotógrafo(-a); **photography** [fə'tɔgrəfɪ] n fotografia
phrase [freɪz] n frase f ▷ vt expressar; **phrase book** n livro de expressões idiomáticas (para turistas)
physical ['fɪzɪkl] adj físico
physician [fɪ'zɪʃən] n médico(-a)

physics ['fɪzɪks] n física
physiotherapy [fɪzɪəu'θɛrəpɪ] n fisioterapia
physique [fɪ'ziːk] n físico
pianist ['piːənɪst] n pianista m/f
piano [pɪ'ænəu] n piano
pick [pɪk] n (tool: also: **~axe**) picareta ▷ vt (select) escolher, selecionar; (gather) colher; (remove) tirar; (lock) forçar; **take your ~** escolha o que quiser; **the ~ of** o melhor de; **to ~ one's nose** colocar o dedo no nariz; **to ~ one's teeth** palitar os dentes; **to ~ a quarrel with sb** comprar uma briga com alguém; **pick at** vt fus (food) beliscar; **pick on** vt fus (person: criticize) criticar; (: treat badly) azucrinar, aporrinhar; **pick out** vt escolher; (distinguish) distinguir; **pick up** vi (improve) melhorar ▷ vt (from floor, Aut) apanhar; (police) prender; (collect) buscar; (for sexual encounter) paquerar; (learn) aprender; (Radio) pegar; **to ~ up speed** acelerar; **to ~ o.s. up** levantar-se
pickle ['pɪkl] n (also: **~s**: as condiment) picles mpl; (fig: mess) apuro ▷ vt (in vinegar) conservar em vinagre; (in salt) conservar em sal e água
pickpocket ['pɪkpɔkɪt] n batedor(a) m/f de carteira (BR), carteirista m/f (PT)
picnic ['pɪknɪk] n piquenique m
picture ['pɪktʃə*] n quadro; (painting) pintura; (drawing) desenho; (etching) água-forte f; (photograph) foto(grafia) f; (TV) imagem f; (film) filme m; (fig: description) descrição f; (: situation) conjuntura ▷ vt imaginar-se; **the ~s** npl (BRIT: inf) o cinema; **picture messaging** n picture messaging m
pie [paɪ] n (vegetable) pastelão m;

(fruit) torta; (meat) empadão m
piece [piːs] n pedaço; (portion) fatia; (item): **a ~ of clothing/ furniture/advice** uma roupa/um móvel/um conselho ▷ vt: **to ~ together** juntar; **to take to ~s** desmontar
pie chart n gráfico de setores
pier [pɪə*] n cais m; (jetty) embarcadouro, molhe m
pierce [pɪəs] vt furar, perfurar
pig [pɪg] n porco; (fig) porcalhão(-lhona) m/f; (pej: unkind person) grosseiro(-a); (: greedy person) ganancioso(-a)
pigeon ['pɪdʒən] n pombo
piggy bank ['pɪgɪ-] n cofre em forma de porquinho
pigsty ['pɪgstaɪ] n chiqueiro
pigtail ['pɪgteɪl] n rabo-de-cavalo, trança
pike [paɪk] n (pl inv or **~s**) (fish) lúcio
pilchard ['pɪltʃəd] n sardinha
pile [paɪl] n (heap) monte m; (of carpet) pêlo; (of cloth) lado felpudo ▷ vt (also: **~ up**) empilhar ▷ vi (also: **~ up**: objects) empilhar-se; (: problems, work) acumular-se; **pile into** vt fus (car) apinhar-se
piles [paɪlz] npl hemorróidas fpl
pile-up n (Aut) engavetamento
pilgrim ['pɪlgrɪm] n peregrino(-a)
pill [pɪl] n pílula; **the ~** a pílula
pillar ['pɪlə*] n pilar m; **pillar box** (BRIT) n caixa coletora (do correio) (BR), marco do correio (PT)
pillow ['pɪləu] n travesseiro (BR), almofada (PT); **pillowcase** n fronha
pilot ['paɪlət] n piloto(-a) ▷ cpd (scheme etc) piloto inv ▷ vt pilotar; **pilot light** n piloto
pimple ['pɪmpl] n espinha
PIN [pɪn] n abbr (= personal identification number) número de

identificação pessoal, senha

pin [pɪn] *n* alfinete *m* ▷ *vt* alfinetar; **~s and needles** comichão *f*, sensação *f* de formigamento; **to ~ sth on sb** (*fig*) culpar alguém de algo; **pin down** *vt* (*fig*): **to ~ sb down** conseguir que alguém se defina *or* tome atitude

pinafore ['pɪnəfɔ:*] *n* (*also*: **~ dress**) avental *m*

pinch [pɪntʃ] *n* (*of salt etc*) pitada ▷ *vt* beliscar; (*inf*: *steal*) afanar; **at a ~** em último caso

pine [paɪn] *n* pinho ▷ *vi*: **to ~ for** ansiar por; **pine away** *vi* consumir-se, definhar

pineapple ['paɪnæpl] *n* abacaxi *m* (BR), ananás *m* (PT)

pink [pɪŋk] *adj* cor de rosa *inv* ▷ *n* (*colour*) cor *f* de rosa; (*Bot*) cravo, cravina

PIN number ['pɪn-] *n* = **PIN**

pinpoint ['pɪnpɔɪnt] *vt* (*discover*) descobrir; (*explain*) identificar; (*locate*) localizar com precisão

pint [paɪnt] *n* quartilho (BRIT: = 568cc; US: = 473cc)

pioneer [paɪə'nɪə*] *n* pioneiro(-a)

pious ['paɪəs] *adj* pio, devoto

pip [pɪp] *n* (*seed*) caroço, semente *f*; **the ~s** *npl* (BRIT: *time signal on Radio*) ≈ o toque de seis segundos

pipe [paɪp] *n* cano; (*for smoking*) cachimbo ▷ *vt* canalizar, encanar; **~s** *npl* (*also*: **bag~s**) gaita de foles; **pipe down** *vi* calar o bico, meter a viola no saco; **pipeline** *n* (*for oil*) oleoduto; (*for gas*) gaseoduto

pirate ['paɪərət] *n* pirata *m* ▷ *vt* piratear

Pisces ['paɪsi:z] *n* Pisces *m*, Peixes *mpl*

piss [pɪs] (*inf!*) *vi* mijar; **pissed** (*inf!*) *adj* (*drunk*) b bado, de porre

pistol ['pɪstl] *n* pistola

piston ['pɪstən] *n* pistão *m*, êmbolo

pit [pɪt] *n* cova, fossa; (*quarry, hole in surface of sth*) buraco; (*also*: **coal ~**) mina de carvão ▷ *vt*: **to ~ one's wits against sb** competir em conhecimento *or* inteligência contra alguém; **~s** *npl* (*Aut*) box *m*

pitch [pɪtʃ] *n* (*Mus*) tom *m*; (*fig*: *degree*) intensidade *f*; (BRIT: *sport*) campo; (*tar*) piche *m*, breu *m* ▷ *vt* (*throw*) arremessar, lançar; (*tent*) armar ▷ *vi* (*fall forwards*) cair (para frente); **pitch-black** *adj* escuro como o breu

pitfall ['pɪtfɔ:l] *n* perigo (imprevisto), armadilha

pitiful ['pɪtɪful] *adj* comovente, tocante

pity ['pɪtɪ] *n* compaixão *f*, piedade *f* ▷ *vt* ter pena de, compadecer-se de

pixel ['pɪksl] *n* pixel *m*

pizza ['pi:tsə] *n* pizza

placard ['plækɑ:d] *n* placar *m*; (*in march etc*) cartaz *m*

place [pleɪs] *n* lugar *m*; (*position*) posição *f*; (*post*) posto; (*role*) papel *m*; (*home*): **at/to his ~** na/para a casa dele ▷ *vt* pôr, colocar; (*identify*) identificar, situar; **to take ~** realizar-se; (*occur*) ocorrer; **out of ~** (*not suitable*) fora de lugar, deslocado; **in the first ~** em primeiro lugar; **to change ~s with sb** trocar de lugar com alguém; **to be ~d** (*in race, exam*) classificar-se

plague [pleɪg] *n* (*Med*) peste *f*; (*fig*) praga ▷ *vt* atormentar, importunar

plaice [pleɪs] *n inv* solha

plain [pleɪn] *adj* (*unpatterned*) liso; (*clear*) claro, evidente; (*simple*) simples *inv*, despretensioso; (*not handsome*) sem atrativos ▷ *adv* claramente, com franqueza ▷ *n* planície *f*, campina; **plain chocolate** *n* chocolate *m* amargo; **plainly** adv claramente, obviamente; (hear, see) facilmente; (state) francamente

plaintiff ['pleɪntɪf] n querelante m/f, queixoso(-a)

plait [plæt] n trança, dobra

plan [plæn] n plano; (scheme) projeto; (schedule) programa m ▷ vt planejar (BR), planear (PT) ▷ vi fazer planos; **to ~ to do** pretender fazer

plane [pleɪn] n (Aviat) avião m; (also: **~ tree**) plátano; (fig: level) nível m; (tool) plaina; (Math) plano

planet ['plænɪt] n planeta m

plank [plæŋk] n tábua

planning ['plænɪŋ] n planejamento (BR), planeamento (PT); **family ~** planejamento or planeamento familiar

plant [plɑːnt] n planta; (machinery) maquinaria; (factory) usina, fábrica ▷ vt plantar; (field) semear; (bomb) colocar, pôr

plaster ['plɑːstə*] n (for walls) reboco; (also: **~ of Paris**) gesso; (BRIT: also: **sticking ~**) esparadrapo, band-aid m ▷ vt rebocar; (cover): **to ~ with** encher or cobrir de

plastic ['plæstɪk] n plástico ▷ adj de plástico; **plastic bag** n sacola de plástico

plastic surgery n cirurgia plástica

plate [pleɪt] n prato, chapa; (dental) chapa; (in book) gravura; **gold/silver ~** placa de ouro/prata

plateau ['plætəʊ] (pl **~s** or **~x**) n planalto

platform ['plætfɔːm] n (rail) plataforma (BR), cais m (PT); (at meeting) tribuna; (raised structure: for landing etc) plataforma; (BRIT: of bus) plataforma; (Pol) programa m partidário

platinum ['plætɪnəm] n platina

plausible ['plɔːzɪbl] adj plausível;

(person) convincente

play [pleɪ] n (theatre) obra, peça ▷ vt jogar; (team) jogar contra; (music) tocar; (role) fazer o papel de ▷ vi (music) tocar; (frolic) brincar; **to ~ safe** não se arriscar, não correr riscos; **play down** vt minimizar; **play up** vi (person) dar trabalho; (TV, car) estar com defeito; **player** n jogador(a) m/f; (theatre) ator (atriz) m/f; (Mus) músico(-a); **playful** adj brincalhão(-lhona); **playground** n (in park) playground m; (in school) pátio de recreio; **playgroup** n espécie de jardim de infância; **playing card** n carta de baralho; **playing field** n campo de esportes (BR) or jogos (PT); **playtime** n (Sch) recreio; **playwright** n dramaturgo(-a)

plea [pliː] n (request) apelo, petição f; (law) defesa

plead [pliːd] vt (law) defender, advogar; (give as excuse) alegar ▷ vi (law) declarar-se; (beg): **to ~ with sb** suplicar or rogar a alguém

pleasant ['plɛznt] adj agradável; (person) simpático

please [pliːz] excl por favor ▷ vt agradar a, dar prazer a ▷ vi agradar, dar prazer; (think fit): **do as you ~** faça o que or como quiser; **~ yourself!** (inf) como você quiser!, você que sabe!; **pleased** adj (happy): **pleased (with)** satisfeito (com); **pleased to meet you** prazer (em conhecê-lo)

pleasure ['plɛʒə*] n prazer m; **"it's a ~"** "não tem de quê"

pleat [pliːt] n prega

pledge [plɛdʒ] n (promise) promessa ▷ vt prometer; **to ~ support for sb** empenhar-se a apoiar alguém

plentiful ['plɛntɪful] adj abundante

plenty ['plɛntɪ] n: **~ of** (food, money)

bastante; (*jobs, people*) muitos(-as)

pliers ['plaɪəz] *npl* alicate *m*

plod [plɒd] *vi* caminhar pesadamente; (*fig*) trabalhar laboriosamente

plonk [plɒŋk] (*inf*) *n* (BRIT: *wine*) zurrapa ▷ *vt*: **to ~ sth down** deixar cair algo (pesadamente)

plot [plɒt] *n* (*scheme*) conspiração *f*, complô *m*; (*of story, play*) enredo, trama; (*of land*) lote *m* ▷ *vt* (*conspire*) tramar, planejar (PT: tramar, planear (PT); (*Aviat, Naut, Math*) plotar ▷ *vi* conspirar; **a vegetable ~** (BRIT) uma horta

plough [plaʊ] (US **plow**) *n* arado ▷ *vt* arar; **to ~ money into** investir dinheiro em; **plough through** *vt fus* abrir caminho por; **ploughman's lunch** (BRIT) *n* lanche de pão, queijo e picles

ploy [plɔɪ] *n* estratagema *m*

pluck [plʌk] *vt* (*fruit*) colher; (*musical instrument*) dedilhar; (*bird*) depenar ▷ *n* coragem *f*, puxão *m*; **to ~ one's eyebrows** fazer as sobrancelhas; **to ~ up courage** criar coragem

plug [plʌg] *n* (*Elec*) tomada (BR), ficha (PT); (*in sink*) tampa; (*Aut: also*: **spark(ing) ~**) vela (de ignição) ▷ *vt* (*hole*) tapar; (*inf: advertise*) fazer propaganda de; **plug in** *vt* (*Elec*) ligar

plum [plʌm] *n* (*fruit*) ameixa ▷ *cpd* (*inf*): **a ~ job** um emprego jóia

plumber ['plʌmə°] *n* bombeiro(-a) (BR), encanador(a) *m/f* (BR), canalizador(a) *m/f* (PT)

plumbing ['plʌmɪŋ] *n* (*trade*) ofício de encanador; (*piping*) encanamento

plummet ['plʌmɪt] *vi*: **to ~ (down)** (*bird, aircraft*) cair rapidamente; (*price*) baixar rapidamente

plump [plʌmp] *adj* roliço,

rechonchudo ▷ *vi*: **to ~ for** (*inf: choose*) escolher, optar por; **plump up** *vt* (*cushion*) afofar

plunge [plʌndʒ] *n* (*dive*) salto; (*fig*) queda ▷ *vt* (*hand, knife*) enfiar, meter ▷ *vi* (*fall, fig*) cair; (*dive*) mergulhar; **to take the ~** topar a parada

plural ['pluərl] *adj* plural ▷ *n* plural *m*

plus [plʌs] *n* (*also*: **~ sign**) sinal *m* de adição ▷ *prep* mais; **ten/twenty ~** dez/vinte e tantos

ply [plaɪ] *n* (*of wool*) fio ▷ *vt* (*a trade*) exercer ▷ *vi* (*ship*) ir e vir; **to ~ sb with drink/questions** bombardear alguém com bebidas/perguntas; **plywood** *n* madeira compensada

p.m. *adv abbr* (= *post meridiem*) da tarde, da noite

PMT *n abbr* (= *premenstrual tension*) TPM *f*, tensão *f* pré-menstrual

pneumatic drill [njuː'mætɪk-] *n* perfuratriz *f*

poach [pəʊtʃ] *vt* (*cook: fish*) escaldar; (: *eggs*) fazer pochê (BR), escalfar (PT); (*steal*) furtar ▷ *vi* caçar (*or* pescar) em propriedade alheia

pocket ['pɒkɪt] *n* bolso; (*fig: small area*) pedaço ▷ *vt* meter no bolso; (*steal*) embolsar; **to be out of ~** (BRIT) perder, ter prejuízo; **pocketbook** (US) *n* carteira; **pocket money** *n* dinheiro para despesas miúdas; (*for child*) mesada

pod [pɒd] *n* vagem *f*

podcast ['pɒdkɑːst] *n* podcast *m*; **podcasting** ['pɒdkɑːstɪŋ] *n* podcasting *m*

podiatrist [pɒ'diːətrɪst] (US) *n* pedicuro(-a)

poem ['pəʊɪm] *n* poema *m*

poet ['pəʊɪt] *n* poeta (poetisa) *m/f*; **poetic** [pəʊ'ɛtɪk] *adj* poético; **poetry** ['pəʊɪtrɪ] *n* poesia

point [pɔɪnt] *n* ponto; (*of needle etc*) ponta; (*purpose*) finalidade *f*;

(*significant part*) ponto principal; (*position*) lugar *m*, posição *f*; (*moment*) momento; (*stage*) estágio; (*Elec: also:* **power ~**) tomada; (*also:* **decimal ~**): **2 ~ 3 (2.3)** dois vírgula três ▷ *vt* mostrar; (*gun etc*): **to ~ sth at sb** apontar algo para alguém ▷ *vi:* **to ~ at** apontar para; **~s** *npl* (*Aut*) platinado, contato; (*rail*) agulhas *fpl*; **to be on the ~ of doing sth** estar prestes a *or* a ponto de fazer algo; **to make a ~ of** fazer questão de, insistir em; **to get the ~** perceber; **to miss the ~** compreender mal; **to come to the ~** ir ao assunto; **there's no ~ (in doing)** não há razão (para fazer); **point out** *vt* (*in debate etc*) ressaltar; **point to** *vt fus* (*fig*) indicar; **point-blank** *adv* categoricamente; (*also:* **at point-blank range**) à queima-roupa; **pointed** *adj* (*stick etc*) pontudo; (*remark*) mordaz; **pointer** *n* (*on chart*) indicador *m*; (*on machine*) ponteiro; (*fig*) dica; **pointless** *adj* (*useless*) inútil; (*senseless*) sem sentido; **point of view** *n* ponto de vista

poison ['pɔɪzn] *n* veneno ▷ *vt* envenenar; **poisonous** *adj* venenoso; (*fumes etc*) tóxico

poke [pəʊk] *vt* cutucar; (*put*): **to ~ sth in(to)** enfiar *or* meter algo em; **poke about** *vi* escarafunchar

poker ['pəʊkə*] *n* atiçador *m* (de brasas); (*cards*) pôquer *m*

Poland ['pəʊlənd] *n* Polônia

polar ['pəʊlə*] *adj* polar; **polar bear** *n* urso polar

Pole [pəʊl] *n* polonês(-esa) *m/f*

pole [pəʊl] *n* vara; (*Geo*) pólo; (*telegraph ~*) poste *m*; (*flag~*) mastro; **pole bean** (*US*) *n* feijão-trepador *m*; **pole vault** *n* salto com vara

police [pə'liːs] *n* polícia ▷ *vt*

policiar; **police car** *n* rádio-patrulha *f*; **policeman** (*irreg*) *n* policial *m* (*BR*), polícia *m* (*PT*); **police station** *n* delegacia (de polícia) (*BR*), esquadra (*PT*); **policewoman** (*irreg*) *n* policial *f* (feminina) (*BR*), mulher *f* polícia (*PT*)

policy ['pɔlɪsɪ] *n* política; (*also:* **insurance ~**) apólice *f*

polio ['pəʊlɪəʊ] *n* polio(mielite) *f*

Polish ['pəʊlɪʃ] *adj* polonês(-esa) ▷ *n* (*Ling*) polonês *m*

polish ['pɔlɪʃ] *n* (*for shoes*) graxa; (*for floor*) cera (para encerar); (*shine*) brilho; (*fig*) refinamento, requinte *m* ▷ *vt* (*shoes*) engraxar; (*make shiny*) lustrar, dar brilho a; **polish off** *vt* (*work*) dar os arremates a; (*food*) raspar

polite [pə'laɪt] *adj* educado; **politeness** *n* gentileza, cortesia

political [pə'lɪtɪkl] *adj* político

politician [pɔlɪ'tɪʃən] *n* político(-a)

politics ['pɔlɪtɪks] *n, npl* política

poll [pəʊl] *n* (*votes*) votação *f*; (*also:* **opinion ~**) pesquisa, sondagem *f* ▷ *vt* (*votes*) receber, obter

pollen ['pɔlən] *n* pólen *m*

pollute [pə'luːt] *vt* poluir; **pollution** *n* poluição *f*

polyester [pɔlɪ'ɛstə*] *n* poliéster *m*

polystyrene [pɔlɪ'staɪriːn] *n* iso-por ® *m*

polythene ['pɔlɪθiːn] *n* politeno *m*

pomegranate ['pɔmɪɡrænɪt] *n* romã *f*

pond [pɔnd] *n* (*natural*) lago pequeno; (*artificial*) tanque *m*

ponder ['pɔndə*] *vt, vi* ponderar, meditar (sobre)

pony ['pəʊnɪ] *n* pônei *m*; **ponytail** *n* rabo-de-cavalo; **pony trekking** (*BRIT*) *n* excursão *f* em pônei

poodle ['pu:dl] n cão-d'água m
pool [pu:l] n (puddle) poça, charco; (pond) lago; (also: **swimming ~**) piscina; (fig: of light) feixe m; (: of liquid) poça; (sport) sinuca ▷ vt juntar; **~s** npl (football **~s**) loteria esportiva (BR), totobola (PT); **typing** (BRIT) or **secretary** (US) **~** seção f de datilografia
poor [puə°] adj pobre; (bad) inferior, mau ▷ npl: **the ~** os pobres; **~ in** (resources etc) deficiente em; **poorly** adj adoentado, indisposto ▷ adv mal
pop [pɔp] n (sound) estalo, estouro; (Mus) pop m; (US: inf: father) papai m; (inf: fizzy drink) bebida gasosa ▷ vt: **to ~ sth into/onto** etc (put) pôr em/sobre etc ▷ vi estourar; (cork) saltar; **pop in** vi dar um pulo; **pop out** vi dar uma saída; **pop up** vi surgir, aparecer inesperadamente; **popcorn** n pipoca
pope [pəup] n papa m
poplar ['pɔplə°] n álamo, choupo
poppy ['pɔpɪ] n papoula
popular ['pɔpjulə°] adj popular; (person) querido
population [pɔpju'leɪʃən] n população f
porcelain ['pɔ:slɪn] n porcelana
porch [pɔ:tʃ] n pórtico; (US: verandah) varanda
pore [pɔ:°] n poro ▷ vi: **to ~ over** examinar minuciosamente
pork [pɔ:k] n carne f de porco
pornography [pɔ:'nɔgrəfɪ] n pornografia
porridge ['pɔrɪdʒ] n mingau m (de aveia)
port [pɔ:t] n (harbour) porto; (Naut: left side) bombordo; (wine) vinho do Porto; **~ of call** porto de escala
portable ['pɔ:təbl] adj portátil
porter ['pɔ:tə°] n (for luggage) carregador m; (doorkeeper) porteiro

portfolio [pɔ:t'fəulɪəu] n (case) pasta; (Pol) pasta ministerial; (finance) carteira de ações ou títulos; (of artist) pasta, portfolió
portion ['pɔ:ʃən] n porção f, quinhão m; (of food) ração f
portrait ['pɔ:treɪt] n retrato
portray [pɔ:'treɪ] vt retratar; (act) interpretar
Portugal ['pɔ:tjugl] n Portugal m (no article)
Portuguese [pɔ:tju'gi:z] adj português(-esa) ▷ n inv português(-esa) m/f; (Ling) português m
pose [pəuz] n postura, pose f ▷ vi (pretend): **to ~ as** fazer-se passar por ▷ vt (question) fazer; (problem) causar; **to ~ for** (painting) posar para
posh [pɔʃ] (inf) adj fino, chique; (upper-class) de classe alta
position [pə'zɪʃən] n posição f; (job) cargo; (situation) situação f ▷ vt colocar, situar
positive ['pɔzɪtɪv] adj positivo; (certain) certo; (definite) definitivo
possess [pə'zɛs] vt possuir; **possession** n posse f, possessão f; **possessions** npl (belongings) pertences mpl; **to take possession of sth** tomar posse de algo
possibility [pɔsɪ'bɪlɪtɪ] n possibilidade f; (of sth happening) probabilidade f
possible ['pɔsɪbl] adj possível; **possibly** adv pode ser, talvez; (surprise): **what could they possibly want with me?** o que eles podem querer comigo?; (emphasizing effort): **they did everything they possibly could** eles fizeram tudo o que podiam; **I cannot possibly come** estou impossibilitado de vir
post [pəust] n (BRIT: mail) correio; (job) cargo, posto; (pole) poste m;

(*Mil*) nomeação f ▷ vt (BRIT: *send by ~*) pôr no correio; (: *appoint*): **to ~ to** destinar a; **postage** n porte m, franquia; **postal order** n vale m postal; **postbox** (BRIT) n caixa de correio; **postcard** n cartão m postal; **postcode** (BRIT) n código postal, ≈ CEP m (BR)

poster ['pəustə*] n cartaz m; (*as decoration*) pôster m

postman ['pəustmən] (*irreg*) n carteiro

postmark ['pəustmɑːk] n carimbo do correio

post office n (*building*) agência do correio, correio; (*organization*) ≈ Empresa Nacional dos Correios e Telégrafos (BR), ≈ Correios, Telégrafos e Telefones (PT)

postpone [pəs'pəun] vt adiar

posture ['pɒstʃə*] n postura; (*fig*) atitude f

pot [pɒt] n (*for cooking*) panela; (*for flowers*) vaso; (*container, tea~, coffee~*) pote m; (*inf: marijuana*) maconha ▷ vt (*plant*) plantar em vaso; **to go to ~** (*inf*) arruinar-se, degringolar

potato [pə'teɪtəu] (*pl ~es*) n batata; **potato peeler** n descascador m de batatas

potent ['pəutnt] adj poderoso; (*drink*) forte; (*man*) potente

potential [pə'tenʃl] adj potencial ▷ n potencial m

pothole ['pɒthəul] n (*in road*) buraco; (BRIT: *underground*) caldeirão m, cova

potter ['pɒtə*] n (*artistic*) ceramista m/f; (*artisan*) oleiro(-a) ▷ vi (BRIT): **to ~ around, ~ about** ocupar-se com pequenos trabalhos; **pottery** n cerâmica; (*factory*) olaria

potty ['pɒtɪ] adj (*inf: mad*) maluco, doido ▷ n penico

pouch [pautʃ] n (*Zool*) bolsa; (*for tobacco*) tabaqueira

poultry ['pəultrɪ] n aves fpl domésticas; (*meat*) carne f de aves domésticas

pounce [pauns] vi: **to ~ on** lançar-se sobre; (*person*) agarrar em; (*fig: mistake etc*) apontar

pound [paund] n libra (*weight = 453g, 16 ounces*; *money = 100 pence*) ▷ vt (*beat*) socar, esmurrar; (*crush*) triturar ▷ vi (*heart*) bater

pour [pɔː*] vt despejar; (*drink*) servir ▷ vi correr, jorrar; **pour away** vt esvaziar, decantar; **pour in** vi (*people*) entrar numa enxurrada; (*information*) chegar numa enxurrada; **pour off** vt esvaziar, decantar; **pour out** vi (*people*) sair aos borbotões ▷ vt (*drink*) servir; (*fig*) extravasar; **pouring** ['pɔːrɪŋ] adj: **pouring rain** chuva torrencial

pout [paut] vi fazer beicinho or biquinho

poverty ['pɒvətɪ] n pobreza, miséria

powder ['paudə*] n pó m; (*face ~*) pó-de-arroz m ▷ vt (*face*) empoar, passar pó em; **powdered milk** n leite m em pó

power ['pauə*] n poder m; (*of explosion, engine*) força, potência; (*ability*) poder, poderio; (*electricity*) força; **to be in ~** estar no poder; **power cut** (BRIT) n corte m de energia, blecaute m (BR); **powerful** adj poderoso; (*engine*) potente; (*body*) vigoroso; (*blow*) violento; (*argument*) convincente; (*emotion*) intenso; **powerless** adj impotente; **power point** (BRIT) n tomada; **power station** n central f elétrica

PR n abbr = **public relations**

practical ['præktɪkl] adj prático; **practical joke** n brincadeira, peça

practice ['præktɪs] n (*habit, Rel*) costume m, hábito; (*exercise*) prática; (*of profession*) exercício;

(*training*) treinamento; (*Med*) consultório; (*law*) escritório ▷ *vt, vi* (*US*) = **practise**; **in ~** na prática; **out of ~** destreinado
practise ['præktɪs] (*US* **practice**) *vt* praticar; (*profession*) exercer; (*sport*) treinar ▷ *vi* (*doctor*) ter consultório; (*lawyer*) ter escritório; (*train*) treinar, praticar
practitioner [præk'tɪʃənə°] *n* (*Med*) médico(-a)
prairie ['prɛərɪ] *n* campina, pradaria
praise [preɪz] *n* louvor *m*; (*admiration*) elogio ▷ *vt* elogiar, louvar
pram [præm] (*BRIT*) *n* carrinho de bebê
prank [præŋk] *n* travessura, peça
prawn [prɔːn] *n* pitu *m*; (*small*) camarão *m*
pray [preɪ] *vi*: **to ~ for/that** rezar por/para que; **prayer** [prɛə°] *n* (*activity*) reza; (*words*) oração *f*, prece *f*
preach [priːtʃ] *vt* pregar ▷ *vi* pregar; (*pej*) catequizar
precede [prɪ'siːd] *vt* preceder
precedent ['prɛsɪdənt] *n* precedente *m*
preceding [prɪ'siːdɪŋ] *adj* anterior
precinct ['priːsɪŋkt] *n* (*US: district*) distrito policial; **~s** *npl* (*of large building*) arredores *mpl*; **pedestrian ~** (*BRIT*) zona para pedestres (*BR*) *or* peões (*PT*); **shopping ~** (*BRIT*) zona comercial
precious ['prɛʃəs] *adj* precioso
precise [prɪ'saɪs] *adj* exato, preciso; (*plans*) detalhado
predecessor ['priːdɪsɛsə°] *n* predecessor(a) *m/f*, antepassado(-a)
predicament [prɪ'dɪkəmənt] *n* situação *f* difícil, apuro
predict [prɪ'dɪkt] *vt* prever,

predizer, prognosticar; **predictable** *adj* previsível
predominantly [prɪ'dɔmɪnəntlɪ] *adv* predominantemente, na maioria
preface ['prɛfəs] *n* prefácio
prefect ['priːfɛkt] *n* (*BRIT: Sch*) monitor(a) *m/f*, tutor(a) *m/f*; (*in Brazil*) prefeito(-a)
prefer [prɪ'fəː°] *vt* preferir; **preferably** ['prɛfrəblɪ] *adv* de preferência
prefix ['priːfɪks] *n* prefixo
pregnancy ['prɛgnənsɪ] *n* gravidez *f*; (*animal*) prenhez *f*
pregnant ['prɛgnənt] *adj* grávida; (*animal*) prenha
prehistoric [priːhɪs'tɔrɪk] *adj* pré-histórico
prejudice ['prɛdʒudɪs] *n* preconceito; **prejudiced** *adj* cheio de preconceitos; **to be prejudiced against sb/sth** estar com prevenção contra alguém/algo
premature ['prɛmətʃuə°] *adj* prematuro
première ['prɛmɪɛə°] *n* estréia
premium ['priːmɪəm] *n* prêmio; **to be at a ~** ser caro
premonition [prɛmə'nɪʃən] *n* presságio, pressentimento
preoccupied [priː'ɔkjupaɪd] *adj* preocupado
prepaid [priː'peɪd] *adj* com porte pago
preparation [prɛpə'reɪʃən] *n* preparação *f*; **~s** *npl* (*arrangements*) preparativos *mpl*
prepare [prɪ'pɛə°] *vt* preparar ▷ *vi*: **to ~ for** preparar-se *or* aprontar-se para; **~d to** disposto a; **~d for** pronto para
preposition [prɛpə'zɪʃən] *n* preposição *f*
prerequisite [priː'rɛkwɪzɪt] *n* pré-requisito, condição *f* prévia

prescribe [prɪ'skraɪb] vt
prescrever; (Med) receitar
prescription [prɪ'skrɪpʃən] n
receita
presence ['prezns] n presença;
(spirit) espectro
present [adj, n 'preznt, vb
prɪ'zent] adj presente; (current)
atual ▷ n presente m; (actuality):
the ~ o presente ▷ vt (give): **to ~ sth
to sb, to ~ sb with sth** entregar
algo a alguém; (information,
programme, threat) apresentar;
(describe) descrever; **at ~** no
momento, agora; **to give sb a ~**
presentear alguém; **presentation**
[prezn'teɪʃən] n apresentação
f; (ceremony) entrega; (of plan
etc) exposição f; **present-day**
adj atual, de hoje; **presenter** n
apresentador(a) m/f; **presently**
adv (after) logo após; (soon) logo, em
breve; (now) atualmente
preservative [prɪ'zə:vətɪv] n
conservante m
preserve [prɪ'zə:v] vt (situation)
conservar, manter; (building,
manuscript) preservar; (food) pôr em
conserva ▷ n (often pl: jam) geléia;
(: fruit) compota, conserva
president ['prezɪdənt] n
presidente(-a) m/f; **presidential**
[prezɪ'denʃl] adj presidencial
press [pres] n (printer's) imprensa,
prelo; (newspapers) imprensa; (of
switch) pressão f ▷ vt apertar;
(clothes: iron) passar; (put pressure
on: person) assediar; (insist): **to ~
sth on sb** insistir para que alguém
aceite algo ▷ vi (squeeze) apertar;
(pressurize): **to ~ for** pressionar
por; **we are ~ed for time/money**
estamos com pouco tempo/
dinheiro; **press on** vi continuar;
pressing adj urgente; **press stud**
(BRIT) n botão m de pressão; **press-**

up (BRIT) n flexão f
pressure ['preʃə*] n pressão f;
to put ~ on sb (to do sth)
pressionar alguém (a fazer algo);
pressure cooker n panela de
pressão
prestige [pres'ti:ʒ] n prestígio
presume [prɪ'zju:m] vt supor
pretence [prɪ'tens] (US **pretense**)
n pretensão f; **under false ~s** por
meios fraudulentos
pretend [prɪ'tend] vt, vi fingir
pretense [prɪ'tens] (US) n =
pretence
pretty ['prɪtɪ] adj bonito ▷ adv
(quite) bastante
prevail [prɪ'veɪl] vi triunfar; (be
current) imperar
prevalent ['prevələnt] adj
(common) predominante
prevent [prɪ'vent] vt impedir
preview ['pri:vju:] n pré-estréia
previous ['pri:vɪəs] adj (earlier)
anterior; **previously** adv (before)
previamente; (in the past)
anteriormente
prey [preɪ] n presa ▷ vi: **to ~ on**
(feed on) alimentar-se de; **it was
~ing on his mind** preocupava-o,
atormentava-o
price [praɪs] n preço ▷ vt fixar o
preço de; **priceless** adj inestimável;
(inf: amusing) impagável
prick [prɪk] n picada ▷ vt picar;
(make hole in) furar; **to ~ up one's
ears** aguçar os ouvidos
pride [praɪd] n orgulho; (pej)
soberba ▷ vt: **to ~ o.s. on** orgulhar-
se de
priest [pri:st] n (Christian) padre m;
(non-Christian) sacerdote m
primarily ['praɪmərɪlɪ] adv
principalmente
primary ['praɪmərɪ] adj primário;
(first in importance) principal ▷ n (US:
election) eleição f primária; **primary**

school (*BRIT*) n escola primária;
ver quadro

● **PRIMARY SCHOOL**
●
● As **primary schools** da Grã-
● Bretanha acolhem crianças de 5
● a 11 anos. Assinalam o início do
● ciclo escolar obrigatório e são
● compostas de duas partes: a pré-
● escola (*infant school*) e o primário
● (*junior school*).

prime [praɪm] *adj* primeiro,
principal; (*excellent*) de primeira
▷ *vt* (*wood*) imprimir; (*fig*) aprontar,
preparar ▷ *n*: **in the ~ of life** na
primavera da vida; **~ example**
exemplo típico; **prime minister**
n primeiro-ministro (primeira-
ministra)
primitive ['prɪmɪtɪv] *adj*
primitivo; (*crude*) rudimentar
primrose ['prɪmrəuz] n prímula,
primavera
prince [prɪns] n príncipe m
princess [prɪn'sɛs] n princesa
principal ['prɪnsɪpl] *adj* principal
▷ *n* (*of school, college*) diretor(a) m/f
principle ['prɪnsɪpl] n princípio;
in ~ em princípio; **on ~** por princípio
print [prɪnt] n (*letters*) letra de
forma; (*fabric*) estampado; (*art*)
estampa, gravura; (*Phot*) cópia;
(*foot~*) pegada; (*finger~*) impressão
f digital ▷ *vt* imprimir; (*write
in capitals*) escrever em letra de
imprensa; **out of ~** esgotado;
printer n (*person*) impressor(a)
m/f; (*firm*) gráfica; (*machine*)
impressora; **printout** n (*Comput*)
cópia impressa
prior ['praɪə*] *adj* anterior, prévio;
(*more important*) prioritário; **~ to
doing** antes de fazer
priority [praɪ'ɔrɪtɪ] n prioridade f

prison ['prɪzn] n prisão f ▷ *cpd*
carcerário; **prisoner** n (*in prison*)
preso(-a); (*under arrest*) detido(-a)
privacy ['prɪvəsɪ] n isolamento,
solidão f, privacidade f
private ['praɪvɪt] *adj* privado;
(*personal*) particular; (*confidential*)
confidencial, reservado; (*personal:
belongings*) pessoal; (: *thoughts,
plans*) secreto, íntimo; (*place*)
isolado; (*quiet: person*) reservado;
(*intimate*) íntimo ▷ *n* soldado raso;
"~" (*on envelope*) "confidencial"; (*on
door*) "privativo"; **in ~** em particular;
privatize *vt* privatizar
privilege ['prɪvɪlɪdʒ] n privilégio
prize [praɪz] n prêmio ▷ *adj* de
primeira classe ▷ *vt* valorizar;
prizewinner n premiado(-a)
pro [prəu] n (*sport*) profissional m/
f ▷ *prep* a favor de; **the ~s and cons**
os prós e os contras
probability [prɔbə'bɪlɪtɪ] n
probabilidade f
probable ['prɔbəbl] *adj* provável;
(*plausible*) verossímil
probation [prə'beɪʃən] n: **on ~**
(*employee*) em estágio probatório;
(*law*) em liberdade condicional
probe [prəub] n (*Med, space*)
sonda; (*enquiry*) pesquisa ▷ *vt*
investigar, esquadrinhar
problem ['prɔbləm] n problema m
procedure [prə'si:dʒə*] n
procedimento; (*method*) método,
processo
proceed [prə'si:d] *vi* (*do
afterwards*): **to ~ to do sth** passar
a fazer algo; (*continue*): **to ~ (with)**
continuar or prosseguir (com);
(*activity*) continuar; (*go*) ir em
direção a, dirigir-se a; **proceedings**
npl evento, acontecimento; (*law*)
processo; **proceeds** ['prəusi:dz] npl
produto, proventos mpl
process ['prəusɛs] n processo ▷ *vt*

processar; **procession** [prə'sɛʃən] n desfile m, procissão f; **funeral procession** cortejo fúnebre

proclaim [prə'kleɪm] vt anunciar

prod [prɒd] vt empurrar; (with finger, stick) cutucar ▷ n empurrão m; cotovelada; espetada

produce [n 'prɒdjuːs, vb prə'djuːs] n (Agr) produtos mpl agrícolas ▷ vt produzir; (cause) provocar; (evidence, argument) apresentar, mostrar; (show) apresentar, exibir; (theatre) pôr em cena or em cartaz; **producer** n (theatre) diretor(a) m/f; (Agr, Cinema, of record) produtor(a) m/f; (country) produtor m

product ['prɒdʌkt] n produto

production [prə'dʌkʃən] n produção f; (of electricity) geração f; (theatre) encenação f

profession [prə'fɛʃən] n profissão f; (people) classe f; **professional** n profissional m/f ▷ adj profissional; (work) de profissional

professor [prə'fɛsə*] n (BRIT) catedrático(-a); (US, CANADA) professor(a) m/f

profile ['prəufaɪl] n perfil m

profit ['prɒfɪt] n (Comm) lucro ▷ vi: **to ~ by** or **from** (benefit) aproveitar-se de, tirar proveito de; **profitable** adj (Econ) lucrativo, rendoso

profound [prə'faund] adj profundo

programme ['prəugræm] (US **program**) n programa m ▷ vt programar; **programming** (US **programing**) n (Comput) programação f

progress [n 'prəugrɛs, vb prə'grɛs] n progresso ▷ vi progredir, avançar; **in ~ by** or **progressive** [prə'grɛsɪv] adj progressivo; (person) progressista

prohibit [prə'hɪbɪt] vt proibir

project [n 'prɒdʒɛkt, vb prə'dʒɛkt]

n projeto; (Sch: research) pesquisa ▷ vt projetar; (figure) estimar ▷ vi (stick out) ressaltar, sobressair

projection [prə'dʒɛkʃən] n projeção f; (overhang) saliência

projector [prə'dʒɛktə*] n projetor m

prolong [prə'lɒŋ] vt prolongar

prom [prɒm] n abbr = **promenade; promenade concert**

promenade [prɒmə'nɑːd] n (by sea) passeio (à orla marítima); (US: ball) baile m de estudantes; **promenade concert** (BRIT) n concerto (de música clássica); ver quadro

● **PROMENADE CONCERT**
●
● Na Grã-Bretanha, um
● **promenade concert** (ou **prom**)
● é um concerto de música
● clássica, assim chamado porque
● originalmente o público não
● ficava sentado, mas de pé ou
● caminhando. Hoje em dia, uma
● parte do público permanece
● de pé, mas há também lugares
● sentados (mais caros). Os
● **Proms** mais conhecidos são os
● londrinos. A última sessão (the
● Last Night of the Proms) é um
● acontecimento carregado de
● emoção, quando são executadas
● árias tradicionais e patrióticas.
● Nos Estados Unidos e no Canadá,
● o **prom**, ou **promenade**, é um
● baile organizado pelas escolas
● secundárias.

prominent ['prɒmɪnənt] adj (standing out) proeminente; (important) eminente, notório

promise ['prɒmɪs] n promessa; (hope) esperança ▷ vt, vi prometer; **promising** adj promissor(a), prometedor(a)

promote [prə'məut] vt promover; (product) promover, fazer propaganda de; **promotion** n promoção f

prompt [prɒmpt] adj pronto, rápido ▷ adv (exactly) em ponto, pontualmente ▷ n (Comput) sinal m de orientação, prompt m ▷ vt (urge) incitar, impelir; (cause) provocar, ocasionar; **to ~ sb to do sth** induzir alguém a fazer algo; **promptly** adv imediatamente; (exactly) pontualmente

prone [prəun] adj (lying) de bruços; **~ to** propenso a, predisposto a

pronoun ['prəunaun] n pronome m

pronounce [prə'nauns] vt pronunciar; (verdict, opinion) declarar

pronunciation [prənʌnsɪ'eɪʃən] n pronúncia

proof [pru:f] n prova ▷ adj: **~ against** à prova de

prop [prɒp] n suporte m, escora; (fig) amparo, apoio ▷ vt (also: **~ up**) apoiar, escorar; (lean): **to ~ sth against** apoiar algo contra

propaganda [prɒpə'gændə] n propaganda

proper ['prɒpə°] adj (correct) correto; (socially acceptable) respeitável, digno; (authentic) genuíno, autêntico; (referring to place): **the village ~** a cidadezinha propriamente dita; **properly** adv (eat, study) bem; (behave) decentemente

property ['prɒpətɪ] n propriedade f; (goods) posses fpl, bens mpl; (buildings) imóveis mpl

prophet ['prɒfɪt] n profeta m/f

proportion [prə'pɔ:ʃən] n proporção f; **proportional** adj proporcional

proposal [prə'pəuzl] n proposta; (of marriage) pedido

propose [prə'pəuz] vt propor; (toast) erguer ▷ vi propor casamento; **to ~ to do** propor-se fazer

proposition [prɒpə'zɪʃən] n proposta, proposição f; (offer) oferta

proprietor [prə'praɪətə°] n proprietário(-a), dono(-a)

prose [prəuz] n prosa

prosecute ['prɒsɪkju:t] vt processar; **prosecution** [prɒsɪ'kju:ʃən] n acusação f; (accusing side) autor m da demanda

prospect [n 'prɒspɛkt, vb prə'spɛkt] n (chance) probabilidade f; (outlook) perspectiva ▷ vi: **to ~ (for)** prospectar (por); **~s** npl (for work etc) perspectivas fpl

prospectus [prə'spɛktəs] n prospecto, programa m

prostitute ['prɒstɪtju:t] n prostituta; **male ~** prostituto

protect [prə'tɛkt] vt proteger; **protection** n proteção f; **protective** adj protetor(a)

protein ['prəuti:n] n proteína

protest [n 'prəutɛst, vb prə'tɛst] n protesto ▷ vi protestar ▷ vt insistir

Protestant ['prɒtɪstənt] adj, n protestante m/f

protester [prə'tɛstə°] n manifestante m/f

proud [praud] adj orgulhoso; (pej) vaidoso, soberbo

prove [pru:v] vt comprovar ▷ vi: **to ~ (to be) correct** etc vir a ser correto etc; **to ~ o.s.** pôr-se à prova

proverb ['prɒvə:b] n provérbio

provide [prə'vaɪd] vt fornecer, proporcionar; **to ~ sb with sth** fornecer alguém de algo, fornecer algo a alguém; **provide for** vt fus (person) prover à subsistência de

providing [prə'vaɪdɪŋ] conj: **~ (that)** contanto que (+ sub)

province ['prɒvɪns] n província; (fig) esfera; **provincial** [prə'vɪnʃəl] adj provincial; (pej) provinciano

provision [prə'vɪʒən] n (supplying) abastecimento; (in contract) cláusula, condição f; **~s** npl (food) mantimentos mpl; **provisional** adj provisório, interino; (agreement, licence) provisório

provocative [prə'vɒkətɪv] adj provocante; (sexually) excitante

provoke [prə'vəuk] vt provocar; (cause) causar

prowl [praul] vi (also: **~ about, ~ around**) rondar, andar à espreita ▷ n: **on the ~** de ronda, rondando

proxy ['prɒksɪ] n: **by ~** por procuração

prudent ['pru:dənt] adj prudente

prune [pru:n] n ameixa seca ▷ vt podar

pry [praɪ] vi: **to ~ (into)** intrometer-se (em)

PS n abbr (= postscript) PS m

pseudonym ['sju:dənɪm] n pseudônimo

psychiatrist [saɪ'kaɪətrɪst] n psiquiatra m/f

psychic ['saɪkɪk] adj psíquico; (also: **~al**: person) sensível a forças psíquicas

psychologist [saɪ'kɒlədʒɪst] n psicólogo(-a)

psychology [saɪ'kɒlədʒɪ] n psicologia

PTO abbr (= please turn over) v.v., vire

pub [pʌb] n abbr (= public house) pub m, bar m, botequim m; ver quadro

public ['pʌblɪk] adj público ▷ n público; **in ~** em público; **to make ~** tornar público; **public address system** n sistema m (de reforço) de som

public: public convenience (BRIT) n banheiro público; **public holiday** n feriado; **public house** (BRIT) n pub m, bar m, taberna

publicity [pʌb'lɪsɪtɪ] n publicidade f

publicize ['pʌblɪsaɪz] vt divulgar

public: public relations relações fpl públicas; **public school** n (BRIT) escola particular; (US) escola pública; **public transport** (US **public transportation**) n transporte m coletivo

publish ['pʌblɪʃ] vt publicar; **publisher** n editor(a) m/f; (company) editora; **publishing** n a indústria editorial

pudding ['pudɪn] n (BRIT: dessert) sobremesa; (cake) pudim m, doce m; **black** (BRIT) or **blood** (US) **~** morcela

puddle ['pʌdl] n poça

puff [pʌf] n sopro; (of cigarette) baforada; (of air, smoke) lufada ▷ vt:

to ~ one's pipe tirar baforadas do cachimbo ▷ vi (pant) arquejar; **puff out** vt (cheeks) encher; **puff pastry** (US **puff paste**) n massa folhada
pull [pul] n (tug): **to give sth a ~** dar um puxão em algo ▷ vt puxar; (trigger) apertar; (curtain, blind) fechar ▷ vi puxar, dar um puxão; **to ~ to pieces** picar em pedacinhos; **to ~ one's punches** não usar toda a força; **to ~ one's weight** fazer a sua parte; **to ~ o.s. together** recompor-se; **to ~ sb's leg** (fig) brincar com alguém, sacanear alguém (inf); **pull apart** vt (break) romper; **pull down** vt (building) demolir, derrubar; **pull in** vi (Aut: at the kerb) encostar; (rail) chegar (na plataforma); **pull off** vt tirar; (fig: deal etc) acertar; **pull out** vi (Aut: from kerb) sair; (rail) partir ▷ vt tirar, arrancar; **pull over** vi (Aut) encostar; **pull through** vi (Med) sobreviver; **pull up** vi (stop) deter-se, parar ▷ vt levantar; (uproot) desarraigar, arrancar
pulley ['puli] n roldana
pullover ['puləuvəʳ] n pulôver m
pulp [pʌlp] n (of fruit) polpa
pulse [pʌls] n (Anat) pulso; (of music, engine) cadência; (Bot) legume m
pump [pʌmp] n bomba; (shoe) sapatilha (de dança) ▷ vt bombear; **pump up** vt encher
pumpkin ['pʌmpkɪn] n abóbora
pun [pʌn] n jogo de palavras, trocadilho
punch [pʌntʃ] n (blow) soco, murro; (tool) punção m; (drink) ponche m ▷ vt (hit): **to ~ sb/sth** esmurrar or socar alguém/algo
punctual ['pʌktjuəl] adj pontual
puncture ['pʌktʃəʳ] n furo ▷ vt furar
punish ['pʌnɪʃ] vt punir, castigar; **punishment** n castigo, punição f

punk [pʌk] n (also: **~ rocker**) punk m/f; (also: **~ rock**) punk m; (US: inf: hoodlum) pinta-brava m
pupil ['pju:pl] n aluno(-a); (of eye) pupila
puppet ['pʌpɪt] n marionete f, títere m; (fig) fantoche m
puppy ['pʌpɪ] n cachorro, cachorrinho (BR)
purchase ['pə:tʃɪs] n compra ▷ vt comprar
pure [pjuəʳ] adj puro
purple ['pə:pl] adj roxo, purpúreo
purpose ['pə:pəs] n propósito, objetivo; **on ~** de propósito
purse [pə:s] n (BRIT) carteira; (US) bolsa ▷ vt enrugar, franzir
pursue [pə'sju:] vt perseguir; (fig: activity) exercer; (: interest, plan) dedicar-se a; (: result) lutar por
pursuit [pə'sju:t] n caça; (fig) busca; (pastime) passatempo
push [puʃ] n empurrão m; (of button) aperto ▷ vt empurrar; (button) apertar; (promote) promover ▷ vi empurrar; (press) apertar; (fig): **to ~ for** reivindicar; **push aside** vt afastar com a mão; **push off** (inf) vi dar o fora; **push on** vi prosseguir; **push through** vi abrir caminho ▷ vt (measure) forçar a aceitação de; **push up** vt forçar a alta de; **pushchair** (BRIT) n carrinho; **pusher** n (also: **drug pusher**) traficante m/f or passador(a) m/f de drogas; **push-up** (US) n flexão f
put [put] (pt, pp put) vt pôr, colocar; (~ into) meter; (person: in institution etc) internar; (say) dizer, expressar; (case) expor; (question) fazer; (estimate) avaliar, calcular; (write, type etc) colocar; **put about** vt (rumour) espalhar; **put across** vt (ideas) comunicar; **put away** vt guardar; **put back** vt (replace) repor; (postpone) adiar;

(*delay*) atrasar; **put by** *vt* (*money etc*) poupar, pôr de lado; **put down** *vt* pôr em; (*animal*) sacrificar; (*in writing*) anotar, inscrever; (*revolt etc*) sufocar; (*attribute: case, view*): **to ~ sth down to** atribuir algo a; **put forward** *vt* apresentar, propor; **put in** *vt* (*application, complaint*) apresentar; (*time, effort*) investir, gastar; **put off** *vt* adiar, protelar; (*discourage*) desencorajar; **put on** *vt* (*clothes, make-up, dinner*) pôr; (*light*) acender; (*play*) encenar; (*weight*) ganhar; (*brake*) aplicar; (*record, video, kettle*) ligar; (*accent, manner*) assumir; **put out** *vt* (*take out*) colocar fora; (*fire, cigarette, light*) apagar; (*one's hand*) estender; (*inf: person*): **to be ~ out** estar aborrecido; **put through** *vt* (*call*) transferir; (*plan*) ser aprovado; **put up** *vt* (*raise*) levantar, erguer; (*hang*) prender; (*build*) construir, edificar; (*tent*) armar; (*increase*) aumentar; (*accommodate*) hospedar; **put up with** *vt fus* suportar, agüentar

puzzle ['pʌzl] *n* charada; (*jigsaw*) quebra-cabeça *m*; (*also:* **crossword ~**) palavras cruzadas *fpl*; (*mystery*) mistério ▷ *vt* desconcertar, confundir ▷ *vi*: **to ~ over sth** tentar entender algo; **puzzling** *adj* intrigante, confuso

pyjamas [pɪ'dʒɑːməz] (*US* **pajamas**) *npl* pijama *m or f*

pylon ['paɪlən] *n* pilono, poste *m*

pyramid ['pɪrəmɪd] *n* pirâmide *f*

Pyrenees [pɪrə'niːz] *npl*: **the ~** os Pirineus

q

quack [kwæk] *n* grasnido; (*pej: doctor*) curandeiro(-a), charlatão(-tã) *m/f*

quaint [kweɪnt] *adj* (*ideas*) curioso, esquisito; (*village etc*) pitoresco

quake [kweɪk] *vi* (*with fear*) tremer ▷ *n abbr* = **earthquake**

qualification [kwɔlɪfɪ'keɪʃən] *n* (*skill, quality*) qualificação *f*; (*reservation*) restrição *f*, ressalva; (*modification*) modificação *f*; (*often pl: degree, training*) título, qualificação

qualified ['kwɔlɪfaɪd] *adj* (*trained*) habilitado, qualificado; (*professionally*) diplomado; (*fit*): **~ to** apto para, capaz de; (*limited*) limitado

qualify ['kwɔlɪfaɪ] *vt* (*modify*) mo-dificar ▷ *vi*: **to ~ (as)** (*pass examination(s)*) formar-se *or* diplomar-se (em); **to ~ (for)** reunir os requisitos (para)

quality ['kwɒlɪtɪ] n qualidade f; **quality (news)papers** npl ver quadro

● QUALITY NEWSPAPERS

Os **quality (news)papers** (ou quality press) englobam os jornais "sérios", diários ou semanais, em oposição aos jornais populares (tabloid press). Esses jornais visam a um público que procura informações detalhadas sobre uma grande variedade de assuntos e que está disposto a dedicar um bom tempo à leitura. Geralmente os **quality news-papers** são publicados em formato grande.

quantity ['kwɒntɪtɪ] n quantidade f
quarantine ['kwɒrntiːn] n quarentena
quarrel ['kwɒrl] n (argument) discussão f ▷ vi: **to ~ (with)** brigar (com)
quarry ['kwɒrɪ] n (for stone) pedreira; (animal) presa, caça
quart [kwɔːt] n quarto de galão (1.136 l)
quarter ['kwɔːtə°] n quarto, quarta parte f; (of year) trimestre m; (district) bairro; (us: 25 cents) (moeda de) 25 centavos mpl de dólar ▷ vt dividir em quatro; (Mil: lodge) aquartelar; **~s** npl (Mil) quartel m; (living **~s**) alojamento; **a ~ of an hour** um quarto de hora; **quarter final** n quarta de final; **quarterly** adj trimestral ▷ adv trimestralmente
quay [kiː] n (also: **~side**) cais m
queasy ['kwiːzɪ] adj (sickly) enjoado
queen [kwiːn] n rainha; (also: ~

bee) abelha-mestra, rainha; (cards etc) dama
queer [kwɪə°] adj (odd) esquisito, estranho ▷ n (inf: homosexual) bicha m (BR), maricas m inv (PT)
quench [kwɛntʃ] vt: **to ~ one's thirst** matar a sede
query ['kwɪərɪ] n pergunta ▷ vt questionar
quest [kwɛst] n busca
question ['kwɛstʃən] n pergunta; (doubt) dúvida; (issue) questão f; (in text) problema m ▷ vt (doubt) duvidar; (interrogate) interrogar, inquirir; **beyond ~** sem dúvida; **out of the ~** fora de cogitação, impossível; **questionable** adj discutível; (doubtful) duvidoso; **question mark** n ponto de interrogação; **questionnaire** [kwɛstʃə'nɛə°] n questionário
queue [kjuː] (BRIT) n fila (BR), bicha (PT) ▷ vi (also: **~ up**) fazer fila (BR) or bicha (PT)
quick [kwɪk] adj rápido; (agile) ágil; (mind) sagaz, despachado ▷ n: **to cut sb to the ~** ferir alguém; **be ~!** ande depressa!, vai rápido!; **quickly** adv rapidamente, depressa
quid [kwɪd] (BRIT: inf) n inv libra
quiet ['kwaɪət] adj (voice, music) baixo; (peaceful: place) tranqüilo; (person: calm) calmo; (not noisy: place) silencioso; (: person) calado; (silent) silencioso; (ceremony) discreto ▷ n (peacefulness) sossego; (silence) quietude f ▷ vt, vi (us) = **~en**; **quieten** (also: **quieten down**) vi (grow calm) acalmar-se; (grow silent) calar-se ▷ vt tranqüilizar; fazer calar; **quietly** adv silenciosamente; (talk) baixo
quilt [kwɪlt] n acolchoado, colcha; **(continental) ~** (BRIT) edredom m (BR), edredão m (PT)
quit [kwɪt] (pt, pp quit or **~ted**)

vt (*smoking etc*) parar; (*job*) deixar; (*premises*) desocupar ▷ *vi* desistir; (*resign*) demitir-se, deixar o emprego

quite [kwaɪt] *adv* (*rather*) bastante; (*entirely*) completamente, totalmente; **that's not ~ big enough** não é suficientemente grande; **~ a few of them** um bom número deles; **~ (so)!** exatamente!, isso mesmo!

quiver ['kwɪvə°] *vi* estremecer

quiz [kwɪz] *n* concurso (de cultura geral) ▷ *vt* interrogar

quota ['kwəutə] *n* cota, quota

quotation [kwəu'teɪʃən] *n* citação *f*; (*estimate*) orçamento; **quotation marks** *npl* aspas *fpl*

quote [kwəut] *n* citação *f*; (*estimate*) or amento ▷ *vt* citar; (*price*) propor; (*figure, example*) citar, dar; **~s** *npl* aspas *fpl*

rabbi ['ræbaɪ] *n* rabino

rabbit ['ræbɪt] *n* coelho

rabies ['reɪbiːz] *n* raiva

RAC (*BRIT*) *n abbr* (= *Royal Automobile Club*) ≈ TCB *m* (*BR*), ≈ ACP *m* (*PT*)

race [reɪs] *n* corrida; (*species*) raça ▷ *vt* (*horse*) fazer correr ▷ *vi* (*compete*) competir; (*run*) correr; (*pulse*) bater rapidamente; **race car** (*US*) *n* = **racing car**; **racecourse** *n* hipódromo; **racehorse** *n* cavalo de corridas; **racetrack** *n* pista de corridas; (*for cars*) autódromo

racing ['reɪsɪŋ] *n* corrida; **racing car** (*BRIT*) *n* carro de corrida; **racing driver** (*BRIT*) *n* piloto(-a) de corrida

racism ['reɪsɪzəm] *n* racismo; **racist** (*pej*) *adj, n* racista *m/f*

rack [ræk] *n* (*also*: **luggage ~**) bagageiro; (*shelf*) estante *f*; (*also*: **roof ~**) xalmas *fpl*, porta-bagagem *m*; (*dish ~*) secador *m* de prato ▷ *vt*: **~ed by** (*pain, anxiety*) tomado por;

to ~ one's brains quebrar a cabeça
racket ['rækɪt] n (for tennis)
raquete f (BR), raqueta (PT); (noise)
barulheira, zoeira; (swindle) negócio
ilegal, fraude f
racquet ['rækɪt] n raquete f (BR),
raqueta (PT)
radiation [reɪdɪ'eɪʃən] n radiação
f
radiator ['reɪdɪeɪtə°] n radiador m
radical ['rædɪkl] adj radical
radio ['reɪdɪəu] n rádio ⊳ vt: **to**
~ sb comunicar-se por rádio com
alguém
radio... [reɪdɪəu] prefix radio...;
radioactive ['reɪdɪəu'æktɪv]
adj radioativo; **radio station** n
emissora, estação f de rádio
radish ['rædɪʃ] n rabanete m
raffle ['ræfl] n rifa
raft [rɑːft] n balsa
rag [ræg] n trapo; (torn cloth)
farrapo; (pej: newspaper) jornaleco;
(university) atividades estudantis
beneficentes; **~s** npl (torn clothes)
trapos mpl, farrapos mpl
rage [reɪdʒ] n (fury) raiva, furor
m ⊳ vi (person) estar furioso;
(storm) assolar; (debate) continuar
calorosamente; **it's all the ~** é a
última moda
ragged ['rægɪd] adj (edge) irregular,
desigual; (clothes) puído, gasto;
(appearance) esfarrapado, andrajoso
raid [reɪd] n (Mil) incursão f;
(criminal) assalto; (attack) ataque
m; (by police) batida ⊳ vt invadir,
atacar; assaltar; atacar; fazer uma
batida em
rail [reɪl] n (on stair) corrimão m;
(on bridge) parapeito, anteparo;
(of ship) amurada; **~s** npl (for train)
trilhos mpl; **by ~** de trem (BR), por
caminho de ferro (PT); **railing(s)**
n (pl) grade f; **railroad** (US) n =
railway; **railway** n estrada (BR)

or caminho (PT) de ferro; **railway**
line (BRIT) n linha de trem (BR) or
de comboio (PT); **railway station**
(BRIT) n estação f ferroviária (BR) or
de caminho de ferro (PT)
rain [reɪn] n chuva ⊳ vi chover;
it's ~ing está chovendo (BR), está
a chover (PT); **rainbow** n arco-íris
m inv; **raincoat** n impermeável
m, capa de chuva; **raindrop** n
gota de chuva; **rainfall** n chuva;
(measurement) pluviosidade f;
rainforest n floresta tropical;
rainy adj chuvoso; **a rainy day** um
dia de chuva
raise [reɪz] n aumento ⊳ vt
(lift) levantar; (salary, production)
aumentar; (morale, standards)
melhorar; (doubts) suscitar,
despertar; (cattle, family) criar; (crop)
cultivar, plantar; (army) recrutar,
alistar; (funds) angariar; (loan)
levantar, obter; **to ~ one's voice**
levantar a voz
raisin ['reɪzn] n passa, uva seca
rake [reɪk] n ancinho ⊳ vt (garden)
revolver or limpar com o ancinho;
(with machine gun) varrer
rally ['rælɪ] n (Pol etc) comício; (Aut)
rally m, rali m; (tennis) rebatida
⊳ vt reunir ⊳ vi reorganizar-se; (sick
person, Stock Exchange) recuperar-se;
rally round vt fus dar apoio a
RAM [ræm] n abbr (Comput)
(= random access memory) RAM f
ram [ræm] n carneiro ⊳ vt (push)
cravar; (crash into) colidir com
ramble ['ræmbl] n caminhada,
excursão f a pé ⊳ vi caminhar;
(talk: also: **~ on**) divagar; **rambler**
n caminhante m/f; (Bot) roseira
trepadeira; **rambling** adj (speech)
desconexo, incoerente; (house)
cheio de recantos; (plant) rastejante
ramp [ræmp] n (incline) rampa;
on/off ~ (US: Aut) entrada (para a

rodovia)/saída da rodovia

rampage [ræm'peɪdʒ] n: **to be on the ~** alvoroçar-se

ran [ræn] pt of **run**

ranch [rɑːntʃ] n rancho, fazenda, estância

random ['rændəm] adj ao acaso, casual, fortuito; (Comput, Math) aleatório ▷ n: **at ~** a esmo, aleatoriamente

rang [ræŋ] pt of **ring**

range [reɪndʒ] n (of mountains) cadeia, cordilheira; (of missile) alcance m; (of voice) extensão f; (series) série f; (of products) gama, sortimento; (Mil: also: **shooting ~**) estande m; (also: **kitchen ~**) fogão m ▷ vt (place) colocar; (arrange) arrumar, ordenar ▷ vi: **to ~ over** (extend) estender-se por; **to ~ from … to …** variar de … a …, oscilar entre … e …

rank [ræŋk] n (row) fila, fileira; (Mil) posto; (status) categoria, posição f; (BRIT: also: **taxi ~**) ponto de táxi ▷ vi: **to ~ among** figurar entre ▷ adj fétido, malcheiroso; **the ~ and file** (fig) a gente comum

ransom ['rænsəm] n resgate m; **to hold sb to ~** (fig) encostar alguém contra a parede

rant [rænt] vi arengar

rap [ræp] vt bater de leve ▷ n: ~ **(music)** rap m

rape [reɪp] n estupro; (Bot) colza ▷ vt violentar, estuprar

rapid ['ræpɪd] adj rápido; **rapids** npl (Geo) cachoeira

rapist ['reɪpɪst] n estuprador m

rapport [ræ'pɔː] n harmonia, afinidade f

rare [rɛə] adj raro; (Culin: steak) mal passado

rascal ['rɑːskl] n maroto, malandro

rash [ræʃ] adj impetuoso, precipitado ▷ n (Med) exantema m,

erupção f cutânea; (of events) série f, torrente f

rasher ['ræʃə] n fatia fina

raspberry ['rɑːzbərɪ] n framboesa

rat [ræt] n rato (BR), ratazana (PT)

rate [reɪt] n (ratio) razão f; (price) preço, taxa; (: of hotel) diária; (of interest, change) taxa; (speed) velocidade f ▷ vt (value) taxar; (estimate) avaliar; **~s** npl (BRIT) imposto predial e territorial; (fees) pagamento; **to ~ sb/sth as** considerar alguém/algo como

rather ['rɑːðə] adv (somewhat) um tanto, meio; (to some extent) até certo ponto; (more accurately): **or ~** ou melhor; **it's ~ expensive** (quite) é meio caro; (too) é caro demais; **there's ~ a lot** há bastante or muito; **I would ~ go** preferiria or preferia ir

ratio ['reɪʃɪəu] n razão f, proporção f

ration ['ræʃən] n ração f ▷ vt racionar; **~s** npl (Mil) mantimentos mpl, víveres mpl

rational ['ræʃənl] adj lógico; (person) sensato, razoável

rat race n: **the ~** a competição acirrada na vida moderna

rattle ['rætl] n (of door) batida; (of train etc) chocalhada; (of coins) chocalhar m; (object: for baby) chocalho ▷ vi (small objects) tamborilar; (vehicle): **to ~ along** mover-se ruidosamente ▷ vt sacudir, fazer bater; (unnerve) perturbar

rave [reɪv] vi (in anger) encolerizar-se; (Med) delirar; (with enthusiasm): **to ~ about** vibrar com

raven ['reɪvən] n corvo

ravine [rə'viːn] n ravina, barranco

raw [rɔː] adj (uncooked) cru(a); (not processed) bruto; (sore) vivo; (inexperienced) inexperiente, novato;

(*weather*) muito frio
ray [reɪ] n (*of sun*) raio; **~ of hope** fio de esperança
razor ['reɪzə°] n (*open*) navalha; (*safety ~*) aparelho de barbear; (*electric*) aparelho de barbear elétrico; **razor blade** n gilete m (BR), lâmina de barbear (PT)
Rd abbr = **road**
re [riː] prep referente a
reach [riːtʃ] n alcance m; (*of river etc*) extensão f ▷ vt alcançar; (*arrive at: place*) chegar em; (*: agreement*) chegar a; (*by telephone*) conseguir falar com ▷ vi (*stretch out*) esticar-se; **within ~** ao alcance (da mão); **out of ~** fora de alcance; **reach out** vt (*hand*) esticar ▷ vi: **to ~ out for sth** estender or esticar ã mão para pegar (em) algo
react [riːˈækt] vi reagir; **reaction** n reação f; **~ions** npl (*reflexes*) reflexos mpl
reactor [riːˈæktə°] n (*also*: **nuclear ~**) reator m nuclear
read [riːd, pt, pp rɛd] (*pt, pp* **read**) vi ler ▷ vt ler; (*understand*) compreender; (*study*) estudar; **read out** vt ler em voz alta; **reader** n leitor(a) m/f; (*book*) livro de leituras; (BRIT: *at university*) professor(a) m/f adjunto(-a)
readily ['rɛdɪlɪ] adv (*willingly*) de boa vontade; (*easily*) facilmente; (*quickly*) sem demora, prontamente
reading ['riːdɪŋ] n leitura f; (*on instrument*) indicação f, registro (BR), registo (PT)
ready ['rɛdɪ] adj pronto, preparado; (*willing*) disposto; (*available*) disponível ▷ n: **at the ~** (Mil) pronto para atirar; **to get ~** vi preparar-se ▷ vt preparar; **ready-made** adj (já) feito; (*clothes*) pronto
real [rɪəl] adj real; (*genuine*) verdadeiro, autêntico; **in ~ terms**

em termos reais; **real estate** n bens mpl imobiliários or de raiz;
realistic [rɪəˈlɪstɪk] adj realista
reality [riːˈælɪtɪ] n realidade f; **reality TV** n reality TV f
realization [rɪəlaɪˈzeɪʃən] n (*fulfilment*) realização f; (*understanding*) compreensão f; (Comm) conversão f em dinheiro, realização
realize ['rɪəlaɪz] vt (*understand*) perceber; (*fulfil, Comm*) realizar
really ['rɪəlɪ] adv (*for emphasis*) realmente; (*actually*): **what ~ happened?** o que aconteceu na verdade?; **~?** (*interest*) é mesmo?; (*surprise*) verdade!; **~!** (*annoyance*) realmente!
realm [rɛlm] n reino; (*fig*) esfera, domínio
realtor ['rɪəltə°] (US) n corretor(a) m/f de imóveis (BR), agente m/f imobiliário(-a) (PT)
reappear [riːəˈpɪə°] vi reaparecer
rear [rɪə°] adj traseiro, de trás ▷ n traseira ▷ vt criar ▷ vi (*also*: **~ up**) empinar-se
reason ['riːzn] n (*cause*) razão f; (*ability*) raciocínio; (*sense*) bom-senso ▷ vi: **to ~ with sb** argumentar com alguém, persuadir alguém; **it stands to ~ that** é razoável or lógico que; **reasonable** adj (*fair*) razoável; (*sensible*) sensato; **reasonably** adv razoavelmente; sensatamente; **reasoning** n raciocínio
reassurance [riːəˈʃuərəns] n ga-rantia
reassure [riːəˈʃuə°] vt tranqüilizar; **to ~ sb of** reafirmar a confiança de alguém acerca de
rebate ['riːbeɪt] n devolução f
rebel [n 'rɛbl, vb rɪˈbɛl] n rebelde m/f ▷ vi rebelar-se; **rebellious** [rɪˈbɛljəs] adj insurreto; (*behaviour*)

rebelde

recall [vb rɪˈkɔːl, n ˈriːkɔl] vt recordar, lembrar; (parliament) reunir de volta; (ambassador) chamar de volta ▷ n (memory) recordação f, lembrança ; (of ambassador) chamada (de volta)

receipt [rɪˈsiːt] n recibo; (act) recebimento (BR), recepção f (PT); **~s** npl (Comm) receitas fpl

receive [rɪˈsiːv] vt receber; (guest) acolher; (wound, criticism) sofrer; **receiver** n (Tel) fone m (BR), auscultador m (PT); (Radio, TV) receptor m; (of stolen goods) receptador(a) m/f; (Comm) curador(a) m/f síndico(-a) de massa falida

recent [ˈriːsnt] adj recente; **recently** adv recentemente; (in recent times) ultimamente

reception [rɪˈsɛpʃən] n recepção f; (welcome) acolhida; **reception desk** n (mesa de) recepção f; **receptionist** n recepcionista m/f

recession [rɪˈsɛʃən] n recessão f

recipe [ˈrɛsɪpɪ] n receita

recipient [rɪˈsɪpɪənt] n recipiente m/f, recebedor(a) m/f; (of letter) destinatário(-a)

recite [rɪˈsaɪt] vt recitar

reckless [ˈrɛkləs] adj (driver) imprudente; (speed) imprudente, excessivo; (spending) irresponsável

reckon [ˈrɛkən] vt (calculate) calcular, contar; (think): **I ~ that ...** acho que ...; **reckon on** vt fus contar com

reclaim [rɪˈkleɪm] vt (demand back) reivindicar; (land: from sea) aterrar; (waste materials) reaproveitar

recline [rɪˈklaɪn] vi reclinar-se

recognition [rɛkəgˈnɪʃən] n reconhecimento

recognize [ˈrɛkəgnaɪz] vt reconhecer

recommend [rɛkəˈmɛnd] vt recomendar

reconcile [ˈrɛkənsaɪl] vt reconciliar; (facts) conciliar, harmonizar; **to ~ o.s. to sth** resignar-se a or conformar-se com algo

reconsider [riːkənˈsɪdə*] vt reconsiderar

reconstruct [riːkənˈstrʌkt] vt reconstruir; (event) reconstituir

record [n, adj ˈrɛkɔːd, vb rɪˈkɔːd] n (Mus) disco; (of meeting etc) ata, minuta; (Comput, of attendance) registro (BR), registo (PT); (written) história; (also: **criminal ~**) antecedentes mpl; (sport) recorde m ▷ vt (write down) anotar; (temperature, speed) registrar (BR), registar (PT); (Mus: song etc) gravar ▷ adj: **in ~ time** num tempo recorde; **off the ~** ▷ adj confidencial ▷ adv confidencialmente; **recorder** n (Mus) flauta; **recording** n (Mus) gravação f; **record player** n toca-discos m inv (BR), gira-discos m inv (PT)

recover [rɪˈkʌvə*] vt recuperar ▷ vi (from illness) recuperar-se; (from shock) refazer-se; **recovery** n recuperação f; (Med) recuperação, melhora

recreation [rɛkrɪˈeɪʃən] n recreio

recruit [rɪˈkruːt] n recruta m/f; (in company) novato(-a) ▷ vt recrutar

rectangle [ˈrɛktæŋgl] n retângulo

rector [ˈrɛktə*] n (Rel) pároco

recur [rɪˈkəː*] vi repetir-se, ocorrer outra vez; (symptoms) reaparecer

recyclable [riːˈsaɪkləbl] adj reciclável

recycle [riːˈsaɪkl] vt reciclar; **recycling** n reciclagem f

red [rɛd] n vermelho; (Pol: pej) vermelho(-a) ▷ adj vermelho; (hair) ruivo; (wine) tinto; **to be in the ~**

não ter fundos; **Red Cross** n Cruz f Vermelha

redeem [rɪ'diːm] vt (Rel) redimir; (sth in pawn) tirar do prego; (loan, fig: situation) salvar

red: red-haired adj ruivo; **redhead** n ruivo(-a); **red-hot** adj incandescente

red-light district n zona (de meretrício)

reduce [rɪ'djuːs] vt reduzir; (lower) rebaixar; **"~ speed now"** (Aut) "diminua a velocidade"; **to ~ sb to** (silence, begging) levar alguém a; (tears) reduzir alguém a; **reduction** [rɪ'dʌkʃən] n redução f; (of price) abatimento

redundancy [rɪ'dʌndənsɪ] (BRIT) n (dismissal) demissão f; (unemployment) desemprego

redundant [rɪ'dʌndnt] adj (BRIT: worker) desempregado; (detail, object) redundante, supérfluo; **to be made ~** ficar desempregado or sem trabalho

reed [riːd] n (Bot) junco; (Mus: of clarinet etc) palheta

reef [riːf] n (at sea) recife m

reel [riːl] n carretel m, bobina; (of film) rolo, filme m; (on fishing-rod) carretilha; (dance) dança típica da Escócia ▷ vi (sway) cambalear, oscilar; **reel in** vt puxar enrolando a linha

ref [rɛf] (inf) n abbr = **referee**

refectory [rɪ'fɛktərɪ] n refeitório

refer [rɪ'fəː] vt (matter, problem): **to ~ sth to** submeter algo à apreciação de; (person, patient): **to ~ sb to** encaminhar alguém a ▷ vi: **to ~ to** referir-se or aludir a; (consult) recorrer a

referee [rɛfə'riː] n árbitro(-a); (BRIT: for job application) referência ▷ vt apitar

reference ['rɛfrəns] n referência; (mention) menção f; **with ~ to** com relação a; (Comm: in letter) com referência a

refill [vb riː'fɪl, n 'riːfɪl] vt reencher; (lighter etc) reabastecer ▷ n (for pen) carga nova

refine [rɪ'faɪn] vt refinar; **refined** adj refinado, culto

reflect [rɪ'flɛkt] vt refletir ▷ vi (think) refletir, meditar; **it ~s badly/well on him** isso repercute mal/bem para ele; **reflection** n reflexo; (thought, act) reflexão f; (criticism): **reflection on** crítica de; **on reflection** pensando bem

reflex ['riːflɛks] adj reflexo ▷ n reflexo

reform [rɪ'fɔːm] n reforma ▷ vt reformar

refrain [rɪ'freɪn] vi: **to ~ from doing** abster-se de fazer ▷ n estribilho, refrão m

refresh [rɪ'frɛʃ] vt refrescar; **refreshing** adj refrescante; (sleep) repousante; **refreshments** npl bebidas fpl (não-alcoólicas) e guloseimas

refrigerator [rɪ'frɪdʒəreɪtə] n refrigerador m, geladeira (BR), frigorífico (PT)

refuel [riː'fjuəl] vi reabastecer

refuge ['rɛfjuːdʒ] n refúgio; **to take ~ in** refugiar-se em

refugee [rɛfju'dʒiː] n refugiado(-a)

refund [n 'riːfʌnd, vb rɪ'fʌnd] n reembolso ▷ vt devolver, reembolsar

refurbish [riː'fəːbɪʃ] vt renovar

refusal [rɪ'fjuːzəl] n recusa, negativa; **first ~** primeira opção

refuse¹ [rɪ'fjuːz] vt recusar; (order) recusar-se a ▷ vi recusar-se, negar-se; (horse) recusar-se a pular a cerca

refuse² ['rɛfjuːs] n refugo, lixo

regain [rɪ'geɪn] vt recuperar, recobrar

regard [rɪ'gɑːd] n (gaze) olhar
m firme; (attention) atenção f;
(esteem) estima, consideração f
▷ vt (consider) considerar; **to give
one's ~s to** dar lembranças a; **"with
kindest ~s"** "cordialmente"; **as
~s, with ~ to** com relação a, com
respeito a, quanto a; **regarding**
prep com relação a; **regardless**
adv apesar de tudo; **regardless of**
apesar de
regiment ['rɛdʒɪmənt] n
regimento
region ['riːdʒən] n região f; **in the
~ of** (fig) por volta de, ao redor de;
regional adj regional
register ['rɛdʒɪstə°] n registro
(BR), registo (PT); (Sch) chamada ▷ vt
registrar (BR), registar (PT); (subj:
instrument) marcar, indicar ▷ vi (at
hotel) registrar-se (BR), registar-
se (PT); (for work) candidatar-se;
(as student) inscrever-se; (make
impression) causar impressão;
registered adj (letter, parcel)
registrado (BR), registado (PT)
registrar ['rɛdʒɪstrɑː°] n oficial
m/f de registro (BR) or registo
(PT), escrivão(-vã) m/f; (in college)
funcionário(-a) administrativo(-
a) sênior; (in hospital) médico(-a)
sênior
registration [rɛdʒɪs'treɪʃən] n
(act) registro (BR), registo (PT); (Aut:
also: **~ number**) número da placa
regret [rɪ'grɛt] n desgosto, pesar m
▷ vt lamentar; (repent of) arrepender-
se de
regular ['rɛgjulə°] adj regular;
(frequent) freqüente; (usual)
habitual; (soldier) de linha
▷ n habitual m/f; **regularly**
adv regularmente; (shaped)
simetricamente; (often)
freqüentemente
regulate ['rɛgjuleɪt] vt (speed)

re-gular; (spending) controlar; (Tech)
regular, ajustar; **regulation** [rɛgju-
'leɪʃən] n (rule) regra, regulamento;
(adjustment) ajuste m
rehearsal [rɪ'həːsəl] n ensaio
rehearse [rɪ'həːs] vt ensaiar
reign [reɪn] n reinado; (fig)
domínio ▷ vi reinar; imperar
reimburse [riːɪm'bəːs] vt
reembolsar
rein [reɪn] n (for horse) rédea
reindeer ['reɪndɪə°] n inv rena
reinforce [riːɪn'fɔːs] vt reforçar;
reinforcements npl (Mil) refor
os mpl
reinstate [riːɪn'steɪt] vt (worker)
readmitir; (tax, law) reintroduzir
reject [n 'riːdʒɛkt, vb rɪ'dʒɛkt]
n (Comm) artigo defeituoso ▷ vt
rejeitar; (offer of help) recusar;
(goods) refugar; **rejection** n
rejeição f; recusa
rejoice [rɪ'dʒɔɪs] vi: **to ~ at** or **over**
regozijar-se or alegrar-se de
relate [rɪ'leɪt] vt (tell) contar,
relatar; (connect): **to ~ sth to**
relacionar algo com ▷ vi: **to ~ to**
relacionar-se com; **~d to** ligado a,
relacionado a
relation [rɪ'leɪʃən] n (person)
pa-rente m/f; (link) relação f; **~s**
npl (dealings) rela ões fpl; (relatives)
parentes mpl; **relationship** n
relacionamento; (between two
things) relação f; (also: **family
relationship**) parentesco
relative ['rɛlətɪv] n parente
m/f ▷ adj relativo; **relatively** adv
relativamente
relax [rɪ'læks] vi (unwind)
descontrair-se; (muscle) relaxar-se
▷ vt (grip) afrouxar; (control) relaxar;
(mind, person) descansar; **relaxation**
[riːlæk'seɪʃən] n (rest) descanso;
(of muscle, control) relaxamento; (of
grip) afrouxamento; (recreation) lazer

m; **relaxed** adj relaxado; (tranquil) descontraído

relay [n 'ri:leɪ, vb rɪ'leɪ] n (race) (corrida de) revezamento ▷ vt (message) retransmitir

release [rɪ'li:s] n (from prison) libertação f; (from obligation) liberação f; (of gas) escape m; (of water) despejo; (of film, book etc) lançamento ▷ vt (prisoner) pôr em liberdade; (book, film) lançar; (report, news) publicar; (gas etc) soltar; (free: from wreckage etc) soltar; (Tech: catch, spring etc) desengatar, desapertar

relegate ['rɛləgeɪt] vt relegar; (sport): **to be ~d** ser rebaixado

relent [rɪ'lɛnt] vi (yield) ceder; **relentless** adj (unceasing) contínuo; (determined) implacável

relevant ['rɛləvənt] adj pertinente; **~ to** relacionado com

reliable [rɪ'laɪəbl] adj (person, firm: digno) de confiança, confiável, sério; (method, machine) seguro; (news) fidedigno

relic ['rɛlɪk] n (Rel) relíquia; (of the past) vestígio

relief [rɪ'li:f] n alívio; (help, supplies) ajuda, socorro; (art, Geo) relevo

relieve [rɪ'li:v] vt (pain, fear) aliviar; (bring help to) ajudar, socorrer; (take over from: gen) substituir, revezar; (: guard) render; **to ~ sb of sth** (load) tirar algo de alguém; (duties) destituir alguém de algo; **to ~ o.s.** fazer as necessidades

religion [rɪ'lɪdʒən] n religião f; **religious** adj religioso

relish ['rɛlɪʃ] n (Culin) condimento, tempero; (enjoyment) entusiasmo ▷ vt (food etc) saborear; (thought) ver com satisfação

reluctant [rɪ'lʌktənt] adj relutante; **reluctantly** adv relutantemente, de má vontade

rely on [rɪ'laɪ-] vt fus confiar

em, contar com; (be dependent on) depender de

remain [rɪ'meɪn] vi (survive) sobreviver; (stay) ficar, permanecer; (be left) sobrar; (continue) continuar; **remainder** n resto, restante m; **remaining** adj restante; **remains** npl (of body) restos mpl; (of meal) sobras fpl; (of building) ruínas fpl

remand [rɪ'mɑ:nd] n: **on ~** sob prisão preventiva ▷ vt: **to be ~ed in custody** continuar sob prisão preventiva, manter sob custódia

remark [rɪ'mɑ:k] n observação f, comentário ▷ vt comentar; **remarkable** adj (outstanding) extraordinário

remarry [ri:'mærɪ] vi casar-se de novo

remedy ['rɛmədɪ] n: **~ (for)** remédio (contra or a) ▷ vt remediar

remember [rɪ'mɛmbə°] vt lembrar-se de, lembrar; (bear in mind) ter em mente; (send greetings): **~ me to her** dê lembranças a ela

remembrance [rɪ'mɛmbrəns] n (memory) memória; (souvenir) lembrança, recordação f; **Remembrance Day** or **Sunday** n Dia m do Armistício; ver quadro

REMEMBRANCE DAY

Remembrance Day ou **Re-membrance Sunday** é o domingo mais próximo do dia 11 de novembro, dia em que a Primeira Guerra Mundial terminou oficialmente e no qual se homenageia às vítimas das duas guerras mundiais. Nessa ocasião são observados dois minutos de silêncio às 11 horas, horário da assinatura do armistício com a Alemanha em 1918. Nos dias anteriores,

● papoulas de papel são vendidas
● por associações de caridade
● e a renda é revertida aos ex-
● combatentes e suas famílias.

remind [rɪˈmaɪnd] vt: **to ~ sb to do sth** lembrar a alguém que tem de fazer algo; **to ~ sb of sth** lembrar algo a alguém, lembrar alguém de algo; **reminder** n lembrança; (letter) carta de advertência

remnant [ˈrɛmnənt] n resto; (of cloth) retalho; **~s** npl (Comm) retalhos mpl

remorse [rɪˈmɔːs] n remorso

remote [rɪˈməut] adj remoto; (person) reservado, afastado; **remote control** n controle m remoto; **remotely** adv remotamente; (slightly) levemente

removal [rɪˈmuːvəl] n (taking away) remoção f; (BRIT: from house) mudança; (from office: sacking) afastamento, demissão f; (Med) extração f; **removal van** (BRIT) n caminhão m (BR) or camião m (PT) de mudanças

remove [rɪˈmuːv] vt tirar, retirar; (clothing) tirar; (stain) remover; (employee) afastar, demitir; (name from list, obstacle) eliminar, remover; (doubt, abuse) (Med) extrair

render [ˈrɛndəʳ] vt (thanks) trazer; (service) prestar; (make) fazer, tornar

rendezvous [ˈrɔndɪvuː] n encontro; (place) ponto de encontro

renew [rɪˈnjuː] vt retomar, recomeçar; (loan etc) prorrogar; (negotiations) reatar

renovate [ˈrɛnəveɪt] vt renovar; (house) reformar

rent [rɛnt] n aluguel m (BR), aluguer m (PT) ▷ vt (also: **~ out**) alugar; **rental** n (for television, car) aluguel m (BR), aluguer m (PT)

rep [rɛp] n abbr (Comm) =

representative

repair [rɪˈpɛəʳ] n reparação f, conserto ▷ vt consertar; **in good/ bad ~** em bom/mau estado; **repair kit** n caixa de ferramentas

repay [riːˈpeɪ] (irreg) vt (money) reembolsar, restituir; (person) pagar de volta; (debt) saldar, liquidar; (sb's efforts) corresponder, retribuir; (favour) retribuir; **repayment** n reembolso; (of debt) pagamento

repeat [rɪˈpiːt] n (Radio, TV) repetição f ▷ vt repetir; (Comm: order) renovar ▷ vi repetir-se

repetitive [rɪˈpɛtɪtɪv] adj repetitivo

replace [rɪˈpleɪs] vt (put back) repor, devolver; (take the place of) substituir; **replacement** n (substitution) substituição f; (substitute) substituto(-a)

replay [ˈriːpleɪ] n (of match) partida decisiva; (TV: also: **action ~**) replay m

replica [ˈrɛplɪkə] n réplica, cópia, reprodução f

reply [rɪˈplaɪ] n resposta ▷ vi responder

report [rɪˈpɔːt] n relatório; (press etc) reportagem f; (BRIT: also: **school ~**) boletim m escolar; (of gun) estampido, detonação f ▷ vt informar sobre; (press etc) fazer uma reportagem sobre; (bring to notice) comunicar, anunciar ▷ vi (make a report): **to ~ (on)** apresentar um relatório (sobre); (present o.s.): **to ~ (to sb)** apresentar-se (a alguém); (be responsible to): **to ~ to sb** obedecer as ordens de alguém; **report card** (US, scottish) n boletim m escolar; **reportedly** adv: **she is reportedly living in Spain** dizem que ela mora na Espanha; **reporter** n repórter m/f

represent [rɛprɪˈzɛnt] vt

representar; (*constitute*) constituir; (*Comm*) ser representante de; **representation** [rɛprɪzɛn'teɪʃən] n representação f; (*picture, statue*) representação, retrato; (*petition*) petição f; **~ations** npl (*protest*) reclamação f, protesto; **representative** [rɛprɪ'zɛntətɪv] n representante m/f; (*US: Pol*) deputado(-a) ▷ adj: **representative (of)** representativo (de)

repress [rɪ'prɛs] vt reprimir; **repression** n repressão f

reproduce [ri:prə'dju:s] vt reproduzir ▷ vi reproduzir-se

reptile ['rɛptaɪl] n réptil m

republic [rɪ'pʌblɪk] n república; **republican** adj, n republicano(-a); (*US: Pol*): **Republican** membro(-a) do Partido Republicano

reputable ['rɛpjutəbl] adj (*make etc*) bem conceituado, de confiança; (*person*) honrado, respeitável

reputation [rɛpju'teɪʃən] n reputação f

request [rɪ'kwɛst] n pedido; (*formal*) petição f ▷ vt: **to ~ sth of** or **from sb** pedir algo a alguém; (*formally*) solicitar algo a alguém; **request stop** (BRIT) n (*for bus*) parada não obrigatória

require [rɪ'kwaɪə°] vt (*need: subj: person*) precisar de, necessitar; (*: thing, situation*) requerer, exigir; (*want*) pedir; (*order*): **to ~ sb to do sth/sth of sb** exigir que alguém faça algo/algo de alguém; **requirement** n (*need*) necessidade f; (*want*) pedido

rescue ['rɛskju:] n salvamento, resgate m ▷ vt: **to ~ (from)** resgatar (de); (*save, fig*) salvar (de)

research [rɪ'sə:tʃ] n pesquisa ▷ vt pesquisar

resemblance [rɪ'zɛmbləns] n se-melhança

resemble [rɪ'zɛmbl] vt parecer-se com

resent [rɪ'zɛnt] vt (*attitude*) ressentir-se de; (*person*) estar ressentido com; **resentful** adj ressentido

reservation [rɛzə'veɪʃən] n reserva

reserve [rɪ'zə:v] n reserva; (*sport*) suplente m/f, reserva m/f (BR) ▷ vt reservar; **~s** npl (*Mil*) (tropas fpl da) reserva; (*Comm*) reserva; **in ~** de reserva; **reserved** adj reservado

residence ['rɛzɪdəns] n residência; (*formal: home*) domicílio; **residence permit** (BRIT) n autorização f de residência

resident ['rɛzɪdənt] n (*of country, town*) habitante m/f; (*in hotel*) hóspede m/f ▷ adj (*population*) permanente; (*doctor*) interno, residente; **residential** [rɛzɪ'dɛnʃəl] adj residencial

residue ['rɛzɪdju:] n resto

resign [rɪ'zaɪn] vt renunciar a, demitir-se de ▷ vi: **to ~ (from)** demitir-se (de); **to ~ o.s. to** resignar-se a; **resignation** [rɛzɪg'neɪʃən] n demissão f; (*state of mind*) resignação f

resist [rɪ'zɪst] vt resistir a

resolution [rɛzə'lu:ʃən] n resolução f; (*of problem*) solução f

resolve [rɪ'zɔlv] n resolução f ▷ vt resolver ▷ vi: **to ~ to do** resolver-se a fazer

resort [rɪ'zɔ:t] n local m turístico, estação f de veraneio; (*recourse*) recurso ▷ vi: **to ~ to** recorrer a; **in the last ~** em último caso, em última instância

resource [rɪ'sɔ:s] n (*raw material*) recurso natural; **~s** npl (*coal, money, energy*) recursos mpl; **resourceful** adj engenhoso, habilidoso

respect [rɪs'pɛkt] n respeito

▷ vt respeitar; **~s** npl (greetings)
cumprimentos mpl; **respectable**
adj respeitável; (large) considerável;
(result, player) razoável; **respectful**
adj respeitoso

respond [rɪs'pɔnd] vi (answer)
responder; (react) reagir; **response**
n resposta; reação f

responsibility [rɪspɔnsɪ'bɪlɪtɪ] n
responsabilidade f; (duty) dever m

responsible [rɪs'pɔnsɪbl]
adj sério, responsável; (job) de
responsabilidade; (liable): **~ (for)**
responsável (por)

responsive [rɪs'pɔnsɪv] adj
receptivo

rest [rɛst] n descanso, repouso;
(pause) pausa, intervalo; (support)
apoio; (remainder) resto; (Mus)
pausa ▷ vi descansar; (stop) parar;
(be supported): **to ~ on** apoiar-se
em ▷ vt descansar; (lean): **to ~
sth on/against** apoiar algo em
or sobre/contra; **the ~ of them**
os outros; **it ~s with him to do it**
cabeça ele fazê-lo

restaurant ['rɛstərɔn] n
restaurante m; **restaurant car**
(BRIT) n vagão-restaurante m

restless ['rɛstlɪs] adj
desassossegado, irrequieto

restore [rɪ'stɔː°] vt (building, order)
restaurar; (sth stolen) restituir;
(health) restabelecer

restrain [rɪs'treɪn] vt (feeling)
reprimir; (growth, inflation) refrear;
(person): **to ~ (from doing)** impedir
(de fazer); **restraint** n (restriction)
restrição f; (moderation) moderação
f, comedimento; (of style)
sobriedade f

restrict [rɪs'trɪkt] vt restringir,
limitar; (people, animals) confinar;
(activities) limitar; **restriction** n
restrição f, limitação f

rest room (US) n banheiro (BR),

lavabo (PT)

result [rɪ'zʌlt] n resultado ▷ vi:
to ~ in resultar em; **as a ~ of** como
resultado or conseqüência de

resume [rɪ'zjuːm] vt (work, journey)
retomar, recomeçar ▷ vi recomeçar

résumé ['reɪzjuːmeɪ] n (summary)
resumo; (US: curriculum vitae)
curriculum vitae m, currículo

resuscitate [rɪ'sʌsɪteɪt] vt (Med)
ressuscitar, reanimar

retail ['riːteɪl] adj a varejo (BR), a
retalho (PT) ▷ adv a varejo (BR), a
retalho (PT); **retailer** n varejista
m/f (BR), retalhista m/f (PT)

retain [rɪ'teɪn] vt (keep) reter,
conservar

retire [rɪ'taɪə°] vi aposentar-se;
(withdraw) retirar-se; (go to bed)
deitar-se; **retired** adj aposentado
(BR), reformado (PT); **retirement** n
aposentadoria (BR), reforma (PT)

retort [rɪ'tɔːt] vi replicar, retrucar

retreat [rɪ'triːt] n (place) retiro;
(act) retirada ▷ vi retirar-se

retrieve [rɪ'triːv] vt (sth lost)
reaver, recuperar; (situation, honour)
salvar; (error, loss) reparar

retrospect ['rɛtrəspɛkt] n:
in ~ retrospectivamente, em
retrospecto; **retrospective**
[rɛtrə'spɛktiv] adj retrospectivo;
(law) retroativo

return [rɪ'təːn] n regresso,
volta; (of sth stolen etc) devolução
f; (finance: from land, shares)
rendimento ▷ cpd (journey) de volta;
(BRIT: ticket) de ida e volta; (match)
de revanche ▷ vi voltar, regressar;
(symptoms) voltar; (regain): **to ~ to**
(consciousness) recobrar; (power)
retornar a ▷ vt devolver; (favour etc)
retribuir; (verdict) proferir, anunciar;
(Pol: candidate) eleger; **~s** npl (Comm)
receita; **in ~ (for)** em troca (de);
many happy ~s (of the day)!

parabéns!; **by ~ (of post)** por volta do correio

reunion [riːˈjuːnɪən] n (family) reunião f; (two people, class) reencontro

reunite [riːjuːˈnaɪt] vt reunir; (reconcile) reconciliar

revamp [ˈriːˈvæmp] vt dar um jeito em

reveal [rɪˈviːl] vt revelar; (make visible) mostrar; **revealing** adj revelador(a)

revel [ˈrɛvl] vi: **to ~ in sth/in doing sth** deleitar-se com algo/em fazer algo

revenge [rɪˈvɛndʒ] n vingança, desforra; **to take ~ on** vingar-se de

revenue [ˈrɛvənjuː] n receita, renda

reversal [rɪˈvəːsl] n (of order) reversão f; (of direction) mudança em sentido contrário; (of decision) revogação f; (of roles) inversão f

reverse [rɪˈvəːs] n (opposite) contrário; (of cloth) avesso; (of coin) reverso; (of paper) dorso; (Aut: also: **~ gear**) marcha a ré (BR), marcha atrás (PT); (setback) revés m, derrota ▷ adj (order) inverso, oposto; (direction) contrário ▷ vt inverter; (position) mudar; (process, decision) revogar; (car) dar marche em ré (BRIT: Aut) dar (marcha à) ré (BR) fazer marcha atrás (PT); **reverse-charge call** (BRIT) n (Tel) ligação f a cobrar

revert [rɪˈvəːt] vi: **to ~ to** voltar a; (law) reverter a

review [rɪˈvjuː] n (magazine, Mil) revista; (of book, film) crítica, resenha; (examination) recapitulação f, exame m ▷ vt rever, examinar; (Mil) passar em revista; (book, film) fazer a crítica or resenha de

revise [rɪˈvaɪz] vt (manuscript) corrigir; (opinion, procedure) alterar;

(price) revisar; **revision** [rɪˈvɪʒən] n correção f; (for exam) revisão f

revival [rɪˈvaɪvəl] n (recovery) restabelecimento; (of interest) renascença, renascimento; (theatre) reestréia; (of faith) despertar m

revive [rɪˈvaɪv] vt (person) reanimar, ressuscitar; (economy) recuperar; (custom) restabelecer, restaurar; (hope, courage) despertar; (play) reapresentar ▷ vi (person: from faint) voltar a si, recuperar os sentidos; (: from ill-health) recuperar-se; (activity, economy) reativar; (hope, interest) renascer

revolt [rɪˈvəult] n revolta, rebelião f, insurreição f ▷ vi revoltar-se ▷ vt causar aversão a, repugnar; **revolting** adj revoltante, repulsivo

revolution [rɛvəˈluːʃən] n revolução f; (of wheel, earth) rotação f

revolve [rɪˈvɔlv] vi girar

revolver [rɪˈvɔlvə°] n revólver m

reward [rɪˈwɔːd] n recompensa ▷ vt: **to ~ (for)** recompensar or premiar (por); **rewarding** adj (fig) gratificante, compensador(a)

rewind [riːˈwaɪnd] (irreg) vt (tape) voltar para trás

rewritable [riːˈraɪtəbl] adj regravável

rheumatism [ˈruːmətɪzəm] n reumatismo

rhinoceros [raɪˈnɔsərəs] n rinoceronte m

rhubarb [ˈruːbɑːb] n ruibarbo

rhyme [raɪm] n rima; (verse) verso(s) m (pl) rimado(s), poesia

rhythm [ˈrɪðm] n ritmo

rib [rɪb] n (Anat) costela ▷ vt (mock) zombar de, encarnar em

ribbon [ˈrɪbən] n fita; **in ~s** (torn) em tirinhas, esfarrapado

rice [raɪs] n arroz m; **rice pudding** n arroz m doce

rich [rɪtʃ] adj rico; (clothes) valioso; (soil) fértil; (food) suculento, forte; (colour) intenso; (voice) suave, cheio ▷ npl: **the ~** os ricos; **~es** npl (wealth) riquezas fpl

rid [rɪd] (pt, pp **rid**) vt: **to ~ sb of sth** livrar alguém de algo; **to get ~ of** livrar-se de; (sth no longer required) desfazer-se de

riddle ['rɪdl] n (conundrum) adivinhação f; (mystery) enigma m, charada ▷ vt: **to be ~d with** estar cheio de

ride [raɪd] (pt **rode**, pp **ridden**) n (gen) passeio; (on horse) passeio a cavalo; (distance covered) percurso, trajeto ▷ vi (as sport) montar; (go somewhere: on horse, bicycle) ir (a cavalo, de bicicleta); (journey: on bicycle, motorcycle, bus) viajar ▷ vt (a horse) montar a; (bicycle, motorcycle) andar de; (distance) percorrer; **to ~ at anchor** (Naut) estar ancorado; **to take sb for a ~** (fig) enganar alguém; **rider** n (on horse: male) cavaleiro; (: female) amazona; (on bicycle) ciclista m/f; (on motorcycle) motociclista m/f

ridge [rɪdʒ] n (of hill) cume m, topo; (of roof) cumeeira; (wrinkle) ruga

ridicule ['rɪdɪkjuːl] n escárnio, zombaria, mofa ▷ vt ridicularizar, zombar de; **ridiculous** adj ridículo

riding ['raɪdɪŋ] n equitação f

rife [raɪf] adj: **to be ~** ser comum; **to be ~ with** estar repleto de, abundar em

rifle ['raɪfl] n rifle m, fuzil m ▷ vt saquear; **rifle through** vt fus vasculhar

rift [rɪft] n fenda, fratura; (in clouds) brecha; (fig: between friends) desentendimento; (: in party) rompimento, divergência

rig [rɪg] n (also: **oil ~**) torre f de perfuração ▷ vt adulterar or

falsificar os resultados de; **rig out** (BRIT) vt: **to ~ out as/in** ataviar or vestir como/com; **rig up** vt instalar, montar, improvisar

right [raɪt] adj certo, correto; (suitable) adequado, conveniente; (: decision) certo; (just) justo; (morally good) bom; (not left) direito ▷ n direito; (not left) direita ▷ adv bem, corretamente; (fairly) adequadamente, justamente; (not on the left) à direita; (exactly): **~ now** agora mesmo ▷ vt colocar em pé; (correct) corrigir, indireitar ▷ excl bom!; **to be ~** (person) ter razão; (answer, clock) estar certo; **by ~s** por direito; **on the ~** à direita; **to be in the ~** ter razão; **~ away** imediatamente, logo, já; **~ in the middle** bem no meio; **rightful** adj (heir) legítimo; (place) justo, legítimo; **right-handed** adj destro; **rightly** adv (with reason) com razão; **right of way** n prioridade f de passagem; (Aut) preferência; **right-wing** adj de direita

rigid ['rɪdʒɪd] adj rígido; (principle) inflexível

rim [rɪm] n borda, beira; (of spectacles, wheel) aro

rind [raɪnd] n (of bacon) pele f; (of lemon etc) casca; (of cheese) crosta, casca

ring [rɪŋ] (pt **rang**, pp **rung**) n (of metal) aro; (on finger) anel m; (of people, objects) círculo, grupo; (for boxing) ringue m; (of circus) pista, picadeiro; (bull~) picadeiro, arena; (of light, smoke) círculo; (of small bell) toque m; (of large bell) badalada, repique m ▷ vi (on telephone) telefonar; (bell) tocar; (also: **~ out**) soar; (ears) zumbir ▷ vt (BRIT: Tel) telefonar a, ligar para; (bell etc) badalar; (doorbell) tocar; **to give sb a ~** (BRIT: Tel) dar uma ligada or ligar

para alguém; **ring back** (BRIT) vi
(Tel) telefonar or ligar de volta ▷ vt
telefonar or ligar de volta para; **ring
off** (BRIT) vi (Tel) desligar; **ring up**
(BRIT) vt (Tel) telefonar a, ligar para;
ringing tone (BRIT) n (Tel) sinal m
de chamada; **ring-leader** n cabeça
m/f, cérebro; **ring road** (BRIT) n
estrada periférica or perimetral;
ringtone n (on cellphone) toque m
(de celular)
rink [rɪŋk] n (also: **ice ~**) pista de
patinação, rinque m
rinse [rɪns] n enxaguada ▷ vt
enxaguar; (also: **~ out**: mouth)
bochechar
riot ['raɪət] n distúrbio, motim m,
desordem f; (of colour) festival m,
profusão f ▷ vi provocar distúrbios,
amotinar-se; **to run ~** desenfrear-se
rip [rɪp] n rasgão m ▷ vt rasgar ▷ vi
rasgar-se
ripe [raɪp] adj maduro
ripple ['rɪpl] n ondulação f,
encrespação f; (of laughter etc) onda
▷ vi encrespar-se
rise [raɪz] (pt **rose**, pp **risen**) n
elevação f, ladeira; (hill) colina,
rampa; (in wages: BRIT) aumento; (in
prices, temperature) subida; (to power
etc) ascensão f ▷ vi levantar-se,
erguer-se; (prices, waters) subir; (sun)
nascer; (from bed etc) levantar(-se);
(sound) aumentar, erguer-se; (also:
~ up: building) erguer-se; (: rebel)
sublevar-se; (in rank) ascender,
subir; **to give ~ to** ocasionar, dar
origem a; **to ~ to the occasion**
mostrar-se à altura da situação;
rising adj (prices) em alta; (number)
crescente, cada vez maior; (tide)
montante; (sun, moon) nascente
risk [rɪsk] n risco, perigo;
(insurance) risco ▷ vt pôr em risco;
(chance) arriscar, aventurar; **to take**
or **run the ~ of doing** correr o risco

de fazer; **at ~** em perigo; **at one's
own ~** por sua própria conta e risco;
risky adj perigoso
rite [raɪt] n rito; **last ~s** últimos
sacramentos
ritual ['rɪtjuəl] adj ritual ▷ n ritual
m; (of initiation) rito
rival ['raɪvl] adj, n rival m/f; (in
business) concorrente m/f ▷ vt
competir com; **rivalry** ['raɪvlrɪ] n
rivalidade f
river ['rɪvə*] n rio ▷ cpd (port, traffic)
fluvial; **up/down ~** rio acima/
abaixo; **riverbank** n margem f
(do rio)
road [rəud] n via; (motorway etc)
estrada (de rodagem); (in town)
rua ▷ cpd rodoviário; **roadblock** n
barricada; **road map** n mapa m
rodoviário; **road rage** n conduta
agressiva dos motoristas no trânsito;
roadside n beira da estrada;
roadsign n placa de sinalização
roam [rəum] vi vagar, perambular,
errar
roar [rɔ:*] n (of animal) rugido, urro;
(of crowd) bramido; (of vehicle, storm)
estrondo; (of laughter) barulho ▷ vi
(animal, engine) rugir; (person, crowd)
bradar; **to ~ with laughter** dar
gargalhadas
roast [rəust] n carne f assada,
assado ▷ vt assar; (coffee) torrar;
roast beef n rosbife m
rob [rɔb] vt roubar; (bank) assaltar;
to ~ sb of sth roubar algo de
alguém; (fig: deprive) despojar
alguém de algo; **robber** n ladrão
(ladra) m/f; **robbery** n roubo
robe [rəub] n toga, beca; (also:
bath ~) roupão m (de banho)
robin ['rɔbɪn] n pisco-de-peito-
ruivo (BR), pintarroxo (PT)
robot ['rəubɔt] n robô m
robust [rəu'bʌst] adj robusto, forte;
(appetite) sadio; (economy) forte

rock [rɔk] n rocha; (boulder)
penhasco, rochedo; (us: small stone)
cascalho; (BRIT: sweet) pirulito
▷ vt (swing gently: cradle) balançar,
oscilar; (: child) embalar, acalentar;
(shake) sacudir ▷ vi (object) balançar-
se; (person) embalar-se; **on the
~s** (drink) com gelo; (marriage etc)
arruinado, em dificuldades; **rock
and roll** n rock-and-roll m
rocket ['rɔkɪt] n foguete m
rocky ['rɔkɪ] adj rochoso, bambo,
instável; (marriage) instável
rod [rɔd] n vara, varinha; (also:
fishing ~) vara de pescar
rode [rəud] pt of **ride**
rodent ['rəudnt] n roedor m
rogue [rəug] n velhaco, maroto
role [rəul] n papel m
roll [rəul] n rolo; (of banknotes)
maço; (also: **bread ~**) pãozinho;
(register) rol m, lista; (of drums
etc) rufar m ▷ vt rolar; (also: **~ up**:
string) enrolar; (: sleeves) arregaçar;
(cigarette) enrolar; (eyes) virar;
(also: **~ out**: pastry) esticar; (lawn,
road etc) aplanar ▷ vi rolar; (drum)
rufar; (vehicle: also: **~ along**) rodar;
(ship) balançar, jogar; **roll about** or
around vi ficar rolando; **roll by** vi
(time) passar; **roll in** vi (mail, cash)
chegar em grande quantidade; **roll
over** vi dar uma volta; **roll up** vi
(inf) pintar, chegar, aparecer ▷ vt
enrolar; **roller** n (in machine) rolo,
cilindro; (wheel) roda, roldana;
(for lawn, road) rolo compressor;
(for hair) rolo; **roller coaster** n
montanha-russa; **roller skates** npl
patins mpl de roda
rolling pin ['rəulɪŋ-] n rolo de
pastel
ROM [rɔm] n abbr (Comput: = read-
only memory) ROM m
Roman ['rəumən] adj, n
romano(-a); **Roman Catholic** adj, n

católico(-a) (romano(-a))
romance [rə'mæns] n aventura
amorosa, romance m; (book)
história de amor; (charm)
romantismo
Romania [ruː'meɪnɪə] n Romênia;
Romanian adj romeno ▷ n
romeno(-a); (Ling) romeno
romantic [rə'mæntɪk] adj
romântico
Rome [rəum] n Roma
roof [ruːf] n (of house) telhado; (of
car) capota, teto ▷ vt telhar, cobrir
com telhas; **the ~ of the mouth**
o céu da boca; **roof rack** n (Aut)
bagageiro
rook [ruk] n (bird) gralha; (chess)
torre f
room [ruːm] n (in house) quarto,
aposento; (also: **bed~**) quarto,
dormitório; (in school etc) sala;
(space) espaço, lugar m; (scope:
for improvement etc) espaço; **~s** npl
(lodging) alojamento; **"~s to let"**
(BRIT), **"~s for rent"** (us) "alugam-
se quartos or apartamentos";
roommate n companheiro(-a) de
quarto; **room service** n serviço
de quarto; **roomy** adj espaçoso;
(garment) folgado
rooster ['ruːstə°] n galo
root [ruːt] n raiz f; (fig) origem
f ▷ vi enraizar, arraigar; **~s** npl
(family origins) raízes fpl; **root about**
vi (fig): **to ~ about in** (drawer)
vasculhar; (house) esquadrinhar;
root for vt fus torcer por; **root out**
vt extirpar
rope [rəup] n corda; (Naut) cabo
▷ vt (tie) amarrar; (climbers: also: **~
together**) amarrar or atar com uma
corda; (area: also: **~ off**) isolar; **to
know the ~s** (fig) estar por dentro
(do assunto); **rope in** vt (fig): **to ~ sb
in** persuadir alguém a tomar parte
rose [rəuz] pt of **rise** ▷ n rosa;

(*also:* **~bush**) roseira; (*on watering can*) crivo

rosé ['rəuzei] *n* rosado, rosé *m*

rosemary ['rəuzməri] *n* alecrim *m*

rosy ['rəuzi] *adj* rosado, rosáceo; (*cheeks*) rosado; (*situation*) cor-de-rosa *inv*; **a ~ future** um futuro promissor

rot [rɔt] *n* (*decay*) putrefação *f*, podridão *f*; (*fig: pej*) besteira ▷ *vt, vi* apodrecer

rota ['rəutə] *n* lista de tarefas, escala de serviço

rotate [rəu'teit] *vt* fazer girar, dar voltas em; (*jobs*) alternar, revezar ▷ *vi* girar, dar voltas

rotten ['rɔtn] *adj* podre; (*wood*) carcomido; (*fig*) corrupto; (*inf: bad*) péssimo; **to feel ~** (*ill*) sentir-se podre

rough [rʌf] *adj* (*skin, surface*) áspero; (*terrain*) acidentado; (*road*) desigual; (*voice*) áspero, rouco; (*person, manner: violent*) violento; (*: brusque*) ríspido; (*weather*) tempestuoso; (*treatment*) brutal, mau (má); (*sea*) agitado; (*district*) violento; (*plan*) preliminar; (*work*) grosseiro; (*guess*) aproximado ▷ *n* (*golf*): **in the ~** na grama crescida; **to sleep ~** (BRIT) dormir na rua; **roughly** *adv* bruscamente; (*make*) toscamente; (*approximately*) aproximadamente

roulette [ru:'let] *n* roleta

round [raund] *adj* redondo ▷ *n* (BRIT: *of toast*) rodela; (*of policeman*) ronda; (*of milkman*) trajeto; (*of doctor*) visitas *fpl*; (*game: of cards etc*) partida; (*of ammunition*) cartucho; (*boxing*) rounde *m*, assalto; (*of talks*) ciclo ▷ *vt* virar, dobrar ▷ *prep* (*surrounding*): **~ his neck/the table** em volta de seu pescoço/ao redor da mesa; (*in a circular movement*): **to move ~ the room/~ the world** mover-se pelo quarto/dar a volta ao mundo; (*in various directions*) por; (*approximately*): **~ about** aproximadamente ▷ *adv*: **all ~** por todos os lados; **the long way ~** o caminho mais comprido; **all the year ~** durante todo o ano; **it's just ~ the corner** (*fig*) está pertinho; **~ the clock** ininterrupto; **to go ~ the back** passar por detrás; **to go ~ a house** visitar uma casa; **enough to go ~** suficiente para todos; **a ~ of applause** uma salva de palmas; **a ~ of drinks** uma rodada de bebidas; **~ of sandwiches** sanduíche *m* (BR), sandes *f inv* (PT); **round off** *vt* terminar, completar; **round up** *vt* (*cattle*) encurralar; (*people*) reunir; (*price, figure*) arredondar; **roundabout** *n* (BRIT: Aut) rotatória; (: *at fair*) carrossel *m* ▷ *adj* indireto; **round trip** *n* viagem *f* de ida e volta

rouse [rauz] *vt* (*wake up*) despertar, acordar; (*stir up*) suscitar

route [ru:t] *n* caminho, rota; (*of bus*) trajeto; (*of shipping*) rumo, rota; (*of procession*) rota

routine [ru:'ti:n] *adj* (*work*) rotineiro; (*procedure*) de rotina ▷ *n* rotina; (*theatre*) número

row[1] [rəu] *n* (*line*) fila, fileira; (*in theatre, boat*) fileira; (*knitting*) carreira, fileira ▷ *vi, vt* remar; **in a ~** (*fig*) a fio, seguido

row[2] [rau] *n* barulho, balbúrdia; (*dispute*) discussão *f*, briga; (*scolding*) repreensão *f* ▷ *vi* brigar

rowboat ['rəubəut] (US) *n* barco a remo

rowing ['rəuiŋ] *n* remo; **rowing boat** (BRIT) *n* barco a remo

royal ['rɔiəl] *adj* real

Royal Academy (of Arts) (BRIT)
n ver quadro

royalty n família real, realeza;
(payment: to author) direitos mpl
autorais

rpm abbr (= revolutions per minute)
rpm

rub [rʌb] vt friccionar; (part of body)
esfregar ▷ n: **to give sth a ~** dar
uma esfregada em algo; **to ~ sb**
up (BRIT) or **~ sb** (US) **the wrong**
way irritar alguém; **rub off** vi
sair esfregando; **rub off on** vt fus
transmitir-se para, influir sobre;
rub out vt apagar

rubber ['rʌbə*] n borracha; (BRIT:
eraser) borracha; **rubber band** n
elástico, tira elástica

rubbish ['rʌbɪʃ] n (waste) refugo;
(from household, in street) lixo;
(junk) coisas fpl sem valor; (fig: pej:
nonsense) disparates mpl, asneiras
fpl; **rubbish bin** (BRIT) n lata de lixo;
rubbish dump n (in town) depósito
(de lixo)

rubble ['rʌbl] n (debris) entulho;
(constr) escombros mpl

ruby ['ru:bɪ] n rubi m

rucksack ['rʌksæk] n mochila

rudder ['rʌdə*] n leme m; (of plane)
leme de direção

rude [ru:d] adj (person) grosso,
maleducado; (word, manners)
grosseiro; (shocking) obsceno,
chocante

rug [rʌg] n tapete m; (BRIT: for
knees) manta (de viagem)

rugby ['rʌgbɪ] n (also: ~ **football**)
rúgbi m (BR), râguebi m (PT)

rugged ['rʌgɪd] adj (landscape)
acidentado, irregular; (features)
marcado; (character) severo, austero

ruin ['ru:ɪn] n ruína; (of plans)
destruição f; (downfall) queda;
(bankruptcy) bancarrota ▷ vt
destruir; (future, person) arruinar;
(spoil) estragar; **~s** npl (of building)
ruínas fpl

rule [ru:l] n (norm) regra; (regulation)
regulamento; (government) governo,
domínio; (ruler) régua ▷ vt governar
▷ vi governar; (monarch) reger; (law):
to ~ in favour of/against decidir
oficialmente a favor de/contra; **as a**
~ por via de regra, geralmente; **rule**
out vt excluir; **ruler** n (sovereign)
soberano(-a); (for measuring) régua;
ruling adj (party) dominante;
(class) dirigente ▷ n (law) parecer
m, decisão f

rum [rʌm] n rum m

rumble ['rʌmbl] n ruído surdo,
barulho; (of thunder) estrondo,
ribombo ▷ vi ribombar, ressoar;
(stomach) roncar; (pipe) fazer
barulho; (thunder) ribombar

rumour ['ru:mə*] (US **rumor**) n
rumor m, boato ▷ vt: **it is ~ed that**
... corre o boato de que ...

rump steak [rʌmp-] n alcatra

run [rʌn] (pt **ran**, pp **run**) n
corrida; (in car) passeio (de carro);
(distance travelled) trajeto, percurso;
(journey) viagem f; (series) série f;
(theatre) temporada; (ski) pista;
(in stockings) fio puxado ▷ vt (race)

correr; (*operate: business*) dirigir; (: *competition, course*) organizar; (: *hotel, house*) administrar; (*water*) deixar correr; (*bath*) encher; (*press: feature*) publicar; (*Comput*) rodar; (*hand, finger*) passar ▷ *vi* correr; (*work: machine*) funcionar; (*bus, train: operate*) circular; (: *travel*) ir; (*continue: play*) continuar em cartaz; (: *contract*) ser válido; (*river, bath*) fluir, correr; (*colours*) desbotar; (*in election*) candidatar-se; (*nose*) escorrer; **there was a ~ on** houve muita procura de; **in the long ~** no final das contas, mais cedo ou mais tarde; **on the ~** em fuga, foragido; **run about** *or* **around** *vi* correr por todos os lados; **run across** *vt fus* encontrar por acaso, topar com, dar com; **run away** *vi* fugir; **run down** *vt* (*Aut*) atropelar; (*production*) reduzir; (*criticize*) criticar; **to be ~ down** estar enfraquecido *or* exausto; **run in** (BRIT) *vt* (*car*) rodar; **run into** *vt fus* (*meet: person*) dar com, topar com; (: *trouble*) esbarrar em; (*collide with*) bater em; **run off** *vi* fugir; **run out** *vi* (*person*) sair correndo; (*liquid*) escorrer, esgotar-se; (*lease, passport*) caducar, vencer; (*money*) acabar; **run out of** *vt fus* ficar sem; **run over** *vt* (*Aut*) atropelar ▷ *vt fus* (*revise*) recapitular; **run through** *vt fus* (*instructions, play*) recapitular; **run up** *vt* (*debt*) acumular ▷ *vi*: **to ~ up against** esbarrar em; **runaway** *adj* (*horse*) desembestado; (*truck*) desgovernado; (*person*) fugitivo

rung [rʌŋ] *pp of* **ring** ▷ *n* (*of ladder*) degrau *m*

runner ['rʌnə°] *n* (*in race*) corredor(a) *m/f*; (*horse*) corredor *m*; (*on sledge*) patim *m*, lâmina; (*for drawer*) corrediça; **runner bean** (BRIT) *n* (*Bot*) vagem *f* (BR), feijão *m*

verde (PT); **runner-up** *n* segundo(-a) colocado(-a)

running ['rʌnɪŋ] *n* (*sport*) corrida; (*of business*) direção *f* ▷ *adj* (*water*) corrente; (*commentary*) contínuo, seguido; **6 days ~** 6 dias seguidos *or* consecutivos; **to be in/out of the ~ for sth** disputar algo/estar fora da disputa por algo

runny ['rʌnɪ] *adj* aguado; (*egg*) mole; **to have a ~ nose** estar com coriza, estar com o nariz escorrendo

run-up *n*: **~ to sth** (*election etc*) período que antecede algo

runway ['rʌnweɪ] *n* (*Aviat*) pista (de decolagem *or* de pouso)

rupture ['rʌptʃə°] *n* (*Med*) hérnia

rural ['ruərl] *adj* rural

rush [rʌʃ] *n* (*hurry*) pressa; (*Comm*) grande procura *or* demanda; (*Bot*) junco; (*current*) torrente *f*; (*of emotion*) ímpeto ▷ *vt* apressar ▷ *vi* apressar-se, precipitar-se; **rush hour** *n* rush *m* (BR), hora de ponta (PT)

Russia ['rʌʃə] *n* Rússia; **Russian** *adj* russo ▷ *n* russo(-a); (*Ling*) russo

rust [rʌst] *n* ferrugem *f* ▷ *vi* enferrujar

rusty ['rʌstɪ] *adj* enferrujado

ruthless ['ru:θlɪs] *adj* implacável, sem piedade

rye [raɪ] *n* centeio

S

Sabbath ['sæbəθ] *n* (*Christian*) domingo; (*Jewish*) sábado
sabotage ['sæbətɑːʒ] *n* sabotagem *f* ▷ *vt* sabotar
saccharin(e) ['sækərɪn] *n* sacarina
sachet ['sæʃeɪ] *n* sachê *m*
sack [sæk] *n* (*bag*) saco, saca ▷ *vt* (*dismiss*) despedir; (*plunder*) saquear; **to get the ~** ser demitido
sacred ['seɪkrɪd] *adj* sagrado
sacrifice ['sækrɪfaɪs] *n* sacrifício ▷ *vt* sacrificar
sad [sæd] *adj* triste; (*deplorable*) deplorável, triste
saddle ['sædl] *n* sela; (*of cycle*) selim *m* ▷ *vt* selar; **to ~ sb with sth** (*inf: task, bill*) pôr algo nas costas de alguém; (*: responsibility*) sobrecarregar alguém com algo
sadistic [sə'dɪstɪk] *adj* sádico
sadly ['sædlɪ] *adv* tristemente; (*regrettably*) infelizmente; (*mistaken,*

neglected) gravemente; **~ lacking (in)** muito carente (de)
sadness ['sædnɪs] *n* tristeza
safe [seɪf] *adj* seguro; (*out of danger*) fora de perigo; (*unharmed*) ileso, incólume ▷ *n* cofre *m*, caixa-forte *f*; **~ from** protegido de; **~ and sound** são e salvo; **(just) to be on the ~ side** por via das dúvidas; **safely** *adv* com segurança, a salvo; (*without mishap*) sem perigo
safety ['seɪftɪ] *n* segurança a; **safety belt** *n* cinto de segurança; **safety pin** *n* alfinete *m* de segurança a
sag [sæg] *vi* (*breasts*) cair; (*roof*) afundar; (*hem*) desmanchar
sage [seɪdʒ] *n* salva; (*man*) sábio
Sagittarius [sædʒɪ'tɛərɪəs] *n* Sagitário
Sahara [sə'hɑːrə] *n*: **the ~ (Desert)** o Saara
said [sɛd] *pt, pp of* **say**
sail [seɪl] *n* (*on boat*) vela; (*trip*): **to go for a ~** dar um passeio de barco a vela ▷ *vt* (*boat*) governar ▷ *vi* (*travel: ship*) navegar, velejar; (*: passenger*) ir de barco; (*sport*) velejar; (*set off*) zarpar; **they ~ed into Rio de Janeiro** entraram no porto do Rio de Janeiro; **sail through** *vt fus* (*fig*) fazer com facilidade; **sailboat** (*us*) *n* barco a vela; **sailing** *n* (*sport*) navegação *f* a vela, vela; **to go sailing** ir velejar
sailor ['seɪlə*] *n* marinheiro, marujo
saint [seɪnt] *n* santo(-a)
sake [seɪk] *n*: **for the ~ of** por (causa de), em consideração a; **for sb's/sth's ~** pelo bem de alguém/algo
salad ['sæləd] *n* salada; **salad cream** (*BRIT*) *n* maionese *f*; **salad dressing** *n* tempero *or* molho da salada

salami [sə'lɑːmɪ] n salame m
salary ['sælərɪ] n salário
sale [seɪl] n venda; (at reduced prices) liquidação f, saldo; (auction) leilão m; **~s** npl (total amount sold) vendas fpl; **"for ~"** vende-se"; **on ~** à venda; **on ~ or return** em consignação; **sales assistant** (US **sales clerk**) n vendedor(a) m/f
salmon ['sæmən] n inv salmão m
salon ['sælɔn] n (hairdressing ~) salão m (de cabeleireiro); (beauty ~) salão (de beleza)
saloon [sə'luːn] n (US) bar m, botequim m; (BRIT: Aut) sedã m; (ship's lounge) salão m
salt [sɔːlt] n sal m ▷ vt salgar; **saltwater** adj de água salgada; **salty** adj salgado
salute [sə'luːt] n (greeting) saudação f; (of guns) salva; (Mil) continência ▷ vt saudar; (Mil) fazer continência a
salvage ['sælvɪdʒ] n (saving) salvamento, recuperação f; (things saved) salvados mpl ▷ vt salvar
same [seɪm] adj mesmo ▷ pron: **the ~** o mesmo (a mesma); **the ~ book as** o mesmo livro que; **all** or **just the ~** apesar de tudo, mesmo assim; **the ~ to you!** igualmente!
sample ['sɑːmpl] n amostra ▷ vt (food, wine) provar, experimentar
sanction ['sæŋkʃən] n sanção f ▷ vt sancionar
sanctuary ['sæŋktjuərɪ] n (holy place) santuário; (refuge) refúgio, asilo; (for animals) reserva
sand [sænd] n areia; (beach: also: **~s**) praia ▷ vt (also: **~ down**) lixar
sandal ['sændl] n sandália
sand: sandbox (US) n caixa de areia; **sandcastle** n castelo de areia; **sandpaper** n lixa; **sandpit** n (for children) caixa de areia; **sandstone** n arenito, grés m

sandwich ['sændwɪtʃ] n sanduíche m (BR), sandes f inv (PT) ▷ vt: **~ed between** encaixado entre
sandy ['sændɪ] adj arenoso; (colour) vermelho amarelado
sane [seɪn] adj são (sã) do juízo; (sensible) ajuizado, sensato
sang [sæŋ] pt of **sing**
sanity ['sænɪtɪ] n sanidade f, equilíbrio mental; (common sense) juízo, sensatez f
sank [sæŋk] pt of **sink**
Santa Claus [sæntə'klɔːz] n Papai Noel m
sap [sæp] n (of plants) seiva ▷ vt (strength) esgotar, minar
sapphire ['sæfaɪə*] n safira
sarcasm ['sɑːkæzm] n sarcasmo
sardine [sɑː'diːn] n sardinha
Sardinia [sɑː'dɪnɪə] n Sardenha
sat [sæt] pt, pp of **sit**
satchel ['sætʃl] n sacola
satellite ['sætəlaɪt] n satélite m; **satellite dish** n antena parabólica; **satellite television** n televisão f via satélite
satin ['sætɪn] n cetim m ▷ adj acetinado
satire ['sætaɪə*] n sátira
satisfaction [sætɪs'fækʃən] n satisfação f; (refund, apology etc) compensação f; **satisfactory** adj satisfatório
satisfy ['sætɪsfaɪ] vt satisfazer; (convince) convencer, persuadir;
Saturday ['sætədɪ] n sábado
sauce [sɔːs] n molho; (sweet) calda; **saucepan** n panela (BR), caçarola (PT)
saucer ['sɔːsə*] n pires m inv
Saudi ['saudɪ]: **~ Arabia** n Arábia Saudita; **Saudi (Arabian)** adj saudita
sauna ['sɔːnə] n sauna
sausage ['sɔsɪdʒ] n salsicha, lingüiça; (cold meat) frios mpl;

sausage roll n folheado de salsicha

savage ['sævɪdʒ] adj (cruel, fierce) cruel, feroz; (primitive) selvagem ▷ n selvagem m/f

save [seɪv] vt (rescue, Comput) salvar; (money) poupar, economizar; (time) ganhar; (sport) impedir; (avoid: trouble) evitar; (keep: seat) guardar ▷ vi (also: ~ **up**) poupar ▷ n (sport) salvamento ▷ prep salvo, exceto

saw [sɔ:] (pt **~ed**, pp **~ed** or **~n**) pt of **see** ▷ n (tool) serra ▷ vt serrar; **sawdust** n serragem f, pó m de serra

saxophone ['sæksəfəun] n saxofone m

say [seɪ] (pt, pp **said**) n: **to have one's ~** exprimir sua opinião, vender seu peixe (inf) ▷ vt dizer, falar; **to have a** or **some ~ in sth** opinar sobre algo, ter que ver com algo; **could you ~ that again?** poderia repetir?; **that is to ~** ou seja; **saying** n ditado, provérbio

scab [skæb] n casca, crosta (de ferida); (pej) fura-greve m/f inv

scald [skɔ:ld] n escaldadura ▷ vt escaldar, queimar

scale [skeɪl] n escala; (of fish) escama; (of salaries, fees etc) tabela ▷ vt (mountain) escalar; **~s** npl (for weighing) balança; **~ of charges** tarifa, lista de preços; **scale down** vt reduzir

scallop ['skɔləp] n (zool) vieira, venera; (sewing) barra, arremate m

scalp [skælp] n couro cabeludo ▷ vt escalpar

scampi ['skæmpɪ] npl camarões mpl fritos

scan [skæn] vt (examine) esquadrinhar, perscrutar; (glance at quickly) passar uma vista de olhos por; (TV, radar) explorar ▷ n (Med) exame m

scandal ['skændl] n escândalo; (gossip) fofocas fpl; (fig: disgrace) vergonha

Scandinavian [skændɪ'neɪvɪən] adj escandinavo

scanner ['skænə°] n (Med, Comput) scanner m

scapegoat ['skeɪpgəut] n bode m expiatório

scar [skɑː°] n cicatriz f ▷ vt marcar (com uma cicatriz)

scarce [skɛəs] adj escasso, raro; **to make o.s. ~** (inf) dar o fora, cair fora; **scarcely** adv mal, quase não; (barely) apenas

scare [skɛə°] n susto; (panic) pânico ▷ vt assustar; **to ~ sb stiff** deixar alguém morrendo de medo; **bomb ~** alarme de bomba; **scare away** vt espantar; **scare off** vt = **scare away**; **scarecrow** n espantalho; **scared** adj: **to be scared** estar assustado or com medo

scarf [skɑːf] (pl **~s** or **scarves**) n cachecol m; (square) lenço (de cabeça)

scarlet ['skɑːlɪt] adj escarlate

scary ['skɛərɪ] (inf) adj assustador(a)

scatter ['skætə°] vt espalhar; (put to flight) dispersar ▷ vi espalhar-se

scene [si:n] n (theatre, fig) cena; (of crime, accident) cenário; (sight) vista, panorama m; (fuss) escândalo; **scenery** ['si:nərɪ] n (theatre) cenário; (landscape) paisagem f; **scenic** adj pitoresco

scent [sɛnt] n perfume m; (smell) aroma; (track, fig) pista, rastro

schedule ['ʃɛdjuːl, (US) 'skɛdjuːl] n (of trains) horário; (of events) programa m; (list) lista ▷ vt (timetable) planejar; (visit) marcar (a hora de); **on ~** na hora, sem atraso; **to be ahead of/behind ~** estar adiantado/atrasado

scheme [ski:m] n (plan)

maquinação f; (*pension* ~) projeto; (*arrangement*) arranjo ▷ vi conspirar

scholar ['skɒlə*] n aluno(-a), estudante m/f; (*learned person*) sábio(-a), erudito(-a); **scholarship** n erudição f; (*grant*) bolsa de estudos

school [sku:l] n escola; (*secondary* ~) colégio; (*US: university*) universidade f ▷ cpd escolar; **schoolboy** n aluno; **schoolchildren** npl alunos mpl; **schoolgirl** n aluna; **schoolteacher** n professor(a) m/f

science ['saɪəns] n ciência; **science fiction** n ficção f científica; **scientific** [saɪən'tɪfɪk] adj científico; **scientist** n cientista m/f

scissors ['sɪzəz] npl tesoura; **a pair of** ~ uma tesoura

scold [skəuld] vt ralhar

scone [skɒn] n bolinho de trigo

scoop [sku:p] n colherona; (*for flour etc*) pá f; (*press*) furo (jornalístico); **scoop out** vt escavar; **scoop up** vt recolher

scooter ['sku:tə*] n (*also:* **motor** ~) lambreta; (*toy*) patinete m

scope [skəup] n liberdade f de ação; (*of undertaking*) âmbito; (*of person*) competência; (*opportunity*) oportunidade f

score [skɔ:*] n (*points etc*) escore m, contagem f; (*Mus*) partitura; (*twenty*) vintena ▷ vt (*goal, point*) fazer; (*mark*) marcar, entalhar; (*success*) alcançar ▷ vi (*in game*) marcar; (*football*) marcar or fazer um gol; (*keep score*) marcar o escore; **on that** ~ a esse respeito, por esse motivo; **~s of** (*fig*) um monte de; **to** ~ **6 out of 10** conseguir um escore de 6 num total de 10; **score out** vt riscar; **scoreboard** n marcador m, placar m

scorn [skɔ:n] n desprezo ▷ vt desprezar, rejeitar

Scorpio ['skɔ:pɪəu] n Escorpião m

Scot [skɒt] n escocês(-esa) m/f

Scotch [skɒtʃ] n uísque m (BR) or whisky m (PT) escocês

Scotland ['skɒtlənd] n Escócia; **Scots** adj escocês(-esa); **Scotsman** (*irreg*) n escocês m; **Scotswoman** (*irreg*) n escocesa; **Scottish** adj escocês(-esa)

scout [skaut] n (*Mil*) explorador m, batedor m; (*also:* **boy** ~) escoteiro; (**girl** ~ (*US*) escoteira; **scout around** vi explorar

scowl [skaul] vi franzir a testa; **to** ~ **at sb** olhar de cara feia para alguém

scramble ['skræmbl] n (*climb*) escalada (difícil); (*struggle*) luta ▷ vi: **to** ~ **out/through** conseguir sair com dificuldade; **to** ~ **for** lutar por; **scrambled eggs** npl ovos mpl mexidos

scrap [skræp] n (*of paper*) pedacinho; (*of material*) fragmento; (*fig: of truth*) mínimo; (*fight*) rixa, luta; (*also:* ~ **iron**) ferro velho, sucata ▷ vt sucatar, jogar no ferro velho; (*fig*) descartar, abolir ▷ vi brigar; ~**s** npl (*leftovers*) sobras fpl, restos mpl; **scrapbook** n álbum m de recortes

scrape [skreɪp] n (*fig*): **to get into a** ~ meter-se numa enrascada ▷ vt raspar; (~ *against: hand, car*) arranhar, roçar ▷ vi: **to** ~ **through** (*in exam*) passar raspando; **scrape together** vt (*money*) juntar com dificuldade

scrap: scrap paper n papel m de rascunho

scratch [skrætʃ] n arranhão m; (*from claw*) arranhadura ▷ cpd: ~ **team** time m improvisado, escrete m ▷ vt (*rub*) coçar; (*with claw, nail*) arranhar, unhar; (*damage*) arranhar ▷ vi coçar(-se); **to start from** ~

partir do zero; **to be up to ~** estar à altura (das circunstâncias)
scream [skri:m] *n* grito ▷ *vi* gritar
screen [skri:n] *n* (*Cinema, TV, Comput*) tela (BR), écran *m* (PT); (*movable*) biombo; (*fig*) cortina ▷ *vt* (*conceal*) esconder, tapar; (*from the wind etc*) proteger; (*film*) projetar; (*candidates etc*) examinar; **screenplay** *n* roteiro; **screensaver** *n* protetor *m* de tela
screw [skru:] *n* parafuso ▷ *vt* aparafusar; (*also: ~ in*) apertar, atarraxar; **to ~ up one's eyes** franzir os olhos; **screw up** *vt* (*paper etc*) amassar; **screwdriver** *n* chave *f* de fenda *or* de parafuso
scribble ['skrɪbl] *n* garrancho ▷ *vt* escrevinhar ▷ *vi* rabiscar
script [skrɪpt] *n* (*Cinema etc*) roteiro, script *m*; (*writing*) escrita, caligrafia
scroll [skrəul] *n* rolo de pergaminho
scrub [skrʌb] *n* mato, cerrado ▷ *vt* esfregar; (*inf*) cancelar, eliminar
scruffy ['skrʌfɪ] *adj* desmazelado
scrutiny ['skru:tɪnɪ] *n* escrutínio, exame *m* cuidadoso
sculptor ['skʌlptə*] *n* escultor(a) *m/f*
sculpture ['skʌlptʃə*] *n* escultura
scum [skʌm] *n* (*on liquid*) espuma; (*pej: people*) ralé *f*, gentinha
scurry ['skʌrɪ] *vi* sair correndo; **scurry off** *vi* sair correndo, dar no pé
sea [si:] *n* mar *m* ▷ *cpd* do mar, marinho; **on the ~** (*boat*) no mar; (*town*) junto ao mar; **to go by ~** viajar por mar; **out to** *or* **at ~** em alto mar; **to be all at ~** (*fig*) estar confuso *or* desorientado; **seafood** *n* mariscos *mpl*; **seagull** *n* gaivota
seal [si:l] *n* (*animal*) foca; (*stamp*) selo ▷ *vt* fechar; **seal off** *vt* fechar
sea level *n* nível *m* do mar

seam [si:m] *n* costura; (*where edges meet*) junta; (*of coal*) veio, filão *m*
search [sə:tʃ] *n* busca, procura; (*Comput*) procura; (*inspection*) exame *m*, investigação *f* ▷ *vt* (*look in*) procurar em; (*examine*) examinar; (*person*) revistar ▷ *vi*: **to ~ for** procurar; **in ~ of** à procura de; **search through** *vt fus* dar busca em; **search engine** *n* (*on Internet*) ferramenta *f* de busca; **search party** *n* equipe *f* de salvamento
sea: **seashore** *n* praia, beira-mar *f*, litoral *m*; **seasick** *adj*: **to be seasick** enjoar; **seaside** *n* praia; **seaside resort** *n* balneário
season ['si:zn] *n* (*of year*) estação *f*; (*sporting etc*) temporada; (*of films etc*) série *f* ▷ *vt* (*food*) temperar; **to be in/out of ~** (*fruit*) estar na época/fora de época; **season ticket** *n* bilhete *m* de temporada
seat [si:t] *n* (*in bus, train: place*) assento; (*chair*) cadeira; (*Pol*) lugar *m*, cadeira; (*buttocks*) traseiro, nádegas *fpl*; (*of trousers*) fundilhos *mpl* ▷ *vt* sentar; (*have room for*) ter capacidade para; **to be ~ed** estar sentado; **seat belt** *n* cinto de segurança
sea: **sea water** *n* água do mar; **seaweed** *n* alga marinha
sec. *abbr* (= *second*) seg
secluded [sɪ'klu:dɪd] *adj* (*place*) afastado; (*life*) solitário
second¹ [sɪ'kɔnd] (BRIT) *vt* (*employee*) transferir temporariamente
second² ['sɛkənd] *adj* segundo ▷ *adv* (*in race etc*) em segundo lugar ▷ *n* segundo; (*Aut: also: ~ gear*) segunda; (*Comm*) artigo defeituoso; (*BRIT: Sch: degree*) qualificação boa mas sem distinção ▷ *vt* (*motion*) apoiar, secundar; **secondary** *adj* secundário; **secondary school**

n escola secundária, colégio; *ver quadro*

● SECONDARY SCHOOL
●
● Uma **secondary school** é um
● estabelecimento de ensino para
● alunos de 11 a 18 anos, alguns
● dos quais interrompem os
● estudos aos 16 anos. A maior
● parte dessas escolas é formada
● por *comprehensive schools*, mas
● algumas *secondary schools* ainda
● têm sistemas rigorosos de
● seleção.

second ['sɛkənd]: **second-class** *adv* em segunda classe; **secondhand** *adj* de (BR) or em (PT) segunda mão, usado; **second hand** *n* (*on clock*) ponteiro de segundos; **secondly** *adv* em segundo lugar; **second-rate** *adj* de segunda categoria; **second thoughts** (US **second thought**) *npl*: **to have second thoughts (about doing sth)** pensar duas vezes (antes de fazer algo); **on second thoughts** pensando bem

secrecy ['si:krəsɪ] *n* sigilo
secret ['si:krɪt] *adj* secreto ▷ *n* segredo
secretary ['sɛkrətərɪ] *n* secretário(-a); (BRIT: *Pol*): **S~ of State** Ministro(-a) de Estado
secretive ['si:krətɪv] *adj* sigiloso, reservado
section ['sɛkʃən] *n* seção *f*; (*part*) parte *f*, porção *f*; (*of document*) parágrafo, artigo; (*of opinion*) setor *m*; **cross-~** corte *m* transversal
sector ['sɛktə*] *n* setor *m*
secular ['sɛkjulə*] *adj* (*priest*) secular; (*music, society*) leigo
secure [sɪ'kjuə*] *adj* (*safe*) seguro; (*firmly fixed*) firme, rígido ▷ *vt* (*fix*) prender; (*get*) conseguir, obter;

security *n* segurança; (*for loan*) fiança, garantia; **security guard** *n* guarda *m*
sedate [sɪ'deɪt] *adj* calmo ▷ *vt* sedar, tratar com calmantes; **sedative** *n* calmante *m*, sedativo
seduce [sɪ'dju:s] *vt* seduzir; **seductive** *adj* sedutor(a)
see [si:] (*pt* **saw**, *pp* **~n**) *vt* ver; (*understand*) entender; (*accompany*): **to ~ sb to the door** acompanhar *or* levar alguém até a porta ▷ *vi* ver; (*find out*) achar ▷ *n* sé *f*, sede *f*; **to ~ that** (*ensure*) assegurar que; **~ you soon!** até logo!; **see about** *vt fus* tratar de; **see off** *vt* despedir-se de; **see through** *vt fus* enxergar através de ▷ *vt* levar a cabo; **see to** *vt fus* providenciar
seed [si:d] *n* semente *f*; (*sperm*) esperma *m*; (*fig: gen pl*) germe *m*; (*tennis*) pré-selecionado(-a); **to go to ~** produzir sementes; (*fig*) deteriorar-se
seeing ['si:ɪŋ] *conj*: **~ (that)** visto (que), considerando (que)
seek [si:k] (*pt*, *pp* **sought**) *vt* procurar; (*post*) solicitar
seem [si:m] *vi* parecer; **there ~s to be ...** parece que há ...
seen [si:n] *pp of* **see**
seesaw ['si:sɔ:] *n* gangorra, balanço
segment ['sɛgmənt] *n* segmento; (*of orange*) gomo
seize [si:z] *vt* agarrar, pegar; (*power, hostage*) apoderar-se de, confiscar; (*territory*) tomar posse de; (*opportunity*) aproveitar; **seize up** *vi* (*Tech*) gripar; **seize (up)on** *vt fus* valer-se de; **seizure** *n* (*Med*) ataque *m*, acesso; (*law, of power*) confisco, embargo
seldom ['sɛldəm] *adv* raramente
select [sɪ'lɛkt] *adj* seleto, fino ▷ *vt* escolher, selecionar; (*sport*)

selecionar, escalar; **selection**
n seleção f, escolha; (Comm)
sortimento
self [sɛlf] (pl **selves**) pron see
**herself; himself; itself; myself;
oneself; ourselves; themselves;
yourself** ▷ n: **the ~** o eu
self... [sɛlf] prefix **self-assured**
adj seguro de si; **self-catering** (BRIT)
adj (flat) com cozinha; (holiday) em
casa alugada; **self-centred** (US
self-centered) adj egocêntrico;
self-confidence n auto-confiança,
confiança em si; **self-conscious** adj
inibido, constrangido; **self-control**
n autocontrole m, autodomínio;
self-defence (US **self-defense**)
n legítima defesa, autodefesa; **in
self-defence** em legítima defesa;
self-employed adj autônomo;
self-interest n egoísmo; **selfish**
adj egoísta; **self-pity** n pena de
si mesmo; **self-respect** n amor
m próprio; **self-service** adj de
auto-serviço
sell [sɛl] (pt, pp **sold**) vt vender; (fig):
to ~ sb an idea convencer alguém
de uma idéia ▷ vi vender-se; **to ~ at**
or **for £10** vender a or por £10; **sell
off** vt liquidar; **sell out** vi vender
todo o estoque ▷ vt: **the tickets
are all sold out** todos os ingressos
já foram vendidos; **sell-by date** n
vencimento; **seller** n vendedor(a)
m/f
selves [sɛlvz] pl of **self**
semi... [sɛmɪ] prefix semi..., meio...;
semicircle n semicírculo; **semi-
detached (house)** (BRIT) n (casa)
geminada
seminar [ˈsɛmɪnɑːʳ] n seminário
senate [ˈsɛnɪt] n senado; **senator**
n senador(a) m/f
send [sɛnd] (pt, pp **sent**) vt mandar,
enviar; (dispatch) expedir, remeter;
(transmit) transmitir; **send away**

vt (letter, goods) expedir, mandar;
(unwelcome visitor) mandar embora;
send away for vt fus encomendar,
pedir pelo correio; **send back** vt
devolver, mandar de volta; **send
for** vt fus mandar buscar; (by post)
encomendar, pedir pelo correio;
send off vt (goods) despachar,
expedir; (BRIT: sport: player) expulsar;
send out vt (invitation) distribuir;
(signal) emitir; **send up** vt (person,
price) fazer subir; (BRIT: parody)
parodiar; **sender** n remetente m/f;
send-off n: **a good send-off** uma
boa despedida
senior [ˈsiːnɪəʳ] adj (older) mais
velho or idoso; (on staff) mais
antigo; (of higher rank) superior;
senior citizen n idoso(-a)
sensation [sɛnˈseɪʃən] n sensação
f; **sensational** adj sensacional;
(headlines, result) sensacionalista
sense [sɛns] n sentido; (feeling)
sensação f; (good ~) bom senso ▷ vt
sentir, perceber; **it makes ~** faz
sentido; **senseless** adj insensato,
estúpido; (unconscious) sem
sentidos, inconsciente; **sensible**
adj sensato, de bom senso;
(reasonable: price) razoável; (: advice,
decision) sensato
sensitive [ˈsɛnsɪtɪv] adj sensível;
(fig: touchy) suscetível
sensual [ˈsɛnsjuəl] adj sensual
sensuous [ˈsɛnsjuəs] adj sensual
sent [sɛnt] pt, pp of **send**
sentence [ˈsɛntəns] n (Ling) frase
f, oração f; (law) sentença ▷ vt: **to ~
sb to death/to 5 years** condenar
alguém à morte/a 5 anos de prisão
sentiment [ˈsɛntɪmənt]
n sentimento; (opinion: also
pl) opinião f; **sentimental**
[sɛntɪˈmɛntl] adj sentimental
separate [adj ˈsɛprɪt, vb ˈsɛpəreɪt]
adj separado; (distinct) diferente

▷ *vt* separar; (*part*) dividir ▷ *vi*
separar-se; **separately** *adv*
separadamente

September [sɛp'tɛmbə°] *n*
setembro

septic ['sɛptɪk] *adj* sético; (*wound*)
infeccionado

sequel ['si:kwl] *n* consequência,
resultado; (*of film, story*)
continuação *f*

sequence ['si:kwəns] *n* série *f*,
seqüência; (*Cinema*) série

sequin ['si:kwɪn] *n* lantejoula,
paetê *m*

sergeant ['sɑ:dʒənt] *n* sargento

serial ['sɪərɪəl] *n* seriado; **serial
number** *n* número de série

series ['sɪərɪːz] *n inv* série *f*

serious ['sɪərɪəs] *adj* sério;
(*matter*) importante; (*illness*)
grave; **seriously** *adv* a sério, com
seriedade; (*hurt*) gravemente

sermon ['sə:mən] *n* sermão *m*

servant ['sə:vənt] *n* empregado
(-a); (*fig*) servidor(a) *m/f*

serve [sə:v] *vt* servir; (*customer*)
atender; (*subj: train*) passar por;
(*apprenticeship*) fazer; (*prison term*)
cumprir ▷ *vi* (*at table*) servir-se;
(*tennis*) sacar; (*be useful*): **to ~ as/
for/to do** servir como/para/para
fazer ▷ *n* (*tennis*) saque *m*; **it ~s him
right** é bem feito para ele; **serve
out** *vt* (*food*) servir; **serve up** *vt* =
serve out

service ['sə:vɪs] *n* serviço; (*Rel*)
culto; (*Aut*) revisão *f*; (*tennis*) saque
m; (*also*: **dinner ~**) aparelho de
jantar ▷ *vt* (*car, washing machine*)
fazer a revisão de, revisar; **the
S~s** *npl* (*army, navy etc*) as Forças
Armadas; **to be of ~ to sb** ser útil
a alguém; **service area** *n* (*on
motorway*) posto de gasolina com
bar, restaurante etc; **service charge**
(*BRIT*) *n* serviço; **serviceman** (*irreg*)

n militar *m*; **service station** *n*
posto de gasolina (*BR*), estação *f* de
serviço (*PT*)

serviette [sə:vɪ'ɛt] (*BRIT*) *n*
guardanapo

session ['sɛʃən] *n* sessão *f*; **to be in
~** estar reunido em sessão

set [sɛt] (*pt, pp* **set**) *n* (*of things*)
jogo; (*Radio ~, TV ~*) aparelho;
(*of utensils*) bateria de cozinha;
(*of cutlery*) talher *m*; (*of books*)
coleção *f*; (*of people*) grupo; (*tennis*)
set *m*; (*theatre, Cinema*) cenário;
(*hairdressing*) penteado; (*Math*)
conjunto ▷ *adj* fixo; (*ready*) pronto
▷ *vt* pôr, colocar; (*table*) pôr; (*price*)
fixar; (*rules etc*) estabelecer, decidir;
(*record*) estabelecer; (*time*) marcar;
(*adjust*) ajustar; (*task, exam*) passar
▷ *vi* (*sun*) pôr-se; (*jam, jelly, concrete*)
endurecer, solidificar-se; **to be
~ on doing sth** estar decidido a
fazer algo; **to ~ to music** musicar,
pôr música em; **to ~ on fire** botar
fogo em, incendiar; **to ~ free**
libertar; **to ~ sth going** pôr algo
em movimento; **set about** *vt fus*
começar com; **set aside** *vt* deixar
de lado; **set back** *vt* (*cost*): **it ~ me
back £5** me deu um prejuízo de £5;
(*in time*): **to ~ sb back (by)** atrasar
alguém (em); **set off** *vi* partir, ir
indo ▷ *vt* (*bomb*) fazer explodir;
(*alarm*) disparar; (*chain of events*)
iniciar; (*show up well*) ressaltar; **set
out** *vi* partir ▷ *vt* (*arrange*) colocar,
dispor; (*state*) expor, explicar; **to
~ out to do sth** pretender fazer
algo; **set up** *vt* fundar, estabelecer;
setback *n* revés *m*, contratempo;
set menu *n* refeição *f* a preço fixo

settee [sɛ'ti:] *n* sofá *m*

setting ['sɛtɪŋ] *n* (*background*)
cenário; (*position*) posição *f*; (*of sun*)
pôr(-do-sol) *m*; (*of jewel*) engaste *m*

settle ['sɛtl] *vt* (*argument, matter*)

resolver, esclarecer; (*accounts*) ajustar, liquidar; (*Med: calm*) acalmar, tranqüilizar ▷ *vi* (*dust etc*) assen-tar; (*calm down: children*) acalmar-se, estabilizar-se; **to ~ for sth** concordar em aceitar algo; **to ~ on sth** optar por algo; **settle in** *vi* instalar-se; **settle up** *vi*: **to ~ up with sb** ajustar as contas com alguém; **settlement** *n* (*payment*) liquidação *f*; (*agreement*) acordo, convênio; (*village etc*) povoado, povoação *f*

setup ['sɛtʌp] *n* (*organization*) organização *f*; (*situation*) situação *f*

seven ['sɛvn] *num* sete; **seventeen** *num* dezessete; **seventh** *num* sétimo; **seventy** *num* setenta

sever ['sɛvə°] *vt* cortar; (*relations*) romper

several ['sɛvərl] *adj, pron* vários(-as); **~ of** *us* vários de nós

severe [sɪ'vɪə°] *adj* severo; (*serious*) grave; (*hard*) duro; (*pain*) intenso; (*dress*) austero

sew [səu] (*pt* **~ed,** *pp* **sewn**) *vt* coser, costurar; **sew up** *vt* coser, costurar

sewage ['su:ɪdʒ] *n* detritos *mpl*

sewer ['su:ə°] *n* (cano do) esgoto, bueiro

sewing ['səuɪŋ] *n* costura; **sewing machine** *n* máquina de costura

sewn [səun] *pp* of **sew**

sex [sɛks] *n* sexo; **sexist** *adj* sexista

sexual ['sɛksjuəl] *adj* sexual

sexy ['sɛksɪ] *adj* sexy

shabby ['ʃæbɪ] *adj* (*person*) esfarrapado, maltrapilho; (*clothes*) usado, surrado; (*behaviour*) indigno

shack [ʃæk] *n* choupana, barraca

shade [ʃeɪd] *n* sombra; (*for lamp*) quebra-luz *m*; (*of colour*) tom *m*, tonalidade *f*; (*small quantity*): **a ~ (more/too large)** um pouquinho

(mais/grande) ▷ *vt* dar sombra a; (*eyes*) sombrear; **in the ~** à sombra

shadow ['ʃædəu] *n* sombra ▷ *vt* (*follow*) seguir de perto (sem ser visto)

shady ['ʃeɪdɪ] *adj* à sombra; (*fig: dishonest: person*) suspeito, duvidoso; (: *deal*) desonesto

shaft [ʃɑ:ft] *n* (*of arrow, spear*) haste *f*; (*Aut, Tech*) eixo, manivela; (*of mine, of lift*) poço; (*of light*) raio

shake [ʃeɪk] (*pt* **shook,** *pp* **shaken**) *vt* sacudir; (*building, confidence*) abalar; (*surprise*) surpreender ▷ *vi* tremer; **to ~ hands with sb** apertar a mão de alguém; **to ~ one's head** (*in refusal etc*) dizer não com a cabeça; (*in dismay*) sacudir a cabeça; **shake off** *vt* sacudir; (*fig*) livrar-se de; **shake up** *vt* sacudir; (*fig*) reorganizar; **shaky** *adj* (*hand, voice*) trêmulo; (*table*) instável; (*building*) abalado

shall [ʃæl] *aux vb*: **I ~ go** irei; **~ I open the door?** posso abrir a porta?; **I'll get some, ~ I?** eu vou pegar algum, está bem?

shallow ['ʃæləu] *adj* raso; (*breathing*) fraco; (*fig*) superficial

sham [ʃæm] *n* fraude *f*, fingimento ▷ *vt* fingir, simular

shambles ['ʃæmblz] *n* confusão *f*

shame [ʃeɪm] *n* vergonha ▷ *vt* envergonhar; **it is a ~ (that/to do)** é (uma) pena (que/fazer); **what a ~!** que pena!; **shameful** *adj* vergo-nhoso; **shameless** *adj* sem vergonha, descarado

shampoo [ʃæm'pu:] *n* xampu *m* (BR), champô *m* (PT) ▷ *vt* lavar o cabelo (com xampu *or* champô)

shandy ['ʃændɪ] *n* mistura de cerveja com refresco gaseificado

shan't [ʃɑ:nt] = **shall not**

shape [ʃeɪp] *n* forma ▷ *vt* (*form*) moldar; (*sb's ideas*) formar; (*sb's* *life)* definir, determinar; **to take ~** tomar forma; **shape up** vi *(events)* desenrolar-se; *(person)* tomar jeito

share [ʃɛə*] n parte f; *(contribution)* cota; *(Comm)* ação f ▷ vt dividir; *(have in common)* compartilhar; **share out** vi distribuir; **shareholder** n acionista m/f

shark [ʃɑːk] n tubarão m

sharp [ʃɑːp] adj *(razor, knife)* afiado; *(point, features)* pontiagudo; *(outline)* definido, bem marcado; *(pain, voice)* agudo; *(taste)* acre; *(Mus)* desafinado; *(contrast)* marcado; *(quick-witted)* perspicaz; *(dishonest)* desonesto ▷ n *(Mus)* sustenido ▷ adv: **at 2 o'clock ~** às 2 (horas) em ponto; **sharpen** vt afiar; *(pencil)* apontar, fazer a ponta de; *(fig)* aguçar; **sharpener** n *(also:* **pencil sharpener)** apontador m (BR), apara-lápis m inv (PT); **sharply** adv *(abruptly)* bruscamente; *(clearly)* claramente; *(harshly)* severamente

shatter [ʃætə*] vt despedaçar, estilhaçar; *(fig: ruin)* destruir, acabar com; *(: upset)* arrasar ▷ vi despedaçar-se, estilhaçar-se

shave [ʃeɪv] vt barbear, fazer a barba de ▷ vi fazer a barba, barbear-se ▷ n: **to have a ~** fazer a barba; **shaver** n *(also:* **electric shaver)** barbeador m elétrico; **shavings** npl *(of wood)* aparas fpl; **shaving cream** n creme m de barbear; **shaving foam** n espuma de barbear

shawl [ʃɔːl] n xale m

she [ʃiː] pron ela ▷ prefix: **~-elephant** etc elefante etc fêmea

sheath [ʃiːθ] n bainha; *(contraceptive)* camisa-de-vênus f, camisinha

shed [ʃɛd] *(pt, pp* **shed)** n alpendre m, galpão m ▷ vt *(skin)* mudar; *(load)* perder; *(tears, blood)* derramar; *(workers)* despedir

she'd [ʃiːd] = **she had; she would**

sheep [ʃiːp] n inv ovelha; **sheepdog** n cão m pastor; **sheepskin** n pele f de carneiro, pelego

sheer [ʃɪə*] adj *(utter)* puro, completo; *(steep)* íngreme, empinado; *(almost transparent)* fino, translúcido ▷ adv a pique

sheet [ʃiːt] n *(on bed)* lençol m; *(of paper)* folha; *(of glass, metal)* lâmina, chapa; *(of ice)* camada

sheik(h) [ʃeɪk] n xeque m

shelf [ʃɛlf] *(pl* **shelves)** n prateleira

shell [ʃɛl] n *(on beach)* concha; *(of egg, nut etc)* casca; *(explosive)* obus m; *(of building)* armação f, esqueleto ▷ vt *(peas)* descascar; *(Mil)* bombardear

she'll [ʃiːl] = **she will; she shall**

shellfish [ˈʃɛlfɪʃ] n inv crustáceo; *(pl: as food)* frutos mpl do mar, mariscos mpl

shelter [ˈʃɛltə*] n *(building)* abrigo; *(protection)* refúgio ▷ vt *(protect)* proteger; *(give lodging to)* abrigar ▷ vi abrigar-se, refugiar-se

shepherd [ˈʃɛpəd] n pastor m ▷ vt guiar, conduzir; **shepherd's pie** (BRIT) n empadão m de carne e batata

sheriff [ˈʃɛrɪf] (US) n xerife m

sherry [ˈʃɛrɪ] n *(vinho de)* Xerez m

she's [ʃiːz] = **she is; she has**

Shetland [ˈʃɛtlənd] n *(also:* **the ~s, the ~ Isles)** as ilhas Shetland

shield [ʃiːld] n escudo; *(sport)* escudo, brasão m; *(protection)* proteção f ▷ vt: **to ~ (from)** proteger (contra)

shift [ʃɪft] n mudança; *(of work)* turno; *(of workers)* turma ▷ vt transferir; *(remove)* tirar ▷ vi mudar

shin [ʃɪn] n canela (da perna)

shine [ʃaɪn] *(pt, pp* **shone)** n brilho, lustre m ▷ vi brilhar ▷ vt *(glasses)* polir; *(shoes: pt, pp ~d)* lustrar; **to ~ a**

torch on sth apontar uma lanterna para algo

shingles ['ʃɪŋglz] n (Med) herpes-zoster m

shiny ['ʃaɪnɪ] adj brilhante, lustroso

ship [ʃɪp] n barco ▷ vt (goods) embarcar; (send) transportar or mandar (por via marítima); **shipment** n carregamento; **shipping** n (ships) navios mpl; (cargo) transporte m de mercadorias (por via marítima); (traffic) navegação f; **shipwreck** n (event) malogro; (ship) naufrágio ▷ vt: **to be shipwrecked** naufragar; **shipyard** n estaleiro

shirt [ʃɜːt] n (man's) camisa; (woman's) blusa; **in ~ sleeves** em manga de camisa

shit [ʃɪt] (inf!) excl merda (!)

shiver ['ʃɪvə°] n tremor m, arrepio ▷ vi tremer, estremecer, tiritar

shock [ʃɔk] n (impact) choque m; (Elec) descarga; (emotional) comoção f, abalo; (start) susto, sobressalto; (Med) trauma m ▷ vt dar um susto em, chocar; (offend) escandalizar; **shocking** adj chocante, lamentável; (outrageous) revoltante, chocante

shoe [ʃuː] (pt, pp **shod**) n sapato; (for horse) ferradura ▷ vt (horse) ferrar; **shoelace** n cadarço, cordão m (de sapato); **shoe polish** n graxa de sapato; **shoeshop** n sapataria

shone [ʃɔn] pt, pp of **shine**

shook [ʃʊk] pt of **shake**

shoot [ʃuːt] (pt, pp **shot**) n (on branch, seedling) broto ▷ vt disparar; (kill) matar à bala, balear; (wound) ferir à bala, balear; (execute) fuzilar; (film) filmar, rodar ▷ vi: **to ~ (at)** atirar (em); (football) chutar; **shoot down** vt (plane) derrubar, abater; **shoot in/out** vi entrar/sair correndo; **shoot up** vi (fig) subir vertiginosamente

shop [ʃɔp] n loja; (workshop) oficina ▷ vi (also: **go ~ping**) ir fazer compras; **shop assistant** (BRIT) n vendedor(a) m/f; **shopkeeper** n lojista m/f; **shoplifting** n furto (em lojas); **shopping** n (goods) compras fpl; **shopping bag** n bolsa (de compras); **shopping centre** (US **shopping center**) n shopping (center) m; **shop window** n vitrine f (BR), montra (PT)

shore [ʃɔː°] n (of sea) costa, praia; (of lake) margem f ▷ vt: **to ~ (up)** reforçar, escorar; **on ~** em terra

short [ʃɔːt] adj curto; (in time) breve, de curta duração; (person) baixo; (curt) seco, brusco; (insufficient) insuficiente, em falta; **to be ~ of sth** estar em falta de algo; **in ~** em resumo; **~ of doing ...** a não ser fazer ...; **everything ~ of ...** tudo a não ser ...; **it is ~ for** é a abreviatura de; **to cut ~** (speech, visit) encurtar; **to fall ~ of** não ser à altura de; **to run ~ of sth** ficar sem algo; **to stop ~** parar de repente; **to stop ~ of** chegar quase a; **shortage** n escassez f, falta; **shortbread** n biscoito amanteigado; **shortcoming** n defeito, imperfeição f, falha; **short(crust) pastry** (BRIT) n massa amanteigada; **shortcut** n atalho; **shorten** vt encurtar; (visit) abreviar; **shorthand** (BRIT) n estenografia; **shortly** adv em breve, dentro em pouco; **shorts** npl: **(a pair of) shorts** um calção (BR), um short (BR), uns calções (PT); **short-sighted** (BRIT) adj míope; (fig) imprevidente; **short story** n conto; **short-tempered** adj irritadiço; **short-term** adj a curto prazo

shot [ʃɔt] pt, pp of **shoot** ▷ n (of gun) tiro; (pellets) chumbo; (try, football) tentativa; (injection) injeção f; (Phot)

fotografia; **to be a good/bad ~**
(*person*) ter boa/má pontaria; **like a
~** como um relâmpago, de repente;
shotgun n espingarda
should [ʃud] *aux vb*: **I ~ go now**
devo ir embora agora; **he ~ be there
now** ele já deve ter chegado; **I ~ go
if I were you** se eu fosse você eu
iria; **I ~ like to** eu gostaria de
shoulder [ˈʃəuldə*] n ombro ▷ vt
(*fig*) arcar com; **shoulder blade** n
omoplata m
shouldn't [ˈʃudnt] = **should not**
shout [ʃaut] n grito ▷ vt gritar ▷ vi
(*also*: **~ out**) gritar, berrar; **shout
down** vt fazer calar com gritos
shove [ʃʌv] vt empurrar; (*inf*: *put*):
to ~ sth in botar algo em; **shove off**
(*inf*) vi dar o fora
shovel [ˈʃʌvl] n pá f; (*mechanical*)
escavadeira ▷ vt cavar com pá
show [ʃəu] (*pt* **~ed**, *pp* **~n**) n
(*of emotion*) demonstração f;
(*semblance*) aparência; (*exhibition*)
exibição f; (*theatre*) espetáculo,
representação f; (*Cinema*) sessão
f ▷ vt mostrar; (*courage etc*)
demonstrar, dar prova de; (*exhibit*)
exibir, expor; (*depict*) ilustrar; (*film*)
exibir ▷ vi mostrar-se; (*appear*)
aparecer; **to be on ~** estar em
exposição; **show in** vt mandar
entrar; **show off** vi (*pej*) mostrar-
se, exibir-se ▷ vt (*display*) exibir,
mostrar; **show out** vt levar até
a porta; **show up** vi (*stand out*)
destacar-se; (*inf*: *turn up*) aparecer,
pintar ▷ vt descobrir; **show
business** n o mundo do espetáculo
shower [ˈʃauə*] n (*rain*) pancada
de chuva; (*of stones etc*) chuva,
enxurrada; (*also*: **~ bath**) chuveiro
▷ vi tomar banho (de chuveiro) ▷ vt:
to ~ sb with (*gifts etc*) cumular
alguém de; **to have** or **take a ~**
tomar banho (de chuveiro)

showing [ˈʃəuiŋ] n (*of film*)
projeção f, exibição f
show jumping [-ˈdʒʌmpiŋ] n
hipismo
shown [ʃəun] *pp of* **show**
show: show-off (*inf*) n (*person*)
exibicionista m/f, faroleiro(-a);
showpiece n (*of exhibition etc*) obra
mais importante; **showroom** n
sala de exposição
shrank [ʃræŋk] *pt of* **shrink**
shred [ʃred] n (*gen pl*) tira, pedaço
▷ vt rasgar em tiras, retalhar; (*Culin*)
desfiar, picar
shrewd [ʃru:d] *adj* perspicaz
shriek [ʃri:k] n grito ▷ vi gritar,
berrar
shrimp [ʃrimp] n camarão m
shrine [ʃrain] n santuário
shrink [ʃriŋk] (*pt* **shrank**, *pp*
shrunk) vi encolher; (*be reduced*)
reduzir-se; (*also*: **~ away**) encolher-
se ▷ vt (*cloth*) fazer encolher ▷ n
(*inf*: *pej*) psicanalista m/f; **to ~
from doing sth** não se atrever a
fazer algo
shrivel [ˈʃrivl] vt (*also*: **~ up**; *dry*)
secar; (: *crease*) enrugar ▷ vi secar-
se, enrugar-se, murchar
Shrove Tuesday [ʃrəuv-] n
terça-feira gorda
shrub [ʃrʌb] n arbusto
shrug [ʃrʌg] n encolhimento
dos ombros ▷ vt, vi: **to ~ (one's
shoulders)** encolher os ombros, dar
de ombros (BR); **shrug off** vt negar
a importância de
shrunk [ʃrʌŋk] *pp of* **shrink**
shudder [ˈʃʌdə*] n
estremecimento, tremor m ▷ vi
estremecer, tremer de medo
shuffle [ˈʃʌfl] vt (*cards*) embaralhar
▷ vi: **to ~ (one's feet)** arrastar os pés
shun [ʃʌn] vt evitar, afastar-se de
shut [ʃʌt] (*pt*, *pp* **shut**) vt fechar
▷ vi fechar(-se); **shut down** vt,

vi fechar; **shut off** *vt* cortar, interromper; **shut up** *vi* (*inf: keep quiet*) calar-se, calar a boca ▷ *vt* (*close*) fechar; (*silence*) calar; **shutter** *n* veneziana; (*Phot*) obturador *m*

shuttle ['ʃʌtl] *n* (*plane: also:* **~ service**) ponte *f* aérea; (*space ~*) ônibus *m* espacial

shuttlecock ['ʃʌtlkɔk] *n* peteca

shy [ʃaɪ] *adj* tímido; (*reserved*) reservado

sick [sɪk] *adj* (*ill*) doente; (*nauseated*) enjoado; (*humour*) negro; (*vomiting*): **to be ~** vomitar; **to feel ~** estar enjoado; **to be ~ of** (*fig*) estar cheio *or* farto de; **sickening** *adj* (*fig*) repugnante

sick: **sick leave** *n* licença por doença; **sickly** *adj* doentio; (*causing nausea*) nauseante; **sickness** *n* doença, indisposição *f*; (*vomiting*) náusea, enjôo

side [saɪd] *n* lado *m*; (*of body*) flanco; (*of lake*) margem *f*; (*aspect*) aspecto; (*team*) time *m* (*BR*), equipa (*PT*); (*of hill*) declive *m* ▷ *cpd* (*door, entrance*) lateral ▷ *vi*: **to ~ with sb** tomar o partido de alguém; **by the ~ of** ao lado de; **~ by ~** lado a lado, juntos; **from ~ to ~** para lá e para cá; **to take ~s with** pôr-se ao lado de; **sideboard** *n* aparador *m*; **sideboards** *npl* (*BRIT*) = **sideburns**; **sideburns** *npl* suíças *fpl*, costeletas *fpl*; **side effect** *n* efeito colateral; **sidelight** *n* (*Aut*) luz *f* lateral; **sidetrack** *vt* (*fig*) desviar (do seu propósito); **sidewalk** (*US*) *n* calçada; **sideways** *adv* de lado

siege [siːdʒ] *n* sítio, assédio

sieve [sɪv] *n* peneira ▷ *vt* peneirar

sift [sɪft] *vt* peneirar; (*fig*) esquadrinhar, analisar minuciosamente

sigh [saɪ] *n* suspiro ▷ *vi* suspirar

sight [saɪt] *n* (*faculty*) vista, visão *f*; (*spectacle*) espetáculo ▷ *vt* avistar; **in ~** à vista; **on ~** (*shoot*) no local; **out of ~** longe dos olhos; **sightseeing** *n* turismo; **to go sightseeing** fazer turismo, passear

sign [saɪn] *n* (*with hand*) sinal *m*, aceno; (*indication*) indício; (*notice*) letreiro, tabuleta; (*written*) signo ▷ *vt* assinar; **to ~ sth over to sb** assinar a transferência de algo para alguém; **sign on** *vi* (*Mil*) alistar-se; (*BRIT: as unemployed*) cadastrar-se para receber auxílio-desemprego; (*for course*) inscrever-se ▷ *vt* (*Mil*) alistar; (*employee*) efetivar; **sign up** *vi* (*Mil*) alistar-se; (*for course*) inscrever-se ▷ *vt* recrutar

signal ['sɪgnl] *n* sinal *m*, aviso ▷ *vi* (*also: Aut*) sinalizar, dar sinal ▷ *vt* (*person*) fazer sinais para; (*message*) transmitir

signature ['sɪgnətʃə*] *n* assinatura

significance [sɪg'nɪfɪkəns] *n* importância; **significant** *adj* significativo; (*important*) importante

sign language *n* mímica, linguagem *f* através de sinais

silence ['saɪləns] *n* silêncio ▷ *vt* silenciar, impor silêncio a

silent ['saɪlənt] *adj* silencioso; (*not speaking*) calado; (*film*) mudo; **to remain ~** manter-se em silêncio

silhouette [sɪluː'ɛt] *n* silhueta

silicon chip ['sɪlɪkən-] *n* placa *or* chip *m* de silício

silk [sɪlk] *n* seda ▷ *adj* de seda

silly ['sɪlɪ] *adj* (*person*) bobo, idiota, imbecil; (*idea*) absurdo, ridículo

silver ['sɪlvə*] *n* prata; (*money*) moedas *fpl*; (*also:* **~ware**) prataria ▷ *adj* de prata; **silver-plated** *adj* prateado, banhado a prata

similar ['sɪmɪlə*] *adj*: **~ to** parecido com, semelhante a

simmer ['sɪmə*] *vi* cozer em fogo

lento, ferver lentamente
simple ['sɪmpl] adj simples inv;
(foolish) ingênuo; **simply** adv
de maneira simples; (merely)
simplesmente
simultaneous [sɪməl'teɪnɪəs] adj
simultâneo
sin [sɪn] n pecado ▷ vi pecar
since [sɪns] adv desde então,
depois ▷ prep desde ▷ conj (time)
desde que; (because) porque, visto
que, já que; **~ then** desde então;
(ever) ~ desde que
sincere [sɪn'sɪə°] adj sincero;
sincerely adv: **yours sincerely** (at
end of letter) atenciosamente
sing [sɪŋ] (pt **sang**, pp **sung**) vt,
vi cantar
Singapore [sɪŋgə'pɔː°] n
Cingapura (no article)
singer ['sɪŋə°] n cantor(a) m/f
singing ['sɪŋɪŋ] n canto; (songs)
canções fpl
single ['sɪŋgl] adj único, só;
(unmarried) solteiro; (not double)
simples inv ▷ n (BRIT: also: **~
ticket**) passagem f de ida; (record)
compacto; **single out** vt (choose)
escolher; (distinguish) distinguir;
single file n: **in single file** em fila
indiana; **single-handed** adv sem
ajuda, sozinho; **single-minded**
adj determinado; **single room** n
quarto individual
singular ['sɪŋgjulə°] adj
(odd) esquisito; (outstanding)
extraordinário, excepcional; (Ling)
singular ▷ n (Ling) singular m
sinister ['sɪnɪstə°] adj sinistro
sink [sɪŋk] (pt **sank**, pp **sunk**) n
pia ▷ vt (ship) afundar; (foundations)
escavar ▷ vi afundar-se; (heart)
partir; (spirits) ficar deprimido; (also:
~ back, ~ down) cair or mergulhar
gradativamente; **to ~ sth into**
enterrar algo em; **sink in** vi (fig)

penetrar
sinus ['saɪnəs] n (Anat) seio
paranasal
sip [sɪp] n gole m ▷ vt sorver,
bebericar
sir [sə°] n senhor m; **S~ John Smith**
Sir John Smith; **yes, ~** sim, senhor
siren ['saɪərn] n sirena
sirloin ['səːlɔɪn] n lombo de vaca
sister ['sɪstə°] n irmã f; (BRIT: nurse)
enfermeirachefe f; (nun) freira;
sister-in-law n cunhada
sit [sɪt] (pt, pp **sat**) vi sentar-se; (be
sitting) estar sentado; (assembly)
reunir-se; (for painter) posar ▷ vt
(exam) prestar; **sit down** vi sentar-
se; **sit in on** vt fus assistir a; **sit up**
vi (after lying) levantar-se; (straight)
endireitar-se; (not go to bed)
aguardar acordado, velar
sitcom ['sɪtkɔm] n abbr (= situation
comedy) comédia de costumes
site [saɪt] n local m, sítio; (also:
building ~) lote m (de terreno) ▷ vt
situar, localizar
sitting ['sɪtɪŋ] n (in canteen) turno;
sitting room n sala de estar
situation [sɪtju'eɪʃən] n situação
f; (job) posição f; (location) local
m; **"~s vacant"** (BRIT) "empregos
oferecem-se"
six [sɪks] num seis; **sixteen** num
dezesseis; **sixth** num sexto; **sixty**
num sessenta
size [saɪz] n tamanho; (extent)
extensão f; (of clothing) tamanho,
medida; (of shoes) número; **size
up** vt avaliar, formar uma opinião
sobre; **sizeable** adj considerável,
importante
sizzle ['sɪzl] vi chiar
skate [skeɪt] n patim m; (fish: pl
inv) arraia ▷ vi patinar; **skateboard**
n skate m, patim-tábua m; **skating**
n patinação f; **skating rink** n
rinque m de patinação

skeleton ['skɛlɪtn] *n* esqueleto; (*Tech*) armação *f*; (*outline*) esquema *m*, esboço

sketch [skɛtʃ] *n* (*drawing*) desenho; (*outline*) esboço, croqui *m*; (*theatre*) quadro, esquete *m* ▷ *vt* desenhar, esboçar; (*ideas: also*: **~ out**) esboçar

skewer ['skjuːə°] *n* espetinho

ski [skiː] *n* esqui *m* ▷ *vi* esquiar; **ski boot** *n* bota de esquiar

skid [skɪd] *n* derrapagem *f* ▷ *vi* deslizar; (*Aut*) derrapar

ski: skier *n* esquiador(a) *m/f*; **skiing** *n* esqui *m*

ski lift *n* ski lift *m*

skill [skɪl] *n* habilidade *f*, perícia; (*for work*) técnica; **skilled** *adj* hábil, perito; (*worker*) especializado, qualificado

skim [skɪm] *vt* (*milk*) desnatar; (*glide over*) roçar ▷ *vi*: **to ~ through** (*book*) folhear; **skimmed milk** *n* leite *m* desnatado

skin [skɪn] *n* pele *f*; (*of fruit, vegetable*) casca ▷ *vt* (*fruit etc*) descascar; (*animal*) tirar a pele de; **skinny** *adj* magro, descarnado

skip [skɪp] *n* salto, pulo; (*BRIT: container*) balde *m* ▷ *vi* saltar; (*with rope*) pular corda ▷ *vt* (*pass over*) omitir, saltar; (*miss*) deixar de

skipper ['skɪpə°] *n* capitão *m*

skipping rope ['skɪpɪŋ-] (*BRIT*) *n* corda (de pular)

skirt [skɜːt] *n* saia ▷ *vt* orlar, circundar; **skirting board** (*BRIT*) *n* rodapé *m*

skull [skʌl] *n* caveira; (*Anat*) crânio

skunk [skʌŋk] *n* gambá *m*

sky [skaɪ] *n* céu *m*; **skyscraper** *n* arranha-céu *m*

slab [slæb] *n* (*stone*) bloco; (*flat*) laje *f*; (*of cake*) fatia grossa

slack [slæk] *adj* (*loose*) frouxo; (*slow*) lerdo; (*careless*) descuidoso, desmazelado; **slacks** *npl* (*trousers*)

calça (*BR*), calças *fpl* (*PT*)

slam [slæm] *vt* (*door*) bater or fechar (com violência); (*throw*) atirar violentamente; (*criticize*) malhar, criticar ▷ *vi* fechar-se (com violência)

slander ['slɑːndə°] *n* calúnia, difamação *f*

slang [slæŋ] *n* gíria; (*jargon*) jargão *m*

slant [slɑːnt] *n* declive *m*, inclinação *f*; (*fig*) ponto de vista

slap [slæp] *n* tapa *m* or *f* ▷ *vt* dar um(a) tapa em; (*paint etc*): **to ~ sth on sth** passar algo em algo descuidadamente ▷ *adv* diretamente, exatamente

slash [slæʃ] *vt* cortar, talhar; (*fig: prices*) cortar

slate [sleɪt] *n* ardósia ▷ *vt* (*fig: criticize*) criticar duramente, arrasar

slaughter ['slɔːtə°] *n* (*of animals*) matança; (*of people*) carnificina ▷ *vt* abater; matar, massacrar; **slaughterhouse** *n* matadouro

slave [sleɪv] *n* escravo(-a) ▷ *vi* (*also*: **~ away**) trabalhar como escravo; **slavery** *n* escravidão *f*

slay [sleɪ] (*pt* **slew**, *pp* **slain**) *vt* (*literary*) matar

sleazy ['sliːzɪ] *adj* sórdido

sledge [slɛdʒ] *n* trenó *m*

sleek [sliːk] *adj* (*hair, fur*) macio, lustroso; (*car, boat*) aerodinâmico

sleep [sliːp] (*pt, pp* **slept**) *n* sono ▷ *vi* dormir; **to go to ~** dormir, adormecer; **sleep around** *vi* ser promíscuo sexualmente; **sleep in** *vi* (*oversleep*) dormir demais; **sleeper** *n* (*rail: train*) vagão-leitos *m* (*BR*), carruagem-camas *f* (*PT*); **sleeping bag** *n* saco de dormir; **sleeping car** *n* vagão-leitos *m* (*BR*), carruagem-camas *f* (*PT*); **sleeping pill** *n* pílula para dormir; **sleepy** *adj* sonolento; (*fig*) morto

sleet [sli:t] n chuva com neve or granizo

sleeve [sli:v] n manga; (of record) capa

sleigh [sleɪ] n trenó m

slender ['slɛndə*] adj esbelto, delgado; (means) escasso, insuficiente

slept [slɛpt] pt, pp of **sleep**

slice [slaɪs] n (of meat, bread) fatia; (of lemon) rodela; (utensil) pá f or espátula de bolo ▷ vt cortar em fatias

slick [slɪk] adj (skilful) jeitoso, ágil, engenhoso; (clever) esperto, astuto ▷ n (also: **oil ~**) mancha de óleo

slide [slaɪd] (pt, pp slid) n deslizamento, escorregão m; (in playground) escorregador m; (Phot) slide m; (BRIT: also: **hair ~**) passador m ▷ vt deslizar ▷ vi escorregar; **sliding** adj (door) corrediço

slight [slaɪt] adj (slim) fraco, franzino; (frail) delicado; (small) pequeno; (trivial) insignificante ▷ n desfeita, desconsideração f; **not in the ~est** em absoluto, de maneira alguma; **slightly** adv ligeiramente, um pouco

slim [slɪm] adj esbelto, delgado; (chance) pequeno ▷ vi emagrecer

slimming ['slɪmɪŋ] n emagrecimento

sling [slɪŋ] (pt, pp slung) n (Med) tipóia; (for baby) bebêbag m; (weapon) estilingue m, funda ▷ vt atirar, arremessar, lançar

slip [slɪp] n (fall) escorregão m; (mistake) erro, lapso; (underskirt) combinação f; (of paper) tira ▷ vt deslizar ▷ vi (slide) deslizar; (lose balance) escorregar; (decline) decair; (move smoothly): **to ~ into/out of** entrar furtivamente em/sair furtivamente de; **to ~ sth on/off** enfiar/tirar algo; **to give sb the ~**

esgueirar-se de alguém; **a ~ of the tongue** um lapso da língua; **slip away** vi escapulir; **slip in** vt meter ▷ vi (errors) surgir; **slip out** vi (go out) sair (um momento)

slipper ['slɪpə*] n chinelo

slippery ['slɪpərɪ] adj escorregadio

slip-up n equívoco, mancada

slit [slɪt] (pt, pp slit) n fenda; (cut) corte m ▷ vt (cut) rachar, cortar; (open) abrir

slog [slɔg] (BRIT) vi mourejar ▷ n: **it was a ~** deu um trabalho louco

slogan ['sləʊgən] n lema m, slogan m

slope [sləʊp] n ladeira; (side of mountain) encosta, vertente f; (ski ~) pista; (slant) inclinação f, declive m ▷ vi: **to ~ down** estar em declive; **to ~ up** inclinar-se; **sloping** adj inclinado, em declive; (handwriting) torto

sloppy ['slɔpɪ] adj (work) descuidado; (appearance) relaxado

slot [slɔt] n (in machine) fenda ▷ vt: **to ~ into** encaixar em

slow [sləʊ] adj lento; (not clever) bronco, de raciocínio lento; (watch): **to be ~** atrasar ▷ adv lentamente, devagar ▷ vt, vi ir (mais) devagar; **"~"** (road sign) "devagar"; **slowly** adv lentamente, devagar; **slow motion** n: **in slow motion** em câmara lenta

slug [slʌg] n lesma; **sluggish** adj vagaroso; (business) lento

slum [slʌm] n (area) favela; (house) cortiço, barraco

slump [slʌmp] n (economic) depressão f; (Comm) baixa, queda ▷ vi (person) cair; (prices) baixar repentinamente

slung [slʌŋ] pt, pp of **sling**

slur [slə:*] n calúnia ▷ vt pronunciar indistintamente

slush [slʌʃ] n neve f meio derretida

sly [slaɪ] adj (person) astuto; (smile,

remark) malicioso, velhaco

smack [smæk] *n* palmada ▷ *vt* bater; *(child)* dar uma palmada em; *(on face)* dar um tabefe em ▷ *vi*: **to ~ of** cheirar a, saber a

small [smɔ:l] *adj* pequeno; **small change** *n* trocado

smart [smɑ:t] *adj* elegante; *(clever)* inteligente, astuto; *(quick)* vivo, esperto ▷ *vi* sofrer

smash [smæʃ] *n (also: ~-up)* colisão *f*, choque *m*; *(~ hit)* sucesso de bilheteira ▷ *vt (break)* escangalhar, despedaçar; *(car etc)* bater com; *(sport: record)* quebrar ▷ *vi* despedaçar-se; *(against wall etc)* espatifar-se; **smashing** *(inf)* adj excelente

smear [smɪə*] *n* mancha, nódoa; *(Med)* esfregaço ▷ *vt* untar; *(to make dirty)* lambuzar

smell [smɛl] *(pt, pp* **smelt** *or* **~ed)** *n* cheiro; *(sense)* olfato ▷ *vt* cheirar ▷ *vi (food etc)* cheirar; *(pej)* cheirar mal; **to ~ of** cheirar a; **smelly** *(pej)* adj fedorento, malcheiroso

smile [smaɪl] *n* sorriso ▷ *vi* sorrir

smirk [smə:k] *(pej)* n sorriso falso *or* afetado

smog [smɔg] *n* nevoeiro com fumaça (BR) *or* fumo (PT)

smoke [sməuk] *n* fumaça (BR), fumo (PT) ▷ *vi* fumar; *(chimney)* fumegar ▷ *vt (cigarettes)* fumar; **smoked** *adj (bacon)* defumado; *(glass)* fumée; **smoker** *n (person)* fumante *m/f*; *(rail)* vagão *m* para fumantes; **smoking** *n*: **"no smoking"** *(sign)* "proibido fumar"; **smoky** *adj* enfumaçado; *(taste)* defumado

smooth [smu:ð] *adj* liso, macio; *(sauce)* cremoso; *(sea)* tranqüilo, calmo; *(flavour, movement)* suave; *(person: pej)* meloso ▷ *vt (also: ~ out)* alisar; *(: difficulties)* aplainar

smother ['smʌðə*] *vt (fire)* abafar; *(person)* sufocar; *(emotions)* reprimir

SMS *n abbr (= short message service)* SMS *m*

smudge [smʌdʒ] *n* mancha ▷ *vt* manchar, sujar

smug [smʌg] *(pej)* adj convencido

smuggle ['smʌgl] *vt* contrabandear; **smuggling** *n* contrabando

snack [snæk] *n* lanche *m* (BR), merenda (PT); **snack bar** *n* lanchonete *f* (BR), snackbar *m* (PT)

snag [snæg] *n* dificuldade *f*, obstáculo

snail [sneɪl] *n* caracol *m*

snake [sneɪk] *n* cobra

snap [snæp] *n (sound)* estalo; *(photograph)* foto *f* ▷ *adj* repentino ▷ *vt* quebrar; *(fingers)* estalar ▷ *vi* quebrar; *(fig: person)* retrucar asperamente; **to ~ shut** fechar com um estalo; **snap at** *vt fus (subj: dog)* tentar morder; **snap off** *vt (break)* partir; **snap up** *vt* arrebatar, comprar rapidamente; **snapshot** *n* foto *f* (instantânea)

snarl [snɑ:l] *vi* grunhir

snatch [snætʃ] *n (small piece)* trecho ▷ *vt* agarrar; *(fig: look)* roubar

sneak [sni:k] *(pt* **~ed** *or (US)* **snuck)** *vi*: **to ~ in/out** entrar/sair furtivamente ▷ *n (inf)* dedo-duro; **to ~ up on sb** chegar de mausinho perto de alguém; **sneakers** *npl* tênis *m* (BR), sapatos *mpl* de treino (PT)

sneer [snɪə*] *vi* rir-se com desdém; *(mock)*: **to ~ at** zombar de, desprezar

sneeze [sni:z] *n* espirro ▷ *vi* espirrar

sniff [snɪf] *n* fungada; *(of dog)* farejada; *(of person)* fungadela ▷ *vi* fungar ▷ *vt* fungar, farejar; *(glue, drug)* cheirar

snigger ['snɪgə*] *vi* rir-se com

dissimulação

snip [snɪp] n tesourada; (BRIT: inf) pechincha ▷ vt cortar com tesoura

sniper ['snaɪpə*] n franco-atirador(a) m/f

snob [snɔb] n esnobe m/f

snooker ['snu:kə*] n sinuca

snoop [snu:p] vi: **to ~ about** bisbilhotar

snooze [snu:z] n soneca ▷ vi tirar uma soneca, dormitar

snore [snɔ:*] vi roncar ▷ n ronco

snorkel ['snɔ:kl] n tubo snorkel

snort [snɔ:t] n bufo, bufido ▷ vi bufar

snow [snəu] n neve f ▷ vi nevar; **snowball** n bola de neve ▷ vi (fig) aumentar (como bola de neve); **snowdrift** n monte m de neve (formado pelo vento); **snowman** (irreg) n boneco de neve; **snowplough** (US **snowplow**) n máquina limpa-neve, removedor m de neve; **snowstorm** n nevasca, tempestade f de neve

snub [snʌb] vt desdenhar, menosprezar ▷ n repulsa

snug [snʌg] adj (sheltered) abrigado, protegido; (fitted) justo, cômodo

○ **KEYWORD**

so [səu] adv 1 (thus, likewise) assim, deste modo; **~ saying he walked away** falou isto e foi embora; **if ~** se for assim, se assim é; **I didn't do it – you did** ~ não fiz isso – você fez!; **~ do I, ~ am I** etc eu também; **~ it is!** é verdade!; **I hope/think ~** espero/acho que sim; **~ far** até aqui

2 (in comparisons etc: to such a degree) tão; **~ big/quickly (that)** tão grande/rápido (que)

3: **~ much** ▷ adj, adv tanto; **I've got ~ much work** tenho tanto trabalho; **~ many** tantos(-as); **there are ~**

many people to see tem tanta gente para ver

4 (phrases): **10 or ~** 10 mais ou menos; **~ long!** (inf: goodbye) tchau!
▷ conj 1 (expressing purpose): **~ as to do** para fazer; **we hurried ~ as not to be late** nós apressamos para não chegarmos atrasados; **~ (that)** para que, a fim de que

2 (result) de modo que; **he didn't arrive, ~ I left** como ele não chegou, eu fui embora; **~ I was right after all** então eu estava certo no final das contas

soak [səuk] vt embeber, ensopar; (put in water) pôr de molho ▷ vi estar de molho, impregnar-se; **soak in** vi infiltrar; **soak up** vt absorver

soap [səup] n sabão m; **soap opera** n novela; **soap powder** n sabão m em pó

soar [sɔ:*] vi (on wings) elevar-se em vôo; (rocket, temperature) subir; (building etc) levantar-se; (price, production) disparar

sob [sɔb] n soluço ▷ vi soluçar

sober ['səubə*] adj (serious) sério; (not drunk) sóbrio; (colour, style) discreto; **sober up** vi ficar sóbrio

so-called [-kɔ:ld] adj chamado

soccer ['sɔkə*] n futebol m

social ['səuʃl] adj social ▷ n reunião f social; **socialism** n socialismo; **socialist** adj, n socialista m/f; **socialize** vi: **to socialize (with)** socializar (com); **social security** (BRIT) n previdência social; **social work** n assistência social, serviço social; **social worker** n assistente m/f social

society [sə'saɪətɪ] n sociedade f; (club) associação f; (also: **high ~**) alta sociedade

sociology [səusɪ'ɔlədʒɪ] n sociologia

sock [sɔk] n meia (BR), peúga (PT)

socket ['sɔkɪt] n bocal m, encaixe m; (BRIT: Elec) tomada

soda ['səudə] n (Chem) soda; (also: ~ **water**) água com gás; (US: also: ~ **pop**) soda

sofa ['səufə] n sofá m

soft [sɔft] adj mole; (voice, music, light) suave; (kind) meigo, bondoso; **soft drink** n refrigerante m; **soften** vt amolecer, amaciar; (effect) abrandar; (expression) suavizar ▷ vi amolecer-se; (voice, expression) suavizar-se; **softly** adv suavemente; (gently) delicadamente; **software** n (Comput) software m

soggy ['sɔgɪ] adj ensopado, encharcado

soil [sɔɪl] n terra, solo; (territory) território ▷ vt sujar, manchar

solar ['səulə°] adj solar

sold [səuld] pt, pp of **sell** ▷ adj: ~ **out** (Comm) esgotado

soldier ['səuldʒə°] n soldado; (army man) militar m

sole [səul] n (of foot, shoe) sola; (fish: pl inv) solha, linguado ▷ adj único

solicitor [sə'lɪsɪtə°] n (BRIT) (for wills etc) tabelião(-lioa) m/f; (in court) ≈ advogado(-a)

solid ['sɔlɪd] adj sólido; (gold etc) maciço; (person) sério ▷ n sólido; ~**s** npl (food) comida sólida

solitary ['sɔlɪtərɪ] adj solitário, só; (walk) só; (isolated) isolado, retirado; (single) único

solo ['səuləu] n, adv solo; **soloist** n solista m/f

solution [sə'luːʃən] n solução f

solve [sɔlv] vt resolver, solucionar

solvent ['sɔlvənt] adj (Comm) solvente ▷ n (Chem) solvente m

O **KEYWORD**

some [sʌm] adj 1 (a certain number or amount): ~ **tea/water/biscuits** um pouco de chá/água/uns biscoitos; ~ **children came** algumas crianças vieram

2 (certain: in contrasts) algum(a); ~ **people say that ...** algumas pessoas dizem que ...

3 (unspecified) um pouco de; ~ **woman was asking for you** uma mulher estava perguntando por você; ~ **day** um dia

▷ pron 1 (a certain number) alguns (algumas); **I've got ~** (books etc) tenho alguns; ~ **went for a taxi and ~ walked** alguns foram pegar um táxi e outros foram andando

2 (a certain amount) um pouco; **I've got ~** (milk etc) tenho um pouco

▷ adv: ~ **10 people** umas 10 pessoas

some: somebody ['sʌmbədɪ] pron = **someone**; **somehow** ['sʌmhau] adv de alguma maneira; (for some reason) por uma razão ou outra; **someone** ['sʌmwʌn] pron alguém; **someplace** ['sʌmpleɪs] (US) adv = **somewhere**

something ['sʌmθɪŋ] pron alguma coisa, algo (BR)

sometime ['sʌmtaɪm] adv (in future) algum dia, em outra oportunidade; (in past): ~ **last month** durante o mês passado

sometimes ['sʌmtaɪmz] adv às vezes, de vez em quando

somewhat ['sʌmwɔt] adv um tanto

somewhere ['sʌmwɛə°] adv (be) em algum lugar; (go) para algum lugar; ~ **else** em outro lugar; para outro lugar

son [sʌn] n filho

song [sɔŋ] n canção f; (of bird) canto

son-in-law ['sʌnɪnlɔː] n genro

soon [suːn] adv logo, brevemente;

(a short time after) logo após; (early) cedo; **~ afterwards** pouco depois; see also **as**; **sooner** adv antes, mais cedo; (preference): **I would sooner do that** preferia fazer isso; **sooner or later** mais cedo ou mais tarde

soothe [su:ð] vt acalmar, sossegar; (pain) aliviar, suavizar

soprano [sə'prɑ:nəu] n soprano m/f

sore [sɔ:°] adj dolorido ▷ n chaga, ferida

sorrow ['sɔrəu] n tristeza, mágoa, dor f; **~s** npl (causes of grief) tristezas fpl

sorry ['sɔri] adj (regretful) arrependido; (condition, excuse) lamentável; **~!** desculpe!, perdão!, sinto muito!; **to feel ~ for sb** sentir pena de alguém

sort [sɔ:t] n tipo ▷ vt (also: **~ out**: papers) classificar; (: problems) solucionar, resolver

SOS n abbr (= save our souls) S.O.S. m

so-so adv mais ou menos, regular

sought [sɔ:t] pt, pp of **seek**

soul [səul] n alma; (person) criatura

sound [saund] adj (healthy) saudável, sadio; (safe, not damaged) sólido, completo; (secure) seguro; (reliable) confiável; (sensible) sensato ▷ adv: **~ asleep** dormindo profundamente ▷ n (noise) som m, ruído, barulho; (volume: on TV etc) volume m; (Geo) estreito, braço (de mar) ▷ vt (alarm) soar ▷ vi soar, tocar; (fig: seem) parecer; **to ~ like** parecer; **soundtrack** n trilha sonora

soup [su:p] n sopa; **in the ~** (fig) numa encrenca

sour ['sauə°] adj azedo, ácido; (milk) talhado; (fig) mal-humorado, rabugento; **it's ~ grapes!** (fig) é despeito!

source [sɔ:s] n fonte f

south [sauθ] n sul m ▷ adj do sul, meridional ▷ adv ao or para o sul; **South Africa** n África do Sul; **South African** adj, n sul-african(-a); **South America** n América do Sul; **South American** adj, n sul-americano(-a); **south-east** n sudeste m; **southern** ['sʌðən] adj (to the south) para o sul, em direção do sul; (from the south) do sul, sulista; **the southern hemisphere** o Hemisfério Sul; **South Pole** n Pólo Sul; **south-west** n sudoeste m

souvenir [su:və'nɪə°] n lembrança

sovereign ['sɔvrɪn] n soberano(-a)

sow¹ [sau] n porca

sow² [səu] (pt **~ed**, pp **~n**) vt semear; (fig: spread) disseminar, espalhar

soya ['sɔɪə] (us **soy**) n: **~ bean** semente f de soja; **~ sauce** molho de soja

spa [spɑ:] n (town) estância hidro-mineral; (us: also: **health ~**) estância balnear

space [speɪs] n (gen) espaço; (room) lugar m; (cpd) espacial ▷ vt (also: **~ out**) espaçar; **spacecraft** n nave f espacial; **spaceship** n = **spacecraft**; **spacious** ['speɪʃəs] adj espaçoso

spade [speɪd] n pá f; **~s** npl (cards) espadas fpl

Spain [speɪn] n Espanha

spam [spæm] n (junk e-mail) spam m

span [spæn] n (also: **wing~**) envergadura; (of arch) vão m; (in time) lapso, espaço ▷ vt estender-se sobre, atravessar; (fig) abarcar

Spaniard ['spænjəd] n espanhol(a) m/f

Spanish ['spænɪʃ] adj espanhol(a) ▷ n (Ling) espanhol m, castelhano; **the ~** npl os espanhóis

spanner ['spænə°] (brit) n chave

f inglesa

spare [spɛə°] *adj* vago, desocupado; (*surplus*) de sobra, a mais ▷ *n* = **part** ▷ *vt* dispensar, passar sem; (*make available*) dispor de; (*refrain from hurting*) perdoar, poupar; **to ~** de sobra; **spare part** *n* peça sobressalente; **spare time** *n* tempo livre; **spare wheel** *n* estepe *m*

spark [spɑːk] *n* chispa, faísca; (*fig*) centelha

sparkle ['spɑːkl] *n* cintilação *f*, brilho ▷ *vi* (*shine*) brilhar, faiscar; **sparkling** *adj* (*mineral water*) gasoso; (*wine*) espumante; (*conversation*) animado; (*performance*) brilhante

sparrow ['spærəu] *n* pardal *m*

sparse [spɑːs] *adj* escasso; (*hair*) ralo

spasm ['spæzəm] *n* (*Med*) espasmo

spat [spæt] *pt, pp of* **spit**

speak [spiːk] (*pt* **spoke**, *pp* **spoken**) *vt* (*language*) falar; (*truth*) dizer ▷ *vi* falar; (*make a speech*) discursar; **~ up!** fale alto!; **speaker** *n* (*in public*) orador(a) *m/f*; (*also*: **loudspeaker**) alto-falante *m*; (*Pol*): **the Speaker** o Presidente da Câmara

spear [spɪə°] *n* lança ▷ *vt* lancear, arpoar

special ['spɛʃl] *adj* especial; (*edition etc*) extra; (*delivery*) rápido; **specialist** *n* especialista *m/f*; **speciality** [spɛʃɪ'ælɪtɪ] *n* especialidade *f*; **specialize** *vi*: **to specialize (in)** especializar-se (em); **specially** *adv* especialmente; **specialty** ['spɛʃəltɪ] (*esp US*) *n* = **speciality**

species ['spiːʃiːz] *n inv* espécie *f*

specific [spə'sɪfɪk] *adj* específico

specimen ['spɛsɪmən] *n* espécime *m*, amostra; (*for testing, Med*) espécime

speck [spɛk] *n* mancha, pinta

spectacle ['spɛktəkl] *n* espetáculo; **~s** *npl* (*glasses*) óculos *mpl*; **spectacular** [spɛk'tækjulə°] *adj* espetacular ▷ *n* (*Cinema etc*) superprodução *f*

spectator [spɛk'teɪtə°] *n* espectador(a) *m/f*

spectrum ['spɛktrəm] (*pl* **spectra**) *n* espectro

speech [spiːtʃ] *n* (*faculty, theatre*) fala; (*formal talk*) discurso; **speechless** *adj* estupefato, emudecido

speed [spiːd] *n* velocidade *f*; (*rate*) rapidez *f*; (*haste*) pressa; (*promptness*) prontidão *f*; **at full** or **top ~** a toda a velocidade; **speed up** (*pt, pp* **speeded up**) *vt, vi* acelerar; **speedboat** *n* lancha; **speeding** *n* (*Aut*) excesso de velocidade; **speed limit** *n* limite *m* de velocidade, velocidade *f* máxima; **speedometer** [spɪ'dɔmɪtə°] *n* velocímetro; **speedy** *adj* veloz, rápido; (*prompt*) pronto, imediato

spell [spɛl] (*pt, pp* **~ed**, (*BRIT*) **spelt**) *n* (*also*: **magic ~**) encanto, feitiço; (*period of time*) período, temporada ▷ *vt* (*also*: **~ out**) soletrar; (*fig*) pressagiar, ser sinal de; **to cast a ~ on sb** enfeitiçar alguém; **he can't ~** não sabe escrever bem, comete erros de ortografia

spend [spɛnd] (*pt, pp* **spent**) *vt* (*money*) gastar; (*time*) passar

sperm [spəːm] *n* esperma

sphere [sfɪə°] *n* esfera

spice [spaɪs] *n* especiaria ▷ *vt* condimentar

spicy ['spaɪsɪ] *adj* condimentado

spider ['spaɪdə°] *n* aranha

spike [spaɪk] *n* (*point*) ponta, espigão *m*; (*Bot*) espiga

spill [spɪl] (*pt, pp* **spilt** or **~ed**) *vt* entornar, derramar ▷ *vi* derramar-se; **spill over** *vi* transbordar

spin [spɪn] (*pt* **spun** *or* **span,** *pp* **spun**) *n* (*Aviat*) parafuso; (*trip in car*) volta *or* passeio de carro; (*ball*): **to put ~ on** fazer rolar ▷ *vt* (*wool etc*) fiar, tecer ▷ *vi* girar, rodar; (*make thread*) tecer; **spin out** *vt* prolongar; (*money*) fazer render

spinach ['spɪnɪtʃ] *n* espinafre m

spinal cord ['spaɪnl-] *n* espinha dorsal

spin-dryer (BRIT) *n* secadora

spine [spaɪn] *n* espinha dorsal; (*thorn*) espinho

spiral ['spaɪərl] *n* espiral f ▷ *vi* (*prices*) disparar

spire ['spaɪə°] *n* flecha, agulha

spirit ['spɪrɪt] *n* (*soul*) alma; (*ghost*) fantasma m; (*courage*) coragem f, ânimo; (*frame of mind*) estado de espírito; (*sense*) sentido; **~s** *npl* (*drink*) álcool m; **in good ~s** alegre, de bom humor; **spiritual** *adj* espiritual ▷ *n* (*also:* **Negro spiritual**) canto religioso dos negros

spit [spɪt] (*pt, pp* **spat**) *n* (*for roasting*) espeto; (*saliva*) saliva ▷ *vi* cuspir; (*sound*) escarrar; (*rain*) chuviscar

spite [spaɪt] *n* rancor m, ressentimento ▷ *vt* contrariar; **in ~ of** apesar de, a despeito de; **spiteful** *adj* maldoso, malévolo

splash [splæʃ] *n* (*sound*) borrifo, respingo; (*of colour*) mancha ▷ *vt*: **to ~ (with)** salpicar (de) ▷ *vi* (*also:* **~ about**) borrifar, respingar

splendid ['splɛndɪd] *adj* esplêndido; (*impressive*) impressionante

splinter ['splɪntə°] *n* (*of wood, glass*) lasca; (*in finger*) farpa ▷ *vi* lascar-se, estilhaçar-se, despedaçar-se

split [splɪt] (*pt, pp* **split**) *n* fenda, brecha; (*fig: division*) rompimento; (*: difference*) diferença; (*Pol*) divisão f ▷ *vt* partir, fender; (*party, work*) dividir; (*profits*) repartir ▷ *vi* (*divide*) dividir-se, repartir-se; **split up** *vi* (*couple*) separar-se, acabar; (*meeting*) terminar

spoil [spɔɪl] (*pt, pp* **~t** *or* **~ed**) *vt* (*damage*) danificar; (*mar*) estragar, arruinar; (*child*) mimar

spoke [spəuk] *pt of* **speak** ▷ *n* raio

spoken ['spəukn] *pp of* **speak**

spokesman ['spəuksmən] (*irreg*) *n* porta-voz m

spokeswoman ['spəukswumən] (*irreg*) *n* porta-voz f

sponge [spʌndʒ] *n* esponja; (*cake*) pão-de-ló m ▷ *vt* lavar com esponja ▷ *vi*: **to ~ on sb** viver às custas de alguém; **sponge bag** (BRIT) *n* bolsa de toalete

sponsor ['sponsə°] *n* patrocinador(a) m/f ▷ *vt* patrocinar; apadrinhar; fiar; (*applicant, proposal*) apoiar, defender; **sponsorship** *n* patrocínio

spontaneous [spon'teɪnɪəs] *adj* espontâneo

spooky ['spu:kɪ] (*inf*) *adj* arrepiante

spoon [spu:n] *n* colher f; **spoonful** *n* colherada

sport [spɔ:t] *n* esporte m (BR), desporto (PT); (*person*) bom perdedor (boa perdedora) m/f ▷ *vt* (*wear*) exibir; **sport jacket** (US) *n* = **sports jacket**; **sports car** *n* carro esporte (BR), carro de sport (PT); **sports jacket** (BRIT) *n* casaco esportivo (BR) *or* desportivo (PT); **sportsman** (*irreg*) *n* esportista m (BR), desportista m (PT); **sports utility vehicle** *n* veículo com tração nas quatro rodas, veículo 4x4; **sportswear** *n* roupa esportiva (BR) *or* desportiva (PT) *or* esporte; **sportswoman** (*irreg*) *n* esportista

(BR), desportista (PT); **sporty** adj esportivo (BR), desportivo (PT)

spot [spɔt] n (mark) marca; (place) lugar m, local m; (dot: on pattern) mancha, ponto; (on skin) espinha; (Radio, TV) hora; (small amount): **a ~ of** um pouquinho de ▷ vt notar; **on the ~** na hora; (there) ali mesmo; (in difficulty) em apuros; **spotless** adj sem mancha, imaculado; **spotlight** n holofote m, refletor m

spouse [spauz] n cônjuge m/f

sprain [spreɪn] n distensão f, torcedura ▷ vt torcer

sprang [spræŋ] pt of **spring**

sprawl [sprɔːl] vi esparramar-se

spray [spreɪ] n borrifo; (container) spray m, atomizador m; (garden ~) vaporizador m; (of flowers) ramalhete m ▷ vt pulverizar; (crops) borrifar, regar

spread [sprɛd] (pt, pp **spread**) n extensão f; (distribution) expansão f, difusão f; (Culin) pasta; (inf: food) banquete m ▷ vt espalhar; (butter) untar, passar; (wings, sails) abrir, desdobrar; (workload, wealth) distribuir; (scatter) disseminar ▷ vi (news, stain) espalhar-se; (disease) alastrar-se; **spread out** vi dispersar-se

spreadsheet n (Comput) planilha

spree [spriː] n: **to go on a ~** cair na farra

spring [sprɪŋ] (pt **sprang**, pp **sprung**) n salto, pulo; (coiled metal) mola; (season) primavera; (of water) fonte f; **spring up** vi aparecer de repente

sprinkle ['sprɪŋkl] vt (liquid) salpicar; (salt, sugar) borrifar; **to ~ water on, ~ with water** salpicar de água

sprint [sprɪnt] n corrida de pequena distância ▷ vi correr a toda velocidade

sprung [sprʌŋ] pp of **spring**

spun [spʌn] pt, pp of **spin**

spur [spəː*] n espora; (fig) estímulo ▷ vt (also: **~ on**) incitar, estimular; **on the ~ of the moment** de improviso, de repente

spurt [spəːt] n (of energy) acesso; (of blood etc) jorro ▷ vi jorrar

spy [spaɪ] n espião (espiã) m/f ▷ vi: **to ~ on** espiar, espionar ▷ vt enxergar, avistar

sq. abbr (Math etc) = **square**

squabble ['skwɔbl] vi brigar, discutir

squad [skwɔd] n (Mil, police) pelotão m, esquadra; (football) seleção f

squadron ['skwɔdrən] n (Mil) esquadrão m; (Aviat) esquadrilha; (Naut) esquadra

squander ['skwɔndə*] vt esbanjar, dissipar; (chances) desperdiçar

square [skwɛə*] n quadrado; (in town) praça; (inf: person) quadrado(-a), careta m/f ▷ adj quadrado; (inf: ideas, tastes) careta, antiquado ▷ vt (arrange) ajustar, acertar; (Math) elevar ao quadrado; (reconcile) conciliar; **all ~** igual, quite; **a ~ meal** uma refeição substancial; **2 metres ~** um quadrado de 2 metros de lado; **2 ~ metres** 2 metros quadrados

squash [skwɔʃ] n (BRIT: drink): **lemon/orange ~** limonada/ laranjada concentrada; (sport) squash m; (US: vegetable) abóbora ▷ vt esmagar

squat [skwɔt] adj atarracado ▷ vi (also: **~ down**) agachar-se, acocorar-se; **squatter** n posseiro(-a)

squeak [skwiːk] vi (door) ranger; (mouse) guinchar

squeal [skwiːl] vi guinchar, gritar agudamente

squeeze [skwiːz] n (gen, of

hand) aperto; (*Econ*) arrocho ▷ *vt*
comprimir, socar; (*hand, arm*)
apertar; **squeeze out** *vt* espremer;
(*fig*) extorquir
squid [skwɪd] (*pl inv or* **~s**) *n* lula
squint [skwɪnt] *vi* olhar *or* ser
vesgo ▷ *n* (*Med*) estrabismo
squirm [skwəːm] *vi* retorcer-se
squirrel ['skwɪrəl] *n* esquilo
squirt [skwəːt] *vi, vt* jorrar,
esguichar
Sr *abbr* = **senior**
St *abbr* (= *saint*) S.; = **street**
stab [stæb] *n* (*with knife etc*)
punhalada; (*of pain*) pontada; (*inf:
try*): **to have a ~ at (doing) sth**
tentar (fazer) algo ▷ *vt* apunhalar
stable ['steɪbl] *adj* estável ▷ *n*
estábulo, cavalariça
stack [stæk] *n* montão *m*, pilha
▷ *vt* amontoar, empilhar
stadium ['steɪdɪəm] (*pl* **stadia** *or*
~s) *n* estádio
staff [stɑːf] *n* (*work force*) pessoal
m, quadro; (*BRIT: Sch: also:* **teaching
~**) corpo docente ▷ *vt* prover de
pessoal
stag [stæg] *n* veado, cervo
stage [steɪdʒ] *n* palco, cena; (*point*)
etapa, fase *f*; (*platform*) plataforma,
estrado; (*profession*): **the ~** o
palco, o teatro ▷ *vt* pôr em cena,
representar; (*demonstration*) montar,
organizar; **in ~s** por etapas
stagger ['stægə*] *vi* cambalear ▷ *vt*
(*amaze*) surpreender, chocar; (*hours,
holidays*) escalonar; **staggering** *adj*
(*amazing*) surpreendente, chocante
stain [steɪn] *n* mancha; (*colouring*)
tinta, tintura ▷ *vt* manchar; (*wood*)
tingir
stair [stɛə*] *n* (*step*) degrau *m*; **~s**
npl (*flight of steps*) escada; **staircase**
n escadaria, escada; **stairway** *n* =
staircase
stake [steɪk] *n* estaca, poste

m; (*Comm: interest*) interesse
m, participação *f*; (*betting: gen
pl*) aposta ▷ *vt* apostar; (*claim*)
reivindicar; **to be at ~** estar em jogo
stale [steɪl] *adj* (*bread*) dormido;
(*food*) estragado; (*air*) viciado; (*smell*)
mofado; (*beer*) velho
stalk [stɔːk] *n* talo, haste *f* ▷ *vt*
caçar de tocaia; **to ~ in/out** entrar/
sair silenciosamente; **to ~ off** andar
com arrogância
stall [stɔːl] *n* (*BRIT: in market*)
barraca; (*in stable*) baia ▷ *vt* (*Aut*)
fazer morrer; (*fig: delay*) impedir,
atrasar ▷ *vi* morrer; esquivar-se,
ganhar tempo; **~s** *npl* (*BRIT: in
Cinema, theatre*) platéia
stamina ['stæmɪnə] *n* resistência
stammer ['stæmə*] *n* gagueira
▷ *vi* gaguejar, balbuciar
stamp [stæmp] *n* selo; (*rubber
~*) carimbo, timbre *m*; (*mark, also
fig*) marca, impressão *f* ▷ *vi* (*also:
~ one's foot*) bater com o pé ▷ *vt*
(*letter*) selar; (*mark*) marcar; (*with
rubber ~*) carimbar
stampede [stæm'piːd] *n*
debandada, estouro (da boiada)
stance [stæns] *n* postura,
posição *f*
stand [stænd] (*pt, pp* **stood**) *n*
posição *f*, postura; (*for taxis*) ponto;
(*also:* **hall ~**) pedestal *m*; (*also:*
music ~) estante *f*; (*sport*) tribuna,
palanque *m*; (*stall*) barraca ▷ *vi*
(*be*) estar, encontrar-se; (*be on
foot*) estar em pé; (*rise*) levantar-
se; (*remain: decision, offer*) estar
de pé; (*in election*) candidatar-se
▷ *vt* (*place*) pôr, colocar; (*tolerate*)
agüentar, suportar; (*cost*)
pagar; **to make a ~** resistir; (*fig*)
ater-se a um princípio; **to ~ for
parliament** (*BRIT*) apresentar-se
como candidato ao parlamento;
stand by *vi* estar a postos ▷ *vt*

fus (*opinion*) aferrar-se a; (*person*) ficar ao lado de; **stand down** *vi* retirar-se; **stand for** *vt fus* (*signify*) significar; (*represent*) representar; (*tolerate*) tolerar, permitir; **stand in for** *vt fus* substituir; **stand out** *vi* (*be prominent*) destacar-se; **stand up** *vi* levantar-se; **stand up for** *vt fus* defender; **stand up to** *vt fus* enfrentar

standard ['stændəd] *n* padrão *m*, critério; (*flag*) estandarte *m*; (*level*) nível *m* ▷ *adj* padronizado, regular, normal; **~s** *npl* (*morals*) valores *mpl* morais; **standard of living** *n* padrão *m* de vida (BR), nível *m* de vida (PT)

stand-by *adj* de reserva ▷ *n*: **to be on ~** estar de sobreaviso *or* de prontidão; **stand-by ticket** *n* bilhete *m* de stand-by

standing ['stændɪŋ] *adj* (*on foot*) em pé; (*permanent*) permanente ▷ *n* posição *f*, reputação *f*; **of many years'** de muitos anos

standpoint ['stændpɔɪnt] *n* ponto de vista

standstill ['stændstɪl] *n*: **at a ~** paralisado, parado; **to come to a ~** (*car*) parar; (*factory, traffic*) ficar paralisado

stank [stæŋk] *pt of* **stink**

staple ['steɪpl] *n* (*for papers*) grampo ▷ *adj* (*food etc*) básico ▷ *vt* grampear

star [stɑː*] *n* estrela; (*celebrity*) astro/estrela ▷ *vi*: **to ~ in** ser a estrela em, estrelar ▷ *vt* (*Cinema*) ser estrelado por; **the ~s** *npl* (*horoscope*) o horóscopo

starboard ['stɑːbəd] *n* estibordo

starch [stɑːtʃ] *n* (*in food*) amido, fécula; (*for clothes*) goma

stardom ['stɑːdəm] *n* estrelato

stare [stɛə*] *n* olhar *m* fixo ▷ *vi*: **to ~ at** olhar fixamente, fitar

stark [stɑːk] *adj* severo, áspero ▷ *adv*: **~ naked** completamente nu, em pêlo

start [stɑːt] *n* princípio, começo; (*departure*) partida; (*sudden movement*) sobressalto, susto; (*advantage*) vantagem *f* ▷ *vt* começar, iniciar; (*cause*) causar; (*found*) fundar; (*engine*) ligar ▷ *vi* começar, iniciar; (*with fright*) sobressaltar-se, assustar-se; (*train etc*) sair; **start off** *vi* começar, principiar; (*leave*) sair, pôr-se a caminho; **start up** *vi* começar; (*car*) pegar, pôr-se em marcha ▷ *vt* começar; (*car*) ligar; **starter** *n* (*Aut*) arranque *m*; (*sport: official*) juiz (juíza) *m/f* da partida; (*BRIT: Culin*) entrada; **starting point** *n* ponto de partida

startle ['stɑːtl] *vt* assustar, aterrar; **startling** *adj* surpreendente

starvation [stɑː'veɪʃən] *n* fome *f*

starve ['stɑːv] *vi* passar fome; (*to death*) morrer de fome ▷ *vt* fazer passar fome; (*fig*) privar

state [steɪt] *n* estado ▷ *vt* afirmar, declarar; **the S~s** *npl* (*Geo*) os Estados Unidos; **to be in a ~** estar agitado; **statement** *n* declaração *f*; **statesman** (*irreg*) *n* estadista *m*

static ['stætɪk] *n* (*Radio, TV*) interferência ▷ *adj* estático

station ['steɪʃən] *n* estação *f*; (*police*) delegacia; (*Radio*) emissora ▷ *vt* colocar

stationary ['steɪʃnərɪ] *adj* estacionário

station wagon (*US*) *n* perua (BR), canadiana (PT)

statistic [stə'tɪstɪk] *n* estatística; **statistics** [stə'tɪstɪks] *n* (*science*) estatística

statue ['stætjuː] *n* estátua

status ['steɪtəs] *n* posição *f*; (*classification*) categoria;

(*importance*) status m
staunch [stɔːntʃ] *adj* fiel
stay [steɪ] *n* estadia, estada ▷ *vi*
ficar; (*as guest*) hospedar-se; (*spend some time*) demorar-se; **to ~ put** não se mexer; **to ~ the night** pernoitar; **stay behind** *vi* ficar atrás; **stay in** *vi* ficar em casa; **stay on** *vi* ficar; **stay out** *vi* ficar fora de casa; **stay up** *vi* (*at night*) velar, ficar acordado
steadily ['stɛdɪlɪ] *adv* (*firmly*) firmemente; (*unceasingly*) sem parar, constantemente; (*walk*) regularmente
steady ['stɛdɪ] *adj* (*job, boyfriend*) constante; (*speed*) fixo; (*regular*) regular; (*person, character*) sensato; (*calm*) calmo, sereno ▷ *vt* (*stabilize*) estabilizar; (*nerves*) acalmar
steak [steɪk] *n* filé m; (*beef*) bife m
steal [stiːl] (*pt* **stole**, *pp* **stolen**) *vt* roubar ▷ *vi* mover-se furtivamente
steam [stiːm] *n* vapor m ▷ *vt* (*Culin*) cozinhar no vapor ▷ *vi* fumegar; **steamy** *adj* vaporoso; (*room*) cheio de vapor, úmido (*BR*), húmido (*PT*); (*heat, atmosphere*) vaporoso
steel [stiːl] *n* a o ▷ *adj* de aço
steep [stiːp] *adj* íngreme; (*increase*) acentuado; (*price*) exorbitante ▷ *vt* (*food*) colocar de molho; (*cloth*) ensopar, encharcar
steeple ['stiːpl] *n* campanário, torre f
steer [stɪə°] *vt* (*person*) guiar; (*vehicle*) dirigir ▷ *vi* conduzir; **steering** *n* (*Aut*) direção f; **steering wheel** *n* volante m
stem [stɛm] *n* (*of plant*) caule m, haste f; (*of glass*) pé m ▷ *vt* deter, reter; (*blood*) estancar; **stem from** *vt fus* originar-se de
step [stɛp] *n* passo m; (*stair*) degrau m ▷ *vi*: **to ~ forward** dar um passo

a frente/atrás; **~s** *npl* (*BRIT*) = **~ladder**; **to be in ~ (with)** (*fig*) manter a paridade (com); **to be out of ~ (with)** (*fig*) estar em disparidade (com); **step down** *vi* (*fig*) renunciar; **step on** *vt fus* pisar; **step up** *vt* aumentar; **stepbrother** *n* meio-irmão m; **stepdaughter** *n* enteada; **stepfather** *n* padrasto; **stepladder** (*BRIT*) *n* escada portátil *or* de abrir; **stepmother** *n* madrasta; **stepsister** *n* meia-irmã f; **stepson** *n* enteado
stereo ['stɛrɪəu] *n* estéreo; (*record player*) (aparelho de) som m ▷ *adj* (*also*: **~phonic**) estereofônico
sterile ['stɛraɪl] *adj* esterelizado; (*barren*) estéril; **sterilize** ['stɛrɪlaɪz] *vt* esterilizar
sterling ['stəːlɪŋ] *adj* esterlino; (*silver*) de lei ▷ *n* (*currency*) libra esterlina; **one pound ~** uma libra esterlina
stern [stəːn] *adj* severo, austero ▷ *n* (*Naut*) popa, ré f
stew [stjuː] *n* guisado, ensopado ▷ *vt* guisar, ensopar; (*fruit*) cozinhar
steward ['stjuːəd] *n* (*Aviat*) comissário de bordo; **stewardess** *n* aeromoça (*BR*), hospedeira de bordo (*PT*)
stick [stɪk] (*pt*, *pp* **stuck**) *n* pau m; (*as weapon*) cacete m; (*walking ~*) bengala, cajado ▷ *vt* (*glue*) colar; (*thrust*): **to ~ sth into** cravar or enfiar algo em; (*inf: put*) meter; (*: tolerate*) agüentar, suportar ▷ *vi* (*become attached*) colar-se; (*be unmoveable*) emperrar; (*in mind etc*) gravar-se; **stick out** *vi* estar saliente, projetar-se; **stick up** *vi* estar saliente, projetar-se; **stick up for** *vt fus* defender; **sticker** *n* adesivo; **sticking plaster** *n* esparadrapo
sticky ['stɪkɪ] *adj* pegajoso; (*label*)

adesivo; (fig) delicado

stiff [stɪf] adj (strong) forte; (hard) duro; (difficult) difícil; (moving with difficulty: person) teso; (: door, zip) empenado; (formal) formal ▷ adv (bored, worried) extremamente

stigma ['stɪgmə] n estigma m

stiletto [stɪ'lɛtəu] (BRIT) n (also: ~ heel) salto alto e fino

still [stɪl] adj parado ▷ adv (up to this time) ainda; (even, yet) ainda; (nonetheless) entretanto, contudo

stimulate ['stɪmjuleɪt] vt estimular

stimulus ['stɪmjuləs] (pl stimuli) n estímulo, incentivo

sting [stɪŋ] (pt, pp stung) n (wound) picada; (pain) ardência; (of insect) ferrão m ▷ vt arguilhar ▷ vi (insect, animal) picar; (eyes, ointment) queimar

stink [stɪŋk] (pt stank, pp stunk) n fedor m, catinga ▷ vi feder, cheirar mal

stir [stə:°] n (fig) comoção f, rebuliço ▷ vt mexer; (fig) comover ▷ vi mover-se, remexer-se; **stir up** vt excitar; (trouble) provocar

stitch [stɪtʃ] n (sewing, knitting, Med) ponto; (pain) pontada ▷ vt costurar; (Med) dar pontos em, suturar

stock [stɔk] n suprimento; (Comm: reserves) estoque m, provisão f; (: selection) sortimento; (Agr) gado; (Culin) caldo; (lineage) estirpe f, linhagem f; (finance) valores mpl, títulos mpl ▷ adj (reply etc) de sempre, costumeiro ▷ vt ter em estoque, estocar; **in/out of ~** em estoque/esgotado; **to take ~ of** (fig) fazer um balanço de; **~s and shares** valores e títulos mobiliários; **stock up** vi: **to ~ up (with)** abastecer-se (de); **stockbroker** n corretor(a) m/f de valores or da Bolsa; **stock**

cube (BRIT) n cubo de caldo; **stock exchange** n Bolsa de Valores

stocking ['stɔkɪŋ] n meia

stock: stock market (BRIT) n Bolsa, mercado de valores

stole [stəul] pt of **steal** ▷ n estola

stolen ['stəuln] pp of **steal**

stomach ['stʌmək] n (Anat) estômago; (belly) barriga, ventre m ▷ vt suportar, tolerar

stone [stəun] n pedra; (pebble) pedrinha; (in fruit) caroço; (Med) pedra, cálculo; (BRIT: weight) = 6.348kg; 14 pounds ▷ adj de pedra ▷ vt apedrejar; (fruit) tirar o(s) caroço(s) de

stood [stud] pt, pp of **stand**

stool [stu:l] n tamborete m, banco

stoop [stu:p] vi (also: **have a ~**) ser corcunda; (also: **~ down**) debruçar-se, curvar-se

stop [stɔp] n parada, interrupção f; (for bus etc) parada (BR), ponto (BR), paragem f (PT) (also: **full ~**) ponto ▷ vt parar, deter; (break off) interromper; (cheque) sustar, suspender; (also: **put a ~ to**) impedir ▷ vi parar, deter-se; (watch, noise) parar; (end) acabar; **to ~ doing sth** deixar de fazer algo; **stop dead** vi parar de repente; **stop off** vi dar uma parada; **stop up** vt tapar; **stopover** n parada rápida; (Aviat) escala

storage ['stɔ:rɪdʒ] n armazenagem f

store [stɔ:°] n (stock) suprimento; (depot) armazém m; (reserve) estoque m; (BRIT: large shop) loja de departamentos; (US: shop) loja ▷ vt armazenar; **~s** npl (provisions) víveres mpl, provisões fpl; **who knows what is in ~ for us?** quem sabe o que nos espera?; **store up** vt acumular

storey ['stɔ:rɪ] (US **story**) n

andar m

storm [stɔːm] n tempestade f; (fig)
tumulto ▷ vi (fig) enfurecer-se ▷ vt
tomar de assalto, assaltar; **stormy**
adj tempestuoso

story ['stɔːri] n história, estória;
(lie) mentira; (us) = **storey**

stout [staut] adj sólido, forte;
(fat) gordo, corpulento; (resolute)
decidido, resoluto ▷ n cerveja preta

stove [stəuv] n (for cooking) fogão
m; (for heating) estufa, fogareiro

straight [streit] adj reto; (back)
esticado; (hair) liso; (honest)
honesto; (simple) simples inv ▷ adv
reto; (drink) puro; **to put** or **get
sth ~** esclarecer algo; **~ away, ~
off** imediatamente; **straighten**
vt arrumar; **straighten out** vt
endireitar; (fig) esclarecer; **to
straighten things out** arrumar
as coisas; **straightforward** adj
(simple) simples inv, direto; (honest)
honesto, franco

strain [strein] n tensão f; (Tech)
esforço; (Med: back ~) distensão
f; (: tension) luxação f; (breed)
raça, estirpe f ▷ vt forçar, torcer,
distender; (stretch) puxar, estirar;
(Culin) coar; **~s** npl (Mus) acordes
mpl; **strained** adj distendido;
(laugh) forçado; (relations) tenso;
strainer n coador m; (sieve) peneira

strait [streit] n estreito; **~s** npl
(fig): **to be in dire ~s** estar em
apuros

strand [strænd] n (of thread, hair)
fio; (of rope) tira; **stranded** adj preso

strange [streindʒ] adj (not
known) desconhecido; (odd)
estranho, esquisito; **strangely**
adv estranhamente; **stranger** n
desconhecido(-a); (from another
area) forasteiro(-a)

strangle ['stræŋgl] vt estrangular;
(fig) sufocar

strap [stræp] n correia; (of slip,
dress) alça

strategic [strə'tiːdʒɪk] adj
estratégico

strategy ['strætɪdʒɪ] n estratégia

straw [strɔː] n palha; (drinking ~)
canudo; **that's the last ~!** essa foi a
última gota!

strawberry ['strɔːbəri] n
morango

stray [strei] adj (animal)
extraviado; (bullet) perdido;
(scattered) espalhado ▷ vi perder-se

streak [striːk] n listra, traço; (in
hair) mecha ▷ vt listrar ▷ vi: **to ~
past** passar como um raio

stream [striːm] n riacho, córrego;
(of people, vehicles) fluxo; (of smoke)
rastro; (of questions etc) torrente f
▷ vt (Sch) classificar ▷ vi correr, fluir;
to ~ in/out entrar/sair em massa

street [striːt] n rua; **streetcar**
(us) n bonde m (BR), eléctrico (PT);
street plan n mapa m

strength [strɛŋθ] n força; (of girder
etc) firmeza, resistência; (fig) poder
m; **strengthen** vt fortificar; (fig)
fortalecer

strenuous ['strɛnjuəs] adj
enérgico; (determined) tenaz

stress [strɛs] n pressão f; (mental
strain) tensão f, stress m; (emphasis)
ênfase f; (Tech) tensão ▷ vt realçar,
dar ênfase a; (syllable) acentuar

stretch [strɛtʃ] n (of sand etc)
trecho, extensão f ▷ vi espreguiçar-
se; (extend): **to ~ to** or **as far as**
estender-se até ▷ vt estirar, esticar;
(fig: subj: job, task) exigir o máximo
de; **stretch out** vi esticar-se ▷ vt
(arm etc) esticar; (spread) estirar

stretcher ['strɛtʃəʳ] n maca,
padiola

strict [strikt] adj (person) severo,
rigoroso; (meaning) exato, estrito

stride [straid] (pt **strode,** pp

stridden ['strɪdən]) n passo largo
▷ vi andar a passos largos

strike [straɪk] (pt, pp **struck**) n
greve f; (of oil etc) descoberta;
(attack) ataque m ▷ vt bater em;
(fig): **the thought** or **it ~s me
that ...** me ocorre que ...; (oil etc)
descobrir; (deal) fechar, acertar ▷ vi
estar em greve; (attack: soldiers,
illness) atacar; (: disaster) assolar;
(clock) bater; **on ~** em greve; **to ~ a
match** acender um fósforo; **strike
down** vt derrubar; **strike up** vt
(Mus) começar a tocar; (conversation,
friendship) travar; **striker** n grevista
m/f; (sport) atacante m/f; **striking**
adj impressionante

string [strɪŋ] (pt, pp **strung**) n
(cord) barbante m (BR), cordel
m (PT); (of beads) cordão m; (of
onions) réstia; (Mus) corda ▷ vt:
to ~ out esticar; **the ~s** npl (Mus)
os instrumentos de corda; **to
~ together** (words) unir; (ideas)
concatenar; **to get a job by pulling
~s** (fig) usar pistolão

strip [strɪp] n tira; (of land) faixa;
(of metal) lâmina, tira ▷ vt despir;
(also: ~ **down**: machine) desmontar
▷ vi despir-se

stripe [straɪp] n listra; (Mil) galão
m; **striped** adj listrado, com listras

strive [straɪv] (pt **strove**, pp ~**n**
[strɪvən]) vi: **to ~ for sth/to do sth**
esforçar-se por or batalhar para
algo/para fazer algo

strode [strəʊd] pt of **stride**

stroke [strəʊk] n (blow) golpe
m; (Med) derrame m cerebral; (of
paintbrush) pincelada; (swimming:
style) nado ▷ vt acariciar, afagar; **at
a ~** de repente, de golpe

stroll [strəʊl] n volta, passeio ▷ vi
passear, dar uma volta; **stroller** (US)
n carrinho (de criança)

strong [strɒŋ] adj forte;
(imagination) fértil; (personality)
forte, dominante; (nerves) de aço;
they are 50 ~ são 50; **stronghold**
n fortaleza; (fig) baluarte m;
strongly adv firmemente;
(defend) vigorosamente; (believe)
profundamente

strove [strəʊv] pt of **strive**

struck [strʌk] pt, pp of **strike**

structure ['strʌktʃə°] n estrutura;
(building) construção f

struggle ['strʌgl] n luta, contenda
▷ vi (fight) lutar; (try hard) batalhar

strung [strʌŋ] pt, pp of **string**

stub [stʌb] n (of ticket etc) canhoto;
(of cigarette) toco, ponta; **to ~ one's
toe** dar uma topada; **stub out** vt
apagar

stubble ['stʌbl] n restolho; (on
chin) barba por fazer

stubborn ['stʌbən] adj teimoso,
cabeçudo, obstinado

stuck [stʌk] pt, pp of **stick** ▷ adj
(jammed) emperrado

stud [stʌd] n (shirt ~) botão m;
(earring) tarraxa, rosca; (of boot)
cravo; (also: ~ **farm**) fazenda de
cavalos; (also: ~ **horse**) garanhão m
▷ vt (fig): ~**ded with** salpicado de

student ['stjuːdənt] n estudante
m/f ▷ adj estudantil; **student
driver** (US) n aprendiz m/f

studio ['stjuːdɪəʊ] n estúdio;
(sculptor's) ateli m

study ['stʌdɪ] n estudo; (room) sala
de leitura or estudo ▷ vt estudar;
(examine) examinar, investigar ▷ vi
estudar; **studies** npl (subjects)
estudos mpl, matérias fpl

stuff [stʌf] n (substance) troço;
(things) troços mpl, coisas fpl ▷ vt
(Culin) rechear; (animals) empalhar;
(inf: push) enfiar; ~**ed toy** brinquedo
de pelúcia; **stuffing** n recheio;
stuffy adj (room) abafado, mal
ventilado; (person) rabugento,

melindroso

stumble ['stʌmbl] vi tropeçar; **to ~ across** or **on** (fig) topar com

stump [stʌmp] n (of tree) toco; (of limb) coto ▷ vt: **to be ~ed** ficar perplexo

stun [stʌn] vt (subj: blow) aturdir; (: news) pasmar

stung [stʌŋ] pt, pp of **sting**

stunk [stʌŋk] pp of **stink**

stunning ['stʌnɪŋ] adj (news) atordoante; (appearance) maravilhoso

stunt [stʌnt] n façanha sensacional; (publicity ~) truque m publicitário

stupid ['stjuːpɪd] adj estúpido, idiota

sturdy ['stəːdɪ] adj (person) robusto, firme; (thing) sólido

stutter ['stʌtə°] n gagueira, gaguez f ▷ vi gaguejar

style [staɪl] n estilo; (elegance) elegância; **stylish** adj elegante, chique

subconscious [sʌb'kɔnʃəs] adj do subconsciente

subject [n 'sʌbdʒɪkt, vb səb'dʒɛkt] n (of king) súdito(-a); (theme) assunto; (Sch) matéria; (Ling) sujeito ▷ vt: **to ~ sb to sth** submeter alguém a algo; **to be ~ to** estar sujeito a; **subjective** [səb'dʒɛktɪv] adj subjetivo; **subject matter** n assunto; (content) conteúdo

submarine ['sʌbməriːn] n submarino

submission [səb'mɪʃən] n submissão f; (to committee) petição f; (of plan) apresentação f, exposição f

submit [səb'mɪt] vt submeter ▷ vi submeter-se

subordinate [sə'bɔːdɪnət] adj, n subordinado(-a)

subscribe [səb'skraɪb] vi

subscrever; **to ~ to** (opinion) concordar com; (fund) contribuir para; (newspaper) assinar; **subscription** [səb'skrɪpʃən] n assinatura

subsequent ['sʌbsɪkwənt] adj subseqüente, posterior; **subsequently** adv posteriormente, depois

subside [səb'saɪd] vi (feeling, wind) acalmar-se; (flood) baixar

subsidiary [səb'sɪdɪərɪ] adj secundário ▷ n (also: ~ **company**) subsidiária

subsidize ['sʌbsɪdaɪz] vt subsidiar

subsidy ['sʌbsɪdɪ] n subsídio

substance ['sʌbstəns] n substância

substantial [səb'stænʃl] adj (solid) sólido; (reward, meal) substancial

substitute ['sʌbstɪtjuːt] n substituto(-a); (person) suplente m/f ▷ vt: **to ~ A for B** substituir B por A

subtle ['sʌtl] adj sutil

subtract [səb'trækt] vt subtrair, deduzir

suburb ['sʌbəːb] n subúrbio; **suburban** [sə'bəːbən] adj suburbano; (train etc) de subúrbio

subway ['sʌbweɪ] n (BRIT) passagem f subterrânea; (US) metrô m (BR), metro(-politano) (PT)

succeed [sək'siːd] vi (person) ser bem sucedido, ter êxito; (plan) sair bem ▷ vt suceder a; **to ~ in doing** conseguir fazer

success [sək'sɛs] n êxito; (hit, person) sucesso; **successful** adj (venture) bem sucedido; (writer) de sucesso, bem sucedido; **to be successful (in doing)** conseguir (fazer); **successfully** adv com sucesso, com êxito

succession [sək'sɛʃən] n sucessão f, série f; (to throne) sucessão

such [sʌtʃ] adj tal, semelhante;

(*of that kind: sg*): ~ **a book** um livro parecido, tal livro; (: *pl*): ~ **books** tais livros; (*so much*): ~ **courage** tanta coragem ▷ *adv* tão; ~ **a long trip** uma viagem tão longa; ~ **a lot of** tanto; ~ **as** tal como; **as** ~ como tal; **such-and-such** *adj* tal e qual

suck [sʌk] *vt* chupar; (*breast*) mamar

sudden ['sʌdn] *adj* (*rapid*) repentino, súbito; (*unexpected*) imprevisto; **all of a** ~ inesperadamente; **suddenly** *adv* inesperadamente

sue [su:] *vt* processar

suede [sweɪd] *n* camurça

suffer ['sʌfə*] *vt* sofrer; (*bear*) agüentar, suportar ▷ *vi* sofrer, padecer; **to** ~ **from** sofrer de, estar com; **suffering** *n* sofrimento

sufficient [sə'fɪʃənt] *adj* suficiente, bastante

suffocate ['sʌfəkeɪt] *vi* sufocar(-se), asfixiar(-se)

sugar ['ʃugə*] *n* açúcar *m* ▷ *vt* pôr açúcar em, açucarar

suggest [sə'dʒɛst] *vt* sugerir; (*indicate*) indicar; **suggestion** *n* sugestão *f*; indicação *f*

suicide ['suɪsaɪd] *n* suicídio; (*person*) suicida *m/f*; *see also* **commit**; **suicide attack** *n* ataque *m* suicida, atentado suicida; **suicide bomber** *n* homem-bomba *m*, mulher-bomba *f*, terrorista *m/f* suicida; **suicide bombing** *n* bombardeio suicida

suit [su:t] *n* (*man's*) terno (BR), fato (PT); (*woman's*) conjunto; (*law*) processo; (*cards*) naipe *m* ▷ *vt* convir a; (*clothes*) ficar bem a; (*adapt*): **to** ~ **sth to** adaptar *or* acomodar algo a; **they are well ~ed** fazem um bom par; **suitable** *adj* conveniente; (*appropriate*) apropriado

suitcase ['su:tkeɪs] *n* mala

suite [swi:t] *n* (*of rooms*) conjunto de salas; (*Mus*) suite *f*; (*furniture*) conjunto

sulfur ['sʌlfə*] (*us*) *n* = **sulphur**

sulk [sʌlk] *vi* ficar emburrado, fazer beicinho *or* biquinho (*inf*)

sulphur ['sʌlfə*] (*us* **sulfur**) *n* enxofre *m*

sultana [sʌl'tɑ:nə] *n* passa branca

sum [sʌm] *n* soma; (*calculation*) cálculo; **sum up** *vt*, *vi* resumir

summarize ['sʌmaraɪz] *vt* resumir

summary ['sʌməri] *n* resumo

summer ['sʌmə*] *n* verão *m* ▷ *adj* de verão; **in** ~ no verão; **summertime** *n* (*season*) verão *m*

summit ['sʌmɪt] *n* topo, cume *m*; (*also*: ~ **conference**) (conferência de) cúpula

summon ['sʌmən] *vt* (*person*) mandar chamar; (*meeting*) convocar; (*law: witness*) convocar; **summon up** *vt* concentrar

sun [sʌn] *n* sol *m*; **sunbathe** *vi* tomar sol; **sunblock** *n* bloqueador *m* solar; **sunburn** *n* queimadura do sol

Sunday ['sʌndɪ] *n* domingo

sunflower ['sʌnflauə*] *n* girassol *m*

sung [sʌŋ] *pp of* **sing**

sunglasses ['sʌnglɑ:sɪz] *npl* óculos *mpl* de sol

sunk [sʌŋk] *pp of* **sink**

sun: sunlight *n* (luz *f* do) sol *m*; **sunny** *adj* cheio de sol; (*day*) ensolarado, de sol; **sunrise** *n* nascer *m* do sol; **sun roof** *n* (*Aut*) teto solar; **sunscreen** *n* protetor *m* solar; **sunset** *n* pôr *m* do sol; **sunshade** *n* pára-sol *m*; **sunshine** *n* (luz *f* do) sol *m*; **sunstroke** *n* insolação *f*; **suntan** *n* bronzeado; **suntan lotion** *n* loção *f* de bronzear

super ['su:pə*] (*inf*) *adj* bacana (BR),

muito giro (PT)

superb [su:'pə:b] adj excelente

superintendent
[su:pərɪn-'tɛndənt] n
superintendente m/f; (police) chefe
m/f de polícia

superior [su'pɪərɪə°] adj superior;
(smug) desdenhoso ▷ n superior m

supermarket ['su:pəmɑ:kɪt] n
supermercado

supernatural [su:pə'nætʃərəl]
adj sobrenatural ▷ n: **the ~** o
sobrenatural

superpower ['su:pəpauə°] n (Pol)
superpotência

superstitious [su:pə'stɪʃəs] adj
supersticioso

supervise ['su:pəvaɪz] vt
supervisar, supervisionar;
supervision [su:pə-'vɪʒən]
n supervisão f; **supervisor** n
supervisor(a) m/f; (academic)
orientador(a) m/f

supper ['sʌpə°] n jantar m; (late
evening) ceia

supple ['sʌpl] adj flexível

supplement [n 'sʌplɪmənt, vb
sʌplɪ'mɛnt] n suplemento ▷ vt
suprir, completar

supplier [sə'plaɪə°] n
abastecedor(a) m/f, fornecedor(a)
m/f

supply [sə'plaɪ] vt (provide): **to
~ sth (to sb)** fornecer algo (para
alguém); (equip): **to ~ (with)** suprir
(de) ▷ n fornecimento, provisão
f; (stock) estoque m; (supplying)
abastecimento

support [sə'pɔ:t] n (moral, financial
etc) apoio; (Tech) suporte m ▷ vt
apoiar; (financially) manter; (Tech:
hold up) sustentar; (theory etc)
defender; **supporter** n (Pol etc)
partidário(-a); (sport) torcedor(a) m/f

suppose [sə'pəuz] vt supor;
(imagine) imaginar; (duty): **to be**

~**d to do sth** dever fazer algo;
supposedly [sə'pəuzɪdlɪ] adv
supostamente, pretensamente;
supposing conj caso, supondo-
se que

suppress [sə'prɛs] vt (information)
suprimir; (feelings, revolt) reprimir;
(yawn) conter

supreme [su'pri:m] adj supremo

surcharge ['sə:dʒɑ:dʒ] n sobretaxa

sure [ʃuə°] adj seguro; (definite)
certo; (aim) certeiro; **to make ~
of sth/that** assegurar-se de algo/
que; **~!** claro que sim!; **~ enough**
efetivamente; **surely** adv (certainly:
US: also: **sure**) certamente

surf [sə:f] n (waves) ondas fpl,
arrebentação f

surface ['sə:fɪs] n superfície f ▷ vt
(road) revestir ▷ vi vir à superfície or
à tona; (fig: news, feeling) vir à tona

surfboard ['sə:fbɔ:d] n prancha
de surfe

surfer ['sə:fə°] n (in sea) surfista m/f;
web or **net surfer** internauta m/f

surfing ['sə:fɪŋ] n surfe m

surge [sə:dʒ] n onda ▷ vi (sea)
encapelar-se; (people, vehicles)
precipitar-se; (feeling) aumentar
repentinamente

surgeon ['sə:dʒən] n
cirurgião(-giã) m/f

surgery ['sə:dʒərɪ] n cirurgia;
(BRIT: room) consultório; (: also: ~
hours) horas fpl de consulta

surname ['sə:neɪm] n sobrenome
m (BR), apelido (PT)

surplus ['sə:pləs] n excedente
m; (Comm) superávit m ▷ adj
excedente, de sobra

surprise [sə'praɪz] n surpresa
▷ vt surpreender; **surprising** adj
surpreendente

surrender [sə'rɛndə°] n rendição
f, entrega ▷ vi render-se, entregar-
se

surround [sə'raʊnd] vt
circundar, rodear; (Mil etc) cercar;
surrounding adj circundante,
adjacente; **surroundings** npl
arredores mpl, cercanias fpl

surveillance [sə'veɪləns] n
vigilância

survey [n 'sɜːveɪ, vb sɜː'veɪ] n
inspeção f; (of habits etc) pesquisa;
(of land) levantamento; (of
house) inspeção f ▷ vt observar,
contemplar; (land) fazer um
levantamento de; **surveyor** n
(of land) agrimensor(a) m/f; (of
building) inspetor(a) m/f

survival [sə'vaɪvl] n sobrevivência;
(relic) remanescente m

survive [sə'vaɪv] vi sobreviver;
(custom etc) perdurar ▷ vt sobreviver
a; **survivor** n sobrevivente m/f

suspect [adj, n 'sʌspɛkt, vb
səs'pɛkt] adj, n suspeito(-a) ▷ vt
suspeitar, desconfiar

suspend [səs'pɛnd] vt suspender;
suspenders npl (BRIT) ligas fpl; (US)
suspensórios mpl

suspense [səs'pɛns] n incerteza,
ansiedade f; (in film etc) suspense m;
to keep sb in ~ manter alguém em
suspense or na expectativa

suspension [səs'pɛnʃən] n
suspensão f; (of driving licence)
cassação f

suspicion [səs'pɪʃən] n suspeita;
suspicious adj (suspecting)
suspeitoso; (causing suspicion)
suspeito

sustain [səs'teɪn] vt sustentar;
(suffer) sofrer

SUV n abbr (= sports utility vehicle)
SUV m

swallow ['swɔləu] n (bird)
andorinha ▷ vt engolir, tragar; (fig:
story) engolir; (pride) pôr de lado;
(one's words) retirar; **swallow up** vt
(savings etc) consumir

swam [swæm] pt of **swim**

swamp [swɔmp] n pântano, brejo
▷ vt atolar, inundar; (fig) assoberbar

swan [swɔn] n cisne m

swap [swɔp] n troca, permuta
▷ vt: **to ~ (for)** trocar (por); (replace
(with)) substituir (por)

swarm [swɔːm] n (of bees) enxame
m; (of people) multidão f ▷ vi
enxamear; aglomerar-se; (place): **to
be ~ing with** estar apinhado de

sway [sweɪ] vi balançar-se, oscilar
▷ vt (influence) influenciar

swear [sweə*] (pt **swore,** pp **sworn**)
vi (curse) xingar ▷ vt (promise) jurar;
swearword n palavrão m

sweat [swɛt] n suor m ▷ vi suar;
sweater n suéter m or f (BR),
camisola (PT); **sweaty** adj suado

Swede [swiːd] n sueco(-a)

swede [swiːd] n tipo de nabo

Sweden ['swiːdən] n Suécia;
Swedish adj sueco ▷ n (Ling) sueco

sweep [swiːp] (pt, pp **swept**) n
(act) varredura; (also: **chimney
~**) limpador m de chaminés ▷ vt
varrer; (with arm) empurrar; (subj:
current) arrastar; (: fashion, craze)
espalhar-se por ▷ vi varrer; **sweep
away** vt varrer; **sweep past** vi
passar rapidamente; **sweep up**
vi varrer

sweet [swiːt] n (candy) bala (BR),
rebuçado (PT); (BRIT: pudding)
sobremesa ▷ adj doce; (fig: air)
fresco; (: water, smell) doce; (:
sound) suave; (: kind) meigo; (baby,
kitten) bonitinho; **sweetheart** n
namorado(-a)

swell [swɛl] (pt **~ed,** pp **swollen**
or **~ed**) n (of sea) vaga, onda ▷ adj
(US: inf: excellent) bacana ▷ vi
(increase) aumentar; (get stronger)
intensificar-se; (also: **~ up**) incharse;
swelling n (Med) inchação f

swept [swɛpt] pt, pp of **sweep**

swerve [swə:v] *vi* desviar-se
swift [swɪft] *n* (*bird*) andorinhão *m*
▷ *adj* rápido
swim [swɪm] (*pt* **swam**, *pp* **swum**)
n: **to go for a ~** ir nadar ▷ *vi* nadar;
(*head, room*) rodar ▷ *vt* atravessar a
nado; (*distance*) percorrer (a nado);
swimmer *n* nadador(a) *m/f*;
swimming *n* natação *f*; **swimming**
costume (BRIT) *n* (*woman's*) maiô
m (BR), fato de banho (PT); (*man's*)
calção *m* de banho (BR), calções
mpl de banho (PT); **swimming pool**
n piscina; **swimming trunks** *npl*
sunga (BR), calções *mpl* de banho
(PT); **swimsuit** *n* maiô *m* (BR), fato
de banho (PT)
swing [swɪŋ] (*pt, pp* **swung**) *n* (*in*
playground) balanço; (*movement*)
balanceio, oscilação *f*; (*in opinion*)
mudança, virada; (*rhythm*) ritmo
▷ *vt* balançar; (*also*: **~ round**)
girar, rodar ▷ *vi* oscilar; (*on swing*)
balançar; (*also*: **~ round**) voltar-se
bruscamente; **to be in full ~** estar
a todo vapor
swirl [swə:l] *vi* redemoinhar
Swiss [swɪs] *adj, n inv* suíço(-a)
switch [swɪtʃ] *n* (*for light, Radio etc*)
interruptor *m*; (*change*) mudança
▷ *vt* (*change*) trocar; **switch off** *vt*
apagar; (*engine*) desligar; **switch on**
vt acender; ligar; **switchboard** *n*
(*Tel*) mesa telefônica
Switzerland ['swɪtsələnd] *n* Suíça
swollen ['swəulən] *pp of* **swell**
swoop [swu:p] *n* (*by police*
etc) batida ▷ *vi* (*also*: **~ down**)
precipitar-se, cair
swop [swɔp] *n, vt* = **swap**
sword [sɔ:d] *n* espada
swore [swɔ:*] *pt of* **swear**
sworn [swɔ:n] *pp of* **swear** ▷ *adj*
(*statement*) sob juramento; (*enemy*)
declarado
swum [swʌm] *pp of* **swim**

swung [swʌŋ] *pt, pp of* **swing**
syllable ['sɪləbl] *n* sílaba
syllabus ['sɪləbəs] *n* programa *m*
de estudos
symbol ['sɪmbl] *n* símbolo
sympathetic [sɪmpə'θɛtɪk] *adj*
(*understanding*) compreensivo;
(*likeable*) agradável; (*supportive*): **~**
to(wards) solidário com
sympathize ['sɪmpəθaɪz] *vi*: **to**
~ with (*person*) compadecer-se de;
(*sb's feelings*) compreender; (*cause*)
simpatizar com
sympathy ['sɪmpəθɪ] *n*
compaixão *f*; **sympathies** *npl*
(*tendencies*) simpatia; **in ~** em
acordo; (*strike*) em solidariedade;
with our deepest ~ com nossos
mais profundos pêsames
symphony ['sɪmfənɪ] *n* sinfonia
symptom ['sɪmptəm] *n* sintoma
m; (*sign*) indício
syndicate ['sɪndɪkɪt] *n* sindicato;
(*of newspapers*) cadeia
synthetic [sɪn'θɛtɪk] *adj* sintético
Syria ['sɪrɪə] *n* Síria
syringe [sɪ'rɪndʒ] *n* seringa
syrup ['sɪrəp] *n* xarope *m*; (*also*:
golden ~) melaço
system ['sɪstəm] *n* sistema *m*;
(*method*) método; (*Anat*) organismo;
systematic [sɪstə'mætɪk] *adj*
sistemático

tack [tæk] *n* (*nail*) tachinha, percevejo ▷ *vt* prender com tachinha; (*stitch*) alinhavar ▷ *vi* virar de bordo

tackle ['tækl] *n* (*gear*) equipamento; (*also:* **fishing ~**) apetrechos *mpl*; (*for lifting*) guincho; (*football*) ato de tirar a bola de adversário ▷ *vt* (*difficulty*) atacar: (*challenge: person*) desafiar; (*grapple with*) atracar-se com; (*football*) tirar a bola de

tacky ['tækɪ] *adj* pegajoso, grudento; (*inf: tasteless*) cafona

tact [tækt] *n* tato, diplomacia; **tactful** *adj* diplomático

tactics ['tæktɪks] *n, npl* tática

tactless ['tæktlɪs] *adj* sem diplomacia

tag [tæg] *n* (*label*) etiqueta; **tag along** *vi* seguir

tail [teɪl] *n* rabo; (*of comet, plane*) cauda; (*of shirt, coat*) aba ▷ *vt* (*follow*) seguir bem de perto; **tail away** *or* **off** *vi* diminuir gradualmente

tailor ['teɪlə*] *n* alfaiate *m*

take [teɪk] (*pt* **took**, *pp* **taken**) *vt* tomar; (*photo, holiday*) tirar; (*grab*) pegar (em); (*prize*) ganhar; (*effort, courage*) requerer, exigir; (*tolerate*) agüentar; (*accompany, bring: person*) acompanhar, trazer; (*: thing*) trazer, carregar; (*exam*) fazer; (*passengers etc*): **it ~s 50 people** cabem 50 pessoas; **to ~ sth from** (*drawer etc*) tirar algo de; (*person*) pegar algo de; **I ~ it that ...** suponho que ...; **take after** *vt fus* parecer-se com;

tab [tæb] *n* lingüeta, aba; (*label*) etiqueta; **to keep ~s on** (*fig*) vigiar

table ['teɪbl] *n* mesa ▷ *vt* (*motion etc*) apresentar; **to lay** *or* **set the ~** pôr a mesa; **~ of contents** índice *m*, sumário; **tablecloth** *n* toalha de mesa; **tablemat** *n* descanso; **tablespoon** *n* colher *f* de sopa; (*also:* **tablespoonful**: *as measurement*) colherada

tablet ['tæblɪt] *n* (*Med*) comprimido; (*of stone*) lápide *f*

table tennis *n* pingue-pongue *m*, tênis *m* de mesa

tabloid ['tæblɔɪd] *n* tablóide *m*; **tabloid press** *n* ver quadro

take apart vt desmontar; **take away** vt (extract) tirar; (carry off) levar; (subtract) subtrair; **take back** vt (return) devolver; (one's words) retirar; **take down** vt (building) demolir; (dismantle) desmontar; (letter etc) tomar por escrito; **take in** vt (deceive) enganar; (understand) compreender; (include) abranger; (lodger) receber; **take off** vi (Aviat) decolar; (go away) ir-se ▷ vt (remove) tirar; **take on** vt (work) empreender; (employee) empregar; (opponent) desafiar; **take out** vt tirar; (extract) extrair; (invite) acompanhar; **take over** vt (business) assumir; (country) tomar posse de ▷ vi: **to ~ over from sb** suceder a alguém; **take to** vt fus (person) simpatizar com; (activity) afeiçoar-se a; **to ~ to doing sth** criar o hábito de fazer algo; **take up** vt (dress) encurtar; (time, space) ocupar; (hobby etc) dedicar-se a; (offer) aceitar; **to ~ sb up on a suggestion/offer** aceitar a oferta/ sugestão de alguém sobre algo; **takeaway** (BRIT) adj (food) para levar; **takeoff** n (Aviat) decolagem f; **takeover** n (Comm) aquisição f de controle; **takings** npl (Comm) receita, renda

talc [tælk] n (also: **~um powder**) talco

tale [teɪl] n (story) conto; (account) narrativa; **to tell ~s** (fig: lie) dizer mentiras

talent ['tælənt] n talento; **talented** adj talentoso

talk [tɔːk] n conversa, fala; (gossip) mexerico, fofocas fpl; (conversation) conversa, conversação f ▷ vi falar; **~s** npl (Pol etc) negociações fpl; **to ~ about** falar sobre; **to ~ sb into/out of doing sth** convencer alguém a fazer algo/dissuadir alguém de

fazer algo; **to ~ shop** falar sobre negócios/questões profissionais; **talk over** vt discutir

tall [tɔːl] adj alto; **to be 6 feet ~** ≈ medir 1,80 m

tame [teɪm] adj domesticado; (fig: story, style) sem graça, insípido

tamper ['tæmpə°] vi: **to ~ with** mexer em

tampon ['tæmpən] n tampão m

tan [tæn] n (also: **sun~**) bronzeado ▷ vi bronzear-se ▷ adj (colour) bronzeado, marrom claro

tangerine [tændʒə'riːn] n tangerina, mexerica

tangle ['tæŋgl] n emaranhado; **to get in(to) a ~** meter-se num rolo

tank [tæŋk] n depósito, tanque m; (for fish) aquário; (Mil) tanque

tanker ['tæŋkə°] n (ship) naviotanque m; (truck) caminhão-tanque m

tantrum ['tæntrəm] n chilique m, acesso de raiva

tap [tæp] n (on sink etc) torneira; (gentle blow) palmadinha; (gas ~) chave f ▷ vt dar palmadinha em, bater de leve; (resources) utilizar, explorar; (telephone) grampear; **on ~** disponível

tape [teɪp] n fita; (also: **magnetic ~**) fita magnética; (sticky ~) fita adesiva ▷ vt (record) gravar (em fita); (stick with tape) colar; **tape measure** n fita métrica, trena

tar [tɑː°] n alcatrão m ·

target ['tɑːgɪt] n alvo

tariff ['tærɪf] n tarifa

tarmac ['tɑːmæk] n (BRIT: on road) macadame m; (Aviat) pista

tarpaulin [tɑː'pɔːlɪn] n lona alcatroada

tart [tɑːt] n (Culin) torta; (BRIT: inf: pej: woman) piranha ▷ adj (flavour) ácido, azedo; **tart up** (inf) vt arrumar, dar um jeito em; **to ~ o.s.**

up arrumar-se; (*pej*) empetecar-se
tartan ['tɑːtn] *n* tartan *m* (*pano escocês axadrezado*) ▷ *adj* axadrezado
taste [teɪst] *n* gosto; (*also:* **after~**) gosto residual; (*sample, fig*) amostra, idéia ▷ *vt* provar; (*test*) experimentar ▷ *vi:* **to ~ of** *or* **like** ter gosto *or* sabor de; **you can ~ the garlic (in it)** sente-se o gosto de alho; **in good/bad ~** de bom/mau gosto; **tasteful** *adj* de bom gosto; **tasteless** *adj* insípido, insosso; (*remark*) de mau gosto; **tasty** *adj* saboroso, delicioso
tatters ['tætəz] *npl:* **in ~** (*clothes*) em farrapos; (*papers etc*) em pedaços
tattoo [tə'tuː] *n* tatuagem *f*; (*spectacle*) espetáculo militar ▷ *vt* tatuar
taught [tɔːt] *pt, pp of* **teach**
taunt [tɔːnt] *n* zombaria, escárnio ▷ *vt* zombar de, mofar de
Taurus ['tɔːrəs] *n* Touro
taut [tɔːt] *adj* esticado
tax [tæks] *n* imposto ▷ *vt* tributar; (*fig: test*) sobrecarregar; (: *patience*) esgotar; **tax-free** *adj* isento de impostos
taxi ['tæksɪ] *n* táxi *m* ▷ *vi* (*Aviat*) taxiar; **taxi driver** *n* motorista *m/f* de táxi; **taxi rank** (*BRIT*) *n* ponto de táxi; **taxi stand** *n* = **taxi rank**
tax payer *n* contribuinte *m/f*
tax return *n* declaração *f* de rendimentos
TB *abbr of* **tuberculosis**
tea [tiː] *n* chá *m*; (*BRIT: meal*) refeição *f* à noite; **high ~** (*BRIT*) ajantarado; **tea bag** *n* saquinho (*BR*) *or* carteira (*PT*) de chá; **tea break** (*BRIT*) *n* pausa (para o chá)
teach [tiːtʃ] (*pt, pp* **taught**) *vt:* **to ~ sb sth, ~ sth to sb** ensinar algo a alguém; (*in school*) lecionar ▷ *vi* ensinar; (*be a teacher*) lecionar; **teacher** *n* professor(a) *m/f*;

teaching *n* ensino; (*as profession*) magistério
teacup ['tiːkʌp] *n* xícara (*BR*) *or* chávena (*PT*) de chá
team [tiːm] *n* (*sport*) time *m* (*BR*), equipa (*PT*); (*group*) equipe *f* (*BR*), equipa (*PT*); (*of animals*) parelha
teapot ['tiːpɔt] *n* bule *m* de chá
tear¹ [tɛə*] (*pt* **tore**, *pp* **torn**) *n* rasgão *m* ▷ *vt* rasgar ▷ *vi* rasgar-se; **tear along** *vi* (*rush*) precipitar-se; **tear up** *vt* rasgar
tear² [tiː*] *n* lágrima; **in ~s** chorando, em lágrimas; **tearful** *adj* choroso; **tear gas** *n* gás *m* lacrimogênio
tearoom ['tiːruːm] *n* salão *m* de chá
tease [tiːz] *vt* implicar com
teaspoon ['tiːspuːn] *n* colher *f* de chá; (*also:* **~ful:** *as measurement*) (conteúdo de) colher de chá
teatime ['tiːtaɪm] *n* hora do chá
tea towel (*BRIT*) *n* pano de prato
technical ['tɛknɪkl] *adj* técnico
technician [tɛk'nɪʃn] *n* técnico(-a)
technique [tɛk'niːk] *n* técnica
technology [tɛk'nɔlədʒɪ] *n* tecnologia
teddy (bear) ['tɛdɪ-] *n* ursinho de pelúcia
tedious ['tiːdɪəs] *adj* maçante, chato
teenage ['tiːneɪdʒ] *adj* (*fashions etc*) de *or* para adolescentes; **teenager** *n* adolescente *m/f*, jovem *m/f*
teens [tiːnz] *npl:* **to be in one's ~** estar entre os 13 e 19 anos, estar na adolescência
teeth [tiːθ] *npl of* **tooth**
teetotal ['tiː'təutl] *adj* abstêmio
teleconferencing [tɛlɪ'kɔnfərənsɪŋ] *n* teleconferência *f*
telegram ['tɛlɪɡræm] *n* telegrama *m*

telephone ['tɛlɪfəʊn] n telefone m ▷ vt (person) telefonar para; (message) telefonar; **to be on the ~** (BRIT), **to have a ~** (subscriber) ter telefone; **to be on the ~** (be speaking) estar falando no telefone; **telephone booth** (BRIT **telephone box**) n cabine f telefônica; **telephone call** n telefonema m; **telephone directory** n lista telefônica, catálogo (BR); **telephone number** n (número de) telefone m

telesales ['tɛlɪseɪlz] npl televendas fpl

telescope ['tɛlɪskəʊp] n telescópio

television ['tɛlɪvɪʒən] n televisão f; **on ~** na televisão

tell [tɛl] (pt, pp **told**) vt dizer; (relate: story) contar; (distinguish): **to ~ sth from** distinguir algo de ▷ vi (have effect) ter efeito; (talk): **to ~ (of)** falar (de or em); **to ~ sb to do sth** dizer para alguém fazer algo; **tell off** vt repreender

telly ['tɛlɪ] (BRIT: inf) n abbr = **television**

temp [tɛmp] (BRIT: inf) abbr (= temporary) ▷ n temporário(-a) ▷ vi trabalhar como temporário(-a)

temper ['tɛmpə*] n (nature) temperamento; (mood) humor m; (fit of anger) cólera ▷ vt (moderate) moderar; **to be in a ~** estar de mau humor; **to lose one's ~** perder a paciência or a calma, ficar zangado

temperament ['tɛmprəmənt] n temperamento; **temperamental** [tɛmprə'mɛntl] adj temperamental

temperature ['tɛmprətʃə*] n temperatura; **to have** or **run a ~** ter febre

temple ['tɛmpl] n (building) templo; (Anat) têmpora

temporary ['tɛmpərərɪ] adj temporário; (passing) transitório

tempt [tɛmpt] vt tentar; **tempting** adj tentador(a)

ten [tɛn] num dez

tenant ['tɛnənt] n inquilino(-a), locatário(-a)

tend [tɛnd] vt (sick etc) cuidar de ▷ vi: **to ~ to do sth** tender a fazer algo

tendency ['tɛndənsɪ] n tendência

tender ['tɛndə*] adj terno; (age) tenro; (sore) sensível, dolorido; (meat) macio ▷ n (Comm: offer) oferta, proposta; (money): **legal ~** moeda corrente or legal ▷ vt oferecer; **to ~ one's resignation** pedir demissão

tennis ['tɛnɪs] n tênis m; **tennis ball** n bola de tênis; **tennis court** n quadra de tênis; **tennis player** n jogador(a) m/f de tênis; **tennis racket** n raquete f de tênis

tenor ['tɛnə*] n (Mus) tenor m

tense [tɛns] adj tenso; (muscle) rígido, teso ▷ n (Ling) tempo

tension ['tɛnʃən] n tensão f

tent [tɛnt] n tenda, barraca

tentative ['tɛntətɪv] adj provisório, tentativo; (person) hesitante, indeciso

tenth [tɛnθ] num décimo

tent peg n estaca

tent pole n pau m

tepid ['tɛpɪd] adj tépido, morno

term [təːm] n (expression) termo, expressão f; (period) período; (Sch) trimestre m ▷ vt denominar; **~s** npl (conditions) condições fpl; (Comm) cláusulas fpl, termos mpl; **in the short/long ~** a curto/longo prazo; **to be on good ~s with sb** dar-se bem com alguém; **to come to ~s with** aceitar

terminal ['təːmɪnl] adj incurável ▷ n (Elec) borne m; (BRIT: also: **air ~**)

terminal *m*; *(also Comput)* terminal *m*; *(BRIT: also:* **coach ~**) estação *f* rodoviária

terminate ['tə:mɪneɪt] *vt* terminar; **to ~ a pregnancy** fazer um aborto

terminus ['tə:mɪnəs] *(pl* **termini**) *n* terminal *m*

terrace ['tɛrəs] *n* terraço; *(BRIT: houses)* lance *m* de casas; **the ~s** *npl* *(BRIT: sport)* a arquibancada *(BR)*, a geral *(PT)*; **terraced** *adj (house)* ladeado por outras casas; *(garden)* em dois níveis

terrain [tɛ'reɪn] *n* terreno

terrible ['tɛrɪbl] *adj* terrível, horroroso; *(conditions)* precário; *(inf: awful)* terrível; **terribly** *adv* terrivelmente; *(very badly)* pessimamente

terrific [tə'rɪfɪk] *adj* terrível, magnífico; *(wonderful)* maravilhoso, sensacional

terrify ['tɛrɪfaɪ] *vt* apavorar

territory ['tɛrɪtərɪ] *n* território

terror ['tɛrə*] *n* terror *m*; **terrorist** *n* terrorista *m/f*

test [tɛst] *n (trial, check)* prova, ensaio; *(of courage etc, Chem)* prova; *(Med)* exame *m*; *(exam)* teste *m*, prova; *(also:* **driving ~**) exame de motorista ▷ *vt* testar, pôr à prova

testicle ['tɛstɪkl] *n* testículo

testify ['tɛstɪfaɪ] *vi (law)* depor, testemunhar; **to ~ to sth** atestar algo, testemunhar algo

testimony ['tɛstɪmənɪ] *n (law)* testemunho, depoimento; **to be (a) ~ to** ser uma prova de

test: **test match** *n (cricket, rugby)* jogo internacional; **test tube** *n* proveta, tubo de ensaio

tetanus ['tɛtənəs] *n* tétano

text [tɛkst] *n* texto; *(text message)* mensagem *f* de texto, torpedo *inf* ▷ *vt* mandar uma mensagem

de texto *ou (inf)* um torpedo a; **textbook** *n* livro didático; *(Sch)* livro escolar; **text message** *n* mensagem *f* de texto, torpedo *inf*

texture ['tɛkstʃə*] *n* textura

Thailand ['taɪlænd] *n* Tailândia

Thames [tɛmz] *n:* **the ~** o Tâmisa *(BR)*, o Tamisa *(PT)*

than [ðæn, ðən] *conj (in comparisons)* do que; **more ~ 10** mais de 10; **I have more/less ~ you** tenho mais/menos do que você; **she has more apples ~ pears** ela tem mais maçãs do que peras; **she is older ~ you think** ela é mais velha do que você pensa

thank [θæŋk] *vt* agradecer; **~ you (very much)** muito obrigado(-a); **thanks** *npl* agradecimentos *mpl* ▷ *excl* obrigado(-a)!; **Thanksgiving (Day)** *n* Dia *m* de Ação de Graças; *ver quadro*

○ **KEYWORD**

that [ðæt, ðət] *(pl* **those**) *adj (demonstrative)* esse (essa); *(more remote)* aquele (aquela); **~ man/ woman/book** aquele homem/

aquela mulher/aquele livro; **~ one** esse (essa)
▷ *pron* **1** (*demonstrative*) esse (essa), aquele (aquela); (*neuter*) isso, aquilo; **who's/what's ~?** quem é?/o que é isso?; **is ~ you?** é você?; **I prefer this to ~** eu prefiro isto a aquilo; **~'s what he said** foi isso o que ele disse; **~ is (to say)** isto é, quer dizer
2 (*relative*: *direct*: *thing, person*) que; (*: person*) quem; (*relative*: *indirect*: *thing, person*) o qual (a qual) *sg*, os quais (as quais) *pl*; (*: person*) quem; **the book (~) I read** o livro que eu li; **the box (~) I put it in** a caixa na qual eu botei-o; **the man (~) I spoke to** o homem com quem *or* o qual falei
3 (*relative*: *of time*): **on the day ~ he came** no dia em que ele veio
▷ *conj* que; **she suggested ~ I phone you** ela sugeriu que eu telefonasse para você
▷ *adv* (*demonstrative*): **I can't work ~ much** não posso trabalhar tanto; **I didn't realize it was ~ bad** não pensei que fôsse tão ruim; **~ high** dessa altura, até essa altura

thatched [θætʃt] *adj* (*roof*) de sapê; **~ cottage** chalé *m* com telhado de sapê *or* de colmo
thaw [θɔː] *n* degelo ▷ *vi* (*ice*) derreter-se; (*food*) descongelar-se ▷ *vt* (*food*) descongelar

○ **KEYWORD**

the [ðiː, ðə] *def art* **1** (*gen*: *sg*) o (a); (*: pl*) os (as); **~ books/children** os livros/as crianças; **she put it on ~ table** ela colocou-o na mesa; **he took it from ~ drawer** ele tirou isto da gaveta; **to play ~ piano/violin** tocar piano/violino; **I'm going to ~ Cinema** vou ao Cinema
2 (+ *adj to form n*): **~ rich and ~ poor** os ricos e os pobres; **to attempt ~ impossible** tentar o impossível
3 (*in titles*): **Richard ~ Second** Ricardo II; **Peter ~ Great** Pedro o Grande
4 (*in comparisons*: + *adv*): **~ more he works, ~ more he earns** quanto mais ele trabalha, mais ele ganha

theatre ['θɪətə*] (*US* **theater**) *n* teatro; (*Med*: *also*: **operating ~**) sala de operação
theft [θɛft] *n* roubo
their [ðɛə*] *adj* seu (sua), deles (delas); **theirs** *pron* (o) seu ((a) sua); *see also* **mine²**
them [ðɛm, ðəm] *pron* (*direct*) os (as); (*indirect*) lhes; (*stressed, after prep*) a eles (a elas)
theme [θiːm] *n* tema *m*; **theme park** *n* parque de diversões em torno de um único tema
themselves [ðəm'sɛlvz] *pron* eles mesmos (elas mesmas), se; (*after prep*) si (mesmos(-as))
then [ðɛn] *adv* (*at that time*) então; (*next*) em seguida; (*later*) logo, depois; (*and also*) além disso ▷ *conj* (*therefore*) então, nesse caso, portanto ▷ *adj*: **the ~ president** o então presidente; **by ~** (*past*) até então; (*future*) até lá; **from ~ on** a partir de então
theology [θɪ'ɔlədʒɪ] *n* teologia
theory ['θɪərɪ] *n* teoria; **in ~** em teoria, teoricamente
therapy ['θɛrəpɪ] *n* terapia

○ **KEYWORD**

there [ðɛə*] *adv* **1** **~ is, ~ are** há, tem; **~ are 3 of them** há 3 deles; **~ is no-one here/no bread left** não

tem ninguém aqui/não tem mais
pão; **~ has been an accident** houve
um acidente
2 (*referring to place*) aí, ali, lá; **put
it in/on/up/down ~** põe isto lá
dentro/cima/em cima/embaixo;
I want that book ~ quero aquele
livro lá; **~ he is!** lá está ele!
3: **~, ~!** (*esp to child*) calma!

thereabouts ['ðɛərəbauts] *adv*
por aí; (*amount*) aproximadamente
thereafter [ðɛər'ɑːftə*] *adv*
depois disso
thereby ['ðɛəbaɪ] *adv* assim,
deste modo
therefore ['ðɛəfɔː] *adv* portanto
there's [ðɛəz] = **there is; there has**
thermal ['θəːml] *adj* térmico
thermometer [θə'mɒmɪtə*] *n*
termômetro
thermostat ['θəːməustæt] *n*
termostato
these [ðiːz] *pl adj, pron* estes
(estas)
thesis ['θiːsɪs] (*pl* **theses**) *n* tese *f*
they [ðeɪ] *pl pron* eles (elas); **~ say
that ...** (*it is said that*) diz-se que ...,
dizem que ...; **they'd** = **they had;
they would; they'll** = **they shall;
they will; they've** = **they have**
thick [θɪk] *adj* espesso; (*mud, fog,
forest*) denso; (*sauce*) grosso; (*stupid*)
burro ▷ *n*: **in the ~ of the battle** em
plena batalha; **it's 20 cm ~** tem 20
cm de espessura; **thicken** *vi* (*fog*)
adensar-se; (*plot etc*) complicar-
se ▷ *vt* engrossar; **thickness** *n*
espessura, grossura
thief [θiːf] (*pl* **thieves**) *n* ladrão
(ladra) *m/f*
thigh [θaɪ] *n* coxa
thin [θɪn] *adj* magro; (*slice*) fino;
(*light*) leve; (*hair*) ralo; (*crowd*)
pequeno; (*soup, sauce*) aguado ▷ *vt*
(*also*: **~ down**) diluir

thing [θɪŋ] *n* coisa; (*object*)
negócio; (*matter*) assunto, negócio;
(*mania*) mania; **~s** *npl* (*belongings*)
pertences *mpl*; **to have a ~ about
sb/sth** ser vidrado em alguém/
algo; **the best ~ would be to ...**
o melhor seria ...; **how are ~s?**
como vai?, tudo bem?; **she's got a
~ about ...** ela detesta ...; **poor ~!**
coitadinho(-a)!
think [θɪŋk] (*pt, pp* **thought**) *vi*
pensar; (*believe*) achar ▷ *vt* pensar,
achar; (*imagine*) imaginar; **what did
you ~ of them?** o que você achou
deles?; **to ~ about sb/sth** pensar
em alguém/algo; **I'll ~ about it** vou
pensar sobre isso; **to ~ of doing sth**
pensar em fazer algo; **I ~ so/not**
acho que sim/não; **to ~ well of sb**
fazer bom juízo de alguém; **think
over** *vt* refletir sobre, meditar
sobre; **think up** *vt* inventar, bolar
third [θəːd] *adj* terceiro ▷ *n*
terceiro(a); (*fraction*) terço; (*Aut*)
terceira; (*Sch: degree*) terceira
categoria; **thirdly** *adv* em terceiro
lugar; **third party insurance** *n*
seguro contra terceiros; **Third
World** *n*: **the Third World** o Terceiro
Mundo
thirst [θəːst] *n* sede *f*; **thirsty** *adj*
(*person*) sedento, com sede; (*work*)
que dá sede; **to be thirsty** estar
com sede
thirteen ['θəː'tiːn] *num* treze
thirty ['θəːtɪ] *num* trinta

○ KEYWORD

this [ðɪs] (*pl* **these**) *adj*
(*demonstrative*) este (esta); **~
man/woman/book** este homem/
esta mulher/este livro; **these
people/children/records** estas
pessoas/crianças/estes discos; **~
one** este aqui

▷ *pron* (*demonstrative*) este (esta); (*neuter*) isto; **who/what is ~?** quem é esse?/o que é isso?; **~ is where I live** é aqui que eu moro; **~ is Mr Brown** este é o Sr Brown; (*on phone*) aqui é o Sr Brown ▷ *adv* (*demonstrative*) **~ high/long** desta altura/deste comprimento; **we can't stop now we've gone ~ far** não podemos parar agora que fomos tão longe

thistle ['θɪsl] *n* cardo

thorn [θɔːn] *n* espinho

thorough ['θʌrə] *adj* (*search*) minucioso; (*knowledge, research, person*) metódico, profundo; **thoroughly** *adv* minuciosamente; (*search*) profundamente; (*wash*) completamente; (*very*) muito

those [ðəuz] *pl pron, adj* esses (essas)

though [ðəu] *conj* embora, se bem que ▷ *adv* no entanto

thought [θɔːt] *pt, pp of* **think** ▷ *n* pensamento; (*idea*) idéia; (*opinion*) opinião *f*; (*reflection*) reflexão *f*; **thoughtful** *adj* pensativo; (*serious*) sério; (*considerate*) atencioso; **thoughtless** *adj* desatencioso; (*words*) inconseqüente

thousand ['θauzənd] *num* Mil; **two ~** dois Mil; **~s (of)** milhares *mpl* (de)

thrash [θræʃ] *vt* surrar, malhar; (*defeat*) derrotar; **thrash about** *vi* debater-se; **thrash out** *vt* discutir exaustivamente

thread [θred] *n* fio, linha; (*of screw*) rosca ▷ *vt* (*needle*) enfiar

threat [θret] *n* ameaça; **threaten** *vi* ameaçar ▷ *vt*: **to threaten sb with sth/to do** ameaçar alguém com algo/de fazer

three [θriː] *num* três; **three-dimensional** *adj* tridimensional, em três dimensões; **three-piece**

suit *n* terno (3 peças) (BR), fato de 3 peças (PT)

threshold ['θrɛʃhəuld] *n* limiar *m*

threw [θruː] *pt of* **throw**

thrill [θrɪl] *n* emoção *f*; (*shudder*) estremecimento ▷ *vt* emocionar, vibrar; **to be ~ed** (*with gift etc*) estar emocionado; **thriller** *n* romance *m* (*or* filme *m*) de suspense; **thrilling** *adj* emocionante

throat [θrəut] *n* garganta; **to have a sore ~** estar com dor de garganta

throb [θrɔb] *n* (*of heart*) batida; (*of engine*) vibração *f*; (*of pain*) latejo ▷ *vi* (*heart*) bater, palpitar; (*pain*) dar pontadas; (*engine*) vibrar

throne [θrəun] *n* trono

through [θruː] *prep* por, através de; (*time*) durante; (*by means of*) por meio de, por intermédio de; (*owing to*) devido a ▷ *adj* (*ticket, train*) direto ▷ *adv* através; **to put sb ~ to sb** (*Tel*) ligar alguém com alguém; **to be ~** (*Tel*) estar na linha; (*have finished*) acabar; **"no ~ road"** "rua sem saída"; **I'm halfway ~ the book** estou na metade do livro; **throughout** *prep* (*place*) por todo(-a) o (a); (*time*) durante todo(-a) o (a) ▷ *adv* por *or* em todas as partes

throw [θrəu] (*pt* **threw,** *pp* **thrown**) *n* arremesso, tiro; (*sport*) lançamento ▷ *vt* jogar, atirar; lançar; (*rider*) derrubar; (*fig*) desconcertar; **to ~ a party** dar uma festa; **throw away** *vt* (*dispose of*) jogar fora; (*waste*) desperdiçar; **throw off** *vt* desfazer-se de; (*habit, cold*) livrar-se; **throw out** *vt* expulsar; (*rubbish*) jogar fora; (*idea*) rejeitar; **throw up** *vi* vomitar, botar para fora

thru [θruː] (US) *prep, adj, adv* = **through**

thrush [θrʌʃ] *n* (*zool*) tordo

thrust [θrʌst] (*pt, pp* **thrust**)

n impulso; (*Tech*) empuxo ▷ *vt* empurrar

thud [θʌd] *n* baque *m*, som *m* surdo

thug [θʌg] *n* facínora *m/f*

thumb [θʌm] *n* (*Anat*) polegar *m*; **to ~ a lift** pegar carona (*BR*), arranjar uma boléia (*PT*); **thumb through** *vt fus* folhear; **thumbtack** (*US*) *n* percevejo, tachinha

thump [θʌmp] *n* murro, pancada; (*sound*) baque *m* ▷ *vt* dar um murro em ▷ *vi* bater

thunder ['θʌndə°] *n* trovão *m* ▷ *vi* trovejar; (*train etc*): **to ~ past** passar como um raio; **thunderstorm** *n* tempestade *f* com trovoada, temporal *m*

Thursday ['θə:zdɪ] *n* quinta-feira

thyme [taɪm] *n* tomilho

tick [tɪk] *n* (*of clock*) tique-taque *m*; (*mark*) tique *m*, marca; (*zool*) carrapato; (*BRIT*: *inf*): **in a ~** num instante ▷ *vi* fazer tique-taque ▷ *vt* marcar, ticar; **tick off** *vt* assinalar, ticar; (*person*) dar uma bronca em; **tick over** (*BRIT*) *vi* (*engine*) funcionar em marcha lenta; (*fig*) ir indo

ticket ['tɪkɪt] *n* (*for bus, plane*) passagem *f*; (*for theatre, raffle*) bilhete *m*; (*for cinema*) entrada; (*in shop: on goods*) etiqueta; (*parking ~: fine*) multa; (*for library*) cartão *m*; **to get a (parking) ~** (*Aut*) ganhar uma multa (por estacionamento ilegal); **ticket office** *n* bilheteria (*BR*), bilheteira (*PT*)

tickle ['tɪkl] *vt* fazer cócegas em ▷ *vi* fazer cócegas; **ticklish** *adj* coceguento; (*problem*) delicado

tide [taɪd] *n* maré *f*; (*fig*) curso; **high/low ~** maré alta/baixa; **the ~ of public opinion** a corrente da opinião pública; **tide over** *vt* ajudar num período difícil

tidy ['taɪdɪ] *adj* (*room*) arrumado; (*dress, work*) limpo; (*person*) bem arrumado ▷ *vt* (*also:* **~ up**) pôr em ordem, arrumar

tie [taɪ] *n* (*string etc*) fita, corda; (*BRIT: also:* **neck~**) gravata; (*fig: link*) vínculo, laço; (*sport: draw*) empate *m* ▷ *vt* amarrar ▷ *vi* (*sport*) empatar; **to ~ in a bow** dar um laço em; **to ~ a knot in sth** dar um nó em algo; **tie down** *vt* amarrar; (*fig: restrict*) limitar, restringir; (*to date, price etc*) obrigar; **tie up** *vt* embrulhar; (*dog*) prender; (*boat, prisoner*) amarrar; (*arrangements*) concluir; **to be ~d up** estar ocupado

tier [tɪə°] *n* fileira; (*of cake*) camada

tiger ['taɪgə°] *n* tigre *m*

tight [taɪt] *adj* (*rope*) esticado, firme; (*money*) escasso; (*clothes, shoes*) justo; (*bend*) fechado; (*budget, programme*) rigoroso; (*inf: drunk*) bêbado ▷ *adv* (*squeeze*) bem forte; (*shut*) hermeticamente; **tighten** *vt* (*rope*) esticar; (*screw, grip*) apertar; (*security*) aumentar ▷ *vi* esticar-se, apertar-se; **tightly** *adv* firmemente

tile [taɪl] *n* (*on roof*) telha; (*on floor*) ladrilho; (*on wall*) azulejo, ladrilho

till [tɪl] *n* caixa (registradora) ▷ *vt* (*land*) cultivar ▷ *prep, conj* = **until**

tilt [tɪlt] *vt* inclinar ▷ *vi* inclinar-se

timber ['tɪmbə°] *n* (*material*) madeira; (*trees*) mata, floresta

time [taɪm] *n* tempo; (*epoch: often pl*) época; (*by clock*) hora; (*moment*) momento; (*occasion*) vez *f*; (*Mus*) compasso ▷ *vt* calcular *or* medir o tempo de; (*visit etc*) escolher o momento para; **a long ~** muito tempo; **4 at a ~** quatro de uma vez; **for the ~ being** por enquanto; **from ~ to ~** de vez em quando; **at ~s** às vezes; **in ~** (*soon enough*) a tempo; (*after some time*) com o tempo; (*Mus*) no compasso; **in a week's**

~ dentro de uma semana; **in no ~** num abrir e fechar de olhos; **any ~** a qualquer hora; **on ~** na hora; **5 ~s 5 is 25** 5 vezes 5 são 25; **what ~ is it?** que horas são?; **to have a good ~** divertir-se; **timely** *adj* oportuno; **timetable** *n* horário; **time zone** *n* fuso horário

timid ['tɪmɪd] *adj* tímido

timing ['taɪmɪŋ] *n* escolha do momento; (*sport*) cronometragem *f*; **the ~ of his resignation** o momento que escolheu para se demitir

tin [tɪn] *n* estanho; (*also*: **~ plate**) folha-de-flandres *f*; (BRIT: *can*) lata

tingle ['tɪŋgl] *vi* formigar

tinned [tɪnd] (BRIT) *adj* (*food*) em lata, em conserva

tin opener (BRIT) *n* abridor *m* de latas (BR), abre-latas *m inv* (PT)

tinsel ['tɪnsl] *n* ouropel *m*

tint [tɪnt] *n* matiz *m*; (*for hair*) tintura, tinta; **tinted** *adj* (*hair*) pintado; (*spectacles, glass*) fumê *inv*

tiny ['taɪnɪ] *adj* pequenininho, minúsculo

tip [tɪp] *n* ponta; (*gratuity*) gorjeta; (BRIT: *for rubbish*) depósito; (*advice*) dica ▷ *vt* dar uma gorjeta a; (*tilt*) inclinar; (*overturn: also*: **~ over**) virar, emborcar; (*empty: also*: **~ out**) esvaziar, entornar

tiptoe ['tɪptəʊ] *n*: **on ~** na ponta dos pés

tire ['taɪə°] *n* (US) =**tyre** ▷ *vt* cansar ▷ *vi* cansar-se; (*become bored*) chatear-se; **tired** *adj* cansado; **to be tired of sth** estar farto *or* cheio de algo; **tiring** *adj* cansativo

tissue ['tɪʃuː] *n* tecido; (*paper handkerchief*) lenço de papel; **tissue paper** *n* papel *m* de seda

tit [tɪt] *n* (*bird*) passarinho; **to give ~ for tat** pagar na mesma moeda

title ['taɪtl] *n* título

TM *n abbr* =**trademark**

○ **KEYWORD**

to [tuː, tə] *prep* **1** (*direction*) a, para; (*towards*) para; **to go ~ France/ London/school/the station** ir à França/a Londres/ao colégio/à estação; **to go ~ Lígia's/the doctor's** ir à casa de Lígia/ao médico; **the road ~ Edinburgh** a estrada para Edinburgo; **~ the left/ right** à esquerda/direita

2 (*as far as*) até; **to count ~ 10** contar até 10; **from 40 ~ 50 people** de 40 a 50 pessoas

3 (*with expressions of time*): **a quarter ~ 5** quinze para as 5 (BR), 5 menos um quarto (PT)

4 (*for, or*) de, para; **the key ~ the front door** a chave da porta da frente; **a letter ~ his wife** uma carta para a sua mulher

5 (*expressing indirect object*): **to give sth ~ sb** dar algo a alguém; **to talk ~ sb** falar com alguém; **I sold it ~ a friend** vendi isto para um amigo; **to cause damage ~ sth** causar danos em algo

6 (*in relation to*) para; **3 goals ~ 2** 3 a 2; **8 apples ~ the kilo** 8 maçãs por quilo

7 (*purpose, result*) para; **to come ~ sb's aid** prestar ajuda a alguém; **to sentence sb ~ death** condenar alguém à morte; **~ my surprise** para minha surpresa

▷ *with vb* **1** (*simple infin*): **~ go/eat** ir/comer

2 (*following another vb*): **~ want/try ~ do** querer/tentar fazer; **~ start ~ do** começar a fazer

3 (*with vb omitted*): **I don't want ~** eu não quero; **you ought ~** você deve

4 (*purpose, result*) para

5 (equivalent to relative clause) para, a;
I have things ~ do eu tenho coisas
para fazer; **the main thing is ~ try**
o principal é tentar
6 (after adj etc) para; **ready ~ go**
pronto para ir; **too old/young ~ ...**
muito velho/jovem para ...
▷ adv: **pull/push the door ~** puxar/
empurrar a porta

toad [təud] n sapo
toadstool ['təudstuːl] n chapéu-
de-cobra m, cogumelo venenoso
toast [təust] n (Culin) torradas fpl;
(drink, speech) brinde m ▷ vt torrar;
brindar; **toaster** n torradeira
tobacco [tə'bækəu] n tabaco,
fumo (BR)
today [tə'deɪ] adv, n hoje m
toddler ['tɒdlə°] n criança que
começa a andar
toe [təu] n dedo do pé; (of shoe) bico
▷ vt: **to ~ the line** (fig) conformar-se,
cumprir as obrigações
toffee ['tɒfɪ] n puxa-puxa m (BR),
caramelo (PT)
together [tə'gɛðə°] adv juntos; (at
same time) ao mesmo tempo; **~ with**
junto com
toilet ['tɔɪlət] n privada, vaso
sanitário; (BRIT: lavatory) banheiro
(BR), casa de banho (PT) ▷ cpd de
toalete; **toilet paper** n papel m
higiênico; **toiletries** npl artigos
mpl de toalete; **toilet roll** n rolo de
papel higiênico
token ['təukən] n (sign) sinal
m, símbolo, prova; (souvenir)
lembrança; (substitute coin) ficha
▷ adj simbólico; **book/record ~**
(BRIT) vale para comprar livros/discos
told [təuld] pt, pp of **tell**
tolerant ['tɒlərənt] adj: **~ of**
tolerante com
tolerate ['tɒləreɪt] vt suportar;
(Med, Tech) tolerar

toll [təul] n (of casualties) número
de baixas; (charge) pedágio (BR),
portagem f (PT) ▷ vi dobrar, tanger
tomato [tə'mɑːtəu] (pl ~**es**) n
tomate m
tomb [tuːm] n tumba
tombstone ['tuːmstəun] n
lápide f
tomorrow [tə'mɔrəu] adv, n
amanhã m; **the day after ~** depois
de amanhã; **~ morning** amanhã
de manhã
ton [tʌn] n tonelada (BRIT = 1016kg;
US = 907kg); **~s of** (inf) um monte de
tone [təun] n tom m ▷ vi
harmonizar; **tone down** vt (colour,
criticism) suavizar; (sound) baixar;
(Mus) entoar; **tone up** vt (muscles)
tonificar
tongs [tɒŋz] npl (for coal) tenaz f;
(for hair) ferros mpl de frisar cabelo
tongue [tʌŋ] n língua; **~ in cheek**
ironicamente
tonic ['tɒnɪk] n (Med) tônico; (also:
~ water) (água) tônica
tonight [tə'naɪt] adv, n esta noite,
hoje à noite
tonsil ['tɒnsəl] n amígdala;
tonsillitis [tɒnsɪ'laɪtɪs] n
amigdalite f
too [tuː] adv (excessively) demais,
muito; (also) também; **~ much** (adv)
demais; (adj) demasiado; **~ many**
demasiados(-as)
took [tuk] pt of **take**
tool [tuːl] n ferramenta
tooth [tuːθ] (pl **teeth**) n (Anat,
Tech) dente m; (molar) molar m;
toothache n dor f de dente; **to
have toothache** estar com dor de
dente; **toothbrush** n escova de
dentes; **toothpaste** n pasta de
dentes, creme m dental; **toothpick**
n palito
top [tɒp] n (of mountain) cume
m, cimo, (of tree) topo; (of head)

cocuruto; (of cupboard, table) superfície f, topo; (of box, jar, bottle) tampa; (of ladder, page) topo; (toy) pião m; (blouse etc) top m, blusa ▷ adj (shelf, step) mais alto; (marks) máximo; (in rank) principal, superior ▷ vt exceder; (be first in) estar à cabeça de; **on ~ of** sobre, em cima de; (in addition to) além de; **from ~ to toe** (BRIT) da cabeça aos pés; **from ~ to bottom** de cima abaixo; **top up** (US **top off**) vt completar; (phone) recarregar; **top-up card** n (for mobile phone) cartão de recarga (para celular); **top floor** n último andar m

topic ['tɒpɪk] n tópico, assunto; **topical** adj atual

topless adj (bather etc) topless inv, sem a parte superior do biquíni

topple ['tɒpl] vt derrubar ▷ vi cair para frente

torch [tɔːtʃ] n (BRIT: electric) lanterna

tore [tɔː*] pt of **tear**

torment [n 'tɔːment, vb tɔː'ment] n tormento, suplício ▷ vt atormentar; (fig: annoy) chatear, aborrecer

torn [tɔːn] pp of **tear**

tornado [tɔː'neɪdəu] (pl ~es) n tornado

torrent ['tɒrənt] n torrente f

tortoise ['tɔːtəs] n tartaruga

torture ['tɔːtʃə*] n tortura ▷ vt torturar; (fig) atormentar

Tory ['tɔːrɪ] (BRIT) adj, n (Pol) conservador(a) m/f

toss [tɒs] vt atirar, arremessar; (head) lançar para trás ▷ vi: **to ~ and turn in bed** virar de um lado para o outro na cama; **to ~ a coin** tirar cara ou coroa; **to ~ up for sth** (BRIT) jogar cara ou coroa por algo

total ['təutl] adj total ▷ n total m, soma ▷ vt (add up) somar; (amount to) montar a

touch [tʌtʃ] n (sense) toque m; (contact) contato ▷ vt tocar (em); (tamper with) mexer com; (make contact with) fazer contato com; (emotionally) comover; **a ~ of** (fig) um traço de; **to get in ~ with sb** entrar em contato com alguém; **to lose ~** perder o contato; **touch on** vt fus (topic) tocar em, fazer menção de; **touch up** vt (paint) retocar; **touchdown** n aterrissagem f (BR), aterragem f (PT); (on sea) amerissagem f (BR), amaragem f (PT); (US: football) touchdown m; **touching** adj comovedor(a)

tough [tʌf] adj duro; (difficult) difícil; (resistant) resistente; (person: physically) forte; (: mentally) tenaz; (firm) firme, inflexível

tour ['tuə*] n viagem f, excursão f; (also: **package ~**) excursão organizada; (of town, museum) visita; (by artist) turnê f ▷ vt (country, city) excursionar por; (factory) visitar

tourism ['tuərɪzm] n turismo

tourist ['tuərɪst] n turista m/f ▷ cpd turístico; **tourist office** n (in country) escritório de turismo; (in embassy etc) departamento de turismo

tournament ['tuənəmənt] n torneio

tow [təu] vt rebocar; **"on ~"** (BRIT), **"in ~"** (US) (Aut) "rebocado"

toward(s) [tə'wɔːd(z)] prep em direção a; (of attitude) para com; (of purpose) para; **~ noon/the end of the year** perto do meio-dia/do fim do ano

towel ['tauəl] n toalha; **towelling** n (fabric) tecido para toalhas

tower ['tauə*] n torre f; **tower block** (BRIT) n prédio alto, espigão m, cortiço (BR)

town [taun] n cidade f; **to go to ~** ir à cidade; (fig) fazer com entusiasmo, mandar brasa (BR); **town centre** n centro (da cidade); **town hall** n prefeitura (BR), concelho (PT)

toy [tɔɪ] n brinquedo; **toy with** vt fus brincar com; (idea) contemplar

trace [treɪs] n (sign) sinal m; (small amount) traço ▷ vt (draw) traçar, esboçar; (follow) seguir a pista de; (locate) encontrar

track [træk] n (mark) pegada, vestígio; (path: gen) caminho, vereda; (: of bullet etc) trajetória; (: of suspect, animal) pista, rasto; (rail) trilhos (BR), carris mpl (PT); (on tape) trilha; (sport) pista; (on record) faixa ▷ vt seguir a pista de; **to keep ~ of** não perder de vista; (fig) manter-se informado sobre; **track down** vt (prey) seguir a pista de; (sth lost) procurar e encontrar

tractor ['træktə°] n trator m

trade [treɪd] n comércio; (skill, job) ofício ▷ vi negociar, comerciar ▷ vt: **to ~ sth (for sth)** trocar algo (por algo); **trade in** vt dar como parte do pagamento; **trademark** n marca registrada; **trader** n comerciante m/f; **tradesman** (irreg) n lojista m; **trade union** n sindicato

tradition [trə'dɪʃən] n tradição f; **traditional** adj tradicional

traffic ['træfɪk] n trânsito; (air ~ etc) tráfego; (illegal) tráfico ▷ vi: **to ~ in** (pej: liquor, drugs) traficar com, fazer tráfico com; **traffic circle** n (US) rotatória; **traffic jam** n engarrafamento, congestionamento; **traffic lights** npl sinal m luminoso; **traffic warden** n guarda m/f de trânsito

tragedy ['trædʒədɪ] n tragédia

tragic ['trædʒɪk] adj trágico

trail [treɪl] n (tracks) rasto, pista; (path) caminho, trilha; (of smoke, dust) rasto ▷ vt (drag) arrastar; (follow) seguir a pista de ▷ vi arrastar-se; (hang loosely) pender; (in game, contest) ficar para trás; **trail behind** vi atrasar-se; **trailer** n (Aut) reboque m; (US: caravan) trailer m (BR), rulote f (PT); (Cinema) trailer

train [treɪn] n trem m (BR), comboio (PT); (of dress) cauda ▷ vt formar; (teach skills to) instruir; (sport) treinar; (dog) adestrar, amestrar; (point: gun etc): **to ~ on** apontar para ▷ vi (learn a skill) instruir; (sport) treinar; (be educated) ser treinado; **to lose one's ~ of thought** perder o fio; **trainee** [treɪ'niː] n estagiário(-a); **trainer** n (sport) treinador(a) m/f; (of animals) adestrador(a) m/f; **trainers** npl (shoes) tênis m; **training** n instrução f; (sport, for occupation) treinamento; (professional) formação f

trait [treɪt] n traço

traitor ['treɪtə°] n traidor(a) m/f

tram [træm] (BRIT) n (also: **~car**) bonde m (BR), eléctrico (PT)

tramp [træmp] n (person) vagabundo(-a); (inf: pej: woman) piranha ▷ vi caminhar pesadamente

trample ['træmpl] vt: **to ~ (underfoot)** calcar aos pés

trampoline ['træmpəliːn] n trampolim m

tranquil ['træŋkwɪl] adj tranqüilo; **tranquillizer** n (Med) tranqüilizante m

transfer [n 'trænsfə°, vb træns'fə°] n transferência; (picture, design) decalcomania ▷ vt transferir; **to ~ the charges** (BRIT: Tel) ligar a cobrar

transform [træns'fɔːm] vt transformar

transfusion [trænsˈfjuːʒən] n
(also: **blood ~**) transfusão f (de
sangue)
transit [ˈtrænzɪt] n: **in ~** em
trânsito, de passagem
translate [trænzˈleɪt] vt traduzir;
translation n tradução f;
translator n tradutor(a) m/f
transmission [trænzˈmɪʃən] n
transmissão f
transmit [trænzˈmɪt] vt
transmitir
transparent [trænsˈpærnt] adj
transparente
transplant [vb trænsˈplɑːnt, n
ˈtrænsplɑːnt] vt transplantar ▷ n
(Med) transplante m
transport [n ˈtrænspɔːt, vb
trænsˈpɔːt] n transporte m ▷ vt
transportar; (carry) acarretar;
transportation [ˈtrænspɔːˈteɪʃən]
n transporte m
trap [træp] n (snare) armadilha,
cilada; (trick) cilada; (carriage)
aranha, charrete f ▷ vt pegar em
armadilha; (person: trick) armar;
(: in bad marriage) prender; (: in fire):
to be ~ped ficar preso; (immobilize)
bloquear
trash [træʃ] n (pej: nonsense)
besteiras fpl; (us: rubbish) lixo; **trash
can** (us) n lata de lixo
trauma [ˈtrɔːmə] n trauma m
travel [ˈtrævl] n viagem f ▷ vi
viajar; (sound) propagar-se; (news)
levar; (wine): **this wine ~s well**
este vinho não sofre alteração ao
ser transportado ▷ vt percorrer;
~s npl (journeys) viagens fpl;
travel agent n agente m/f de
viagens; **traveller** (us **traveler**) n
viajante m/f; (Comm) caixeiro(-a)
viajante; **traveller's cheque** (us
traveler's check) n cheque m de
viagem; **travelling** (us **traveling**)
n as viagens, viajar m ▷ adj (circus,

exhibition) itinerante; (salesman)
viajante ▷ cpd de viagem; **travel
sickness**
tray [treɪ] n bandeja; (on desk)
cesta
treacherous [ˈtrɛtʃərəs] adj
traiçoeiro; (ground, tide) perigoso
treacle [ˈtriːkl] n melado
tread [trɛd] (pt **trod**, pp **trodden**)
n (step) passo, pisada; (sound)
passada; (of stair) piso; (of tyre)
banda de rodagem ▷ vi pisar; **tread
on** vt fus pisar (em)
treasure [ˈtrɛʒə*] n tesouro;
(person) jóia ▷ vt (value) apreciar,
estimar; **~s** npl (art **~s** etc)
preciosidades fpl
treasurer [ˈtrɛʒərə*] n
tesoureiro(-a)
treasury [ˈtrɛʒərɪ] n tesouraria
treat [triːt] n regalo, deleite m
▷ vt tratar; **to ~ sb to sth** convidar
alguém para algo
treatment [ˈtriːtmənt] n
tratamento
treaty [ˈtriːtɪ] n tratado, acordo
treble [ˈtrɛbl] adj tríplice ▷ vt
triplicar ▷ vi triplicar(-se)
tree [triː] n árvore f
trek [trɛk] n (long journey) jornada;
(walk) caminhada
tremble [ˈtrɛmbl] vi tremer
tremendous [trɪˈmɛndəs] adj
tremendo; (enormous) enorme;
(excellent) sensacional, fantástico
trench [trɛntʃ] n trincheira
trend [trɛnd] n (tendency)
tendência; (of events) curso; (fashion)
modismo, tendência; **trendy** adj
(idea) de acordo com a tendência
atual; (clothes) da última moda
trespass [ˈtrɛspəs] vi: **to ~ on**
invadir; **"no ~ing"** "entrada
proibida"
trial [ˈtraɪəl] n (law) processo; (test:
of machine etc) prova, teste m; **~s** npl

(*unpleasant experiences*) dissabores mpl; **by ~ and error** por tentativas; **to be on ~** ser julgado; **trial period** n período de experiência

triangle ['traɪæŋgl] n (*Math, Mus*) triângulo

tribe [traɪb] n tribo f

tribunal [traɪˈbjuːnl] n tribunal m

tribute ['trɪbjuːt] n homenagem f; **to pay ~ to** prestar homenagem a, homenagear

trick [trɪk] n truque m; (*joke*) peça, brincadeira; (*skill, knack*) habilidade f; (*cards*) vaza ▷ vt enganar; **to play a ~ on sb** pregar uma peça em alguém; **that should do the ~** (*inf*) isso deveria dar resultado

trickle ['trɪkl] n (*of water etc*) fio (de água) ▷ vi gotejar, pingar

tricky ['trɪkɪ] adj difícil, complicado

trifle ['traɪfl] n bobagem f, besteira; (*Culin*) tipo de bolo com fruta e creme ▷ adv: **a ~ long** um pouquinho longo

trigger ['trɪgə°] n (*of gun*) gatilho; **trigger off** vt desencadear

trim [trɪm] adj (*figure*) elegante; (*house*) arrumado; (*garden*) bem cuidado ▷ n (*haircut*) aparada; (*on car*) estofamento ▷ vt aparar, cortar; (*decorate*): **to ~ (with)** enfeitar (com); (*Naut: sail*) ajustar

trip [trɪp] n viagem f; (*outing*) excursão f; (*stumble*) tropeção m ▷ vi tropeçar; (*go lightly*) andar com passos ligeiros; **on a ~** de viagem; **trip up** vi tropeçar ▷ vt passar uma rasteira em

triple ['trɪpl] adj triplo, tríplice; **triplets** npl trigêmeos(-as) m/fpl

tripod ['traɪpɔd] n tripé m

triumph ['traɪəmf] n (*satisfaction*) satisfação f; (*great achievement*) triunfo ▷ vi: **to ~ (over)** triunfar (sobre)

trivial ['trɪvɪəl] adj insignificante; (*commonplace*) trivial

trod [trɔd] pt of **tread**; **trodden** pp of **tread**

trolley ['trɔlɪ] n carrinho; (*table on wheels*) mesa volante

trombone [trɔmˈbəun] n trombone m

troop [truːp] n bando, grupo ▷ vi: **to ~ in/out** entrar/sair em bando; **~s** npl (*Mil*) tropas fpl; **~ing the colour** (*BRIT*) saudação da bandeira

trophy ['trəufɪ] n troféu m

tropic ['trɔpɪk] n trópico; **tropical** adj tropical

trot [trɔt] n trote m; (*fast pace*) passo rápido ▷ vi trotar; (*person*) andar rapidamente; **on the ~** (*fig: inf*) a fio

trouble ['trʌbl] n problema(s) m (pl), dificuldade(s) f (pl); (*worry*) preocupação f; (*effort*) incômodo, trabalho; (*Pol*) distúrbios mpl; (*Med*): **stomach etc ~** problemas mpl gástricos etc ▷ vt perturbar; (*worry*) preocupar, incomodar ▷ vi: **to ~ to do sth** incomodar-se or preocupar-se de fazer algo; **~s** npl (*Pol etc*) distúrbios mpl; **to be in ~** estar num aperto; (*ship, climber etc*) estar em dificuldade; **what's the ~?** qual é o problema?; **troubled** adj preocupado; (*epoch, life*) agitado; **troublemaker** n criador(a)-de-casos m/f; (*child*) encrenqueiro(-a); **troublesome** adj importuno; (*child, cough*) incômodo

trough [trɔf] n (*also:* **drinking ~**) bebedouro, cocho; (*also:* **feeding ~**) gamela; (*depression*) depressão f

trousers ['trauzəz] npl calça (*BR*), calças fpl (*PT*)

trout [traut] n inv truta

truant ['truənt] (*BRIT*) n: **to play ~** matar aula (*BR*), fazer gazeta (*PT*)

truce [truːs] n trégua, armistício

truck [trʌk] n caminhão m (BR),
camião m (PT); (rail) vagão m; **truck
driver** n caminhoneiro(-a) (BR),
camionista m/f (PT)
true [truː] adj verdadeiro; (accurate)
exato; (genuine) autêntico; (faithful)
fiel, leal; **to come ~** realizar-se,
tornar-se realidade
truly ['truːlɪ] adv realmente;
(truthfully) verdadeiramente;
(faithfully) fielmente; **yours ~** (in
letter) atenciosamente
trumpet ['trʌmpɪt] n trombeta
trunk [trʌŋk] n tronco; (of elephant)
tromba; (case) baú m; (US: Aut) mala
(BR), porta-bagagens m (PT); **~s** npl
(also: **swimming ~s**) sunga (BR),
calções mpl de banho (PT)
trust [trʌst] n confiança;
(responsibility) responsabilidade f;
(law) fideicomisso ▷ vt (rely on)
confiar em; (entrust): **to ~ sth to sb**
confiar algo a alguém; (hope): **to
~ (that)** esperar que; **to take sth
on ~** aceitar algo sem verificação
prévia; **trusted** adj de confiança;
trustworthy adj digno de
confiança
truth [truːθ] n verdade f; **truthful**
adj (person) sincero, honesto
try [traɪ] n tentativa; (rugby)
ensaio ▷ vt (law) julgar; (test: sth
new) provar, pôr à prova; (strain)
cansar ▷ vi tentar; **to have a ~**
fazer uma tentativa; **to ~ to do sth**
tentar fazer algo; **try on** vt (clothes)
experimentar, provar; **trying** adj
exasperante
T-shirt n camiseta (BR), T-shirt
f (PT)
tub [tʌb] n tina; (bath) banheira
tube [tjuːb] n tubo; (pipe) cano;
(BRIT: underground) metrô m (BR),
metro(-politano) (PT); (for tyre)
câmara-de-ar f
tuberculosis [tjubəːkjuˈləʊsɪs] n

tuberculose f
tuck [tʌk] vt (put) enfiar, meter;
tuck away vt esconder; **to be
~ed away** estar escondido; **tuck
in** vt enfiar para dentro; (child)
aconchegar ▷ vi (eat) comer
com apetite; **tuck up** vt (child)
aconchegar
Tuesday ['tjuːzdɪ] n terça-feira
tug [tʌg] n (ship) rebocador m
▷ vt puxar
tuition [tjuːˈɪʃən] n ensino; (private
~) aulas fpl particulares; (US: fees)
taxas fpl escolares
tulip ['tjuːlɪp] n tulipa
tumble ['tʌmbl] n (fall) queda
▷ vi cair, tombar; **to ~ to sth** (inf)
sacar algo
tumbler ['tʌmblə°] n copo
tummy ['tʌmɪ] (inf) n (belly)
barriga; (stomach) estômago
tumour ['tjuːmə°] (US **tumor**) n
tumor m
tuna ['tjuːnə] n inv (also: **~ fish**)
atum m
tune [tjuːn] n melodia ▷ vt (Mus)
afinar; (Radio, TV) sintonizar;
(Aut) regular; **to be in/out of
~** (instrument) estar afinado/
desafinado; (singer) cantar afinado/
desafinar; **to be in/out of ~ with**
(fig) harmonizar-se com/destoar
de; **tune in** vi (Radio, TV): **to ~ in
(to)** sintonizar (com); **tune up** vi
(musician) afinar (seu instrumento)
tunic ['tjuːnɪk] n túnica
Tunisia [tjuːˈnɪzɪə] n Tunísia
tunnel ['tʌnl] n túnel m; (in mine)
galeria ▷ vi abrir um túnel (or uma
galeria)
turbulence ['təːbjʊləns] n (Aviat)
turbulência
turf [təːf] n torrão m ▷ vt relvar,
gramar; **turf out** (inf) vt (person) pôr
no olho da rua
Turk [təːk] n turco(-a)

Turkey ['tə:kɪ] n Turquia

turkey ['tə:kɪ] n peru(a) m/f

Turkish ['tə:kɪʃ] adj turco(-a) ▷ n (Ling) turco

turmoil ['tə:mɔɪl] n tumulto, distúrbio, agitação f; **in ~** agitado, tumultuado

turn [tə:n] n volta, turno; (in road) curva; (of mind, events) propensão f, tendência; (theatre) número; (Med) choque m ▷ vt dar volta a, fazer girar; (collar) virar; (change): **to ~ sth into** converter algo em ▷ vi virar; (person: look back) voltar-se; (reverse direction) mudar de direção; (milk) azedar; (become) tornar-se, virar; **to ~ nasty** engrossar; **to ~ forty** fazer quarenta anos; **a good ~** um favor; **it gave me quite a ~** me deu um susto enorme; **"no left ~"** (Aut) "proibido virar à esquerda"; **it's your ~** é a sua vez; **in ~** por sua vez; **to take ~s (at)** revezar (em); **turn away** vi virar a cabeça ▷ vt recusar; **turn back** vi voltar atrás ▷ vt voltar para trás; (clock) atrasar; **turn down** vt (refuse) recusar; (reduce) baixar; (fold) dobrar, virar para baixo; **turn in** vi (inf: go to bed) ir dormir ▷ vt (fold) dobrar para dentro; **turn off** vi (from road) virar, sair do caminho ▷ vt (light, Radio etc) apagar; (engine) desligar; **turn on** vt (light) acender; (engine, Radio) ligar; (tap) abrir; **turn out** vt (light, gas) apagar; (produce) produzir ▷ vi (troops) ser mobilizado; **to ~ out to be ...** revelar-se (ser) ..., resultar (ser) ..., vir a ser ...; **turn over** vi (person) virar-se ▷ vt (object) virar; **turn round** vi voltar-se, virar-se; **turn up** vi (person) aparecer, pintar; (lost object) aparecer ▷ vt (collar) subir; (Radio etc) aumentar; **turning** n (in road) via lateral

turnip ['tə:nɪp] n nabo

turnout ['tə:naut] n assistência; (in election) comparecimento às urnas

turnover ['tə:nəuvə°] n (Comm: amount of money) volume m de negócios; (: of goods) movimento; (of staff) rotatividade f

turn-up (BRIT) n (on trousers) volta, dobra

turquoise ['tə:kwɔɪz] n (stone) turquesa ▷ adj azul-turquesa inv

turtle ['tə:tl] n tartaruga, cágado

tusk [tʌsk] n defesa (de elefante)

tutor ['tju:tə°] n professor(a) m/f; (private ~) professor(a) m/f particular; **tutorial** [tju:'tɔ:rɪəl] n (Sch) seminário

tuxedo [tʌk'si:dəu] (US) n smoking m

TV n abbr (= television) TV f

tweed [twi:d] n tweed m, pano grosso de lã

tweezers ['twi:zəz] npl pinça (pequena)

twelfth [twɛlfθ] num décimo segundo

twelve [twɛlv] num doze; **at ~ (o'clock)** (midday) ao meio-dia; (midnight) à meia-noite

twentieth ['twɛntɪɪθ] num vigésimo

twenty ['twɛntɪ] num vinte

twice [twaɪs] adv duas vezes; **~ as much** duas vezes mais

twig [twɪg] n graveto, varinha ▷ vi (inf) sacar

twilight ['twaɪlaɪt] n crepúsculo, meialuz f

twin [twɪn] adj gêmeo; (beds) separado ▷ n gêmeo ▷ vt irmanar; **twin(-bedded) room** n quarto com duas camas

twinkle ['twɪŋkl] vi cintilar; (eyes) pestanejar

twist [twɪst] n torção f; (in road, coil) curva; (in flex) virada; (in story)

mudança imprevista ▷ vt torcer,
retorcer; (ankle) torcer; (weave)
entrelaçar; (roll around) enrolar; (fig)
deturpar ▷ vi serpentear
twit [twɪt] (inf) n idiota m/f,
bobo(-a)
twitch [twɪtʃ] n puxão m; (nervous)
tique m nervoso ▷ vi contrair-se
two [tu:] num dois; **to put ~ and
~ together** (fig) tirar conclusões;
two-way adj: **two-way traffic**
trânsito em mão dupla
type [taɪp] n (category) tipo, espécie
f; (model) modelo; (typ) tipo, letra
▷ vt (letter etc) datilografar, bater (à
máquina); **typewriter** n máquina
de escrever
typhoid ['taɪfɔɪd] n febre f tifóide
typical ['tɪpɪkl] adj típico
typing ['taɪpɪŋ] n datilografia
typist ['taɪpɪst] n
datilógrafo(-a) m/f
tyre ['taɪə°] (us **tire**) n pneu m

UFO ['juːfəu] n abbr (= unidentified
flying object) óvni m
Uganda [juːˈgændə] n Uganda
(no article)
ugly ['ʌglɪ] adj feio; (dangerous)
perigoso
UK n abbr = **United Kingdom**
ulcer ['ʌlsə°] n úlcera; **mouth
~** afta
ultimate ['ʌltɪmət] adj último,
final; (authority) máximo;
ultimately adv (in the end) no final,
por último; (fundamentally) no fundo
ultrasound ['ʌltrəsaund] n (Med)
ultra-som m
umbrella [ʌmˈbrɛlə] n guarda-
chuva m; (for sun) guarda-sol m,
barraca (da praia)
umpire ['ʌmpaɪə°] n árbitro ▷ vt
arbitrar
UN n abbr (= United Nations) ONU f
unable [ʌnˈeɪbl] adj: **to be ~ to do
sth** não poder fazer algo

unanimous [juːˈnænɪməs] *adj*
unânime

unarmed [ʌnˈɑːmd] *adj* (*without a weapon*) desarmado; (*defenceless*) indefeso

unattended [ʌnəˈtɛndɪd] *adj* (*car, luggage*) abandonado

unattractive [ʌnəˈtræktɪv] *adj*
sem atrativos; (*building, appearance, idea*) pouco atraente

unavoidable [ʌnəˈvɔɪdəbl] *adj*
inevitável

unaware [ʌnəˈwɛə*] *adj*: **to be ~ of**
ignorar, não perceber

unawares [ʌnəˈwɛəz] *adv*
improvisadamente, de surpresa

unbearable [ʌnˈbɛərəbl] *adj*
insuportável

unbeatable [ʌnˈbiːtəbl] *adj* (*team*)
invencível; (*price*) sem igual

unbelievable [ʌnbɪˈliːvəbl] *adj*
inacreditável; (*amazing*) incrível

unborn [ʌnˈbɔːn] *adj* por nascer

unbutton [ʌnˈbʌtn] *vt* desabotoar

uncalled-for [ʌnˈkɔːld-] *adj*
desnecessário, gratuito

uncanny [ʌnˈkænɪ] *adj* estranho;
(*knack*) excepcional

uncertain [ʌnˈsəːtn] *adj* incerto;
(*character*) indeciso; (*unsure*):
~ about inseguro sobre; **in no
~ terms** em termos precisos;
uncertainty *n* incerteza; (*also:*
doubts) dúvidas *fpl*

uncle [ˈʌŋkl] *n* tio

uncomfortable [ʌnˈkʌmfətəbl]
adj incômodo; (*uneasy*) pouco à
vontade; (*situation*) desagradável

uncommon [ʌnˈkɔmən] *adj* raro,
incomum, excepcional

unconditional [ʌnkənˈdɪʃənl] *adj*
incondicional

unconscious [ʌnˈkɔnʃəs] *adj* sem
sentidos, desacordado; (*unaware*):
~ of inconsciente de ▷ *n*: **the ~** o
inconsciente

uncontrollable [ʌnkənˈtrəuləbl]
adj (*temper*) ingovernável; (*child, animal, laughter*) incontrolável

unconventional [ʌnkənˈvɛnʃənl]
adj inconvencional

uncover [ʌnˈkʌvə*] *vt* descobrir;
(*take lid off*) destapar, destampar

undecided [ʌndɪˈsaɪdɪd] *adj*
indeciso; (*question*) não respondido,
pendente

under [ˈʌndə*] *prep* embaixo
de (BR), debaixo de (PT); (*fig*) sob;
(*less than*) menos de; (*according to*)
segundo, de acordo com ▷ *adv*
embaixo; (*movement*) por baixo;
~ there ali embaixo; **~ repair** em
conserto

under... [ˈʌndə*] *prefix* **undercover**
adj secreto, clandestino;
underdog *n* o mais fraco;
underdone *adj* (*Culin*) mal passado;
underestimate *vt* subestimar;
undergo (*irreg*) *vt* sofrer; (*test*)
passar por; (*operation, treatment*)
ser submetido a; **undergraduate**
n universitário(-a); **underground**
n (BRIT) metrô *m* (BR), metro(-
politano) (PT); (*Pol*) organização *f*
clandestina ▷ *adj* subterrâneo; (*fig*)
clandestino ▷ *adv* (*work*) embaixo
da terra; (*fig*) na clandestinidade;
undergrowth *n* vegetação *f*
rasteira; **underline** *vt* sublinhar;
undermine *vt* minar, solapar;
underneath *adv* embaixo, debaixo,
por baixo ▷ *prep* embaixo de (BR),
debaixo de (PT); **underpaid** *adj*
mal pago; **underpants** (BRIT) *npl*
cueca(s) *f* (*pl*) (BR), cuecas *fpl* (PT);
underpass (BRIT) *n* passagem
f inferior; **underprivileged** *adj*
menos favorecido

understand [ʌndəˈstænd]
(*irreg*) *vt* entender, compreender
▷ *vi*: **to ~ that** acreditar
que; **understandable** *adj*

compreensível; **understanding** adj
compreensivo ▷ n compreensão
f; (knowledge) entendimento;
(agreement) acordo

understatement
[ʌndə'steɪtmənt] n (quality)
subestimação f; (euphemism)
eufemismo; **it's an ~ to say that ...**
é uma subestimação dizer que ...

understood [ʌndə'stʊd] pt, pp
of **understand** ▷ adj entendido;
(implied) subentendido, implícito

undertake [ʌndə'teɪk] (irreg:
like **take**) vt incumbir-se de,
encarregar-se de; **to ~ to do sth**
comprometer-se a fazer algo

undertaking ['ʌndəteɪkɪŋ]
n empreendimento; (promise)
promessa

underwater [ʌndə'wɔ:tə*] adv
sob a água ▷ adj subaquático

underwear ['ʌndəwɛə*] n roupa
de baixo, roupa íntima

underworld ['ʌndəwə:ld] n (of
crime) submundo

undo [ʌn'du:] (irreg: like **do**)
vt (unfasten) desatar; (spoil)
desmanchar

undress [ʌn'drɛs] vi despir-se,
tirar a roupa

unearth [ʌn'ə:θ] vt desenterrar;
(fig) revelar

uneasy [ʌn'i:zɪ] adj (person)
preocupado; (feeling) incômodo;
(peace, truce) desconfortável

uneducated [ʌn'ɛdjukeɪtɪd]
adj inculto, sem instrução, não
escolarizado

unemployed [ʌnɪm'plɔɪd] adj
desempregado ▷ npl: **the ~** os
desempregados

unemployment [ʌnɪm'plɔɪmənt]
n desemprego

uneven [ʌn'i:vn] adj desigual;
(road etc) irregular, acidentado

unexpected [ʌnɪk'spɛktɪd] adj
inesperado; **unexpectedly**
[ʌnɪks'pɛktɪdlɪ] adv inespera–
damente

unfair [ʌn'fɛə*] adj: **~ (to)** injusto
(com)

unfaithful [ʌn'feɪθful] adj infiel

unfamiliar [ʌnfə'mɪlɪə*] adj
pouco familiar, desconhecido; **to be
~ with sth** não estar familiarizado
com algo

unfashionable [ʌn'fæʃnəbl] adj
fora da moda

unfasten [ʌn'fɑ:sn] vt desatar;
(open) abrir

unfavourable [ʌn'feɪvərəbl] (US
unfavorable) adj desfavorável

unfinished [ʌn'fɪnɪʃt] adj
incompleto, inacabado

unfit [ʌn'fɪt] adj sem preparo físico;
(incompetent): **~ (for)** incompetente
(para), incapaz (de); **~ for work**
inapto para trabalhar

unfold [ʌn'fəuld] vt desdobrar ▷ vi
(situation) desdobrar-se

unfortunate [ʌn'fɔ:tʃənət] adj
infeliz; (event, remark) inoportuno

unfriendly [ʌn'frɛndlɪ] adj
antipático

unhappiness [ʌn'hæpɪnɪs] n
infelicidade f

unhappy [ʌn'hæpɪ] adj triste;
(unfortunate) desventurado;
(childhood) infeliz; (dissatisfied): **~
with** descontente com, insatisfeito
com

unhealthy [ʌn'hɛlθɪ] adj
insalubre; (person) doentio; (fig)
anormal

unheard-of [ʌn'hə:d-] adj insólito

unhurt [ʌn'hə:t] adj ileso

uniform ['ju:nɪfɔ:m] n uniforme m
▷ adj uniforme

uninhabited [ʌnɪn'hæbɪtɪd] adj
inabitado

unintentional [ʌnɪn'tɛnʃənəl] adj
involuntário, não intencional

union ['juːnjən] n união f;
(also: **trade ~**) sindicato (de
trabalhadores) ▷ cpd sindical;
Union Jack n bandeira britânica

unique [juːˈniːk] adj único, sem
igual

unit ['juːnɪt] n unidade f; (of
furniture etc) seção f; (team, squad)
equipe f; **kitchen ~** armário de
cozinha

unite [juːˈnaɪt] vt unir ▷ vi unir-se;
united adj unido; (effort) conjunto;
United Kingdom n Reino Unido;
United Nations (Organization)
n (Organização f das) Nações
fpl Unidas; **United States (of
America)** n Estados Unidos mpl
(da América)

universal [juːnɪˈvəːsl] adj
universal

universe ['juːnɪvəːs] n universo

university [juːnɪˈvəːsɪtɪ] n
universidade f

unjust [ʌnˈdʒʌst] adj injusto

unkind [ʌnˈkaɪnd] adj maldoso;
(comment etc) cruel

unknown [ʌnˈnəun] adj
desconhecido

unlawful [ʌnˈlɔːful] adj ilegal

unleaded [ʌnˈledɪd] adj (petrol,
fuel) sem chumbo

unleash [ʌnˈliːʃ] vt (fig)
desencadear

unless [ʌnˈles] conj a menos que, a
não ser que; **~ he comes** a menos
que ele venha

unlike [ʌnˈlaɪk] adj diferente ▷ prep
diferentemente de, ao contrário de

unlikely [ʌnˈlaɪklɪ] adj (not likely)
improvável; (unexpected) inesperado

unlisted [ʌnˈlɪstɪd] (us) adj (Tel)
que não consta na lista telefônica

unload [ʌnˈləud] vt descarregar

unlock [ʌnˈlɔk] vt destrancar

unlucky [ʌnˈlʌkɪ] adj infeliz;
(object, number) de mau agouro; **to**

be ~ ser azarado, ter azar

unmarried [ʌnˈmærɪd] adj
solteiro

unmistak(e)able [ʌnmɪsˈteɪkəbl]
adj inconfundível

unnatural [ʌnˈnætʃrəl] adj
antinatural, artificial; (manner)
afetado; (habit) depravado

unnecessary [ʌnˈnesəsərɪ] adj
desnecessário, inútil

UNO ['juːnəu] n abbr (= United
Nations Organization) ONU f

unofficial [ʌnəˈfɪʃl] adj não-oficial,
informal; (strike) desautorizado

unpack [ʌnˈpæk] vi desembrulhar
▷ vt desfazer

unpleasant [ʌnˈpleznt] adj
desagradável; (person, manner)
antipático

unplug [ʌnˈplʌg] vt desligar

unpopular [ʌnˈpɔpjuləʳ] adj
impopular

unprecedented [ʌnˈpresɪdəntɪd]
adj sem precedentes

unpredictable [ʌnprɪˈdɪktəbl] adj
imprevisível

unravel [ʌnˈrævl] vt
desemaranhar; (mystery) desvendar

unreal [ʌnˈrɪəl] adj irreal, ilusório;
(extraordinary) extraordinário

unrealistic [ʌnrɪəˈlɪstɪk] adj
pouco realista

unreasonable [ʌnˈriːznəbl] adj
insensato; (demand) absurdo

unrelated [ʌnrɪˈleɪtɪd] adj sem
relação f; (family) sem parentesco

unreliable [ʌnrɪˈlaɪəbl] adj
(person) indigno de confiança;
(machine) incerto, perigoso

unrest [ʌnˈrest] n inquietação f,
desassossego; (Pol) distúrbios mpl

unroll [ʌnˈrəul] vt desenrolar

unruly [ʌnˈruːlɪ] adj
indisciplinado; (hair) desalinhado

unsafe [ʌnˈseɪf] adj perigoso

unsatisfactory [ʌnsætɪsˈfæktərɪ]

adj insatisfatório

unscrew [ʌn'skruː] *vt* desparafusar

unsettled [ʌn'sɛtld] *adj* (*weather*) instável; (*person*) inquieto

unsightly [ʌn'saɪtlɪ] *adj* feio, disforme

unskilled [ʌn'skɪld] *adj* não-especializado

unstable [ʌn'steɪbl] *adj* em falso; (*mentally*) instável

unsteady [ʌn'stɛdɪ] *adj* trêmulo; (*ladder*) em falso

unsuccessful [ʌnsək'sɛsful] *adj* (*attempt*) frustrado, vão (vã); (*writer, proposal*) sem êxito; **to be ~** (*in attempting sth*) ser mal sucedido, não conseguir; (*application*) ser recusado

unsuitable [ʌn'suːtəbl] *adj* inadequado; (*time*) inconveniente

unsure [ʌn'ʃuə*] *adj* inseguro, incerto; **to be ~ of o.s.** não ser seguro de si

untidy [ʌn'taɪdɪ] *adj* (*room*) desarrumado, desleixado; (*appearance*) desmazelado, desalinhado

untie [ʌn'taɪ] *vt* desatar, desfazer; (*dog, prisoner*) soltar

until [ən'tɪl] *prep* até ▷ *conj* até que; **~ he comes** até que ele venha; **~ now** até agora; **~ then** até então

unused [ʌn'juːzd] *adj* novo, sem uso

unusual [ʌn'juːʒuəl] *adj* (*strange*) estranho; (*rare*) incomum; (*exceptional*) extraordinário

unveil [ʌn'veɪl] *vt* desvelar, descobrir

unwanted [ʌn'wɔntɪd] *adj* não desejado, indesejável

unwell [ʌn'wɛl] *adj*: **to be ~** estar doente; **to feel ~** estar indisposto

unwilling [ʌn'wɪlɪŋ] *adj*: **to be ~ to do sth** relutar em fazer algo, não

querer fazer algo

unwind [ʌn'waɪnd] (*irreg*) *vt* desenrolar ▷ *vi* (*relax*) relaxar-se

unwise [ʌn'waɪz] *adj* imprudente

unwrap [ʌn'ræp] *vt* desembrulhar

○ **KEYWORD**

up [ʌp] *prep*: **to go/be ~ sth** subir algo/estar em cima de algo; **we climbed/walked ~ the hill** nós subimos/andamos até em cima da colina; **they live further ~ the street** eles moram mais adiante nesta rua

▷ *adv* **1** (*upwards, higher*) em cima, para cima; **~ in the sky/the mountains** lá no céu/nas montanhas; **~ there** lá em cima; **~ above** em cima

2: **to be ~** (*out of bed*) estar de pé; (*prices, level*) estar elevado; (*building, tent*) estar erguido

3: **~ to** (*as far as*) até; **~ to now** até agora

4: **to be ~ to** (*depending on*): **it is ~ to you** você é quem sabe, você decide

5: **to be ~ to** (*equal to*) estar à altura de; **he's not ~ to it** (*job, task etc*) ele não é capaz de fazê-lo; **his work is not ~ to the required standard** seu trabalho não atende aos padrões exigidos

6: **to be ~ to** (*inf: be doing*) estar fazendo (BR) or a fazer (PT); **what is he ~ to?** o que ele está querendo?, o que ele está tramando?

▷ *n*: **~s and downs** altos *mpl* e baixos *mpl*

upbringing ['ʌpbrɪŋɪŋ] *n* educação *f*, criação *f*

update [ʌp'deɪt] *vt* atualizar, pôr em dia

upgrade [ʌp'greɪd] *vt* (*person*) promover; (*job*) melhorar; (*house*) reformar

upheaval [ʌp'hiːvl] n transtorno; (unrest) convulsão f

uphill [ʌp'hɪl] adj ladeira acima; (fig: task) trabalhoso, árduo ▷ adv: **to go ~** ir morro acima; (face, look) para cima

upon [ə'pɔn] prep sobre

upper ['ʌpə*] adj superior, de cima ▷ n (of shoe) gáspea, parte f superior; **upper-class** adj de classe alta

upright ['ʌpraɪt] adj vertical; (straight) reto; (fig) honesto

uprising ['ʌpraɪzɪŋ] n revolta, rebelião f, sublevação f

uproar ['ʌprɔː*] n tumulto, algazar-ra

upset [n 'ʌpsɛt, vb, adj ʌp'sɛt (irreg: like **set**)) n (to plan etc) revés m, reviravolta; (stomach ~) indisposição f ▷ vt (glass etc) virar; (plan) perturbar; (

upside down ['ʌpsaɪd-] adv de cabeça para baixo; **to turn a place ~** (fig) deixar um lugar de cabeça para baixo

upstairs [ʌp'stɛəz] adv (be) em cima; (go) lá em cima ▷ adj (room) de cima ▷ n andar m de cima

up-to-date adj (person) moderno, atualizado; (information) atualizado

upward ['ʌpwəd] adj ascendente, para cima; **upward(s)** adv para cima; (more than): **upward(s) of** para cima de

urban ['əːbən] adj urbano, da cidade

urge [əːdʒ] n desejo ▷ vt: **to ~ sb to do sth** incitar alguém a fazer algo

urgent ['əːdʒənt] adj urgente; (tone, plea) insistente

urinal ['juərɪnl] (BRIT) n (vessel) urinol m; (building) mictório

urine ['juərɪn] n urina

URL n abbr (= uniform resource locator) URL m

Uruguay ['juərəgwaɪ] n Uruguai m

us [ʌs] pron nos; (after prep) nós; see also **me**

US(A) n abbr (= United States (of America)) EUA mpl

use [n juːs, vb juːz] n uso, emprego; (usefulness) utilidade f ▷ vt usar, utilizar; (phrase) empregar; **in ~** em uso; **out of ~** fora de uso; **to be of ~** ser útil; **it's no ~** (pointless) é inútil; (not useful) não serve; **to be ~d to** estar acostumado a; **she ~d to do it** ela costumava fazê-lo; **use up** vt esgotar, consumir; (money) gastar; **used** [juːzd] adj usado; **useful** ['juːsful] adj útil; **useless** ['juːslɪs] adj inútil; (person) incapaz; **user** ['juːzə*] n usuário(-a) (BR), utente m/f (PT); **user-friendly** adj de fácil utilização

usual ['juːʒuəl] adj usual, habitual; **as ~** como de hábito, como sempre; **usually** ['juːʒuəlɪ] adv normalmente

utensil [juː'tɛnsl] n utensílio

utmost ['ʌtməust] adj maior ▷ n: **to do one's ~** fazer todo o possível

utter ['ʌtə*] adj total ▷ vt (sounds) emitir; (words) proferir, pronunciar; **utterly** adv completamente, totalmente

U-turn n retorno

vacancy ['veɪkənsɪ] n (BRIT: job) vaga; (room) quarto livre

vacant ['veɪkənt] adj desocupado, livre; (expression) distraído

vacate [vəˈkeɪt] vt (house) desocupar; (job) deixar

vacation [vəˈkeɪʃən] (esp US) n férias fpl

vacuum ['vækjum] n vácuo m; **vacuum cleaner** n aspirador m de pó

vagina [vəˈdʒaɪnə] n vagina

vague [veɪg] adj vago; (blurred: memory) fraco

vain [veɪn] adj vaidoso; (useless) vão (vã) inútil; **in ~** em vão

valentine ['væləntaɪn] n (also: **~ card**) cartão m do Dia dos Namorados; (person) namorado

valid ['vælɪd] adj válido

valley ['vælɪ] n vale m

valuable ['væljuəbl] adj (jewel) de valor; (time) valioso; (help) precioso;

valuables npl objetos mpl de valor

value ['vælju:] n valor m; (importance) importância ▷ vt (fix price of) avaliar; (appreciate) valorizar, estimar; **~s** npl (principles) valores mpl

valve [vælv] n válvula

van [væn] n (Aut) camionete f (BR), camioneta (PT)

vandal ['vændl] n vândalo(-a); **vandalize** vt destruir, depredar

vanilla [vəˈnɪlə] n baunilha

vanish ['vænɪʃ] vi desaparecer, sumir

vanity ['vænɪtɪ] n vaidade f

vapour ['veɪpəʳ] (US **vapor**) n vapor m

variety [vəˈraɪətɪ] n variedade f, diversidade f; (type, quantity) variedade

various ['veərɪəs] adj vários(-as), diversos(-as); (several) vários(-as)

varnish ['vɑːnɪʃ] n verniz m; (nail ~) esmalte m ▷ vt envernizar, pintar (com esmalte)

vary ['veərɪ] vt mudar ▷ vi variar; (become different): **to ~ with** variar de acordo com

vase [vɑːz] n vaso

vast [vɑːst] adj enorme

VAT [væt] (BRIT) n abbr (= value added tax) ≈ ICM m (BR), IVA m (PT)

vault [vɔːlt] n (of roof) abóbada; (tomb) sepulcro; (in bank) caixaforte f ▷ vt (also: **~ over**) saltar (por cima de)

VCR n abbr = **video cassette recorder**

VDU n abbr = **visual display unit**

veal [viːl] n carne f de vitela

vegan ['viːgən] n vegetalista m/f

vegetable ['vɛdʒtəbl] n (Bot) vegetal m; (edible plant) legume m, hortaliça ▷ adj vegetal

vegetarian [vɛdʒɪˈteərɪən] adj, n vegetariano(-a)

vehicle ['viːɪkl] n veículo
veil [veɪl] n véu m ▷ vt velar
vein [veɪn] n veia; (of ore etc) filão m; (on leaf) nervura
velvet ['vɛlvɪt] n veludo ▷ adj aveludado
vending machine ['vɛndɪŋ-] n vendedor m automático
Venezuela [vɛnɛ'zweɪlə] n Venezuela
vengeance ['vɛndʒəns] n vingança; **with a ~** (fig) para valer
venison ['vɛnɪsn] n carne f de veado
venom ['vɛnəm] n veneno; (bitterness) malevolência
vent [vɛnt] n (in jacket) abertura; (also: **air ~**) respiradouro ▷ vt (fig: feelings) desabafar, descarregar
venture ['vɛntʃə°] n empreendimento ▷ vt (opinion) arriscar ▷ vi arriscar-se; **business ~** empreendimento comercial
venue ['vɛnjuː] n local m
verb [vəːb] n verbo
verdict ['vəːdɪkt] n veredicto, decisão f; (fig) opinião f, parecer m
verge [vəːdʒ] n beira, margem f; (on road) acostamento (BR), berma (PT); **"soft ~s"** (BRIT: Aut) "acostamento mole"; **to be on the ~ of doing sth** estar a ponto or à beira de fazer algo; **verge on** vt fus beirar em
versatile ['vəːsətaɪl] adj (person) versátil; (machine, tool etc) polivalente
verse [vəːs] n verso, poesia; (stanza) estrofe f; (in bible) versículo
version ['vəːʃən] n versão f
versus ['vəːsəs] prep contra, versus
vertical ['vəːtɪkl] adj vertical
very ['vɛrɪ] adv muito ▷ adj: **the ~ book which** o mesmo livro que; **the ~ last** o último (de todos), bem o último; **at the ~ least** no mínimo; **~**

much muitíssimo
vessel ['vɛsl] n (Naut) navio, barco; (container) vaso, vasilha
vest [vɛst] n (BRIT) camiseta (BR), camisola interior (PT); (US: waistcoat) colete m
vet [vɛt] n abbr (= veterinary surgeon) veterinário(-a) ▷ vt examinar
veteran ['vɛtərn] n (also: **war ~**) veterano de guerra
veto ['viːtəu] (pl **~es**) n veto ▷ vt vetar
via ['vaɪə] prep por, via
vibrate [vaɪ'breɪt] vi vibrar
vicar ['vɪkə°] n vigário
vice [vaɪs] n (evil) vício; (Tech) torno mecânico
vice- [vaɪs] prefix vice-
vice versa ['vaɪsɪ'vəːsə] adv vice-versa
vicinity [vɪ'sɪnɪtɪ] n: **in the ~ of** nas proximidades de
vicious ['vɪʃəs] adj violento; (cruel) cruel
victim ['vɪktɪm] n vítima f
victor ['vɪktə°] n vencedor(a) m/f
Victorian [vɪk'tɔːrɪən] adj vitoriano
victory ['vɪktərɪ] n vitória f
video ['vɪdɪəu] n (~ film) vídeo; (also: **~ cassette**) videocassete m; (also: **~ cassette recorder**) videocassete m; **videophone** n videofone m
Vienna [vɪ'ɛnə] n Viena
Vietnam ['vjɛt'næm] n Vietnã m; **Vietnamese** [vjɛtnə'miːz] adj vietnamita ▷ n inv vietnamita m/f; (Ling) vietnamita m
view [vjuː] n vista; (outlook) perspectiva; (opinion) opinião f, parecer m ▷ vt olhar; **in full ~ (of)** à plena vista (de); **in my ~** na minha opinião; **in ~ of the weather/the fact that** em vista do tempo/do fato de que; **viewer** n

telespectador(a) m/f; **viewpoint** n ponto de vista; (place) lugar m

vigorous ['vɪgərəs] adj vigoroso; (plant) vigoso

vile [vaɪl] adj vil, infame; (smell) repugnante, repulsivo; (temper) violento

villa ['vɪlə] n (country house) casa de campo; (suburban house) vila, quinta

village ['vɪlɪdʒ] n aldeia, povoado; **villager** n aldeão (aldeã) m/f

villain ['vɪlən] n (scoundrel) patife m; (in novel etc) vilão m; (BRIT: criminal) marginal m/f

vine [vaɪn] n planta trepadeira

vinegar ['vɪnɪgə°] n vinagre m

vineyard ['vɪnjɑːd] n vinha, vinhedo

vintage ['vɪntɪdʒ] n vindima; (year) safra, colheita ▷ cpd (comedy) de época; (performance) clássico; **the 1970 ~** a safra de 1970

viola [vɪˈəʊlə] n viola

violate ['vaɪəleɪt] vt violar

violence ['vaɪələns] n violência; (strength) força

violent ['vaɪələnt] adj violento; (intense) intenso

violet ['vaɪələt] adj violeta ▷ n violeta

violin [vaɪəˈlɪn] n violino

VIP n abbr (= very important person) VIP m/f

virgin ['vəːdʒɪn] n virgem m/f ▷ adj virgem

Virgo ['vəːgəʊ] n Virgem f

virtually ['vəːtjʊəlɪ] adv praticamente

virtue ['vəːtjuː] n virtude f; (advantage) vantagem f; **by ~ of** em virtude de

virus ['vaɪərəs] n vírus m

visa ['viːzə] n visto

visible ['vɪzəbl] adj visível

vision ['vɪʒən] n (sight) vista, visão f; (foresight, in dream) visão f

visit ['vɪzɪt] n visita ▷ vt (person: US: also: **~ with**) visitar, fazer uma visita a; (place) ir a, ir conhecer; **visiting hours** npl horário de visita; **visitor** n visitante m/f; (to one's house) visita; (tourist) turista m/f

visual ['vɪzjʊəl] adj visual; **visualize** vt visualizar

vital ['vaɪtl] adj essencial, indispensável; (important) de importância vital; (crucial) crucial; (person) vivo; (of life) vital

vitamin ['vɪtəmɪn] n vitamina

vivid ['vɪvɪd] adj (account) vívido; (light) claro, brilhante; (imagination, colour) vivo

V-neck n: **~ jumper, ~ pullover** suéter f com decote em V

vocabulary [vəʊˈkæbjʊlərɪ] n vocabulário

vocal ['vəʊkl] adj vocal; (noisy) clamoroso; (articulate) claro, eloquente

vodka ['vɒdkə] n vodca

vogue [vəʊg] n voga, moda; **to be in ~** estar na moda

voice [vɔɪs] n voz f ▷ vt expressar; **voice mail** n (Tel) correio m de voz

void [vɔɪd] n vazio; (hole) oco ▷ adj nulo; (empty): **~ of** destituído de

volatile ['vɒlətaɪl] adj volátil; (situation, person) imprevisível

volcano [vɒlˈkeɪnəʊ] (pl **~es**) n vulcão m

volt [vəʊlt] n volt m

volume ['vɒljuːm] n volume m; (of tank) capacidade f

voluntarily ['vɒləntrɪlɪ] adv livremente, voluntariamente

voluntary ['vɒləntərɪ] adj voluntário; (unpaid) (a título) gratuito

volunteer [vɒlənˈtɪə°] n voluntário(-a) ▷ vt oferecer voluntariamente ▷ vi (Mil) alistar-se voluntariamente; **to ~ to do**

oferecer-se voluntariamente
para fazer

vomit ['vɒmɪt] n vômito ▷ vt, vi
vomitar

vote [vəʊt] n voto; (votes cast)
votação f; (right to ~) direito de
votar ▷ vt: **to be ~d chairman** etc
ser eleito presidente etc; (propose):
to ~ that propor que; (in election)
votar ▷ vi votar; **voter** n votante
m/f, eleitor(a) m/f

voucher ['vaʊtʃəʳ] n (also:
luncheon ~) vale-refeição m; (with
petrol etc) vale m; (gift ~) vale m para
presente

vow [vaʊ] n voto ▷ vt: **to ~ to
do/that** prometer solenemente
fazer/que

vowel ['vaʊəl] n vogal f

voyage ['vɔɪɪdʒ] n viagem f

vulgar ['vʌlgəʳ] adj grosseiro,
ordinário; (in bad taste) vulgar, baixo

vulture ['vʌltʃəʳ] n abutre m,
urubu m

wade [weɪd] vi: **to ~ through** andar
em; (fig: a book) ler com dificuldade

wafer ['weɪfəʳ] n (biscuit) bolacha

waffle ['wɒfl] n (Culin) waffle m;
(empty talk) lengalenga ▷ vi encher
linguiça

wag [wæg] vt (tail) sacudir; (finger)
menear ▷ vi abanar

wage [weɪdʒ] n (also: ~s)
salário, ordenado ▷ vt: **to ~ war**
empreender or fazer guerra

wag(g)on ['wægən] n
(horsedrawn) carroça; (BRIT: rail)
vagão m

wail [weɪl] n lamento, gemido ▷ vi
lamentar-se, gemer; (siren) tocar

waist [weɪst] n cintura; **waistcoat**
n colete m

wait [weɪt] n espera ▷ vi esperar;
I can't ~ to (fig) estou morrendo
de vontade de; **to ~ for sb/sth**
esperar por alguém/algo; **wait
behind** vi ficar para trás; **wait**

on vt fus servir; **waiter** n garçom m (BR), empregado (PT); **waiting list** n lista de espera; **waiting room** n sala de espera; **waitress** n garçonete f (BR), empregada (PT)

waive [weɪv] vt abrir mão de

wake [weɪk] (pt **woke** or **~d**, pp **woken** or **~d**) vt (also: **~ up**) acordar ▷ vi acordar ▷ n (for dead person) velório; (Naut) esteira

Wales [weɪlz] n País m de Gales

walk [wɔːk] n passeio; (hike) excursão f a pé, caminhada; (gait) passo, modo de andar; (in park etc) alameda, passeio ▷ vi andar; (for pleasure, exercise) passear ▷ vt (distance) percorrer a pé, andar; (dog) levar para passear; **it's 10 minutes' ~ from here** daqui são 10 minutos a pé; **people from all ~s of life** pessoas de todos os níveis; **walk out** vi sair; (audience) retirar-se (em protesto); (strike) entrar em greve; **walk out on** vt fus abandonar; **walkie-talkie** n transmissor-receptor m portátil, walkie-talkie m; **walking** n o andar; **walking shoes** npl sapatos mpl para caminhar; **walking stick** n bengala; **walkway** n passeio, passadiço

wall [wɔːl] n parede f; (exterior) muro; (city ~ etc) muralha

wallet ['wɒlɪt] n carteira

wallpaper ['wɔːlpeɪpə*] n papel m de parede ▷ vt colocar papel de parede em

walnut ['wɔːlnʌt] n noz f; (tree, wood) nogueira

walrus ['wɔːlrəs] (pl inv or **~es**) n morsa, vaca marinha

waltz [wɔːlts] n valsa ▷ vi valsar

wand [wɒnd] n (also: **magic ~**) varinha de condão

wander ['wɒndə*] vi (person) vagar, perambular; (thoughts) divagar ▷ vt perambular

want [wɒnt] vt querer; (demand) exigir; (need) precisar de, necessitar; **to ~ sb to do sth** querer que alguém faça algo; **wanted** adj (criminal etc) procurado (pela polícia); **"cook wanted"** (in advertisement) "precisase cozinheiro"

war [wɔː*] n guerra; **to make ~ (on)** fazer guerra (contra)

ward [wɔːd] n (in hospital) ala; (Pol) distrito eleitoral; (law: child) tutelado(-a), pupilo(-a); **ward off** vt desviar, aparar; (attack) repelir

warden ['wɔːdn] n (BRIT: of institution) diretor(a) m/f; (of park, youth hostel) administrador(a) m/f; (BRIT: also: **traffic ~**) guarda m/f

wardrobe ['wɔːdrəub] n guarda-roupa m; (Cinema, theatre) figurinos mpl

warehouse ['wɛəhaus] n armazém m, depósito

warfare ['wɔːfɛə*] n guerra, combate m

warhead ['wɔːhɛd] n ogiva

warm [wɔːm] adj quente; (thanks, welcome) caloroso; **it's ~** está quente; **I'm ~** estou com calor; **warm up** vt, vi esquentar; **warmly** adv (applaud, welcome) calorosamente; (dress): **to dress warmly** vestir-se com roupas de inverno; **warmth** n calor m; (friendliness) calor humano

warn [wɔːn] vt prevenir, avisar; **to ~ sb that/of/(not) to do** prevenir alguém de que/de/para (não) fazer

warning ['wɔːnɪŋ] n advertência; (in writing) aviso; (signal) sinal m

warrant ['wɔrnt] n (voucher) comprovante m; (law: to arrest) mandado de prisão; (: to search) mandado de busca; **warranty** n garantia

warrior ['wɔrɪə*] n guerreiro(-a)

Warsaw ['wɔːsɔː] n Varsóvia
warship ['wɔːʃɪp] n navio de
guerra
wart [wɔːt] n verruga
wartime ['wɔːtaɪm] n: **in ~** em
tempo de guerra
wary ['wɛərɪ] adj cauteloso,
precavido
was [wɔz] pt of **be**
wash [wɔʃ] vt lavar ▷ vi lavar-se;
(subj: ~ing machine) lavar; (sea etc): **to
~ over/against sth** bater contra/
chocar-se contra algo; (clothes):
this shirt ~es well esta camisa
resiste bem à lavagem ▷ n (clothes
etc) lavagem f; (~ing programme)
programa m de lavagem; (of ship)
esteira; **to have a ~** lavar-se; **wash
away** vt (stain) tirar ao lavar; (subj:
river etc) levar, arrastar; **wash off**
vt tirar lavando ▷ vi sair ao lavar;
wash up vi (BRIT) lavar a louça;
(US) lavar-se; **washbasin** n pia (BR),
lavatório (PT); **washing** n (dirty)
roupa suja; (clean) roupa lavada;
washing machine n máquina
de lavar roupa, lavadora; **washing
powder** (BRIT) n sabão m em pó;
washing-up n: **to do the washing-
up** lavar a louça; **washing-up liquid**
n detergente m; **washroom** (US) n
banheiro (BR), casa de banho (PT)
wasn't ['wɔznt] = **was not**
wasp [wɔsp] n vespa
waste [weɪst] n desperdício,
esbanjamento; (of time) perda;
(also: **household ~**) detritos mpl
domésticos; (rubbish) lixo ▷ adj
(material) de refugo; (left over) de
sobra; (land) baldio ▷ vt (squander)
esbanjar, desperdiçar; (time,
opportunity) perder; **~s** npl (land)
ermos mpl; **to lay ~** devastar; **waste
away** vi definhar
watch [wɔtʃ] n (clock) relógio;
(also: **wrist~**) relógio de pulso; (act

of ~ing) vigia; (guard: Mil) sentinela;
(Naut: spell of duty) quarto ▷ vt (look
at) observar, olhar; (programme,
match) assistir a; (television) ver; (spy
on, guard) vigiar; (be careful of) tomar
cuidado com ▷ vi ver, olhar; (keep
guard) montar guarda; **watch out**
vi ter cuidado; **watchdog** n cão m
de guarda; (fig) vigia m/f
water ['wɔːtə*] n água ▷ vt (plant)
regar ▷ vi (eyes) lacrimejar; (mouth)
salivar; **in British ~s** nas águas
territoriais britânicas; **water
down** vt (milk) aguar; (fig) diluir;
watercolour (US **watercolor**) n
aquarela; **waterfall** n cascata,
cachoeira; **watering can** n regador
m; **watermelon** n melancia;
waterproof adj impermeável;
water-skiing n esqui m aquático
watt [wɔt] n watt m
wave [weɪv] n onda; (of hand)
aceno, sinal m; (in hair) onda,
ondulação f ▷ vi acenar com a mão;
(flag, grass) tremular ▷ vt (hand)
acenar; (handkerchief) acenar com;
(weapon) brandir; **wavelength** n
comprimento de onda; **to be on
the same wavelength as** ter os
mesmos gostos e atitudes que
waver ['weɪvə*] vi vacilar; (voice,
eyes, love) hesitar
wavy ['weɪvɪ] adj (hair) ondulado;
(line) ondulante
wax [wæks] n cera ▷ vt encerar;
(car) polir ▷ vi (moon) crescer
way [weɪ] n caminho; (distance)
percurso; (direction) direção f,
sentido; (manner) maneira, modo;
(habit) costume m; **which ~? – this
~** por onde? – por aqui; **on the ~
(to)** a caminho (de); **to be on one's
~** estar a caminho; **to be in the ~**
atrapalhar; **to go out of one's ~ to
do sth** dar-se ao trabalho de fazer
algo; **to lose one's ~** perder-se; **to**

be under ~ estar em andamento; **in a ~** de certo modo, até certo ponto; **in some ~s** a certos respeitos; **by the ~** a propósito; **"~ in"** (BRIT) "entrada"; **"~ out"** (BRIT) "saída"; **the ~ back** o caminho de volta; **"give ~"** (BRIT: Aut) "dê a preferência"; **no ~!** (inf) de jeito nenhum!

WC ['dʌblju:si:] n abbr (= water closet) privada

we [wi:] pl pron nós

weak [wi:k] adj fraco, débil; (morally, currency) fraco; (excuse) pouco convincente; (tea) aguado, ralo; **weaken** vi enfraquecer(-se) (give way) ceder; (influence, power) diminuir ▷ vt enfraquecer; **weakness** n fraqueza; (fault) ponto fraco; **to have a weakness for** ter uma queda por

wealth [wɛlθ] n riqueza; (of details) abundância; **wealthy** adj rico, abastado; (country) rico

weapon ['wɛpən] n arma; **weapons of mass destruction** npl armas de destruição em massa

wear [wɛə°] (pt **wore,** pp **worn**) n (use) uso; (deterioration) desgaste m; (clothing): **baby/sports ~** roupa infantil/de esporte ▷ vt (clothes) usar; (shoes) usar, calçar; (put on) vestir; (damage: through use) desgastar ▷ vi (last) durar; (rub through etc) gastar-se; **town/ evening ~** traje m de passeio/de noite; **wear away** vt gastar ▷ vi desgastar-se; **wear down** vt gastar; (strength) esgotar; **wear off** vi (pain etc) passar; **wear out** vt desgastar; (person, strength) esgotar

weary ['wɪərɪ] adj cansado; (dispirited) deprimido ▷ vi: **to ~ of** cansar-se de

weasel ['wi:zl] n (zool) doninha

weather ['wɛðə°] n tempo ▷ vt (storm, crisis) resistir a; **under the ~** (fig: ill) doente; **weather forecast** n previsão f do tempo

weave [wi:v] (pt **wove,** pp **woven**) vt tecer

web [wɛb] n (of spider) teia; (on foot) membrana; (network) rede f; **the (World Wide) W~** a (World Wide) Web; **web address** n endereço de site; **webcam** ['wɛbkæm] n webcam f; **weblog** n weblog m; **web page** n página (da) web; **website** ['wɛbsaɪt] n site m, website m

wed [wɛd] (pt, pp **~ded**) vt casar ▷ vi casar-se

we'd [wi:d] = **we had; we would**

wedding ['wɛdɪŋ] n casamento, núpcias fpl; **silver/golden ~** (anniversary) bodas fpl de prata/de ouro; **wedding dress** n vestido de noiva; **wedding ring** n anel m or aliança de casamento

wedge [wɛdʒ] n (of wood etc) cunha, calço; (of cake) fatia ▷ vt (pack tightly) apinhar; (door) pôr calço em

Wednesday ['wɛdnzdɪ] n quarta-feira

wee [wi:] (scottish) adj pequeno, pequenino

weed [wi:d] n erva daninha ▷ vt capinar; **weedkiller** n herbicida m

week [wi:k] n semana; **a ~ today** daqui a uma semana; **a ~ on Tuesday** sem ser essa terça-feira, a próxima; **weekday** n dia m de semana; (Comm) dia útil; **weekend** n fim de semana; **weekly** adv semanalmente ▷ adj semanal ▷ n semanário

weep [wi:p] (pt, pp **wept**) vi (person) chorar

weigh [weɪ] vt, vi pesar; **to ~ anchor** levantar ferro; **weigh down** vt sobrecarregar; (fig: with worry) deprimir, acabrunhar; **weigh up** vt ponderar, avaliar

weight [weɪt] n peso; **to lose/put on ~** emagrecer/engordar

weird [wɪəd] adj esquisito, estranho

welcome ['wɛlkəm] adj bem-vindo ▷ n acolhimento, recepção f ▷ vt dar as boas-vindas a; (be glad of) saudar; **you're ~** (after thanks) de nada

weld [wɛld] n solda ▷ vt soldar, unir

welfare ['wɛlfɛə°] n bem-estar m; (social aid) assistência social; **welfare state** n país auto-financiador da sua assistência social

well [wɛl] n poço ▷ adv bem ▷ adj: **to be ~** estar bem (de saúde) ▷ excl bem!, então!; **as ~** também; **as ~ as** assim como; **~ done!** muito bem!; **get ~ soon!** melhoras!; **to do ~** ir or sair-se bem; (business) ir bem; **well up** vi brotar

we'll [wiːl] = **we will**; **we shall**

well: well-behaved adj bem comportado; **well-built** adj robusto; **well-dressed** adj bem vestido

wellingtons ['wɛlɪŋtənz] n (also: **wellington boots**) botas de borracha até os joelhos

well: well-known adj conhecido; **well-off** adj próspero, rico

Welsh [wɛlʃ] adj galês (galesa) ▷ n (Ling) galês m; **the ~** npl (people) os galeses; **Welshman** (irreg) n galês m; **Welshwoman** (irreg) n galesa

went [wɛnt] pt of **go**

wept [wɛpt] pt, pp of **weep**

were [wəː°] pt of **be**

we're [wɪə°] = **we are**

weren't [wəːnt] = **were not**

west [wɛst] n oeste m ▷ adj ocidental, do oeste ▷ adv para o oeste or ao oeste; **the W~** (Pol) o Oeste, o Ocidente; **western** adj

ocidental ▷ n (Cinema) western m, bangue-bangue (BR: inf); **West Indian** adj, n antilhano(-a); **West Indies** npl Antilhas fpl

wet [wɛt] adj molhado; (damp) úmido; (~ through) encharcado; (rainy) chuvoso ▷ n (BRIT: Pol) político de tendência moderada; **to get ~** molhar-se; **"~ paint"** "tinta fresca"; **wetsuit** n roupa de mergulho

we've [wiːv] = **we have**

whale [weɪl] n (Zool) baleia

wharf [wɔːf] (pl **wharves**) n cais m inv

○ **KEYWORD**

what [wɔt] adj 1 (in direct/indirect questions) que, qual; **~ size is it?** que tamanho é este?; **~ colour/shape is it?** qual é a cor/o formato?; **he asked me ~ books I needed** ele me perguntou de quais os livros eu precisava

2 (in exclamations) quê!, como!; **~ a mess!** que bagunça!

▷ pron 1 (interrogative) que, o que; **~ are you doing?** o que é que você está fazendo?; **~ is it called?** como se chama?; **~ about me?** e eu?; **~ about doing ...?** que tal fazer ...?

2 (relative) o que; **I saw ~ you did/was on the table** eu vi o que você fez/estava na mesa; **he asked me ~ she had said** ele me perguntou o que ela tinha dito

▷ excl (disbelieving): **~, no coffee!** o que, não tem café!

whatever [wɔt'ɛvə°] adj: **~ book** qualquer livro ▷ pron: **do ~ is necessary/you want** faça tudo o que for preciso/o que você quiser; **~ happens** aconteça o que acontecer;

no reason ~ or **whatsoever** nenhuma razão seja qual for or em absoluto; **nothing ~** nada em absoluto

whatsoever [wɔtsəu'evə°] adj = **whatever**

wheat [wi:t] n trigo

wheel [wi:l] n roda; (also: **steering ~**) volante m; (Naut) roda do leme ▷ vt (pram etc) empurrar ▷ vi (birds) dar voltas; (also: **~ round**) girar, dar voltas, virar-se; **wheelbarrow** n carrinho de mão; **wheelchair** n cadeira de rodas; **wheel clamp** n (Aut) grampo com que se imobiliza carros estacionados ilegalmente

wheeze [wi:z] vi respirar ruidosamente

○ **KEYWORD**

when [wɛn] adv quando ▷ conj 1 (at, during, after the time that) quando; **~ you've read it, tell me what you think** depois que você tiver lido isto, diga-me o que acha; **that was ~ I needed you** foi quando eu precisei de você 2 (on, at which) quando, em que; **on the day ~ I met him** no dia em que o conheci; **one day ~ it was raining** um dia quando estava chovendo 3 (whereas) ao passo que; **you said I was wrong ~ in fact I was right** você disse que eu estava errado quando, na verdade, eu estava certo

whenever [wɛn'evə°] conj quando, quando quer que; (every time that) sempre que ▷ adv quando você quiser

where [wɛə°] adv onde ▷ conj onde, aonde; **this is ~ ...** aqui é onde ...; **whereabouts** ['wɛərəbauts] adv (por) onde ▷ n: **nobody knows his whereabouts** ninguém sabe o seu paradeiro; **whereas** [wɛər'æz] conj uma vez que, ao passo que; **whereby** adv (formal) pelo qual (or pela qual etc); **wherever** [wɛər'evə°] conj onde quer que ▷ adv (interrogative) onde?

whether ['wɛðə°] conj se; **I don't know ~ to accept or not** não sei se aceito ou não; **~ you go or not** quer você vá quer não; **it's doubtful ~ ...** não é certo que ...

○ **KEYWORD**

which [wɪtʃ] adj 1 (interrogative: direct, indirect) que, qual; **~ picture do you want?** que quadro você quer?; **~ books are yours?** quais são os seus livros?; **~ one?** qual? 2: **in ~ case** em cujo caso; **by ~ time** momento em que ▷ pron 1 (interrogative) qual; **~ (of these) are yours?** quais (destes) são seus? 2 (relative) que, o que, o qual etc; **the apple ~ you ate** a maçã que você comeu; **the chair on ~ you are sitting** a cadeira na qual você está sentado; **he said he knew, ~ is true** ele disse que sabia, o que é verdade; **after ~** depois do que

whichever [wɪtʃ'evə°] adj: **take ~ book you prefer** pegue o livro que preferir; **~ book you take** qualquer livro que você pegue

while [waɪl] n tempo, momento ▷ conj enquanto, ao mesmo tempo que; (as long as) contanto que; (although) embora; **for a ~** durante algum tempo; **while away** vt (time) encher

whim [wɪm] n capricho, veneta

whine [waɪn] n (of pain) gemido; (of engine, siren) zunido ▷ vi gemer;

zunir; (*fig*) lamuriar-se

whip [wɪp] *n* açoite *m*; (*for riding*) chicote *m*; (*Pol*) líder *m/f* da bancada ▷ *vt* chicotear; (*snatch*) apanhar de repente; (*cream, eggs*) bater; (*move quickly*): **to ~ sth out/off/away** *etc* arrancar algo; **whipped cream** *n* (creme *m*) chantilly *m*

whirl [wəːl] *vt* fazer girar ▷ *vi* (*dancers*) rodopiar; (*leaves, water etc*) redemoinhar

whisk [wɪsk] *n* (*Culin*) batedeira ▷ *vt* bater; **to ~ sb away** *or* **off** levar alguém rapidamente

whiskers ['wɪskəz] *npl* (*of animal*) bigodes *mpl*; (*of man*) suíças *fpl*

whisky [wɪskɪ] (*US, ireland* **whiskey**) *n* uísque *m* (*BR*), whisky *m* (*PT*)

whisper ['wɪspə*] *n* sussurro, murmúrio ▷ *vt*, *vi* sussurrar

whistle ['wɪsl] *n* (*sound*) assobio; (*object*) apito ▷ *vt*, *vi* assobiar

white [waɪt] *adj* branco; (*pale*) pálido ▷ *n* branco; (*of egg*) clara; **white coffee** *n* café *m* com leite; **White House** *n*: **the W~ House** a Casa Branca; *ver quadro*

whitewash *n* (*paint*) cal *f* ▷ *vt* caiar; (*fig*) encobrir

whiting ['waɪtɪŋ] *n inv* pescada

Whitsun ['wɪtsn] *n* Pentecostes *m*

whizz [wɪz] *vi*: **to ~ past** *or* **by** passar a toda velocidade

○ KEYWORD

who [huː] *pron* **1** (*interrogative*) quem?; **~ is it?** quem é?
2 (*relative*) que, o qual *etc*, quem; **my cousin, ~ lives in New York** meu primo que mora em Nova Iorque; **the man ~ spoke to me** o homem que falou comigo

whole [həul] *adj* (*complete*) todo, inteiro; (*not broken*) intacto ▷ *n* (*all*): **the ~ of the time** o tempo todo; (*entire unit*) conjunto; **on the ~, as a ~** como um todo, no conjunto; **wholemeal** (*BRIT*) *adj* integral; **wholesale** *n* venda por atacado ▷ *adj* por atacado; (*destruction*) em grande escala ▷ *adv* por atacado; **wholewheat** *adj* = **wholemeal**; **wholly** ['həulɪ] *adv* totalmente, completamente

○ KEYWORD

whom [huːm] *pron* **1** (*interrogative*) quem?; **to ~ did you give it?** para quem você deu isto?
2 (*relative*) que, quem; **the man ~ I saw/to ~ I spoke** o homem que eu vi/com quem eu falei

whore [hɔː*] (*inf: pej*) *n* puta

○ KEYWORD

whose [huːz] *adj* **1** (*possessive: interrogative*): **~ book is this?, ~ is this book?** de quem é este livro?
2 (*possessive: relative*): **the man ~ son you rescued** o homem cujo filho você salvou; **the woman ~ car was stolen** a mulher de quem o carro foi roubado
▷ *pron* de quem; **I don't know ~ it is** eu não sei de quem é isto

○ **KEYWORD**

why [waɪ] *adv* por que (BR), porque (PT); (*at end of sentence*) por quê (BR), porquê (PT)
▷ *conj* por que; **that's not ~ I'm here** não é por isso que estou aqui; **the reason ~** a razão por que
▷ *excl* (*expressing surprise, shock, annoyance*) bem!; (*explaining*) bem!; **~, it's you!** ora, é você!

wicked ['wɪkɪd] *adj* perverso; (*smile*) malicioso
wicket ['wɪkɪt] *n* (*cricket*) arco
wide [waɪd] *adj* largo; (*area, publicity, knowledge*) amplo ▷ *adv*: **to open ~** abrir totalmente; **to shoot ~** atirar longe do alvo; **widely** *adv* extremamente; (*travelled*) muito; (*believed, known*) amplamente; **widen** *vt* alargar; (*one's experience*) aumentar ▷ *vi* alargar-se; **wide open** *adj* (*eyes*) arregalado; (*door*) escancarado; **widespread** *adj* (*belief etc*) difundido, comum
widow ['wɪdəu] *n* viúva; **widower** *n* viúvo
width [wɪdθ] *n* largura
wield [wi:ld] *vt* (*sword*) brandir, empunhar; (*power*) exercer
wife [waɪf] (*pl* **wives**) *n* mulher f, esposa
wig [wɪg] *n* peruca
wild [waɪld] *adj* (*animal*) selvagem; (*plant*) silvestre; (*rough*) violento, furioso; (*idea*) disparatado, extravagante; (*person*) insensato; **wilderness** ['wɪldənɪs] *n* ermo; **wildlife** *n* animais *mpl* selvagens; **wildly** *adv* (*behave*) freneticamente; (*hit, guess*) irrefletidamente; (*happy*) extremamente

○ **KEYWORD**

will [wɪl] (*vt*) (*pt, pp* **~ed**) *aux vb*

1 (*forming future tense*): **I ~ finish it tomorrow** vou acabar isto amanhã; **I ~ have finished it by tomorrow** até amanhã eu terei terminado isto; **~ you do it? – yes I ~/no I won't** você vai fazer isto? – sim, vou/não eu não vou
2 (*in conjectures, predictions*): **he ~ come** ele virá; **he ~** or **he'll be there by now** nesta altura ele está lá; **that ~ be the postman** deve ser o carteiro; **this medicine ~/won't help you** este remédio vai/não vai fazer efeito em você
3 (*in commands, requests, offers*): **~ you be quiet!** fique quieto, por favor!; **~ you come?** você vem?; **~ you help me?** você pode me ajudar?; **~ you have a cup of tea?** você vai querer uma xícara de chá *or* um chá?; **I won't put up with it** eu não vou tolerar isto
▷ *vt*: **to ~ sb to do sth** desejar que alguém faça algo; **he ~ed himself to go on** reuniu grande força de vontade para continuar
▷ *n* (*volition*) vontade *f*; (*testament*) testamento

willing ['wɪlɪŋ] *adj* disposto, pronto; (*enthusiastic*) entusiasmado; **willingly** *adv* de bom grado, de boa vontade
willow ['wɪləu] *n* salgueiro
willpower ['wɪlpauə*] *n* força de vontade
wilt [wɪlt] *vi* (*flower*) murchar; (*plant*) morrer
win [wɪn] (*pt, pp* **won**) *n* vitória ▷ *vt* ganhar, vencer; (*obtain*) conseguir, obter; (*support*) alcançar ▷ *vi* ganhar; **win over** *vt* conquistar; **win round** (BRIT) *vt* = **win over**
wince [wɪns] *vi* encolher-se, estremecer

wind¹ [wɪnd] n vento; (Med) gases mpl, flatulência; (breath) fôlego ▷ vt (take breath away from) deixar sem fôlego

wind² [waɪnd] (pt, pp **wound**) vt enrolar, bobinar; (wrap) envolver; (clock, toy) dar corda a ▷ vi (road, river) serpentear; **wind up** vt (clock) dar corda em; (debate) rematar, concluir

windfall ['wɪndfɔ:l] n golpe m de sorte

winding ['waɪndɪŋ] adj (road) sinuoso, tortuoso; (staircase) de caracol, em espiral

windmill ['wɪndmɪl] n moinho de vento

window ['wɪndəu] n janela; (in shop etc) vitrine f (BR), montra (PT); **window box** n jardineira (no peitoril da janela); **window cleaner** n limpador(a) m/f de janelas; **window-shopping** n: **to go window-shopping** ir ver vitrines

windscreen ['wɪndskri:n] (BRIT) n pára-brisa m; **windscreen wiper** (BRIT) n limpador m de pára-brisa

windshield etc ['wɪndʃi:ld] (US) n = **windscreen** etc

windy ['wɪndɪ] adj com muito vento, batido pelo vento; **it's ~** está ventando (BR), faz vento (PT)

wine [waɪn] n vinho; **wine bar** n bar m (para degustação de vinhos); **wine glass** n cálice m (de vinho); **wine list** n lista de vinhos

wing [wɪŋ] n asa; (of building) ala; (Aut) aleta, pára-lamas m inv; **~s** npl (theatre) bastidores mpl

wink [wɪŋk] n piscadela ▷ vi piscar o olho; (light etc) piscar

winner ['wɪnə*] n vencedor(a) m/f

winning ['wɪnɪŋ] adj (team) vencedor(a); (goal) decisivo; (smile) sedutor(a)

winter ['wɪntə*] n inverno; **winter**

sports npl esportes mpl (BR) or desportos mpl (PT) de inverno

wipe [waɪp] n: **to give sth a ~** limpar algo com um pano ▷ vt limpar; (rub) esfregar; (erase: tape) apagar; **wipe off** vt remover esfregando; **wipe out** vt (debt) liquidar; (memory) apagar; (destroy) exterminar; **wipe up** vt limpar

wire ['waɪə*] n arame m; (Elec) fio (elétrico); (telegram) telegrama m ▷ vt (house) instalar a rede elétrica em; (also: ~ **up**) conectar; (telegram) telegrafar para

wiring ['waɪərɪŋ] n instalação f elétrica

wisdom ['wɪzdəm] n prudência; (of action, remark) bom-senso, sabedoria; **wisdom tooth** (irreg) n dente m do siso

wise [waɪz] adj prudente; (action, remark) sensato

wish [wɪʃ] n desejo ▷ vt (want) querer; **best ~es** (on birthday etc) parabéns mpl, felicidades fpl; **with best ~es** (in letter) cumprimentos; **to ~ sb goodbye** despedir-se de alguém; **he ~ed me well** me desejou boa sorte; **to ~ to do/sb to do sth** querer fazer/que alguém faça algo; **to ~ for** desejar

wistful ['wɪstful] adj melancólico

wit [wɪt] n (wittiness) presença de espírito, engenho; (intelligence: also: ~**s**) entendimento; (person) espirituoso(-a)

witch [wɪtʃ] n bruxa

○ **KEYWORD**

with [wɪð, wɪθ] prep
1 (accompanying, in the company of) com; **I was ~ him** eu estava com ele; **to stay overnight ~ friends** dormir na casa de amigos; **we'll take the children ~** us vamos levar

as crianças conosco; **I'll be ~ you in a minute** vou vê-lo num minuto; **I'm ~ you** (*I understand*) compreendo; **to be ~ it** (*inf*) estar por dentro; (*aware*) estar a par da situação; (: *up-to-date*) estar atualizado com
2 (*descriptive*) com, de; **a room ~ a view** um quarto com vista; **the man ~ the grey hat/blue eyes** o homem do chapéu cinza/de olhos azuis
3 (*indicating manner, means, cause*) com, de; **~ tears in her eyes** com os olhos cheios de lágrimas; **to fill sth ~ water** encher algo de água

withdraw [wɪð'drɔ:] (*irreg*) *vt* tirar, remover; (*offer*) retirar ▷ *vi* retirar-se; **to ~ money (from the bank)** retirar dinheiro (do banco); **withdrawal** *n* retirada; **withdrawal symptoms** *npl* síndrome *f* de abstinência; **withdrawn** *adj* (*person*) reservado, introvertido
wither ['wɪðə°] *vi* murchar
withhold [wɪð'həuld] (*irreg: like* **hold**) *vt* (*money*) reter; (*permission*) negar; (*information*) ocultar
within [wɪð'ɪn] *prep* dentro de ▷ *adv* dentro; **~ reach (of)** ao alcance (de); **~ sight (of)** à vista (de); **~ the week** antes do fim da semana; **~ a mile of** a uma milha de
without [wɪð'aut] *prep* sem; **~ anybody knowing** sem ninguém saber; **to go ~ sth** passar sem algo
withstand [wɪð'stænd] (*irreg: like* **stand**) *vt* resistir a
witness ['wɪtnɪs] *n* testemunha ▷ *vt* testemunhar, presenciar; (*document*) legalizar; **to bear ~ to sth** (*fig*) testemunhar algo
witty ['wɪtɪ] *adj* espirituoso
wives [waɪvz] *npl of* **wife**
wizard ['wɪzəd] *n* feiticeiro, mago

wk *abbr* = **week**
wobble ['wɔbl] *vi* oscilar; (*chair*) balançar
woe [wəu] *n* dor *f*, mágoa
woke [wəuk] *pt of* **wake**; **woken** *pp of* **wake**
wolf [wulf] (*pl* **wolves**) *n* lobo
woman ['wumən] (*pl* **women**) *n* mulher *f*; **~ doctor** médica
womb [wu:m] *n* (*Anat*) matriz *f*, útero
women ['wɪmɪn] *npl of* **woman**
won [wʌn] *pt, pp of* **win**
wonder ['wʌndə°] *n* maravilha, prodígio; (*feeling*) espanto ▷ *vi* perguntar-se a si mesmo; **to ~ at** admirar-se de; **to ~ about** pensar sobre *or* em; **it's no ~ that** não é de admirar que; **wonderful** *adj* maravilhoso; (*miraculous*) impressionante
won't [wəunt] = **will not**
wood [wud] *n* (*timber*) madeira; (*forest*) floresta, bosque *m*; **wooden** *adj* de madeira; (*fig*) inexpressivo; **woodwind** *n* (*Mus*) instrumentos *mpl* de sopro de madeira; **woodwork** *n* carpintaria
wool [wul] *n* lã *f*; **to pull the ~ over sb's eyes** (*fig*) enganar alguém, vender a alguém gato por lebre; **woollen** *adj* de lã; **woolly** (*us* **wooly**) *adj* de lã; (*fig*) confuso
word [wə:d] *n* palavra; (*news*) notícia ▷ *vt* redigir; **in other ~s** em outras palavras, ou seja; **to break/keep one's ~** faltar à palavra/cumprir a promessa; **to have ~s with sb** discutir com alguém; **wording** *n* fraseado; **word processing** *n* processamento de textos; **word processor** *n* processador *m* de textos
wore [wɔ:°] *pt of* **wear**
work [wə:k] *n* trabalho; (*job*) emprego, trabalho; (*art, literature*)

obra ▷ *vi* trabalhar; (*mechanism*) funcionar; (*medicine etc*) surtir efeito, ser eficaz ▷ *vt* (*clay*) moldar; (*wood*) talhar; (*mine etc*) explorar; (*machine*) fazer trabalhar, manejar; (*effect, miracle*) causar; **to ~ loose** (*part*) soltar-se; (*knot*) afrouxar-se; **work on** *vt fus* trabalhar em, dedicar-se a; (*person: influence*) tentar convencer; (*principle*) basear-se em; **work out** *vi* dar certo, surtir efeito ▷ *vt* (*problem*) resolver; (*plan*) elaborar, formular; **it ~s out at £100** monta *or* soma a £100; **worker** *n* trabalhador(a) *m/f*, operário(-a); **working class** *n* proletariado, classe *f* operária ▷ *adj*: **working-class** do proletariado, da classe operária; **workman** (*irreg*) *n* operário, trabalhador *m*; **worksheet** *n* folha de exercícios; **workshop** *n* oficina; (*practical session*) aula prática

world [wəːld] *n* mundo ▷ *cpd* mundial; **to think the ~ of sb** (*fig*) ter alguém em alto conceito

worm [wəːm] *n* (*also*: **earth~**) minhoca, lombriga

worn [wɔːn] *pp of* **wear** ▷ *adj* gasto; **worn-out** *adj* (*object*) gasto; (*person*) esgotado, exausto

worry ['wʌrɪ] *n* preocupação *f* ▷ *vt* preocupar, inquietar ▷ *vi* preocupar-se, afligir-se

worse [wəːs] *adj, adv* pior ▷ *n* o pior; **a change for the ~** uma mudança para pior, uma piora; **worsen** *vt, vi* piorar; **worse off** *adj* com menos dinheiro; (*fig*): **you'll be worse off this way** assim você ficará pior que nunca

worship ['wəːʃɪp] *n* adoração *f* ▷ *vt* adorar, venerar; (*person, thing*) adorar; **Your W~** (*BRIT*: *to mayor*) vossa Excelência; (: *to judge*) senhor Juiz

worst [wəːst] *adj* (*o* (*a*)) pior ▷ *adv* pior ▷ *n* o pior; **at ~** na pior das hipóteses

worth [wəːθ] *n* valor *m*, mérito *m* ▷ *adj*: **to be ~** valer; **it's ~ it** vale a pena; **to be ~ one's while (to do)** valer a pena (fazer); **worthless** *adj* (*person*) imprestável; (*thing*) inútil; **worthwhile** *adj* (*activity*) que vale a pena; (*cause*) de mérito, louvável

worthy ['wəːðɪ] *adj* (*person*) merecedor(a), respeitável; (*motive*) justo; **~ of** digno de

○ **KEYWORD**

would [wud] *aux vb* **1** (*conditional tense*): **if you asked him, he ~ do it** se você pedisse, ele faria isto; **if you had asked him, he ~ have done it** se você tivesse pedido, ele teria feito isto
2 (*in offers, invitations, requests*): **~ you like a biscuit?** você quer um biscoito?; **~ you ask him to come in?** pode pedir a ele para entrar?; **~ you close the door, please?** quer fechar a porta, por favor?
3 (*in indirect speech*): **I said I ~ do it** eu disse que eu faria isto
4 (*emphatic*) **you WOULD say that, ~n't you?** é lógico que você vai dizer isso
5 (*insistence*): **she ~n't behave** não houve feito dela se comportar
6 (*conjecture*): **it ~ have been midnight** devia ser meia-noite; **it ~ seem so** parece que sim
7 (*indicating habit*): **he ~ go on Mondays** costumava ir às segundas-feiras

wouldn't ['wudnt] = **would not**
wound[1] [waund] *pt, pp of* **wind**[2]
wound[2] [wuːnd] *n* ferida ▷ *vt* ferir
wove [wəuv] *pt of* **weave**; **woven**

pp of **weave**

wrap [ræp] *n* (*stole*) xale *m*; (*cape*)
capa ▷ *vt* (*cover*) envolver; (*also:*
~ up) embrulhar; (*wind: tape etc*)
amarrar; **wrapper** *n* invólucro;
(BRIT: *of book*) capa; **wrapping
paper** *n* papel *m* de embrulho;
(*fancy*) papel de presente

wreath [riːθ] *n* coroa

wreck [rɛk] *n* (*vehicle*) destroços
mpl; (*ship*) restos *mpl* do naufrágio;
(*pej: person*) ruína, caco ▷ *vt*
destruir, danificar; (*fig*) arruinar,
arrasar; **wreckage** *n* (*of car, plane*)
destroços *mpl*; (*of ship*) restos *mpl*;
(*of building*) escombros *mpl*

wren [rɛn] *n* (*zool*) carriça

wrench [rɛntʃ] *n* (*Tech*) chave
f inglesa; (*tug*) puxão *m*; (*fig*)
separação *f* penosa ▷ *vt* torcer com
força; **to ~ sth from sb** arrancar
algo de alguém

wrestle ['rɛsl] *vi*: **to ~ (with sb)**
lutar (com *or* contra alguém);
wrestler *n* lutador *m*; **wrestling**
n luta (livre)

wretched ['rɛtʃid] *adj*
desventurado, infeliz; (*inf*) maldito

wriggle ['rɪgl] *vi* (*also:* **~ about**)
retorcer-se, contorcer-se

wring [rɪŋ] (*pt, pp* **wrung**) *vt*
(*clothes, neck*) torcer; (*hands*)
apertar; (*fig*): **to ~ sth out of sb**
arrancar algo de alguém

wrinkle ['rɪŋkl] *n* (*on skin*) ruga;
(*on paper*) prega ▷ *vt* franzir ▷ *vi*
enrugar-se

wrist [rɪst] *n* pulso

write [raɪt] (*pt* **wrote,** *pp* **written**)
vt escrever; (*cheque, prescription*)
passar ▷ *vi* escrever; **to ~ to sb**
escrever para alguém; **write down**
vt (*note*) anotar; (*put on paper*) pôr
no papel; **write off** *vt* cancelar;
write out *vt* escrever por extenso;
(*cheque etc*) passar; **write up** *vt*

redigir; **write-off** *n* perda total;
writer *n* escritor(a) *m/f*

writing ['raɪtɪŋ] *n* escrita; (*hand~*)
caligrafia, letra; (*of author*) obra; **in
~** por escrito

wrong [rɔŋ] *adj* (*bad*) errado,
mau; (*unfair*) injusto; (*incorrect*)
errado, equivocado; (*inappropriate*)
impróprio ▷ *adv* mal, errado ▷ *n*
injustiça ▷ *vt* ser injusto com;
you are ~ to do it você se engana
ao fazê-lo; **you are ~ about that,
you've got it ~** você está enganado
sobre isso; **to be in the ~** não ter
razão; **what's ~?** o que é que há?;
to go ~ (*person*) desencaminhar-se;
(*plan*) dar errado; (*machine*) sofrer
uma avaria; **wrongly** ['rɔŋlɪ] *adv*
errado

wrote [rəut] *pt of* **write**

wrung [rʌŋ] *pt, pp of* **wring**

WWW *n abbr* (= *World Wide Web*):
the ~ a WWW

Xmas ['εksməs] *n abbr* =
Christmas
X-ray [εks'reɪ] *n* radiografia ▷ *vt*
radiografar, tirar uma chapa de

yacht [jɔt] *n* iate *m*; **yachting**
n iatismo
yard [jɑːd] *n* pátio, quintal *m*;
(*measure*) jarda (914 mm; 3 feet)
yarn [jɑːn] *n* fio; (*tale*) história
inverossímil
yawn [jɔːn] *n* bocejo ▷ *vi* bocejar
yeah [jεə] (*inf*) *adv* é
year [jɪə°] *n* ano; **to be 8 ~s old** ter
8 anos; **an eight-~-old child** uma
criança de oito anos (de idade);
yearly *adj* anual ▷ *adv* anualmente
yearn [jəːn] *vi*: **to ~ to do/for sth**
ansiar fazer/por algo
yeast [jiːst] *n* levedura, fermento
yell [jεl] *n* grito, berro ▷ *vi* gritar,
berrar
yellow ['jεləu] *adj* amarelo
yes [jεs] *adv*, *n* sim *m*
yesterday ['jεstədɪ] *adv*, *n*
ontem *m*
yet [jεt] *adv* ainda ▷ *conj* porém,
no entanto; **the best ~** o melhor até

agora; **as ~** até agora, ainda
yew [ju:] n teixo
yield [ji:ld] n (Agr) colheita;
  (Comm) rendimento ▷ vt produzir;
  (profit) render; (surrender) ceder ▷ vi
  render-se, ceder; (US: Aut) ceder
yog(h)urt ['jəʊgət] n iogurte m
yolk [jəʊk] n gema (do ovo)

◯ **KEYWORD**

you [ju:] pron **1**(subj: sg) tu, você;
  (: pl) vós, vocês; **~ French enjoy
  your food** vocês franceses gostam
  de comer; **~ and I will go** nós
  iremos
  2 (direct object: sg) te, o (a); (: pl)
  vos, os (as); (indirect object: sg) te,
  lhe; (: pl) vos, lhes; **I know ~** eu lhe
  conheço; **I gave it to ~** dei isto
  para você
  3 (stressed) você; **I told YOU to do it**
  eu disse para você fazer isto
  4 (after prep, in comparisons: sg) ti,
  você; (: pl) vós, vocês; (polite form:
  sg) o senhor (a senhora); (: pl) os
  senhores (as senhoras); **it's for ~**
  é para você; **with ~** contigo, com
  você; convosco, com vocês; com o
  senhor etc
  5 (impers: one): **~ never know** nunca
  se sabe; **apples do ~ good** as maçãs
  fazem bem à saúde

you'd [ju:d] = **you had; you would**
you'll [ju:l] = **you will; you shall**
young [jʌŋ] adj jovem ▷ npl
  (of animal) filhotes mpl, crias fpl;
  (people): **the ~** a juventude, os
  jovens; **younger** [jʌŋgə°] adj
  mais novo
your [jɔ:°] adj teu (tua), seu (sua);
  (pl) vosso, seu (sua); (formal) do
  senhor (da senhora); see also **my**
you're [juə°] = **you are**
yours [jɔ:z] pron teu (tua), seu

(sua); (pl) vosso, seu (sua); (formal)
do senhor (da senhora); **~ sincerely**
or **faithfully** atenciosamente; see
also **mine¹**
yourself [jɔ:'sɛlf] pron (emphatic)
  tu mesmo, você mesmo; (object,
  reflexive) te, se; (after prep) ti
  mesmo, si mesmo; (formal) o
  senhor mesmo (a senhora mesma);
  yourselves pl, pron vós mesmos,
  vocês mesmos; vos, se; vós mesmos,
  vocês mesmos; os senhores
  mesmos (as senhoras mesmas); see
  also **oneself**
youth [ju:θ] n mocidade f,
  juventude f; (young man) jovem
  m; **youth club** n associação f de
  juventude; **youthful** adj juvenil;
  youth hostel n albergue m da
  juventude
you've [ju:v] = **you have**

Z

zebra ['ziːbrə] *n* zebra; **zebra crossing** (*BRIT*) *n* faixa (para pedestres) (*BR*), passadeira (*PT*)
zero ['zɪərəu] *n* zero
zest [zɛst] *n* vivacidade *f*, entusiasmo; (*of lemon etc*) zesto
zigzag ['zɪgzæg] *n* ziguezague *m* ▷ *vi* ziguezaguear
zinc [zɪŋk] *n* zinco
zip [zɪp] *n* (*also:* **~ fastener**) fecho ecler (*BR*) *or* éclair (*PT*) ▷ *vt* (*also:* **~ up**) fechar o fecho ecler de, subir o fecho ecler de; **zip code** (*US*) *n* código postal; **zip file** *n* arquivo zipado; **zipper** (*US*) *n* = **zip**
zodiac ['zəudɪæk] *n* zodíaco
zone [zəun] *n* zona
zoo [zuː] *n* (jardim *m*) zoológico
zoom [zuːm] *vi*: **to ~ past** passar zunindo; **zoom lens** *n* zoom *m*, zum *m*
zucchini [zuːˈkiːnɪ] (*US*) *n* (*pl*) abobrinha

PORTUGUESE
IN ACTION

INGLÊS
EM AÇÃO

CONTENTS

ÍNDICE

CORRESPONDÊNCIA

► CARTA PESSOAL

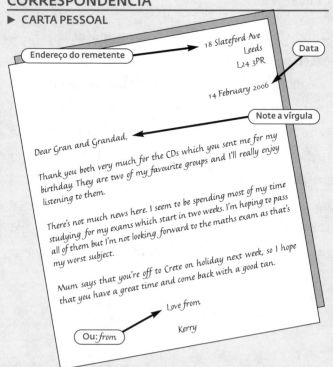

Endereço do remetente

18 Slateford Ave
Leeds
L24 3PR

Data

14 February 2006

Note a vírgula

Dear Gran and Grandad,

Thank you both very much for the CDs which you sent me for my birthday. They are two of my favourite groups and I'll really enjoy listening to them.

There's not much news here. I seem to be spending most of my time studying for my exams which start in two weeks. I'm hoping to pass all of them but I'm not looking forward to the maths exam as that's my worst subject.

Mum says that you're off to Crete on holiday next week, so I hope that you have a great time and come back with a good tan.

Love from

Kerry

Ou: *from*

A INTRODUÇÃO NUMA CARTA PESSOAL

Thank you for your letter.	*Obrigado/da por sua carta.*
It was lovely to hear from you.	*Foi ótimo/Adorei receber notícias suas.*
I'm sorry I didn't write earlier.	*Desculpe por eu não ter te escrito mais cedo.*

A DESPEDIDA NUMA CARTA PESSOAL

Write soon!	*Escreva em breve!*
Give my love to Vanessa.	*Mande um beijo para a Vanessa.*
Samuel sends his best wishes.	*Samuel manda lembranças/abraços.*

4

CORRESPONDENCE

▶ PERSONAL LETTER

Rio de Janeiro, 5 de junho de 2006

← **Place & Date**

Queridos vovó e vovô,

Muito obrigado pelos CDs que vocês me enviaram de presente de aniversário. São dois dos meus grupos favoritos, e estou gostando muito de escutá-los.

Não há muitas novidades por aqui. Tenho passado a maior parte do tempo estudando para os meus exames, que começam daqui a duas semanas. Espero ser aprovada em todos, mas não estou muito animada com o exame de matemática porque é a matéria em que sou mais fraca.

Mamãe me falou que vocês vão de férias para Fortaleza na semana que vem. Espero que se divirtam bastante e voltem com um belo bronzeado.

Com um beijo da

Mônica.

STARTING A PERSONAL LETTER

Obrigado/da por sua carta.	*Thank you for your letter.*
Foi ótimo/Adorei receber notícias suas.	*It was lovely to hear from you.*
Desculpe por eu não ter te escrito mais cedo.	*I'm sorry I didn't write earlier.*

ENDING A PERSONAL LETTER

Escreva em breve!	*Write soon!*
Mande um beijo para a Vanessa.	*Give my love to Vanessa.*
Samuel manda lembranças/abraços.	*Samuel sends his best wishes.*

5

109 Belleview Road
Cumbernauld
CA7 4TX

29th March 2006

Mrs Elaine Harris
Manager
Poppywell Cottage
Devon DV3 8SP

Dear Mrs Harris,

My sister stayed with you last year and has highly recommended your guest house.

I would like to reserve a room for one week from 18th – 24th August of this year. I would be obliged if you would let me know how much this would be for two adults and two children, and whether you have rooms free on those dates.

I hope to hear from you soon,

Yours sincerely,

CORRESPONDENCE

▶ LETTERS

Rosalinda Pereira
Rua Barreto, 109
Curitiba, PR
CEP 80000-999

29 de março de 2006

Sra. Eliana Gomes
Gerente
Pousada Acalanto
Mauá

Prezada Sra. Gomes,

Minha irmã hospedou-se em sua pousada no ano passado e a recomendou muito.

Gostaria de fazer a reserva de um quarto por uma semana, de 18 a 24 de agosto deste ano. Agradeceria se pudesse me informar quanto sairia para dois adultos e duas crianças, e se há vaga nessas datas.

No aguardo de um contato seu em breve,

Atenciosamente,

CORRESPONDÊNCIA

▶ CARTAS

Miss C Sauterelle
Rua Porto Gomes, 262
Catete – 22475-120
Rio de Janeiro, RJ

13th April 2006

Mrs Aileen Fields
Funky Fashions
14 Bracken Lane
Windermere
UK

Dear Mrs Fields,

I am anxious to find a job in Britain during my summer holiday from University and wish to gain experience in the fashion industry. I would be obliged if you could offer me work in any capacity. I can supply references from former employers, if you would like them.

Yours sincerely,

CORRESPONDENCE

▶ LETTERS

Ms Eileen Ross
85 Rush Lane
Triptown
Lancs
LC4 2DT
UK

13 de abril de 2006

Srta. Cristina Santos
Rua Porto Gomes, 262
Catete, Rio de Janeiro, RJ
CEP 22475-120

Prezada Srta. Santos,

Quero muito trabalhar no Brasil durante o período de minhas férias universitárias e adquirir experiência na indústria da moda. Ficaria grata por fornecer uma posição na empresa, qualquer que fosse ela. Posso fornecer cartas de referência de empregadores anteriores, se desejar.

Atenciosamente,

Sra. Maria Antônia Gonçalves
Avenida 20 de Março, apto. 302,
Goiânia, GO
CEP 74000-310

2nd March 2006

Mr Brian Goodman
Human Resources Manager
DTL Thompson Ltd
30 Brownwood Street
Brighton
BR8 4LJ

Dear Mr Goodman,

I am 19 years old and a student of English at São Paulo University. I would like to work in Britain in order to perfect my English. I would be grateful if you would let me know if your agency could offer me work for a period of about ten months from Easter.

Yours in anticipation,

Maria Antônia Gonçalves

CORRESPONDENCE

▶ **LETTERS**

129 Strathmore Ave
Edinburgh
EH11 2AD

2 de março de 2006

Sr. Carlos Mota
Rua dos Andradas, 29,
Centro, Rio de Janeiro, RJ
CEP 22475-000

Prezado Sr. Mota,

Tenho 19 anos e sou estudante de graduação em Português na Universidade de Edimburgo. Gostaria de trabalhar no Brasil para aperfeiçoar meu inglês. Agradeceria se pudesse me informar se sua agência me arrumaria trabalho por um período de dez meses, a partir da Páscoa.

Atenciosamente,

Jessica Lister

CORRESPONDÊNCIA

▶ CARTA DE APRESENTAÇÃO

Rosalind Williamson
11 North Street
Barnton
BN7 2BT

Human Resources Dept
Messrs. J M. Kenyon Ltd.,
Firebrick House
Clifton
MC45 6RB

20th February 2006

Dear Sir or Madam,

With reference to your advertisement in today's Guardian, I wish to apply for the post of Human Resources Manager.

I enclose my curriculum vitae. Please do not hesitate to contact me if you require any further details.

Yours faithfully,
Rosalind Williamson

Enc: CV with two references.

CORRESPONDENCE

▶ **COVERING LETTER**

Rosalinda Pereira
Rua Norte 204
apto 201
São Paulo – SP

20 de fevereiro de 2006

Dept. de Recursos Humanos
Kenyon Ltda.
Rua da Graça, 25
São Paulo - SP

Prezado Senhor/Senhora,

Venho por meio desta me candidatar à posição de Gerente de Recursos Humanos, conforme vaga anunciada no jornal O Globo nesta data.

Envio anexo meu currículo e coloco-me à disposição para fornecer informações adicionais, caso deseje.

Cordialmente,
Rosalinda Pereira

Em anexo: CV e duas cartas de referência.

CURRICULUM VITAE

Name:	Rosalind Anna WILLIAMSON
Address:	11 North Street, Barton, BN7 2BT, England
Telephone:	Barton (01294) 476230
Date of Birth:	6.5.1978
Marital Status:	Single
Nationality:	British
Qualifications:	A Levels (1996): Italian (A), French (B), English (D) O-Levels (1994): 9 subjects B.A. 2nd class Honours degree in Italian with French, University of Newby, England (2000)
Present Post:	Assistant Personnel Officer, Metal Company plc. Barton (since February 2002)
Previous Employment:	Nov. 2000 – Jan 2001: Personnel trainee, Metal Company plc Oct. 1996 – June 2000: Student, University of Newby
Skills, Interests and Experience:	Fluent Italian & French; good working knowledge of German; some Russian; car owner and driver (clean licence); riding & sailing.

The following have agreed to provide references:
Ms Alice Bluegown, Personnel Manager, Metal Company plc,
Barnton, NB4 3KL
Dr I.O. Sono, Department of Italian, University of Newby,
Newby, SR13 2RR

CORRESPONDENCE

▶ CURRICULUM VITAE

CURRÍCULO

Nome: Rosalinda PEREIRA

Endereço: Rua Norte 204, apto 201, São Paulo – SP

Telefone: (011) 4762 3081

Data de Nascimento: 6/5/1978

Estado Civil: Solteira

Nacionalidade: Brasileira

Qualificações: Certificado de Conclusão do Ensino Médio (1996)
Licenciatura em italiano e francês,
USP, São Paulo (2000)

Cargo atual: Assistente de RH, Companhia Metaldom
S/A, São Paulo, SP (desde fevereiro de 2002)

Cargo anterior: Novembro 2000 – Janeiro 2001:
Estagiária na área de RH,
Companhia Metaldom S/A
Outubro 1996 – Junho 2000:
Estudante, USP

Habilidades, Interesses e Experiência Fluência em italiano e francês;
bom conhecimento de alemão;
conhecimento rudimentar de russo;
proprietária de veículo, carteira de motorista
(sem pontuação); hipismo e iatismo.

Referências:
Sra. Alice Amaral, Gerente de Recursos Humanos, Companhia
Metaldom S/A, São Paulo, SP
Dr I.O. Sono, Departamento de Italiano, USP, São Paulo, SP

CORRESPONDÊNCIA

▶ CORREIO ELETRÔNICO/E-MAIL

> Em inglês, pronuncia-se o endereço
> eletrônico assim:
> 'gemma at n t net dot co dot u k'

	New Message	
To:	gemma@ntnet.co.uk	
From:	gordon@onemo.net	
Subject:	concert next week	
cc:	jeremy@bit.com	
bcc:		
	Attachment	Send

Hi guys

I've just bought the new album by Rockstar, and it's brilliant!
I've got two spare tickets to a concert they're giving in
Edinburgh next Wednesday evening, so I hope you can both
make it.

See you soon!

New message	Nova mensagem
To	Para
From	De
Subject	Assunto
cc	Cc
bcc	Cco
Attachment	Anexo
Send	Enviar

CORRESPONDENCE

▶ E-MAIL

> To give your email address to someone in Portuguese, say:
> 'isabel ponto costa arroba globanet ponto com ponto b r'

Nova Mensagem

De:	isabel.costa@globanet.com.br
Para:	su@oneri.com
Assunto:	concerto
Cc:	paulolmuniz@folig.com
Cco:	

Anexo   Enviar

Olá!

Como foi o fim de semana? Sobraram duas entradas para o concerto de amanhã, de uns amigos que não vão poder ir. Se interessar a você, ou se conhecer alguém que queira ir, me avise assim que puder.

Abraços,

Nova mensagem	New message
Para	To
De	From
Assunto	Subject
Cc	cc
Cco	bcc
Anexo	Attachment
Enviar	Send

THE TELEPHONE

O TELEFONE

▶ **WHEN YOUR NUMBER ANSWERS**

- Hello! Could I speak to Susana, please?

- Could you ask him/her to call me back, please?

- I'll call back in half an hour.

▶ **ANSWERING THE TELEPHONE**

- Hello! It's Marcos speaking.

- Speaking.

- Who's speaking?

▶ **WHEN THE SWITCHBOARD ANSWERS**

- Who shall I say is calling?

- I'm putting you through.

- Please hold.

- Would you like to leave a message?

▶ **DIFFICULTIES**

- I can't get through.

- I'm sorry, I've got the wrong number.

- This is a very bad line.

- Their phone is out of order.

▶ **AO TELEFONAR PARA ALGUÉM**

- Alô! Posso falar com a Susana, por favor?

- Você podia pedir a ele/ela para retornar minha ligação?

- Volto a ligar daqui a meia hora.

▶ **AO ATENDER O TELEFONE**

- Alô! Aqui é o Marcos.

- É ele/ela.

- Com quem falo?

▶ **QUANDO A/O TELEFONISTA ATENDE**

- Quem gostaria de falar?

- Vou transferir a ligação.

- Aguarde, por favor.

- Gostaria de deixar um recado?

▶ **DIFICULDADES**

- Não consigo completar a ligação.

- Desculpe, foi engano.

- A linha está muito ruim.

- O telefone deles não está funcionando.

FALSE FRIENDS   FALSOS AMIGOS

English ≠ *portuguese*

actual ≠ *atual*

The film is based on actual events. ⟶ O filme se baseia em eventos reais.

O filme se baseia em eventos atuais. ⟶ The film is based on current events.

agenda ≠ *agenda*

I've drawn up an agenda for the meeting. ⟶ Preparei uma pauta para a reunião.

Perdi minha agenda. ⟶ I have lost my diary.

beef ≠ *bife*

Did you buy beef or pork? ⟶ Você comprou carne de vaca ou porco?

bife com batatas fritas ⟶ steak and chips

deception ≠ *decepção*

Katie continued to keep up the deception. ⟶ Katie continuou a manter a ilusão.

Ontem tive uma grande decepção. ⟶ Yesterday I had a big disappointment.

exit ≠ *êxito*

"Exit" (sign) ⟶ "Saída" (placa)

Seu filme obteve grande êxito. ⟶ Her film was a huge success.

FALSE FRIENDS   FALSOS AMIGOS

expert ≠ esperto

She's an expert in marine biology.	→ Ela é especialista em biologia marinha.
Meu irmão é muito esperto.	→ My brother is very smart.

fabric ≠ fábrica

five metres of fabric	→ cinco metros de tecido
Ela trabalha em uma fábrica.	→ She works at a factory.

intend ≠ entender

I didn't intend to hurt her feelings.	→ Eu não pretendia ferir seus sentimentos.
Não entendi a pergunta.	→ I didn't understand the question.

large ≠ largo

a large house	→ uma casa grande
A estrada é bastante larga.	→ The road is very wide.

library ≠ livraria

the public library	→ a biblioteca pública
Esta é minha livraria preferida.	→ This is my favourite bookshop.

location ≠ *locação*

The location is still to be decided. → O local ainda precisa ser decidido.

A empresa lida com locação de apartamentos. → The company deals with apartment rentals.

lunch ≠ *lanche*

Let's have lunch at one. → Vamos almoçar à uma da tarde.

Vamos fazer um lanche mais tarde. → Let's have a snack later.

notice ≠ *notícia*

There's a notice on the board about the trip. → Há um aviso no quadro sobre a viagem.

Recebi boas notícias. → I got some good news.

parent ≠ *parente*

My parents are Scottish. → Meus pais são escoceses.

Meus parentes vieram me visitar. → My relatives came to visit me.

pretend ≠ *pretender*

He was just pretending to be ill. → Ele só estava fingindo que estava doente.

Pretendo terminar o trabalho hoje. → I intend to finish the job today.

push ≠ *puxar*

Push the door to open it.   →   Empurre a porta para abri-la.

O assaltante quase puxou o gatilho.   →   The robber almost pulled the trigger.

record ≠ *recordar*

They've just recorded a new album.   →   Eles acabaram de gravar um novo álbum.

Eu me recordo dessa pessoa.   →   I remember this person.

retired ≠ *retirado*

Is your dad retired yet?   →   Seu pai já é aposentado?

O computador deve ser retirado da caixa com cuidado.   →   The computer must be removed from the box carefully.

sensible ≠ *sensível*

Be sensible!   →   Seja sensato!

Ela é uma pessoa muito sensível.   →   She is a very sensitive person.

sympathetic ≠ *simpático*

She's a sympathetic listener.   →   Ela é uma ouvinte muito compassiva.

Meu amigo é muito simpático.   →   My friend is very nice.

USEFUL PHRASES

FRASES ÚTEIS

GREETINGS

Hello!
Goodbye!
Bye!
Good morning.
Good afternoon.
Good evening.
Good night.

Welcome!
How are you?
I'm fine, thank you.
Pleased to meet you.
How's life?
See you tomorrow!
See you later!
Good luck!
Congratulations!
Have fun!
Cheers!
Bless you!

Take care!
Enjoy your meal!
Happy Birthday!
Merry Christmas!
Happy New Year!

ON THE TELEPHONE

Hello?
Who's speaking?
It's Laura speaking.
Could I speak to ..., please?
My phone number is ...
It's engaged.
There's no reply.

SAUDAÇÕES

Oi! *(BR)*, Olá! *(PT)*
Adeus!
Tchau!
Bom dia.
Boa tarde.
Boa noite. *(para saudar)*
  (para despedir-se)
Bem-vindo!
Como está?
Bem, obrigado.
Prazer em conhecê-lo.
Tudo bem?
Até amanhã!
Até logo!
Boa sorte!
Parabéns!/Felicidades!
Divirta-se!
Saúde! *(brinde)*
Saúde! *(ao espirrar)* *(BR)*,
  Santinho! *(PT)*
Cuide-se!
Bom apetite!
Parabéns!
Feliz Natal!
Feliz Ano Novo!

AO TELEFONE

Alô? *(BR)*, Estou? *(PT)*
Quem fala?
Aqui fala a Laura.
Posso falar com ...?
O meu (número de) telefone é ...
Está ocupado.
Ninguém atende.

USEFUL PHRASES

Do you speak Portuguese/English? — Fala português/inglês?

Please hold the line. — Não desligue, por favor.

Could you put me through to extension 3395? — Eu gostaria de falar com o ramal 3395?

Would you like to leave a message? — Quer deixar recado?

Could you tell him that I called? — Pode dizer que eu liguei?

I'll call back later. — Volto a ligar mais tarde.

I'm afraid you have the wrong number. — Acho que você ligou para o número errado.

LETTER WRITING — CARTAS

Dear Sir/Madam — Exmo(-a). Senhor(a)
Yours faithfully — Atenciosamente

Dear Mr. Fontes — Caro Sr. Fontes
Yours sincerely — Atenciosamente
Best wishes — Cordialmente
Kind regards — Cumprimentos

Dear Carlota — Cara Carlota
All the best — Um abraço
With love from ... — Um beijo

Please find enclosed ... — Envio anexo ...
Thank you for your letter. — Obrigado(-a) pela sua carta.

E-MAIL — CORREIO ELETRÔNICO

Do you have e-mail? — Você tem e-mail/correio eletrônico?

What's your e-mail address? — Qual é o seu endereço de e-mail/correio eletrônico?

My e-mail address is ... — Meu endereço de e-mail/correio eletrônico é ...

emma@coolmail.com — emma@coolmail.com
= "emma at coolmail dot com" — = "emma arroba coolmail ponto com"

I'll e-mail you the details. — Mandarei os detalhes para você por e-mail/correio eletrônico.

VERBOS IRREGULARES EM INGLÊS

PRESENT	PT	PP	PRESENT	PT	PP
arise	arose	arisen	fight	fought	fought
awake	awoke	awoken	find	found	found
be (am, is, are; being)	was, were	been	fling	flung	flung
			fly	flew	flown
bear	bore	born(e)	forbid	forbad(e)	forbidden
beat	beat	beaten	forecast	forecast	forecast
begin	began	begun	forget	forgot	forgotten
bend	bent	bent	forgive	forgave	forgiven
bet	bet,	bet,	freeze	froze	frozen
	betted	betted	get	got	got,
bid (at auction)	bid	bid			(us) goten
bind	bound	bound	give	gave	given
bite	bit	bitten	go (goes)	went	gone
bleed	bled	bled	grind	ground	ground
blow	blew	blown	grow	grew	grown
break	broke	broken	hang	hung	hung
breed	bred	bred	hang (execute)	hanged	hanged
bring	brought	brought	have	had	had
build	built	built	hear	heard	heard
burn	burnt,	burnt,	hide	hid	hidden
	burned	burned	hit	hit	hit
burst	burst	burst	hold	held	held
buy	bought	bought	hurt	hurt	hurt
can	could	(been able)	keep	kept	kept
cast	cast	cast	kneel	knelt,	knelt,
catch	caught	caught		kneeled	kneeled
choose	chose	chosen	know	knew	known
cling	clung	clung	lay	laid	laid
come	came	come	lead	led	led
cost	cost	cost	lean	leant,	leant,
creep	crept	crept		leaned	leaned
cut	cut	cut	leap	leapt,	leapt,
deal	dealt	dealt		leaped	leaped
dig	dug	dug	learn	learnt,	learnt,
do (does)	did	done		learned	learned
draw	drew	drawn	leave	left	left
dream	dreamed,	dreamed,	lend	lent	lent
	dreamt	dreamt	let	let	let
drink	drank	drunk	lie (lying)	lay	lain
drive	drove	driven	light	lit,	lit,
eat	ate	eaten		lighted	lighted
fall	fell	fallen	lose	lost	lost
feed	fed	fed	make	made	made
feel	felt	felt	may	might	–

25

VERBOS IRREGULARES EM INGLÊS

PRESENT	PT	PP	PRESENT	PT	PP
mean	meant	meant	speak	spoke	spoken
meet	met	met	speed	sped,	sped,
mistake	mistook	mistaken		speeded	speeded
mow	mowed	mown,	spell	spelt,	spelt,
		mowed		spelled	spelled
must	(had to)	(had to)	spend	spent	spent
pay	paid	paid	spill	spilt,	spilt,
put	put	put		spilled	spilled
quit	quit,	quit,	spin	spun	spun
	quitted	quitted	spit	spat	spat
read	read	read	spoil	spoiled,	spoiled,
rid	rid	rid		spoilt	spoilt
ride	rode	ridden	spread	spread	spread
ring	rang	rung	spring	sprang	sprung
rise	rose	risen	stand	stood	stood
run	ran	run	steal	stole	stolen
saw	sawed	sawed,	stick	stuck	stuck
		sawn	sting	stung	stung
say	said	said	stink	stank	stunk
see	saw	seen	stride	strode	stridden
sell	sold	sold	strike	struck	struck
send	sent	sent	swear	swore	sworn
set	set	set	sweep	swept	swept
sew	sewed	sewn	swell	swelled	swollen,
shake	shook	shaken			swelled
shear	sheared	shorn,	swim	swam	swum
		sheared	swing	swung	swung
shed	shed	shed	take	took	taken
shine	shone	shone	teach	taught	taught
shoot	shot	shot	tear	tore	torn
show	showed	shown	tell	told	told
shrink	shrank	shrunk	think	thought	thought
shut	shut	shut	throw	threw	thrown
sing	sang	sung	thrust	thrust	thrust
sink	sank	sunk	tread	trod	trodden
sit	sat	sat	wake	woke,	woken,
sleep	slept	slept		waked	waked
slide	slid	slid	wear	wore	worn
sling	slung	slung	weave	wove	woven
slit	slit	slit	weep	wept	wept
smell	smelt,	smelt,	win	won	won
	smelled	smelled	wind	wound	wound
sow	sowed	sown,	wring	wrung	wrung
		sowed	write	wrote	written

PORTUGUESE VERB FORMS

1 Gerund. 2 Imperative. 3 Present. 4 Imperfect. 5 Preterite. 6 Future.
7 Present subjunctive. 8 Imperfect subjunctive. 9 Future subjunctive.
10 Past participle. 11 Pluperfect. 12 Personal infinitive.

etc indicates that the irregular root is used for all persons of the tense,
e.g. ouvir 7 ouça ouça, ouças, ouça, ouçamos, ouçais, ouçam.

abrir 10 aberto

acudir 2 acode 3 acudo, acodes,
   acode, acodem

aderir 3 adiro 7 adira

advertir 3 advirto 7 advirta *etc*

agir 3 ajo 7 aja *etc*

agradecer 3 agradeço 7 agradeça *etc*

agredir 2 agride 3 agrido, agrides,
   agride, agridem 7 agrida *etc*

AMAR 1 amando 2 ama, amai
   3 amo, amas, ama, amamos, amais,
   amam 4 amava, amavas, amava,
   amávamos, amavéis, amavam
   5 amei, amaste, amou, amamos
   (*PT*: amámos), amastes, amaram
   6 amarei, amarás, amará,
   amaremos, amareis, amarão
   7 ame, ames, ame, amemos, ameis,
   amem 8 amasse, amasses, amasse,
   amássemos, amásseis, amassem
   9 amar, amares, amar, ámarmos,
   amardes, amarem 10 amado
   11 amara, amaras, amara,
   amáramos, amáreis, amaram
   12 amar, amares, amar, amarmos,
   amardes, amarem

ansiar 2 anseia 3 anseio, anseias,
   anseia, anseiam 7 anseie *etc*

apreçar 7 aprece *etc*

arrancar 7 arranque *etc*

arruinar 2 arruína 3 arruíno, arruínas,
   arruína, arruínam 7 arruíne,
   arruínes, arruíne, arruínem

aspergir 3 aspirjo 7 aspirja *etc*

atribuir 3 atribuo, atribuis, atribui,
   atribuímos, atribuís, atribuem

averiguar 7 averigúe, averigúes,
   averigúe, averigúem

boiar 2 bóia, bóias, bóia, bóiam
   7 bóie, bóies, bóie, bóiem

bulir 2 bole 3 bulo, boles, bole, bolem

caber 3 caibo 5 coube *etc* 7 caiba *etc*
   8 coubesse *etc* 9 couber *etc*

cair 2 cai 3 caio, cais, cai, caímos,
   caís, caem 4 caía *etc* 5 caí, caíste
   7 caia *etc* 8 caisse *etc*

cobrir 3 cubro 7 cubra *etc* 10 coberto

colorir 3 coluro 7 colura *etc*

compelir 3 compilo 7 compila *etc*

crer 2 crê 3 creio, crês, crê, cremos,
   credes, crêem 5 cri, creste, creu,
   cremos, crestes, creram 7 creia *etc*

cuspir 2 cospe 3 cuspo, cospes, cospe,
   cospem

dar 2 dá 3 dou, dás, dá, damos, dais,
   dão 5 dei, deste, deu, demos,
   destes, deram 7 dê, dês, dê, demos,
   deis, dêem 8 desse *etc* 9 der *etc*
   11 dera *etc*

deduzir 2 deduz 3 deduzo, deduzes,
   deduz

denegrir 2 denigre 3 denigro,
   denigres, denigre, denigrem
   7 denigre *etc*

despir 3 dispo 7 dispa *etc*

dizer 2 diz (dize) 3 digo, dizes, diz,
   dizemos, dizeis, dizem 5 disse *etc*
   6 direi *etc* 7 diga *etc* 8 dissesse *etc*

PORTUGUESE VERB FORMS

9 disser *etc* 10 dito

doer 2 dói 3 dôe (BR), doe (PT), dóis, dói

dormir 3 durmo 7 durma *etc*

escrever 10 escrito

ESTAR 2 está 3 estou, estás, está, estamos, estais, estão 4 estava *etc* 5 estive, estiveste, esteve, estivemos, estivestes, estiveram 7 esteja *etc* 8 estivesse *etc* 9 estiver *etc* 11 estivera *etc*

extorquir 3 exturco 7 exturca *etc*

FAZER 3 faço 5 fiz, fizeste, fez, fizemos, fizestes, fizeram 6 farei *etc* 7 faça *etc* 8 fizesse *etc* 9 fizer *etc* 10 feito 11 fizera *etc*

ferir 3 firo 7 fira *etc*

fluir 3 fluo, fluis, flui, fluímos, fluís, fluem

fugir 2 foge 3 fujo, foges, foge, fogem 7 fuja *etc*

ganhar 10 ganho

gastar 10 gasto

gerir 3 giro 7 gira *etc*

haver 2 há 3 hei, hás, há, havemos, haveis, hão 4 havia *etc* 5 houve, houveste, houve, houvemos, houvestes, houveram 7 haja *etc* 8 houvesse *etc* 9 houver *etc* 11 houvera *etc*

ir 1 indo 2 vai 3 vou, vais, vai, vamos, ides, vão 4 ia *etc* 5 fui, foste, foi, fomos, fostes, foram 7 vá, vás, vá, vamos, vades, vão 8 fosse, fosses, fosse, fôssemos, fôsseis, fossem 9 for *etc* 10 ido 11 fora *etc*

ler 2 lê 3 leio, lês, lê, lemos, ledes, lêem 5 li, leste, leu, lemos, lestes, leram 7 leia *etc*

medir 3 meço, 7 meça *etc*

mentir 3 minto 7 minta *etc*

ouvir 3 ouço 7 ouça *etc*

pagar 10 pago

parar 2 pára 3 paro, paras, pára

parir 3 pairo 7 paira *etc*

pecar 7 peque *etc*

pedir 3 peço 7 peça *etc*

perder 3 perco 7 perca *etc*

poder 3 posso 5 pude, pudeste, pôde, pudemos, pudestes, puderam 7 possa *etc* 8 pudesse *etc* 9 puder *etc* 11 pudera *etc*

polir 2 pule 3 pulo, pules, pule, pulem 7 pula *etc*

pôr 1 pondo 2 põe 3 ponho, pões, põe, pomos, pondes, põem 4 punha *etc* 5 pus, puseste, pôs, pusemos, pusestes, puseram 6 porei *etc* 7 ponha *etc* 8 pusesse *etc* 9 puser *etc* 10 posto 11 pusera *etc*

preferir 3 prefiro 7 prefire *etc*

pervenir 2 previne 3 previno, prevines, previne, previnem 7 previna *etc*

prover 2 provê 3 provejo, provês, provê, provemos, provedes, provêem 5 provi, proveste, proveu, provemos, provestes, proveram 7 proveja *etc* 8 provesse *etc* 9 prover *etc*

querer 3 quero, queres, quer 5 quis, quiseste, quis, quisemos, quisestes, quiseram 7 queira *etc* 8 quisesse *etc* 9 quiser *etc* 11 quisera *etc*

refletir 3 reflito 7 reflita *etc*

repetir 3 repito 7 repita *etc*

requerer 3 requeiro, requeres, requer 7 requeira *etc*

reunir 2 reúne 3 reúno, reúnes, reúne, reúnem 7 reúna *etc*

PORTUGUESE VERB FORMS

rir 2 ri 3 rio, ris, ri, rimos, rides,
ridem 5 ri, riste, riu, rimos, ristes,
riram 7 ria *etc*
saber 3 sei, sabes, sabe, sabemos,
sabeis, sabem 5 soube, soubeste,
soube, soubemos, soubestes,
souberam 7 saiba *etc* 8 soubesse *etc*
9 souber *etc* 11 soubera *etc*
seguir 3 sigo 7 siga *etc*
sentir 3 sinto 7 sinta *etc*
ser 2 sê 3 sou, és, é, somos, sois, são
4 era *etc* 5 fui, foste, foi, fomos,
fostes, foram 7 seja *etc* 8 fosse *etc*
9 for *etc* 11 fora *etc*
servir 3 sirvo 7 sirva *etc*
subir 2 sobe 3 subo, sobes, sobe,
sobem
suster 2 sustém 3 sustenho, sustens,
sustém, sustendes, sustêm
5 sustive, sustiveste, susteve,
sustivemos, sustivestes,
sustiveram 7 sustenha *etc*
ter 2 tem 3 tenho, tens, tem, temos,
tendes, têm 4 tinha *etc* 5 tive,
tiveste, teve, tivemos, tivestes,
tiveram 6 terei *etc* 7 tenha *etc*
8 tivesse *etc* 9 tiver *etc* 11 tivera *etc*
torcer 3 torço 7 torça *etc*
tossir 3 tusso 7 tussa *etc*
trair 2 trai 3 traio, trais, trai,
traímos, traís, traem 7 traia *etc*
trazer 2 (traze) traz 3 trago, trazes,
traz, 5 trouxe, trouxeste, trouxe,
trouxemos, trouxestes, trouxeram
6 trarei *etc* 7 traga *etc* 8 trouxesse *etc*
9 trouxer *etc* 11 trouxera *etc*
UNIR 1 unindo 2 une, uni 3 uno,
unes, une, unimos, unis, unem

4 unia, unias, uníamos, uníeis,
uniam 5 uni, uniste, uniu, unimos,
unistes, uniram 6 unirei, unirás,
unirá, uniremos, unireis, unirão
7 una, unas, una, unamos, unais,
unam 8 unisse, unisses, unisse,
uníssemos, unísseis, unissem
9 unir, unires, unir, unirmos,
unirdes, unirem 10 unido 11 unira,
uniras, unira, uníramos, uníreis,
uniram 12 unir, unires, unir,
unirmos, unirdes, unirem
valer 3 valho 7 valha *etc*
ver 2 vê 3 vejo, vês, vê, vemos, vedes,
vêem 4 via *etc* 5 vi, viste, viu, vimos,
vistes, viram 7 veja *etc* 8 visse *etc*
9 vir *etc* 10 visto 11 vira
vir 1 vindo, 2 vem 3 venho, vens,
vem, vimos, vindes, vêm 4 vinha *etc*
5 vim, vieste, veio, viemos, viestes,
vieram 7 venha *etc* 8 viesse *etc* 9 vier
etc 10 vindo 11 viera *etc*
VIVER 1 vivendo 2 vive, vivei 3 vivo,
vives, vive, vivemos, viveis, vivem
4 vivia, vivias, vivia, vivíamos,
vivíeis, viviam 5 vivi, viveste,
viveu, vivemos, vivestes, viveram
6 viverei, viverás, viverá,
viveremos, vivereis, viverão 7 viva,
vivas, viva, vivamos, vivais, vivam
8 vivesse, vivesses, vivesse,
vivêssemos, vivêsseis, vivessem
9 viver, viveres, viver, vivermos,
viverdes, viverem 10 vivido
11 vivera, viveras, vivera,
vivêramos, vivêreis, viveram
12 viver, viveres, viver, vivermos,
viverdes, viverem

DATES

DAYS OF THE WEEK	**DIAS DA SEMANA**
Monday	segunda(-feira)
Tuesday	terça(-feira)
Wednesday	quarta(-feira)
Thursday	quinta(-feira)
Friday	sexta(-feira)
Saturday	sábado
Sunday	domingo

MONTHS	**MESES**
January	janeiro
February	fevereiro
March	março
April	abril
May	maio
June	junho
July	julho
August	agosto
September	setembro
October	outubro
November	novembro
December	dezembro

Note that the days of the week and the months start with a capital letter in Portugal and a small letter in Brazil.

USEFUL VOCABULARY	**VOCABULÁRIO ÚTIL**
What day is it today?	Que dia é hoje?
Today is the 28th.	Hoje é dia 28.
When?	Quando?
today	hoje
tomorrow	amanhã
yesterday	ontem
this morning/afternoon	hoje de manhã/à tarde
in two weeks *ou* a fortnight	em duas semanas
in a week's time	daqui a uma semana
last/next month	o mês passado/que vem

THE TIME

WHAT TIME IS IT?

QUE HORAS SÃO?

É uma e quinze.
É uma e um quarto (PT).
_____

It's one fifteen.

É meio-dia / meia-noite.
_____

It's midday/midnight.

São três e meia.
_____

It's half past three.

Faltam dez para as duas.
São duas menos dez (PT).

It's ten to two.

São nove (horas) da
manhã / da noite.
_____

It's nine o'clock in the
morning/at night.

Faltam vinte para as oito.
São oito menos vinte (PT).
_____

It's twenty to eight.

CARDINAL NUMBERS

NÚMEROS CARDINAIS

one	1	um (uma)
two	2	dois (duas)
three	3	três
four	4	quatro
five	5	cinco
six	6	seis
seven	7	sete
eight	8	oito
nine	9	nove
ten	10	dez
eleven	11	onze
twelve	12	doze
thirteen	13	treze
fourteen	14	catorze
fifteen	15	quinze
sixteen	16	dezesseis (*BR*), dezasseis (*PT*)
seventeen	17	dezessete (*BR*), dezassete (*PT*)
eighteen	18	dezoito
nineteen	19	dezenove (*BR*), dezanove (*PT*)
twenty	20	vinte
twenty-one	21	vinte e um (uma)
thirty	30	trinta
forty	40	quarenta
fifty	50	cinqüenta (*BR*), cinquenta
(*PT*)		
sixty	60	sessenta
seventy	70	setenta
eighty	80	oitenta
ninety	90	noventa
a hundred	100	cem
a hundred and one	101	cento e um (uma)
two hundred	200	duzentos(-as)
three hundred	300	trezentos(-as)
five hundred	500	quinhentos(-as)
a thousand	1.000/1,000	mil
a million	1.000.000/1,000,000	um milhão

NUMBERS

NÚMEROS

FRACTIONS ETC

zero point five	0,5/0.5
three point four	3,4/3.4
ten per cent	10%
a hundred per cent	100%

FRAÇÕES ETC

zero vírgula cinco
três vírgula quatro
dez por cento
cem por cento

ORDINAL NUMBERS

first	1°/1st
second	2°/2nd
third	3°/3rd
fourth	4°/4th
fifth	5°/5th
sixth	6°/6th
seventh	7°/7th
eighth	8°/8th
ninth	9°/9th
tenth	10°/10th
eleventh	11°/11th
twentieth	20°/20th
thirtieth	30°/30th
fortieth	40°/40th
fiftieth	50°/50th
hundredth	100°/100th
hundred-and-first	101°/101st
thousandth	1000°/1000th

NÚMEROS ORDINAIS

primeiro
segundo
terceiro
quarto
quinto
sexto
sétimo
oitavo
nono
décimo
décimo primeiro
vigésimo
trigésimo
quadragésimo
qüinquagésimo (BR),
quinquagésimo (PT)
centésimo
centésimo primeiro
milésimo

PORTUGUÊS | INGLÊS

PORTUGUESE | ENGLISH

○ **PALAVRA CHAVE**

a [a] (*a + o(s) = ao(s); a + a(s) = à(s); a + aquele/a(s) = àquele/a(s)*) *art def* the; V *tb* **o**
▷ *pron* (*ela*) her; (*você*) you; (*coisa*) it; V *tb* **o**
▷ *prep* **1** (*direção*) to; **à direita/esquerda** to *ou* on the right/left
2 (*distância*): **está ~ 15 km daqui** it's 15 km from here
3 (*posição*): **ao lado de** beside, at the side of
4 (*tempo*) at; **~ que horas?** at what time?; **às 5 horas** at 5 o'clock; **à noite** at night; **aos 15 anos** at 15 years of age
5 (*maneira*): **à francesa** in the French way; **~ cavalo/pé** on horseback/foot
6 (*meio, instrumento*): **à força** by force; **~ mão** by hand; **~ lápis** in pencil; **fogão ~ gás** gas stove

7 (*razão*): **~ R$1 o quilo** at R$1 a kilo; **~ mais de 100 km/h** at over 100 km/h
8 (*depois de certos verbos*): **começou ~ nevar** it started snowing *ou* to snow; **passar ~ fazer** to become
9 (+ *infin*): **ao vê-lo, o reconheci imediatamente** when I saw him, I recognized him immediately; **ele ficou muito nervoso ao falar com o professor** he became very nervous while he was talking to the teacher
10 (*PT*: + *infin*: *gerúndio*): **~ correr** running; **estou ~ trabalhar** I'm working

à [a] = **a + a**
(a) *abr* (= *assinado*) signed
aba ['aba] *f* (*de chapéu*) brim; (*de casaco*) tail; (*de montanha*) foot
abacate [aba'katʃi] *m* avocado (pear)
abacaxi [abaka'ʃi] (*BR*) *m* pineapple
abafado, -a [aba'fadu, a] *adj* (*ar*) stuffy; (*tempo*) humid, close; (*ocupado*) (extremely) busy; (*angustiado*) anxious
abaixar [abaj'ʃa*] *vt* to lower; (*luz, som*) to turn down; **abaixar-se** *vr* to stoop
abaixo [a'bajʃu] *adv* down ▷ *prep*: **~ de** below; **~ o governo!** down with the government!; **morro ~** downhill; **rio ~** downstream; **mais ~** further down; **~ e acima** up and down; **~ assinado** undersigned; **abaixo-assinado** [-as i'nadu] (*pl* **abaixo-assinados**) *m* petition
abalado, -a [aba'ladu, a] *adj* (*objeto*) unstable, unsteady; (*fig: pessoa*) shaken
abalar [aba'la*] *vt* to shake; (*fig: comover*) to affect ▷ *vi* to shake; **abalar-se** *vr* to be moved

abalo [a'balu] m (comoção) shock; (ação) shaking; **~ sísmico** earth tremor

abanar [aba'na°] vt to shake; (rabo) to wag; (com leque) to fan

abandonar [abãdo'na°] vt to leave; (idéia) to reject; (esperança) to give up; (descuidar) to neglect

abarrotado, -a [abaxo'tadu, a] adj (gaveta) crammed full; (lugar) packed

abastecer [abaʃte'se°] vt to supply; (motor) to fuel; (Auto) to fill up; (Aer) to refuel; **abastecer-se** vr: **~-se de** to stock up with

abastecimento [abaʃtes i'mẽtu] m supply; (comestíveis) provisions pl; (ato) supplying; **~s** mpl (suprimentos) supplies

abater [aba'te°] vt (gado) to slaughter; (preço) to reduce; (desalentar) to upset; **abatido, -a** [aba'tʃidu, a] adj depressed, downcast; **abatimento** [abatʃi'mẽtu] m (fraqueza) weakness; (de preço) reduction; (prostração) depression; **fazer um abatimento em** to give a discount on

abdômen [ab'domẽ] m abdomen

á-bê-cê [abe'se] m alphabet

abecedário [abese'darju] m alphabet, ABC

abelha [a'beʎa] f bee

abelhudo, -a [abe'ʎudu, a] adj nosy

abençoar [abẽ'swa°] vt to bless

aberto, -a [a'bɛxtu, a] pp de **abrir** ▷ adj open; (céu) clear; (sinal) green; (torneira) running; **a torneira estava aberta** the tap was on

abestalhado, -a [abeʃta'ʎadu, a] adj stupid

abismado, -a [abiʒ'madu, a] adj astonished

ABL abr f = **Academia Brasileira de Letras**

abnegado, -a [abne'gadu, a] adj self-sacrificing

abnegar [abne'ga°] vt to renounce

abóbada [a'bɔbada] f vault; (telhado) arched roof

abobalhado, -a [aboba'ʎadu, a] adj (criança) simple

abóbora [a'bɔbora] f pumpkin

abobrinha [abo'briɲa] f courgette (BRIT), zucchini (US)

abolir [abo'li°] vt to abolish

aborrecer [aboxe'se°] vt (chatear) to annoy; (maçar) to bore; **aborrecer-se** vr to get upset; to get bored; **aborrecido, -a** [aboxe-'sidu, a] adj annoyed; boring

abortar [abox'ta°] vi (Med) to have a miscarriage; (: de propósito) to have an abortion; **aborto** [a'boxtu] m miscarriage; abortion; **fazer/ter um aborto** to have an abortion/a miscarriage

abotoadura [abotwa'dura] f cufflink

abotoar [abo'twa°] vt to button up ▷ vi (Bot) to bud

abraçar [abra'sa°] vt to hug; (causa) to embrace; **abraçar-se** vr to embrace; **ele abraçou-se a mim** he embraced me; **abraço** [a'brasu] m embrace, hug; **com um abraço** (em carta) with best wishes

abre-garrafas ['abri-] (PT) m inv bottle opener

abre-latas ['abri-] (PT) m inv tin (BRIT) ou can opener

abreviar [abre'vja°] vt to abbreviate; (texto) to abridge; **abreviatura** [abrevja'tura] f abbreviation

abridor [abri'do°] (BR) m: **~ (de lata)** tin (BRIT) ou can opener; **~ de garrafa** bottle opener

abrigar [abri'ga°] vt to shelter;

(*proteger*) to protect; **abrigar-se** *vr*
to take shelter
abrigo [a'brigu] *m* shelter, cover;
~ anti-aéreo air-raid shelter; **~
anti-nuclear** fall-out shelter
abril [a'briw] (*PT* **A~**) *m* April; **25
de Abril** (*PT*) *see boxed note*

● **25 DE ABRIL**
●
● On 25 April 1974 in Portugal, the
● MAF (Armed Forces Movement)
● instigated the bloodless
● revolution that was to topple the
● 48-year-old dictatorship presided
● over until 1968 by António de
● Oliveira Salazar. The red carnation
● has come to symbolize the
● coup, as it is said that the Armed
● Forces took to the streets with
● carnations in the barrels of their
● rifles. 25 April is now a public
● holiday in Portugal.

abrir [a'bri°] *vt* to open; (*fechadura*)
to unlock; (*vestuário*) to unfasten;
(*torneira*) to turn on; (*exceção*)
to make ▷ *vi* to open; (*sinal*) to
turn green; **abrir-se** *vr*: **~-se com
alguém** to confide in sb
abrupto, -a [a'bruptu, a] *adj*
abrupt; (*repentino*) sudden
absolutamente [absoluta'mẽtʃi]
adv absolutely; (*em resposta*)
absolutely not, not at all
absoluto, -a [abso'lutu, a] *adj*
absolute; **em ~** absolutely not,
not at all
absorto, -a [ab'soxtu, a] *pp*
de **absorver** ▷ *adj* absorbed,
engrossed
absorvente [absox'vẽtʃi] *adj*
(*papel etc*) absorbent; (*livro etc*)
absorbing
absorver [absox've°] *vt* to
absorb; **absorver-se** *vr*: **~-se em** to

concentrate on
abstêmio, -a [abʃ'temju, a]
adj abstemious; (*álcool*) teetotal
▷ *m/f* abstainer; teetotaller (*BRIT*),
teetotaler (*US*)
abster-se [abʃ'texsi] (*irreg: como*
ter) *vr*: **~ de** to abstain *ou* refrain
from
abstinência [abʃtʃi'nẽsja] *f*
abstinence; (*jejum*) fasting
abstracto, -a [abʃ'tratu, a] (*PT*)
adj = **abstrato**
abstrato, -a [abʃ'tratu, a] *adj*
abstract
absurdo, -a [abi'suxdu, a] *adj*
absurd ▷ *m* nonsense
abundante [abũ'dãtʃi] *adj*
abundant
abusar [abu'za°] *vi* to go too far;
~ de to abuse
abuso [a'buzu] *m* abuse; (*Jur*)
indecent assault
a.C. *abr* (= *antes de Cristo*) B.C.
a/c *abr* (= *aos cuidados de*) c/o
acabado, -a [aka'badu, a] *adj*
finished; (*esgotado*) worn out
acabamento [akaba'mẽtu]
m finish
acabar [aka'ba°] *vt* to finish,
complete; (*consumir*) to use up;
(*rematar*) to finish off ▷ *vi* to finish,
end; **acabar-se** *vr* to be over; (*prazo*)
to expire; (*esgotar-se*) to run out; **~
com** to put an end to; **~ de chegar**
to have just arrived; **~ por fazer** to
end up (by) doing; **acabou-se!** it's
all over!; (*basta!*) that's enough!
academia [akade'mia] *f*
academy; **A~ Brasileira de Letras**
see boxed note

● **ACADEMIA BRASILEIRA DE LETRAS**
●
● Founded in 1896 in Rio de Janeiro,
● on the initiative of the author
● Machado de Assis, the **Academia**

- Brasileira de Letras, or ABL,
- aims to preserve and develop
- the Portuguese language and
- Brazilian literature. Machado
- de Assis was its president until
- 1908. It is made up of forty life
- members known as the *imortais*.
- The Academia's activities include
- publication of reference books,
- promotion of literary prizes, and
- running a library, museum and
- archive.

acadêmico, -a [aka'demiku, a] *adj, m/f* academic

açafrão [asa'frãw] *m* saffron

acalmar [akaw'ma°] *vt* to calm ▷ *vi* (*vento etc*) to abate; **acalmar-se** *vr* to calm down

acampamento [akãpa'mẽtu] *m* camping; (*Mil*) camp, encampment

acampar [akã'pa°] *vi* to camp

acanhado, -a [aka'ɲadu, a] *adj* shy

acanhamento [akaɲa'mẽtu] *m* shyness

acanhar-se [aka'ɲaxs i] *vr* to be shy

ação [a'sãw] (*pl* **-ões**) *f* action; (*ato*) act, deed; (*Mil*) battle; (*enredo*) plot; (*Jur*) lawsuit; (*Com*) share; **~ ordinária/preferencial** (*Com*) ordinary/preference share

acarajé [akara'ʒɛ] *m* (*Culin*) beans fried in palm oil

acarretar [akaxe'ta°] *vt* to result in, bring about

acaso [a'kazu] *m* chance; **ao ~** at random; **por ~** by chance

acatar [aka'ta°] *vt* to respect; (*lei*) to obey

acção [a'sãw] (PT) *f* = **ação**

accionar *etc* [asjo'na°] (PT) = **acionar** *etc*

aceitação [asejta'sãw] *f* acceptance; (*aprovação*) approval

aceitar [asej'ta°] *vt* to accept; (*aprovar*) to approve; **aceitável** [asej'tavew] (*pl* **-eis**) *adj* acceptable; **aceito, -a** [a'sejtu, a] *pp de* **aceitar**

acelerador [aselera'do°] *m* accelerator

acelerar [asele'ra°] *vt* (*Auto*): **~ o carro** to accelerate; (*ritmo, negociações*) to speed up ▷ *vi* to accelerate; **~ o passo** to go faster

acenar [ase'na°] *vi* (*com a mão*) to wave; (*com a cabeça: afirmativo*) to nod; (: *negativo*) to shake one's head

acender [asẽ'de°] *vt* (*cigarro, fogo*) to light; (*luz*) to switch on; (*fig*) to excite, inflame

acento [a'sẽtu] *m* accent; (*de intensidade*) stress; **acentuar** [asẽ'twa°] *vt* to accent; (*salientar*) to stress, emphasize

acepção [asep'sãw] (*pl* **-ões**) *f* (*de uma palavra*) sense

acerca [a'sexka]: **~ de** *prep* about, concerning

acertado, -a [asex'tadu, a] *adj* right, correct; (*sensato*) sensible

acertar [asex'ta°] *vt* (*ajustar*) to put right; (*relógio*) to set; (*alvo*) to hit; (*acordo*) to reach; (*pergunta*) to get right ▷ *vi* to get it right, be right; **~ o caminho** to find the right way; **~ com** to hit upon

aceso, -a [a'sezu, a] *pp de* **acender** ▷ *adj*: **a luz estava acesa/o fogo estava ~** the light was on/the fire was alight; (*excitado*) excited; (*furioso*) furious

acessar [ase'sa°] *vt* (*Comput*) to access

acessível [ase'sivew] (*pl* **-eis**) *adj* accessible; (*pessoa*) approachable

acesso [a'sɛsu] *m* access; (*Med*) fit, attack

acessório, -a [ase'sɔrju, a] *adj* (*máquina, equipamento*) backup;

(*Educ*): **matéria acessória**
subsidiary subject ▷ *m* accessory
achado, -a [a'ʃadu, a] *m* find,
discovery; (*pechincha*) bargain;
(*sorte*) godsend
achar [a'ʃa°] *vt* (*descobrir*) to find;
(*pensar*) to think; **achar-se** *vr* to
think (that) one is; (*encontrar-se*) to
be; **~ de fazer** (*resolver*) to decide to
do; **o que é que você acha disso?**
what do you think of that?; **acho**
que sim I think so
achatar [aʃa'ta°] *vt* to squash,
flatten
acidentado, -a [asidẽ'tadu, a]
adj (*terreno*) rough; (*estrada*) bumpy;
(*viagem*) eventful; (*vida*) difficult
▷ *m/f* injured person
acidental [asidẽ'taw] (*pl* -**ais**) *adj*
accidental
acidente [asi'dẽtʃi] *m* accident;
por ~ by accident
acidez [asi'deʒ] *f* acidity
ácido, -a ['asidu, a] *adj* acid;
(*azedo*) sour ▷ *m* acid
acima [a'sima] *adv* above; (*para*
cima) up ▷ *prep*: **~ de** above; (*além*
de) beyond; **mais ~** higher up; **rio ~**
up river; **passar rua ~** to go up the
street; **~ de 1000** more than 1000
acionar [asjo'na°] *vt* to set in
motion; (*máquina*) to operate;
(*Jur*) to sue
acionista [asjo'niʃta] *m/f*
shareholder
acirrado, -a [asi'xadu, a] *adj*
(*luta*, *competição*) tough
acirrar [asi'xa°] *vt* to incite,
stir up
aclamar [akla'ma°] *vt* to acclaim;
(*aplaudir*) to applaud
aço ['asu] *m* steel
acocorar-se [akoko'raxsi] *vr* to
squat, crouch
acode *etc* [a'kɔdʒi] *vb V* **acudir**
ações [a'sõjʃ] *fpl de* **ação**

acolá [ako'la] *adv* over there
acolchoado [akow'ʃwadu]
m quilt
acolhedor, a [akoʎe'do°, a] *adj*
welcoming; (*hospitaleiro*) hospitable
acolher [ako'ʎe°] *vt* to welcome;
(*abrigar*) to shelter; (*aceitar*) to
accept; **acolher-se** *vr* to shelter;
acolhida [ako'ʎida] *f* (*recepção*)
reception, welcome; (*refúgio*)
refuge; **acolhimento** [akoʎi'mẽtu]
m = **acolhida**
acomodação [akomoda'sãw]
(*pl* -**ões**) *f* accommodation;
(*arranjo*) arrangement; (*adaptação*)
adaptation
acomodar [akomo'da°] *vt* to
accommodate; (*arrumar*) to arrange;
(*adaptar*) to adapt
acompanhamento [akõpaɲa-
'mẽtu] *m* attendance; (*cortejo*)
procession; (*Mús*) accompaniment;
(*Culin*) side dish
acompanhante [akõpa'ɲãtʃi]
m/f companion; (*Mús*)
accompanist
acompanhar [akõpa'ɲa°] *vt* to
accompany
aconchegante [akõʃe'gãtʃi] *adj*
cosy (*BRIT*), cozy (*US*)
aconselhar [akõse'ʎa°] *vt* to
advise; **aconselhar-se** *vr*: **~-se com**
to consult
acontecer [akõte'se°] *vi* to
happen; **acontecimento**
[akõtesi'mẽtu] *m* event
acordar [akox'da°] *vt* to wake
(up); (*concordar*) to agree (on) ▷ *vi*
to wake up
acorde [a'kɔrdʒi] *m* chord
acordo [a'koxdu] *m* agreement;
"de ~!" "agreed!"; **de ~ com** (*pessoa*)
in agreement with; (*conforme*)
in accordance with; **estar de ~**
to agree
Açores [a'soriʃ] *mpl*: **os ~** the

Azores; **açoriano, -a** [aso'rjanu, a] *adj, m/f* Azorean

acossar [ako'sa°] *vt* (*perseguir*) to pursue; (*atormentar*) to harass

acostamento [akoʃta'mẽtu] *m* hard shoulder (BRIT), berm (US)

acostumado, -a [akoʃtu'madu, a] *adj* usual, customary; **estar ~ a algo** to be used to sth

acostumar [akoʃtu'ma°] *vt* to accustom; **acostumar-se** *vr*: **~-se a** to get used to

açougue [a'sogi] *m* butcher's (shop); **açougueiro** [aso'gejru] *m* butcher

acovardar-se [akovax'daxsi] *vr* (*desanimar*) to lose courage; (*amedrontar-se*) to flinch, cower

acreditado, -a [akredʒi'tadu, a] *adj* accredited

acreditar [akredʒi'ta°] *vt* to believe; (*Com*) to credit; (*afiançar*) to guarantee ▷ *vi*: **~ em** to believe in

acrescentar [akresẽ'ta°] *vt* to add

activo, -a *etc* [a'tivu, a] (PT) = **ativo** *etc*

acto ['atu] (PT) *m* = **ato**

actor [a'to°] (PT) *m* = **ator**

actriz [a'triʒ] (PT) *f* = **atriz**

actual *etc* [a'twaw] (PT) = **atual** *etc*

actuar *etc* [a'twa°] (PT) = **atuar** *etc*

açúcar [a'suka°] *m* sugar; **açucareiro** [asuka'rejru] *m* sugar bowl

açude [a'sudʒi] *m* dam

acudir [aku'dʒi°] *vt* (*ir em socorro*) to help, assist ▷ *vi* (*responder*) to reply, respond; **~ a** to come to the aid of

acumular [akumu'la°] *vt* to accumulate; (*reunir*) to collect; (*funções*) to combine

acusação [akuza'sãw] (*pl* **-ões**) *f* accusation, charge; (*Jur*) prosecution

acusar [aku'za°] *vt* to accuse;

(*revelar*) to reveal; (*culpar*) to blame; **~ o recebimento de** to acknowledge receipt of

acústico, -a [a'kuʃtʃiku, a] *adj* acoustic

adaptar [adap'ta°] *vt* to adapt; (*acomodar*) to fit; **adaptar-se** *vr*: **~-se a** to adapt to

adega [a'dega] *f* cellar

ademais [adʒi'majʃ] *adv* besides, moreover

adentro [a'dẽtru] *adv* inside, in; **mata ~** into the woods

adequado, -a [ade'kwadu, a] *adj* appropriate

adereço [ade'resu] *m* adornment; **adereços** *mpl* (*Teatro*) stage props

aderente [ade'rẽtʃi] *adj* adhesive, sticky ▷ *m/f* supporter

aderir [ade'ri°] *vi* to adhere

adesão [ade'zãw] *f* adhesion; (*patrocínio*) support

adesivo, -a [ade'zivu, a] *adj* adhesive, sticky ▷ *m* adhesive tape; (*Med*) sticking plaster

adestrar [adeʃ'tra°] *vt* to train; (*cavalo*) to break in

adeus [a'dewʃ] *excl* goodbye!

adiantado, -a [adʒjã'tadu, a] *adj* advanced; (*relógio*) fast; **chegar ~** to arrive ahead of time; **pagar ~** to pay in advance

adiantamento [adʒjãta'mẽtu] *m* progress; (*dinheiro*) advance (payment)

adiantar [adʒjã'ta°] *vt* (*dinheiro, trabalho*) to advance; (*relógio*) to put forward; **não adianta reclamar** there's no point complaining

adiante [a'dʒjãtʃi] *adv* (*na frente*) in front; (*para a frente*) forward; **mais ~** further on; (*no futuro*) later on

adiar [a'dʒja°] *vt* to postpone, put off; (*sessão*) to adjourn

adição [adʒi'sãw] (*pl* **-ões**) *f*

addition; (*Mat*) sum; **adicionar**
[adʒi sjo'naˀ] *vt* to add
adido, -a [a'dʒidu, a] *m/f* attaché
adiro *etc* [a'diru] *vb* ∨ **aderir**
adivinhar [adʒivi'ɲaˀ] *vt* to
guess; (*ler a sorte*) to foretell ▷ *vi* to
guess; **~ o pensamento de alguém**
to read sb's mind; **adivinho, -a**
[adʒi'viɲu, a] *m/f* fortune-teller
adjetivo [adʒe'tʃivu] *m* adjective
adjudicar [adʒudʒi'kaˀ] *vt* to
award, grant
administração
[adʒiminiʃtra'sãw] (*pl* **-ões**)
f administration; (*direção*)
management; (*comissão*) board
administrador, a [adʒimini-
ʃtra'doˀ, a] *m/f* administrator;
(*diretor*) director; (*gerente*) manager
administrar [adʒiminiʃ'traˀ] *vt*
to administer, manage; (*governar*)
to govern
admiração [adʒimira'sãw] *f*
wonder; (*estima*) admiration; **ponto
de ~** (*PT*) exclamation mark
admirado, -a [adʒimi'radu, a]
adj astonished, surprised
admirar [adʒimi'raˀ] *vt* to
admire; **admirar-se** *vr*: **~-se de** to
be surprised at; **admirável** [adʒimi-
'ravew] (*pl* **-eis**) *adj* amazing
admissão [adʒimi'sãw] (*pl* **-ões**)
f admission; (*consentimento para
entrar*) admittance; (*de escola*) intake
admitir [adʒimi'tʃiˀ] *vt* to admit;
(*permitir*) to allow; (*funcionário*) to
take on
adoção [ado'sãw] *f* adoption
adoçar [ado'saˀ] *vt* to sweeten
adoecer [adoe'seˀ] *vi*: **~ (de** *ou*
com) to fall ill (with) ▷ *vt* to make ill
adoidado, -a [adoj'dadu, a]
adj crazy
adolescente [adole'sētʃi] *adj*,
m/f adolescent
adoptar *etc* [ado'taˀ] (*PT*) =

adotar *etc*
adorar [ado'raˀ] *vt* to adore;
(*venerar*) to worship
adormecer [adoxme'seˀ] *vi* to fall
asleep; (*entorpecer-se*) to go numb;
adormecido, -a [adoxme'sidu, a]
adj sleeping ▷ *m/f* sleeper
adorno [a'doxnu] *m* adornment
adotar [ado'taˀ] *vt* to adopt;
adotivo, -a [ado'tʃivu, a] *adj*
(*filho*) adopted
adquirir [adʒiki'riˀ] *vt* to acquire
Adriático, -a [a'drjatʃiku, a] *adj*:
o (mar) ~ the Adriatic
adro ['adru] *m* (*church*) forecourt;
(*em volta da igreja*) churchyard
adulação [adula'sãw] *f* flattery
adulterar [aduwte'raˀ] *vt* to
adulterate; (*contas*) to falsify ▷ *vi* to
commit adultery
adultério [aduw'terju] *m*
adultery
adulto, -a [a'duwtu, a] *adj*,
m/f adult
advento [ad'vētu] *m* advent; **o
A~** Advent
advérbio [ad'vɛxbju] *m* adverb
adverso, -a [adʒi'vɛxsu, a] *adj*
adverse; (*oposto*): **~ a** opposed to
advertência [adʒivex'tẽsja] *f*
warning
advertir [adʒivex'tʃiˀ] *vt* to warn;
(*repreender*) to reprimand; (*chamar a
atenção a*) to draw attention to
advogado, -a [adʒivo'gadu, a]
m/f lawyer
advogar [adʒivo'gaˀ] *vt* to
advocate; (*Jur*) to plead ▷ *vi* to
practise (*BRIT*) *ou* practice (*US*) law
aéreo, -a [a'ɛrju, a] *adj* air *atr*
aerobarco [aero'baxku] *m*
hovercraft
aeromoço, -a [aero'mosu, a] (*BR*)
m/f steward/air hostess
aeronáutica [aero'nawtʃika] *f*
air force; (*ciência*) aeronautics *sg*

aeronave [aero'navi] *f* aircraft

aeroporto [aero'poxtu] *m* airport

aerossol [aero'sɔv] (*pl* **-óis**) *m* aerosol

afã [a'fã] *m* (*entusiasmo*) enthusiasm; (*diligência*) diligence; (*ânsia*) eagerness; (*esforço*) effort

afagar [afa'ga*] *vt* to caress; (*cabelo*) to stroke

afastado, -a [afaʃ'tadu, a] *adj* (*distante*) remote; (*isolado*) secluded; **manter-se ~** to keep to o.s.

afastamento [afaʃta'mẽtu] *m* removal; (*distância*) distance; (*de pessoal*) lay-off

afastar [afaʃ'ta*] *vt* to remove; (*separar*) to separate; (*idéia*) to put out of one's mind; (*pessoal*) to lay off; **afastar-se** *vr* to move away

afável [a'favew] (*pl* **-eis**) *adj* friendly

afazeres [afa'zeriʃ] *mpl* business *sg*; (*dever*) duties, tasks; **~ domésticos** household chores

afectar *etc* [afek'ta*] (*PT*) = **afetar** *etc*

afeição [afej'sãw] *f* affection, fondness; (*dedicação*) devotion; **afeiçoado, -a** [afej'swadu, a] *adj*: **afeiçoado a** (*amoroso*) fond of; (*devotado*) devoted to; **afeiçoar-se** [afej'swaxsi] *vr*: **afeiçoar-se a** to take a liking to

afeito, -a [a'fejtu, a] *adj*: **~ a** accustomed to, used to

aferrado, -a [afe'xadu, a] *adj* obstinate, stubborn

afetar [afe'ta*] *vt* to affect; (*fingir*) to feign

afetivo, -a [afe'tʃivu, a] *adj* affectionate; (*problema*) emotional

afeto [a'fetu] *m* affection

afiado, -a [a'fjadu, a] *adj* sharp; (*pessoa*) well-trained

afiar [a'fja*] *vt* to sharpen

aficionado, -a [afisjo'nadu, a] *m/f* enthusiast

afilhado, -a [afi'ʎadu, a] *m/f* godson/goddaughter

afim [a'fĩ] (*pl* **-ns**) *adj* (*semelhante*) similar; (*consangüíneo*) related ▷ *m/f* relative, relation

afinado, -a [afi'nadu, a] *adj* in tune

afinal [afi'naw] *adv* at last, finally; **~ (de contas)** after all

afinar [afi'na*] *vt* (*Mús*) to tune

afinco [a'fĩku] *m* tenacity, persistence

afins [a'fĩʃ] *pl de* **afim**

afirmação [afixma'sãw] (*pl* **-ões**) *f* affirmation; (*declaração*) statement

afirmar [afix'ma*] *vt*, *vi* to affirm, assert; (*declarar*) to declare

afirmativo, -a [afixma'tʃivu, a] *adj* affirmative

afixar [afik'sa*] *vt* (*cartazes*) to stick, post

aflição [afli'sãw] *f* affliction; (*ansiedade*) anxiety; (*angústia*) anguish

afligir [afli'ʒi*] *vt* to distress; (*atormentar*) to torment; (*inquietar*) to worry; **afligir-se** *vr*: **~-se com** to worry about; **aflito, -a** [a'flitu, a] *pp de* **afligir** ▷ *adj* distressed, anxious

afluência [a'flwẽsja] *f* affluence; (*corrente copiosa*) flow; (*de pessoas*) stream

afobação [afoba'sãw] *f* fluster; (*ansiedade*) panic

afobado, -a [afo'badu, a] *adj* flustered; (*ansioso*) panicky, nervous

afobar [afo'ba*] *vt* to fluster; (*deixar ansioso*) to make nervous *ou* panicky ▷ *vi* to get flustered, to panic, get nervous; **afobar-se** *vr* to get flustered

afogar [afo'ga*] *vt* to drown ▷ *vi* (*Auto*) to flood; **afogar-se** *vr* to drown

afoito, -a [a'fojtu, a] *adj* bold, daring

afortunado, -a [afoxtu'nadu, a] *adj* fortunate, lucky

África ['afrika] *f*: **a ~** Africa; **a ~ do Sul** South Africa; **africano, -a** [afri'kanu, a] *adj, m/f* African

afro-brasileiro, -a ['afru-] (*pl* **~s**) *adj* Afro-Brazilian

afronta [a'frõta] *f* insult, affront

afrouxar [afro'ʃa°] *vt* (*desapertar*) to slacken; (*soltar*) to loosen ▷ *vi* to come loose

afta ['afta] *f* (mouth) ulcer

afugentar [afuʒẽ'ta°] *vt* to drive away, put to flight

afundar [afũ'da°] *vt* to sink; (*cavidade*) to deepen; **afundar-se** *vr* to sink

agachar-se [aga'ʃaxs i] *vr* (*acaçapar-se*) to crouch, squat; (*curvar-se*) to stoop

agarrar [aga'xa°] *vt* to seize, grasp; **agarrar-se** *vr*: **~-se a** to cling to, hold on to

agasalhar [agaza'ʎa°] *vt* to dress warmly, wrap up; **agasalhar-se** *vr* to wrap o.s. up

agasalho [aga'zaʎu] *m* (*casaco*) coat; (*suéter*) sweater

ágeis ['aʒejʃ] *pl de* **ágil**

agência [a'ʒẽsja] *f* agency; (*escritório*) office; **~ de correio** (*BR*) post office; **~ de viagens** travel agency

agenda [a'ʒẽda] *f* diary; **~ eletrônica** personal organizer

agente [a'ʒẽtʃi] *m/f* agent; (*de polícia*) policeman/woman

ágil ['aʒiw] (*pl* **-eis**) *adj* agile

agir [a'ʒi°] *vi* to act

agitação [aʒita'sãw] (*pl* **-ões**) *f* agitation; (*perturbação*) disturbance; (*inquietação*) restlessness

agitado, -a [aʒi'tadu, a] *adj* agitated, disturbed; (*inquieto*) restless

agitar [aʒi'ta°] *vt* to agitate, disturb; (*sacudir*) to shake; (*cauda*) to wag; (*mexer*) to stir; **agitar-se** *vr* to get upset; (*mar*) to get rough

aglomeração [aglomera'sãw] (*pl* **-ões**) *f* gathering; (*multidão*) crowd

aglomerar [aglome'ra°] *vt* to heap up, pile up; **aglomerar-se** *vr* (*multidão*) to crowd together

agonia [ago'nia] *f* agony, anguish; (*ânsia da morte*) death throes *pl*; **agonizante** [agoni'zãtʃi] *adj* dying ▷ *m/f* dying person; **agonizar** [agoni'za°] *vi* to be dying; (*afligir-se*) to agonize

agora [a'gɔra] *adv* now; **~ mesmo** right now; (*há pouco*) a moment ago; **até ~** so far, up to now; **por ~** for now

agosto [a'goʃtu] (*PT* **A~**) *m* August

agouro [a'goru] *m* omen

agraciar [agra'sja°] *vt* to decorate

agradar [agra'da°] *vt* to please; (*fazer agrados a*) to be nice to ▷ *vi* to be pleasing; (*satisfazer*) to go down well

agradável [agra'davew] (*pl* **-eis**) *adj* pleasant

agradecer [agrade'se°] *vt*: **~ algo a alguém, ~ a alguém por algo** to thank sb for sth; **agradecido, -a** [agrade'sidu, a] *adj* grateful; **mal agradecido** ungrateful; **agradecimento** [agrades i'mẽtu] *m* gratitude; **agradecimentos** *mpl* (*gratidão*) thanks

agrado [a'gradu] *m*: **fazer um ~ a alguém** (*afagar*) to be affectionate with sb; (*ser agradável*) to be nice to sb

agrário, -a [a'grarju, a] *adj* agrarian; **reforma agrária** land reform

agravante [agra'vãtʃi] *adj*

aggravating ▷ f aggravating circumstance

agravar [agra'va°] vt to aggravate, make worse; **agravar-se** vr (piorar) to get worse

agredir [agre'dʒi°] vt to attack; (insultar) to insult

agregar [agre'ga°] vt (juntar) to collect; (acrescentar) to add

agressão [agre'sãw] (pl **-ões**) f aggression; (ataque) attack; (assalto) assault

agressivo, -a [agre'sivu, a] adj aggressive

agressões [agre'sõjʃ] fpl de **agressão**

agreste [a'grɛʃtʃi] adj rural, rustic; (terreno) wild

agrião [a'grjãw] m watercress

agrícola [a'grikola] adj agricultural

agricultor [agrikuw'to°] m farmer

agricultura [agrikuw'tura] f agriculture, farming

agrido etc [a'gridu] vb V **agredir**

agridoce [agri'dosi] adj bittersweet

agronegócio [agrone'gɔsju] m agribusiness

agronomia [agrono'mia] f agronomy

agropecuária [agrope'kwarja] f farming, agriculture

agrupar [agru'pa°] vt to group; **agrupar-se** vr to group together

agrura [a'grura] f bitterness

água ['agwa] f water; **~s** fpl (mar) waters; (chuvas) rain sg; (maré) tides; **~ abaixo/acima** downstream/ upstream; **dar ~ na boca** (comida) to be mouthwatering; **estar na ~** (bêbado) to be drunk; **fazer ~** (Náut) to leak; **~ benta/corrente/doce** holy/running/fresh water; **~ dura/ leve** hard/soft water; **~ mineral**

mineral water; **~ oxigenada** peroxide; **~ salgada** salt water; **~ sanitária** household bleach

água-de-coco f coconut milk

água-de-colônia (pl **águas-de-colônia**) f eau-de-cologne

aguado, -a [a'gwadu, a] adj watery

aguardar [agwax'da°] vt to wait for; (contar com) to expect ▷ vi to wait

aguardente [agwax'dẽtʃi] m kind of brandy

aguçado, -a [agu'sadu, a] adj pointed; (espírito, sentidos) acute

agudo, -a [a'gudu, a] adj sharp, shrill; (intenso) acute

agüentar [agwẽ'ta°] vt (muro etc) to hold up; (dor, injustiças) to stand, put up with; (peso) to withstand ▷ vi to last; **agüentar-se** vr to remain, hold on; **~ fazer algo** to manage to do sth; **não ~ de** not to be able to stand

águia ['agja] f eagle; (fig) genius

agulha [a'guʎa] f (de coser, tricô) needle; (Náut) compass; (Ferro) points pl (BRIT), switch (US); **trabalho de ~** needlework

ai [aj] excl (suspiro) oh!; (de dor) ouch! ▷ m (suspiro) sigh; (gemido) groan; **~ de mim** poor me!

aí [a'i] adv there; (então) then; **por ~** (em lugar indeterminado) somewhere over there, thereabouts; **espera ~!** wait!, hang on a minute!; **está ~!** (col) right!; **e ~?** and then what?

AIDS ['ajdʒs] abr f AIDS

ainda [a'ĩda] adv still; (mesmo) even; **~ agora** just now; **~ assim** even so, nevertheless; **~ bem** just as well; **~ por cima** on top of all that, in addition; **~ não** not yet; **~ que** even if; **maior ~** even bigger

aipo ['ajpu] m celery

ajeitar [aʒej'ta°] vt (roupa, cabelo)

to adjust; (*emprego*) to arrange;
ajeitar-se *vr* to adapt

ajo *etc* ['aʒu] *vb* V **agir**

ajoelhar [aʒweˈʎaᵒ] *vi* to kneel
(down); **ajoelhar-se** *vr* to kneel
down

ajuda [aˈʒuda] *f* help; (*subsídio*)
grant, subsidy; **dar ~ a alguém** to
lend *ou* give sb a hand; **~ de custo**
allowance; **ajudante** [aʒuˈdãtʃi]
m/f assistant, helper; (*Mil*) adjutant

ajudar [aʒuˈdaᵒ] *vt* to help

ajuizado, -a [aʒwiˈzadu, a] *adj*
(*sensato*) sensible; (*sábio*) wise;
(*prudente*) discreet

ajuntamento [aʒũtaˈmẽtu] *m*
gathering

ajustagem [aʒuʃˈtaʒẽ] (*BR*) (*pl* **-ns**)
f (*Tec*) adjustment

ajustamento [aʒuʃtaˈmẽtu] *m*
adjustment; (*de contas*) settlement

ajustar [aʒuʃˈtaᵒ] *vt* to adjust;
(*conta, disputa*) to settle; (*acomodar*)
to fit; (*roupa*) to take in; (*preço*) to
agree on; **ajustar-se** *vr*: **~-se a** to
conform to; (*adaptar-se*) to adapt to

ajuste [aˈʒuʃtʃi] *m* (*acordo*)
agreement; (*de contas*) settlement;
(*adaptação*) adjustment

ala [ˈala] *f* wing; (*fileira*) row;
(*passagem*) aisle

alagar [alaˈgaᵒ] *vt, vi* to flood

alameda [alaˈmeda] *f* (*avenida*)
avenue; (*arvoredo*) grove

alarde [aˈlaxdʒi] *m* ostentation;
(*jactância*) boasting; **fazer ~ de** to
boast about; **alardear** [alaxˈdʒjaᵒ]
vt to show off; (*gabar-se de*) to
boast of ▷ *vi* to show off; to boast;
alardear-se *vr* to boast

alargar [alaxˈgaᵒ] *vt* to extend;
(*fazer mais largo*) to widen, broaden;
(*afrouxar*) to loosen, slacken

alarma [aˈlaxma] *f* alarm; (*susto*)
panic; (*tumulto*) tumult; (*vozearia*)
outcry; **dar o sinal de ~** to raise

the alarm; **~ de roubo** burglar
alarm; **alarmante** [alaxˈmãtʃi]
adj alarming; **alarmar** [alaxˈmaᵒ]
vt to alarm; **alarmar-se** *vr* to be
alarmed

alarme [aˈlaxmi] *m* = **alarma**

alastrar [alaʃˈtraᵒ] *vt* to scatter;
(*disseminar*) to spread; **alastrar-se**
vr (*epidemia, rumor*) to spread

alavanca [alaˈvãka] *f* lever; (*pé-
de-cabra*) crowbar; **~ de mudanças**
gear lever

albergue [awˈbɛxgi] *m* (*estalagem*)
inn; (*refúgio*) hospice, shelter; **~
noturno** hotel; **~ para jovens**
youth hostel

álbum [ˈawbũ] (*pl* **-ns**) *m* album; **~
de recortes** scrapbook

alça [ˈawsa] *f* strap; (*asa*) handle;
(*de fusil*) sight

alcachofra [awkaˈʃofra] *f*
artichoke

alcançar [awkãˈsaᵒ] *vt* to reach;
(*estender*) to hand, pass; (*obter*) to
obtain, get; (*atingir*) to attain;
(*compreender*) to understand;
(*desfalcar*) **~ uma firma em $1
milhão** to embezzle $1 million
from a firm

alcance [awˈkãsi] *m* reach;
(*competência*) power; (*compreensão*)
understanding; (*de tiro, visão*) range;
ao ~ de within reach *ou* range of; **ao
~ da voz** within earshot; **de grande
~** far-reaching; **fora do ~ da mão**
out of reach; **fora do ~ de alguém**
beyond sb's grasp

alcaparra [awkaˈpaxa] *f* caper

alcatrão [awkaˈtrãw] *m* tar

álcool [ˈawkɔw] *m* alcohol;
alcoólatra [awˈkɔlatra] *m/f*
alcoholic; **alcoólico, -a** [awˈkɔliku,
a] *adj, m/f* alcoholic

Alcorão [awkoˈrãw] *m* Koran

alcova [awˈkova] *f* bedroom

alcunha [awˈkuɲa] *f* nickname

aldeão, -eã [aw'dʒjãw, jã] (pl -ões, ~s) m/f villager

aldeia [aw'deja] f village

aldeões [aw'dʒjõjʃ] mpl de **aldeão**

alecrim [ale'krĩ] m rosemary

alegar [ale'ga*] vt to allege; (Jur) to plead

alegoria [alego'ria] f allegory

alegórico, -a [ale'gɔriku, a] adj allegorical; **carro alegórico** float

alegrar [ale'gra*] vt to cheer (up), gladden; (ambiente) to brighten up; (animar) to liven (up); **alegrar-se** vr to cheer up

alegre [a'lɛgri] adj cheerful; (contente) happy, glad; (cores) bright; (embriagado) merry, tight; **alegria** [ale'gria] f joy, happiness

aleijado, -a [alej'ʒadu, a] adj crippled ▷ m/f cripple

aleijar [alej'ʒa*] vt to maim

além [a'lẽj] adv (lá ao longe) over there; (mais adiante) further on ▷ m: **o ~** the hereafter ▷ prep: **~ de** beyond; (no outro lado de) on the other side of; (para mais de) over; (ademais de) apart from, besides; **~ disso** moreover; **mais ~** further

alemã [ale'mã] f de **alemão**

alemães [ale'mãjʃ] mpl de **alemão**

Alemanha [ale'maɲa] f: **a ~** Germany

alemão, -mã [ale'mãw, 'mã] (pl -ães, ~s) adj, m/f German ▷ m (Ling) German

alento [a'lẽtu] m (fôlego) breath; (ânimo) courage; **dar ~ to** encourage; **tomar ~** to draw breath

alergia [alex'ʒia] f: **~ (a)** allergy (to); (fig) aversion (to); **alérgico, -a** [a'lɛxʒiku, a] adj: **alérgico (a)** allergic (to); **ele é alérgico a João/à política** he can't stand João/politics

alerta [a'lɛxta] adj alert ▷ adv on the alert ▷ m alert

alfabetizar [awfabetʃi'za*] vt to teach to read and write; **alfabetizar-se** vr to learn to read and write

alfabeto [awfa'bɛtu] m alphabet

alface [aw'fasi] f lettuce

alfaiate [awfa'jatʃi] m tailor

alfândega [aw'fãdʒiga] f customs pl, customs house; **alfandegário, -a** [awfãde'garju, a] m/f customs officer

alfazema [awfa'zema] f lavender

alfinete [awfi'netʃi] m pin; **~ de segurança** safety pin

alga ['awga] f seaweed

Algarve [aw'gaxvi] m: **o ~** the Algarve

algazarra [awga'zaxa] f uproar, racket

álgebra ['awʒebra] f algebra

algemas [aw'ʒemaʃ] fpl handcuffs

algo ['awgu] adv somewhat, rather ▷ pron something; (qualquer coisa) anything

algodão [awgo'dãw] m cotton; **~ (hidrófilo)** cotton wool (BRIT), absorbent cotton (US)

alguém [aw'gẽj] pron someone, somebody; (em frases interrogativas ou negativas) anyone, anybody

algum, a [aw'gũ, 'guma] (pl -ns, ~s) adj some; (em frases interrogativas ou negativas) any ▷ pron one; (no plural) some; (negativa): **de modo ~** in no way; **coisa ~a** nothing; **~ dia** one day; **~ tempo** for a while; **~a coisa** something; **~a vez** sometime

alheio, -a [a'ʎeju, a] adj (de outrem) someone else's; (estranho) alien; (estrangeiro) foreign; (impróprio) irrelevant

alho ['aʎu] m garlic

ali [a'li] adv there; **até ~** up to there; **por ~** around there; (direção) that way; **~ por** (tempo) round about;

de ~ por diante from then on;
~ dentro in there
aliado, -a [a'ljadu, a] *adj* allied
▷ *m/f* ally
aliança [a'ljãsa] *f* alliance; (*anel*)
wedding ring
aliar [a'lja*] *vt* to ally; **aliar-se** *vr* to
form an alliance
aliás [a'ljajʃ] *adv* (*a propósito*) as a
matter of fact; (*ou seja*) rather, that
is; (*contudo*) nevertheless; (*diga-se de
passagem*) incidentally
álibi ['alibi] *m* alibi
alicate [ali'katʃi] *m* pliers *pl*; **~ de
unhas** nail clippers *pl*
alienação [aljena'sãw] *f*
alienation; (*de bens*) transfer (of
property); **~ mental** insanity
alienado, -a [alje'nadu, a] *adj*
alienated; (*demente*) insane; (*bens*)
transferred ▷ *m/f* lunatic
alienar [alje'na*] *vt* (*afastar*) to
alienate; (*bens*) to transfer
alimentação [alimẽta'sãw] *f*
(*alimentos*) food; (*ação*) feeding;
(*nutrição*) nourishment; (*Elet*) supply
alimentar [alimẽ'ta*] *vt* to feed;
(*fig*) to nurture ▷ *adj* (*produto*) food
atr; (*hábitos*) eating *atr* **alimentar-
se** *vr*: **~-se de** to feed on
alimento [ali'mẽtu] *m* food;
(*nutrição*) nourishment
alisar [ali'za*] *vt* to smooth;
(*cabelo*) to straighten; (*acariciar*)
to stroke
aliviar [ali'vja*] *vt* to relieve
alívio [a'livju] *m* relief
alma ['awma] *f* soul; (*entusiasmo*)
enthusiasm; (*caráter*) character
almejar [awme'ʒa*] *vt* to long
for, yearn for
almirante [awmi'rãtʃi] *m*
admiral
almoçar [awmo'sa*] *vi* to have
lunch ▷ *vt*: **~ peixe** to have fish
for lunch

almoço [aw'mosu] *m* lunch;
pequeno ~ (*PT*) breakfast
almofada [awmo'fada] *f*
cushion; (*PT*: *travesseiro*) pillow
almoxarifado [awmoʃari'fadu]
m storeroom
alô [a'lo] (*BR*) *excl* (*Tel*) hullo
alocar [alo'ka*] *vt* to allocate
alojamento [aloʒa'mẽtu]
m accommodation (*BRIT*),
accommodations *pl* (*US*); (*habitação*)
housing
alojar [alo'ʒa*] *vt* (*hóspede: numa
pensão*) to accommodate; (: *numa
casa*) to put up; (*sem teto, refugiado*)
to house; (*Mil*) to billet; **alojar-se**
vr to stay
alongar [alõ'ga*] *vt* to lengthen;
(*braço*) to stretch out; (*prazo,
contrato*) to extend; (*reunião,
sofrimento*) to prolong; **alongar-se**
vr (*sobre um assunto*) to dwell
aloprado, -a [alo'pradu, a] (*col*)
adj nutty
alpendre [aw'pẽdri] *m* (*telheiro*)
shed; (*pórtico*) porch
Alpes ['awpiʃ] *mpl*: **os ~** the Alps
alpinismo [awpi'niʒmu] *m*
mountaineering, climbing;
alpinista [awpi'niʃta] *m/f*
mountaineer, climber
alta ['awta] *f* (*de preços*) rise; (*de
hospital*) discharge
altar [aw'ta*] *m* altar
alterado, -a [awte'radu, a] *adj*
bad-tempered, irritated
alterar [awte'ra*] *vt* to alter;
(*falsificar*) to falsify; **alterar-se** *vr* to
change; (*enfurecer-se*) to get angry,
lose one's temper
alternar [awtex'na*] *vt*, *vi* to
alternate; **alternar-se** *vr* to
alternate; (*por turnos*) to take
turns
alternativa [awtexna'tʃiva] *f*
alternative

alternativo, -a [awtexna'tʃivu, a] *adj* alternative; (*Elet*) alternating

alteza [aw'teza] *f* highness

altitude [awtʃi'tudʒi] *f* altitude

alto, -a ['awtu, a] *adj* high; (*pessoa*) tall; (*som*) high, sharp; (*voz*) loud; (*Geo*) upper ▷ *adv* (*falar*) loudly, loud; (*voar*) high ▷ *excl* halt! ▷ *m* top, summit; **do ~** from above; **por ~** superficially; **alta fidelidade** high fidelity, hi-fi; **na alta noite** at dead of night

alto-falante (*pl* **~s**) *m* loudspeaker

altura [aw'tura] *f* height; (*momento*) point, juncture; (*altitude*) altitude; (*de um som*) pitch; **em que ~ do Rio Branco fica a livraria?** whereabouts in Rio Branco is the bookshop?; **nesta ~** at this juncture; **estar à ~ de** (*ser capaz de*) to be up to; **ter 1.80 metros de ~** to be 1.80 metres (*BRIT*) *ou* meters (*US*) tall

alucinado, -a [alusi'nadu, a] *adj* crazy

alucinante [alusi'nãtʃi] *adj* crazy

alugar [alu'ga°] *vt* (*tomar como aluguel*) to rent, hire; (*dar de aluguel*) to let, rent out; **alugar-se** *vr* to let; **aluguel** [alu'gɛw] (*pl* **-éis**) (*BR*) *m* rent; (*ação*) renting; **aluguel de carro** car hire (*BRIT*) *ou* rental (*US*); **aluguer** [alu'ge°] (*PT*) *m* = **aluguel**

alumínio [alu'minju] *m* aluminium (*BRIT*), aluminum (*US*)

aluno, -a [a'lunu, a] *m/f* pupil, student

alvejar [awve'ʒa°] *vt* (*tomar como alvo*) to aim at; (*branquear*) to bleach

alvenaria [awvena'ria] *f* masonry; **de ~** brick *atr*, brick-built

alvéolo [aw'vɛolu] *m* cavity

alvo, -a ['awvu, a] *adj* white ▷ *m* target

alvorada [awvo'rada] *f* dawn

alvorecer [awvore'se°] *vi* to dawn

alvoroço [awvo'rosu] *m* commotion; (*entusiasmo*) enthusiasm

amabilidade [amabili'dadʒi] *f* kindness; (*simpatia*) friendliness

amaciante [ama'sjãtʃi] *m*: **~ (de roupa)** fabric conditioner

amaciar [ama'sja°] *vt* (*tornar macio*) to soften; (*carro*) to run in

amado, -a [a'madu, a] *m/f* beloved, sweetheart

amador, a [ama'do°, a] *adj*, *m/f* amateur

amadurecer [amadure'se°] *vt, vi* (*frutos*) to ripen; (*fig*) to mature

âmago ['amagu] *m* (*centro*) heart, core; (*medula*) pith; (*essência*) essence

amalgamar [amawga'ma°] *vt* to amalgamate; (*combinar*) to fuse (*BRIT*), fuze (*US*), blend

amalucado, -a [amalu'kadu, a] *adj* crazy, whacky

amamentar [amamẽ'ta°] *vt, vi* to breast-feed

amanhã [ama'ɲã] *adv, m* tomorrow

amanhecer [amaɲe'se°] *vi* (*alvorecer*) to dawn; (*encontrar-se pela manhã*): **amanhecemos em Paris** we were in Paris at daybreak ▷ *m* dawn; **ao ~** at daybreak

amansar [amã'sa°] *vt* (*animais*) to tame; (*cavalos*) to break in; (*aplacar*) to placate

amante [a'mãtʃi] *m/f* lover

amar [a'ma°] *vt* to love: **eu te amo** I love you

amarelo, -a [ama'rɛlu, a] *adj* yellow ▷ *m* yellow

amargar [amax'ga°] *vt* to make bitter; (*fig*) to embitter

amargo, -a [a'maxgu, a] *adj* bitter; **amargura** [amax'gura] *f* bitterness

amarrar [amaˈxaˀ] vt to tie (up); (Náut) to moor; **~ a cara** to frown, scowl

amarrotar [amaxoˈtaˀ] vt to crease

amassar [amaˈsaˀ] vt (pão) to knead; (misturar) to mix; (papel) to screw up; (roupa) to crease; (carro) to dent

amável [aˈmavew] (pl **-eis**) adj kind

Amazonas [amaˈzonaʃ] m: **o ~** the Amazon

Amazônia [amaˈzonja] f: **a ~** the Amazon region; see boxed note

ambição [ambiˈsãw] (pl **-ões**) f ambition; **ambicionar** [ãbisjoˈnaˀ] vt to aspire to; **ambicioso, -a** [ãbiˈsjozu, ɔza] adj ambitious

ambidestro, -a [ãbiˈdɛʃtru, a] adj ambidextrous

ambientar [ãbjẽˈtaˀ] vt (filme etc) to set; (adaptar): **~ alguém a algo** to get sb used to sth; **ambientar-se** vr to fit in

ambiente [ãˈbjẽtʃi] m atmosphere; (meio, Comput) environment; **meio ~** environment;

temperatura ~ room temperature

ambíguo, -a [ãˈbigwu, a] adj ambiguous

âmbito [ˈãbitu] m extent; (campo de ação) scope, range

ambos, -as [ˈãbuʃ, aʃ] adj pl both

ambulância [ãbuˈlãsja] f ambulance

ambulante [ãbuˈlãtʃi] adj walking; (errante) wandering; (biblioteca) mobile

ambulatório [ãbulaˈtɔrju] m outpatient department

ameaça [ameˈasa] f threat; **ameaçar** [ameaˈsaˀ] vt to threaten

amedrontar [amedrõˈtaˀ] vt to scare, intimidate; **amedrontar-se** vr to be frightened

ameixa [aˈmejʃa] f plum; (passa) prune

amém [aˈmẽj] excl amen

amêndoa [aˈmẽdwa] f almond; **amendoeira** [amẽˈdwejra] f almond tree

amendoim [amẽdoˈĩ] (pl **-ns**) m peanut

amenidade [ameniˈdadʒi] f well-being; **~s** fpl (assuntos superficiais) small talk sg

amenizar [ameniˈzaˀ] vt (abrandar) to soften; (tornar agradável) to make pleasant; (facilitar) to ease

ameno, -a [aˈmɛnu, a] adj pleasant; (clima) mild

América [aˈmɛrika] f: **a ~** America; **a ~ do Norte/do Sul** North/South America; **a ~ Central/Latina** Central/Latin America; **americano, -a** [ameriˈkanu, a] adj, m/f American

amestrar [ameʃˈtraˀ] vt to train

amianto [aˈmjãtu] m asbestos

amido [aˈmidu] m starch

amigável [amiˈgavew] (pl **-eis**) adj amicable, friendly

amígdala [a'migdala] f tonsil;
  amigdalite [amigda'litʃi] f
  tonsillitis
amigo, -a [a'migu, a] adj friendly
  ▷ m/f friend; **ser ~ de** to be friends
  with
amistoso, -a [amiʃ'tozu, ɔza] adj
  friendly, cordial ▷ m (jogo) friendly
amiúde [a'mjudʒi] adv often,
  frequently
amizade [ami'zadʒi] f (relação)
  friendship; (simpatia) friendliness
amnistia [amniʃ'tia] (PT) f =
  anistia
amolação [amola'sãw] (pl **-ões**) f
  bother, annoyance
amolar [amo'la*] vt to sharpen;
  (aborrecer) to annoy, bother ▷ vi to
  be annoying
amolecer [amole'se*] vt to soften
  ▷ vi to soften; (abrandar-se) to relent
amônia [a'monja] f ammonia
amoníaco [amo'niaku] m
  ammonia
amontoar [amõ'twa*] vt to pile
  up, accumulate; **~ riquezas** to
  amass a fortune
amor [a'mo*] m love; **por ~ de** for
  the sake of; **fazer ~** to make love
amora [a'mɔra] f: **~ silvestre**
  blackberry
amordaçar [amoxda'sa*] vt
  to gag
amoroso, -a [amo'rozu, ɔza] adj
  loving, affectionate
amor-perfeito (pl **amores-
  perfeitos**) m pansy
amortização [amoxtʃiza'sãw] f
  payment in instalments (BRIT) ou
  installments (US)
amortizar [amoxtʃi'za*] vt
  to pay in instalments (BRIT) ou
  installments (US)
amostra [a'moʃtra] f sample
amparar [ãpa'ra*] vt to support;
  (ajudar) to help, assist; **amparar-se**

vr: **~-se em** to lean on
amparo [ã'paru] m support; help,
  assistance
ampliação [amplja'sãw] (pl **-ões**)
  f enlargement; (extensão) extension
ampliar [ã'plja*] vt to enlarge;
  (conhecimento) to broaden
amplificador [ãplifika'do*] m
  amplifier
amplificar [ãplifi'ka*] vt to
  amplify
amplitude [ãpli'tudʒi] f (espaço)
  spaciousness; (fig: extensão) extent
amplo, -a ['ãplu, a] adj (sala)
  spacious; (conhecimento, sentido)
  broad; (possibilidade) ample
amputar [ãpu'ta*] vt to amputate
Amsterdã [amiʃtex'dã] (BR) n
  Amsterdam
Amsterdão [amiʃtex'dãw] (PT) n
  = **Amsterdã**
amuado, -a [a'mwadu, a] adj
  sulky
anã [a'nã] f de **anão**
anais [a'najʃ] mpl annals
analfabeto, -a [anawfa'bɛtu, a]
  adj, m/f illiterate
analgésico [anaw'ʒɛziku] m
  painkiller, analgesic
analisar [anali'za*] vt to analyse;
  análise [a'nalizi] f analysis;
  analista [ana'liʃta] m/f analyst
ananás [ana'naʃ] (pl **ananases**)
  m (BR) variety of pineapple (PT)
  pineapple
anão, -anã [a'nãw, a'nã] (pl
  -ões, ~s) m/f dwarf
anarquia [anax'kia] f anarchy
anatomia [anato'mia] f anatomy
anca ['ãka] f (de pessoa) hip; (de
  animal) rump
ancião, -anciã [ã'sjãw, ã'sjã] (pl
  -ões, ~s) adj old ▷ m/f old man/
  woman; (de uma tribo) elder
anciões [a'sjõjʃ] mpl de **ancião**
âncora ['ãkora] f anchor; **ancorar**

[ãko'ra°] vt, vi to anchor
andaime [ã'dajmi] m (Arq)
scaffolding
andamento [ãda'mẽtu] m
(progresso) progress; (rumo) course;
(Mús) tempo; **em ~** in progress
andar [ã'da°] vi to walk; (máquina)
to work; (progredir) to progress;
(estar): **ela anda triste** she's been
sad lately ▷ m gait; (pavimento)
floor, storey (BRIT), story (US); **anda!**
hurry up!; **~ a cavalo** to ride; **~ de
trem/avião/bicicleta** to travel by
train/fly/ride a bike
Andes ['ãdʒiʃ] mpl: **os ~** the Andes
andorinha [ãdo'riɲa] f (pássaro)
swallow
anedota [ane'dɔta] f anecdote
anel [a'nɛw] (pl **-éis**) m ring;
(elo) link; (de cabelo) curl; **~ de
casamento** wedding ring
anestesia [aneʃte'zia] f
anaesthesia (BRIT), anesthesia
(US); (anestésico) anaesthetic (BRIT),
anesthetic (US)
anexar [anek'sa°] vt to annex;
(juntar) to attach; (documento) to
enclose; **anexo, -a** [a'nɛksu, a]
adj attached ▷ m annexe; (em carta)
enclosure; (em e-mail) attachment;
segue em anexo please find
enclosed
anfitrião, -triã [ãfi'trjãw, 'trjã]
(pl **-ões**, **~s**) m/f host/hostess
angina [ã'ʒina] f: **~ do peito**
angina (pectoris)
Angola [ã'gɔla] f Angola
angu [ã'gu] m corn-meal purée
ângulo ['ãgulu] m angle; (canto)
corner
angústia [ã'guʃtʃia] f anguish,
distress
animado, -a [ani'madu, a] adj
lively; (alegre) cheerful; **~ com**
enthusiastic about
animador, a [anima'do°, a]

adj encouraging ▷ m/f (BR: TV)
presenter
animal [ani'maw] (pl **-ais**) adj,
m animal; **~ de estimação** pet
(animal)
animar [ani'ma°] vt to liven up;
(encorajar) to encourage; **animar-se**
vr to cheer up; (festa etc) to liven up;
~-se a to bring o.s. to
ânimo ['animu] m (coragem)
courage; **~!** cheer up!; **perder o ~** to
lose heart; **recobrar o ~** to pluck up
courage; (alegrar-se) to cheer up
aninhar [ani'ɲa°] vt to nestle;
aninhar-se vr to nestle
anis [a'niʃ] m aniseed
anistia [aniʃ'tʃia] f amnesty
aniversário [anivex'sarju]
m anniversary; (de nascimento)
birthday; (: festa) birthday party
anjo ['ãʒu] m angel; **~ da guarda**
guardian angel
ano ['anu] m year; **Feliz A~ Novo!**
Happy New Year!; **o ~ que vem** next
year; **por** per annum; **fazer ~s** to
have a birthday; **ter dez ~s** to be ten
(years old); **dia de ~s** (PT) birthday;
~ letivo academic year; (da escola)
school year
anões [a'nõjʃ] mpl de **anão**
anoitecer [anojte'se°] vi to grow
dark ▷ m nightfall
anomalia [anoma'lia] f anomaly
anônimo, -a [a'nonimu, a] adj
anonymous
anoraque [ano'raki] m anorak
anormal [anox'maw] (pl **-ais**)
adj abnormal; (excepcional)
handicapped; **anormalidade**
[anoxmali'dadʒi] f abnormality
anotação [anota'sãw] (pl **-ões**) f
annotation; (nota) note
anotar [ano'ta°] vt to annotate;
(tomar nota) to note down
anseio etc [ã'seju] vb V **ansiar**
ânsia ['ãsja] f anxiety; (desejo):

~ (de) longing (for); **ter ~s (de vômito)** to feel sick

ansiar [ã'sja°] *vi:* **~ por** (*desejar*) to yearn for; **~ por fazer** to long to do

ansiedade [ãsje'dadʒi] *f* anxiety; (*desejo*) eagerness

ansioso, -a [ã'sjozu, ɔza] *adj* anxious; (*desejoso*) eager

Antártico [ã'taxtʃiku] *m:* **o ~** the Antarctic

ante ['ãtʃi] *prep* (*na presença de*) before; (*em vista de*) in view of, faced with

antecedência [ãtese'dẽsja] *f:* **com ~** in advance; **3 dias de ~** three days' notice

antecedente [ãtese'dẽtʃi] *adj* preceding ▷ *m* antecedent; **~s** *mpl* (*registro*) record *sg*; (*passado*) background *sg*

anteceder [ãtese'de°] *vt* to precede

antecipação [ãtesipa'sãw] *f* anticipation; **com um mês de ~** a month in advance; **~ de pagamento** advance (payment)

antecipadamente [ãtesipada-'mẽtʃi] *adv* in advance, beforehand

antecipado, -a [ãtesi'padu, a] *adj* (*pagamento*) (in) advance

antecipar [ãtesi'pa°] *vt* to anticipate, forestall; (*adiantar*) to bring forward

antemão [ante'mãw]: **de ~** *adv* beforehand

antena [ã'tena] *f* (*Bio*) antenna, feeler; (*Rádio, TV*) aerial

anteontem [ãtʃi'õtẽ] *adv* the day before yesterday

antepassado [ãtʃipa'sadu] *m* ancestor

anterior [ãte'rjo°] *adj* previous; (*antigo*) former; (*de posição*) front

antes ['ãtʃiʃ] *adv* before; (*antigamente*) formerly; (*ao contrário*) rather ▷ *prep:* **~ de** before; **o quanto**

~ as soon as possible; **~ de partir** before leaving; **~ de tudo** above all; **~ que** before

anti- [ãtʃi] *prefixo* anti-

antiácido, -a [ã'tʃjasidu, a] *adj* antacid ▷ *m* antacid

antibiótico, -a [ãtʃi'bjɔtʃiku, a] *adj* antibiotic ▷ *m* antibiotic

anticaspa [ãtʃi'kaʃpa] *adj inv:* **xampu ~** dandruff shampoo

anticlímax [ãtʃi'klimaks] *m* anticlimax

anticoncepcional [ãtʃikõsepsjo-'naw] (*pl* **-ais**) *adj, m* contraceptive

antidepressivo [ãtʃidepre'sivu] *m* antidepressant

antigamente [ãtʃiga'mẽtʃi] *adv* formerly; (*no passado*) in the past

antiglobalização [ãtʃiglobaliza'sãw] *f* anti-globalization

antigo, -a [ã'tʃigu, a] *adj* old; (*histórico*) ancient; (*de estilo*) antique; (*chefe etc*) former

antiguidade [ãtʃigi'dadʒi] *f* antiquity, ancient times *pl*; (*de emprego*) seniority; **~s** *fpl* (*monumentos*) ancient monuments; (*artigos*) antiques

anti-horário, -a *adj* anticlockwise

antilhano, -a [ãtʃi'ʎanu, a] *adj, m/f* West Indian

Antilhas [ã'tʃiʎaʃ] *fpl:* **as ~** the West Indies

antipatia [ãtʃipa'tʃia] *f* dislike; **antipático, -a** [ãtʃi'patʃiku, a] *adj* unpleasant, unfriendly

antipatizar [ãtʃipatʃi'za°] *vi:* **~ com alguém** to dislike sb

antiquado, -a [ãtʃi'kwadu, a] *adj* antiquated; (*fora de moda*) out of date, old-fashioned

antiquário, -a [ãtʃi'kwarju, a] *m/f* antique dealer ▷ *m* (*loja*) antique shop

anti-semita *adj* anti-Semitic

anti-séptico, -a adj antiseptic
▷ m antiseptic

anti-social (pl **-ais**) adj antisocial

antivírus [ãtʃi'viruʃ] m inv
(Comput) antivirus

antologia [ãtolo'ʒia] f anthology

anual [a'nwaw] (pl **-ais**) adj
annual, yearly

anulação [anula'sãw] (pl **-ões**)
f cancellation; (de contrato,
casamento) annulment

anunciante [anũ'sjãtʃi] m (Com)
advertiser

anunciar [anũ'sja°] vt to
announce; (Com) to advertise

anúncio [a'nũsju] m
announcement; (Com)
advertisement; (cartaz) notice; **~s
classificados** small ou classified ads

ânus ['anuʃ] m inv anus

anzol [ã'zɔw] (pl **-óis**) m fish-hook

ao [aw] = **a + o**

aonde [a'õdʒi] adv where; **~ quer
que** wherever

aos [awʃ] = **a + os**

Ap. abr = **apartamento**

apagado, -a [apa'gadu, a] adj:
**o fogo estava ~/a luz estava
apagada** the fire was out/the
light was off

apagar [apa'ga°] vt to put out;
(luz elétrica) to switch off; (vela) to
blow out; (com borracha) to rub out,
erase; **apagar-se** vr to go out

apaixonado, -a [apajʃo'nadu, a]
adj (discurso) impassioned; (pessoa):
ele está ~ por ela he is in love with
her; **ele é ~ por tênis** he's mad
about tennis

apaixonar-se [apajʃo'naxs i] vr: **~
por** to fall in love with

apalpar [apaw'pa°] vt to touch,
feel; (Med) to examine

apanhado [apa'ɲadu] m (de
flores) bunch; (resumo) summary

apanhar [apa'ɲa°] vt to catch;
(algo à mão, do chão) to pick up;
(surra, táxi) to get; (flores, frutas) to
pick; (agarrar) to grab ▷ vi to get a
beating; **~ sol/chuva** to sunbathe/
get soaked

aparador [apara'do°] m
sideboard

apara-lápis [apara'lapiʃ] (PT) m
inv pencil sharpener

aparar [apa'ra°] vt (cabelo) to
trim; (lápis) to sharpen; (algo
arremessado) to catch

aparato [apa'ratu] m pomp;
(coleção) array

aparecer [apare'se°] vi to
appear; (apresentar-se) to turn up; **~**
(ser publicado) to be published; **~
em casa de alguém** to call on sb;

aparecimento [apares i'mẽtu]
m appearance; (publicação)
publication

aparelho [apa'reʎu] m apparatus;
(equipamento) equipment; (Pesca)
tackle; (máquina) machine; (BR:
fone) telephone; **~ de barbear**
electric shaver; **~ de chá** tea set;
~ de rádio/TV radio/TV set; **~
doméstico** domestic appliance

aparência [apa'rẽsja] f
appearance; **na ~** apparently; **sob a
~ de** under the guise of; **ter ~ de** to
look like, seem

aparentar [aparẽ'ta°] vt (fingir)
to feign; (parecer) to look; **não
aparenta a sua idade** he doesn't
look his age

aparente [apa'rẽtʃi] adj apparent

aparição [apari'sãw] (pl **-ões**) f
(visão) apparition; (fantasma) ghost

apartamento [apaxta'mẽtu] m
apartment, flat (BRIT)

apartar [apax'ta°] vt to separate;
apartar-se vr to separate

apatia [apa'tʃia] f apathy

apático, -a [a'patʃiku, a] adj
apathetic

apavorado, -a [apavo'radu, a] *adj* terrified

apavorante [apavo'rãtʃi] *adj* terrifying

apavorar [apavo'ra*] *vt* to terrify ▷ *vi* to be terrifying; **apavorar-se** *vr* to be terrified

apear-se [a'pjaxsi] *vr*: **~ de** (*cavalo*) to dismount from

apegado, -a [ape'gadu, a] *adj*: **ser ~ a** (*gostar de*) to be attached to

apegar-se [ape'gaxsi] *vr*: **~ a** (*afeiçoar-se*) to become attached to

apego [a'pegu] *m* (*afeição*) attachment

apelar [ape'la*] *vi* to appeal; **~ da sentença** (*Jur*) to appeal against the sentence; **~ para** to appeal to; **~ para a ignorância/violência** to resort to abuse/violence

apelido [ape'lidu] *m* (*BR*: *alcunha*) nickname; (*PT*: *nome de família*) surname

apelo [a'pelu] *m* appeal

apenas [a'penaʃ] *adv* only

apendicite [apẽdʒi'sitʃi] *f* appendicitis

aperfeiçoar [apexfej'swa*] *vt* to perfect; (*melhorar*) to improve

apertado, -a [apex'tadu, a] *adj* tight; (*estreito*) narrow; (*sem dinheiro*) hard-up; (*vida*) hard

apertar [apex'ta*] *vt* (*agarrar*) to hold tight; (*roupa*) to take in; (*esponja*) to squeeze; (*botão*) to press; (*despesas*) to limit; (*vigilância*) to step up; (*coração*) to break; (*fig*: *pessoa*) to put pressure on ▷ *vi* (*sapatos*) to pinch; (*chuva*, *frio*) to get worse; (*estrada*) to narrow; **~ em** (*insistir*) to insist on; **~ a mão de alguém** to shake hands with sb

aperto [a'pextu] *m* pressure; (*situação difícil*) spot of bother, jam; **um ~ de mãos** a handshake

apesar [ape'za*]: **~ de** *prep* in spite of, despite; **~ disso** nevertheless; **~ de que** even though

apetecer [apete'se*] *vi* (*comida*) to be appetizing

apetite [ape'tʃitʃi] *m* appetite; **bom ~!** enjoy your meal!

apetrechos [ape'treʃuʃ] *mpl* gear *sg*; (*Pesca*) tackle *sg*

apinhado, -a [api'ɲadu, a] *adj* crowded

apitar [api'ta*] *vi* to whistle; **apito** [a'pitu] *m* whistle

aplacar [apla'ka*] *vt* to placate ▷ *vi* to calm down; **aplacar-se** *vr* to calm down

aplaudir [aplaw'dʒi*] *vt* to applaud

aplauso [a'plawzu] *m* applause; (*apoio*) support; (*elogio*) praise; (*aprovação*) approval; **~s** applause *sg*

aplicação [aplika'sãw] (*pl* **-ões**) *f* application; (*esforço*) effort; (*da lei*) enforcement; (*de dinheiro*) investment

aplicado, -a [apli'kadu, a] *adj* hard-working

aplicar [apli'ka*] *vt* to apply; (*lei*) to enforce; (*dinheiro*) to invest; **aplicar-se** *vr*: **~-se a** to devote o.s. to

apoderar-se [apode'raxsi] *vr*: **~ de** to seize, take possession of

apodrecer [apodre'se*] *vt* to rot; (*dente*) to decay ▷ *vi* to rot; to decay

apogeu [apo'ʒew] *m* (*fig*) height, peak

apoiar [apo'ja*] *vt* to support; (*basear*) to base; (*moção*) to second; **apoiar-se** *vr*: **~-se em** to rest on

apoio [a'poju] *m* support; (*financeiro*) backing

apólice [a'pɔlisi] *f* (*certificado*) policy, certificate; (*ação*) share, bond; **~ de seguro** insurance policy

apontamento [apõta'mẽtu] *m*

(*nota*) note

apontar [apõ'ta°] vt (*fusil*) to aim; (*erro*) to point out; (*com o dedo*) to point at ou to; (*razão*) to put forward ▷ vi to begin to appear; (*brotar*) to sprout; (*com o dedo*) to point; **~ para** to point to; (*com arma*) to aim at

após [a'pojʃ] prep after

aposentado, -a [apozẽ'tadu, a] adj retired ▷ m/f retired person, pensioner; **ser ~** to be retired; **aposentadoria** [apozẽtado'ria] f retirement; (*dinheiro*) pension

aposentar [apozẽ'ta°] vt to retire; **aposentar-se** vr to retire

aposento [apo'zẽtu] m room

apossar-se [apo'saxsi] vr: **~ de** to take possession of, seize

apostar [apoʃ'ta°] vt to bet ▷ vi: **~ em** to bet on

apóstrofo [a'pɔʃtrofu] m apostrophe

apreciar [apre'sja°] vt to appreciate; (*gostar de*) to enjoy

apreço [a'presu] m esteem, regard; (*consideração*) consideration; **em ~** in question

apreender [aprjẽ'de°] vt to apprehend; (*tomar*) to seize; (*entender*) to grasp

apreensão [aprjẽ'sãw] (pl **-ões**) f (*percepção*) perception; (*tomada*) seizure; (*receio*) apprehension

apreensivo, -a [aprjẽ'sivu, a] adj apprehensive

apreensões [aprjẽ'sõjʃ] fpl de **apreensão**

apregoar [apre'gwa°] vt to proclaim, announce; (*mercadorias*) to cry

aprender [aprẽ'de°] vt, vi to learn; **~ a ler** to learn to read; **~ de cor** to learn by heart

aprendizagem [aprẽdʒi'zaʒẽ] f (*num ofício*) apprenticeship; (*numa profissão*) training; (*escolar*) learning

apresentação [aprezẽta'sãw] (pl **-ões**) f presentation; (*de peça, filme*) performance; (*de pessoas*) introduction; (*porte pessoal*) appearance

apresentador, a [aprezẽta'do°, a] m/f presenter

apresentar [aprezẽ'ta°] vt to present; (*pessoas*) to introduce; **apresentar-se** vr to introduce o.s.; (*problema*) to present itself; (*à polícia etc*) to report; **quero apresentarlhe** may I introduce you to

apressado, -a [apre'sadu, a] adj hurried, hasty; **estar ~** to be in a hurry

apressar [apre'sa°] vt to hurry; **apressar-se** vr to hurry (up)

aprisionar [aprizjo'na°] vt (*cativar*) to capture; (*encarcerar*) to imprison

aprontar [aprõ'ta°] vt to get ready, prepare; **aprontar-se** vr to get ready

apropriado, -a [apro'prjadu, a] adj appropriate, suitable

aprovado, -a [apro'vadu, a] adj approved; **ser ~ num exame** to pass an exam

aprovar [apro'va°] vt to approve of; (*exame*) to pass ▷ vi to make the grade

aproveitador, a [aprovejta'do°, a] m/f opportunist

aproveitamento [aprovejta'mẽtu] m use, utilization; (*nos estudos*) progress

aproveitar [aprovej'ta°] vt to take advantage of; (*utilizar*) to use; (*oportunidade*) to take ▷ vi to make the most of it; (*PT*) to be of use; **aproveite!** enjoy yourself!

aproximação [aprosima'sãw] (pl **-ões**) f approximation; (*chegada*) approach; (*proximidade*) nearness

aproximar [aprosi'ma°] vt to

bring near; (*aliar*) to bring together;
aproximar-se *vr*: **~-se de** to
approach

aptidão [aptʃi'dãw] *f* aptitude;
(*jeito*) knack; **~ física** physical
fitness

apto, -a ['aptu, a] *adj* apt; (*capaz*)
capable

apto. *abr* = **apartamento**

apunhalar [apuɲa'la°] *vt* to stab

apurado, -a [apu'radu, a] *adj*
refined

apurar [apu'ra°] *vt* to perfect;
(*averiguar*) to investigate; (*dinheiro*)
to raise, get; (*votos*) to count;
apurar-se *vr* to dress up

aquarela [akwa'rɛla] *f*
watercolour (BRIT), watercolor (US)

aquário [a'kwarju] *m* aquarium;
A~ (*Astrologia*) Aquarius

aquático, -a [a'kwatʃiku, a] *adj*
aquatic, water *atr*

aquecer [ake'se°] *vt* to heat
▷ *vi* to heat up; **aquecer-se** *vr* to
heat up; **aquecido, -a** [ake'sidu,
a] *adj* heated; **aquecimento**
[akes i'mẽtu] *m* heating;
aquecimento central central
heating; **aquecimento global**
global warming

aquele, -ela [a'keli, ɛla] *adj* (*sg*)
that; (*pl*) those ▷ *pron* (*sg*) that one;
(*pl*) those

àquele, -ela [a'keli, ɛla] = **a** +
aquele/ela

aquém [a'kẽj] *adv* on this side; **~
de** on this side of

aqui [a'ki] *adv* here; **eis ~** here
is/are; **~ mesmo** right here; **até ~**
up to here; **por ~** hereabouts; (*nesta
direção*) this way

aquilo [a'kilu] *pron* that; **~ que**
what

àquilo [a'kilu] = **a** + **aquilo**

aquisição [akizi'sãw] (*pl* **-ões**) *f*
acquisition

ar [a°] *m* air; (*aspecto*) look; (*brisa*)
breeze; (PT: *Auto*) choke; **~es** *mpl*
(*atitude*) airs; (*clima*) climate *sg*;
ao ~ livre in the open air; **no ~**
(TV, *Rádio*) on air; (*fig: planos*) up
in the air; **dar-se ~es** to put on
airs; **~ condicionado** (*aparelho*)
air conditioner; (*sistema*) air
conditioning

árabe ['arabi] *adj, m/f* Arab ▷ *m*
(*Ling*) Arabic

Arábia [a'rabja] *f*: **a ~ Saudita**
Saudi Arabia

arame [a'rami] *m* wire

aranha [a'raɲa] *f* spider

arara [a'rara] *f* macaw

arbitragem [axbi'traʒẽ] *f*
arbitration

arbitrar [axbi'tra°] *vt* to arbitrate;
(*Esporte*) to referee

arbitrário, -a [axbi'trarju, a] *adj*
arbitrary

arbítrio [ax'bitrju] *m* decision; **ao
~ de** at the discretion of

árbitro ['axbitru] *m* (*juiz*) arbiter;
(*Jur*) arbitrator; (*Futebol*) referee;
(*Tênis etc*) umpire

arbusto [ax'buʃtu] *m* shrub, bush

arca ['axka] *f* chest, trunk; **~ de
Noé** Noah's Ark

arcar [ax'ka°] *vt*: **~ com** (*respon-
sabilidades*) to shoulder; (*despesas*) to
handle; (*conseqüencias*) to take

arcebispo [arse'biʃpu] *m* archbishop

arco ['axku] *m* (*Arq*) arch; (*Mil,
Mús*) bow; (*Elet, Mat*) arc

arco-íris *m inv* rainbow

arder [ax'de°] *vi* to burn; (*pele,
olhos*) to sting; **~ de raiva** to seethe
(with rage)

ardiloso, -a [axdʒi'lozu, ɔza] *adj*
cunning

ardor [ax'do°] *m* ardour
(BRIT), ardor (US); **ardoroso, -a**
[axdo'rozu, ɔza] *adj* ardent

árduo, -a ['axdwu, a] *adj* arduous; (*difícil*) hard, difficult

área ['arja] *f* area; (*Esporte*) penalty area; (*fig*) field; **~ (de serviço)** balcony (*for hanging washing etc*)

areia [a'reja] *f* sand; **~ movediça** quicksand

arejar [are'ʒa°] *vt* to air ▷ *vi* to get some air; (*descansar*) to have a breather; **arejar-se** *vr* to get some air; to have a break

arena [a'rɛna] *f* arena; (*de circo*) ring

Argélia [ax'ʒɛlja] *f*: **a ~** Algeria

Argentina [axʒẽ'tʃina] *f*: **a ~** Argentina

argila [ax'ʒila] *f* clay

argola [ax'gɔla] *f* ring; **~s** *fpl* (*brincos*) hooped earrings; **~ (de porta)** door-knocker

argumentação [axgumẽta'sãw] *f* line of argument

argumentar [axgumẽ'ta°] *vt, vi* to argue

argumento [axgu'mẽtu] *m* argument; (*de obra*) theme

aridez [ari'deʒ] *f* dryness; (*esterilidade*) barrenness; (*falta de interesse*) dullness

árido, -a ['aridu, a] *adj* arid, dry; (*estéril*) barren; (*maçante*) dull

Áries ['arisʃ] *f* Aries

aritmética [aritʃ'mɛtʃika] *f* arithmetic

arma ['axma] *f* weapon; **~s** *fpl* (*nucleares etc*) arms; (*brasão*) coat *sg* of arms; **passar pelas ~s** to shoot, execute; **~ convencional/nuclear** conventional/nuclear weapon; **~ de fogo** firearm; **~s de destruição em massa** weapons of mass destruction

armação [axma'sãw] (*pl* **-ões**) *f* (*armadura*) frame; (*Pesca*) tackle; (*Náut*) rigging; (*de óculos*) frames *pl*

armado, -a [ax'madu, a] *adj* armed

armar [ax'ma°] *vt* to arm; (*montar*) to assemble; (*barraca*) to pitch; (*um aparelho*) to set up; (*armadilha*) to set; (*Náut*) to fit out; **armar-se** *vr* to arm o.s.; **~ uma briga com** to pick a quarrel with

armarinho [axma'riɲu] *m* haberdashery (*BRIT*), notions *pl* (*US*)

armário [ax'marju] *m* cupboard; (*de roupa*) wardrobe

armazém [axma'zẽj] (*pl* **-ns**) *m* (*depósito*) warehouse; (*loja*) grocery store; **armazenar** [axmaze'na°] *vt* to store; (*provisões*) to stock

aro ['aru] *m* (*argola*) ring; (*de óculos, roda*) rim; (*de porta*) frame

aroma [a'rɔma] *m* aroma; **aromático, -a** [aro'matʃiku, a] *adj* (*comida*) aromatic; (*perfume*) fragrant

arpão [ax'pãw] (*pl* **-ões**) *m* harpoon

arqueiro, -a [ax'kejru, a] *m/f* archer; (*goleiro*) goalkeeper

arqueologia [axkjolo'ʒia] *f* archaeology (*BRIT*), archeology (*US*)

arquiteto, -a [axki'tetu, a] (*PT* **-ect-**) *m/f* architect; **arquitetônico, -a** [axkite'toniku, a] (*PT* **-ectó-**) *adj* architectural; **arquitetura** [axkite'tura] (*PT* **-ect-**) *f* architecture

arquivar [axki'va°] *vt* to file; (*projeto*) to shelve

arquivo [ax'kivu] *m* (*ger, Comput*) file; (*lugar*) archive; (*de empresa*) files *pl*; (*móvel*) filing cabinet; **~ zipado** (*Comput*) zip file

arraial [axa'jaw] (*pl* **-ais**) (*PT*) *m* (*festa*) fair

arrancada [axã'kada] *f* (*movimento, puxão*) jerk; **dar uma ~ em** (*puxar*) to jerk; **dar uma ~** (*em carro*) to pull away (suddenly)

arrancar [axãˈkaˣ] vt to pull out; (botão etc) to pull off; (arrebatar) to snatch (away); (fig: confissão) to extract ▷ vi to start (off); **arrancar-se** vr to leave; (fugir) to run off

arranha-céu [aˈxaɲa-] (pl **~s**) m skyscraper

arranhão [axaˈɲãw] (pl **-ões**) m scratch

arranhar [axaˈɲaˣ] vt to scratch

arranjar [axãˈʒaˣ] vt to arrange; (emprego, namorado) to get, find; (doença) to get, catch; (questão) to settle; **arranjar-se** vr to manage; (conseguir emprego) to get a job; **~-se sem** to do without

arranjo [aˈxãʒu] m arrangement

arrasar [axaˈzaˣ] vt to devastate; (demolir) to demolish; (estragar) to ruin; **arrasar-se** vr to be devastated; (destruir-se) to destroy o.s.; (arruinar-se) to lose everything

arrastão [axaʃˈtãw] (pl **-ões**) m tug; (rede) dragnet

arrastar [axaʃˈtaˣ] vt to drag; (atrair) to draw ▷ vi to trail; **arrastar-se** vr to crawl; (tempo, processo) to drag (on)

arrebatado, -a [axebaˈtadu, a] adj rash, impetuous

arrebatar [axebaˈtaˣ] vt to snatch (away); (levar) to carry off; (enlevar) to entrance; (enfurecer) to enrage; **arrebatar-se** vr to be entranced

arrebentado, -a [axebẽˈtadu, a] adj broken; (estafado) worn out

arrebentar [axebẽˈtaˣ] vt to break; (porta) to break down; (corda) to snap ▷ vi to break; (corda) to snap; (guerra) to break out

arrebitado, -a [axebiˈtadu, a] adj turned-up; (nariz) snub

arrecadar [axekaˈdaˣ] vt (impostos etc) to collect

arredondado, -a [axedõˈdadu, a] adj round, rounded

arredondar [axedõˈdaˣ] vt to round (off); (conta) to round up

arredores [axeˈdɔriʃ] mpl suburbs; (cercanias) outskirts

arrefecer [axefeˈseˣ] vt to cool; (febre) to lower; (desanimar) to discourage ▷ vi to cool (off); to get discouraged

ar-refrigerado [-xefriʒeˈradu] m air conditioning

arregaçar [axegaˈsaˣ] vt to roll up

arregalado, -a [axegaˈladu, a] adj (olhos) wide

arregalar [axegaˈlaˣ] vt: **~ os olhos** to stare in amazement

arrematar [axemaˈtaˣ] vt (dizer concluindo) to conclude; (comprar) to buy by auction; (vender) to sell by auction; (Costura) to finish off

arremessar [axemeˈsaˣ] vt to throw, hurl; **arremesso** [axeˈmesu] m throw

arremeter [axemeˈteˣ] vi to lunge; **~ contra** (acometer) to attack, assail

arrendar [axẽˈdaˣ] vt to lease

arrepender-se [axepẽˈdexsi] vr to repent; (mudar de opinião) to change one's mind; **~ de** to regret, be sorry for

arrepiar [axeˈpjaˣ] vt (amedrontar) to horrify; (cabelo) to cause to stand on end; **arrepiar-se** vr to shiver; (cabelo) to stand on end; **(ser) de ~ os cabelos** (to be) hair-raising

arrepio [axeˈpiu] m shiver; (de frio) chill; **isso me dá ~s** it gives me the creeps

arriar [aˈxjaˣ] vt to lower; (depor) to lay down ▷ vi to drop; (vergar) to sag; (desistir) to give up; (fig) to collapse

arriscado, -a [axiʃˈkadu, a] adj risky; (audacioso) daring

arriscar [axiʃˈkaˣ] vt to risk; (pôr

em perigo) to endanger, jeopardize; **arriscar-se** *vr* to take a risk; **~-se a fazer** to risk doing

arroba [a'xoba] *f* (*símbolo*) @, 'at' sign

arrogante [axo'gãtʃi] *adj* arrogant

arrojado, -a [axo'ʒadu, a] *adj* (*design*) bold; (*temerário*) rash; (*ousado*) daring

arrolar [axo'la°] *vt* to list

arrombar [axõ'ba°] *vt* (*porta*) to break down; (*cofre*) to crack

arrotar [axo'ta°] *vi* to belch ▷ *vt* (*alardear*) to boast of

arroz [a'xoʒ] *m* rice; **~ doce** rice pudding

arruinar [axwi'na°] *vt* to ruin; (*destruir*) to destroy; **arruinar-se** *vr* to be ruined; (*perder a saúde*) to ruin one's health

arrumação [axuma'sãw] *f* arrangement; (*de um quarto etc*) tidying up; (*de malas*) packing

arrumadeira [axuma'dejra] *f* cleaning lady; (*num hotel*) chambermaid

arrumar [axu'ma°] *vt* to put in order, arrange; (*quarto etc*) to tidy up; (*malas*) to pack; (*emprego*) to get; (*vestir*) to dress up; (*desculpa*) to make up, find; (*vida*) to sort out; **arrumar-se** *vr* (*aprontar-se*) to get dressed, get ready; (*na vida*) to sort o.s. out; (*virar-se*) to manage

arte ['axtʃi] *f* art; (*habilidade*) skill; (*ofício*) trade, craft

artefato [axtʃi'fatu] (*PT* **-act-**) *m* (manufactured) article

artéria [ax'tɛrja] *f* (*Anat*) artery

artesão, -sã [axte'zãw, zã] (*pl* **~s, ~s**) *m/f* artisan, craftsman/ woman

ártico, -a ['axtʃiku, a] *adj* Arctic ▷ *m*: **o A~** the Arctic

artificial [axtʃifi'sjaw] (*pl* **-ais**) *adj* artificial

artifício [axtʃi'fisju] *m* stratagem, trick

artigo [ax'tʃigu] *m* article; (*Com*) item; **~s** *mpl* (*produtos*) goods

artístico, -a [ax'tʃistʃiku, a] *adj* artistic

artrite [ax'tritʃi] *f* (*Med*) arthritis

árvore ['axvori] *f* tree; (*Tec*) shaft; **~ de Natal** Christmas tree

as [aʃ] *art def* V **a**

ás [ajʃ] *m* ace

às [ajʃ] = **a** + **as**

asa ['aza] *f* wing; (*de xícara etc*) handle

ascendência [asẽ'dẽsja] *f* (*antepassados*) ancestry; (*domínio*) ascendancy, sway; **ascendente** [asẽ'dẽtʃi] *adj* rising, upward

ascender [asẽ'de°] *vi* to rise, ascend

ascensão [asẽ'sãw] (*pl* **-ões**) *f* ascent; (*Rel*): **dia da A~** Ascension Day

asco ['aʃku] *m* loathing, revulsion; **dar ~ a** to revolt, disgust

asfalto [aʃ'fawtu] *m* asphalt

asfixia [aʃfik'sia] *f* asphyxia, suffocation

Ásia ['azja] *f*: **a ~** Asia

asiático, -a [a'zjatʃiku, a] *adj*, *m/f* Asian

asilo [a'zilu] *m* (*refúgio*) refuge; (*estabelecimento*) home; **~ político** political asylum

asma ['aʒma] *f* asthma

asneira [aʒ'nejra] *f* (*tolice*) stupidity; (*ato, dito*) stupid thing

asno ['aʒnu] *m* donkey; (*fig*) ass

aspas ['aʃpaʃ] *fpl* inverted commas

aspecto [aʃ'pɛktu] *m* aspect; (*aparência*) look, appearance; (*característica*) feature; (*ponto de vista*) point of view

aspereza [aʃpe'reza] *f* roughness; (*severidade*) harshness; (*rudeza*) rudeness

áspero, -a ['aʃperu, a] *adj* rough; (*severo*) harsh; (*rude*) rude

aspiração [aʃpira'sãw] (*pl* **-ões**) *f* aspiration; (*inalação*) inhalation

aspirador [aʃpira'do°] *m*: **~ (de pó)** vacuum cleaner; **passar o ~ (em)** to vacuum

aspirante [aʃpi'rãtʃi] *adj* aspiring ▷ *m/f* candidate

aspirar [aʃpi'ra°] *vt* to breathe in; (*bombear*) to suck up ▷ *vi* to breathe; (*soprar*) to blow; (*desejar*): **~ a algo** to aspire to sth

aspirina [aʃpi'rina] *f* aspirin

asqueroso, -a [aʃke'rozu, ɔza] *adj* disgusting, revolting

assado, -a [a'sadu, a] *adj* roasted; (*Culin*) roast ▷ *m* roast; **carne assada** roast beef

assaltante [asaw'tãtʃi] *m/f* assailant; (*de banco*) robber; (*de casa*) burglar; (*na rua*) mugger

assaltar [asaw'ta°] *vt* to attack; (*casa*) to break into; (*banco*) to rob; (*pessoa na rua*) to mug; **assalto** [a'sawtu] *m* attack; raid, robbery; burglary, break-in; mugging; (*Boxe*) round

assar [a'sa°] *vt* to roast; (*na grelha*) to grill

assassinar [asasi'na°] *vt* to murder, kill; (*Pol*) to assassinate; **assassinato** [asasi'natu] *m* murder, killing; assassination; **assassino, -a** [asa'sinu, a] *m/f* murderer; assassin

assaz [a'saʒ] *adv* (*suficientemente*) sufficiently; (*muito*) rather

assediar [ase'dʒja°] *vt* (*sitiar*) to besiege; (*importunar*) to pester; **assédio** [a'sɛdʒu] *m* siege; (*insistência*) insistence

assegurar [asegu'ra°] *vt* to secure; (*garantir*) to ensure; (*afirmar*) to assure; **assegurar-se** *vr*: **~-se de** to make sure of

asseio [a'seju] *m* cleanliness

assembléia [asẽ'bleja] *f* assembly; (*reunião*) meeting; **~ geral (ordinária)** annual general meeting

assentar [asẽ'ta°] *vt* (*fazer sentar*) to seat; (*colocar*) to place; (*estabelecer*) to establish; (*decidir*) to decide upon ▷ *vi* (*pó etc*) to settle; **assentar-se** *vr* to sit down; **~ em** *ou* **a** (*roupa*) to suit

assentir [asẽ'tʃi°] *vi*: **~ (em)** to agree (to)

assento [a'sẽtu] *m* seat; (*base*) base

assíduo, -a [a'sidwu, a] *adj* (*aluno*) who attends regularly; (*diligente*) assiduous; (*constante*) constant; **ser ~ num lugar** to be a regular visitor to a place

assim [a'sĩ] *adv* (*deste modo*) like this, in this way, thus; (*portanto*) therefore; (*igualmente*) likewise; **~ ~** so-so; **~ mesmo** in any case; **e ~ por diante** and so on; **~ como** as well as; **como ~?** how do you mean?; **~ que** (*logo que*) as soon as

assimilar [asimi'la°] *vt* to assimilate; (*apreender*) to take in; (*assemelhar*) to compare

assinante [asi'nãtʃi] *m/f* (*de jornal etc*) subscriber

assinar [asi'na°] *vt* to sign

assinatura [asina'tura] *f* (*nome*) signature; (*de jornal etc*) subscription; (*Teatro*) season ticket

assinto *etc* [a'sĩtu] *vb V* **assentir**

assistência [asiʃ'tẽsja] *f* (*presença*) presence; (*público*) audience; (*auxílio*) aid; **~ social** social work

assistente [asiʃ'tẽtʃi] *adj* assistant ▷ *m/f* spectator, onlooker; (*ajudante*) assistant; **~ social** social worker

assistir [asiʃ'tʃi*] vt, vi: **~ (a)**
(Med) to attend (to); **~ a** to assist;
(TV, filme, jogo) to watch; (reunião)
to attend

assoar [aso'a*] vt: **~ o nariz** to
blow one's nose; **assoar-se** vr (PT)
to blow one's nose

assobiar [aso'bja*] vi to whistle

assobio [aso'biu] m whistle

associação [asosja'sãw] (pl **-ões**)
f association; (organização) society;
(parceria) partnership

associado, -a [aso'sjadu, a] adj
associate ▷ m/f associate, member;
(Com) associate; (sócio) partner

associar [aso'sja*] vt to
associate; **associar-se** vr: **~-se a** to
associate with

assombração [asõbra'sãw] (pl
-ões) f ghost

assombro [a'sõbru] m
amazement, astonishment;
(maravilha) marvel; **assombroso, -a**
[asõ'brozu, ɔza] adj astonishing,
amazing

assoviar [aso'vja*] vt = **assobiar**

assovio [aso'viu] m = **assobio**

assumir [asu'mi*] vt to assume,
take on; (reconhecer) to accept

assunto [a'sũtu] m subject,
matter; (enredo) plot

assustador, a [asuʃta'do*, a] adj
(alarmante) startling; (amedrontador)
frightening

assustar [asuʃ'ta*] vt to frighten;
(alarmar) to startle; **assustar-se** vr
to be frightened

asteca [aʃ'tɛka] adj, m/f Aztec

astrologia [aʃtrolo'ʒia] f
astrology

astronauta [aʃtro'nawta] m/f
astronaut

astronave [aʃtro'navi] f
spaceship

astronomia [aʃtrono'mia] f
astronomy

astúcia [aʃ'tusja] f cunning

ata ['ata] f (de reunião) minutes pl

atacado [ata'kadu] m: **por ~**
wholesale

atacante [ata'kãtʃi] adj attacking
▷ m/f attacker, assailant ▷ m
(Futebol) forward

atacar [ata'ka*] vt to attack;
(problema etc) to tackle

atado, -a [a'tadu, a] adj
(desajeitado) clumsy, awkward;
(perplexo) puzzled

atalho [a'taʎu] m (caminho)
short cut

ataque [a'taki] m attack; **~ aéreo**
air raid; **~ suicida** suicide attack

atar [a'ta*] vt to tie (up), fasten

atarefado, -a [atare'fadu, a]
adj busy

atarracado, -a [ataxa'kadu, a]
adj stocky

até [a'tɛ] prep (PT: **+ a** : lugar) up to,
as far as; (tempo etc) until, till ▷ adv
(tb: **~ mesmo**) even; **~ certo ponto**
to a certain extent; **~ em cima** to
the top; **~ já** see you soon; **~ logo**
byel; **~ onde** as far as; **~ que** until; **~
que enfim!** at last!

atear [ate'a*] vt (fogo) to kindle;
(fig) to incite, inflame; **atear-se** vr
to blaze; (paixões) to flare up

atéia [a'tɛja] f de **ateu**

atemorizar [atemori'za*] vt to
frighten; (intimidar) to intimidate

Atenas [a'tenaʃ] n Athens

atenção [atẽ'sãw] (pl **-ões**) f
attention; (cortesia) courtesy;
(bondade) kindness; **~!** be careful!;
chamar a ~ to attract attention;
atencioso, -a [atẽ'sjozu, ɔza] adj
considerate

atender [atẽ'de*] vt: **~ (a)** to
attend to; (receber) to receive;
(deferir) to grant; (telefone etc)
to answer; (paciente) to see ▷ vi
to answer; (dar atenção) to

pay attention; **atendimento**
[atẽdʒi'mẽtu] *m* service;
(*recepção*) reception; **horário de
atendimento** opening hours; (*em
consultório*) surgery (BRIT) *ou* office
(US) hours
atentado [atẽ'tadu] *m* attack;
(*crime*) crime; (*contra a vida de
alguém*) attempt on sb's life; **~
suicida** suicide attack
atento, -a [a'tẽtu, a] *adj*
attentive; **estar ~ a** to be aware *ou*
mindful of
atenuante [ate'nwãtʃi] *adj*
extenuating ▷ *m* extenuating
circumstance
atenuar [ate'nwa*] *vt* to reduce,
lessen
aterragem [ate'xaʒẽj] (PT) (*pl* **-ns**)
f (*Aer*) landing
aterrar [ate'xa*] (PT) *vi* (*Aer*)
to land
aterrissagem [atexi'saʒẽ] (BR) (*pl*
-ns) *f* (*Aer*) landing
aterrissar [atexi'sa*] (BR) *vi* (*Aer*)
to land
aterrorizante [atexori'zãtʃi] *adj*
terrifying
aterrorizar [atexori'za*] *vt* to
terrorize
atestado [ateʃ'tadu] *m* certificate;
(*prova*) proof; (*Jur*) testimony
ateu, atéia [a'tew, a'tɛja] *adj*,
m/f atheist
atinar [atʃi'na*] *vt* (*acertar*) to
guess correctly ▷ *vi*: **~ com** (*solução*)
to find; **~ em** to notice; **~ a fazer
algo** to succeed in doing sth
atingir [atʃĩ'ʒi*] *vt* to reach;
(*acertar*) to hit; (*afetar*) to affect;
(*objetivo*) to achieve; (*compreender*)
to grasp
atirador, a [atʃira'do*, a] *m/f*
marksman/woman; **~ de tocaia**
sniper
atirar [atʃi'ra*] *vt* to throw, fling

▷ *vi* (*arma*) to shoot; **atirar-se** *vr*:
~-se a to hurl o.s. at
atitude [atʃi'tudʒi] *f* attitude;
(*postura*) posture
atividade [atʃivi'dadʒi] *f* activity
ativo, -a [a'tʃivu, a] *adj* active
▷ *m* (*Com*) assets *pl*
atlântico, -a [at'lãtʃiku, a] *adj*
Atlantic ▷ *m*: **o (Oceano) A~** the
Atlantic (Ocean)
atlas ['atlaʃ] *m inv* atlas
atleta [at'leta] *m/f* athlete;
atlético, -a [at'lɛtʃiku, a] *adj*
athletic; **atletismo** [atle'tʃiʒmu]
m athletics *sg*
atmosfera [atmoʃ'fɛra] *f*
atmosphere
ato ['atu] *m* act, action; (*cerimônia*)
ceremony; (*Teatro*) act; **em ~
contínuo** straight after; **no ~** on the
spot; **no mesmo ~** at the same time
à-toa *adj* (*insignificante*)
insignificant; (*simples*) simple, easy
▷ *adv* V **toa**
atômico, -a [a'tomiku, a] *adj*
atomic
átomo ['atomu] *m* atom
atônito, -a [a'tonitu, a] *adj*
astonished, amazed
ator [a'to*] *m* actor
atordoado, -a [atox'dwadu, a]
adj dazed
atordoar [atox'dwa*] *vt* to
daze, stun
atormentar [atoxmẽ'ta*] *vt* to
torment
atração [atra'sãw] (*pl* **-ões**) *f*
attraction
atracar [atra'ka*] *vt, vi* (*Náut*) to
moor; **atracar-se** *vr* to grapple
atrações [atra'sõjʃ] *fpl de*
atração
atractivo, -a [atra'tivu, a] (PT)
adj = **atrativo**
atraente [atra'ẽtʃi] *adj* attractive
atrair [atra'i*] *vt* to attract;

(*fascinar*) to fascinate

atrapalhar [atrapa'ʎaˣ] *vt* to confuse; (*perturbar*) to disturb; (*dificultar*) to hinder ▷ *vi* to be a nuisance

atrás [a'trajʃ] *adv* behind; (*no fundo*) at the back ▷ *prep*: **~ de** behind; (*no tempo*) after; **dois meses ~** two months ago

atrasado, -a [atra'zadu, a] *adj* late; (*país etc*) backward; (*relógio etc*) slow; (*pagamento*) overdue; **atrasados** [atra'zaduʃ] *mpl* (Com) arrears

atrasar [atra'zaˣ] *vt* to delay; (*progresso, desenvolvimento: progresso*) to hold back; (*relógio*) to put back; (*pagamento*) to be late with ▷ *vi* (*relógio etc*) to be slow; (*avião, pessoa*) to be late; **atrasar-se** *vr* to be late; (*num trabalho*) to fall behind; (*num pagamento*) to get into arrears

atraso [a'trazu] *m* delay; (*de país etc*) backwardness; **~s** *mpl* (Com) arrears; **com 20 minutos de ~** 20 minutes late

atrativo, -a [atra'tʃivu, a] *adj* attractive ▷ *m* attraction; (*incentivo*) incentive; **~s** *mpl* (*encantos*) charms

através [atra'vɛʃ] *adv* across; **~ de** across; (*pelo centro de*) through

atravessar [atrave'saˣ] *vt* to cross; (*pôr ao través*) to put ou lay across; (*traspassar*) to pass through

atrever-se [atre'vexsi] *vr*: **~ a** to dare to; **atrevido, -a** [atre'vidu, a] *adj* cheeky; (*corajoso*) bold; **atrevimento** [atrevi'mẽtu] *m* cheek; boldness

atribuir [atri'bwiˣ] *vt*: **~ algo a** to attribute sth to; (*prêmios, regalias*) to confer sth on

atributo [atri'butu] *m* attribute

átrio ['atrju] *m* hall; (*pátio*) courtyard

atrito [a'tritu] *m* (*fricção*) friction; (*desentendimento*) disagreement

atriz [a'triʒ] *f* actress

atropelamento [atropela'mẽtu] *m* (*de pedestre*) road accident

atropelar [atrope'laˣ] *vt* to knock down, run over; (*empurrar*) to jostle

atuação [atwa'sãw] (*pl* **-ões**) *f* acting; (*de ator etc*) performance

atual [a'twaw] (*pl* **-ais**) *adj* current; (*pessoa, carro*) modern; **atualidade** [atwali'dadʒi] *f* present (time); **atualidades** *fpl* (*notícias*) news *sg*; **atualizar** [atwali'zaˣ] *vt* to update; **atualmente** [atwaw'mẽtʃi] *adv* at present, currently; (*hoje em dia*) nowadays

atuante [a'twãtʃi] *adj* active

atuar [a'twaˣ] *vi* to act; **~ para** to contribute to; **~ sobre** to influence

atum [a'tũ] (*pl* **-ns**) *m* tuna (fish)

aturdido, -a [atux'dʒidu, a] *adj* stunned; (*com barulho*) deafened; (*com confusão, movimento*) bewildered

audácia [aw'dasja] *f* boldness; (*insolência*) insolence; **audacioso, -a** [awda'sjozu, ɔza] *adj* daring; insolent

audição [awdʒi'sãw] (*pl* **-ões**) *f* audition

audiência [aw'dʒjẽsja] *f* audience; (*de tribunal*) session, hearing

auditar [awdʒi'taˣ] *vt* to audit

auditor, a [awdʒi'toˣ, a] *m/f* auditor; (*juiz*) judge; (*ouvinte*) listener

auditoria [awdʒito'ria] *f*: **fazer a ~ de** to audit

auditório [awdʒi'tɔrju] *m* audience; (*recinto*) auditorium

auge ['awʒi] *m* height, peak

aula ['awla] *f* (PT: *sala*) classroom; (*lição*) lesson, class; **dar ~** to teach

aumentar [awmẽ'ta°] vt to increase; (salários, preços: salários) to raise; (sala, casa) to expand, extend; (suj: lente) to magnify; (acrescentar) to add ▷ vi to increase; (preço, salário: preço) to rise, go up

aumento [aw'mẽtu] m increase; rise; (ampliação) enlargement; (crescimento) growth

ausência [aw'zẽsja] f absence

ausentar-se [awzẽ'taxs i] vr (ir-se) to go away; (afastar-se) to stay away

ausente [aw'zẽtʃi] adj absent

austral [awʃ'traw] (pl **-ais**) adj southern

Austrália [awʃ'tralja] f: **a ~** Australia; **australiano, -a** [awʃtra-'ljanu, a] adj, m/f Australian

Áustria ['awʃtrja] f: **a ~** Austria; **austríaco, -a** [awʃ'triaku, a] adj, m/f Austrian

autêntico, -a [aw'tẽtʃiku, a] adj authentic; (pessoa) genuine; (verdadeiro) true, real

auto ['awtu] m car; **~s** mpl (Jur: processo) legal proceedings; (documentos) legal papers

autobiografia [awtobjogra'fia] f autobiography

autobronzeador [awtobrõzja'do°] adj self-tanning

autocarro [awto'kaxu] (PT) m bus

autodefesa [awtode'feza] f self-defence (BRIT), self-defense (US)

autódromo [aw'tɔdromu] m race track

auto-estrada f motorway (BRIT), expressway (US)

autografar [awtogra'fa°] vt to autograph

autógrafo [aw'tɔgrafu] m autograph

automático, -a [awto'matʃiku, a] adj automatic

automobilismo [awtomobi-'liʒmu] m motoring; (Esporte) motor car racing

automóvel [awto'mɔvew] (pl **-eis**) m motor car (BRIT), automobile (US)

autonomia [awtono'mia] f autonomy

autor, a [aw'to°, a] m/f author; (de um crime) perpetrator; (Jur) plaintiff

autoral [awto'raw] (pl **-ais**) adj: **direitos autorais** copyright sg

autoridade [awtori'dadʒi] f authority

autorização [awtoriza'sãw] (pl **-ões**) f permission, authorization; **dar ~ a alguém para** to authorize sb to

autorizar [awtori'za°] vt to authorize

auto-serviço m self-service

auxiliar [awsi'lja°] adj auxiliary ▷ m/f assistant ▷ vt to help; **auxílio** [aw'silju] m help, assistance

Av abr (= avenida) Ave

aval [a'vaw] (pl **-ais**) m guarantee

avalancha [ava'lãʃa] f avalanche

avaliar [ava'lja°] vt to value; (apreciar) to assess

avançado, -a [avã'sadu, a] adj advanced; (idéias, pessoa) progressive

avançar [avã'sa°] vt to move forward ▷ vi to advance; **avanço** [a'vãsu] m advancement; (progresso) progress

avaria [ava'ria] f (Tec) breakdown; **avariado, -a** [ava'rjadu, a] adj (máquina) out of order; (carro) broken down; **avariar** [ava'rja°] vt to damage ▷ vi to suffer damage; (Tec) to break down

ave ['avi] f bird

aveia [a'veja] f oats pl

avelã [ave'lã] f hazelnut

avenida [ave'nida] f avenue

avental [avẽ'taw] (pl **-ais**) m

apron; (*vestido*) pinafore dress (*BRIT*), jumper (*US*)

averiguar [averi'gwa*] *vt* to investigate; (*verificar*) to verify

avermelhado, -a [avexme'ʎadu, a] *adj* reddish

avesso, -a [a'vesu, a] *adj* (*lado*) opposite, reverse ▷ *m* wrong side, reverse; **ao ~** inside out; **às avessas** (*inverso*) upside down; (*oposto*) the wrong way round

avestruz [aveʃ'truʒ] *m* ostrich

aviação [avja'sãw] *f* aviation

aviador, a [avja'do*, a] *m/f* aviator, airman/woman

avião [a'vjãw] (*pl* -**ões**) *m* aeroplane; **~ a jato** jet

ávido, -a ['avidu, a] *adj* greedy

aviões [a'vjõjʃ] *mpl de* **avião**

avisar [avi'za*] *vt* to warn; (*informar*) to tell, let know; **aviso** [a'vizu] *m* (*comunicação*) notice

avistar [aviʃ'ta*] *vt* to catch sight of

avô, -avó [a'vo, a'vɔ] *m/f* grandfather/mother; **avós** *mpl* grandparents

avulso, -a [a'vuwsu, a] *adj* separate, detached

axila [ak'sila] *f* armpit

azar [a'za*] *m* bad luck; **~!** too bad, bad luck!; **estar com ~, ter ~** to be unlucky; **azarento, -a** [aza'rẽtu, a] *adj* unlucky

azedar [aze'da*] *vt* to turn sour ▷ *vi* to turn sour; (*leite*) to go off; **azedo, -a** [a'zedu, a] *adj* sour; off; (*fig*) grumpy

azeite [a'zejtʃi] *m* oil; (*de oliva*) olive oil

azeitona [azej'tɔna] *f* olive

azia [a'zia] *f* heartburn

azul [a'zuw] (*pl* -**uis**) *adj* blue

azulejo [azu'leʒu] *m* (glazed) tile

azul-marinho *adj inv* navy blue

azul-turquesa *adj inv* turquoise

baba ['baba] *f* dribble

babá [ba'ba] *f* nanny

babaca [ba'baka] (*col*) *adj* stupid ▷ *m/f* idiot

babado [ba'badu] *m* frill; (*col*) piece of gossip

babador [baba'do*] *m* bib

babar [ba'ba*] *vi* to dribble; **babar-se** *vr* to dribble

baby-sitter ['bejbisite*] (*pl* ~**s**) *m/f* baby-sitter

bacalhau [baka'ʎaw] *m* (dried) cod

bacana [ba'kana] (*col*) *adj* great

bacharel [baʃa'rɛw] (*pl* -**éis**) *m* graduate

bacia [ba'sia] *f* basin; (*Anat*) pelvis

backup [ba'kapi] (*pl* ~**s**) *m* (*Comput*) back-up; **tirar um ~ de** to back up

bactéria [bak'tɛrja] *f* germ, bacterium; **~s** bacteria *pl*

badalar [bada'la*] *vt, vi* to ring

baderna [ba'dɛxna] f commotion

bafo ['bafu] m (bad) breath

bagaço [ba'gasu] m (de frutos) pulp; (PT: cachaça) brandy; **estar/ ficar um ~** (fig: pessoa) to be/get run down

bagageiro [baga'ʒejru] m (Auto) roofrack; (PT) porter

bagagem [ba'gaʒẽ] f luggage; (fig) baggage; **recebimento de ~** (Aer) baggage reclaim

bagulho [ba'guʎu] m (objeto) piece of junk

bagunça [ba'gũsa] f mess, shambles sg; **bagunçado, -a** [bagũ'sadu, a] adj in a mess; **bagunçar** [bagũ'sa*] vt to mess up; **bagunceiro, -a** [bagũ'sejru, a] adj messy

baía [ba'ia] f bay

bailado [baj'ladu] m dance; (balé) ballet

bailarino, -a [bajla'rinu, a] m/f ballet dancer

baile ['bajli] m dance; (formal) ball; **~ à fantasia** fancy-dress ball

bainha [ba'iɲa] f (de arma) sheath; (de costura) hem

bairro ['bajxu] m district

baixa ['bajʃa] f decrease; (de preço: redução) reduction; (: queda) fall; (em vendas) drop; (em combate) casualty; (do serviço) discharge

baixar [baj'ʃa*] vt to lower; (ordem) to issue; (lei) to pass; (Comput) to download ▷ vi to go (ou come) down; (temperatura, preço) to drop, fall

baixinho [baj'ʃiɲu] adv (falar) softly, quietly; (em segredo) secretly

baixo, -a ['bajʃu, a] adj low; (pessoa) short, small; (rio) shallow; (linguagem) common; (olhos, cabeça) lowered; (atitude) mean; (metal) base ▷ adv low; (em posição baixa) low down; (falar) softly

▷ m (Mús) bass; **em ~** below; (em casa) downstairs; **em voz baixa** in a quiet voice; **para ~** down, downwards; (em casa) downstairs; **por ~ de** under, underneath; **baixo-astral** (col) m: **estar num baixo-astral** to be on a downer

bala ['bala] f bullet; (BR: doce) sweet

balança [ba'lãsa] f scales pl; **B~** (Astrologia) Libra; **~ comercial** balance of trade; **~ de pagamentos** balance of payments

balançar [balã'sa*] vt to swing; (pesar) to weigh (up) ▷ vi to swing; (carro, avião) to shake; (em cadeira) to rock; **balançar-se** vr to swing; **balanço** [ba'lãsu] m (movimento) swaying; (brinquedo) swing; (de carro, avião) shaking; (Com: registro) balance (sheet); (: verificação) audit; **fazer um balanço de** (fig) to take stock of

balão [ba'lãw] (pl -ões) m balloon

balbúrdia [baw'buxdʒja] f uproar, bedlam

balcão [baw'kãw] (pl -ões) m balcony; (de loja) counter; (Teatro) circle; **~ de informações** information desk; **balconista** [bawko'niʃta] m/f shop assistant

balde ['bawdʒi] m bucket, pail

balé [ba'lɛ] m ballet

baleia [ba'leja] f whale

baliza [ba'liza] f (estaca) post; (bóia) buoy; (luminosa) beacon; (Esporte) goal

balneário [baw'njarju] m bathing resort

balões [ba'lõjʃ] mpl de **balão**

baloiço [ba'lojsu] (PT) m (de criança) swing; (ação) swinging

balsa ['bawsa] f raft; (barca) ferry

bamba ['bãba] adj, m/f expert

bambo, -a ['bãbu, a] adj slack, loose

banana [ba'nana] f banana;
bananeira [bana'nejra] f banana
tree

banca ['bãka] f bench; (escritório)
office; (em jogo) bank; **~ (de jornais)**
newsstand; **bancada** [bã'kada]
f (banco, Pol) bench; (de cozinha)
worktop

bancar [bã'ka°] vt to finance
▷ vi (fingir): **~ que** to pretend that;
bancário, -a [bã'karju, a] adj
bank atr ▷ m/f bank employee

bancarrota [bãka'xota] f
bankruptcy; **ir à ~** to go bankrupt

banco ['bãku] m (assento) bench;
(Com) bank; **~ de areia** sandbank; **~
de dados** (Comput) database

banda ['bãda] f band; (lado) side;
(cinto) sash; **de ~** sideways; **pôr de
~** to put aside; **~ desenhada** (PT)
cartoon; **~ larga** (Tel) broadband

bandeira [bã'dejra] f flag;
(estandarte) banner; **bandeirinha**
[bãdej'rina] m (Esporte) linesman

bandeja [bã'deʒa] f tray

bandido [bã'dʒidu, a] m bandit

bando ['bãdu] m band; (grupo)
group; (de malfeitores) gang; (de
ovelhas) flock; (de gado) herd; (de
livros etc) pile

banha ['bana] f fat; (de porco) lard

banhar [ba'na°] vt to wet;
(mergulhar) to dip; (lavar) to wash;
banhar-se vr to bathe

banheira [ba'nejra] f bath

banheiro [ba'nejru] m bathroom

banho ['banu] m bath; (mergulho)
dip; **tomar ~** to have a bath;
(de chuveiro) to have a shower;
~ de chuveiro shower; **~ de sol**
sunbathing

banir [ba'ni°] vt to banish

banqueiro, -a [bã'kejru, a] m/f
banker

banquete [bã'ketʃi] m banquet

baptismo etc [ba'tiʒmu] (PT) =

batismo etc

bar [ba°] m bar

baralho [ba'raʎu] m pack of cards

barata [ba'rata] f cockroach

barateiro, -a [bara'tejru, a]
adj cheap

barato, -a [ba'ratu, a] adj cheap
▷ adv cheaply

barba ['baxba] f beard; **fazer a
~** to shave

bárbaro, -a ['baxbaru, a] adj
barbaric; (dor, calor) terrible;
(maravilhoso) great

barbeador [baxbja'do°] m razor;
(tb: **~ elétrico**) shaver

barbear [bax'bja°] vt to shave;
barbear-se vr to shave; **barbearia**
[baxbja'ria] f barber's (shop)

barbeiro [bax'bejru] m barber;
(loja) barber's

barca ['baxka] f barge; (de
travessia) ferry

barco ['baxku] m boat; **~ a motor**
motorboat; **~ a remo** rowing boat;
~ a vela sailing boat

barganha [bax'gana] f bargain;
barganhar [baxga'na°] vt, vi to
negotiate

barman [bax'mã] (pl **-men**) m
barman

barra ['baxa] f bar; (faixa) strip;
(traço) stroke; (alavanca) lever

barraca [ba'xaka] f (tenda) tent;
(de feira) stall; (de madeira) hut;
(de praia) sunshade; **barracão**
[baxa'kãw] (pl **-ões**) m shed;
barraco [ba'xaku] m shack,
shanty

barragem [ba'xaʒẽ] (pl **-ns**) f
dam; (impedimento) barrier

barrar [ba'xa°] vt to bar

barreira [ba'xejra] f barrier;
(cerca) fence; (Esporte) hurdle

barricada [baxi'kada] f barricade

barriga [ba'xiga] f belly; **estar de
~** to be pregnant; **~ da perna** calf;

barrigudo, -a [baxi'gudu, a] *adj* paunchy, pot-bellied

barril [ba'xiw] (*pl* **-is**) *m* barrel, cask

barro ['baxu] *m* clay; (*lama*) mud

barulhento, -a [baru'ʎẽtu, a] *adj* noisy

barulho [ba'ruʎu] *m* (*ruído*) noise; (*tumulto*) din

base ['bazi] *f* base; (*fig*) basis; **sem ~** groundless; **com ~ em** based on; **na ~ de** by means of

basear [ba'zja°] *vt* to base; **basear-se** *vr*: **~-se em** to be based on

básico, -a ['baziku, a] *adj* basic

basquete [baʃ'kɛtʃi] *m* = **basquetebol**

basquetebol [baʃkete'bɔw] *m* basketball

basta ['baʃta] *m*: **dar um ~ em** to call a halt to

bastante [baʃ'tãtʃi] *adj* (*suficiente*) enough; (*muito*) quite a lot (of) ▷ *adv* enough; a lot

bastão [baʃ'tãw] (*pl* **-ões**) *m* stick

bastar [baʃ'ta°] *vi* to be enough, be sufficient; **bastar-se** *vr* to be self-sufficient; **basta!** (that's) enough!; **~ para** to be enough to

bastardo, -a [baʃ'taxdu, a] *adj*, *m/f* bastard

bastões [baʃ'tõjʃ] *mpl* de **bastão**

bata ['bata] *f* (*de mulher*) smock; (*de médico*) overall

batalha [ba'taʎa] *f* battle; **batalhador, a** [bataʎa'do°, a] *adj* struggling ▷ *m/f* fighter; **batalhão** [bata'ʎãw] (*pl* **-ões**) *m* battalion; **batalhar** [bata'ʎa°] *vi* to battle, fight; (*esforçar-se*) to make an effort, try hard ▷ *vt* (*emprego*) to go after

batata [ba'tata] *f* potato; **~ doce** sweet potato; **~s fritas** chips *pl* (BRIT), French fries *pl* (US); (*de pacote*) crisps *pl* (BRIT), (potato) chips *pl* (US)

bate-boca ['batʃi-] (*pl* **~s**) *m* row, quarrel

batedeira [bate'dejra] *f* beater; (*de manteiga*) churn; **~ elétrica** mixer

batente [ba'tẽtʃi] *m* doorpost

bate-papo ['batʃi-] (*pl* **~s**) (BR) *m* chat

bater [ba'te°] *vt* to beat, strike; (*pé*) to stamp; (*foto*) to take; (*porta*) to slam; (*asas*) to flap; (*recorde*) to break; (*roupa*) to wear all the time ▷ *vi* to slam; (*sino*) to ring; (*janela*) to bang; (*coração*) to beat; (*sol*) to beat down; **bater-se** *vr*: **~-se para fazer/por** to fight to do/for; **~ (à porta)** to knock (at the door); **~ à máquina** to type; **~ com o carro** to crash one's car; **~ com a cabeça** to bang one's head; **~ com o pé (em)** to kick

bateria [bate'ria] *f* battery; (*Mús*) drums *pl*; **~ de cozinha** kitchen utensils *pl*; **baterista** [bate'riʃta] *m/f* drummer

batida [ba'tʃida] *f* beat; (*da porta*) slam; (*à porta*) knock; (*da polícia*) raid; (*Auto*) crash; (*bebida*) cocktail of cachaça, fruit and sugar

batido, -a [ba'tʃidu, a] *adj* beaten; (*roupa*) worn ▷ *m*: **~ de leite** (PT) milkshake

batina [ba'tʃina] *f* (*Rel*) cassock

batismo [ba'tʃiʒmu] *m* baptism, christening

batizar [batʃi'za°] *vt* to baptize, christen

batom [ba'tõ] (*pl* **-ns**) *m* lipstick

batucada [batu'kada] *f* dance percussion group

batucar [batu'ka°] *vt, vi* to drum

baú [ba'u] *m* trunk

baunilha [baw'niʎa] *f* vanilla

bazar [ba'za°] *m* bazaar; (*loja*) shop

bêbado, -a ['bebadu, a] *adj*, *m/f* drunk

bebê [be'be] *m* baby

bebedeira [bebe'dejra] *f*
drunkenness; **tomar uma ~** to
get drunk

bêbedo, -a ['bebedu, a] *adj, m/f*
= **bêbado**

bebedouro [bebe'douru] *m*
drinking fountain

beber [be'be°] *vt* to drink;
(*absorver*) to soak up ▷ *vi* to drink;
bebida [be'bida] *f* drink

beça ['bɛsa] (*col*) *f*: **à ~** (*com vb*):
ele comeu à ~ he ate a lot; (*com n*):
ela tinha livros à ~ she had a lot
of books

beco ['beku] *m* alley, lane; **~ sem
saída** cul-de-sac

bege ['bɛʒi] *adj inv* beige

beija-flor [bejʒa-'flɔ°] (*pl* **~es**) *m*
hummingbird

beijar [bej'ʒa°] *vt* to kiss; **beijar-
se** *vr* to kiss (one another); **beijo**
['bejʒu] *m* kiss; **dar beijos em
alguém** to kiss sb

beira ['bejra] *f* edge; (*de rio*) bank;
(*orla*) border; **à ~ de** on the edge of;
(*ao lado de*) beside, by; (*fig*) on the
verge of; **~ do telhado** eaves *pl*;
beira-mar *f* seaside

belas-artes *fpl* fine arts

beldade [bew'dadʒi] *f* beauty

beleza [be'leza] *f* beauty; **que ~!**
how lovely!

belga ['bɛwga] *adj, m/f* Belgian

Bélgica ['bɛwʒika] *f*: **a ~** Belgium

beliche [be'liʃi] *m* bunk

beliscão [beliʃ'kãw] (*pl* **-ões**) *m*
pinch; **beliscar** [beliʃ'ka°] *vt* to
pinch, nip; (*comida*) to nibble

Belize [be'lizi] *m* Belize

belo, -a ['bɛlu, a] *adj* beautiful

○ **PALAVRA CHAVE**

bem [bẽj] *adv* **1** (*de maneira
satisfatória, correta etc*) well;

trabalha/come ~ she works/eats
well; **respondeu ~** he answered
correctly; **me sinto/não me sinto ~**
I feel fine/I don't feel very well; **tudo
~? – tudo ~** how's it going? – fine
2 (*valor intensivo*) very; **um quarto ~
quente** a nice warm room; **~ se vê
que ...** it's clear that ...
3 (*bastante*) quite, fairly; **a casa é ~
grande** the house is quite big
4 (*exatamente*): **~ ali** right there; **não
é ~ assim** it's not quite like that
5 (*estar ~*): **estou muito ~ aqui** I feel
very happy here; **está ~! vou fazê-
lo** oh all right, I'll do it!
6 (*de bom grado*): **eu ~ que iria mas
...** I'd gladly go but ...
7 (*cheirar*) good, nice
▷ *m* **1** (*bem-estar*) good; **estou
dizendo isso para o seu ~** I'm
telling you for your own good; **o ~ e
o mal** good and evil
2 (*posses*): **bens** goods, property
sg; **bens de consumo** consumer
goods; **bens de família** family
possessions; **bens móveis/
imóveis** moveable property *sg*/real
estate *sg*
▷ *excl* **1** (*aprovação*): **~!** OK!; **muito ~!**
well done!
2 (*desaprovação*): **~ feito!** it serves
you right!
▷ *adj inv* (*tom depreciativo*): **gente ~**
posh people
▷ *conj* **1**: **nem ~** as soon as, no sooner
than; **nem ~ ela chegou começou
a dar ordens** as soon as she arrived
she started to give orders, no
sooner had she arrived than she
started to give orders
2: **se ~ que** though; **gostaria de
ir se ~ que não tenho dinheiro**
I'd like to go even though I've got
no money
3: **~ como** as well as; **o livro ~ como
a peça foram escritos por ele** the

book as well as the play was written
by him

bem-conceituado, -a [bẽjkõsej-
'twadu, a] adj highly regarded
bem-disposto, -a [bẽjdʒiʃ'poʃtu,
'poʃta] adj well, in good form
bem-me-quer (pl **-es**) m daisy
bem-vindo, -a adj welcome
bênção ['bẽsãw] (pl **-s**) f blessing
beneficência [benefi'sẽsja] f
kindness; (caridade) charity
beneficiar [benefi'sja*] vt to
benefit; (melhorar) to improve;
beneficiar-se vr to benefit
benefício [bene'fisju] m benefit;
(vantagem) profit; (favor) favour
(BRIT), favor (US); **em ~ de** in aid of;
benéfico, -a [be'nɛfiku, a] adj
beneficial; (generoso) generous
bengala [bẽ'gala] f walking stick
benigno, -a [be'nignu, a] adj
kind; (agradável) pleasant; (Med)
benign
bens [bẽjʃ] mpl de **bem**
bento, -a ['bẽtu, a] pp de **benzer**
▷ adj blessed; (água) holy
benzer [bẽ'ze*] vt to bless;
benzer-se vr to cross o.s.
berço ['bexsu] m cradle; (cama)
cot; (origem) birthplace
Berlim [bex'lĩ] n Berlin
berma ['bexma] (PT) f hard
shoulder (BRIT), berm (US)
berrar [be'xa*] vi to bellow; (criança) to bawl; **berreiro** [be'xejru] m:
abrir o berreiro to burst out crying;
berro ['bexu] m yell
besta ['beʃta] adj stupid;
(convencido) full of oneself; **~ de
carga** beast of burden; **besteira**
[beʃ'tejra] f foolishness; **dizer
besteiras** to talk nonsense; **fazer
uma besteira** to do something
silly; **bestial** [beʃ'tʃjaw] (pl **-ais**) adj
bestial; (repugnante) repulsive

best-seller ['bɛst'sɛle*] (pl **-s**) m
best seller
betão [be'tãw] (PT) m concrete
beterraba [bete'xaba] f beetroot
bexiga [be'ʃiga] f bladder
bezerro, -a [be'zexu, a] m/f calf
BI abr m (PT: bilhete de identidade)
identity card; see boxed note

Bíblia ['biblja] f Bible
bibliografia [bibljogra'fia] f
bibliography
biblioteca [bibljo'tɛka] f library;
(estante) bookcase; **bibliotecário, -a**
[bibljote'karju, a] m/f librarian
bica ['bika] f tap; (PT) black coffee,
expresso
bicha ['biʃa] f (lombriga) worm;
(BR: col, pej: homossexual) queer; (PT:
fila) queue
bicho ['biʃu] m animal; (inseto)
insect, bug
bicicleta [bisi'klɛta] f bicycle;
(col) bike; **andar de ~** to cycle; **~ do
exército** exercise bike
bico ['biku] m (de ave) beak; (ponta)
point; (de chaleira) spout; (boca)
mouth; (de pena) nib; (do peito)
nipple; (de gás) jet; (col: emprego)
casual job; (chupeta) dummy; **calar
o ~** to shut up

bidê [bi'de] m bidet

bife ['bifi] m (beef) steak; **~ a cavalo** steak with fried eggs; **~ à milanesa** beef escalope; **~ de panela** beef stew

bifurcação [bifuxka'sãw] (pl -ões) f fork

bifurcar-se [bifux'kaxsi] vr to fork, divide

bigode [bi'gɔdʒi] m moustache

bijuteria [biʒute'ria] f (costume) jewellery (BRIT) ou jewelry (US)

bilhão [bi'ʎãw] (pl -ões) m billion

bilhar [bi'ʎa°] m (jogo) billiards sg

bilhete [bi'ʎetʃi] m ticket; (cartinha) note; **~ de ida** single (BRIT) ou one-way ticket; **~ de ida e volta** return (BRIT) ou round-trip (US) ticket; **~ eletrônico** e-ticket; **bilheteira** [biʎe'tejra] (PT) f = **~ria**; **bilheteiro, -a** [biʎe'tejru, a] m/f ticket seller; **bilheteria** [biʎete'ria] f ticket office

bilhões [bi'ʎõjʃ] mpl de **bilhão**

bilíngüe [bi'lĩgwi] adj bilingual

binóculo [bi'nɔkulu] m binoculars pl; (para teatro) opera glasses pl

biografia [bjogra'fia] f biography

biologia [bjolo'ʒia] f biology

biombo ['bjõbu] m screen

bioterrorismo [bjotexo'riʒmu] m bioterrorism

bip [bip] n pager, paging device

biquíni [bi'kini] m bikini

birita [bi'rita] (col) f drink

biruta [bi'ruta] adj crazy ▷ f windsock

bis [biʃ] excl encore!

bisavô, -ó [biza'vo, ɔ] m/f great-grandfather/great-grandmother; **bisavós** [biza'vɔʃ] mpl great-grandparents

biscate [biʃ'katʃi] m odd job

biscoito [biʃ'kojtu] m biscuit (BRIT), cookie (US)

bispo ['biʃpu] m bishop

bissexto, -a [bi'seʃtu, a] adj: **ano ~** leap year

bit ['bitʃi] m (Comput) bit

bizarro, -a [bi'zaxu, a] adj bizarre

blasfemar [blaʃfe'ma°] vt to curse ▷ vi to blaspheme; **blasfêmia** [blaʃ'femja] f blasphemy; (ultraje) curse

blazer ['blejze°] (pl **-s**) m blazer

blecaute [ble'kawtʃi] m power cut

blindado, -a [blĩ'dadu, a] adj armoured (BRIT), armored (US)

blitz [blits] f police raid; (na estrada) police road block

bloco ['blɔku] m block; (Pol) bloc; (de escrever) writing pad; **~ de carnaval** carnival troupe

blog or **blogue** [blɔgi] (pl **blogs**) (col) m blog

blogueiro, -a [blo'gejru, a] (col) m/f blogger

bloqueador [blokja'do°] m: **~ solar** sunblock

bloquear [blo'kja°] vt to blockade; (obstruir) to block; **bloqueio** [blo'keju] m blockade; blockage

blusa ['bluza] f (de mulher) blouse; (de homem) shirt; **~ de lã** jumper; **blusão** [blu'zãw] (pl **-ões**) m jacket

boa ['boa] adj f de **bom** ▷ f boa constrictor

boate ['bwatʃi] f nightclub

boato ['bwatu] m rumour (BRIT), rumor (US)

bobagem [bo'baʒẽ] (pl **-ns**) f silliness, nonsense; (dito, ato) silly thing

bobo, -a ['bobu, a] adj silly, daft ▷ m/f fool ▷ m (de corte) jester; **fazer-se de ~** to act the fool

bobó [bo'bɔ] m beans, palm oil and manioc

boca ['bɔka] f mouth; (*entrada*) entrance; (*de fogão*) ring; **de ~ aberta** amazed; **bater ~ to** argue

bocadinho [boka'dʒiɲu] m: **um ~** (*pouco tempo*) a little while; (*pouquinho*) a little bit

bocado [bo'kadu] m mouthful, bite; (*pedaço*) piece, bit; **um ~ de tempo** quite some time

boçal [bo'saw] (*pl* **-ais**) *adj* ignorant; (*grosseiro*) uncouth

bocejar [bose'ʒa°] *vi* to yawn; **bocejo** [bo'seʒu] m yawn

bochecha [bo'ʃeʃa] f cheek; **bochecho** [bo'ʃeʃu] m mouthwash

boda ['boda] f wedding; **~s** *fpl* (*aniversário de casamento*) wedding anniversary *sg*

bode ['bɔdʒi] m goat; **~ expiatório** scapegoat

bofetada [bofe'tada] f slap

bofetão [bofe'tãw] (*pl* **-ões**) m punch

boi [boj] m ox

bóia ['bɔja] f buoy; (*col*) grub; (*de braço*) armband, water wing

boiar [bo'ja°] *vt*, *vi* to float

boi-bumbá [-bũ'ba] n (BR) *see boxed note*

boicotar [bojko'ta°] *vt* to boycott; **boicote** [boj'kɔtʃi] m boycott

bola ['bɔla] f ball; **dar ~ para** (*flertar*) to flirt with; **ela não dá a menor ~ (para isso)** she couldn't care less (about it); **não ser certo da ~** (*col*) not to be right in the head

bolacha [bo'laʃa] f biscuit (BRIT), cookie (US); (*col: bofetada*) wallop; (*para chope*) beermat

boleia [bo'leja] f driver's seat; **dar uma ~ a alguém** (PT) to give sb a lift

boletim [bole'tʃĩ] (*pl* **-ns**) m report; (*publicação*) newsletter; **~ meteorológico** weather forecast

bolha ['boʎa] f (*na pele*) blister; (*de ar, sabão*) bubble

boliche [bo'liʃi] m bowling, skittles *sg*

bolinho [bo'liɲu] m: **~ de carne** meat ball; **~ de arroz/bacalhau** rice/dry cod cake

Bolívia [bo'livja] f: **a ~** Bolivia

bolo ['bolu] m cake; (*monte: de gente*) bunch; (*: de papéis*) bundle; **dar o ~ em alguém** to stand sb up; **vai dar ~** (*col*) there's going to be trouble

bolor [bo'lo°] m mould (BRIT), mold (US); (*nas plantas*) mildew

bolota [bo'lɔta] f acorn

bolsa ['bowsa] f bag; (*Com: tb:* **~ de valores**) stock exchange; **~ (de estudos)** scholarship

bolso ['bowsu] m pocket; **de ~** pocket *atr*

○ PALAVRA CHAVE

bom, boa [bõ, 'boa] (*pl* **bons, boas**) *adj* **1** (*ótimo*) good; **é um livro ~ ou um ~ livro** it's a good book; **a comida está boa** the food is delicious; **o tempo está ~** the weather's fine; **ele foi muito ~ comigo** he was very nice *ou* kind to me

2 (*apropriado*): **ser ~ para** to be good for; **acho ~ você não ir** I think it's better if you don't go

3 (*irônico*): **um ~ quarto de hora** a good quarter of an hour; **que ~ motorista você é!** a fine *ou* some driver you are!; **seria ~ que ...!** a fine thing it would be if ...!; **essa é boa!** what a cheek!

4 (*saudação*): **~ dia!** good morning!; **boa tarde!** good afternoon!; **boa noite!** good evening!; (*ao deitar-se*) good night!; **tudo ~?** how's it going?

5 (*outras frases*): **está ~?** OK? ▷ *excl*: **~!** all right!; **~, ...** right, ...

bomba ['bõba] *f* bomb; (*Tec*) pump; (*fig*) bombshell; **~ atômica/relógio/de fumaça** atomic/time/smoke bomb; **~ de gasolina** petrol (*BRIT*) *ou* gas (*US*) pump; **~ de incêndio** fire extinguisher

bombardear [bõbax'dʒja*] *vt* to bomb; (*fig*) to bombard; **bombardeio** [bõbax'deju] *m* bombing, bombardment; **bombardeio suicida** suicide bombing

bombeiro [bõ'bejru] *m* fireman; (*BR*: *encanador*) plumber; **o corpo de ~s** fire brigade

bombom [bõ'bõ] (*pl* **-ns**) *m* chocolate

bondade [bõ'dadʒi] *f* goodness, kindness; **tenha a ~ de vir** would you please come

bonde ['bõdʒi] (*BR*) *m* tram

bondoso, -a [bõ'dozu, ɔza] *adj* kind, good

boné [bo'nɛ] *m* cap

boneca [bo'nɛka] *f* doll

boneco [bo'nɛku] *m* dummy

bonito, -a [bo'nitu, a] *adj* pretty; (*gesto, dia*) nice ▷ *m* (*peixe*) tuna

(fish), tunny

bônus ['bonuʃ] *m inv* bonus

boquiaberto, -a [bokja'bɛxtu, a] *adj* dumbfounded, astonished

borboleta [boxbo'leta] *f* butterfly; (*BR*: *roleta*) turnstile

borbotão [boxbo'tãw] (*pl* **-ões**) *m* gush, spurt; **sair aos borbotões** to gush out

borbulhar [boxbu'ʎa*] *vi* to bubble

borda ['bɔxda] *f* edge; (*do rio*) bank; **à ~ de** on the edge of

bordado [box'dadu] *m* embroidery

bordar [box'da*] *vt* to embroider

bordo ['bɔxdu] *m* (*de navio*) side; **a ~** on board

borra ['bɔxa] *f* dregs *pl*

borracha [bo'xaʃa] *f* rubber; **borracheiro** [boxa'ʃejru] *m* tyre (*BRIT*) *ou* tire (*US*) specialist

borrão [bo'xãw] (*pl* **-ões**) *m* (*rascunho*) rough draft; (*mancha*) blot

borrifar [boxi'fa*] *vt* to sprinkle; **borrifo** [bo'xifu] *m* spray

borrões [bo'xõjʃ] *mpl de* **borrão**

bosque ['bɔʃki] *m* wood, forest

bossa ['bɔsa] *f* charm; (*inchaço*) swelling; **~ nova** (*Mús*) *see boxed note*

● **BOSSA NOVA**
●
● **Bossa nova** is a type of music
● invented by young, middle-class
● inhabitants of Rio de Janeiro
● at the end of the 1950s. It has
● an obvious jazz influence, an
● unusual, rhythmic beat and lyrics
● praising beauty and love. **Bossa**
● **nova** became known around
● the world through the work of
● the conductor and composer
● Antônio Carlos Jobim whose
● compositions, working with the
● poet Vinícius de Morais, include
● the famous song "The Girl from
● Ipanema".

bota ['bɔta] f boot; **~s de borracha** wellingtons

botânica [bo'tanika] f botany

botão [bo'tãw] (pl **-ões**) m button; (flor) bud

botar [bo'ta°] vt to put; (roupa, sapatos) to put on; (mesa) to set; (defeito) to find; (ovos) to lay

bote ['bɔtʃi] m boat; (com arma) thrust; (salto) spring

botequim [botʃi'kĩ] (pl **-ns**) m bar

botija [bo'tʃiʒa] f (earthenware) jug

botões [bo'tõjʃ] mpl de **botão**

boxe ['bɔksi] m boxing

brabo, -a ['brabu, a] adj fierce; (zangado) angry; (ruim) bad; (calor) unbearable

braçada [bra'sada] f armful; (Natação) stroke

bracelete [brase'letʃi] m bracelet

braço ['brasu] m arm; **de ~s cruzados** with arms folded; (fig) without lifting a finger; **de ~ dado** arm-in-arm

bradar [bra'da°] vt, vi to shout, yell; **brado** ['bradu] m shout, yell

braguilha [bra'giʎa] f flies pl

branco, -a ['brãku, a] adj white ▷ m/f white man/woman ▷ m (espaço) blank; **em ~** blank; **noite em ~** sleepless night; **brancura** [brã'kura] f whiteness

brando, -a ['brãdu, a] adj gentle; (mole) soft

brasão [bra'zãw] (pl **-ões**) m coat of arms

braseiro [bra'zejru] m brazier

Brasil [bra'ziw] m: **o ~** Brazil; **brasileiro, -a** [brazi'lejru, a] adj, m/f Brazilian

Brasília [bra'zilja] n Brasília

brasões [bra'zõjʃ] mpl de **brasão**

bravata [bra'vata] f bravado, boasting

bravio, -a [bra'viu, a] adj (selvagem) wild; (feroz) ferocious

bravo, -a ['bravu, a] adj brave; (furioso) angry; (mar) rough ▷ m brave man; **~!** bravo!; **bravura** [bra'vura] f courage, bravery

brecar [bre'ka°] vt (carro) to stop; (reprimir) to curb ▷ vi to brake

breu [brew] m tar, pitch

breve ['brɛvi] adj short; (conciso, rápido) brief ▷ adv soon; **em ~** soon, shortly; **até ~** see you soon

bridge ['bridʒi] m bridge

briga ['briga] f fight; (verbal) quarrel

brigada [bri'gada] f brigade

brigão, -ona [bri'gãw, ɔna] (pl **-ões, ~s**) adj quarrelsome ▷ m/f troublemaker

brigar [bri'ga°] vi to fight; (altercar) to quarrel

brigões [bri'gõjʃ] mpl de **brigão**

brigona [bri'gɔna] f de **brigão**

brilhante [bri'ʎãtʃi] adj brilliant ▷ m diamond

brilhar [bri'ʎa°] vi to shine

brincadeira [brĩka'dejra] f fun; (gracejo) joke; (de criança) game; **deixe de ~s!** stop fooling!; **de ~** for fun

brincalhão, -ona [brĩka'ʎãw, ɔna] (pl **-ões, ~s**) adj playful

brincar [brĩ'ka°] vi to play; (gracejar) to joke; **estou brincando** I'm only kidding; **~ de soldados** to play (at) soldiers; **~ com alguém** to tease sb

brinco ['brĩku] m (jóia) earring

brindar [brĩ'da°] vt to drink to; (presentear) to give a present to; **brinde** ['brĩdʒi] m toast; free gift

brinquedo [brĩ'kedu] m toy

brio ['briu] m self-respect, dignity

brisa ['briza] f breeze

britânico, -a [bri'taniku, a] adj British ▷ m/f Briton

broche ['brɔʃi] m brooch

brochura [bro'ʃura] f (livro)
paperback; (folheto) brochure,
pamphlet

brócolis ['brɔkoliʃ] mpl broccoli sg

bronca ['brõka] (col) f telling off;
dar uma ~ em to tell off; **levar uma
~** to get told off

bronco, -a ['brõku, a] adj (rude)
coarse; (burro) thick

bronquite [brõ'kitʃi] f bronchitis

bronze ['brõzi] m bronze;
bronzear [brõ'zjaº] vt to tan;
bronzear-se vr to get a tan

broto ['brotu] m bud; (fig)
youngster

broxa ['brɔʃa] f (large) paint brush

bruços ['brusuʃ]: **de ~** adv face
down

bruma ['bruma] f mist, haze

brusco, -a ['bruʃku, a] adj
brusque; (súbito) sudden

brutal [bru'taw] (pl -ais) adj
brutal

bruto, -a ['brutu, a] adj brutish;
(grosseiro) coarse; (móvel) heavy;
(petróleo) crude; (peso, Com) gross
▷ m brute; **em ~** raw, unworked

bruxa ['bruʃa] f witch

Bruxelas [bru'ʃelaʃ] n Brussels

bruxo ['bruʃu] m wizard

budismo [bu'dʒiʒmu] m
Buddhism

bufar [bu'faº] vi to puff, pant; (com
raiva) to snort; (reclamar) to moan

bufê [bu'fe] m sideboard; (comida)
buffet

buffer ['bafeº] (pl ~s) m (Comput)
buffer

bula ['bula] f (Med) directions pl
for use

bule ['buli] m (de chá) teapot; (de
café) coffeepot

Bulgária [buw'garja] f: **a ~**
Bulgaria; **búlgaro, -a** ['buwgaru,
a] adj, m/f Bulgarian ▷ m (Ling)
Bulgarian

bunda ['bũda] (col) f bottom,
backside

buquê [bu'ke] m bouquet

buraco [bu'raku] m hole; (de
agulha) eye; **ser um ~** to be tough; **~
da fechadura** keyhole

burguês, -guesa [bux'geʃ,
'geza] adj middle-class, bourgeois;
burguesia [buxge'zia] f middle
class, bourgeoisie

burocracia [burokra'sia] f
bureaucracy

burro, -a ['buxu, a] adj stupid ▷ m/f
(Zool) donkey; (pessoa) fool, idiot;
pra ~ (col) a lot; (com adj) really; **~
de carga** (fig) hard worker

busca ['buʃka] f search; **em ~ de** in
search of; **dar ~ a** to search for

buscar [buʃ'kaº] vt to fetch;
(procurar) to look ou search for;
ir ~ to fetch, go for; **mandar ~** to
send for

bússola ['busola] f compass

busto ['buʃtu] m bust

buzina [bu'zina] f horn

búzio ['buzju] m conch

C

c/ abr = **com**

Ca abr (= companhia) Co

cá [ka] adv here; **de ~** on this side; **para ~** here, over here; **para lá e para ~** back and forth; **de lá para ~** since then

caatinga [ka'tʃĩga] (BR) f scrub(-land)

cabana [ka'bana] f hut

cabeça [ka'besa] f head; (inteligência) brains pl; (de uma lista) top ▷ m/f leader; **de ~** off the top of one's head; (calcular) in one's head; **de ~ para baixo** upside down; **por ~** per person, per head; **cabeçada** [kabe'sada] f (pancada com cabeça) butt; (Futebol) header; (asneira) blunder; **cabeçalho** [kabe'saʎu] m (de livro) title page; (de página, capítulo) heading

cabeceira [kabe'sejra] f (de cama) head

cabeçudo, -a [kabe'sudu, a] adj big-headed; (teimoso) pigheaded

cabeleira [kabe'lejra] f head of hair; (postiça) wig; **cabeleireiro, -a** [kabelej'rejru, a] m/f hairdresser

cabelo [ka'belu] m hair; **cortar/ fazer o ~** to have one's hair cut/ done; **cabeludo, -a** [kabe'ludu, a] adj hairy

caber [ka'be°] vi: **~ (em)** to fit; (ser compatível) to be appropriate (in); **~ a** (em partilha) to fall to; **cabe a alguém fazer** it is up to sb to do; **não cabe aqui fazer comentários** this is not the time or place to comment

cabide [ka'bidʒi] m (coat) hanger; (móvel) hat stand; (fixo à parede) coat rack

cabine [ka'bini] f cabin; (em loja) fitting room; **~ do piloto** (Aer) cockpit; **~ telefônica** telephone box (BRIT) ou booth

cabo ['kabu] m (extremidade) end; (de faca, vassoura etc) handle; (corda) rope; (elétrico etc) cable; (Geo) cape; (Mil) corporal; **ao ~ de** at the end of; **de ~ a rabo** from beginning to end; **levar a ~** to carry out; **dar ~ de** to do away with

caboclo, -a [ka'boklu, a] (BR) m/f mestizo

cabra ['kabra] f goat

cabreiro, -a [ka'brejru, a] (col) adj suspicious

cabrito [ka'britu] m kid

caça ['kasa] f hunting; (busca) hunt; (animal) quarry, game ▷ m (Aer) fighter (plane); **caçador, a** [kasa'do°, a] m/f hunter

cação [ka'sãw] (pl -ões) m shark

caçar [ka'sa°] vt to hunt; (com espingarda) to shoot; (procurar) to seek ▷ vi to hunt, go hunting

caçarola [kasa'rola] f (sauce)pan

cacau [ka'kaw] m cocoa; (Bot)

cacao

cacetada [kase'tada] f blow (with a stick)

cachaça [ka'ʃasa] f (white) rum

cachaceiro, -a [kaʃa'sejru, a] adj drunk ▷ m/f drunkard

cachê [ka'ʃe] m fee

cachecol [kaʃe'kɔw] (pl **-óis**) m scarf

cachimbo [ka'ʃĩbu] m pipe

cacho ['kaʃu] m bunch; (de cabelo) curl; (: longo) ringlet

cachoeira [kaʃ'wejra] f waterfall

cachorra [ka'ʃoxa] f bitch; (cadela) (female) puppy

cachorrinho, -a [kaʃo'xiɲu, a] m/f puppy

cachorro [ka'ʃoxu] m dog; (cãozinho) puppy; **cachorro-quente** (pl **cachorros-quentes**) m hot dog

cacique [ka'siki] m (Indian) chief; (mandachuva) local boss

caco ['kaku] m bit, fragment; (pessoa velha) old relic

caçoar [ka'swar] vt, vi to mock

cacoete [ka'kwetʃi] m twitch, tic

cacto ['kaktu] m cactus

cada ['kada] adj inv each; (todo) every; **~ um** each one; **~ semana** each week; **a ~ 3 horas** every 3 hours; **~ vez mais** more and more

cadastro [ka'daʃtru] m register; (ato) registration; (de criminosos) criminal record

cadáver [ka'dave°] m corpse, (dead) body

cadê [ka'de] (col) adv: **~ ...?** where's/where are ...?, what's happened to ...?

cadeado [ka'dʒjadu] m padlock

cadeia [ka'deja] f chain; (prisão) prison; (rede) network

cadeira [ka'dejra] f chair; (disciplina) subject; (Teatro) stall; (função) post; **~s** fpl (Anat) hips;

~ de balanço/rodas rocking chair/wheelchair

cadela [ka'dɛla] f (cão) bitch

caderneta [kadex'neta] f notebook; **~ de poupança** savings account

caderno [ka'dɛxnu] m exercise book; (de notas) notebook; (de jornal) section

caducar [kadu'ka°] vi to lapse, expire; **caduco, -a** [ka'duku, a] adj invalid, expired; (senil) senile; (Bot) deciduous

cães [kãjʃ] mpl de **cão**

cafajeste [kafa'ʒɛʃtʃi] (col) adj roguish; (vulgar) vulgar, coarse ▷ m/f rogue; rough customer

café [ka'fɛ] m coffee; (estabelecimento) café; **~ com leite** white coffee (BRIT), coffee with cream (US); **~ preto** black coffee; **~ da manhã** (BR) breakfast

cafeteira [kafe'tejra] f coffee pot; (máquina) percolator; **cafezal** [kafe'zaw] (pl **-ais**) m coffee plantation; **cafezinho** [kafe'ziɲu] m small black coffee

cagada [ka'gada] (col!) f shit (!)

cágado ['kagadu] m turtle

cagar [ka'ga°] (col!) vi to (have a) shit (!)

cagüetar [kagwe'ta°] vt to inform on; **cagüete** [ka'gwetʃi] m informer

caiba etc ['kajba] vb V **caber**

cãibra ['kãjbra] f (Med) cramp

caída [ka'ida] f = **queda**

caído, -a [ka'idu, a] adj dejected; (derrubado) fallen; (pendente) droopy; **~ por** (apaixonado) in love with

câimbra ['kãjbra] f = **cãibra**

caipirinha [kajpi'riɲa] f cocktail of cachaça, lemon and sugar

cair [ka'i°] vi to fall; **~ bem/mal** (roupa) to fit well/badly; (col: pessoa) to look good/bad; **~ em si**

to come to one's senses; **ao ~ da noite** at nightfall; **essa comida me caiu mal** that food did not agree with me

Cairo ['kajru] m: **o ~** Cairo

cais [kajʃ] m (Náut) quay; (PT: Ferro) platform

caixa ['kajʃa] f box; (cofre) safe; (de uma loja) cashdesk ▷ m/f (pessoa) cashier ▷ m: **~ automático** cash machine; **pequena ~** petty cash; **~ de correio** letter box; **~ econômica** savings bank; **~ de mudanças** (BR) ou **de velocidades** (PT) gearbox; **~ postal** P.O. box; **~ registradora** cash register; **caixa-forte** (pl **caixas-fortes**) f vault

caixão [kaj'ʃãw] (pl **-ões**) m (ataúde) coffin; (caixa grande) large box

caixeiro-viajante, caixeira-viajante (pl **caixeiros-viajantes**, **caixeiras-viajantes**) m/f commercial traveller (BRIT) ou traveler (US)

caixilho [kaj'ʃiʎu] m (moldura) frame

caixões [kaj'ʃõjʃ] mpl de **caixão**

caixote [kaj'ʃɔtʃi] m packing case; **~ do lixo** (PT) dustbin (BRIT), garbage can (US)

caju [ka'ʒu] m cashew fruit

cal [kaw] f lime; (na água) chalk; (para caiar) whitewash

calabouço [kala'bosu] m dungeon

calado, -a [ka'ladu, a] adj quiet

calafrio [kala'friu] m shiver; **ter ~s** to shiver

calamidade [kalami'dadʒi] f calamity, disaster

calão [ka'lãw] (PT) m: **(baixo) ~** slang

calar [ka'la°] vt to keep quiet about; (impor silêncio a) to silence ▷ vi to go quiet; (manter-se calado) to keep quiet; **calar-se** vr to go quiet; to keep quiet; **cala a boca!** shut up!

calça ['kawsa] f (tb: **~s**) trousers pl (BRIT), pants pl (US)

calçada [kaw'sada] f (BR: passeio) pavement (BRIT), sidewalk (US); (PT: rua) roadway

calçadão [kawsa'dãw] (pl **-ões**) m pedestrian precinct (BRIT)

calçado, -a [kaw'sadu, a] adj (rua) paved ▷ m shoe; **~s** mpl (para os pés) footwear sg

calçadões [kawsa'dõjʃ] mpl de **calçadão**

calçamento [kawsa'mẽtu] m paving

calcanhar [kawka'ɲa°] m (Anat) heel

calção [kaw'sãw] (pl **-ões**) m shorts pl; **~ de banho** swimming trunks pl

calcar [kaw'ka°] vt to tread on; (espezinhar) to trample (on)

calçar [kaw'sa°] vt (sapatos, luvas) to put on; (pavimentar) to pave; **calçar-se** vr to put on one's shoes; **ela calça (número) 28** she takes size 28 (in shoes)

calcário [kaw'karju] m limestone

calcinha [kaw'siɲa] f panties pl

calço ['kawsu] m wedge

calções [kaw'sõjʃ] mpl de **calção**

calculador [kawkula'do°] m = **calculadora**

calculadora [kawkula'dora] f calculator

calcular [kawku'la°] vt to calculate; (imaginar) to imagine; **~ que** to reckon that

cálculo ['kawkulu] m calculation; (Mat) calculus; (Med) stone

calda ['kawda] f (de doce) syrup; **~s** fpl (águas termais) hot springs

caldeirada [kawdej'rada] (PT) f (guisado) fish stew

caldo ['kawdu] m broth; (de

fruta) juice; **~ de carne/galinha**
beef/chicken stock; **~ verde** potato
and cabbage broth

calendário [kalẽ'darju] *m*
calendar

calhar [ka'ʎaº] *vi*: **calhou**
viajarmos no mesmo avião we
happened to travel on the same
plane; **calhou que** it so happened
that; **~ a** (*cair bem*) to suit; **se ~** (*PT*)
perhaps, maybe

calibre [ka'libri] *m* calibre (*BRIT*),
caliber (*US*)

cálice ['kalisi] *m* wine glass;
(*Rel*) chalice

calista [ka'liʃta] *m/f* chiropodist
(*BRIT*), podiatrist (*US*)

calma ['kawma] *f* calm

calmante [kaw'mãtʃi] *adj*
soothing ▷ *m* (*Med*) tranquillizer

calmo, -a ['kawmu, a] *adj* calm

calo ['kalu] *m* callus; (*no pé*) corn

calor [ka'loº] *m* heat; (*agradável,*
fig) warmth; **está** *ou* **faz ~** it is hot;
estar com ~ to be hot

calorento, -a [kalo'rẽtu, a] *adj*
(*pessoa*) sensitive to heat; (*lugar*) hot

caloria [calo'ria] *f* calorie

caloroso, -a [kalo'rozu, ɔza] *adj*
warm; (*entusiástico*) enthusiastic

calouro, -a [ka'loru, a] *m/f* (*Educ*)
fresher (*BRIT*), freshman (*US*)

calúnia [ka'lunja] *f* slander

calvo, -a ['kawvu, a] *adj* bald

cama ['kama] *f* bed; **~ de casal**
double bed; **~ de solteiro** single
bed; **de ~** (*doente*) ill (in bed)

camada [ka'mada] *f* layer; (*de*
tinta) coat

câmara ['kamara] *f* chamber;
(*Foto*) camera; **~ municipal** (*BR*)
town council; (*PT*) town hall; **~**
digital digital camera; **em ~ lenta**
in slow motion

câmara-de-ar (*pl* **câmaras-de-**
ar) *f* inner tube

camarão [kama'rãw] (*pl* **-ões**) *m*
shrimp; (*graúdo*) prawn

camarões [kama'rõjʃ] *mpl de*
camarão

camarote [kama'rɔtʃi] *m* (*Náut*)
cabin; (*Teatro*) box

cambaleante [kãba'ljãtʃi] *adj*
unsteady (on one's feet)

cambalhota [kãba'ʎɔta] *f*
somersault

câmbio ['kãbju] *m* (*dinheiro etc*)
exchange; (*preço de câmbio*) rate
of exchange; **~ livre** free trade; **~**
paralelo black market

cambista [kã'biʃta] *m* money
changer

Camboja [kã'bɔʒa] *m*: **o ~**
Cambodia

camelo [ka'melu] *m* camel

camião [ka'mjãw] (*pl* **-ões**) (*PT*) *m*
lorry (*BRIT*), truck (*US*)

caminhada [kami'ɲada] *f* walk

caminhão [kami'ɲãw] (*pl* **-ões**)
(*BR*) *m* lorry (*BRIT*), truck (*US*)

caminhar [kami'ɲaº] *vi* to
walk; (*processo*) to get under way;
(*negócios*) to progress

caminho [ka'miɲu] *m* way;
(*vereda*) road, path; **~ de ferro** (*PT*)
railway (*BRIT*), railroad (*US*); **a ~** on
the way, en route; **cortar ~** to take a
short cut; **pôr-se a ~** to set off

caminhões [kami'ɲõjʃ] *mpl de*
caminhão

caminhoneiro, -a
[kamiɲo'nejru, a] *m/f* lorry driver
(*BRIT*), truck driver (*US*)

camiões [ka'mjõjʃ] *mpl de*
camião

camioneta [kamjo'neta] (*PT*) *f*
(*para passageiros*) coach; (*comercial*)
van

camionista [kamjo'niʃta] (*PT*) *m/*
f lorry driver (*BRIT*), truck driver (*US*)

camisa [ka'miza] *f* shirt; **~ de**
dormir nightshirt; **~ esporte/**

pólo/social sports/polo/dress shirt; **mudar de ~** (*Esporte*) to change sides

camiseta [kami'zɛta] (BR) f T-shirt; (*interior*) vest

camisinha [kami'ziɲa] (*col*) f condom

camisola [kami'zɔla] f (BR) nightdress; (PT: *pulôver*) sweater; **~ interior** (PT) vest

campainha [kampa'iɲa] f bell

campanário [kãpa'narju] m church tower, steeple

campeão, -peã [kã'pjãw, 'pjã] (*pl* **-ões, ~s**) m/f champion; **campeonato** [kãpjo'natu] m championship

campestre [kã'pɛʃtri] adj rural, rustic

camping ['kãpĩŋ] (BR) (*pl* **~s**) m camping; (*lugar*) campsite

campismo [kã'piʒmu] m camping; **parque de ~** campsite

campista [kã'piʃta] m/f camper

campo ['kãpu] m field; (*fora da cidade*) countryside; (*Esporte*) ground; (*acampamento*) camp; (*Tênis*) court

camponês, -esa [kãpo'neʃ, eza] m/f countryman/woman; (*agricultor*) farmer

campus ['kãpuʃ] m inv campus

camuflagem [kamu'flaʒẽ] f camouflage

camundongo [kamũ'dõgu] (BR) m mouse

camurça [ka'muxsa] f suede

cana ['kana] f cane; (*col: cadeia*) nick; (*de açúcar*) sugar cane

Canadá [kana'da] m: **o ~** Canada; **canadense** [kana'dẽsi] adj, m/f Canadian

canal [ka'naw] (*pl* **-ais**) m channel; (*de navegação*) canal; (*Anat*) duct

canalização [kanaliza'sãw] f plumbing

canalizador, a [kanaliza'do*, a] (PT) m/f plumber

canário [ka'narju] m canary

canastra [ka'naʃtra] f (big) basket

canção [kã'sãw] (*pl* **-ões**) f song; **~ de ninar** lullaby

cancela [kã'sɛla] f gate

cancelamento [kãsela'mẽtu] m cancellation

cancelar [kãse'la*] vt to cancel; (*riscar*) to cross out

câncer ['kãse*] m cancer; **C~** (*Astrologia*) Cancer

canções [kã'sõjʃ] fpl de **canção**

cancro ['kãkru] (PT) m cancer

candelabro [kãde'labru] m candlestick; (*lustre*) chandelier

candidato, -a [kãdʒi'datu, a] m/f candidate; (*a cargo*) applicant

cândido, -a ['kãdʒidu, a] adj naive; (*inocente*) innocent

candomblé [kãdõ'blɛ] m see boxed note

● **CANDOMBLÉ**
●
● **Candomblé** is Brazil's most
● influential Afro-Brazilian
● religion. Practised mainly in
● Bahia, it mixes catholicism and
● Yoruba tradition. According to
● **candomblé**, believers become
● possessed by spirits and thus
● become an instrument of
● communication between divine
● and mortal forces. **Candomblé**
● ceremonies are great spectacles
● of African rhythm and dance, and
● are held in *terreiros*.

caneca [ka'nɛka] f mug

canela [ka'nɛla] f cinnamon; (*Anat*) shin

caneta [ka'neta] f pen; **~**

esferográfica/pilot ballpoint/felt-tip pen; **~ seletora** (Comput) light pen
cangaceiro [kãga'sejru] (BR) m bandit
canguru [kãgu'ru] m kangaroo
canhão [ka'nãw] (pl -ões) m cannon; (Geo) canyon
canhoto, -a [ka'notu, a] adj left-handed ▷ m/f left-handed person ▷ m (de cheque) stub
canibal [kani'baw] (pl -ais) m/f cannibal
canil [ka'niw] (pl -is) m kennel
canja ['kãʒa] f chicken broth; (col) cinch, pushover
canjica [kã'ʒika] f maize porridge
cano ['kanu] m pipe; (tubo) tube; (de arma de fogo) barrel; (de bota) top; **~ de esgoto** sewer
canoa [ka'noa] f canoe
cansaço [kã'sasu] m tiredness
cansado, -a [kã'sadu, a] adj tired
cansar [kã'sa*] vt to tire; (entediar) to bore ▷ vi to get tired; **cansar-se** vr to get tired; **cansativo, -a** [kãsa'tʃivu, a] adj tiring; (tedioso) tedious
cantar [kã'ta*] vt, vi to sing ▷ m song
canteiro [kã'tejru] m stonemason; (de flores) flower bed
cantiga [kã'tʃiga] f ballad; **~ de ninar** lullaby
cantil [kã'tʃiw] (pl -is) m canteen
cantina [kã'tʃina] f canteen
cantis [kã'tʃiʃ] mpl de **cantil**
canto ['kãtu] m corner; (lugar) place; (canção) song
cantor, a [kã'to*, a] m/f singer
cão [kãw] (pl **cães**) m dog
caolho, -a [ka'oʎu, a] adj cross-eyed
caos ['kaoʃ] m chaos
capa ['kapa] f cape; (cobertura) cover; **livro de ~ dura/mole**

hardback/paperback (book)
capacete [kapa'setʃi] m helmet
capacidade [kapasi'dadʒi] f capacity; (aptidão) ability, competence
capaz [ka'paʒ] adj able, capable; **ser ~ de** to be able to (ou capable of); **sou ~ de ...** (talvez) I might ...; **é ~ de chover hoje** it might rain today
capela [ka'pɛla] f chapel
capim [ka'pĩ] m grass
capitães [kapi'tãjʃ] mpl de **capitão**
capital [kapi'taw] (pl -ais) adj, m capital ▷ f (cidade) capital; **~ (em) ações** (Com) share capital
capitalismo [kapita'liʒmu] m capitalism; **capitalista** [kapita'liʃta] m/f capitalist
capitalizar [kapitali'za*] vt to capitalize on; (Com) to capitalize
capitão [kapi'tãw] (pl -ães) m captain
capítulo [ka'pitulu] m chapter
capô [ka'po] m (Auto) bonnet (BRIT), hood (US)
capoeira [ka'pwejra] f (PT) hencoop; (dança) see boxed note

● CAPOEIRA
●
● **Capoeira** is a fusion of martial
● arts and dance which originated
● among African slaves in colonial
● Brazil. It is danced in a circle
● to the sound of the berimbau, a
● percussion instrument of African
● origin. Opposed by the Brazilian
● authorities until the beginning
● of the twentieth century, today
● **capoeira** is regarded as a national
● sport.

capota [ka'pɔta] f (Auto) hood, top

capotar [kapo'ta*] *vi* to overturn
capricho [ka'priʃu] *m* whim, caprice; (*teimosia*) obstinacy; (*apuro*) care
Capricórnio [kapri'kɔxnju] *m* Capricorn
cápsula ['kapsula] *f* capsule
captar [kap'ta*] *vt* (*atrair*) to win; (*Rádio*) to pick up
captura [kap'tura] *f* capture; **capturar** [kaptu'ra*] *vt* to capture
capuz [ka'puʒ] *m* hood
cáqui ['kaki] *adj* khaki
cara ['kara] *f* face; (*aspecto*) appearance ▷ *m* (*col*) guy; **~ ou coroa?** heads or tails?; **de ~** straightaway; **dar de ~ com** to bump into; **ser a ~ de** (*col*) to be the spitting image of; **ter ~ de** to look (like)
caracol [kara'kɔw] (*pl* **-óis**) *m* snail; (*de cabelo*) curl; **escada em ~** spiral staircase
caracteres [karak'tɛriʃ] *mpl de* **caráter**
característica [karakte'riʃtʃika] *f* characteristic, feature
característico, -a [karakte-'riʃtʃiku, a] *adj* characteristic
cara-de-pau (*pl* **caras-de-pau**) *adj* brazen; **ele é ~** he's very forward
caramelo [kara'mɛlu] *m* caramel; (*bala*) toffee
caranguejo [karã'geʒu] *m* crab
caras-pintadas *fpl see boxed note*

● **CARAS-PINTADAS**
●
● In 1992, during popular
● demonstrations calling for
● the impeachment of the then
● president Fernando Collor de
● Mello, students known as **caras-**
● **pintadas**, because they had the
● Brazilian flag painted on their
● faces, went through the streets

● shouting "Collor, out!" and similar
● slogans.

caratê [kara'te] *m* karate
caráter [ka'rate*] (*pl* **caracteres**) *m* character
caravana [kara'vana] *f* caravan
cardápio [kax'dapju] (BR) *m* menu
cardeal [kax'dʒjaw] (*pl* **-ais**) *adj, m* cardinal
cardigã [kaxdʒi'gã] *m* cardigan
careca [ka'rɛka] *adj* bald
carecer [kare'se*] *vi*: **~ de** to lack; (*precisar*) to need
carência [ka'rẽsja] *f* lack; (*necessidade*) need; (*privação*) deprivation; **carente** [ka'rẽtʃi] *adj* wanting; (*pessoa*) needy, deprived
carga ['kaxga] *f* load; (*de navio, avião*) cargo; (*ato de carregar*) loading; (*Elet*) charge; (*fig: peso*) burden; (*Mil*) attack, charge; **dar ~ em** (*Comput*) to boot (up)
cargo ['kaxgu] *m* responsibility; (*função*) post; **a ~ de** in charge of; **ter a ~** to be in charge of; **tomar a ~** to take charge of
Caribe [ka'ribi] *m*: **o ~** the Caribbean (Sea)
caridade [kari'dadʒi] *f* charity; **obra de ~** charity
cárie ['kari] *f* tooth decay
carimbar [karĩ'ba*] *vt* to stamp; (*no correio*) to postmark
carimbo [ka'rĩbu] *m* stamp; (*postal*) postmark
carinho [ka'riɲu] *m* affection, fondness; (*carícia*) caress; **fazer ~** to caress; **com ~** affectionately; (*com cuidado*) with care; **carinhoso, -a** [kari'ɲozu, ɔza] *adj* affectionate
carioca [ka'rjɔka] *adj* of Rio de Janeiro ▷ *m/f* native of Rio de Janeiro ▷ *m* (PT: *café*) *type of weak coffee*

carnal [kax'naw] (pl **-ais**) adj
carnal; **primo ~** first cousin
carnaval [kaxna'vaw] (pl **-ais**) m
carnival; (fig) mess; see boxed note

carne ['kaxni] f flesh; (Culin) meat;
em ~ e osso in the flesh
carnê [kax'ne] m (para compras)
payment book
carneiro [kax'nejru] m sheep;
(macho) ram; **perna/costeleta de ~**
leg of lamb/lamb chop
carnificina [kaxnifi'sina] f
slaughter
caro, -a ['karu, a] adj dear;
cobrar/pagar ~ to charge a lot/pay
dearly
carochinha [karo'ʃina] f: **conto ou
história da ~** fairy tale ou story
caroço [ka'rosu] m (de frutos)
stone; (endurecimento) lump
carona [ka'rona] f lift; **viajar
de ~** to hitchhike; **pegar uma ~**
to get a lift
carpete [kax'petʃi] m (fitted)
carpet
carpinteiro [kaxpĩ'tejru] m

carpenter
carrapato [kaxa'patu] m (inseto)
tick
carrasco [ka'xaʃku] m
executioner; (fig) tyrant
carregado, -a [kaxe'gadu, a]
adj loaded; (semblante) sullen; (céu)
dark; (ambiente) tense
carregador [kaxega'do°] m
porter
carregamento [kaxega'mẽtu] m
(ação) loading; (carga) load, cargo
carregar [kaxe'ga°] vt to load;
(levar) to carry; (bateria) to charge;
(PT: apertar) to press; (levar para
longe) to take away ▷ vi: **~ em** to
overdo; (pôr enfase) to bring out
carreira [ka'xejra] f run, running;
(profissão) career; (Turfe) race; (Náut)
slipway; (fileira) row; **às ~s** in a hurry
carretel [kaxe'tɛw] (pl **-éis**) m
spool, reel
carrinho [ka'xiɲu] m trolley;
(brinquedo) toy car; **~ (de criança)**
pram; **~ de mão** wheelbarrow
carro ['kaxo] m car; (de bois) cart;
(de mão) barrow; (de máquina de
escrever) carriage; **~ de corrida/
passeio/esporte** racing/saloon/
sports car; **~ de praça** cab; **~ de
bombeiro** fire engine
carroça [ka'xɔsa] f cart, waggon
carroçeria [kaxose'ria] f (Auto)
bodywork
carro-chefe (pl **carros-chefes**) m
(de desfile) main float; (fig) flagship,
centrepiece (BRIT), centerpiece (US)
carrossel [kaxo'sɛw] (pl **-éis**) m
merry-go-round
carruagem [ka'xwaʒẽ] (pl **-ns**) f
carriage, coach
carta ['kaxta] f letter; (de jogar)
card; (mapa) chart; **~ aérea/
registrada** airmail/registered
letter; **~ de condução** (PT) driving
licence (BRIT), driver's license (US);

dar as ~s to deal
cartão [kax'tãw] (pl **-ões**) m
card; (PT: material) cardboard; **~ de
crédito** credit card; **~ de recarga**
(para celular) top-up card; **cartão-
postal** (pl **cartões-postais**) m
postcard
cartaz [kax'taʒ] m poster, bill (US);
(estar) em ~ (Teatro, Cinema) (to
be) showing
carteira [kax'tejra] f desk; (para
dinheiro) wallet; (de ações) portfolio;
~ de identidade identity card; **~ de
motorista** driving licence (BRIT),
driver's license (US)
carteiro [kax'tejru] m postman
(BRIT), mailman (US)
cartões [kax'tõjʃ] mpl de **cartão**
cartola [kax'tɔla] f top hat
cartolina [kaxto'lina] f card
cartório [kax'tɔrju] m registry
office
cartucho [kax'tuʃu] m cartridge;
(saco de papel) packet
cartum [kax'tũ] (pl **-ns**) m
cartoon
carvalho [kax'vaʎu] m oak
carvão [kax'vãw] (pl **-ões**) m coal;
(de madeira) charcoal
casa ['kaza] f house; (lar) home;
(Com) firm; (Mat: decimal) place;
em/para ~ (at) home/home; **~ de
saúde** hospital; **~ da moeda** mint;
~ de banho (PT) bathroom; **~ e
comida** board and lodging; **~ de
cômodos** tenement; **~ popular ≈**
council house
casacão [kaza'kãw] (pl **-ões**) m
overcoat
casaco [ka'zaku] m coat; (paletó)
jacket
casacões [kaza'kõjʃ] mpl de
casacão
casal [ka'zaw] (pl **-ais**) m couple
casamento [kaza'mẽtu] m
marriage; (boda) wedding

casar [ka'za°] vt to marry;
(combinar) to match (up); **casar-se**
vr to get married; to combine well
casarão [kaza'rãw] (pl **-ões**) m
mansion
casca ['kaʃka] f (de árvore) bark;
(de banana) skin; (de ferida) scab; (de
laranja) peel; (de nozes, ovos) shell; (de
milho etc) husk; (de pão) crust
cascata [kaʃ'kata] f waterfall
casco ['kaʃku] m skull; (de animal)
hoof; (de navio) hull; (para bebidas)
empty bottle; (de tartaruga) shell
caseiro, -a [ka'zejru, a] adj
home-made; (pessoa, vida) domestic
▷ m/f housekeeper
caso ['kazu] m case; (tb: **~
amoroso**) affair; (estória) story
▷ conj in case, if; **no ~ de** in case
(of); **em todo ~** in any case; **neste
~** in that case; **~ necessário** if
necessary; **criar ~** to cause trouble;
não fazer ~ de to ignore; **~ de
emergência** emergency
caspa ['kaʃpa] f dandruff
casquinha [kaʃ'kiɲa] f (de sorvete)
cone; (pele) skin
cassar [ka'sa°] vt (direitos, licença)
to cancel, withhold; (políticos)
to ban
cassete [ka'sɛtʃi] m cassette
cassino [ka'sinu] m casino
castanha [kaʃ'taɲa] f chestnut; **~
de caju** cashew nut; **castanha-do-
pará** [-pa'ra] (pl **castanhas-do-
pará**) f Brazil nut
castanheiro [kaʃta'ɲejru] m
chestnut tree
castanho, -a [kaʃ'taɲu, a] adj
brown
castelo [kaʃ'tɛlu] m castle
castiçal [kaʃtʃi'saw] (pl **-ais**) m
candlestick
castiço, -a [kaʃ'tʃisu, a] adj pure
castidade [kaʃtʃi'dadʒi] f
chastity

castigar [kaʃtʃi'ga*] vt to punish; **castigo** [kaʃ'tʃigu] m punishment; (fig: mortificação) pain

casto, -a ['kaʃtu, a] adj chaste

casual [ka'zwaw] (pl **-ais**) adj chance atr, accidental; (fortuito) fortuitous; **casualidade** [kazwali'dadʒi] f chance; (acidente) accident

cata ['kata] f: **à ~ de** in search of

catalizador [kataliza'do*] m catalyst

catalogar [katalo'ga*] vt to catalogue (BRIT), catalog (US)

catálogo [ka'talogu] m catalogue (BRIT), catalog (US); **~ (telefônico)** telephone directory

catapora [kata'pora] (BR) f chickenpox

catar [ka'ta*] vt to pick (up); (procurar) to look for, search for; (recolher) to collect, gather

catarata [kata'rata] f waterfall; (Med) cataract

catarro [ka'taxu] m catarrh

catástrofe [ka'taʃtrofi] f catastrophe

cata-vento m weathercock

catedral [kate'draw] (pl **-ais**) f cathedral

categoria [katego'ria] f category; (social) rank; (qualidade) quality; **de alta ~** first-rate

cativar [katʃi'va*] vt to enslave; (fascinar) to captivate; (atrair) to charm

cativeiro [katʃi'vejru] m captivity; (escravidão) slavery; (cadeia) prison

católico, -a [ka'tɔliku, a] adj, m/f catholic

catorze [ka'tɔxzi] num fourteen

caução [kaw'sãw] (pl **-ões**) f security, guarantee; (Jur) bail; **sob ~ on** bail

caule ['kauli] m stalk, stem

causa ['kawza] f cause; (motivo)

motive, reason; (Jur) lawsuit, case; **por ~ de** because of; **causador, a** [kawza'do*, a] adj which caused ▷ m cause; **causar** [kaw'za*] vt to cause, bring about

cautela [kaw'tɛla] f caution; (senha) ticket; **~ (de penhor)** pawn ticket

cavado, -a [ka'vadu, a] adj (olhos) sunken; (roupa) low-cut

cavala [ka'vala] f mackerel

cavaleiro [kava'lejru] m rider, horseman; (medieval) knight

cavalheiro, -a [kava'ʎejru, a] adj courteous, gallant ▷ m gentleman

cavalo [ka'valu] m horse; (Xadrez) knight; **a ~** on horseback; **50 ~s (-vapor)** ou **(de força)** 50 horse-power; **~ de corrida** racehorse

cavaquinho [kava'kiɲu] m small guitar

cavar [ka'va*] vt to dig; (esforçar-se para obter) to try to get ▷ vi to dig; (fig) to delve; (animal) to burrow

cave ['kavi] (PT) f wine-cellar

caveira [ka'vejra] f skull

cavidade [kavi'dadʒi] f cavity

caxumba [ka'ʃũba] f mumps sg

CD abr m CD

cê [se] (col) pron = **você**

cear [sja*] vt to have for supper ▷ vi to dine

cebola [se'bola] f onion; **cebolinha** [sebo'liɲa] f spring onion

ceder [se'de*] vt to give up; (dar) to hand over; (emprestar) to lend ▷ vi to give in, yield

cedilha [se'dʒiʎa] f cedilla

cedo ['sedu] adv early; (em breve) soon

cedro ['sɛdru] m cedar

cédula ['sɛdula] f banknote; (eleitoral) ballot paper

CEE abr f (= Comunidade Econômica Européia) EEC

cegar [se'ga*] vt to blind; (ofuscar)

to dazzle ▷ vi to be dazzling
cego, -a ['sɛgu, a] adj blind; (total) complete, total; (tesoura) blunt ▷ m/f blind man/woman; **às cegas** blindly
ceia ['seja] f supper
cela ['sɛla] f cell
celebração [selebra'sãw] (pl **-ões**) f celebration
celebrar [sele'bra*] vt to celebrate; (exaltar) to praise; (acordo) to seal
celeiro [se'lejru] m granary; (depósito) barn
celeste [se'lɛʃtʃi] adj celestial, heavenly
celibatário, -a [seliba'tarju, a] adj unmarried, single ▷ m/f bachelor/spinster
celofane [selo'fani] m cellophane; **papel ~** cling film
célula ['sɛlula] f (Bio, Elet) cell; **celular** [selu'la*] adj cellular ▷ n = **(telefone) celular** mobile (phone) (BRIT), cellphone (US); **celular com câmera** camera phone
cem [sẽ] num hundred
cemitério [semi'tɛrju] m cemetery, graveyard
cena ['sɛna] f scene; (palco) stage
cenário [se'narju] m scenery; (Cinema) scenario; (de um acontecimento) setting
cenoura [se'nora] f carrot
censo ['sẽsu] m census
censor, a [sẽ'so*, a] m/f censor
censura [sẽ'sura] f censorship; (reprovação) censure, criticism; **censurar** [sẽsu'ra*] vt to censure; (filme, livro etc) to censor
centavo [sẽ'tavu] m cent; **estar sem um ~** to be penniless
centeio [sẽ'teju] m rye
centelha [sẽ'teʎa] f spark
centena [sẽ'tɛna] f hundred; **às ~s** in hundreds
centenário, -a [sẽte'narju, a] m

centenary
centígrado [sẽ'tʃigradu] m centigrade
centímetro [sẽ'tʃimetru] m centimetre (BRIT), centimeter (US)
cento ['sẽtu] m: **~ e um** one hundred and one; **por ~** per cent
centopeia [sẽto'peja] f centipede
central [sẽ'traw] (pl **-ais**) adj central ▷ f (de polícia etc) head office; **~ elétrica** (electric) power station; **~ telefônica** telephone exchange; **centralizar** [sẽtrali'za*] vt to centralize
centrar [sẽ'tra*] vt to centre (BRIT), center (US)
centro ['sẽtru] m centre (BRIT), center (US); (de uma cidade) town centre; **centroavante** [sẽtroa'vãtʃi] m (Futebol) centre forward
CEP ['sɛpi] (BR) abr m (= Código de Endereçamento Postal) postcode (BRIT), zip code (US)
céptico, -a etc ['septiku, a] (PT) = **cético** etc
cera ['sera] f wax
cerâmica [se'ramika] f pottery
cerca ['sexka] f fence ▷ prep: **~ de** (aproximadamente) around, about; **~ viva** hedge
cercado [sex'kadu] m enclosure; (para animais) pen; (para crianças) playpen
cercanias [sexka'niaʃ] fpl outskirts; (vizinhança) neighbourhood sg (BRIT), neighborhood sg (US)
cerco ['sexku] m siege; **pôr ~ a** to besiege
cereal [se'rjaw] (pl **-ais**) m cereal
cérebro ['sɛrebru] m brain; (fig) brains pl
cereja [se'reʒa] f cherry
cerimônia [seri'monja] f ceremony
cerração [sexa'sãw] f fog

cerrado, -a [se'xadu, a] *adj*
shut, closed; (*denso*) thick ▷ *m*
scrub(land)
certeza [sex'teza] *f* certainty;
com ~ certainly, surely;
(*provavelmente*) probably; **ter ~
de/de que** to be certain *ou* sure
of/to be sure that
certidão [sextʃi'dãw] (*pl* **-ões**) *f*
certificate
certificado [sextʃifi'kadu] *m*
certificate
certificar [sextʃifi'ka°] *vt* to
certify; (*assegurar*) to assure;
certificar-se *vr*: **~-se de** to make
sure of
certo, -a ['sɛxtu, a] *adj* certain,
sure; (*exato, direito*) right; (*um,
algum*) a certain ▷ *adv* correctly; **na
certa** certainly; **ao ~** for certain;
está ~ okay, all right
cerveja [sex'veʒa] *f* beer;
cervejaria [sexveʒa'ria] *f* (*fábrica*)
brewery; (*bar*) bar, public house
cervical [sexvi'kaw] (*pl* **-ais**) *adj*
cervical
cessação [sesa'sãw] *f* halting,
ceasing
cessão [se'sãw] (*pl* **-ões**) *f*
surrender
cessar [se'sa°] *vi* to cease, stop;
sem ~ continually; **cessar-fogo** *m*
inv cease-fire
cessões [se'sõjʃ] *fpl de* **cessão**
cesta ['seʃta] *f* basket
cesto ['seʃtu] *m* basket; (*com
tampa*) hamper
cético, -a ['sɛtʃiku, a] *m/f* sceptic
(BRIT), skeptic (US)
cetim [se'tʃĩ] *m* satin
céu [sɛw] *m* sky; (*Rel*) heaven; (*da
boca*) roof
cevada [se'vada] *f* barley
chá [ʃa] *m* tea
chácara ['ʃakara] *f* farm; (*casa de
campo*) country house

chacina [ʃa'sina] *f* slaughter;
chacinar [ʃasi'na°] *vt* (*matar*) to
slaughter
chacota [ʃa'kɔta] *f* mockery
chafariz [ʃafa'riʒ] *m* fountain
chalé [ʃa'lɛ] *m* chalet
chaleira [ʃa'lejra] *f* kettle;
(*bajulador*) crawler, toady
chama ['ʃama] *f* flame
chamada [ʃa'mada] *f* call; (*Mil*)
roll call; (*Educ*) register; (*no jornal*)
headline; **dar uma ~ em alguém**
to tell sb off
chamar [ʃa'ma°] *vt* to call;
(*convidar*) to invite; (*atenção*) to
attract ▷ *vi* to call; (*telefone*) to
ring; **chamar-se** *vr* to be called;
chamo-me João my name is John;
~ alguém de idiota/Dudu to call
sb an idiot/Dudu; **mandar ~** to
summon, send for
chamariz [ʃama'riʒ] *m* decoy
chamativo, -a [ʃama'tʃivu, a]
adj showy, flashy
chaminé [ʃami'nɛ] *f* chimney; (*de
navio*) funnel
champanha [ʃã'paɲa] *m ou f*
champagne
champanhe [ʃã'paɲi] *m ou f* =
champanha
champu [ʃã'pu] (PT) *m* shampoo
chance ['ʃãsi] *f* chance
chantagear [ʃãta'ʒja°] *vt* to
blackmail
chantagem [ʃã'taʒẽ] *f* blackmail
chão [ʃãw] (*pl* **-s**) *m* ground; (*terra*)
soil; (*piso*) floor
chapa ['ʃapa] *f* (*placa*) plate;
(*eleitoral*) list; **~ de matrícula** (PT:
Auto) number (BRIT) *ou* license (US)
plate; **oi, meu ~!** hi, mate!
chapéu [ʃa'pɛw] *m* hat
charco ['ʃaxku] *m* marsh, bog
charme ['ʃaxmi] *m* charm; **fazer
~** to be nice, use one's charm;
charmoso, -a [ʃax'mozu, ɔza] *adj*

charming

charrete [ʃaˈxɛtʃi] f cart

charuto [ʃaˈrutu] m cigar

chassi [ʃaˈsi] m (Auto, Elet) chassis

chata [ˈʃata] f barge; V tb **chato**

chateação [ʃatʃiaˈsãw] (pl **-ões**) f bother, upset; (maçada) bore

chatear [ʃaˈtʃia°] vt to bother, upset; (importunar) to pester; (entediar) to bore; (irritar) to annoy ▷ vi to be upsetting; to be boring; to be annoying; **chatear-se** vr to get upset; to get bored; to get annoyed

chatice [ʃaˈtʃisi] f nuisance

chato, -a [ˈʃatu, a] adj flat; (tedioso) boring; (irritante) annoying; (que fica mal) rude ▷ m/f bore; (quem irrita) pain

chauvinista [ʃawviˈniʃta] adj chauvinistic ▷ m/f chauvinist

chavão [ʃaˈvãw] (pl **-ões**) m cliché

chave [ˈʃavi] f key; (Elet) switch; **~ de porcas** spanner; **~ inglesa** (monkey) wrench; **~ de fenda** screwdriver

chávena [ˈʃavena] (PT) f cup

checar [ʃeˈka°] vt to check

check-up [tʃeˈkapi] (pl **-s**) m check-up

chefe [ˈʃefi] m/f head, chief; (patrão) boss; **~ de estação** stationmaster; **chefia** [ʃeˈfia] f leadership; (direção) management; (repartição) headquarters sg; **chefiar** [ʃeˈfja°] vt to lead

chegada [ʃeˈgada] f arrival

chegado, -a [ʃeˈgadu, a] adj near; (íntimo) close

chegar [ʃeˈga°] vt to bring near ▷ vi to arrive; (ser suficiente) to be enough; **chegar-se** vr: **~-se a** to approach; **chega!** that's enough!; **~ a** (atingir) to reach; (conseguir) to manage to

cheio, -a [ˈʃeju, a] adj full; (repleto) full up; (col: farto) fed up

cheirar [ʃejˈra°] vt, vi to smell; **~ a** to smell of; **cheiro** [ˈʃejru] m smell; **ter cheiro de** to smell of; **cheiroso, -a** [ʃejˈrozu, ɔza] adj: **ser** ou **estar cheiroso** to smell nice

cheque [ˈʃeki] m cheque (BRIT), check (US); **~ de viagem** traveller's cheque (BRIT), traveler's check (US)

chiar [ʃja°] vi to squeak; (porta) to creak; (vapor) to hiss; (col: reclamar) to grumble

chiclete [ʃiˈkletʃi] m chewing gum

chicória [ʃiˈkɔrja] f chicory

chicote [ʃiˈkɔtʃi] m whip

chifre [ˈʃifri] m horn

Chile [ˈʃili] m: **o ~** Chile

chimarrão [ʃimaˈxãw] (pl **-ões**) m mate tea without sugar taken from a pipe-like cup

chimpanzé [ʃĩpãˈzɛ] m chimpanzee

China [ˈʃina] f: **a ~** China

chinelo [ʃiˈnɛlu] m slipper

chinês, -esa [ʃiˈneʃ, eza] adj, m/f Chinese ▷ m (Ling) Chinese

chip [ˈʃipi] m (Comput) chip

Chipre [ˈʃipri] f Cyprus

chique [ˈʃiki] adj stylish, chic

chocalho [ʃoˈkaʎu] m (Mús, brinquedo) rattle; (para animais) bell

chocante [ʃoˈkãtʃi] adj shocking; (col) amazing

chocar [ʃoˈka°] vt to hatch, incubate; (ofender) to shock, offend ▷ vi to shock; **chocar-se** vr to crash, collide; to be shocked

chocho, -a [ˈʃoʃu, a] adj hollow, empty; (fraco) weak; (sem graça) dull

chocolate [ʃokoˈlatʃi] m chocolate

chofer [ʃoˈfe°] m driver

chope [ˈʃopi] m draught beer

choque¹ [ˈʃɔki] m shock; (colisão) collision; (impacto) impact; (conflito) clash

choque² etc vb V **chocar**

choramingar [ʃoramĩ'ga°] vi to whine, whimper

chorão, -rona [ʃo'rãw, rona] (pl **-ões, ~s**) adj tearful ▷ m/f crybaby ▷ m (Bot) weeping willow

chorar [ʃo'ra°] vt, vi to weep, cry

chorinho [ʃo'riɲu] m type of Brazilian music

choro ['ʃoru] m crying; (Mús) type of Brazilian music

choupana [ʃo'pana] f shack, hut

chouriço [ʃo'risu] m (BR) black pudding; (PT) spicy sausage

chover [ʃo've°] vi to rain; **~ a cântaros** to rain cats and dogs

chulé [ʃu'lɛ] m foot odour (BRIT) ou odor (US)

chulo, -a ['ʃulu, a] adj vulgar

chumbo ['ʃũbu] m lead; (de caça) gunshot; (PT: de dente) filling; **sem ~** (gasolina) unleaded

chupar [ʃu'pa°] vt to suck

chupeta [ʃu'peta] f dummy (BRIT), pacifier (US)

churrasco [ʃu'xaʃku] m, **churrasqueira** [ʃuxaʃ'kejra] ▷ f barbecue

churrasquinho [ʃuxaʃ'kiɲu] m kebab

chutar [ʃu'ta°] vt to kick; (col: adivinhar) to guess at; (: dar o fora em) to dump ▷ vi to kick, to guess; (: mentir) to lie

chute ['ʃutʃi] m kick; (col: mentira) fib; **dar o ~ em alguém** (col) to give sb the boot

chuteira [ʃu'tejra] f football boot

chuva ['ʃuva] f rain; **chuveiro** [ʃu'vejru] m shower

chuviscar [ʃuviʃ'ka°] vi to drizzle; **chuvisco** [ʃu'viʃku] m drizzle

chuvoso, -a [ʃu'vozu, ɔza] adj rainy

Cia. abr (= companhia) Co.

cibercafé [sibexka'fɛ] m cybercafé

ciberespaço [sibexiʃ'pasu] m cyberspace

cicatriz [sika'triʒ] f scar; **cicatrizar** [sikatri'za°] vi to heal; (rosto) to scar

cicerone [sise'rɔni] m tourist guide

ciclismo [si'kliʒmu] m cycling

ciclista [si'kliʃta] m/f cyclist

ciclo ['siklu] m cycle

ciclovia [siklo'via] f cycle lane ou path

cidadã [sida'dã] f de **cidadão**

cidadania [sidada'nia] f citizenship

cidadão, -cidadã [sida'dãw, sida'dã] (pl **~s, ~s**) m/f citizen

cidade [si'dadʒi] f town; (grande) city

ciência ['sjẽsja] f science

ciente ['sjẽtʃi] adj aware

científico, -a [sjẽ'tʃifiku, a] adj scientific

cientista [sjẽ'tʃiʃta] m/f scientist

cifra ['sifra] f cipher; (algarismo) number, figure; (total) sum

cigano, -a [si'ganu, a] adj, m/f gypsy

cigarra [si'gaxa] f cicada; (Elet) buzzer

cigarrilha [siga'xiʎa] f cheroot

cigarro [si'gaxu] m cigarette

cilada [si'lada] f ambush; (armadilha) trap; (embuste) trick

cilindro [si'lĩdru] m cylinder; (rolo) roller

cima ['sima] f: **de ~ para baixo** from top to bottom; **para ~** up; **em ~ de** on, on top of; **por ~ de** over; **de ~** from above; **lá em ~** up there; (em casa) upstairs; **ainda por ~** on top of that

cimento [si'mẽtu] m cement; (fig) foundation

cimo ['simu] m top, summit

cinco ['sĩku] *num* five

cineasta [sine'aʃta] *m/f* film maker

cinema [si'nɛma] *f* cinema

Cingapura [sĩga'pura] *f* Singapore

cinqüenta [sĩ'kwẽta] *num* fifty

cinta ['sĩta] *f* sash; (*de mulher*) girdle

cinto ['sĩtu] *m* belt; **~ de segurança** safety belt; (*Auto*) seatbelt

cintura [sĩ'tura] *f* waist; (*linha*) waistline

cinza ['sĩza] *adj inv* grey (BRIT), gray (US) ▷ *f* ash, ashes *pl*

cinzeiro [sĩ'zejru] *m* ashtray

cinzento, -a [sĩ'zẽtu, a] *adj* grey (BRIT), gray (US)

cio [siu] *m*: **no ~** on heat, in season

cipreste [si'prɛʃtʃi] *m* cypress (tree)

cipriota [si'prjɔta] *adj, m/f* Cypriot

circo ['sixku] *m* circus

circuito [six'kwitu] *m* circuit

circulação [sixkula'sãw] *f* circulation

circular [sixku'la*] *adj* circular ▷ *f* (*carta*) circular ▷ *vi* to circulate; (*girar, andar*) to go round ▷ *vt* to circulate; (*estar em volta de*) to surround; (*percorrer em roda*) to go round

círculo ['sixkulu] *m* circle

circundar [sixkũ'da*] *vt* to surround

circunferência [sixkũfe'rẽsja] *f* circumference

circunflexo [sixkũ'flɛksu] *m* circumflex (accent)

circunstância [sixkũ'ʃtãsja] *f* circumstance; **~s atenuantes** mitigating circumstances

cirurgia [sirux'ʒia] *f* surgery; **~ plástica/estética** plastic/cosmetic surgery

cirurgião, -giã [sirux'ʒjãw, 'ʒjã] (*pl* **-ões, ~s**) *m/f* surgeon

cisco ['siʃku] *m* speck

cismado, -a [siʒ'madu, a] *adj* with fixed ideas

cismar [siʒ'ma*] *vi* (*pensar*): **~ em** to brood over; (*antipatizar*): **~ com** to take a dislike to ▷ *vt*: **~ que** to be convinced that; **~ de** *ou* **em fazer** (*meter na cabeça*) to get into one's head to do; (*insistir*) to insist on doing

cisne ['siʒni] *m* swan

cisterna [siʃ'tɛxna] *f* cistern, tank

citação [sita'sãw] (*pl* **-ões**) *f* quotation; (*Jur*) summons *sg*

citar [si'ta*] *vt* to quote; (*Jur*) to summon

ciúme ['sjumi] *m* jealousy; **ter ~s de** to be jealous of; **ciumento, -a** [sju'mẽtu, a] *adj* jealous

cívico, -a ['siviku, a] *adj* civic

civil [si'viw] (*pl* **-is**) *adj* civil ▷ *m/f* civilian; **civilidade** [sivili'dadʒi] *f* politeness

civilização [siviliza'sãw] (*pl* **-ões**) *f* civilization

civis [si'viʃ] *pl de* **civil**

clamar [kla'ma*] *vt* to clamour (BRIT) *ou* clamor (US) for ▷ *vi* to cry out, clamo(u)r

clamor [kla'mo*] *m* outcry, uproar

clandestino, -a [klãdeʃ'tʃinu, a] *adj* clandestine; (*ilegal*) underground

clara ['klara] *f* egg white

clarão [kla'rãw] (*pl* **-ões**) *m* (*cintilação*) flash; (*claridade*) gleam

clarear [kla'rja*] *vi* (*dia*) to dawn; (*tempo*) to clear up, brighten up ▷ *vt* to clarify

claridade [klari'dadʒi] *f* brightness

clarim [kla'rĩ] (*pl* **-ns**) *m* bugle

clarinete [klari'netʃi] *m* clarinet

clarins [kla'rĩʃ] *mpl de* **clarim**

claro, -a ['klaru, a] *adj* clear; (*luminoso*) bright; (*cor*) light; (*evidente*) clear, evident ▷ *m* (*na escrita*) space; (*clareira*) clearing ▷ *adv* clearly; **~!** of course!; **~ que sim!/não!** of course!/of course not!; **às claras** openly

classe ['klasi] *f* class

clássico, -a ['klasiku, a] *adj* classical; (*fig*) classic; (*habitual*) usual ▷ *m* classic

classificação [klasifika'sãw] (*pl* **-ões**) *f* classification; (*Esporte*) place, placing

classificado, -a [klasifi'kadu, a] *adj* (*em exame*) successful; (*anúncio*) classified; (*Esporte*) placed ▷ *m* classified ad

classificar [klasifi'ka*] *vt* to classify; **classificar-se** *vr*: **~-se de algo** to call o.s. sth, describe o.s. as sth

cláusula ['klawzula] *f* clause

clausura [klaw'zura] *f* enclosure

clavícula [kla'vikula] *f* collarbone

clemência [kle'mẽsja] *f* mercy

clero ['klɛru] *m* clergy

clicar [kli'ka*] *vi* (*Comput*) to click

cliente ['kljẽtʃi] *m* client, customer; (*de médico*) patient; **clientela** [kljẽ'tɛla] *f* clientele; (*de loja*) customers *pl*

clima ['klima] *m* climate

clímax ['klimaks] *m inv* climax

clipe ['klipi] *m* clip; (*para papéis*) paper clip

clique ['kliki] *m* (*Comput*) click; **dar um ~ duplo em** to double-click on

cloro ['klɔru] *m* chlorine

close ['klozi] *m* close-up

clube ['klubi] *m* club

coadjuvante [koadʒu'vãtʃi] *adj* supporting ▷ *m/f* (*num crime*) accomplice; (*Teatro, Cinema*) co-star

coador [koa'do*] *m* strainer; (*de café*) filter bag; (*para legumes*) colander

coalhada [koa'ʎada] *f* curd

coalizão [koali'zãw] (*pl* **-ões**) *f* coalition

coar [ko'a*] *vt* (*líquido*) to strain

coberta [ko'bɛxta] *f* cover, covering; (*Náut*) deck

cobertor [kobex'to*] *m* blanket

cobertura [kobex'tura] *f* covering; (*telhado*) roof; (*apartamento*) penthouse; (*TV, Rádio, Jornalismo*) coverage; (*Seguros*) cover; (*Tel*) network coverage; **aqui não tem ~** there's no network coverage here

cobiça [ko'bisa] *f* greed

cobra ['kɔbra] *f* snake

cobrador, a [kobra'do*, a] *m/f* collector; (*em transporte*) conductor

cobrança [ko'brãsa] *f* collection; (*ato de cobrar*) charging

cobrar [ko'bra*] *vt* to collect; (*preço*) to charge

cobre ['kɔbri] *m* copper; **~s** *mpl* (*dinheiro*) money *sg*

cobrir [ko'bri*] *vt* to cover

cocada [ko'kada] *f* coconut sweet

cocaína [koka'ina] *f* cocaine

coçar [ko'sa*] *vt* to scratch ▷ *vi* to itch; **coçar-se** *vr* to scratch o.s.

cócegas ['kɔsegaʃ] *fpl*: **fazer ~ em** to tickle; **tenho ~ nos pés** my feet tickle; **sentir ~** to be ticklish

coceira [ko'sejra] *f* itch; (*qualidade*) itchiness

cochichar [koʃi'ʃa*] *vi* to whisper; **cochicho** [ko'ʃiʃu] *m* whispering

cochilar [koʃi'la*] *vi* to snooze, doze; **cochilo** [ko'ʃilu] *m* nap

coco ['koku] *m* coconut

cócoras ['kɔkoraʃ] *fpl*: **de ~** squatting; **ficar de ~** to squat

código ['kɔdʒigu] *m* code; **~ de**

barras bar code

coelho [ko'eʎu] m rabbit

coerente [koe'rẽtʃi] adj coherent; (conseqüente) consistent

cofre ['kɔfri] m safe; (caixa) strongbox; **os ~s públicos** public funds

cogitar [koʒi'ta*] vt, vi to contemplate

cogumelo [kogu'mɛlu] m mushroom; **~ venenoso** toadstool

coice ['kojsi] m kick; (de arma) recoil; **dar ~s em** to kick

coincidência [koĩsi'dẽsja] f coincidence

coincidir [koĩsi'dʒi*] vi to coincide; (concordar) to agree

coisa ['kojza] f thing; (assunto) matter; **~ de** about

coitado, -a [koj'tadu, a] adj poor, wretched

cola ['kɔla] f glue

colaborador, a [kolabora'do*, a] m/f collaborator; (em jornal) contributor

colaborar [kolabo'ra*] vi to collaborate; (ajudar) to help; (escrever artigos etc) to contribute

colante [ko'lãtʃi] adj (roupa) skin-tight

colapso [ko'lapsu] m collapse; **~ cardíaco** heart failure

colar [ko'la*] vt to stick, glue; (BR: copiar) to crib ▷ vi to stick; to cheat ▷ m necklace

colarinho [kola'riɲu] m collar

colarinho-branco (pl **colarinhos-brancos**) m white-collar worker

colcha ['kowʃa] f bedspread

colchão [kow'ʃãw] (pl **-ões**) m mattress

colchete [kow'ʃetʃi] m clasp, fastening; (parêntese) square bracket; **~ de gancho** hook and eye; **~ de pressão** press stud, popper

colchões [kow'ʃõjʃ] mpl de

colchão

coleção [kole'sãw] (PT **-cç-**) (pl **~ões**) f collection; **colecionador, a** [kolesjona'do*, a] (PT **-cc-**) m/f collector; **colecionar** [kolesjo'na*] (PT **-cc-**) vt to collect

colectar etc [kolek'ta*] (PT) = **coletar** etc

colega [ko'lɛga] m/f colleague; (de escola) classmate

colegial [kole'ʒjaw] (pl **-ais**) m/f schoolboy/girl

colégio [ko'lɛʒu] m school

coleira [ko'lejra] f collar

cólera ['kɔlera] f anger ▷ m ou f (Med) cholera

colesterol [koleste'rɔw] m cholesterol

colete [ko'letʃi] m waistcoat (BRIT), vest (US); **~ salva-vidas** life jacket (BRIT), life preserver (US)

coletivo, -a [kole'tʃivu, a] adj collective; (transportes) public ▷ m bus

colheita [ko'ʎejta] f harvest

colher [ko'ʎe*] f spoon; **~ de chá/sopa** teaspoon/tablespoon

colidir [koli'dʒi*] vi: **~ com** to collide with, crash into

coligação [koliga'sãw] (pl **-ões**) f coalition

colina [ko'lina] f hill

colisão [koli'zãw] (pl **-ões**) f collision

collant [ko'lã] (pl **-s**) m tights pl (BRIT), pantyhose (US); (blusa) leotard

colmeia [kow'meja] f beehive

colo ['kɔlu] m neck; (regaço) lap

colocar [kolo'ka*] vt to put, place; (empregar) to find a job for, place; (Com) to market; (pneus, tapetes) to fit; (questão, idéia) to put forward; (Comput: dados) to key (in)

Colômbia [ko'lõbja] f: **a ~** Colombia

colônia [ko'lonja] f colony; (*perfume*) cologne; **colonial** [kolo'njaw] (*pl* **-ais**) *adj* colonial

colonizador, a [koloniza'do*, a] *m/f* colonist, settler

coloquial [kolo'kjaw] (*pl* **-ais**) *adj* colloquial

colóquio [ko'lɔkju] *m* conversation; (*congresso*) conference

colorido, -a [kolo'ridu, a] *adj* colourful (BRIT), colorful (US) ⊳ *m* colouring (BRIT), coloring (US)

colorir [kolo'ri*] *vt* to colour (BRIT), color (US)

coluna [ko'luna] f column; (*pilar*) pillar; **~ dorsal** *ou* **vertebral** spine; **colunável** [kolu'navew] (*pl* **-eis**) *adj* famous ⊳ *m/f* celebrity; **colunista** [kolu'niʃta] *m/f* columnist

com [kõ] *prep* with; **~ cuidado** carefully; **estar ~ câncer** to have cancer; **estar ~ dinheiro** to have some money on one; **estar ~ fome** to be hungry

coma ['kɔma] f coma

comandante [komã'dãtʃi] *m* commander; (*Mil*) commandant; (*Náut*) captain

comandar [komã'da*] *vt* to command

comando [ko'mãdu] *m* command

combate [kõ'batʃi] *m* combat; **combater** [kõba'te*] *vt* to fight; (*oporse a*) to oppose ⊳ *vi* to fight; **combater-se** *vr* to fight

combinação [kõbina'sãw] (*pl* **-ões**) f combination; (*Quím*) compound; (*acordo*) arrangement; (*plano*) scheme; (*roupa*) slip

combinar [kõbi'na*] *vt* to combine; (*jantar etc*) to arrange; (*fuga etc*) to plan ⊳ *vi* (*roupas etc*) to go together; **combinar-se** *vr* to

combine; (*pessoas*) to get on well together; **~ com** (*harmonizar-se*) to go with; **~ de fazer** to arrange to do; **combinado!** agreed!

comboio [kõ'boju] *m* (PT) train; (*de navios, carros*) convoy

combustível [kõbuʃ'tʃivew] *m* fuel

começar [kome'sa*] *vt, vi* to begin, start; **~ a fazer** to begin *ou* start to do

começo [ko'mesu] *m* beginning, start

comédia [ko'mɛdʒja] f comedy

comemorar [komemo'ra*] *vt* to commemorate

comentar [komẽ'ta*] *vt* to comment on; (*maliciosamente*) to make comments about

comentário [komẽ'tarju] *m* comment, remark; (*análise*) commentary

comer [ko'me*] *vt* to eat; (*Damas, Xadrez*) to take, capture ⊳ *vi* to eat; **dar de ~ a** to feed

comercial [komex'sjaw] (*pl* **-ais**) *adj* commercial; (*relativo ao negócio*) business *atr* ⊳ *m* commercial

comercializar [komexsjali'za*] *vt* to market

comerciante [komex'sjãtʃi] *m/f* trader

comércio [ko'mɛxsju] *m* commerce; (*tráfico*) trade; (*negócio*) business; (*lojas*) shops *pl*; **~ eletrônico** e-commerce

comes ['kɔmiʃ] *mpl*: **~ e bebes** food and drink

comestíveis [komeʃ'tʃiveis] *mpl* foodstuffs, food *sg*

comestível [komeʃ'tʃivew] (*pl* **-eis**) *adj* edible

cometer [kome'te*] *vt* to commit

comício [ko'misju] *m* (*Pol*) rally, meeting; (*assembléia*) assembly

cômico, -a ['komiku, a] *adj*

comic(al) ▷ *m* comedian; (*de teatro*) actor

comida [ko'mida] *f* (*alimento*) food; (*refeição*) meal

comigo [ko'migu] *pron* with me

comilão, -lona [komi'lãw, lɔna] (*pl* **-ões, ~s**) *adj* greedy ▷ *m/f* glutton

comiserar-se [komize'raxsi] *vr*: **~-se (de)** to sympathize (with)

comissão [komi'sãw] (*pl* **-ões**) *f* commission; (*comitê*) committee

comissário [komi'sarju] *m* commissioner; (*Com*) agent; **~ de bordo** (*Aer*) steward; (*Náut*) purser

comissões [komi'sõjʃ] *fpl de* **comissão**

comitê [komi'te] *m* committee

○ **PALAVRA CHAVE**

como ['kɔmu] *adv* **1** (*modo*) as; **ela fez ~ eu pedi** she did as I asked; **~ se** as if; **~ quiser** as you wish; **seja ~ for** be that as it may

2 (*assim ~*) like; **ela tem olhos azuis ~ o pai** she has blue eyes like her father's; **ela trabalha numa loja, ~ a mãe** she works in a shop, as does her mother

3 (*de que maneira*) how; **~?** pardon?; **~!** what!; **~ assim?** what do you mean?; **~ não!** of course!

▷ *conj* (*porque*) as, since; **como estava tarde ele dormiu aqui** since it was late he slept here

comoção [komo'sãw] (*pl* **-ões**) *f* distress; (*revolta*) commotion

cômoda ['komoda] *f* chest of drawers (*BRIT*), bureau (*US*)

comodidade [komodʒi'dadʒi] *f* comfort; (*conveniência*) convenience

comodismo [komo'dʒiʒmu] *m* complacency

cômodo, -a ['komodu, a]

adj comfortable; (*conveniente*) convenient ▷ *m* room

comovente [komo'vẽtʃi] *adj* moving, touching

comover [komo've*] *vt* to move ▷ *vi* to be moving; **comover-se** *vr* to be moved

compacto, -a [kõ'paktu, a] *adj* compact; (*espesso*) thick; (*sólido*) solid ▷ *m* (*disco*) single

compadecer-se [kõpade'sexsi] *vr*: **~-se de** to be sorry for, pity

compadre [kõ'padri] *m* (*col*: *companheiro*) buddy, pal

compaixão [kõpaj'ʃãw] *m* compassion; (*misericórdia*) mercy

companheiro, -a [kõpa'ɲejru, a] *m/f* companion; (*colega*) friend; (*col*) buddy, mate

companhia [kõpa'ɲia] *f* company

comparação [kõpara'sãw] (*pl* **-ões**) *f* comparison

comparar [kõpa'ra*] *vt* to compare; **~ a** to liken to; **~ com** to compare with

comparecer [kõpare'se*] *vi* to appear, make an appearance; **~ a uma reunião** to attend a meeting

comparsa [kõ'paxsa] *m/f* (*Teatro*) extra; (*cúmplice*) accomplice

compartilhar [kõpaxtʃi'ʎa*] *vt* to share ▷ *vi*: **~ de** to share in, participate in

compartimento [kõpaxtʃi'mẽtu] *m* compartment; (*aposento*) room

compasso [kõ'pasu] *m* (*instrumento*) pair of compasses; (*Mús*) time; (*ritmo*) beat

compatível [kõpa'tʃivew] (*pl* **-eis**) *adj* compatible

compensar [kõpẽ'sa*] *vt* to make up for, compensate for; (*equilibrar*) to offset; (*cheque*) to clear

competência [kõpe'tẽsja] *f* competence, ability; (*responsabilidade*) responsibility;

competente [kõpe'tẽtʃi] adj competent; (apropriado) appropriate; (responsável) responsible

competição [kõpetʃi'sãw] (pl **-ões**) f competition

competidor, a [kõpetʃi'do*, a] m/f competitor

competir [kõpe'tʃi*] vi to compete; **~ a alguém** to be sb's responsibility; (caber) to be up to sb

competitivo, -a [kõpetʃi'tʃivu, a] adj competitive

compito etc [kõ'pitu] vb V **competir**

complementar [kõplemẽ'ta*] adj complementary ▷ vt to supplement

complemento [kõple'mẽtu] m complement

completamente [kõpleta'mẽtʃi] adv completely, quite

completar [kõple'ta*] vt to complete; (tanque, carro) to fill up; **~ dez anos** to be ten

completo, -a [kõ'plɛtu, a] adj complete; (cheio) full (up); **por ~** completely

complexo, -a [kõ'plɛksu, a] adj complex ▷ m complex

complicação [kõplika'sãw] (pl **-ões**) f complication

complicado, -a [kõpli'kadu, a] adj complicated

complicar [kõpli'ka*] vt to complicate

complô [kõ'plo] m plot, conspiracy

componente [kõpo'nẽtʃi] adj, m component

compor [kõ'po*] (irreg: como **pôr**) vt to compose; (discurso, livro) to write; (arranjar) to arrange ▷ vi to compose; **compor-se** vr (controlar-se) to compose o.s.; **~-se de** to consist of

comportamento [kõpoxta'mẽtu] m behaviour (BRIT), behavior (US)

comportar-se [kõpox'taxsi] vt, vr to behave; **~ mal** to misbehave, behave badly

composição [kõpozi'sãw] (pl **-ões**) f composition; (Tip) typesetting

compositor, a [kõpozi'to*, a] m/f composer; (Tip) typesetter

compota [kõ'pota] f fruit in syrup

compra ['kõpra] f purchase; **fazer ~s** to go shopping

comprar [kõ'pra*] vt to buy

compreender [kõprjẽ'de*] vt to understand; (constar de) to be comprised of, consist of; (abranger) to cover

compreensão [kõprjẽ'sãw] f understanding, comprehension; **compreensivo, -a** [kõprjẽ'sivu, a] adj understanding

compressa [kõ'prɛsa] f compress

comprido, -a [kõ'pridu, a] adj long; (alto) tall; **ao ~** lengthways

comprimento [kõpri'mẽtu] m length

comprimido [kõpri'midu] m pill, tablet

comprimir [kõpri'mi*] vt to compress

comprometer [kõprome'te*] vt to compromise; (envolver) to involve; (arriscar) to jeopardize; (empenhar) to pledge; **comprometer-se** vr: **~-se a** to undertake to, promise to

compromisso [kõpro'misu] m promise; (obrigação) commitment; (hora marcada) appointment; (acordo) agreement

comprovante [kõpro'vãtʃi] m receipt

comprovar [kõpro'va*] vt to prove; (confirmar) to confirm

compulsivo, -a [kõpuw'sivu, a] adj compulsive; **compulsório, -a** [kõpuw'sɔrju, a] adj compulsory

computação [kõputa'sãw] f
computer science, computing

computador [kõputa'do*] m
computer

computar [kõpu'ta*] vt (calcular)
to calculate; (contar) to count

comum [ko'mũ] (pl **-ns**) adj
ordinary, common; (habitual) usual;
em ~ in common

comungar [komũ'ga*] vi to take
communion

comunhão [komu'ɲãw] (pl **-ões**)
f (ger, Rel) communion

comunicação [komunika'sãw]
(pl **-ões**) f communication;
(mensagem) message; (acesso) access

comunicado [komuni'kadu]
m notice

comunicar [komuni'ka*] vt, vi to
communicate; **comunicar-se** vr to
communicate; **~-se com** (entrar em
contato) to get in touch with

comunidade [komuni'dadʒi]
f community; **C~ dos Estados
Independentes** Commonwealth of
Independent States

comunismo [komu'niʒmu]
m communism; **comunista**
[komu'niʃta] adj, m/f communist

comuns [ko'mũʃ] pl de **comum**

conceber [kõse'be*] vt, vi to
conceive

conceder [kõse'de*] vt to allow;
(outorgar) to grant; (dar) to give ▷ vi:
~ em to agree to

conceito [kõ'sejtu] m concept,
idea; (fama) reputation; (opinião)
opinion; **conceituado, -a**
[kõsej'twadu, a] adj well thought
of, highly regarded

concentração [kõsẽtra'sãw] (pl
-ões) f concentration

concepção [kõsep'sãw] (pl **-ões**)
f (geração) conception; (noção) idea,
concept; (opinião) opinion

concerto [kõ'sextu] m concert

concessão [kõse'sãw] (pl **-ões**)
f concession; (permissão) permission

concha ['kõʃa] f shell; (para
líquidos) ladle

conchavo [kõ'ʃavu] m conspiracy

conciliar [kõsi'lja*] vt to
reconcile

concluir [kõ'klwi*] vt, vi to
conclude

conclusão [kõklu'zãw] (pl **-ões**) f
end; (dedução) conclusion

conclusões [kõklu'zõjʃ] fpl de
conclusão

concordância [kõkox'dãsja] f
agreement

concordar [kõkox'da*] vi, vt to
agree

concorrência [kõko'xẽsja]
f competition; (a um cargo)
application

concorrente [kõko'xẽtʃi] m/f
contestant; (candidato) candidate

concorrer [kõko'xe*] vi to
compete; **~ a** to apply for

concretizar [kõkretʃi'za*] vt
to make real; **concretizar-se** vr
(sonho) to come true; (ambições) to
be realized

concreto, -a [kõ'krɛtu, a] adj
concrete ▷ m concrete

concurso [kõ'kuxsu] m contest;
(exame) competition

conde ['kõdʒi] m count

condenar [kõde'na*] vt to
condemn; (Jur: sentenciar) to
sentence; (: declarar culpado) to
convict

condensar [kõdẽ'sa*] vt to
condense; **condensar-se** vr to
condense

condessa [kõ'desa] f countess

condimento [kõdʒi'mẽtu] m
seasoning

condomínio [kõdo'minju] m
condominium

condução [kõdu'sãw] f driving;

(*transporte*) transport; (*ônibus*) bus
condutor, a [kõdu'to*, a] *m/f* (*de veículo*) driver ▷ *m* (*Elet*) conductor
conduzir [kõdu'zi*] *vt* (*levar*) to lead; (*Fís*) to conduct; **conduzir-se** *vr* to behave; **conduzir a** to lead to
cone ['kɔni] *m* cone
conectar [konek'ta*] *vt* to connect
conexão [konek'sãw] (*pl* **-ões**) *f* connection
confecção [kõfek'sãw] (*pl* **-ões**) *f* making; (*de um boletim*) production; (*roupa*) ready-to-wear clothes *pl*; (*negócio*) business selling ready-to-wear clothes
confeccionar [kõfeksjo'na*] *vt* to make; (*fabricar*) to manufacture
confecções [kõfek'sõjʃ] *fpl de* **confecção**
confeitaria [kõfejta'ria] *f* patisserie
conferência [kõfe'rẽsja] *f* conference; (*discurso*) lecture
conferir [kõfe'ri*] *vt* to check; (*comparar*) to compare; (*outorgar*) to grant ▷ *vi* to tally
confessar [kõfe'sa*] *vt, vi* to confess; **confessar-se** *vr* to confess
confiança [kõ'fjãsa] *f* confidence; (*fé*) trust; **de ~** reliable; **ter ~ em alguém** to trust sb
confiar [kõ'fja*] *vt* to entrust; (*segredo*) to confide ▷ *vi*: **~ em** to trust; (*ter fé*) to have faith in
confiável [kõ'fjavew] (*pl* **-eis**) *adj* reliable
confidência [kõfi'dẽsja] *f* secret; **em ~** in confidence; **confidencial** [kõfidẽ'sjaw] (*pl* **-ais**) *adj* confidential
confirmação [kõfixma'sãw] (*pl* **-ões**) *f* confirmation
confirmar [kõfix'ma*] *vt* to confirm
confiro *etc* [kõ'firu] *vb V* **conferir**

confissão [kõfi'sãw] (*pl* **-ões**) *f* confession
conformar [kõfox'ma*] *vt* to form ▷ *vi*: **~ com** to conform to; **conformar-se** *vr*: **~-se com** to resign o.s. to; (*acomodar-se*) to conform to
conforme [kõ'fɔxmi] *prep* according to; (*dependendo de*) depending on ▷ *conj* (*logo que*) as soon as; (*como*) as, according to what; (*à medida que*) as; **você vai? – ~** are you going? – it depends
conformidade [kõfoxmi'dadʒi] *f* agreement; **em ~ com** in accordance with
confortar [kõfox'ta*] *vt* to comfort, console
confortável [kõfox'tavew] (*pl* **-eis**) *adj* comfortable
conforto [kõ'foxtu] *m* comfort
confrontar [kõfrõ'ta*] *vt* to confront; (*comparar*) to compare
confronto [kõ'frõtu] *m* confrontation; (*comparação*) comparison
confusão [kõfu'zãw] (*pl* **-ões**) *f* confusion; (*tumulto*) uproar; (*problemas*) trouble
confuso, -a [kõ'fuzu, a] *adj* confused; (*problema*) confusing
confusões [kõfu'zõjʃ] *fpl de* **confusão**
congelador [kõʒela'do*] *m* freezer, deep freeze
congelamento [kõʒela'mẽtu] *m* freezing; (*Econ*) freeze
congelar [kõʒe'la*] *vt* to freeze; **congelar-se** *vr* to freeze
congestão [kõʒeʃ'tãw] *f* congestion; **congestionado, -a** [kõʒeʃtʃjo'nadu, a] *adj* congested; (*olhos*) bloodshot; (*rosto*) flushed; **congestionamento** [kõʒeʃtʃjona'mẽtu] *m* congestion; **um congestionamento (de tráfego)**

a traffic jam

congestionar [kõʒeʃtʃjo'na*] vt
to congest; **congestionar-se** vr
(rosto) to go red

congressista [kõgre'siʃta] m/f
congressman/woman

congresso [kõ'grɛsu] m congress,
conference

conhaque [ko'ɲaki] m cognac,
brandy

conhecedor, a [koɲese'do*, a]
adj knowing ▷ m/f connoisseur,
expert

conhecer [koɲe'se*] vt to know;
(travar conhecimento com) to meet;
(descobrir) to discover; **conhecer-
se** vr to meet; (ter conhecimento) to
know each other

conhecido, -a [koɲe'sidu, a] adj
known; (célebre) well-known ▷ m/f
acquaintance

conhecimento [koɲesi'mētu]
m (tb: **~s**) knowledge; (idéia) idea;
(conhecido) acquaintance; (Com) bill
of lading; **levar ao ~ de alguém** to
bring to sb's notice

conjugado [kõʒu'gadu] m studio

cônjuge ['kõʒuʒi] m spouse

conjunção [kõʒũ'sãw] (pl **-ões**) f
union; (Ling) conjunction

conjuntivo [kõʒũ'tʃivu] (PT) m
(Ling) subjunctive

conosco [ko'noʃku] pron with us

conquista [kõ'kiʃta] f conquest;
conquistador, a [kõkiʃta'do*, a]
adj conquering ▷ m conqueror

conquistar [kõkiʃ'ta*] vt to
conquer; (alcançar) to achieve;
(ganhar) to win

consciência [kõ'sjēsja] f
conscience; (percepção) awareness;
(senso de responsabilidade)
conscientiousness

consciente [kõ'sjētʃi] adj
conscious

conseguinte [kõse'gĩtʃi] adj: **por**

~ consequently

conseguir [kõse'gi*] vt to get,
obtain; **~ fazer** to manage to do,
succeed in doing

conselho [kõ'seʎu] m piece of
advice; (corporação) council; **~s** mpl
(advertência) advice sg; **~ de guerra**
court martial; **C~ de ministros**
(Pol) Cabinet

consentimento [kõsētʃi'mētu]
m consent

consentir [kõsē'tʃi*] vt to allow,
permit; (aprovar) to agree to ▷ vi: **~
em** to agree to

conseqüência [kõse'kwēsja] f
consequence; **por ~** consequently

consertar [kõsex'ta*] vt to mend,
repair; (remediar) to put right;
conserto [kõ'sextu] m repair

conserva [kõ'sexva] f pickle; **em
~** pickled

conservação [kõsexva'sãw] f
conservation; (de vida, alimentos)
preservation

conservador, a [kõsexva'do*,
a] adj conservative ▷ m/f (Pol)
conservative

conservante [kõsex'vãtʃi] m
preservative

conservar [kõsex'va*] vt to
preserve, maintain; (reter, manter)
to keep, retain; **conservar-se** vr
to keep

conservatório [kõsexva'tɔrju] m
conservatory

consideração [kõsidera'sãw]
(pl **-ões**) f consideration; (estima)
respect, esteem; **levar em ~** to take
into account

considerar [kõside'ra*] vt to
consider; (prezar) to respect ▷ vi
to consider

considerável [kõside'ravew] (pl
-eis) adj considerable

consigo¹ [kõ'sigu] pron (m) with
him; (f) with her; (pl) with them;

(com você) with you

consigo² *etc vb V* **conseguir**

consinto *etc* [kõ'sĩtu] *vb V* **consentir**

consistente [kõsiʃ'tẽtʃi] *adj* solid; *(espesso)* thick

consistir [kõsiʃ'tʃi*] *vi*: **~ em** to be made up of, consist of

consoante [kõso'ãtʃi] *f* consonant ▷ *prep* according to ▷ *conj*: **~ prometera** as he had promised

consolação [kõsola'sãw] *(pl* **-ões)** *f* consolation

consolar [kõso'la*] *vt* to console

consolidar [kõsoli'da*] *vt* to consolidate; *(fratura)* to knit ▷ *vi* to become solid; to knit together

consolo [kõ'solu] *m* consolation

consome *etc* [kõ'somi] *vb V* **consumir**

consórcio [kõ'sɔxsju] *m (união)* partnership; *(Com)* consortium

conspiração [kõʃpira'sãw] *(pl* **-ões)** *f* plot, conspiracy

conspirar [kõʃpi'ra*] *vt, vi* to plot

constante [kõʃ'tãtʃi] *adj* constant

constar [kõʃ'ta*] *vi* to be in; **ao que me consta** as far as I know

constatar [kõʃta'ta*] *vt* to establish; *(notar)* to notice; *(evidenciar)* to show up

consternado, -a [kõʃtex'nadu, a] *adj* depressed; *(desolado)* distressed

constipação [kõʃtʃipa'sãw] *(pl* **-ões)** *f* constipation; *(PT)* cold; **apanhar uma ~** *(PT)* to catch a cold

constipado, -a [kõʃtʃi'padu, a] *adj*: **estar ~** to be constipated; *(PT)* to have a cold

constituição [kõʃtʃitwi'sãw] *(pl* **-ões)** *f* constitution

constituinte [kõʃtʃi'twĩtʃi] *m/f (deputado)* member ▷ *f (BR)*: **a C~** the Constituent Assembly, ≈ Parliament

constituir [kõʃtʃi'twi*] *vt* to constitute; *(formar)* to form; *(estabelecer)* to establish; *(nomear)* to appoint

constrangimento [kõʃtrãʒi'mẽtu] *m* constraint; embarrassment

construção [kõʃtru'sãw] *(pl* **-ões)** *f* building, construction

construir [kõʃ'trwi*] *vt* to build, construct

construtivo, -a [kõʃtru'tʃivu, a] *adj* constructive

construtor, a [kõʃtru'to*, a] *m/f* builder

cônsul ['kõsuw] *(pl* **-es)** *m* consul; **consulado** [kõsu'ladu] *m* consulate

consulta [kõ'suwta] *f* consultation; **livro de ~** reference book; **horário de ~** surgery hours *pl (BRIT)*, office hours *pl (US)*; **consultar** [kõsuw'ta*] *vt* to consult; **consultor, a** [kõsuw'to*, a] *m/f* consultant

consultório [kõsuw'tɔrju] *m* surgery

consumidor, a [kõsumi'do*, a] *adj* consumer *atr* ▷ *m/f* consumer

consumir [kõsu'mi*] *vt* to consume; *(gastar)* to use up; **consumir-se** *vr* to waste away

consumo [kõ'sumu] *m* consumption; **artigos de ~** consumer goods

conta ['kõta] *f* count; *(em restaurante)* bill; *(fatura)* invoice; *(bancária)* account; *(de colar)* bead; **~s** *fpl (Com)* accounts; **levar** *ou* **ter em ~** to take into account; **tomar ~ de** to take care of; *(dominar)* to take hold of; **afinal de ~s** after all; **dar-se ~ de** to realize; *(notar)* to notice; **~ corrente** current account; **~ de e-mail** *ou* **de correio eletrônico** e-mail account

contabilista [kõtabi'liʃta] (PT)
m/f accountant

contabilizar [kõtabili'za*] vt to
write up, book

contacto etc [kõ'tatu] (PT) =
contato etc

contador, a [kõta'do*, a] m/f
(Com) accountant ▷ m (Tec: medidor)
meter

contagiante [kõta'ʒjãtʃi] adj
(alegria) contagious

contagiar [kõta'ʒja*] vt to infect

contágio [kõ'taʒju] m infection

contagioso, -a [kõta'ʒjozu, ɔza]
adj (doença) contagious

contaminar [kõtami'na*] vt to
contaminate

contanto que [kõ'tãtu ki] conj
provided that

conta-quilómetros (PT) m inv
speedometer

contar [kõ'ta*] vt to count; (narrar)
to tell; (pretender) to intend ▷ vi to
count; **~ com** to count on; (esperar)
to expect; **~ em fazer** to count on
doing, expect to do

contatar [kõta'ta*] vt to contact;
contato [kõ'tatu] m contact;
entrar em contato com to get in
touch with, contact

contemplar [kõtẽ'pla*] vt to
contemplate; (olhar) to gaze at

contemplativo, -a
[kõtẽpla'tʃivu, a] adj (pessoa)
thoughtful

contemporâneo, -a [kõtẽpo-
'ranju, a] adj, m/f contemporary

contentamento [kõtẽta'mẽtu]
m (felicidade) happiness; (satisfação)
contentment

contente [kõ'tẽtʃi] adj happy;
(satisfeito) pleased, satisfied

contento [kõ'tẽtu] m: **a ~**
satisfactorily

conter [kõ'te*] (irreg: como **ter**) vt
to contain, hold; (refrear) to restrain,

hold back; (gastos) to curb

contestação [kõteʃta'sãw] (pl -
ões) f challenge; (negação) denial

contestar [kõteʃ'ta*] vt to
dispute, contest; (impugnar) to
challenge

conteúdo [kõte'udu] m contents
pl; (de um texto) content

contexto [kõ'teʃtu] m context ·

contigo [kõ'tʃigu] pron with you

contíguo, -a [kõ'tʃigwu, a] adj:
~ a next to

continental [kõtʃinẽ'taw] (pl
-ais) adj continental

continente [kõtʃi'nẽtʃi] m
continent

continuação [kõtʃinwa'sãw] f
continuation

continuar [kõtʃi'nwa*] vt, vi to
continue; **~ falando** ou **a falar** to go
on talking; **ela continua doente**
she is still sick

continuidade [kõtʃinwi'dadʒi]
f continuity

conto ['kõtu] m story, tale; (PT:
dinheiro) 1000 escudos

contorcer [kõtox'se*] vt to twist;
contorcer-se vr to writhe

contornar [kõtox'na*] vt (rodear)
to go round; (ladear) to skirt; (fig:
problema) to get round

contorno [kõ'toxnu] m outline;
(da terra) contour; (do rosto) profile

contra ['kõtra] prep against ▷ m:
os prós e os ~s the pros and cons;
dar o ~ (a) to be opposed (to)

contra-ataque m counterattack

contrabandear [kõtrabã'dʒja*]
vt to smuggle; **contrabando**
[kõtra'bãdu] m smuggling;
(artigos) contraband

contraceptivo, -a
[kõtrasep'tʃivu, a] adj
contraceptive ▷ m contraceptive

contracheque [kõtra'ʃeki] m pay
slip (BRIT), check stub (US)

contradição [kõtradʒi'sãw] (pl
-ões) f contradiction
contraditório, -a
[kõtradʒi'tɔrju, a] adj
contradictory
contradizer [kõtradʒi'ze*] (irreg:
como **dizer**) vt to contradict
contragosto [kõtra'goʃtu] m: **a ~**
against one's will, unwillingly
contrair [kõtra'i*] vt to contract;
(hábito) to form
contramão [kõtra'mãw] adj one-
way ▷ f: **na ~** the wrong way down
a one-way street
contraproducente [kõtraprodu-
'sẽtʃi] adj counterproductive
contrário, -a [kõ'trarju, a] adj
(oposto) opposite; (pessoa) opposed;
(desfavorável) unfavourable (BRIT),
unfavorable (US), adverse ▷ m
opposite; **do ~** otherwise; **pelo** ou
ao ~ on the contrary; **ao ~** the other
way round
contra-senso m nonsense
contrastar [kõtraʃ'ta*] vt to
contrast; **contraste** [kõ'traʃtʃi]
m contrast
contratação [kõtrata'sãw] f (de
pessoal) employment
contratar [kõtra'ta*] vt (serviços)
to contract; (pessoa) to employ,
take on
contratempo [kõtra'tẽpu] m
setback; (aborrecimento) upset;
(dificuldade) difficulty
contrato [kõ'tratu] m contract;
(acordo) agreement
contribuição [kõtribwi'sãw] (pl
-ões) f contribution; (imposto)
tax
contribuinte [kõtri'bwĩtʃi] m/f
contributor; (que paga impostos)
taxpayer
contribuir [kõtri'bwi*] vt to
contribute ▷ vi to contribute;
(pagar impostos) to pay taxes

controlar [kõtro'la*] vt to control
controle [kõ'troli] m control;
~ remoto remote control; **~ de
crédito** (Com) credit control; **~ de
qualidade** (Com) quality control
controvérsia [kõtro'vɛxsja] f
controversy; (discussão) debate;
controverso, -a [kõtro'vɛxsu, a]
adj controversial
contudo [kõ'tudu] conj
nevertheless, however
contumaz [kõtu'majʒ] adj
obstinate, stubborn
contusão [kõtu'zãw] (pl **-ões**)
f bruise
convenção [kõvẽ'sãw] (pl **-ões**) f
convention; (acordo) agreement
convencer [kõvẽ'se*] vt to
convince; (persuadir) to persuade;
convencer-se vr: **~-se de** to be
convinced about
convencional [kõvẽsjo'naw] (pl
-ais) adj conventional
convenções [kõvẽ'sõjʃ] fpl de
convenção
conveniência [kõve'njẽsja] f
convenience
conveniente [kõve'njẽtʃi] adj
convenient, suitable; (vantajoso)
advantageous
convênio [kõ'venju] m (reunião)
convention; (acordo) agreement
convento [kõ'vẽtu] m convent
conversa [kõ'vɛxsa] f
conversation; to chat; (Internet) to
chat **~-fiada** idle chat; (promessa
falsa) hot air
conversão [kõvex'sãw] (pl **-ões**)
f conversion
conversar [kõvex'sa*] vi to talk
conversões [kõvex'sõjʃ] fpl de
conversão
converter [kõvex'te*] vt to
convert
convés [kõ'vɛʃ] (pl **-eses**) m
(Náut) deck

convexo, -a [kõ'vɛksu, a] *adj*
convex
convicção [kõvik'sãw] (*pl* **-ões**) *f*
conviction
convidado, -a [kõvi'dadu, a]
m/f guest
convidar [kõvi'da*] *vt* to invite
convincente [kõvĩ'sẽtʃi] *adj*
convincing
convir [kõ'vi*] (*irreg: como* **vir**) *vi*
to suit, be convenient; (*ficar bem*) to
be appropriate; (*concordar*) to agree;
**convém fazer isso o mais rápido
possível** we must do this as soon
as possible
convite [kõ'vitʃi] *m* invitation
convivência [kõvi'vẽsja] *f* living
together; (*familiaridade*) familiarity,
intimacy
conviver [kõvi've*] *vi:* **~ com**
(*viver em comum*) to live with;
(*ter familiaridade*) to get on with;
convívio [kõ'vivju] *m* living
together; (*familiaridade*) familiarity
convocar [kõvo'ka*] *vt* to
summon, call upon; (*reunião,
eleições*) to call; (*para o serviço militar*)
to call up
convosco [kõ'voʃku] *adv* with you
convulsão [kõvuw'sãw] (*pl* **-ões**)
f convulsion
cooper ['kupe*] *m* jogging; **fazer
~** to go jogging
cooperação [koopera'sãw] *f*
cooperation
cooperar [koope'ra*] *vi* to
cooperate
coordenada [kooxde'nada] *f*
coordinate
copa ['kɔpa] *f* (*de árvore*) top;
(*torneio*) cup; **~s** *fpl* (*Cartas*) hearts
cópia ['kɔpja] *f* copy; **tirar ~ de**
to copy; **copiadora** [kopja'dora] *f*
duplicating machine
copiar [ko'pja*] *vt* to copy
copo ['kɔpu] *m* glass

coque ['kɔki] *m* (*penteado*) bun
coqueiro [ko'kejru] *m* (*Bot*)
coconut palm
coquetel [koke'tɛw] (*pl* **-éis**) *m*
cocktail; (*festa*) cocktail party
cor [ko*] *f* colour (*BRIT*), color (*US*);
de ~ colo(u)red
coração [kora'sãw] (*pl* **-ões**) *m*
heart; **de bom ~** kind-hearted; **de
todo o ~** wholeheartedly
corado, -a [ko'radu, a] *adj* ruddy
coragem [ko'raʒẽ] *f* courage;
(*atrevimento*) nerve
corais [ko'rajʃ] *mpl de* **coral**
corajoso, -a [kora'ʒozu, ɔza] *adj*
courageous
coral [ko'raw] (*pl* **-ais**) *m* (*Mús*)
choir; (*Zool*) coral
corar [ko'ra*] *vt* (*roupa*) to bleach
(in the sun) ▷ *vi* to blush; (*tornar-se
branco*) to bleach
corda ['kɔxda] *f* rope, line; (*Mús*)
string; (*varal*) clothes line; (*de
relógio*) spring; **dar ~ em** to wind up;
~s vocais vocal chords
cordão [kox'dãw] (*pl* **-ões**) *m*
string, twine; (*jóia*) chain; (*no
carnaval*) group; (*Elet*) lead; (*fileira*)
row
cordeiro [kox'dejru] *m* lamb
cordel [kox'dɛw] (*pl* **-éis**) *m* (*PT*)
string; **literatura de ~** pamphlet
literature
cor-de-rosa *adj inv* pink
cordões [kox'dõjʃ] *mpl de* **cordão**
coreano, -a [ko'rjanu, a] *adj*
Korean ▷ *m/f* Korean ▷ *m* (*Ling*)
Korean
Coréia [ko'rɛja] *f:* **a ~** Korea
coreto [ko'retu] *m* bandstand
córner ['kɔxne*] *m* (*Futebol*) corner
coro ['koru] *m* chorus; (*conjunto de
cantores*) choir
coroa [ko'roa] *f* crown; (*de flores*)
garland ▷ *m/f* (*BR: col*) old timer
coroar [koro'a*] *vt* to crown;

(*premiar*) to reward

coronel [koro'nɛw] (*pl* **-éis**) *m* colonel; (*político*) local political boss

corpo ['koxpu] *m* body; (*aparência física*) figure; (: *de homem*) build; (*de vestido*) bodice; (*Mil*) corps *sg*; **de ~ e alma** (*fig*) wholeheartedly; **~ diplomático** diplomatic corps *sg*

corpulento, -a [koxpu'lẽtu, a] *adj* stout

correção [koxe'sãw] (*PT* **-cç-**) (*pl* **-ões**) *f* correction; (*exatidão*) correctness; **casa de ~** reformatory

corre-corre [kɔxi'kɔxi] (*pl* **~s**) *m* rush

correcto, -a *etc* [ko'xɛktu, a] (*PT*) = **correto** *etc*

corredor, a [koxe'do*, a] *m/f* runner ▷ *m* corridor; (*em avião etc*) aisle; (*cavalo*) racehorse

correia [ko'xeja] *f* strap; (*de máquina*) belt; (*para cachorro*) leash

correio [ko'xeju] *m* mail, post; (*local*) post office; (*carteiro*) postman (*BRIT*), mailman (*US*); **~ aéreo** air mail; **~ eletrônico** e-mail, electronic mail; **~ de voz** voice mail; **pôr no ~** to post

corrente [ko'xẽtʃi] *adj* (*atual*) current; (*águas*) running; (*comum*) usual, common ▷ *f* current; (*cadeia, jóia*) chain; **~ de ar** draught (*BRIT*), draft (*US*); **correnteza** [koxẽ'teza] *f* (*de ar*) draught (*BRIT*), draft (*US*); (*de rio*) current

correr [ko'xe*] *vt* to run; (*viajar por*) to travel across ▷ *vi* to run; (*em carro*) to drive fast, speed; (*o tempo*) to elapse; (*boato*) to go round; (*atuar com rapidez*) to rush; **correria** [koxe'ria] *f* rush

correspondência [koxeʃpõ'dẽsja] *f* correspondence; **correspondente** [koxeʃpõ'dẽtʃi] *adj* corresponding ▷ *m* correspondent

corresponder [koxeʃpõ'de*] *vi*:

~ a to correspond to; (*ser igual*) to match (up to); **corresponder-se** *vr*: **~-se com** to correspond with

correto, -a [ko'xetu, a] *adj* correct; (*conduta*) right; (*pessoa*) straight, honest

corretor, a [koxe'to*, a] *m/f* broker; **~ de fundos** *ou* **de bolsa** stockbroker; **~ de imóveis** estate agent (*BRIT*), realtor (*US*)

corrida [ko'xida] *f* running; (*certame*) race; (*de taxi*) fare; **~ de cavalos** horse race

corrido, -a [ko'xidu, a] *adj* quick; (*expulso*) driven out ▷ *adv* quickly

corrigir [koxi'ʒi*] *vt* to correct

corriqueiro, -a [koxi'kejru, a] *adj* common; (*problema*) trivial

corromper [koxõ'pe*] *vt* to corrupt; (*subornar*) to bribe; **corromper-se** *vr* to be corrupted

corrosão [koxo'zãw] *f* corrosion; (*fig*) erosion

corrosivo, -a [koxo'zivu, a] *adj* corrosive

corrupção [koxup'sãw] *f* corruption

corrupto, -a [ko'xuptu, a] *adj* corrupt

Córsega ['kɔxsega] *f*: **a ~** Corsica

cortada [kox'tada] *f*: **dar uma ~ em alguém** (*fig*) to cut sb short

cortante [kox'tãtʃi] *adj* cutting

cortar [kox'ta*] *vt* to cut; (*eliminar*) to cut out; (*água, telefone etc*) to cut off; (*efeito*) to stop ▷ *vi* to cut; (*encurtar caminho*) to take a short cut; **~ o cabelo** (*no cabeleireiro*) to have one's hair cut; **~ a palavra de alguém** to interrupt sb

corte¹ ['kɔxtʃi] *m* cut; (*de luz*) power cut; **sem ~** (*tesoura etc*) blunt; **~ de cabelo** haircut

corte² ['kɔxtʃi] *f* court; **~s** *fpl* (*PT*) parliament *sg*

cortejo [kox'teʒu] *m* procession

cortesia [koxte'zia] f politeness; (de empresa) free offer

cortiça [kox'tʃisa] f cork

cortiço [kox'tʃisu] m slum tenement

cortina [kox'tʃina] f curtain

coruja [ko'ruʒa] f owl

corvo ['koxvu] m crow

coser [ko'ze*] vt, vi to sew

cosmético, -a [koʒ'metʃiku, a] adj cosmetic ▷ m cosmetic

cospe etc ['kɔʃpi] vb V **cuspir**

costa ['kɔʃta] f coast; **~s** fpl (dorso) back sg; **dar as ~s a** to turn one's back on

Costa Rica f: **a ~** Costa Rica

costela [koʃ'tɛla] f rib

costeleta [koʃte'leta] f chop, cutlet; **~s** fpl (suíças) side-whiskers

costumar [koʃtu'ma*] vt (habituar) to accustom ▷ vi: **ele costuma chegar às 6.00** he usually arrives at 6.00; **costumava dizer ...** he used to say ...

costume [koʃ'tumi] m custom, habit; (traje) costume; **~s** mpl (comportamento) behaviour sg (BRIT), behavior sg (US); (conduta) conduct sg; (de um povo) customs sg; **de ~** usual; **como de ~** as usual

costura [koʃ'tura] f sewing; (sutura) seam; **costurar** [koʃtu'ra*] vt, vi to sew; **costureira** [koʃtu'rejra] f dressmaker

cota ['kɔta] f quota, share

cotação [kota'sãw] (pl **-ões**) f (de preços) list, quotation; (Bolsa) price; (consideração) esteem; **~ bancária** bank rate

cotado, -a [ko'tadu, a] adj (Com: ação) quoted; (bem-conceituado) well thought of; (num concurso) fancied

cotar [ko'ta*] vt (ações) to quote; **~ algo em** to value sth at

cotejar [kote'ʒa*] vt to compare

cotidiano, -a [kotʃi'dʒjanu, a]

adj daily, everyday ▷ m: **o ~** daily life

cotonete [koto'nɛtʃi] m cotton bud

cotovelada [kotove'lada] f shove; (cutucada) nudge

cotovelo [koto'velu] m (Anat) elbow; (curva) bend; **falar pelos ~s** to talk non-stop

coube etc ['kobi] vb V **caber**

couro ['koru] m leather; (de um animal) hide

couve ['kovi] f spring greens pl; **couve-flor** (pl **couves-flores**) f cauliflower

couvert [ku'vɛx] m cover charge

cova ['kɔva] f pit; (caverna) cavern; (sepultura) grave

covarde [ko'vaxdʒi] adj cowardly ▷ m/f coward

covil [ko'viw] (pl **-is**) m den, lair

covis [ko'viʃ] mpl de **covil**

coxa ['koʃa] f thigh

coxear [ko'ʃja*] vi to limp

coxia [ko'ʃia] f aisle, gangway

coxo, -a ['koʃu, a] adj lame

cozer [ko'ze*] vt, vi to cook

cozido [ko'zidu] m stew

cozinha [ko'ziɲa] f kitchen; (arte) cookery

cozinhar [kozi'ɲa*] vt, vi to cook

cozinheiro, -a [kozi'ɲejru, a] m/f cook

CP abr = **Caminhos de Ferro Portugueses**

CPF (BR) abr m (= Cadastro de Pessoa Física) identification number

CPLP abr f (= Comunidade de Países de Língua Portuguesa) see boxed note

● **CPLP**

● The **CPLP** or Comunidade de Países
● de Língua Portuguesa was set up
● in 1996 to establish economic
● and diplomatic links between
● all countries where the official

language is Portuguese. The members are Brazil, Portugal, Angola, Mozambique, Guinea-Bissau, Cape Verde and São Tomé e Príncipe. Portuguese is spoken by around 170 million people around the world today.

crachá [kra'ʃa] m badge

crânio ['kranju] m skull

craque ['kraki] m/f ace, expert

crasso, -a ['krasu, a] adj crass

cratera [kra'tɛra] f crater

cravar [kra'va*] vt (prego etc) to drive (in); (com os olhos) to stare at; **cravar-se** vr to penetrate

cravo ['kravu] m carnation; (Mús) harpsichord; (especiaria) clove; (na pele) blackhead; (prego) nail

creche ['krɛʃi] f crèche

credenciais [kredẽ'sjajʃ] fpl credentials

creditar [kredʒi'ta*] vt to guarantee; (Com) to credit; **~ algo a alguém** to credit sth with sth; (garantir) to assure sb of sth

crédito ['krɛdʒitu] m credit; **digno de ~** reliable

creme ['krɛmi] adj inv cream ▷ m cream; (Culin: doce) custard; **~ dental** toothpaste; **cremoso, -a** [kre'mozu, ɔza] adj creamy

crença ['krẽsa] f belief

crente ['krẽtʃi] m/f believer

crepúsculo [kre'puʃkulu] m dusk, twilight

crer [kre*] vt, vi to believe; **crer-se** vr to believe o.s. to be; **~ em** to believe in; **creio que sim** I think so

crescer [kre'se*] vi to grow; **crescimento** [kresi'mẽtu] m growth

crespo, -a ['kreʃpu, a] adj (cabelo) curly

cretinice [kretʃi'nisi] f stupidity; (ato, dito) stupid thing

cretino [kre'tʃinu] m cretin, imbecile

cria ['kria] f (animal: sg) baby animal; (: pl) young pl

criação [krja'sãw] (pl -ões) f creation; (de animais) raising, breeding; (educação) upbringing; (animais domésticos) livestock pl; **filho de ~** adopted child

criado, -a ['krjadu, a] m/f servant

criador, a [krja'do*, a] m/f creator; **~ de gado** cattle breeder

criança ['krjãsa] adj childish ▷ f child; **criançada** [krjã'sada] f: **a criançada** the kids

criar [krja*] vt to create; (crianças) to bring up; (animais) to raise; (amamentar) to suckle, nurse; (planta) to grow; **criar-se** vr: **~-se (com)** to grow up (with); **criar caso** to make trouble

criatura [krja'tura] f creature; (indivíduo) individual

crime ['krimi] m crime; **criminal** [krimi'naw] (pl -ais) adj criminal; **criminalidade** [kriminali'dadʒi] f crime; **criminoso, -a** [krimi'nozu, ɔza] adj, m/f criminal

crina ['krina] f mane

crioulo, -a ['krjolu, a] adj creole ▷ m/f creole; (BR: negro) Black (person)

crise ['krizi] f crisis; (escassez) shortage; (Med) attack, fit

crista ['kriʃta] f (de serra, onda) crest; (de galo) cock's comb

cristal [kriʃ'taw] (pl -ais) m crystal; (vidro) glass; **cristais** mpl (copos) glassware sg

cristão, -tã [kriʃ'tãw, 'tã] (pl ~s, ~s) adj, m/f Christian

cristianismo [kriʃtʃja'niʒmu] m Christianity

Cristo ['kriʃtu] m Christ

critério [kri'tɛrju] m criterion;

(*juízo*) discretion, judgement
crítica ['kritʃika] *f* criticism; *V tb* **crítico**
criticar [kritʃi'ka*] *vt* to criticize; (*um livro*) to review
crítico, -a ['kritʃiku, a] *adj* critical ▷ *m/f* critic
crivar [kri'va*] *vt* (*com balas etc*) to riddle
crivo ['krivu] *m* sieve
crocante [kro'kãtʃi] *adj* crunchy
crônica ['kronika] *f* chronicle; (*coluna de jornal*) newspaper column; (*texto jornalístico*) feature; (*conto*) short story
crônico, -a ['kroniku, a] *adj* chronic
cronológico, -a [krono'lɔʒiku, a] *adj* chronological
croquete [kro'ketʃi] *m* croquette
cru, a [kru, 'krua] *adj* raw; (*não refinado*) crude
crucial [kru'sjaw] (*pl* **-ais**) *adj* crucial
crucificar [krusifi'ka*] *vt* to crucify
crucifixo [krusi'fiksu] *m* crucifix
cruel [kru'ɛw] (*pl* **-éis**) *adj* cruel; **crueldade** [kruew'dadʒi] *f* cruelty
cruz [kruʒ] *f* cross; **C~ Vermelha** Red Cross
cruzado, -a [kru'zadu, a] *adj* crossed ▷ *m* (*moeda*) cruzado
cruzamento [kruza'mẽtu] *m* crossroads
cruzar [kru'za*] *vt* to cross ▷ *vi* (*Náut*) to cruise; (*pessoas*) to pass each other by; **~ com** to meet
cruzeiro [kru'zejru] *m* (*cruz*) (*monumental*) cross; (*moeda*) cruzeiro; (*viagem de navio*) cruise
cu [ku] (*col!*) *m* arse (*!*); **vai tomar no ~** fuck off (*!*)
Cuba ['kuba] *f* Cuba
cubro *etc* ['kubru] *vb V* **cobrir**
cuca ['kuka] (*col*) *f* head; **fundir**

a ~ (*quebrar a cabeça*) to rack one's brain; (*baratinar*) to boggle the mind; (*perturbar*) to drive crazy
cuco ['kuku] *m* cuckoo
cueca ['kwɛka] *f* (BR: *tb*: **~s**: *para homens*) underpants *pl*; **~s** *fpl* (PT) underpants *pl*; (: *para mulheres*) panties *pl*
cuíca ['kwika] *f* kind of musical instrument
cuidado [kwi'dadu] *m* care; **aos ~s de** in the care of; **ter ~** to be careful; **~!** watch out!, be careful!; **tomar ~ (de)** to be careful (of)
cuidar [kwi'da*] *vi*: **~ de** to take care of, look after; **cuidar-se** *vr* to look after o.s.
cujo, -a ['kuʒu, a] *pron* (*de quem*) whose; (*de que*) of which
culinária [kuli'narja] *f* cookery
culpa ['kuwpa] *f* fault; (*Jur*) guilt; **ter ~ de** to be to blame for; **por ~ de** because of; **culpado, -a** [kuw'padu, a] *adj* guilty ▷ *m/f* culprit; **culpar** [kuw'pa*] *vt* to blame; (*acusar*) to accuse; **culpar-se** *vr* to take the blame; **culpável** [kuw'pavew] (*pl* **-eis**) *adj* guilty
cultivar [kuwtʃi'va*] *vt* to cultivate; (*plantas*) to grow
culto, -a ['kuwtu, a] *adj* cultured ▷ *m* (*homenagem*) worship; (*religião*) cult
cultura [kuw'tura] *f* culture; (*da terra*) cultivation; **cultural** [kuwtu'raw] (*pl* **culturais**) *adj* cultural
cume ['kumi] *m* top, summit; (*fig*) climax
cúmplice ['kũplisi] *m/f* accomplice
cumprimentar [kũprimẽ'ta*] *vt* to greet; (*dar parabéns*) to congratulate
cumprimento [kũpri'mẽtu] *m* fulfilment; (*saudação*) greeting; (*elogio*) compliment; **~s** *mpl* (*sau-*

dações) best wishes; **~ de uma lei/ordem** compliance with a law/an order
cumprir [kũ'pri*] *vt* (*desempenhar*) to carry out; (*promessa*) to keep; (*lei*) to obey; (*pena*) to serve ▷ *vi* to be necessary; **~ a palavra** to keep one's word; **fazer ~** to enforce
cúmulo ['kumulu] *m* height; **é o ~!** that's the limit!
cunha ['kuɲa] *f* wedge
cunhado, -a [ku'ɲadu, a] *m/f* brother-in-law/sister-in-law
cunho ['kuɲu] *m* (*marca*) hallmark; (*caráter*) nature
cupim [ku'pĩ] (*pl* **-ns**) *m* termite
cupins [ku'pĩʃ] *mpl de* **cupim**
cúpula ['kupula] *f* dome; (*de abajur*) shade; (*de partido etc*) leadership; **(reunião de) ~** summit (meeting)
cura ['kura] *f* cure; (*tratamento*) treatment; (*de carnes etc*) curing, preservation ▷ *m* priest
curar [ku'ra*] *vt* (*doença, carne*) to cure; (*ferida*) to treat; **curar-se** *vr* to get well
curativo [kura'tʃivu] *m* dressing
curiosidade [kurjozi'dadʒi] *f* curiosity; (*objeto raro*) curio
curioso, -a [ku'rjozu, ɔza] *adj* curious
curral [ku'xaw] (*pl* **-ais**) *m* pen, enclosure
currículo [ku'xikulu] *m* (*curriculum*) curriculum vitae
cursar [kux'sa*] *vt* (*aulas, escola*) to attend; (*cursos*) to follow; **ele está cursando História** he's studying *ou* doing history
curso ['kuxsu] *m* course; (*direção*) direction; **em ~** (*ano etc*) current; (*processo*) in progress
cursor [kux'so*] *m* (*Comput*) cursor
curtição [kuxtʃi'sãw] (*col*) *f* fun

curtir [kux'tʃi*] *vt* (*couro*) to tan; (*tornar rijo*) to toughen up; (*padecer*) to suffer, endure; (*col*) to enjoy
curto, -a ['kuxtu, a] *adj* short ▷ *m* (*Elet*) short (circuit)
curva ['kuxva] *f* curve; (*de estrada, rio*) bend; **~ fechada** hairpin bend
curvo, -a ['kuxvu, a] *adj* curved; (*estrada*) winding
cuscuz [kuʃ'kuʒ] *m* couscous
cuspe ['kuʃpi] *m* spit, spittle
cuspir [kuʃ'pi*] *vt, vi* to spit
custa ['kuʃta] *f*: **à ~ de** at the expense of; **~s** *fpl* (*Jur*) costs
custar [kuʃ'ta*] *vi* to cost; (*ser difícil*): **~ a fazer** to have trouble doing; (*demorar*): **~ a fazer** to take a long time to do; **~ caro** to be expensive
custo ['kuʃtu] *m* cost; **a ~** with difficulty; **a todo ~** at all costs
cutelo [ku'tɛlu] *m* cleaver
cutícula [ku'tʃikula] *f* cuticle
cutucar [kutu'ka*] *vt* (*com o dedo*) to prod, poke; (*com o cotovelo*) to nudge

d

damasco [da'maʃku] m apricot
danado, -a [da'nadu, a] adj
damned; (*zangado*) furious; (*menino*)
mischievous
dança ['dãsa] f dance; **dançar**
[dã'sa*] vi to dance
danificar [danifi'ka*] vt to
damage
dano ['danu] m (tb: **~s**) damage,
harm; (*a uma pessoa*) injury
dantes ['dãtʃiʃ] adv before,
formerly
daquele, -a [da'kɛli, a] = **de** +
aquele/a
daqui [da'ki] adv = **de** + **aqui** (*deste
lugar*) from here; **~ a pouco** soon,
in a little while; **~ a uma semana**
a week from now; **~ em diante**
from now on
daquilo [da'kilu] = **de** + **aquilo**

○ **PALAVRA CHAVE**

D abr = **Dom; Dona**; (= *direito*) r;
(= *deve*) d
d/ abr = **dia**
da [da] = **de** + **a**
dá [da] vb V **dar**
dactilografar etc [datilogra'fa*]
(PT) = **datilografar** etc
dado, -a ['dadu, a] adj given;
(*sociável*) sociable ▷ m (*em jogo*)
die; (*fato*) fact; **~s** mpl dice; (*fatos,
Comput*) data sg; **~ que** supposing
that; (*uma vez que*) given that
daí [da'ji] adv = **de** + **aí** (*desse lugar*)
from there; (*desse momento*) from
then; **~ a um mês** a month later
dali [da'li] adv = **de** + **ali** (*desse lugar*)
from there
daltônico, -a [daw'toniku, a] adj
colour-blind (BRIT), color-blind (US)
dama ['dama] f lady; (*Xadrez,
Cartas*) queen; **~s** fpl (*jogo*)
draughts (BRIT), checkers (US); **~ de
honra** bridesmaid

dar [da*] vt **1** (*ger*) to give; (*festa*) to
hold; (*problemas*) to cause; **~ algo
a alguém** to give sb sth, give sth
to sb; **~ de beber a alguém** to give
sb a drink; **~ aula de francês** to
teach French
2 (*produzir: fruta etc*) to produce
3 (*notícias no jornal*) to publish
4 (*cartas*) to deal
5 (+ n: *perífrase de vb*): **me dá medo/
pena** it frightens/upsets me
▷ vi **1**: **~ com** (*coisa*) to find; (*pessoa*)
to meet
2: **~ em** (*bater*) to hit; (*resultar*) to
lead to; (*lugar*) to come to
3: **dá no mesmo** it's all the same
4: **~ de si** (*sapatos etc*) to stretch,
give
5: **~ para** (*impess: ser possível*):
dá para trocar dinheiro aqui?
can I change money here?; **vai ~
para eu ir amanhã** I'll be able to
go tomorrow; **dá para você vir**

**amanhã – não, amanhã não
vai –** can you come tomorrow?
– no, I can't
6: ~ para (*ser suficiente*): **~ para/
para fazer** to be enough for/to
do; **dá para todo mundo?** is there
enough for everyone?; **dar-se** *vr*
1 (*sair-se*): **~-se bem/mal** to do
well/badly
2 : ~-se (com alguém) to be
acquainted (with sb); **~-se bem
(com alguém)** to get on well
(with sb)
3 : ~-se por vencido to give up

das [daʃ] = **de** + **as**
data ['data] *f* date; (*época*) time; **~
de validade** best before date; **datar**
[da'ta°] *vt* to date ▷ *vi*: **datar de**
to date from
datilografar [datʃilograˈfa°]
vt to type; **datilografia**
[datʃilograˈfia] *f* typing;
datilógrafo, -a [datʃiˈlɔgrafu, a]
m/f typist (BRIT), stenographer (US)
d.C. *abr* (= *depois de Cristo*) A.D.
DDD *abr* (= *discagem direta à distância*)
STD (BRIT), direct dialling
DDI *abr* (= *discagem direta
internacional*) IDD, *international
direct call*

○ **PALAVRA CHAVE**

de [dʒi] (*de* + *o(s)/a(s)* = *do(s)/da(s)*; +
ele(s)/a(s) = *dele(s)/a(s)*; + *esse(s)/a(s)*
= *desse(s)/a(s)*; + *isso* = *disso*; + *este(s)/
a(s)* = *deste(s)/a(s)*; + *isto* = *disto*; +
aquele(s)/a(s) = *daquele(s)/
a(s)*; + *aquilo* = *daquilo*) *prep* **1** (*posse*)
of; **a casa ~ João/da irmã** João's/
my sister's house; **é dele** it's his; **um
romance ~** a novel by
2 (*origem, distância, com números*)
from; **sou ~ São Paulo** I'm from São
Paulo; **~ 8 a 20** from 8 to 20; **sair do**

cinema to leave the cinema; **~ dois
em dois** two by two, two at a time
3 (*valor descritivo*): **um copo ~ vinho**
a glass of wine; **um homem ~
cabelo comprido** a man with long
hair; **o infeliz do homem** (*col*) the
poor man; **um bilhete ~ avião**
an air ticket; **uma criança ~ três
anos** a three-year-old (child); **uma
máquina ~ costurar** a sewing
machine; **aulas ~ inglês** English
lessons; **feito ~ madeira** made of
wood; **vestido ~ branco** dressed
in white
4 (*modo*): **~ trem/avião** by train/
plane; **~ lado** sideways
5 (*hora, tempo*): **às 8 da manhã** at 8
o'clock in the morning; **~ dia/noite**
by day/night; **~ hoje a oito dias**
a week from now; **~ dois em dois
dias** every other day
6 (*comparações*): **mais/menos ~
cem pessoas** more/less than a
hundred people; **é o mais caro da
loja** it's the most expensive in the
shop; **ela é mais bonita do que sua
irmã** she's prettier than her sister;
gastei mais do que pretendia I
spent more than I intended
7 (*causa*): **estou morto ~ calor** I'm
boiling hot; **ela morreu ~ câncer**
she died of cancer
8 (*adj* + *~* + *infin*): **fácil ~ entender**
easy to understand

dê *etc* [de] *vb* V **dar**
debaixo [deˈbajʃu] *adv* below,
underneath ▷ *prep*: **~ de** under,
beneath
debate [deˈbatʃi] *m* discussion,
debate; (*disputa*) argument;
debater [debaˈte°] *vt* to debate;
(*discutir*) to discuss; **debater-se** *vr*
to struggle
débil ['dɛbiw] (*pl* **-eis**) *adj* weak,
feeble ▷ *m*: **~ mental** mentally

handicapped person; **debilidade** [debili'dadʒi] f weakness; **debilidade mental** mental handicap; **debilitar** [debili'ta*] vt to weaken; **debilitar-se** vr to become weak, weaken; **debilóide** [debi'lɔjdʒi] (col) adj idiotic ▷ m/f idiot

debitar [debi'ta*] vt: **~ $40 à** ou **na conta de alguém** to debit $40 to sb's account; **débito** ['dɛbitu] m debit

debochado, -a [debo'ʃadu, a] adj (pessoa) sardonic; (jeito, tom) mocking

década ['dɛkada] f decade

decadência [deka'dẽsja] f decadence

decair [deka'i*] vi to decline

decente [de'sẽtʃi] adj decent; (apropriado) proper; (honrado) honourable (BRIT), honorable (US); (trabalho) neat; **decentemente** [desẽtʃi'mẽtʃi] adv decently; properly; hono(u)rably

decepção [desep'sãw] (pl **-ões**) f disappointment; **decepcionar** [desepsjo'na*] vt to disappoint; (desiludir) to disillusion; **decepcionar-se** vr to be disappointed; to be disillusioned

decidir [desi'dʒi*] vt to decide; (solucionar) to resolve; **decidir-se** vr: **~-se a** to make up one's mind to; **~-se por** to decide on, go for

decifrar [desi'fra*] vt to decipher; (futuro) to foretell; (compreender) to understand

decimal [desi'maw] (pl **-ais**) adj, m decimal

décimo, -a ['dɛsimu, a] adj tenth ▷ m tenth

decisão [desi'zãw] (pl **-ões**) f decision; **decisivo, -a** [desi'zivu, a] adj (fator) decisive; (jogo) deciding

declaração [deklara'sãw] (pl **-ões**) f declaration; (depoimento) statement

declarado, -a [dekla'radu, a] adj (intenção) declared; (opinião) professed; (inimigo) sworn; (alcoólatra) self-confessed; (cristão etc) avowed

declarar [dekla'ra*] vt to declare; (confessar) to confess

declinar [dekli'na*] vt (ger) to decline ▷ vi (sol) to go down; (terreno) to slope down; **declínio** [de'klinju] m decline

declive [de'klivi] m slope, incline

decolagem [deko'laʒẽ] (pl **-ns**) f (Aer) take-off

decolar [deko'la*] vi (Aer) to take off

decompor [dekõ'po*] (irreg: como **pôr**) vt to analyse; (apodrecer) to rot; **decompor-se** vr to rot, decompose

decomposição [dekõpozi'sãw] (pl **-ões**) f decomposition; (análise) dissection

decorar [deko'ra*] vt to decorate; (aprender) to learn by heart; **decorativo, -a** [dekora'tʃivu, a] adj decorative

decoro [de'koru] m decency; (dignidade) decorum

decorrente [deko'xẽtʃi] adj: **~ de** resulting from

decorrer [deko'xe*] vi (tempo) to pass; (acontecer) to take place, happen ▷ m: **no ~ de** in the course of; **~ de** to result from

decrescer [dekre'se*] vi to decrease, diminish

decretar [dekre'ta*] vt to decree, order; **decreto** [de'krɛtu] m decree, order; **decreto-lei** (pl **decretos-leis**) m act, law

dedetizar [dedetʃi'za*] vt to spray with insecticide

dedicação [dedʒika'sãw] f
dedication; (*devotamento*) devotion
dedicar [dedʒi'ka*] vt to dedicate;
(*tempo, atenção*) to devote; **dedicar-
se** vr: **~-se a** to devote o.s. to;
dedicatória [dedʒika'tɔrja] f (*de
obra*) dedication
dedo ['dedu] m finger; (*do pé*) toe;
~ anular/indicador/mínimo ou
mindinho ring/index/little finger;
~ polegar thumb
dedução [dedu'sãw] (*pl* **-ões**) f
deduction
deduzir [dedu'zi*] vt to deduct;
(*concluir*) to deduce, infer
defasagem [defa'zaʒẽ] (*pl* **-ns**) f
discrepancy
defeito [de'fejtu] m defect, flaw;
pôr ~s em to find fault with; **com ~**
broken, out of order; **para ninguém
botar ~** (*col*) perfect; **defeituoso, -a** [defej'twozu, ɔza] adj
defective, faulty
defender [defẽ'de*] vt to defend;
defender-se vr to stand up for o.s.
defensiva [defẽ'siva] f: **estar** ou
ficar na ~ to be on the defensive
defensor, a [defẽ'so*, a] m/f
defender; (*Jur*) defending counsel
defesa [de'feza] f defence (*BRIT*),
defense (*US*); (*Jur*) counsel for the
defence ▷ m (*Futebol*) back
deficiente [defi'sjẽtʃi] adj
(*imperfeito*) defective; (*carente*): **~
(em)** deficient (in)
déficit ['dɛfisitʃi] (*pl* **-s**) m deficit
definição [defini'sãw] (*pl* **-ões**) f
definition
definir [defi'ni*] vt to define;
definir-se vr to make a decision;
(*explicar-se*) to make one's position
clear; **~-se a favor de/contra algo**
to come out in favo(u)r of/against
sth
definitivamente [definitʃiva-
'mẽtʃi] adv definitively;

(*permanentemente*) for good; (*sem
dúvida*) definitely
definitivo, -a [defini'tʃivu, a]
adj final, definitive; (*permanente*)
permanent; (*resposta, data*) definite
defronte [de'frõtʃi] adv opposite
▷ prep: **~ de** opposite
defumar [defu'ma*] vt (*presunto*)
to smoke; (*perfumar*) to perfume
defunto, -a [de'fũtu, a] adj dead
▷ m/f dead person
degelar [deʒe'la*] vt to thaw;
(*geladeira*) to defrost ▷ vi to thaw
out; to defrost
degradar [degra'da*] vt to
degrade, debase; **degradar-se** vr to
demean o.s.
degrau [de'graw] m step; (*de
escada de mão*) rung
degustação [deguʃta'sãw] (*pl* **-
ões**) f tasting, sampling; (*saborear*)
savouring (*BRIT*), savoring (*US*)
degustar [deguʃ'ta*] vt (*provar*)
to taste; (*saborear*) to savour (*BRIT*),
savor (*US*)
dei etc [dej] vb V **dar**
deitada [dej'tada] (*col*) f: **dar uma
~** to have a lie-down
deitado, -a [dej'tadu, a] adj
(*estendido*) lying down; (*na cama*)
in bed
deitar [dej'ta*] vt to lay down; (*na
cama*) to put to bed; (*colocar*) to put,
place; (*lançar*) to cast; (*PT: líquido*)
to pour; **deitar-se** vr to lie down; to
go to bed; **~ sangue** (*PT*) to bleed;
~ abaixo to knock down, flatten;
~ a fazer algo to start doing sth; **~
uma carta** (*PT*) to post a letter; **~
fora** (*PT*) to throw away ou out; **~ e
rolar** (*col*) to do as one likes
deixa ['dejʃa] f clue, hint; (*Teatro*)
cue; (*chance*) chance
deixar [dej'ʃa*] vt to leave;
(*abandonar*) to abandon; (*permitir*)
to let, allow ▷ vi: **~ de** (*parar*) to

stop; (*não fazer*) to fail to; **não posso ~ de ir** I must go; **~ cair** to drop; **~ alguém louco** to drive sb crazy *ou* mad; **~ alguém cansado/nervoso** *etc* to make sb tired/nervous *etc*; **deixa disso!** (*col*) come off it!; **deixa para lá!** (*col*) forget it!

dela ['dɛla] = **de + ela**

delatar [dela'ta°] vt (*pessoa*) to inform on; (*abusos*) to reveal; (*à polícia*) to report; **delator, a** [dela'to°, a] m/f informer

dele ['deli] = **de + ele**

delegacia [delega'sia] f office; **~ de polícia** police station

delegado, -a [dele'gadu, a] m/f delegate, representative; **~ de polícia** police chief

delegar [dele'ga°] vt to delegate

deleitar [delej'ta°] vt to delight; **deleitar-se** vr: **~-se com** to delight in

delgado, -a [dew'gadu, a] adj thin; (*esbelto*) slim; (*fino*) fine

deliberação [delibera'sãw] (*pl* **-ões**) f deliberation; (*decisão*) decision

deliberar [delibe'ra°] vt to decide, resolve ▷ vi to deliberate

delicadeza [delika'deza] f delicacy; (*cortesia*) kindness

delicado, -a [deli'kadu, a] adj delicate; (*frágil*) fragile; (*cortês*) polite; (*sensível*) sensitive

delícia [de'lisja] f delight; (*prazer*) pleasure; **que ~!** how lovely!; **deliciar** [deli'sja°] vt to delight; **deliciar-se** vr: **deliciar-se com algo** to take delight in sth

delicioso, -a [deli'sjozu, ɔza] adj lovely; (*comida, bebida*) delicious

delinear [deli'nja°] vt to outline

delinqüente [delĩ'kwẽtʃi] adj, m/f delinquent, criminal

delirar [deli'ra°] vi (*com febre*) to be delirious; (*de ódio, prazer*) to go

mad, go wild

delírio [de'lirju] m (*Med*) delirium; (*êxtase*) ecstasy; (*excitação*) excitement

delito [de'litu] m (*crime*) crime; (*falta*) offence (*BRIT*), offense (*US*)

demais [dʒi'majʃ] adv (*em demasia*) too much; (*muitíssimo*) a lot, very much ▷ pron: **os/as ~** the rest (of them); **já é ~!** this is too much!; **é bom ~** it's really good; **foi ~** (*col: bacana*) it was great

demanda [de'mãda] f lawsuit; (*disputa*) claim; (*requisição*) request; (*Econ*) demand; **em ~ de** in search of; **demandar** [demã'da°] vt (*Jur*) to sue; (*exigir, reclamar*) to demand

demasia [dema'zia] f excess, surplus; (*imoderação*) lack of moderation; **em ~** (*dinheiro, comida etc*) too much; (*cartas, problemas etc*) too many

demasiadamente [demazjada-'mẽtʃi] adv too much; (*com adj*) too

demasiado, -a [dema'zjadu, a] adj too much; (*pl*) too many ▷ adv too much; (*com adj*) too

demitir [demi'tʃi°] vt to dismiss; (*col*) to sack, fire; **demitir-se** vr to resign

democracia [demokra'sia] f democracy

democrático, -a [demo'kratʃiku, a] adj democratic

demolir [demo'li°] vt to demolish, knock down; (*fig*) to destroy

demonstração [demõʃtra'sãw] (*pl* **-ões**) f demonstration; (*de amizade*) show, display; (*prova*) proof

demonstrar [demõʃ'tra°] vt to demonstrate; (*provar*) to prove; (*amizade etc*) to show

demora [de'mɔra] f delay; (*parada*) stop; **sem ~** at once, without delay; **qual é a ~ disso?** how long will this take?;

demorado, -a [demo'radu, a] *adj*
slow; **demorar** [demo'ra*] *vt* to
delay, slow down ▷ *vi* (*permanecer*)
to stay; (*tardar a vir*) to be late;
(*conserto*) to take (a long) time;
demorar-se *vr* to stay for a long
time, linger; **demorar a chegar**
to be a long time coming; **vai
demorar muito?** will it take long?;
não vou demorar I won't be long
dendê [dẽ'de] *m* (*Culin*: *óleo*) palm
oil; (*Bot*) oil palm
dengoso, -a [dẽ'gozu, ɔza] *adj*
coy; (*criança: choraminguento*): **ser ~**
to be a crybaby
dengue ['dẽgi] *m* (*Med*) dengue
denominar [denomi'na*] *vt*: **~
algo/alguém ...** to call sth/sb ...;
denominar-se *vr* to be called; (*a si
mesmo*) to call o.s.
denotar [deno'ta*] *vt* (*indicar*) to
show, indicate; (*significar*) to signify
densidade [dẽsi'dadʒi] *f* density;
disco de ~ simples/dupla (*Comput*)
single-/double-density disk
denso, -a [dẽsu, a] *adj* dense;
(*espesso*) thick; (*compacto*) compact
dentada [dẽ'tada] *f* bite
dentadura [dẽta'dura] *f* teeth *pl*,
set of teeth; (*artificial*) dentures *pl*
dente ['dẽtʃi] *m* tooth; (*de animal*)
fang; (*de elefante*) tusk; (*de alho*)
clove; **falar entre os ~s** to mutter,
mumble; **~ de leite/do siso**
milk/wisdom tooth; **~s postiços**
false teeth
dentista [dẽ'tʃista] *m/f* dentist
dentre ['dẽtri] *prep* (from) among
dentro ['dẽtru] *adv* inside ▷ *prep*:
~ de inside; (*tempo*) (with)in; **~ em
pouco** *ou* **em breve** soon, before
long; **de ~ para fora** inside out;
dar uma ~ (*col*) to get it right; **aí ~**
in there; **por ~** on the inside; **estar
por ~** (*col*: *fig*) to be in the know
denúncia [de'nũsja] *f*

denunciation; (*acusação*)
accusation; (*de roubo*) report;
denunciar [denũsja*] *vt* (*acusar*)
to denounce; (*delatar*) to inform on;
(*revelar*) to reveal
deparar [depa'ra*] *vt* to reveal;
(*fazer aparecer*) to present ▷ *vi*:
~ com to come across, meet;
deparar-se *vr*: **~-se com** to come
across, meet
departamento [depaxta'mẽtu]
m department
dependência [depẽ'dẽsja] *f*
dependence; (*edificação*) annexe
(*BRIT*), annex (*US*); (*colonial*)
dependency; (*cômodo*) room
dependente [depẽ'dẽtʃi] *m/f*
dependant
depender [depẽ'de*] *vi*: **~ de** to
depend on
depilar [depi'la*] *vt* (*pernas*) to
wax; **depilatório** [depila'tɔrju] *m*
hair-remover
deplorável [deplo'ravew] (*pl*
-eis) *adj* deplorable; (*lamentável*)
regrettable
depoimento [depoj'mẽtu] *m*
testimony, evidence; (*na polícia*)
statement
depois [de'pojʃ] *adv* afterwards
▷ *prep*: **~ de** after; **~ de comer** after
eating; **~ que** after
depor [de'po*] (*irreg*: *como* **pôr**)
vt (*pôr*) to place; (*indicar*) to
indicate; (*rei*) to depose; (*governo*)
to overthrow ▷ *vi* (*Jur*) to testify,
give evidence; (*na polícia*) to give a
statement
depositar [ðepozi'ta*] *vt* to
deposit; (*voto*) to cast; (*colocar*)
to place
depósito [de'pozitu] *m* deposit;
(*armazém*) warehouse, depot; (*de
lixo*) dump; (*reservatório*) tank; **~
de bagagens** left-luggage office
(*BRIT*), checkroom (*US*)

depreciação [depresja'sãw] f
depreciation
depredar [depre'da*] vt to wreck
depressa [dʒi'prɛsa] adv fast,
quickly; **vamos ~** let's get a
move on!
depressão [depre'sãw] (pl **-ões**) f
depression
deprimente [depri'mẽtʃi] adj
depressing
deprimido, -a [depri'midu, a] adj
depressed
deprimir [depri'mi*] vt to
depress; **deprimir-se** vr to get
depressed
deputado, -a [depu'tadu, a]
m/f deputy; (agente) agent (Pol)
≈ Member of Parliament (BRIT), ≈
Representative (US)
der etc [de*] vb V **dar**
deriva [de'riva] f drift; **ir à ~** to
drift; **ficar à ~** to be adrift
derivar [deri'va*] vt to divert;
(Ling) to derive ▷ vi to drift; **derivar-
se** vr to be derived; (ir à deriva) to
drift; (provir): **~(-se) (de)** to derive
ou be derived (from)
derradeiro, -a [dexa'dejru, a]
adj last, final
derramamento [dexama'mẽtu]
m spilling; (de sangue, lágrimas)
shedding
derramar [dexa'ma*] vt to spill;
(entornar) to pour; (sangue, lágrimas)
to shed; **derramar-se** vr to pour out
derrame [de'xami] m
haemorrhage (BRIT), hemorrhage
(US)
derrapar [dexa'pa*] vi to skid
derreter [dexe'te*] vt to melt;
derreter-se vr to melt; (coisa
congelada) to thaw; (enternecer-se) to
be touched
derrota [de'xɔta] f defeat, rout;
(Náut) route; **derrotar** [dexo'ta*] vt
(vencer) to defeat; (em jogo) to beat

derrubar [dexu'ba*] vt to knock
down; (governo) to bring down; (suj:
doença) to lay low; (col: prejudicar)
to put down
desabafar [dʒizaba'fa*] vt
(sentimentos) to give vent to ▷ vi:
~ (com) to unburden o.s. (to);
desabafar-se vr: **~-se (com)** to
unburden o.s. (to); **desabafo**
[dʒiza'bafu] m confession
desabamento [dʒizaba'mẽtu]
m collapse
desabar [dʒiza'ba*] vi (edifício,
ponte) to collapse; (chuva) to pour
down; (tempestade) to break
desabitado, -a [dʒizabi'tadu, a]
adj uninhabited
desabotoar [dʒizabo'twa*] vt to
unbutton
desabrigado, -a [dʒizabri'gadu,
a] adj (sem casa) homeless; (exposto)
exposed
desabrochar [dʒizabro'ʃa*] vi
(flores, fig) to blossom
desacatar [dʒizaka'ta*] vt
(desrespeitar) to have ou show
no respect for; (afrontar) to defy;
(desprezar) to scorn; **desacato**
[dʒiza'katu] m disrespect;
(desprezo) disregard
desaconselhar [dʒizakõse'ʎa*]
vt: **~ algo (a alguém)** to advise (sb)
against sth
desacordado, -a [dʒizakox'dadu,
a] adj unconscious
desacordo [dʒiza'koxdu] m
disagreement; (desarmonia) discord
desacostumado, -a [dʒizakoʃtu-
'madu, a] adj: **~ (a)** unaccustomed
(to)
desacreditar [dʒizakredʒi'ta*] vt
to discredit; **desacreditar-se** vr to
lose one's reputation
desafiador, a [dʒizafja'do*, a] adj
challenging; (pessoa) defiant ▷ m/f
challenger

desafiar [dʒiza'fjaˣ] *vt* to challenge; (*afrontar*) to defy

desafinado, -a [dʒizafi'nadu, a] *adj* out of tune

desafio [dʒiza'fiu] *m* challenge; (*PT: Esporte*) match, game

desaforado, -a [dʒizafo'radu, a] *adj* rude, insolent

desaforo [dʒiza'foru] *m* insolence, abuse

desafortunado, -a [dʒizafoxtu'nadu, a] *adj* unfortunate, unlucky

desagradar [dʒizagra'daˣ] *vt* to displease ▷ *vi*: **~ a alguém** to displease sb; **desagradável** [dʒizagra'davew] (*pl* **-eis**) *adj* unpleasant; **desagrado** [dʒiza'gradu] *m* displeasure

desaguar [dʒiza'gwaˣ] *vt* to drain ▷ *vi*: **~ (em)** to flow *ou* empty (into)

desajeitado, -a [dʒizaʒej'tadu, a] *adj* clumsy, awkward

desalentado, -a [dʒizalē'tadu, a] *adj* disheartened

desalentar [dʒizalē'taˣ] *vt* to discourage; (*deprimir*) to depress; **desalento** [dʒiza'lētu] *m* discouragement

desalmado, -a [dʒizaw'madu, a] *adj* cruel, inhuman

desalojar [dʒizalo'ʒaˣ] *vt* (*expulsar*) to oust; **desalojar-se** *vr* to move out

desamarrar [dʒizama'xaˣ] *vt* to untie ▷ *vi* (*Náut*) to cast off

desamor [dʒiza'moˣ] *m* dislike

desamparado, -a [dʒizāpa'radu, a] *adj* abandoned; (*sem apoio*) helpless

desanimação [dʒizanima'sãw] *f* dejection

desanimado, -a [dʒizani'madu, a] *adj* (*pessoa*) fed up, dispirited; (*festa*) dull; **ser ~** (*pessoa*) to be apathetic

desanuviar [dʒizanu'vjaˣ] *vt*

(*céu*) to clear; **desanuviar-se** *vr* to clear; (*fig*) to stop; **desanuviar alguém** to put sb's mind at rest

desaparafusar [dʒizaparafu'zaˣ] *vt* to unscrew

desaparecer [dʒizapare'seˣ] *vi* to disappear, vanish; **desaparecido, -a** [dʒizapare'sidu, a] *adj* lost, missing ▷ *m/f* missing person; **desaparecimento** [dʒizaparesi'mētu] *m* disappearance; (*falecimento*) death

desapego [dʒiza'pegu] *m* indifference, detachment

desapercebido, -a [dʒizapexse'bidu, a] *adj* unnoticed

desapertar [dʒizapex'taˣ] *vt* to loosen; (*livrar*) to free

desapontamento [dʒizapōta'mētu] *m* disappointment

desapontar [dʒizapō'taˣ] *vt* to disappoint

desapropriar [dʒizapro'prjaˣ] *vt* (*bens*) to expropriate; (*pessoa*) to dispossess

desaprovar [dʒizapro'vaˣ] *vt* to disapprove of; (*censurar*) to object to

desarmamento [dʒizaxma'mētu] *m* disarmament

desarmar [dʒizax'maˣ] *vt* to disarm; (*desmontar*) to dismantle; (*bomba*) to defuse

desarmonia [dʒizaxmo'nia] *f* discord

desarranjo [dʒiza'xãʒu] *m* disorder; (*enguiço*) breakdown; (*diarréia*) diarrhoea (BRIT), diarrhea (US)

desarrumado, -a [dʒizaxu'madu, a] *adj* untidy, messy

desarrumar [dʒizaxu'maˣ] *vt* to mess up; (*mala*) to unpack

desassossego [dʒizaso'segu] *m* (*inquietação*) disquiet; (*perturbação*) restlessness

desastrado, -a [dʒizaʃ'tradu, a]
adj clumsy

desastre [dʒi'zaʃtri] *m* disaster;
(*acidente*) accident; (*de avião*) crash

desatar [dʒiza'ta*] *vt* (*nó*) to
undo, untie ▷ *vi*: **~ a fazer** to begin
to do; **~ a chorar** to burst into tears;
~ a rir to burst out laughing

desatento, -a [dʒiza'tẽtu, a] *adj*
inattentive

desatinado, -a [dʒizatʃi'nadu, a]
adj crazy, wild ▷ *m/f* lunatic

desatino [dʒiza'tʃinu] *m*
madness; (*ato*) folly

desativar [dʒizatʃi'va*] *vt* (*firma*,
usina) to shut down; (*veículos*) to
withdraw from service; (*bomba*) to
deactivate, defuse

desatualizado, -a
[dʒizatwali'zadu, a] *adj* out of date;
(*pessoa*) out of touch

desavença [dʒiza'vẽsa] *f* (*briga*)
quarrel; (*discórdia*) disagreement;
em ~ at loggerheads

desavergonhado, -a [dʒiza-
vexgo'ɲadu, a] *adj* shameless

desavisado, -a [dʒizavi'zadu, a]
adj careless

desbastar [dʒiʒbaʃ'ta*] *vt* (*cabelo*,
plantas) to thin (out); (*vegetação*)
to trim

desbocado, -a [dʒiʒbo'kadu, a]
adj foul-mouthed

desbotar [dʒiʒbo'ta*] *vt* to
discolour (BRIT), discolor (US) ▷ *vi*
to fade

desbragadamente [dʒiʒbragada-
'mẽtʃi] *adv* (*beber*) to excess;
(*mentir*) blatantly

desbravar [dʒiʒbra'va*] *vt* (*terras
desconhecidas*) to explore

descabelar [dʒiʃkabe'la*] *vt*:
~ alguém to mess up sb's hair;
descabelar-se *vr* to get one's hair
messed up

descabido, -a [dʒiʃka'bidu, a] *adj*

improper; (*inoportuno*) inappropriate

descafeinado [dʒiʃkafej'nadu]
adj decaffeinated ▷ *n* decaff

descalçar [dʒiʃkaw'sa*] *vt*
(*sapatos*) to take off; **descalçar-se**
vr to take off one's shoes

descalço, -a [dʒiʃ'kawsu, a] *adj*
barefoot

descansado, -a [dʒiʃkã'sadu,
a] *adj* calm, quiet; (*vagaroso*) slow;
fique ~ don't worry; **pode ficar ~
que ...** you can rest assured that ...

descansar [dʒiʃkã'sa*] *vt* to rest;
(*apoiar*) to lean ▷ *vi* to rest; to lean;
descanso [dʒiʃ'kãsu] *m* rest;
(*folga*) break; (*para prato*) mat

descarregamento [dʒiʃkaxega-
'mẽtu] *m* (*de carga*) unloading;
(*Elet*) discharge

descarregar [dʒiʃkaxe'ga*]
vt (*carga*) to unload; (*Elet*) to
discharge; (*aliviar*) to relieve; (*raiva*)
to vent, give vent to; (*arma*) to fire
▷ *vi* to unload; (*bateria*) to run out;
~ a raiva em alguém to take it
out on sb

descartar [dʒiʃkax'ta*] *vt* to
discard; **descartar-se** *vr*: **~-se de**
to get rid of; **descartável** [dʒiʃkax-
'tavew] (*pl* **-eis**) disposable

descascar [dʒiʃkaʃ'ka*] *vt* (*fruta*)
to peel; (*ervilhas*) to shell ▷ *vi* (*depois
do sol*) to peel; (*cobra*) to shed its skin

descaso [dʒiʃ'kazu] *m* disregard

descendência [desẽ'dẽsja] *f*
descendants *pl*, offspring *pl*

descendente [desẽ'dẽtʃi] *adj*
descending, going down ▷ *m/f*
descendant

descer [de'se*] *vt* (*escada*) to go
(*ou* come) down; (*bagagem*) to take
down ▷ *vi* (*saltar*) to get off; (*baixar*)
to go (*ou* come) down; **descida**
[de'sida] *f* descent; (*declive*) slope;
(*abaixamento*) fall, drop

desclassificar [dʒiʃklas ifi'ka*]

vt to disqualify; (*desacreditar*) to
discredit

descoberta [dʒiʃko'bɛxta] *f*
discovery; (*invenção*) invention

descoberto, -a [dʒiʃko'bɛxtu, a]
pp de **descobrir** ▷ *adj* bare, naked;
(*exposto*) exposed ▷ *m* overdraft;
a ~ openly; **conta a ~** overdrawn
account; **pôr** *ou* **sacar a ~** (*conta*) to
overdraw

descobridor, a [dʒiʃkobri'do*, a]
m/f discoverer; (*explorador*) explorer

descobrimento [dʒiʃkobri'mẽtu]
m discovery; **D~s** *mpl*: **os D~s** the
Discoveries; *see boxed note*

● **DESCOBRIMENTOS**
●
● Portugal enjoyed a period of
● unrivalled overseas expansion
● during the 15th century, mainly
● due to the seafaring expertise
● of Henry the Navigator. He
● organized and financed several
● voyages to Africa, which
● eventually led to the rounding
● of the Cape of Good Hope in 1488
● by Bartolomeu Dias. In 1497,
● Vasco da Gama became the first
● European to travel by sea to India,
● where he established a lucrative
● spice trade, and a few years later,
● in 1500, Pedro Álvares Cabral
● reached Brazil, which he claimed
● for Portugal. Brazil remained
● under Portuguese rule until 1822.

descobrir [dʒiʃko'bri*] *vt* to
discover; (*tirar a cobertura de*) to
uncover; (*panela*) to take the lid
off; (*averiguar*) to find out; (*enigma*)
to solve

descolar [dʒiʃko'la*] *vt* to unstick
▷ *vi*: **a criança não descola da mãe**
the child won't leave his (*ou* her)
mother's side

descolorante [dʒiʃkolo'rātʃi]
m bleach

descolorir [dʒiʃkolo'ri*] *vt* to
discolour (BRIT), discolor (US);
(*cabelo*) to bleach ▷ *vi* to fade

descompostura [dʒiʃkõpoʃ'tura]
f (*repreensão*) dressing-down;
(*insulto*) abuse; **passar uma ~ em**
alguém to give sb a dressing-down;
to hurl abuse at sb

desconcentrar [dʒiʃkõsẽ'tra*] *vt*
to distract; **desconcentrar-se** *vr* to
lose one's concentration

desconfiado, -a [dʒiʃkõ'fjadu,
a] *adj* suspicious, distrustful ▷ *m/f*
suspicious person

desconfiança [dʒiʃkõ'fjãsa] *f*
suspicion, distrust

desconfiar [dʒiʃkõ'fja*] *vi* to
be suspicious; **~ de alguém** (*não*
ter confiança em) to distrust sb;
(*suspeitar*) to suspect sb; **~ que ...** to
have the feeling that ...

desconfortável
[dʒiʃkõfox'tavew] (*pl* **-eis**) *adj*
uncomfortable

desconforto [dʒiʃkõ'foxtu] *m*
discomfort

desconhecer [dʒiʃkoɲe'se*]
vt (*ignorar*) not to know; (*não*
reconhecer) not to recognize; (*um*
benefício) not to acknowledge;
(*não admitir*) not to accept;
desconhecido, -a [dʒiʃkoɲe'sidu,
a] *adj* unknown ▷ *m/f*
stranger; **desconhecimento**
[dʒiʃkoɲesi'mẽtu] *m* ignorance

desconsolado, -a [dʒiʃkõso'ladu,
a] *adj* miserable, disconsolate

descontar [dʒiʃkõ'ta*] *vt* to
deduct; (*não levar em conta*) to
discount; (*não fazer caso de*) to make
light of

descontentamento [dʒiʃkõtẽta-
'mẽtu] *m* discontent; (*desprazer*)
displeasure

desconto [dʒiʃˈkõtu] *m* discount;
com ~ at a discount; **dar um
~ (para)** *(fig)* to make allowances
(for)

descontraído, -a [dʒiʃkõtraˈidu,
a] *adj* casual, relaxed

descontrair [dʒiʃkõtraˈi°] *vt* to
relax; **descontrair-se** *vr* to relax

descontrolar-se [dʒiʃkõtroˈlaxs i]
vr (*situação*) to get out of control;
(*pessoa*) to lose one's self-control

desconversar [dʒiʃkõvexˈsa°] *vi*
to change the subject

descortesia [dʒiʃkoxteˈzia] *f*
rudeness, impoliteness

descoser [dʒiʃkoˈze°] *vt*
(*descosturar*) to unstitch; (*rasgar*) to
rip apart; **descoser-se** *vr* to come
apart at the seams

descrença [dʒiʃˈkrẽsa] *f* disbelief,
incredulity

descrente [dʒiʃˈkrẽtʃi] *adj*
sceptical (BRIT), skeptical (US) ▷ *m/f*
sceptic (BRIT), skeptic (US)

descrever [dʒiʃkreˈve°] *vt* to
describe

descrição [dʒiʃkriˈsãw] (*pl* **-ões**)
f description; **descritivo, -a**
[dʒiʃkriˈtʃivu, a] *adj* descriptive

descrito, -a [dʒiʃˈkritu, a] *pp de*
descrever

descubro *etc* [dʒiʃˈkubru] *vb* V
descobrir

descuidar [dʒiʃkwiˈda°] *vt* to
neglect ▷ *vi*: **~ de** to neglect,
disregard; **descuido** [dʒiʃˈkwidu]
m carelessness; (*negligência*)
neglect; (*erro*) oversight, slip; **por
descuido** inadvertently

desculpa [dʒiʃˈkuwpa] *f* excuse;
(*perdão*) pardon; **pedir ~s a alguém
por** *ou* **de algo** to apologise to sb for
sth; **desculpar** [dʒiʃkuwˈpa°] *vt* to
excuse; (*perdoar*) to pardon, forgive;
desculpar-se *vr* to apologize;
desculpar algo a alguém to

forgive sb for sth; **desculpe!**
(I'm) sorry, I beg your pardon;
desculpável [dʒiʃkuwˈpavew] (*pl*
-eis) *adj* forgivable

○ **PALAVRA CHAVE**

desde [ˈdeʒdʒi] *prep* **1** (*lugar*): **~ ...
até ...** from ... to ...; **andamos ~ a
praia até o restaurante** we walked
from the beach to the restaurant
2 (*tempo*: + *adv*, *n*): **~ então** from
then on, ever since; **~ já** (*de agora*)
from now on; (*imediatamente*) at
once, right now; **~ o casamento**
since the wedding
3 (*tempo*: + *vb*) since; for;
**conhecemo-nos ~ 1978/há 20
anos** we've known each other since
1978/for 20 years; **não o vejo
~ 1983** I haven't seen him since 1983
4 (*variedade*): **~ os mais baratos
até os mais luxuosos** from the
cheapest to the most luxurious
▷ *conj*: **~ que** since; **~ que comecei
a trabalhar não o** *vi* **mais** I haven't
seen him since I started work; **não
saiu de casa ~ que chegou** he
hasn't been out since he arrived

desdizer [dʒiʒdʒiˈze°] (*irreg: como
dizer*) *vt* to contradict; **desdizer-
se** *vr* to go back on one's word

desdobrar [dʒiʒdoˈbra°] *vt* (*abrir*)
to unfold; (*esforços*) to increase,
redouble; (*tropas*) to deploy;
(*bandeira*) to unfurl; (*dividir em
grupos*) to split up; **desdobrar-se**
vr to unfold; (*empenhar-se*) to work
hard, make a big effort

desejar [deseˈʒa°] *vt* to want,
desire

desejo [deˈzeʒu] *m* wish, desire;
desejoso, -a [dezeˈʒozu, ɔza] *adj*:
desejoso de algo wishing for sth;
desejoso de fazer keen to do

desembaraçar [dʒizẽbara'sa°] *vt*
(*livrar*) to free; (*cabelo*) to untangle;
desembaraçar-se *vr* (*desinibir-se*)
to lose one's inhibitions; **~-se de**
to get rid of

desembaraço [dʒizẽba'rasu]
m liveliness; (*facilidade*) ease;
(*confiança*) self-assurance

desembarcar [dʒizẽbax'ka°]
vt (*carga*) to unload; (*passageiros*)
to let off ▷ *vi* to disembark;
desembarque [dʒizẽ'baxki]
m landing, disembarkation;
"desembarque" (*no aeroporto*)
"arrivals"

desembolsar [dʒizẽbow'sa°] *vt*
to spend

desembrulhar [dʒizẽbru'ʎa°] *vt*
to unwrap

desempacotar [dʒizẽpako'ta°]
vt to unpack

desempatar [dʒizẽpa'ta°] *vt* to
decide ▷ *vi* to decide the match (*ou*
race etc); **desempate** [dʒizẽ'patʃi]
m: **partida de desempate** (*jogo*)
play-off, decider

desempenhar [dʒizẽpe'ɲa°]
vt (*cumprir*) to carry out, fulfil
(BRIT), fulfill (US); (*papel*) to play;
desempenho [dʒizẽ'peɲu] *m*
performance; (*de obrigações etc*)
fulfilment (BRIT), fulfillment (US)

desempregado, -a [dʒizẽpre-
'gadu, a] *adj* unemployed ▷ *m/f*
unemployed person

desempregar-se
[dʒizẽpre'gaxs i] *vr* to lose one's job

desemprego [dʒizẽ'pregu] *m*
unemployment

desencadear [dʒizẽka'dʒja°] *vt*
to unleash; (*despertar*) to provoke,
trigger off ▷ *vi* (*chuva*) to pour;
desencadear-se *vr* to break loose;
(*tempestade*) to break

desencaixar [dʒizẽkaj'ʃa°] *vt*
to put out of joint; (*deslocar*) to

dislodge; **desencaixar-se** *vr* to
become dislodged

desencaixotar [dʒizẽkajʃo'ta°]
vt to unpack

desencarregar-se [dʒizẽkaxe-
'gaxs i] *vr* (*de obrigação*) to discharge
o.s.

desencontrar-se
[dʒizẽkõ'traxs i] *vr* (*não se encontrar*)
to miss each other; (*perder-se um do*
outro: perder-se) to lose each other; **~**
de to miss; to get separated from

desencorajar [dʒizẽkora'ʒa°] *vt*
to discourage

desencostar [dʒizẽkoʃ'ta°] *vt*
to move away; **desencostar-se**
vr: **desencostar-se de** to move
away from

desenfreado, -a [dʒizẽ'frjadu,
a] *adj* wild

desenganado, -a [dʒizẽga'nadu,
a] *adj* incurable; (*desiludido*)
disillusioned

desenganar [dʒizẽga'na°] *vt*:
~ alguém to disillusion sb; (*de*
falsas crenças) to open sb's eyes;
(*doente*) to give up hope of curing;
desenganar-se *vr* to become
disillusioned; (*sair de erro*) to
realize the truth; **desengano**
[dʒizẽ'ganu] *m* disillusionment;
(*desapontamento*) disappointment

desengonçado, -a
[dʒizẽgõ'sadu, a] *adj* (*mal-seguro*)
rickety; (*pessoa*) ungainly

desenhar [deze'ɲa°] *vt* to draw;
(*Tec*) to design; **desenhar-se** *vr*
(*destacar-se*) to stand out; (*figurar-*
se) to take shape; **desenhista**
[deze'ɲiʃta] *m/f* (*Tec*) designer

desenho [de'zeɲu] *m* drawing;
(*modelo*) design; (*esboço*) sketch;
(*plano*) plan; **~ animado** cartoon

desenlace [dʒizẽ'las i] *m*
outcome

desenrolar [dʒizẽxo'la°] *vt* to

unroll; (*narrativa*) to develop; **desenrolar-se** *vr* to unfold

desentender [dʒizẽtẽ'de°] *vt* to misunderstand; **desentender-se** *vr*: **~-se com** to have a disagreement with; **desentendido, -a** [dʒizẽtẽ'dʒidu, a] *adj*: **fazer-se de desentendido** to pretend not to understand; **desentendimento** [dʒizẽtẽdʒi'mẽtu] *m* misunderstanding

desenterrar [dʒizẽte'xa°] *vt* (*cadáver*) to exhume; (*tesouro*) to dig up; (*descobrir*) to bring to light

desentupir [dʒizẽtu'pi°] *vt* to unblock

desenvoltura [dʒizẽvow'tura] *f* self-confidence

desenvolver [dʒizẽvow've°] *vt* to develop; **desenvolver-se** *vr* to develop; **desenvolvimento** [dʒizẽvowvi'mẽtu] *m* development; (*crescimento*) growth; **país em desenvolvimento** developing country

deserção [dezex'sãw] *f* desertion

desertar [desex'ta°] *vt* to desert, abandon ▷ *vi* to desert; **deserto, -a** [de'zɛxtu, a] *adj* deserted ▷ *m* desert

desesperado, -a [dʒizeʃpe'radu, a] *adj* desperate; (*furioso*) furious

desesperador, a [dʒizeʃpera-'do°, a] *adj* desperate; (*enfurecedor*) maddening

desesperança [dʒizeʃpe'rãsa] *f* despair

desesperar [dʒizeʃpe'ra°] *vt* to drive to despair; (*enfurecer*) to infuriate; **desesperar-se** *vr* to despair; (*enfurecer-se*) to become infuriated; **desespero** [dʒizeʃ'peru] *m* despair, desperation; (*raiva*) fury

desestimular [dʒizeʃtʃimu'la°] *vt* to discourage

desfalcar [dʒiʃfaw'ka°] *vt* (*dinheiro*) to embezzle; (*reduzir*): **~ (de)** to reduce (by); **a jogo está desfalcado** the game is incomplete

desfalecer [dʒiʃfale'se°] *vi* (*enfraquecer*) to weaken ▷ *vi* (*enfraquecer*) to weaken; (*desmaiar*) to faint

desfalque [dʒiʃ'fawki] *m* (*de dinheiro*) embezzlement; (*diminuição*) reduction

desfavorável [dʒiʃfavo'ravew] (*pl* **-eis**) *adj* unfavourable (BRIT), unfavorable (US)

desfazer [dʒiʃfa'ze°] (*irreg: como* **fazer**) *vt* (*costura*) to undo; (*dúvidas*) to dispel; (*agravo*) to redress; (*grupo*) to break up; (*contrato*) to dissolve; (*noivado*) to break off ▷ *vi*: **~ de alguém** to belittle sb; **desfazer-se** *vr* to vanish; (*tecido*) to come to pieces; (*grupo*) to break up; (*vaso*) to break; **~-se de** (*livrar-se*) to get rid of; **~-se em lágrimas/ gentilezas** to burst into tears/go out of one's way to please

desfecho [dʒiʃ'feʃu] *m* ending, outcome

desfeito, -a [dʒiʃ'fejtu, a] *adj* undone; (*cama*) unmade; (*contrato*) broken

desfilar [dʒiʃfi'la°] *vi* to parade; **desfile** [dʒiʃ'fili] *m* parade, procession

desforra [dʒiʃ'fɔxa] *f* revenge; (*reparação*) redress; **tirar ~** to get even

desfrutar [dʒiʃfru'ta°] *vt* to enjoy ▷ *vi*: **~ de** to enjoy

desgarrado, -a [dʒiʒga'xadu, a] *adj* stray; (*navio*) off course

desgastante [dʒiʒgaʃ'tãtʃi] *adj* (*fig*) stressful

desgrudar [dʒiʒgru'da°] *vt* to unstick ▷ *vi*: **~ de** to tear o.s. away from; **~ algo de algo** to take sth off sth

desidratar [dʒizidra'ta°] vt to
dehydrate

design [dʒi'zãjn] m design

designar [dezig'na°] vt to
designate; (nomear) to name,
appoint; (dia, data) to fix

desigual [dezi'gwaw] (pl -ais)
adj unequal; (terreno) uneven;
desigualdade [dʒizigwaw'dadʒi]
f inequality

desiludir [dʒizilu'dʒi°] vt to
disillusion; (causar decepção a) to
disappoint; **desiludir-se** vr to lose
one's illusions

desimpedido, -a [dʒizĩ pe'dʒidu,
a] adj free

desinfetante [dʒizĩfe'tãtʃi] (PT
-ct-) adj, m disinfectant

desinfetar [dʒizĩfe'ta°] (PT -ct-)
vt to disinfect

desintegração [dʒizintegra'sãw]
f disintegration, break-up

desintegrar [dʒizĩte'gra°] vt to
separate; **desintegrar-se** vr to
disintegrate, fall to pieces

desistir [deziʃ'tʃi°] vi to give up;
~ **de fumar** to stop smoking; **ele
ia, mas no final desistiu** he was
going, but in the end he gave up the
idea ou he decided not to

desjejum [dʒiʒe'ʒũ] m breakfast

deslavado, -a [dʒiʒla'vadu, a]
adj (pessoa, atitude) shameless;
(mentira) blatant

desleal [dʒiʒle'aw] (pl -ais) adj
disloyal

desleixo [dʒiʒ'lejʃu] m sloppiness

desligado, -a [dʒiʒli'gadu, a] adj
(eletricidade) off; (pessoa) absent-
minded; **estar ~** to be miles away

desligar [dʒiʒli'ga°] vt (Tec)
to disconnect; (luz, TV, motor) to
switch off; (telefone) to hang up;
desligar-se vr: **~-se de algo**
(afastar-se) to leave sth; (problemas

etc) to turn one's back on sth; **não
desligue** (Tel) hold the line

deslizar [dʒiʒli'za°] vi to slide;
(por acidente) to slip; (passar de leve)
to glide; **deslize** [dʒiʒ'lizi] m lapse;
(escorregadela) slip

deslocado, -a [dʒiʒlo'kadu,
a] adj (membro) dislocated;
(desambientado) out of place

deslumbramento [dʒiʒlũbra-
'mẽtu] m dazzle; (fascinação)
fascination

deslumbrante [dʒiʒlũ'brãtʃi] adj
dazzling; (casa, festa) amazing

deslumbrar [dʒiʒlũ'bra°] vt to
dazzle; (maravilhar) to amaze;
(fascinar) to fascinate ▷ vi to
be dazzling; to be amazing;
deslumbrar-se vr: **~-se com** to be
fascinated by

desmaiado, -a [dʒiʒma'jadu, a]
adj unconscious; (cor) pale

desmaiar [dʒiʒma'ja°] vi to faint;
desmaio [dʒiʒ'maju] m faint

desmanchar [dʒiʒmãn'ʃa°] vt
(costura) to undo; (contrato) to break;
(noivado) to break off; (penteado)
to mess up; **desmanchar-se** vr
(costura) to come undone

desmarcar [dʒiʒmax'ka°] vt
(compromisso) to cancel

desmascarar [dʒiʒmaʃka'ra°] vt
to unmask

desmazelado, -a
[dʒiʒmaze'ladu, a] adj slovenly,
untidy

desmedido, -a [dʒiʒme'dʒidu, a]
adj excessive

desmentido [dʒiʒmẽ'tʃidu]
m (negação) denial; (contradição)
contradiction

desmentir [dʒiʒmẽ'tʃi°] vt
(contradizer) to contradict; (negar)
to deny

desmiolado, -a [dʒiʒmjo'ladu, a]
adj brainless; (esquecido) forgetful

desmoronamento [dʒiʒmorona-'mētu] m collapse

desmoronar [dʒiʒmoro'na°] vt
to knock down ▷ vi to collapse

desnatado, -a [dʒiʒna'tadu, a]
adj (leite) skimmed

desnaturado, -a [dʒiʒnatu'radu,
a] adj inhumane ▷ m/f monster

desnecessário, -a [dʒiʒnese-
'sarju, a] adj unnecessary

desnutrição [dʒiʒnutri'sāw] f
malnutrition

desobedecer [dʒizobede'se°]
vt to disobey; **desobediência**
[dʒizobe'dʒjēsja] f disobedience;
desobediente [dʒizobe'dʒjētʃi] adj
disobedient

desobstruir [dʒizobiʃ'trwi°] vt
to unblock

desocupado, -a [dʒizoku'padu,
a] adj (casa) empty, vacant;
(disponível) free; (sem trabalho)
unemployed

desocupar [dʒizoku'pa°] vt (casa)
to vacate; (liberar) to free

desodorante [dʒizodo'rātʃi] (PT
-dorizante) m deodorant

desolação [dezola'sāw] f
(consternação) grief; (de um
lugar) desolation; **desolado,
-a** [dezo'ladu, a] adj distressed;
desolate

desonesto, -a [dezo'nɛʃtu, a] adj
dishonest

desordem [dʒi'zoxdē] f disorder,
confusion; **em ~** (casa) untidy

desorganizar [dʒizoxgani'za°] vt
to disorganize; (dissolver) to break
up; **desorganizar-se** vr to become
disorganized; to break up

desorientação [dʒizorjēta'sāw] f
bewilderment, confusion

desorientar [dʒizorjē'ta°] vt
(desnortear) to throw off course;
(perturbar) to confuse; (desvairar)
to unhinge; **desorientar-se** vr to

desovar [dʒizo'va°] vt to lay;
(peixe) to spawn

despachado, -a [dʒiʃpa'ʃadu, a]
adj (pessoa) efficient

despachar [dʒiʃpa'ʃa°] vt to
dispatch, send off; (atender, resolver)
to deal with; (despedir) to sack;
despachar-se vr to hurry (up);
despacho [dʒiʃ'paʃu] m dispatch;
(de negócios) handling; (nota em
requerimento) ruling; (reunião)
consultation; (macumba) witchcraft

despeço etc [dʒiʃ'pɛsu] vb V
despedir

despedaçar [dʒiʃpeda'sa°] vt
(quebrar) to smash; (rasgar) to tear
apart; **despedaçar-se** vr to smash;
to tear

despedida [dʒiʃpe'dʒida] f
farewell; (de trabalhador) dismissal

despedir [dʒiʃpe'dʒi°] vt (de
emprego) to dismiss, sack; **despedir-
se** vr: **~-se (de)** to say goodbye (to)

despeitado, -a [dʒiʃpej'tadu, a]
adj spiteful; (ressentido) resentful

despeito [dʒiʃ'pejtu] m spite; **a ~
de** in spite of, despite

despejar [dʒiʃpe'ʒa°] vt (água) to
pour; (esvaziar) to empty; (inquilino)
to evict; **despejo** [dʒiʃ'peʒu] m
eviction; **quarto de despejo**
junk room

despencar [dʒiʃpē'ka°] vi to fall
down, tumble down

despentear [dʒiʃpē'tʃja°] vt
(cabelo: sem querer) to mess up;
(: de propósito) to let down;
despentear-se vr to mess one's hair
up, to let one's hair down

despercebido, -a
[dʒiʃpexse'bidu, a] adj unnoticed

desperdiçar [dʒiʃpexdʒi'sa°] vt
to waste; (dinheiro) to squander;
desperdício [dʒiʃpex'dʒisju] m

waste

despertador [dʒiʃpexta'do°] *m*
(*tb*: **relógio ~**) alarm clock

despertar [dʒiʃpex'ta°] *vt* to
wake; (*suspeitas, interesse*) to
arouse; (*reminiscências*) to revive;
(*apetite*) to whet ▷ *vi* to wake up
▷ *m* awakening; **desperto, -a**
[dʒiʃ'pextu, a] *adj* awake

despesa [dʒiʃ'peza] *f* expense;
~s *fpl* (*de uma empresa*) expenses,
costs; **~s gerais** (*Com*) overheads

despido, -a [dʒiʃ'pidu, a] *adj*
naked, bare; (*livre*) free

despir [dʒiʃ'pi°] *vt* (*roupa*) to take
off; (*pessoa*) to undress; (*despojar*) to
strip; **despir-se** *vr* to undress

despojar [dʒiʃpo'ʒa°] *vt* (*casas*) to
loot, sack; (*pessoas*) to rob

despontar [dʒiʃpõ'ta°] *vi* to
emerge; (*sol*) to come out; (: *ao
amanhecer*) to come up; **ao ~ do dia**
at daybreak

desporto [dʒiʃ'poxtu] (*esp PT*)
m sport

desprender [dʒiʃprẽ'de°] *vt* to
loosen; (*desatar*) to unfasten; (*emitir*)
to emit; **desprender-se** *vr* (*botão*) to
come off; (*cheiro*) to be given off

desprezar [dʒiʃpre'za°] *vt* to
despise, disdain; (*não dar importância a*) to disregard, ignore;
desprezível [dʒiʃpre'zivew] (*pl
-eis*) *adj* despicable; **desprezo**
[dʒiʃ'prezu] *m* scorn, contempt;
dar ao desprezo to ignore

desproporcional [dʒiʃpropoxsjo-
'naw] *adj* disproportionate

despropósito [dʒiʃpro'pozitu] *m*
nonsense

desprovido, -a [dʒiʃpro'vidu, a]
adj deprived; **~ de** without

desqualificar [dʒiʃkwalifi'ka°]
vt (*Esporte etc*) to disqualify; (*tornar
indiguo*) to disgrace, lower

desregrado, -a [dʒiʒxe'gradu,

a] *adj* disorderly, unruly; (*devasso*)
immoderate

desrespeito [dʒiʒxe'ʃpejtu] *m*
disrespect

desse *etc* ['desi] *vb* ∨ **dar**

desse, -a ['desi, a] = **de + esse/a**

destacar [dʒiʃta'ka°] *vt* (*Mil*) to
detail; (*separar*) to detach; (*enfatizar*)
to emphasize ▷ *vi* to stand out;
destacar-se *vr* to stand out;
(*pessoa*) to be outstanding

destampar [dʒiʃtã'pa°] *vt* to take
the lid off

destapar [dʒiʃta'pa°] *vt* to
uncover

destaque [dʒiʃ'taki] *m*
distinction; (*pessoa, coisa*) highlight

deste, -a ['deʃtʃi, a] = **de + este, -a**

destemido, -a [deʃte'midu, a]
adj fearless, intrepid

destilar [deʃtʃi'la°] *vt* to distil
(*BRIT*), distill (*US*)

destinação [deʃtʃina'sãw] (*pl
-ões*) *f* destination

destinar [deʃ'tʃina°] *vt* to
destine; (*dinheiro*): **~ (para)** to set
aside (for); **destinar-se** *vr*: **~-se
a** to be intended for; (*carta*) to be
addressed to

destinatário, -a [deʃtʃina'tarju,
a] *m/f* addressee

destino [deʃ'tʃinu] *m* destiny,
fate; (*lugar*) destination; **com ~ a**
bound for

destituir [deʃtʃi'twi°] *vt* to
dismiss; **~ de** (*privar de*) to deprive of

destrancar [dʒiʃtrã'ka°] *vt* to
unlock

destratar [dʒiʃtra'ta°] *vt* to
abuse, insult

destreza [deʃ'treza] *f* skill;
(*agilidade*) dexterity

destro, -a ['deʃtru, a] *adj* skilful
(*BRIT*), skillful (*US*); (*ágil*) agile; (*não
canhoto*) right-handed

destrocar [dʒiʃtro'ka°] *vt* to give

back, return

destroçar [dʒiʃtro'sa°] vt to
destroy; (quebrar) to smash, break;
destroços [dʒiʃ'trɔsuʃ] mpl
wreckage sg

destruição [dʒiʃtrwi'sãw] f
destruction

destruir [dʒiʃ'trwi°] vt to destroy

desvairado, -a [dʒiʒvaj'radu, a]
adj (louco) crazy, demented; (desorientado) bewildered

desvalorizar [dʒiʒvalori'za°] vt
to devalue

desvantagem [dʒiʒvã'taʒẽ] (pl
-ns) f disadvantage

desvão [dʒiʒ'vãw] (pl **-s**) m loft

desventura [dʒiʒvẽ'tura] f
misfortune; (infelicidade)
unhappiness

desvio [dʒiʒ'viu] m diversion,
detour; (curva) bend; (fig) deviation;
(de dinheiro) embezzlement

detalhadamente [detaʎada-
'mẽtʃi] adv in detail

detalhado, -a [deta'ʎadu, a] adj
detailed

detalhe [de'taʎi] m detail

detectar [detek'ta°] vt to detect

detective [detek'tivǝ] (PT) m/f =
detetive

detector [detek'to°] m detector

detenção [detẽ'sãw] (pl **-ões**) f
detention

deter [de'te°] (irreg: como **ter**) vt
to stop; (prender) to arrest; (manter
preso) to detain; (reter) to keep;
(conter: riso) to contain; **deter-se** vr
to stop; (ficar) to stay; (conter-se) to
restrain o.s.

detergente [detex'ʒẽtʃi] m
detergent

deteriorar [deterjo'ra°] vt to
spoil, damage; **deteriorar-se** vr to
deteriorate; (relações) to worsen

determinação [detexmina'sãw]
f determination; (decisão) decision;

(ordem) order

determinado, -a [detexmi'nadu,
a] adj determined; (certo) certain,
given

determinar [detexmi'na°] vt
to determine; (decretar) to order;
(resolver) to decide (on); (causar)
to cause

detestar [deteʃ'ta°] vt to hate;
detestável [deteʃ'tavew] (pl **-eis**)
adj horrible, hateful

detetive [dete'tʃivi] m/f
detective

detido, -a [de'tʃidu, a] adj (preso)
under arrest; (minucioso) thorough
▷ m/f person under arrest, prisoner

detonação [detona'sãw] (pl **-ões**)
f explosion

detonar [deto'na°] vt, vi to
detonate

detrás [de'trajʃ] adv behind
▷ prep: **~ de** behind

detrimento [detri'mẽtu] m: **em ~
de** to the detriment of

detrito [de'tritu] m debris sg; (de
comida) remains pl; (resíduo) dregs pl

deturpação [detuxpa'sãw] f
corruption; (de palavras) distortion

deturpar [detux'pa°] vt to
corrupt; (desfigurar) to disfigure;
(palavras) to twist

deu [dew] vb V **dar**

deus, a [dewʃ, dewsa] m/f god/
goddess; **D~ me livre!** God forbid!;
graças a D~ thank goodness; **meu
D~!** good Lord!

devagar [dʒiva'ga°] adv slowly

devaneio [deva'neju] m
daydream

devassa [de'vasa] f investigation,
inquiry

devassidão [devasi'dãw] f
debauchery

devasso, -a [de'vasu, a] adj
dissolute

deve ['dɛvi] m debit

dever [de've*] *m* duty ▷ *vt* to owe ▷ *vi* (*suposição*): **deve (de) estar doente** he must be ill; (*obrigação*): **devo partir às oito** I must go at eight; **você devia ir ao médico** you should go to the doctor; **que devo fazer?** what shall I do?

devido, -a [de'vidu, a] *adj* (*maneira*) proper; (*respeito*) due; **~ a** due to, owing to; **no ~ tempo** in due course

devoção [devo'sãw] *f* devotion

devolução [devolu'sãw] *f* devolution; (*restituição*) return; (*reembolso*) refund; **~ de impostos** tax rebate

devolver [devow've*] *vt* to give back, return; (*Com*) to refund

devorar [devo'ra*] *vt* to devour; (*destruir*) to destroy

devotar [devo'ta*] *vt* to devote

dez [dɛʒ] *num* ten

dezanove [deza'nɔvə] (*PT*) *num* = **dezenove**

dezasseis [deza'sejʃ] (*PT*) *num* = **dezesseis**

dezassete [deza'setə] (*PT*) *num* = **dezessete**

dezembro [de'zẽbru] (*PT* **D~**) *m* December

dezena [de'zena] *f*: **uma ~ de ...** ten ...

dezenove [deze'nɔvi] *num* nineteen

dezesseis [deze'sejʃ] *num* sixteen

dezessete [dezi'setʃi] *num* seventeen

dezoito [dʒi'zojtu] *num* eighteen

dia ['dʒia] *m* day; (*claridade*) daylight; **~ a ~** day by day; **~ santo** holy day; **~ útil** weekday; **estar ou andar em ~ (com)** to be up to date (with); **de ~** in the daytime, by day; **mais ~ menos ~** sooner or later; **~ sim, ~ não** every other day; **no ~ seguinte** the next day; **bom ~** good morning; **dia-a-dia** *m* daily life, everyday life

diabete(s) [dʒja'bɛtʃi(ʃ)] *f* diabetes *sg*; **diabético, -a** [dʒja'bɛtʃiku, a] *adj, m/f* diabetic

diabo ['dʒjabu] *m* devil; **que ~!** (*col*) damn it!

diabrura [dʒja'brura] *f* prank; **~s** *fpl* (*travessura*) mischief *sg*

diagnóstico [dʒjag'nɔstʃiku] *m* diagnosis

diagonal [dʒjago'naw] (*pl* **-ais**) *adj, f* diagonal

diagrama [dʒja'grama] *m* diagram

dialeto [dʒja'lɛtu] (*PT* **-ect-**) *m* dialect

dialogar [dʒjalo'ga*] *vi*: **~ (com alguém)** to talk (to sb); (*Pol*) to have *ou* hold talks (with sb)

diálogo ['dʒjalogu] *m* dialogue; (*conversa*) talk, conversation

diamante [dʒja'mãtʃi] *m* diamond

diâmetro ['dʒjametru] *m* diameter

diante ['dʒjãtʃi] *prep*: **~ de** before; (*na frente de*) in front of; (*problemas etc*) in the face of; **e assim por ~** and so on; **para ~** forward

dianteira [dʒjã'tejra] *f* front, vanguard; **tomar a ~** to get ahead

dianteiro, -a [dʒjã'tejru, a] *adj* front

diapositivo [dʒjapozi'tʃivu] *m* (*Foto*) slide

diária ['dʒjarja] *f* (*de hotel*) daily rate

diário, -a ['dʒjarju, a] *adj* daily ▷ *m* diary; (*jornal*) (daily) newspaper; **~ de bordo** (*Aer*) logbook

diarréia [dʒja'xɛja] *f* diarrhoea (*BRIT*), diarrhea (*US*)

dica ['dʒika] (*col*) *f* hint

dicionário [dʒisjo'narju] *m*

dictionary

dieta ['dʒjɛta] f diet; **fazer ~** to be on a diet; (começar) to go on a diet

diferença [dʒife'rēsa] f difference; **ela tem uma ~ comigo** she's got something against me

diferenciar [dʒiferē'sja*] vt to differentiate

diferente [dʒife'rētʃi] adj different; **estar ~ com alguém** to be at odds with sb

difícil [dʒi'fisiw] (pl **-eis**) adj difficult; (improvável) unlikely; **o ~ é ... ;** the difficult thing is ...; **acho ~ ela aceitar nossa proposta** I think it's unlikely she will accept our proposal; **dificilmente** [dʒifisiw'mētʃi] adv with difficulty; (mal) hardly; (raramente) hardly ever

dificuldade [dʒifikuw'dadʒi] f difficulty; (aperto): **em ~s** in trouble

dificultar [dʒifikuw'ta*] vt to make difficult; (complicar) to complicate

difundir [dʒifũ'dʒi*] vt to diffuse; (boato, rumor) to spread

digerir [dʒiʒe'ri*] vt, vi to digest

digestão [dʒiʒeʃ'tãw] f digestion

digital [dʒiʒi'taw] (pl **-ais**) adj: **impressão ~** fingerprint

digitar [dʒiʒi'ta*] vt (Comput: dados) to key (in)

dígito ['dʒiʒitu] m digit

dignidade [dʒigni'dadʒi] f dignity

digno, -a ['dʒignu, a] adj (merecedor) worthy; (nobre) dignified

digo etc ['dʒigu] vb V **dizer**

dilatar [dʒila'ta*] vt to dilate, expand; (prolongar) to prolong; (retardar) to delay

dilema [dʒi'lɛma] m dilemma

diluir [dʒi'lwi*] vt to dilute

dilúvio [dʒi'luvju] m flood

dimensão [dʒimē'sãw] (pl **-ões**) f dimension; **dimensões** fpl (medidas) measurements

diminuição [dʒiminwi'sãw] f reduction

diminuir [dʒimi'nwi*] vt to reduce; (som) to turn down; (interesse) to lessen ▷ vi to lessen, diminish; (preço) to go down; (dor) to wear off; (barulho) to die down

diminutivo, -a [dʒiminu'tʃivu, a] adj diminutive ▷ m (Ling) diminutive

Dinamarca [dʒina'maxka] f Denmark; **dinamarquês, -quesa** [dʒinamax'keʃ, 'keza] adj Danish ▷ m/f Dane ▷ m (Ling) Danish

dinâmico, -a [dʒi'namiku, a] adj dynamic

dínamo ['dʒinamu] m dynamo

dinheirão [dʒinej'rãw] m: **um ~** loads pl of money

dinheiro [dʒi'nejru] m money; **~ à vista** cash for paying in cash; **~ em caixa** money in the till; **~ em espécie** cash

dinossauro [dʒino'sawru] m dinosaur

diploma [dʒip'lɔma] m diploma

diplomacia [dʒiploma'sia] f diplomacy; (fig) tact

diplomata [dʒiplo'mata] m/f diplomat; **diplomático, -a** [dʒiplo-'matʃiku, a] adj diplomatic

dique ['dʒiki] m dam; (Geo) dyke

direção [dʒire'sãw] (PT **-cç-**; pl **-ões**) f direction; (endereço) address; (Auto) steering; (administração) management; (comando) leadership; (diretoria) board of directors; **em ~ a** towards

directo, -a etc [di'rɛktu, a] (PT) = **direto** etc

direi etc [dʒi'rej] vb V **dizer**

direita [dʒi'rejta] f (mão) right hand; (lado) right-hand side; (Pol) right wing; **à ~** on the right

direito, -a [dʒi'rejtu, a] *adj* (*lado*)
right-hand; (*mão*) right; (*honesto*)
honest; (*devido*) proper; (*justo*) right,
just ▷ *m* right; (*Jur*) law
▷ *adv* straight; (*bem*) right; (*de
maneira certa*) properly; **~s** *mpl*
(*humanos*) rights; (*alfandegários*)
duty *sg*

direto, -a [dʒi'rɛtu, a] *adj* direct
▷ *adv* straight; **transmissão direta**
(*TV*) live broadcast

diretor, a [dʒire'to*, a] *adj*
directing, guiding ▷ *m/f* director;
(*de jornal*) editor; (*de escola*) head
teacher; **diretoria** [dʒireto'ria] *f*
(*Com*) management

dirigente [dʒiri'ʒẽtʃi] *m/f* (*de país,
partido*) leader; (*diretor*) director;
(*gerente*) manager

dirigir [dʒiri'ʒi*] *vt* to direct; (*Com*)
to manage; (*veículo*) to drive ▷ *vi* to
drive; **dirigir-se** *vr*: **~-se a** (*falar com*)
to speak to; (*ir, recorrer*) to go to;
(*esforços*) to be directed towards

discagem [dʒiʃ'kaʒẽ] *f* (*Tel*)
dialling

discar [dʒiʃ'ka*] *vt* to dial

disciplina [dʒisi'plina]
f discipline; **disciplinar**
[dʒisipli'na*] *vt* to discipline

discípulo, -a [dʒi'sipulu, a] *m/f*
disciple; (*aluno*) pupil

disc-jóquei [dʒiʃk-] *m/f* disc
jockey, DJ

disco ['dʒiʃku] *m* disc; (*Comput*)
disk; (*Mús*) record; (*de telefone*) dial;
~ laser (*máquina*) compact disc
player, CD player; (*disco*) compact
disc, CD; **~ flexível/rígido** (*Comput*)
floppy/hard disk; **~ do sistema**
system disk; **~ voador** flying saucer

discordar [dʒiʃkox'da*] *vi*: **~ de
alguém em algo** to disagree with
sb on sth

discórdia [dʒiʃ'kɔxdʒia] *f* discord,
strife

discoteca [dʒiʃko'tɛka] *f*
discotheque, disco

discrepância [dʒiʃkre'pãsja]
f discrepancy; (*desacordo*)
disagreement; **discrepante**
[dʒiʃkre'pãtʃi] *adj* conflicting

discreto, -a [dʒiʃ'krɛtu, a]
adj discreet; (*modesto*) modest;
(*prudente*) shrewd; (*roupa*)
plain; **discrição** [dʒiʃkri'sãw] *f*
discretion

discriminação [dʒiʃkrimina'sãw]
f discrimination

discriminar [dʒiʃkrimi'na*] *vt*
to distinguish ▷ *vi*: **~ entre** to
discriminate between

discurso [dʒiʃ'kuxsu] *m* speech

discussão [dʒiʃku'sãw] (*pl* **-ões**) *f*
discussion; (*contenda*) argument

discutir [dʒiʃku'tʃi*] *vt* to discuss
▷ *vi*: **~ (sobre algo)** to talk (about
sth); (*contender*) to argue (about sth)

disenteria [dʒizẽte'ria] *f*
dysentery

disfarçar [dʒiʃfax'sa*] *vt* to
disguise ▷ *vi* to pretend; **disfarçar-
se** *vr*: **~-se em** *ou* **de algo** to
disguise o.s. as sth; **disfarce**
[dʒiʃ'faxsi] *m* disguise; (*máscara*)
mask

dislexia [dʒiʒlek'sja] *f* dyslexia

disparar [dʒiʃpa'ra*] *vt* to shoot,
fire ▷ *vi* to fire; (*arma*) to go off;
(*correr*) to shoot off, bolt

disparatado, -a [dʒiʃpara'tadu,
a] *adj* silly, absurd

disparate [dʒiʃpa'ratʃi] *m*
nonsense, rubbish

disparidade [dʒiʃpari'dadʒi] *f*
disparity

dispensar [dʒiʃpẽ'sa*] *vt* to
excuse; (*prescindir de*) to do without;
(*conferir*) to grant; **dispensável**
[dʒiʃpẽ'savew] (*pl* **-eis**) *adj*
expendable

dispersar [dʒiʃpex'sa*] *vt, vi* to

disperse; **disperso, -a** [dʒiʃ'pɛxsu, a] *adj* scattered

displicência [dʒiʃpli'sensja] (BR) *f* negligence, carelessness; **displicente** [dʒiʃpli'sẽtʃi] *adj* careless

dispo *etc* ['dʒiʃpu] *vb V* **despir**

disponível [dʒiʃpo'nivew] (*pl* **-eis**) *adj* available

dispor [dʒiʃ'po°] (*irreg: como* **pôr**) *vt* to arrange ▷ *vi*: **~ de** to have the use of; (*ter*) to have, own; (*pessoas*) to have at one's disposal; **dispor-se** *vr*: **~-se a** (*estar pronto a*) to be prepared to, be willing to; (*decidir*) to decide to; **~ sobre** to talk about; **disponha!** feel free!

disposição [dʒiʃpozi'sãw] (*pl* **-ões**) *f* arrangement; (*humor*) disposition; (*inclinação*) inclination; **à sua ~** at your disposal

dispositivo [dʒiʃpozi'tʃivu] *m* gadget, device; (*determinação de lei*) provision

disputa [dʒiʃ'puta] *f* dispute, argument; (*competição*) contest; **disputar** [dʒiʃpu'ta°] *vt* to dispute; (*concorrer a*) to compete for; (*lutar por*) to fight over ▷ *vi* to quarrel, argue; to compete; **disputar uma corrida** to run a race

disquete [dʒiʃ'ketʃi] *m* (Comput) floppy disk, diskette

disse *etc* ['dʒis i] *vb V* **dizer**

disseminar [dʒisemi'na°] *vt* to disseminate; (*espalhar*) to spread

dissertar [dʒisex'ta°] *vi* to speak

dissidência [dʒis i'dẽsja] *f* (*cisão*) difference of opinion

disso ['dʒisu] = **de** + **isso**

dissolução [dʒisolu'sãw] *f* (*libertinagem*) debauchery; (*de casamento*) dissolution

dissolver [dʒisow've°] *vt* to dissolve; (*dispersar*) to disperse; (*motim*) to break up

dissuadir [dʒiswa'dʒi°] *vt* to dissuade; **~ alguém de fazer algo** to talk sb out of doing sth, dissuade sb from doing sth

distância [dʒiʃ'tãsja] *f* distance; **a 3 quilômetros de ~** 3 kilometres (BRIT) *ou* kilometers (US) away

distanciar [dʒiʃtã'sja°] *vt* to distance, set apart; (*colocar por intervalos*) to space out; **distanciar-se** *vr* to move away; (*fig*) to distance o.s.

distante [dʒiʃ'tãtʃi] *adj* distant

distender [dʒiʃtẽ'de°] *vt* to expand; (*estirar*) to stretch; (*dilatar*) to distend; (*músculo*) to pull; **distender-se** *vr* to expand; to distend

distinção [dʒiʃtʃĩ'sãw] (*pl* **-ões**) *f* distinction; **fazer ~** to make a distinction

distinguir [dʒiʃtʃĩ'gi°] *vt* to distinguish; (*avistar, ouvir*) to make out; **distinguir-se** *vr* to stand out

distinto, -a [dʒiʃ'tʃĩtu, a] *adj* different; (*eminente*) distinguished; (*claro*) distinct; (*refinado*) refined

disto ['dʒiʃtu] = **de** + **isto**

distorcer [dʒiʃtox'se°] *vt* to distort

distração [dʒiʃtra'sãw] (PT **-cç-**; *pl* **-ões**) *f* (*alheamento*) absent-mindedness; (*divertimento*) pastime; (*descuido*) oversight

distraído, -a [dʒiʃtra'idu, a] *adj* absent-minded; (*não atento*) inattentive

distrair [dʒiʃtra'i°] *vt* to distract; (*divertir*) to amuse

distribuição [dʒiʃtribwi'sãw] *f* distribution; (*de cartas*) delivery

distribuidor, a [dʒiʃtribwi'do°, a] *m/f* distributor ▷ *m* (Auto) distributor ▷ *f* (Com) distribution company, distributor

distribuir [dʒiʃtri'bwi°] *vt* to

distribute; (*repartir*) to share out;
(*cartas*) to deliver
distrito [dʒiʃ'tritu] *m* district;
(*delegacia*) police station; **~
eleitoral** constituency; **~ federal**
federal area
distúrbio [dʒiʃ'tuxbju] *m*
disturbance
ditado [dʒi'tadu] *m* dictation;
(*provérbio*) saying
ditador [dʒita'do*] *m* dictator
ditar [dʒi'ta*] *vt* to dictate; (*impor*)
to impose
dito, -a ['dʒitu, a] *pp de* **dizer**; **~ e
feito** no sooner said than done
diurno, -a ['dʒjuxnu, a] *adj*
daytime *atr*
divã [dʒi'vã] *m* couch, divan
divergir [dʒivex'ʒi*] *vi* to diverge;
(*discordar*): **~ (de alguém)** to
disagree (with sb)
diversão [dʒivex'sãw] (*pl* **-ões**) *f*
amusement; (*passatempo*) pastime
diverso, -a [dʒi'vexsu, a] *adj*
different; **~s** various, several
diversões [divex'sõjʃ] *fpl de*
diversão
diversos [dʒi'vexsuʃ] *mpl* (*Com*)
sundries
divertido, -a [dʒivex'tʃidu, a] *adj*
amusing, funny
divertimento [dʒivextʃi'mẽtu] *m*
amusement, entertainment
divertir [dʒivex'tʃi*] *vt* to amuse,
entertain; **divertir-se** *vr* to enjoy
o.s., have a good time
dívida ['dʒivida] *f* debt; **contrair
~s** to run into debt; **~ externa**
foreign debt
dividir [dʒivi'dʒi*] *vt* to divide;
(*despesas, lucro, comida etc*) to share;
(*separar*) to separate ▷ *vi* (*Mat*)
to divide; **dividir-se** *vr* to divide,
split up
divino, -a [dʒi'vinu, a] *adj* divine
▷ *m* Holy Ghost

divirjo *etc* [dʒi'vixʒu] *vb V* **divergir**
divisa [dʒi'viza] *f* emblem; (*frase*)
slogan; (*fronteira*) border; (*Mil*)
stripe; **~s** *fpl* (*câmbio*) foreign
exchange *sg*
divisão [dʒivi'zãw] (*pl* **-ões**) *f*
division; (*discórdia*) split; (*partilha*)
sharing
divisões [dʒivi'zõjʃ] *fpl de*
divisão
divisória [dʒivi'zɔrja] *f* partition
divorciado, -a [dʒivox'sjadu, a]
adj divorced ▷ *m/f* divorcé(e)
divorciar [dʒivox'sja*] *vt* to
divorce; **divorciar-se** *vr* to get
divorced; **divórcio** [dʒi'vɔxsju]
m divorce
divulgar [dʒivuw'ga*] *vt* (*notícias*)
to spread; (*segredo*) to divulge;
(*produto*) to market; (*livro*) to
publish; **divulgar-se** *vr* to leak out
dizer [dʒi'ze*] *vt* to say ▷ *m* saying;
dizer-se *vr* to claim to be; **diz-se**
ou **dizem que ...** it is said that ...; **~
algo a alguém** to tell sb sth; (*falar*)
to say sth to sb; **~ a alguém que
...** to tell sb that ...; **o que você diz
da minha sugestão?** what do you
think of my suggestion?; **querer ~**
to mean; **quer ~** that is to say; **digo**
(*ou seja*) I mean; **não diga!** you don't
say!; **por assim ~** so to speak; **até ~
chega** as much as possible
do [du] = **de +o**
doação [doa'sãw] (*pl* **-ões**) *f*
donation
doador, a [doa'do*, a] *m/f* donor
doar [do'a*] *vt* to donate, give
dobra ['dɔbra] *f* fold; (*prega*) pleat;
(*de calças*) turn-up
dobradiça [dobra'dʒisa] *f* hinge
dobradinha [dobra'dʒiɲa] *f*
(*Culin*) tripe stew
dobrar [do'bra*] *vt* to double;
(*papel*) to fold; (*joelho*) to bend;
(*esquina*) to turn, go round; (*fazer*

dobro | 388

ceder): **~ alguém** to talk sb round ▷ *vi* to double; (*sino*) to toll; (*vergar*) to bend; **dobrar-se** *vr* to double (up)
dobro ['dobru] *m* double
doce ['dosi] *adj* sweet; (*terno*) gentle ▷ *m* sweet
dóceis ['dɔsejʃ] *adj pl de* **dócil**
dócil ['dɔsiw] (*pl* **-eis**) *adj* docile
documentação [dokumẽta'sãw] *f* documentation; (*documentos*) papers *pl*
documentário, -a [dokumẽ'tarju, a] *adj* documentary ▷ *m* documentary
documento [doku'mẽtu] *m* document
doçura [do'sura] *f* sweetness; (*brandura*) gentleness
doença [do'ẽsa] *f* illness
doente [do'ẽtʃi] *adj* ill, sick ▷ *m/f* sick person; (*cliente*) patient
doentio, -a [doẽ'tʃiu, a] *adj* (*pessoa*) sickly; (*clima*) unhealthy; (*curiosidade*) morbid
doer [do'e*] *vi* to hurt, ache; **~ a alguém** (*pesar*) to grieve sb
doido, -a ['dojdu, a] *adj* mad, crazy ▷ *m/f* madman/woman
doído, -a [do'idu, a] *adj* painful; (*moralmente*) hurt; (*que causa dor*) painful
dois, duas [dojʃ, 'duaʃ] *num* two; **conversa a ~** tête-à-tête
dólar ['dɔla*] *m* dollar; **~ oficial/paralelo** dollar at the official/black-market rate; **~-turismo** dollar at the special tourist rate; **doleiro, -a** [do'lejru, a] *m/f* (black market) dollar dealer
dolorido, -a [dolo'ridu, a] *adj* painful, sore
dom [dõ] *m* gift; (*aptidão*) knack
domar [do'ma*] *vt* to tame
doméstica [do'mɛʃtʃika] *f* maid
domesticar [domeʃtʃi'ka*] *vt* to domesticate; (*povo*) to tame

doméstico, -a [do'mɛʃtʃiku, a] *adj* domestic; (*vida*) home *atr*
domicílio [domi'silju] *m* home, residence; **"entregamos a ~"** "we deliver"
dominador, a [domina'do*, a] *adj* (*pessoa*) domineering; (*olhar*) imposing ▷ *m/f* ruler
dominar [domi'na*] *vt* to dominate; (*reprimir*) to overcome ▷ *vi* to dominate; **dominar-se** *vr* to control o.s.
domingo [do'mĩgu] *m* Sunday
domínio [do'minju] *m* power; (*dominação*) control; (*território*) domain; (*esfera*) sphere; **~ próprio** self-control
dona ['dɔna] *f* owner; (*col: mulher*) lady; **~ de casa** housewife; **D~ Lígia** Lígia; **D~ Luísa Souza** Mrs Luísa Souza
donde ['dõdʒi] (*PT*) *adv* from where; (*daí*) thus
dono ['donu] *m* owner
dopar [do'pa*] *vt* to drug
dor [do*] *f* ache; (*aguda*) pain; (*fig*) grief, sorrow; **~ de cabeça/dentes/estômago** headache/toothache/stomachache
dormente [dox'mẽtʃi] *adj* numb ▷ *m* (*Ferro*) sleeper
dormir [dox'mi*] *vi* to sleep; **~ fora** to spend the night away
dormitório [doxmi'tɔrju] *m* bedroom; (*coletivo*) dormitory
dorso ['doxsu] *m* back
dos [duʃ] = **de** + **os**
dosagem [do'zaʒẽ] *m* dosage
dose ['dɔzi] *f* dose
dossiê [do'sje] *m* dossier, file
dotado, -a [do'tadu, a] *adj* gifted; **~ de** endowed with
dotar [do'ta*] *vt* to endow
dou *vb V* **dar**
dourado, -a [do'radu, a] *adj* golden; (*com camada de ouro*) gilt

▷ *m* gilt

doutor, a [do'to*, a] *m/f* doctor;
D~ *(forma de tratamento)* Sir; **D~**
Eduardo Souza Mr Eduardo Souza

doutrina [do'trina] *f* doctrine

doze ['dozi] *num* twelve

Dr(a). *abr* (= *Doutor(a)*) Dr.

dragão [dra'gãw] (*pl* **-ões**) *m*
dragon

dragões [dra'gõjʃ] *mpl de* **dragão**

drama ['drama] *m* drama;
dramatizar [dramatʃi'za*] *vt, vi*
to dramatize

drástico, -a ['draʃtʃiku, a] *adj*
drastic

dreno ['drɛnu] *m* drain

driblar [dri'bla*] *vt, vi* (*Futebol*)
to dribble

drinque ['drĩki] *m* drink

droga ['drɔga] *f* drug; (*fig*) rubbish;
drogado, -a [dro'gadu, a] *m/f*
drug addict; **drogar** [dro'ga*] *vt* to
drug; **drogar-se** *vr* to take drugs

drogaria [droga'ria] *f* chemist's
shop (*BRIT*), drugstore (*US*)

DTP *abr m* (= *desktop publishing*) DTP

duas ['duaʃ] *f de* **dois**

ducha ['duʃa] *f* shower

dueto ['dwetu] *m* duet

duna ['duna] *f* dune

dupla ['dupla] *f* pair; (*Esporte*):
~ masculina/feminina/mista
men's/women's/mixed doubles

duplicar [dupli'ka*] *vt* to
duplicate ▷ *vi* to double; **duplicata**
[dupli'kata] *f* duplicate; (*título*)
trade note, bill

duplo, -a ['duplu, a] *adj* double
▷ *m* double

duque ['duki] *m* duke

duração [dura'sãw] *f* duration;
de pouca ~ short-lived

durante [du'rãtʃi] *prep* during; **~**
uma hora for an hour

durar [du'ra*] *vi* to last

durável [du'ravew] (*pl* **-eis**) *adj*

lasting

durex [du'rɛks] ® *adj*: **fita ~**
adhesive tape, sellotape ® (*BRIT*),
scotchtape ® (*US*)

durmo *etc* ['duxmu] *vb V* **dormir**

duro, -a ['duru, a] *adj* hard;
(*severo*) harsh; (*resistente, fig*) tough;
estar ~ (*col*) to be broke

dúvida ['duvida] *f* doubt; **sem**
~ undoubtedly, without a doubt;
duvidar [duvi'da*] *vt* to doubt
▷ *vi* to have one's doubts; **duvidar**
de alguém/algo to doubt sb/sth;
duvidar que ... to doubt that ...;
duvido! I doubt it!; **duvidoso, -a**
[duvi'dozu, ɔza] *adj* doubtful;
(*suspeito*) dubious

duzentos, -as [du'zẽtuʃ, aʃ] *num*
two hundred

dúzia ['duzja] *f* dozen; **meia ~**
half a dozen

DVD *abr m* (= *disco digital versátil*)
DVD

dz. *abr* = **dúzia**

e [i] *conj* and; **~ a bagagem?** what about the luggage?

é [ɛ] *vb V* **ser**

eclipse [e'klipsi] *m* eclipse

eco ['ɛku] *m* echo; **ter ~** to catch on; **ecoar** [e'kwa*] *vt* to echo ▷ *vi* (*ressoar*) to echo

ecologia [ekolo'ʒia] *f* ecology

economia [ekono'mia] *f* economy; (*ciência*) economics *sg*; **~s** *fpl* (*poupanças*) savings; **fazer ~ (de)** to economize (with)

econômico, -a [eko'nomiku, a] *adj* economical; (*pessoa*) thrifty; (*Com*) economic

economizar [ekonomi'za*] *vt* (*gastar com economia*) to economize on; (*poupar*) to save (up) ▷ *vi* to economize; to save up

écran ['ɛkrã] (*PT*) *m* screen

edição [edʒi'sãw] (*pl* **-ões**) *f* publication; (*conjunto de exemplares*) edition; (*TV, Cinema*) editing

edifício [edʒi'fisju] *m* building; **~ garagem** multistorey car park (*BRIT*), multistory parking lot (*US*)

Edimburgo [edʒĩ'buxgu] *n* Edinburgh

editar [edʒi'ta*] *vt* to publish; (*Comput etc*) to edit

editor, a [edʒi'to*, a] *adj* publishing *atr* ▷ *m/f* publisher; (*redator*) editor ▷ *f* publishing company; **casa ~a** publishing house; **editoração** [edʒitora'sãw] *f*: **editoração eletrônica** desktop publishing; **editorial** [edʒitor'jaw] (*pl* **-ais**) *adj* publishing *atr* ▷ *m* editorial

edredão [edre'dãw] (*pl* **-ões**) (*PT*) *m* = **edredom**

edredom [edre'dõ] (*pl* **-ns**) *m* eiderdown

educação [eduka'sãw] *f* education; (*criação*) upbringing; (*de animais*) training; (*maneiras*) good manners *pl*; **educacional** [edukasjo'naw] (*pl* **-ais**) *adj* education *atr*

educar [edu'ka*] *vt* to educate; (*criar*) to bring up; (*animal*) to train

efectivo, -a [efek'tivu, a] (*PT*) *adj* = **efetivo** *etc*

efectuar [efek'twa*] (*PT*) *vt* = **efetuar**

efeito [e'fejtu] *m* effect; **fazer ~** to work; **levar a ~** to put into effect; **com ~** indeed

efeminado [efemi'nadu] *adj* effeminate

efervescente [efexve'sẽtʃi] *adj* fizzy

efetivamente [efetʃiva'mẽtʃi] *adv* effectively; (*realmente*) really, in fact

efetivo, -a [efe'tʃivu, a] *adj* effective; (*real*) actual, real; (*cargo, funcionário*) permanent

efetuar [efe'twa*] *vt* to carry out;

(*soma*) to do, perform

eficaz [efi'kaʒ] *adj* (*pessoa*) efficient; (*tratamento*) effective

eficiência [efi'sjēsja] *f* efficiency; **eficiente** [efi'sjētʃi] *adj* efficient

egípcio, -a [e'ʒipsju, a] *adj, m/f* Egyptian

Egito [e'ʒitu] (*PT* **-pt-**) *m*: **o ~** Egypt

egoísmo [ego'iʒmu] *m* selfishness, egoism; **egoísta** [ego'iʃta] *adj* selfish, egoistic ▷ *m/f* egoist

égua ['ɛgwa] *f* mare

ei [ej] *excl* hey!

ei-lo *etc* = **eis** + **o**

eis [ejʃ] *adv* (*sg*) here is; (*pl*) here are; **~ aí** there is; there are

ejacular [eʒaku'la*] *vt* (*sêmen*) to ejaculate; (*líquido*) to spurt ▷ *vi* to ejaculate

ela ['ɛla] *pron* (*pessoa*) she; (*coisa*) it; (*com prep*) her; it; **~s** *fpl* they; (*com prep*) them; **~s por ~s** (*col*) tit for tat

elaboração [elabora'sāw] (*pl* **-ões**) *f* (*de uma teoria*) working out; (*preparo*) preparation

elaborar [elabo'ra*] *vt* to prepare; (*fazer*) to make; (*teoria*) to work out

elástico, -a [e'laʃtʃiku, a] *adj* elastic; (*flexível*) flexible; (*colchão*) springy ▷ *m* elastic band

ele ['ɛlɪ] *pron* he; (*coisa*) it; (*com prep*) him; it; **~s** *mpl* they; (*com prep*) them

electri... *etc* [elektri] (*PT*) = **eletri...** *etc*

eléctrico, -a [e'lɛktriku, a] (*PT*) *adj* = **elétrico** ▷ *m* tram (*BRIT*), streetcar (*US*)

electro... *etc* [elektru] (*PT*) = **eletro...** *etc*

eléctrodo [e'lɛktrodu] (*PT*) *m* = **eletrodo**

elefante, -ta [ele'fātʃi, ta] *m/f* elephant

elegante [ele'gātʃi] *adj* elegant;

(*da moda*) fashionable

eleger [ele'ʒe*] *vt* to elect; (*escolher*) to choose

eleição [elej'sāw] (*pl* **-ões**) *f* election; (*escolha*) choice

eleito, -a [e'lejtu, a] *pp de* **eleger** ▷ *adj* elected; chosen

eleitor, a [elej'to*, a] *m/f* voter

elejo *etc* [ele'ʒu] *vb V* **eleger**

elementar [elemē'ta*] *adj* elementary; (*fundamental*) basic, fundamental

elemento [ele'mētu] *m* element; (*parte*) component; (*recurso*) means; (*informação*) grounds *pl*; **~s** *mpl* (*rudimentos*) rudiments

elenco [e'lēku] *m* list; (*de atores*) cast

eletricidade [eletrisi'dadʒi] *f* electricity

eletricista [eletri'siʃta] *m/f* electrician

elétrico, -a [e'lɛtriku, a] *adj* electric; (*fig: agitado*) worked up

eletrificar [eletrifi'ka*] *vt* to electrify

eletrizar [eletri'za*] *vt* to electrify; (*fig*) to thrill

eletro... [eletru] *prefixo* electro...; **eletrocutar** [eletroku'ta*] *vt* to electrocute; **eletrodo** [ele'trodu] *m* electrode; **eletrodomésticos** [eletrodo'mɛʃtʃikuʃ] *mpl* (electrical) household appliances

eletrônica [ele'tronika] *f* electronics *sg*

eletrônico, -a [ele'troniku, a] *adj* electronic

elevação [eleva'sāw] (*pl* **-ões**) *f* (*Arq*) elevation; (*aumento*) rise; (*ato*) raising; (*altura*) height; (*promoção*) promotion; (*ponto elevado*) bump

elevador [eleva'do*] *m* lift (*BRIT*), elevator (*US*)

elevar [ele'va*] *vt* to lift up; (*voz, preço*) to raise; (*exaltar*) to exalt;

(*promover*) to promote; **elevar-se**
vr to rise
eliminar [elimi'na*] *vt* to remove;
(*suprimir*) to delete; (*possibilidade*)
to rule out; (*Med, banir*) to expel;
(*Esporte*) to eliminate; **eliminatória**
[elimina'tɔrja] *f* (*Esporte*) heat,
preliminary round; (*exame*) test
elite [e'litʃi] *f* elite
elogiar [elo'ʒja*] *vt* to praise;
  elogio [elo'ʒiu] *m* praise;
  (*cumprimento*) compliment
El Salvador [ew–] *n* El Salvador

⊙ **PALAVRA CHAVE**

em [ẽ] (*em* + *o(s)/a(s)* = *no(s)/na(s);* +
ele(s)/a(s) = *nele(s)/a(s);* + *esse(s)/a(s)*
= *nesse(s)/a(s);* + *isso* = *nisso;* + *este(s)/*
a(s) = *neste(s)/a(s);* + *isto* = *nisto;* +
aquele(s)/a(s) = *naquele(s)/*
a(s); + *aquilo* = *naquilo*) *prep*
1 (*posição*) in; (: *sobre*) on; **está na**
gaveta/no bolso it's in the drawer/
pocket; **está na mesa/no chão** it's
on the table/floor
2 (*lugar*) in; (: *casa, escritório etc*) at;
(: *andar, meio de transporte*) on; **no**
Brasil/em São Paulo in Brazil/São
Paulo; **~ casa/no dentista** at
home/the dentist; **no avião** on
the plane; **no quinto andar** on the
fifth floor
3 (*ação*) into; **ela entrou na sala de**
aula she went into the classroom;
colocar algo na bolso to put sth
into one's bag
4 (*tempo*) in, on; **~ 1962/3 semanas**
in 1962/3 weeks; **no inverno** in
the winter; **~ janeiro, no mês de**
janeiro in January; **nessa ocasião/**
altura on that occasion/at that
time; **~ breve** soon
5 (*diferença*) **reduzir/aumentar ~**
um 20% to reduce/increase by 20%
6 (*modo*): **escrito ~ inglês** written

in English
7 (*após vb que indica gastar etc*) on;
a metade do seu salário vai ~
comida he spends half his salary
on food
8 (*tema, ocupação*): **especialista no**
assunto expert on the subject; **ele**
trabalha na construção civil he
works in the building industry

emagrecer [imagre'se*]
vt to make thin ▷ *vi* to grow
thin; (*mediante regime*) to slim;
  emagrecimento [imagres i'mẽtu]
  m (*mediante regime*) slimming
e-mail [i'mew] *m* e-mail; **mandar**
um ~ para to e-mail; **mandar por**
~ to e-mail
emaranhado, -a [imara'ɲadu,
a] *adj* tangled ▷ *m* tangle
embaixada [ẽbaj'ʃada] *f* embassy
embaixador, a [ẽbajʃa'do*, a]
m/f ambassador
embaixatriz [ẽbajʃa'triʒ] *f*
ambassador; (*mulher de embaixador*)
ambassador's wife
embaixo [ẽ'bajʃu] *adv* below,
underneath ▷ *prep*: **~ de** under,
underneath; **(lá) ~** (*em andar inferior*)
downstairs
embalagem [ẽba'laʒẽ] *f* packing;
(*de produto: caixa etc*) packaging
embalar [ẽba'la*] *vt* to pack;
(*balançar*) to rock
embaraçar [ẽbara'sa*] *vt* to
hinder; (*complicar*) to complicate;
(*encabular*) to embarrass; (*confundir*)
to confuse; (*obstruir*) to block;
  embaraçar-se *vr* to become
  embarrassed
embaraço [ẽba'rasu] *m*
hindrance; (*cábula*) embarrassment;
  embaraçoso, -a [ẽbara'sozu, ɔza]
  adj embarrassing
embarcação [ẽbaxka'sãw] (*pl*
-ões) *f* vessel

embarcar [ēbax'ka*] vt to embark, put on board; (mercadorias) to ship, stow ▷ vi to go on board, embark

embarque [ē'baxki] m (de pessoas) boarding, embarkation; (de mercadorias) shipment

embebedar [ēbebe'da*] vt to make drunk ▷ vi: **o vinho embebeda** wine makes you drunk; **embebedar-se** vr to get drunk

emblema [ē'blɛma] m emblem; (na roupa) badge

êmbolo ['ēbolu] m piston

embolsar [ēbow'sa*] vt to pocket; (herança) to come into; (indenizar) to refund

embora [ē'bɔra] conj though, although ▷ excl even so; **ir(-se) ~** to go away

emboscada [ēboʃ'kada] f ambush

embriagar [ēbrja'ga*] vt to make drunk, intoxicate; **embriagar-se** vr to get drunk; **embriaguez** [ēbrja-'geʒ] f drunkenness; (fig) rapture

embrião [e'brjãw] (pl **-ões**) m embryo

embromar [ēbro'ma*] vt (adiar) to put off; (enganar) to cheat ▷ vi (prometer e não cumprir) to make empty promises, be all talk (and no action); (protelar) to stall; (falar em rodeios) to beat about the bush

embrulhar [ēbru'ʎa*] vt (pacote) to wrap; (enrolar) to roll up; (confundir) to muddle up; (enganar) to cheat; (estômago) to upset; **embrulhar-se** vr to get into a muddle

embrulho [ē'bruʎu] m package, parcel; (confusão) mix-up

emburrar [ēbu'xa*] vi to sulk

embutido, -a [ēbu'tʃidu, a] adj (armário) built-in, fitted

emenda [e'mēda] f correction;

(de lei) amendment; (de uma pessoa) improvement; (ligação) join; (sambladura) joint; (Costura) seam

emendar [emē'da*] vt to correct; (reparar) to mend; (injustiças) to make amends for; (lei) to amend; (ajuntar) to put together; **emendar-se** vr to mend one's ways

ementa [e'mēta] (PT) f menu

emergência [imex'ʒēsja] f emergence; (crise) emergency

emigrado, -a [emi'gradu, a] adj emigrant

emigrante [emi'grātʃi] m/f emigrant

emigrar [emi'gra*] vi to emigrate; (aves) to migrate

eminência [emi'nēsja] f eminence; (altura) height; **eminente** [emi'nētʃi] adj eminent, distinguished; (Geo) high

emissão [emi'sãw] (pl **-ões**) f emission; (Rádio) broadcast; (de moeda, ações) issue

emissor, a [emi'so*, a] adj (de moeda-papel) issuing ▷ m (Rádio) transmitter ▷ f (estação) broadcasting station; (empresa) broadcasting company

emitir [emi'tʃi*] vt (som) to give out; (cheiro) to give off; (moeda, ações) to issue; (Rádio) to broadcast; (opinião) to express ▷ vi (emitir moeda) to print money

emoção [emo'sãw] (pl **-ões**) f emotion; (excitação) excitement; **emocional** [imosjo'naw] (pl **-ais**) adj emotional; **emocionante** [imosjo'nātʃi] adj moving; exciting; **emocionar** [imosjo'na*] vt to move; (perturbar) to upset; (excitar) to excite, thrill ▷ vi to be exciting; (comover) to be moving; **emocionar-se** vr to get emotional

emotivo, -a [emo'tʃivu, a] adj emotional

empacotar [ẽpako'ta*] vt to pack, wrap up

empada [ẽ'pada] f pie

empadão [ẽpa'dãw] (pl -ões) m pie

empalidecer [ẽpalide'se*] vi to turn pale

empanturrar [ẽpãtu'xa*] vt: ~ **alguém de algo** to stuff sb full of sth

empatar [ẽpa'ta*] vt to hinder; (dinheiro) to tie up; (no jogo) to draw; (tempo) to take up ▷ vi (no jogo): ~ **(com)** to draw (with); **empate** [ẽ'patʃi] m draw; tie; (Xadrez) stalemate; (em negociações) deadlock

empecilho [ẽpe'siʎu] m obstacle; (col) snag

empenhar [ẽpe'ɲa*] vt (objeto) to pawn; (palavra) to pledge; (empregar) to exert; (compelir) to oblige; **empenhar-se** vr: ~-**se em fazer** to strive to do, do one's utmost to do; **empenho** [ẽ'peɲu] m pawning; pledge; (insistência): **empenho (em)** commitment (to)

empilhar [ẽpi'ʎa*] vt to pile up

empinado, -a [ẽpi'nadu, a] adj upright; (cavalo) rearing; (colina) steep

empinar [ẽpi'na*] vt to raise, uplift

empobrecer [ẽpobre'se*] vt to impoverish ▷ vi to become poor; **empobrecimento** [ẽpobresi-'mẽtu] m impoverishment

empolgação [ẽpowga'sãw] f excitement; (entusiasmo) enthusiasm

empolgante [ẽpow'gãtʃi] adj exciting

empolgar [ẽpow'ga*] vt to stimulate, fill with enthusiasm; (prender a atenção de): ~ **alguém** to keep sb riveted

empossar [ẽpo'sa*] vt to appoint

empreendedor, a [ẽprjẽde'do*, a] adj enterprising ▷ m/f entrepreneur

empreender [ẽprjẽ'de*] vt to undertake; **empreendimento** [ẽprjẽdʒi'mẽtu] m undertaking

empregada [ẽpre'gada] f (BR: doméstica) maid; (PT: de restaurante) waitress; V tb **empregado**

empregado, -a [ẽpre'gadu, a] m/f employee; (em escritório) clerk ▷ m (PT: de restaurante) waiter

empregador, a [ẽprega'do*, a] m/f employer

empregar [ẽpre'ga*] vt (pessoa) to employ; (coisa) to use; **empregar-se** vr to get a job

emprego [ẽ'pregu] m job; (uso) use

empreiteiro [ẽprej'tejru] m contractor

empresa [ẽ'preza] f undertaking; (Com) enterprise, firm; ~ **pontocom** dotcom; **empresário, -a** [ẽpre'zarju, a] m/f businessman/woman; (de cantor, boxeador etc) manager

emprestado, -a [ẽpreʃ'tadu, a] adj on loan; **pedir** ~ to borrow; **tomar algo** ~ to borrow sth

emprestar [ẽpreʃ'ta*] vt to lend; **empréstimo** [ẽ'prɛʃtʃimu] m loan

empunhar [ẽpu'ɲa*] vt to grasp, seize

empurrão [ẽpu'xãw] (pl -ões) m push, shove; **aos empurrões** jostling

empurrar [ẽpu'xa*] vt to push

empurrões [ẽpu'xõjʃ] mpl de **empurrão**

emudecer [emude'se*] vt to silence ▷ vi to fall silent, go quiet

enamorado, -a [enamo'radu, a] adj enchanted; (apaixonado) in love

encabulado, -a [ẽkabu'ladu,

a] *adj* shy

encadernação [ẽkadexna'sãw]
(*pl* **-ões**) *f* (*de livro*) binding

encadernado, -a [ẽkadex'nadu,
a] *adj* bound; (*de capa dura*)
hardback

encadernar [ẽkadex'na*] *vt*
to bind

encaixar [ẽkaj'ʃa*] *vt* (*colocar*) to
fit in; (*inserir*) to insert ▷ *vi* to fit;
encaixe [ẽ'kajʃi] *m* (*ato*) fitting;
(*ranhura*) groove; (*buraco*) socket

encalço [ẽ'kawsu] *m* pursuit; **ir
no ~ de** to pursue

encaminhar [ẽkami'ɲa*] *vt* to
direct; (*no bom caminho*) to put on
the right path; (*processo*) to set in
motion; **encaminhar-se** *vr*: **~-se
para/a** to set out for/to

encanar [ẽka'na*] *vt* to channel

encantado, -a [ẽkã'tadu, a] *adj*
delighted; (*castelo etc*) enchanted;
(*fascinado*): **~ (por)** smitten (with)

encantamento [ẽkãta'mẽtu] *m*
(*magia*) spell; (*fascinação*) charm

encanto [ẽ'kãtu] *m* delight;
charm

encarar [ẽka'ra*] *vt* to face; (*olhar*)
to look at; (*considerar*) to consider

encargo [ẽ'kaxgu] *m*
responsibility; (*ocupação*) job,
assignment; (*fardo*) burden

encarnação [ẽkaxna'sãw] (*pl*
-ões) *f* incarnation

encarnado, -a [ẽkax'nadu, a] *adj*
red, scarlet

encarnar [ẽkax'na*] *vt* to
embody, personify; (*Teatro*) to play

encarregado, -a [ẽkaxe'gadu, a]
adj: **~ de** in charge of ▷ *m/f* person
in charge ▷ *m* (*de operários*) foreman

encarregar [ẽkaxe'ga*] *vt*: **~
alguém de algo** to put sb in charge
of sth; **encarregar-se** *vr*: **~-se de
fazer** to undertake to do

encenação [ẽsena'sãw] (*pl* **-ões**)

f (*de peça*) staging, putting on;
(*produção*) production; (*fingimento*)
playacting; (*atitude fingida*) put-on

encerar [ẽse'ra*] *vt* to wax

encerramento [ẽsexa'mẽtu] *m*
close, end

encerrar [ẽse'xa*] *vt* to shut in,
lock up; (*conter*) to contain; (*concluir*)
to close

encharcar [ẽʃax'ka*] *vt* to flood;
(*ensopar*) to soak, drench;
encharcar-se *vr* to get soaked *ou*
drenched

enchente [ẽ'ʃẽtʃi] *f* flood

encher [ẽ'ʃe*] *vt* to fill (up); (*balão*)
to blow up; (*tempo*) to fill, take up
▷ *vi* (*col*) to be annoying; **encher-se**
vr to fill up; **~-se (de)** (*col*) to
get fed up (with); **enchimento**
[ẽʃi'mẽtu] *m* filling

enciclopédia [ẽsiklo'pɛdʒja] *f*
encyclopedia, encyclopaedia (*BRIT*)

encoberto, -a [ẽko'bɛxtu, a] *pp*
de **encobrir** ▷ *adj* concealed; (*tempo*)
overcast

encobrir [ẽko'bri*] *vt* to conceal,
hide

encolher [ẽko'ʎe*] *vt* (*pernas*)
to draw up; (*os ombros*) to shrug;
(*roupa*) to shrink ▷ *vi* to shrink;
encolher-se *vr* (*de frio*) to huddle

encomenda [ẽko'mẽda] *f* order;
feito de ~ made to order, custom-
made; **encomendar** [ẽkomẽ'da*]
vt: **encomendar algo a alguém** to
order sth from sb

encontrar [ẽkõ'tra*] *vt* to find;
(*pessoa*) to meet; (*inesperadamente*)
to come across; (*dar com*) to bump
into ▷ *vi*: **~ com** to bump into;
encontrar-se *vr* (*achar-se*) to be;
(*ter encontro*): **~-se (com alguém)**
to meet (sb)

encontro [ẽ'kõtru] *m* (*de pessoas*)
meeting; (*Mil*) encounter; **~
marcado** appointment; **ir/vir ao ~**

de to go/come and meet

encorajar [ẽkora'ʒa°] *vt* to encourage

encosta [ẽ'kɔʃta] *f* slope

encostar [ẽkoʃ'ta°] *vt* (*cabeça*) to put down; (*carro*) to park; (*pôr de lado*) to put to one side; (*pôr junto*) to put side by side; (*porta*) to leave ajar ▷ *vi* to pull in; **encostar-se** *vr*: **~-se em** to lean against; (*deitar-se*) to lie down on; **~ em** to lean against; **~ a mão em** (*bater*) to hit

encosto [ẽ'koʃtu] *m* (*arrimo*) support; (*de cadeira*) back

encrencar [ẽkrẽ'ka°] (*col*) *vt* (*situação*) to complicate; (*pessoa*) to get into trouble ▷ *vi* to get complicated; (*carro*) to break down; **encrencar-se** *vr* to get complicated; to get into trouble

encruzilhada [ẽkruzi'ʎada] *f* crossroads *sg*

encurtar [ẽkux'ta°] *vt* to shorten

endereçar [ẽdere'sa°] *vt* (*carta*) to address; (*encaminhar*) to direct

endereço [ẽde'resu] *m* address; **~ eletrônico** *ou* **de e-mail** e-mail address; **~ de site** web address

endiabrado, -a [ẽdʒja'bradu, a] *adj* devilish; (*travesso*) mischievous

endinheirado, -a [ẽdʒiɲej'radu, a] *adj* rich, wealthy

endireitar [ẽdʒirej'ta°] *vt* (*objeto*) to straighten; (*fig: retificar*) to put right; **endireitar-se** *vr* to straighten up

endividar-se [ẽdʒivi'daxs i] *vr* to run into debt

endossar [ẽdo'sa°] *vt* to endorse

endurecer [ẽdure'se°] *vt, vi* to harden

energia [enex'ʒia] *f* energy, drive; (*Tec*) power, energy; **enérgico, -a** [e'nexʒiku, a] *adj* energetic, vigorous

enervante [enex'vãtʃi] *adj* annoying

enevoado, -a [ene'vwadu, a] *adj* misty, hazy

enfado [ẽ'fadu] *m* annoyance

ênfase ['ẽfazi] *f* emphasis, stress

enfastiado, -a [ẽfaʃ'tʃjadu, a] *adj* bored

enfático, -a [ẽ'fatʃiku, a] *adj* emphatic

enfatizar [ẽfatʃi'za°] *vt* to emphasize

enfeitar [ẽfej'ta°] *vt* to decorate; **enfeitar-se** *vr* to dress up; **enfeite** [ẽ'fejtʃi] *m* decoration

enfermeiro, -a [ẽfex'mejru, a] *m/f* nurse

enfermidade [ẽfexmi'dadʒi] *f* illness

enfermo, -a [ẽ'fexmu, a] *adj* ill, sick ▷ *m/f* sick person, patient

enferrujar [ẽfexu'ʒa°] *vt* to rust, corrode ▷ *vi* to go rusty

enfiar [ẽ'fja°] *vt* (*meter*) to put; (*agulha*) to thread; (*vestir*) to slip on; **enfiar-se** *vr*: **~-se em** to slip into

enfim [ẽ'fĩ] *adv* finally, at last; (*em suma*) in short; **até que ~!** at last!

enfoque [ẽ'fɔki] *m* approach

enforcar [ẽfox'ka°] *vt* to hang; (*trabalho, aulas*) to skip; **enforcar-se** *vr* to hang o.s.

enfraquecer [ẽfrake'se°] *vt* to weaken ▷ *vi* to grow weak

enfrentar [ẽfrẽ'ta°] *vt* to face; (*confrontar*) to confront; (*problemas*) to face up to

enfurecer [ẽfure'se°] *vt* to infuriate; **enfurecer-se** *vr* to get furious

enganado, -a [ẽga'nadu, a] *adj* mistaken; (*traído*) deceived

enganar [ẽga'na°] *vt* to deceive; (*desonrar*) to seduce; (*cônjuge*) to be unfaithful to; (*fome*) to stave off; **enganar-se** *vr* to be wrong, be mistaken; (*iludir-se*) to deceive o.s.

engano [ẽˈgãnu] *m* mistake; (*ilusão*) deception; (*logro*) trick; **é ~** (*Tel*) I've (*ou* you've) got the wrong number

engarrafamento [ẽgaxafaˈmẽtu] *m* bottling; (*de trânsito*) traffic jam

engarrafar [ẽgaxaˈfa*] *vt* to bottle; (*trânsito*) to block

engasgar [ẽgaʒˈga*] *vt* to choke ▷ *vi* to choke; (*máquina*) to splutter; **engasgar-se** *vr* to choke

engatinhar [ẽgatʃiˈɲa*] *vi* to crawl

engenharia [ẽʒeɲaˈria] *f* engineering; **engenheiro, -a** [ẽʒeˈɲejru, a] *m/f* engineer

engenhoso, -a [ẽʒeˈɲozu, ɔza] *adj* clever, ingenious

engessar [ẽʒeˈsa*] *vt* (*perna*) to put in plaster; (*parede*) to plaster

englobar [ẽgloˈba*] *vt* to include

engodo [ẽˈgodu] *m* bait

engolir [ẽgoˈli*] *vt* to swallow

engordar [ẽgoxˈda*] *vt* to fatten ▷ *vi* to put on weight

engraçado, -a [ẽgraˈsadu, a] *adj* funny, amusing

engradado [ẽgraˈdadu] *m* crate

engraxador [ẽgraʃaˈdo*] (*PT*) *m* shoe shiner

engraxar [ẽgraˈʃa*] *vt* to polish

engrenagem [ẽgreˈnaʒẽ] (*pl* **-ns**) *f* (*Auto*) gear

engrenar [ẽgreˈna*] *vt* to put into gear; (*fig: conversa*) to strike up ▷ *vi*: **~ com alguém** to get on with sb

engrossar [ẽgroˈsa*] *vt* (*sopa*) to thicken; (*aumentar*) to swell; (*voz*) to raise ▷ *vi* to thicken; to swell; to rise; (*col: pessoa, conversa*) to turn nasty

enguia [ẽˈgia] *f* eel

enguiçar [ẽgiˈsa*] *vi* (*máquina*) to break down ▷ *vt* to cause to break down; **enguiço** [ẽˈgisu] *m* snag; (*desarranjo*) breakdown

enigma [eˈnigima] *m* enigma; (*mistério*) mystery

enjeitado, -a [ẽʒejˈtadu, a] *m/f* foundling, waif

enjoado, -a [ẽˈʒwadu, a] *adj* sick; (*enfastiado*) bored; (*enfadonho*) boring; (*mal-humorado*) in a bad mood

enjoar [ẽˈʒwa*] *vt* to make sick; to bore ▷ *vi* (*pessoa*) to be sick; (*remédio, comida*) to cause nausea; **enjoar-se** *vr*: **~-se de** to get sick of

enjôo [ẽˈʒou] *m* sickness; (*em carro*) travel sickness; (*em navio*) seasickness; boredom

enlatado, -a [ẽlaˈtadu, a] *adj* tinned (BRIT), canned ▷ *m* (*pej: filme*) foreign import; **~s** *mpl* (*comida*) tinned (BRIT) *ou* canned foods

enlouquecer [ẽlokeˈse*] *vt* to drive mad ▷ *vi* to go mad

enlutado, -a [ẽluˈtadu, a] *adj* in mourning

enorme [eˈnɔxmi] *adj* enormous, huge; **enormidade** [enoxmiˈdadʒi] *f* enormity; **uma enormidade (de)** (*col*) a hell of a lot (of)

enquanto [ẽˈkwãtu] *conj* while; (*considerado como*) as; **~ isso** meanwhile; **por ~** for the time being; **~ ele não vem** until he comes; **~ que** whereas

enquête [ẽˈkɛtʒi] *f* survey

enraivecer [ẽxajveˈse*] *vt* to enrage

enredo [ẽˈxedu] *m* (*de uma obra*) plot; (*intriga*) intrigue

enriquecer [ẽxikeˈse*] *vt* to make rich; (*fig*) to enrich ▷ *vi* to get rich; **enriquecer-se** *vr* to get rich

enrolar [ẽxoˈla*] *vt* to roll up; (*agasalhar*) to wrap up; (*col: enganar*) to con ▷ *vi* (*col*) to waffle; **enrolar-se** *vr* to roll up; to wrap up; (*col: confundir-se*) to get mixed up

enroscar [ẽʃoʃ'ka°] vt (*torcer*) to twist, wind (round); **enroscar-se** vr to coil up

enrugar [ẽʃu'ga°] vt (*pele*) to wrinkle; (*testa*) to furrow; (*tecido*) to crease ▷ vi (*pele, mãos*) to go wrinkly; (*pessoa*) to get wrinkles

ensaiar [ẽsa'ja°] vt to test, try out; (*treinar*) to practise (BRIT), practice (US); (*Teatro*) to rehearse

ensaio [ẽ'saju] m test; (*tentativa*) attempt; (*treino*) practice; (*Teatro*) rehearsal; (*literário*) essay

enseada [ẽ'sjada] f inlet, cove; (*baía*) bay

ensejo [ẽ'seʒu] m chance, opportunity

ensinamento [ẽsina'mẽtu] m teaching; (*exemplo*) lesson

ensinar [ẽsi'na°] vt, vi to teach

ensino [ẽ'sinu] m teaching, tuition; (*educação*) education

ensopado, -a [ẽso'padu, a] adj soaked ▷ m stew

ensurdecer [ẽsuxde'se°] vt to deafen ▷ vi to go deaf

entalar [ẽta'la°] vt to wedge, jam; (*encher*): **ela me entalou de comida** she stuffed me full of food

entalhar [ẽta'ʎa°] vt to carve; **entalhe** [ẽ'taʎi] m groove, notch

entanto [ẽ'tãtu]: **no ~** adv yet, however

então [ẽ'tãw] adv then; **até ~** up to that time; **desde ~** ever since; **e ~?** well then?; **para ~** so that; **pois ~** in that case; **~, você vai ou não?** so, are you going or not?

entardecer [ẽtaxde'se°] vi to get late ▷ m sunset

ente ['ẽtʃi] m being

enteado, -a [ẽ'tʃjadu, a] m/f stepson/stepdaughter

entediar [ẽte'dʒja°] vt to bore; **entediar-se** vr to get bored

entender [ẽtẽ'de°] vt to understand; (*pensar*) to think; (*ouvir*) to hear; **entender-se** vr to understand one another; **dar a ~** to imply; **no meu ~** in my opinion; **~ de música** to know about music; **~ de fazer** to decide to do; **~-se por** to be meant by; **~-se com alguém** to get along with sb; (*dialogar*) to sort things out with sb

entendido, -a [ẽtẽ'dʒidu, a] adj (*col*) gay; (*conhecedor*): **~ em** good at ▷ m/f expert; (*col*) homosexual, gay; **bem ~** that is

entendimento [ẽtẽdʒi'mẽtu] m understanding; (*opinião*) opinion; (*combinação*) agreement

enterrar [ẽte'xa°] vt to bury; (*faca*) to plunge; (*lever à ruina*) to ruin; (*assunto*) to close

enterro [ẽ'texu] m burial; (*funeral*) funeral

entidade [ẽtʃi'dadʒi] f (*ser*) being; (*corporação*) body; (*coisa que existe*) entity

entornar [ẽtox'na°] vt to spill; (*fig: copo*) to drink ▷ vi to drink a lot

entorpecente [ẽtoxpe'sẽtʃi] m narcotic

entorpecimento [ẽtoxpesi'mẽtu] m numbness; (*torpor*) lethargy

entorse [ẽ'tɔxsi] f sprain

entortar [ẽtox'ta°] vt (*curvar*) to bend; (*empenar*) to warp; **~ os olhos** to squint

entrada [ẽ'trada] f (*ato*) entry; (*lugar*) entrance; (*Tec*) inlet; (*de casa*) doorway; (*começo*) beginning; (*bilhete*) ticket; (*Culin*) starter, entrée; (*Comput*) input; (*pagamento inicial*) down payment; (*corredor de casa*) hall; **~s** fpl (*no cabelo*) receding hairline sg; **~ gratuita** admission free; **"~ proibida"** "no entry", "no admittance"; **meia ~** half-price ticket

entra-e-sai ['ẽtrai'saj] *m* comings and goings *pl*

entranhado, -a [ẽtra'ɲadu, a] *adj* deep-rooted

entranhas [ẽ'traɲaʃ] *fpl* bowels, entrails; (*sentimentos*) feelings; (*centro*) heart *sg*

entrar [ẽ'tra°] *vi* to go (*ou* come) in, enter; **~ com** (*Comput: dados etc*) to enter; **eu entrei com £10** I contributed £10; **~ de férias/licença** to start one's holiday (BRIT) *ou* vacation (US)/leave; **~ em** to go (*ou* come) into, enter; (*assunto*) to get onto; (*comida, bebida*) to start in on

entrave [ẽ'travi] *m* (*fig*) impediment

entre ['ẽtri] *prep* (*dois*) between; (*mais de dois*) among(st); **~ si** amongst themselves

entreaberto, -a [ẽtrja'bɛxtu, a] *adj* half-open; (*porta*) ajar

entrega [ẽ'trega] *f* (*de mercadorias*) delivery; (*a alguém*) handing over; (*rendição*) surrender; **~ rápida** special delivery

entregar [ẽtre'ga°] *vt* to hand over; (*mercadorias*) to deliver; (*confiar*) to entrust; (*devolver*) to return; **entregar-se** *vr* (*render-se*) to give o.s. up; (*dedicar-se*) to devote o.s.

entregue [ẽ'trɛgi] *pp de* **entregar**

entrelinha [ẽtre'liɲa] *f* line space; **ler nas ~s** to read between the lines

entreolhar-se [ẽtrio'ʎaxsi] *vr* to exchange glances

entretanto [ẽtri'tãtu] *conj* however

entretenimento [ẽtriteni'mẽtu] *m* entertainment; (*distração*) pastime

entreter [ẽtri'te°] (*irreg: como* **ter**) *vt* to entertain, amuse; (*ocupar*)

to occupy; (*manter*) to keep up; (*esperanças*) to cherish; **entreter-se** *vr* to amuse o.s.; to occupy o.s.

entrevista [ẽtre'viʃta] *f* interview; **~ coletiva (à imprensa)** press conference; **entrevistar** [ẽtreviʃ'ta°] *vt* to interview; **entrevistar-se** *vr* to have an interview

entristecer [ẽtriʃte'se°] *vt* to sadden, grieve ▷ *vi* to feel sad; **entristecer-se** *vr* to feel sad

entroncamento [ẽtrõka'mẽtu] *m* junction

entrudo [ẽ'trudu] (*PT*) *m* carnival; (*Rel*) Shrovetide

entulhar [ẽtu'ʎa°] *vt* to cram full; (*suj: multidão*) to pack

entupido, -a [ẽtu'pidu, a] *adj* blocked; **estar ~** (*col: congestionado*) to have a blocked-up nose; (*de comida*) to be fit to burst, be full up

entupimento [ẽtupi'mẽtu] *m* blockage

entupir [ẽtu'pi°] *vt* to block, clog; **entupir-se** *vr* to become blocked; (*de comida*) to stuff o.s.

entusiasmar [ẽtuzjaʒ'ma°] *vt* to fill with enthusiasm; (*animar*) to excite; **entusiasmar-se** *vr* to get excited

entusiasmo [ẽtu'zjaʒmu] *m* enthusiasm; (*júbilo*) excitement

entusiasta [ẽtu'zjaʃta] *adj* enthusiastic ▷ *m/f* enthusiast

enumerar [enume'ra°] *vt* to enumerate; (*com números*) to number

envelhecer [ẽveʎe'se°] *vt* to age ▷ *vi* to grow old, age

envelope [ẽve'lɔpi] *m* envelope

envenenamento [ẽvenena'mẽtu] *m* poisoning; **~ do sangue** blood poisoning

envenenar [ẽvene'na°] *vt* to poison; (*fig*) to corrupt; (: *declaração,* *palavras*) to distort, twist; (*tornar amargo*) to sour ▷ *vi* to be poisonous; **envenenar-se** *vr* to poison o.s.

envergonhado, -a [ẽvexgoˈɲadu, a] *adj* ashamed; (*tímido*) shy

envergonhar [ẽvexgoˈɲa*] *vt* to shame; (*degradar*) to disgrace; **envergonhar-se** *vr* to be ashamed

enviado, -a [ẽˈvjadu, a] *m/f* envoy, messenger

enviar [ẽˈvja*] *vt* to send

envio [ẽˈviu] *m* sending; (*expedição*) dispatch; (*remessa*) remittance; (*de mercadorias*) consignment

enviuvar [ẽvjuˈva*] *vi* to be widowed

envolver [ẽvowˈve*] *vt* to wrap (up); (*cobrir*) to cover; (*comprometer, acarretar*) to involve; (*nos braços*) to embrace; **envolver-se** *vr* (*intrometer-se*) to become involved; (*cobrir-se*) to wrap o.s. up; **envolvimento** [ẽvowviˈmẽtu] *m* involvement

enxada [ẽˈʃada] *f* hoe

enxaguar [ẽʃaˈgwa*] *vt* to rinse

enxame [ẽˈʃami] *m* swarm

enxaqueca [ẽʃaˈkeka] *f* migraine

enxergar [ẽʃexˈga*] *vt* (*avistar*) to catch sight of; (*divisar*) to make out; (*notar*) to observe, see

enxofre [ẽˈʃofri] *m* sulphur (BRIT), sulfur (US)

enxotar [ẽʃoˈta*] *vt* to drive out

enxoval [ẽʃoˈvaw] (*pl* -**ais**) *m* (*de noiva*) trousseau; (*de recém-nascido*) layette

enxugar [ẽʃuˈga*] *vt* to dry; (*fig: texto*) to tidy up

enxurrada [ẽʃuˈxada] *f* (*de água*) torrent; (*fig*) spate

enxuto, -a [ẽˈʃutu, a] *adj* dry; (*corpo*) shapely; (*bonito*) good-looking

épico, -a [ˈɛpiku, a] *adj* epic ▷ *m* epic poet

epidemia [epideˈmia] *f* epidemic

epilepsia [epileˈpsia] *f* epilepsy

episódio [epiˈzɔdʒu] *m* episode

época [ˈɛpoka] *f* time, period; (*da história*) age, epoch; **naquela ~** at that time; **fazer ~** to be epoch-making

equação [ekwaˈsãw] (*pl* -**ões**) *f* equation

equador [ekwaˈdo*] *m* equator; **o E~** Ecuador

equilibrar [ekiliˈbra*] *vt* to balance; **equilibrar-se** *vr* to balance

equipa [eˈkipa] (PT) *f* team

equipamento [ekipaˈmẽtu] *m* equipment, kit

equipar [ekiˈpa*] *vt*: **~ (com)** (*navio*) to fit out (with); (*prover*) to equip (with)

equipe [eˈkipi] (BR) *f* team

equitação [ekitaˈsãw] *f* (*ato*) riding; (*arte*) horsemanship

equivalente [ekivaˈlẽtʃi] *adj, m* equivalent

equivaler [ekivaˈle*] *vi*: **~ a** to be the same as, equal

equivocado, -a [ekivoˈkadu, a] *adj* mistaken, wrong

equivocar-se [ekivoˈkaxs i] *vr* to make a mistake, be wrong

era[1] [ˈɛra] *f* era, age

era[2] *etc vb* V **ser**

erário [eˈrarju] *m* exchequer

erecto, -a [eˈrɛktu, a] (PT) *adj* = **ereto**

ereto, -a [eˈrɛtu, a] *adj* upright, erect

erguer [exˈge*] *vt* to raise, lift; (*edificar*) to build, erect; **erguer-se** *vr* to rise; (*pessoa*) to stand up

eriçar [eriˈsa*] *vt*: **~ o cabelo de alguém** to make sb's hair stand on end; **eriçar-se** *vr* to bristle; (*cabelos*) to stand on end

erigir [eri'ʒi*] vt to erect

erosão [ero'zãw] f erosion

erótico, -a [e'rɔtʃiku, a] adj
erotic

errado, -a [e'xadu, a] adj wrong;
dar ~ to go wrong

errar [e'xa*] vt (alvo) to miss;
(conta) to get wrong ▷ vi to wander,
roam; (enganar-se) to be wrong,
make a mistake; **~ o caminho** to
lose one's way

erro ['exu] m mistake; **salvo
~** unless I am mistaken; **~ de
imprensa** misprint

errôneo, -a [e'xonju, a] adj
wrong, mistaken; (falso) false,
untrue

erva ['ɛxva] f herb; (col: dinheiro)
dosh; (: maconha) dope; **~ daninha**
weed

erva-mate (pl **ervas-mates**)
f mate

ervilha [ex'viʎa] f pea

esbanjar [iʒbã'ʒa*] vt to
squander, waste

esbarrar [iʒba'xa*] vi: **~ em** to
bump into; (obstáculo, problema) to
come up against

esbelto, -a [iʒ'bɛwtu, a] adj slim,
slender

esboçar [iʒbo'sa*] vt to sketch;
(delinear) to outline; (traçar) to draw
up; **esboço** [iʒ'bosu] m sketch;
(primeira versão) draft; (fig: resumo)
outline

esbofetear [iʒbofe'tʃja*] vt to
slap, hit

esburacar [iʒbura'ka*] vt to
make holes (ou a hole) in

esc (PT) abr = **escudo**

escabroso, -a [iʃka'brozu, ɔza]
adj (difícil) tough; (indecoroso)
indecent

escada [iʃ'kada] f (dentro da
casa) staircase, stairs pl; (fora da
casa) steps pl; (de mão) ladder; **~ de
incêndio** fire escape; **~ rolante**
escalator; **escadaria** [iʃkada'ria]
f staircase

escala [iʃ'kala] f scale; (Náut) port
of call; (parada) stop; **fazer ~ em** to
call at; **sem ~** non-stop

escalada [iʃka'lada] f (de guerra)
escalation

escalão [eʃka'lãw] (pl **-ões**) m
step; (Mil) echelon

escalar [iʃka'la*] vt (montanha)
to climb; (muro) to scale; (designar)
to select

escaldar [iʃkaw'da*] vt to scald;
escaldar-se vr to scald o.s.

escalões [ɛʃka'lõiʃ] mpl de
escalão

escama [iʃ'kama] f (de peixe)
scale; (de pele) flake

escancarado, -a [iʃkãka'radu, a]
adj wide open

escandalizar [iʃkãdali'za*] vt to
shock; **escandalizar-se** vr to be
shocked; (ofender-se) to be offended

escândalo [iʃ'kãdalu] m scandal;
(indignação) outrage; **fazer
ou dar um ~** to make a scene;
escandaloso, -a [iʃkãda'lozu, ɔza]
adj shocking, scandalous

Escandinávia [iʃkãdʒi'navja] f:
a ~ Scandinavia; **escandinavo,
-a** [iʃkãdʒi'navu, a] adj, m/f
Scandinavian

escangalhar [iʃkãga'ʎa*] vt to
break, smash (up); (a própria saúde)
to ruin; **escangalhar-se** vr: **~-se de
rir** to split one's sides laughing

escapar [iʃka'pa*] vi: **~ a ou de**
to escape from; (fugir) to run away
from; **escapar-se** vr to run away,
flee; **deixar ~** (uma oportunidade) to
miss; (palavras) to blurt out; **~ de
boa** (col) to have a close shave

escapatória [iʃkapa'tɔrja] f way
out; (desculpa) excuse

escape [iʃ'kapi] m (de gás) leak; (Auto) exhaust

escapulir [iʃkapu'li*] vi: **~ (de)** to get away (from); (suj: coisa) to slip (from)

escarrar [iʃka'xa*] vt to spit, cough up ▷ vi to spit

escarro [iʃ'kaxu] m phlegm, spit

escassear [iʃka'sja*] vt to skimp on ▷ vi to become scarce

escassez [iʃka'sεʒ] f (falta) shortage

escavar [iʃka'va*] vt to excavate

esclarecer [iʃklare'se*] vt (situação) to explain; (mistério) to clear up, explain; **esclarecer-se** vr: **~-se (sobre algo)** to find out (about sth)

escoadouro [iʃkoa'doru] m drain; (cano) drainpipe

escocês, -esa [iʃko'seʃ, seza] adj Scottish, Scots ▷ m/f Scot, Scotsman/woman

Escócia [iʃ'kɔsja] f Scotland

escola [iʃ'kɔla] f school; **~ de línguas** language school; **~ naval** naval college; **~ primária** primary (BRIT) ou elementary (US) school; **~ secundária** secondary (BRIT) ou high (US) school; **~ particular/pública** private/state (BRIT) ou public (US) school; **~ de samba** see boxed note; **~ superior** college

🔵 **ESCOLAS DE SAMBA**
🔵
🔵 **Escolas de samba** are musical
🔵 and recreational associations
🔵 made up, among others, of
🔵 samba dancers, percussionists
🔵 and carnival dancers. Although
🔵 they exist throughout Brazil,
🔵 the most famous schools are in
🔵 Rio de Janeiro. The schools in
🔵 Rio rehearse all year long for the
🔵 **carnaval**, where they appear for

🔵 two days in the Sambódromo, the
🔵 samba parade, and compete for
🔵 the samba school championship.
🔵 Characterised by their
🔵 extravagance, the biggest schools
🔵 have up to 4,000 members and
🔵 are one of Brazil's major tourist
🔵 attractions.

escolar [iʃko'la*] adj school atr ▷ m/f schoolboy/girl

escolha [iʃ'koʎa] f choice

escolher [iʃko'ʎe*] vt to choose, select

escolho [iʃ'koʎu] m (recife) reef; (rocha) rock

escolta [iʃ'kɔwta] f escort; **escoltar** [iʃkow'ta*] vt to escort

escombros [iʃ'kõbruʃ] mpl ruins, debris sg

esconde-esconde [iʃkõdʃiʃ-'kõdʒi] m hide-and-seek

esconder [iʃkõ'de*] vt to hide, conceal; **esconder-se** vr to hide

escondidas [iʃkõ'dʒidaʃ] fpl: **às ~** secretly

escopo [iʃ'kopu] m aim, purpose

escorar [iʃko'ra*] vt to prop (up); (amparar) to support; (esperar de espreita) to lie in wait for ▷ vi to lie in wait; **escorar-se** vr: **~-se em** (fundamentar-se) to go by; (amparar-se) to live off

escore [iʃ'kɔri] m score

escoriação [iʃkorja'sãw] (pl -ões) f abrasion, scratch

escorpião [iʃkoxpi'ãw] (pl -ões) m scorpion; **E-** (Astrologia) Scorpio

escorrega [iʃko'xεga] f slide; **escorregadela** [iʃkoxega'dɛla] f slip; **escorregadiço, -a** [iʃkoxega'dʒi(s)u, a] adj slippery; **escorregão** [iʃkoxe'gãw] (pl -ões) m slip; (fig) slip(-up); **escorregar** [iʃkoxe'ga*] vi to slip; (errar) to slip up

escorrer [iʃko'xe*] vt to drain (off); (verter) to pour out ▷ vi (pingar) to drip; (correr em fio) to trickle

escoteiro [iʃko'tejru] m scout

escova [iʃ'kova] f brush; (penteado) blow-dry; **~ de dentes** toothbrush; **escovar** [iʃko'va*] vt to brush

escravatura [iʃkrava'tura] f (tráfico) slave trade; (escravidão) slavery

escravidão [iʃkravi'dãw] f slavery

escravizar [iʃkravi'za*] vt to enslave; (cativar) to captivate

escravo, -a [iʃ'kravu, a] adj captive ▷ m/f slave

escrever [iʃkre've*] vt, vi to write; **escrever-se** vr to write to each other; **~ à máquina** to type

escrita [eʃ'krita] f writing; (letra) handwriting

escrito, -a [eʃ'kritu, a] pp de **escrever** ▷ adj written ▷ m piece of writing; **~ à mão** handwritten; **dar por ~** to put in writing

escritor, a [iʃkri'to*, a] m/f writer; (autor) author

escritório [iʃkri'tɔrju] m office; (em casa) study

escritura [iʃkri'tura] f (Jur) deed; (na compra de imóveis) ≈ exchange of contracts; **as Sagradas E~s** the Scriptures

escrivã [iʃkri'vã] f de **escrivão**

escrivaninha [iʃkriva'niɲa] f writing desk

escrivão, -vã [iʃkri'vãw, vã] (pl **-ões, ~s**) m/f registrar, recorder

escrupuloso, -a [iʃkrupu'lozu, ɔza] adj scrupulous; careful

escudo [iʃ'kudu] m shield; (moeda) escudo

esculhambado, -a [iʃkuʎã'badu, a] (col!) adj shabby, slovenly;

(estragado) knackered

esculhambar [iʃkuʎã'ba*] (col!) vt to mess up, fuck up (!) **~ alguém** (criticar) to give sb stick; (descompor) to give sb a bollocking (!)

esculpir [iʃkuw'pi*] vt to carve, sculpt; (gravar) to engrave

escultor, a [iʃkuw'to*, a] m/f sculptor

escultura [iʃkuw'tura] f sculpture

escuras [iʃ'kuraʃ] fpl: **às ~** in the dark

escurecer [iʃkure'se*] vt to darken ▷ vi to get dark; **ao ~** at dusk

escuridão [iʃkuri'dãw] f (trevas) dark

escuro, -a [iʃ'kuru, a] adj dark; (dia) overcast; (pessoa) swarthy; (negócios) shady ▷ m darkness

escusar [iʃku'za*] vt to excuse, forgive; (justificar) to justify; (dispensar) to exempt; (não precisar de) not to need; **escusar-se** vr to apologize; **~-se de fazer** to refuse to do

escuta [iʃ'kuta] f listening; **à ~** listening out; **ficar na ~** to stand by

escutar [iʃku'ta*] vt to listen to; (sem prestar atenção) to hear ▷ vi to listen; to hear

esfacelar [iʃfase'la*] vt to destroy

esfaquear [iʃfaki'a*] vt to stab

esfarrapado, -a [iʃfaxa'padu, a] adj ragged, tattered

esfera [iʃ'fɛra] f sphere; (globo) globe; (Tip, Comput) golfball

esfolar [iʃfo'la*] vt to skin; (arranhar) to graze; (cobrar demais a) to overcharge, fleece

esfomeado, -a [iʃfo'mjadu, a] adj famished, starving

esforçado, -a [iʃfox'sadu, a] adj committed, dedicated

esforçar-se [iʃfox'saxsi] vr: **~ para**

to try hard to, strive to

esforço [iʃˈfoxsu] m effort

esfregar [iʃfreˈgaⁿ] vt to rub; (com água) to scrub

esfriar [iʃˈfrjaⁿ] vt to cool, chill ▷ vi to get cold; (fig) to cool off

esganar [iʃgaˈnaⁿ] vt to strangle, choke

esgotado, -a [iʃgoˈtadu, a] adj exhausted; (consumido) used up; (livros) out of print; (ingressos) sold out

esgotamento [iʒgotaˈmẽtu] m exhaustion

esgotar [iʒgoˈtaⁿ] vt to drain, empty; (recursos) to use up; (pessoa, assunto) to exhaust; **esgotar-se** vr to become exhausted; (mercadorias, edição) to be sold out; (recursos) to run out

esgoto [iʒˈgotu] m drain; (público) sewer

esgrima [iʒˈgrima] f (esporte) fencing

esgueirar-se [iʒgejˈraxs i] vr to slip away, sneak off

esguelha [iʒˈgeʎa] f slant; **olhar alguém de ~** to look at sb out of the corner of one's eye

esguio, -a [eʒˈgiu, a] adj slender

esmaecer [iʒmajeˈseⁿ] vi to fade

esmagador, a [iʒmagaˈdoⁿ, a] adj crushing; (provas) irrefutable; (maioria) overwhelming

esmalte [iʒˈmawtʃi] m enamel; (de unhas) nail polish

esmeralda [iʒmeˈrawda] f emerald

esmerar-se [iʒmeˈraxs i] vr: **~ em fazer algo** to take great care in doing sth

esmigalhar [iʒmigaˈʎaⁿ] vt to crumble; (despedaçar) to shatter; (esmagar) to crush; **esmigalhar-se** vr to crumble; to smash, shatter

esmo [ˈeʒmu] m: **a ~** at random;

falar a ~ to prattle

esmola [iʒˈmɔla] f alms pl; **pedir ~s** to beg

esmurrar [iʒmuˈxaⁿ] vt to punch

espacial [iʃpaˈsjaw] (pl **-ais**) adj space atr; **nave ~** spaceship

espaço [iʃˈpasu] m space; (tempo) period; **~ para 3 pessoas** room for 3 people; **a ~s** from time to time;

espaçoso, -a [iʃpaˈsozu, ɔza] adj spacious, roomy

espada [iʃˈpada] f sword; **~s** fpl (Cartas) spades

espadarte [iʃpaˈdaxtʃi] m swordfish

espairecer [iʃpajreˈseⁿ] vt to amuse, entertain ▷ vi to relax; **espairecer-se** vr to relax

espaldar [iʃpawˈdaⁿ] m (chair) back

espalhafato [iʃpaʎaˈfatu] m din, commotion

espalhar [iʃpaˈʎaⁿ] vt to scatter; (boato, medo) to spread; (luz) to shed; **espalhar-se** vr to spread; (refestelar-se) to lounge

espanador [iʃpanaˈdoⁿ] m duster

espancar [iʃpãˈkaⁿ] vt to beat up

Espanha [iʃˈpaɲa] f: **a ~** Spain; **espanhol, a** [iʃpaˈɲow, ola] (pl **-óis, ~s**) adj Spanish ▷ m/f Spaniard ▷ m (Ling) Spanish; **os espanhóis** mpl the Spanish

espantado, -a [iʃpãˈtadu, a] adj astonished, amazed; (assustado) frightened

espantalho [iʃpãˈtaʎu] m scarecrow

espantar [iʃpãˈtaⁿ] vt to frighten; (admirar) to amaze, astonish; (afugentar) to frighten away ▷ vi to be amazing; **espantar-se** vr to be astonished ou amazed; to be frightened

espanto [iʃˈpãtu] m fright, fear; (admiração) astonishment,

amazement; **espantoso, -a**
[iʃpã'tozu, ɔza] *adj* amazing

esparadrapo [iʃpara'drapu] *m*
(sticking) plaster (BRIT), bandaid®
(US)

esparramar [iʃpaxa'ma°] *vt* to
splash; (*espalhar*) to scatter

esparso, -a [iʃ'paxsu, a] *adj*
scattered; (*solto*) loose

espasmo [iʃ'paʒmu] *m* spasm,
convulsion

espatifar [iʃpatʃi'fa°] *vt* to
smash; **espatifar-se** *vr* to smash;
(*avião*) to crash

especial [iʃpe'sjaw] (*pl* -**ais**)
adj special; **em ~** especially;
especialidade [iʃpesjali'dadʒi]
f speciality (BRIT), specialty (US);
(*ramo de atividades*) specialization;
especialista [iʃpesja'liʃta]
m/f specialist; (*perito*) expert;
especializar-se [iʃpesjali'zaxsi]
vr: **especializar-se (em)** to
specialize (in)

espécie [iʃ'pɛsi] *f* (*Bio*) species;
(*tipo*) sort, kind; **causar ~** to be
surprising; **pagar em ~** to pay
in cash

especificar [iʃpesifi'ka°] *vt* to
specify; **específico, -a** [iʃpe'sifiku,
a] *adj* specific

espécime [iʃ'pɛsimi] *m*
specimen

espécimen [iʃ'pɛsimẽ] (*pl* ~**s**)
= **espécime**

espectáculo *etc* [iʃpek'takulu]
(*PT*) *m* = **espetáculo** *etc*

espectador, a [iʃpekta'do°, a]
m/f onlooker; (*TV*) viewer; (*Esporte*)
spectator; (*Teatro*) member of the
audience; ~**es** *mpl* (*TV, Teatro*)
audience *sg*

especular [iʃpeku'la°] *vi*: ~
(**sobre**) to speculate (on)

espelho [iʃ'peʎu] *m* mirror; (*fig*)
model; ~ **retrovisor** (*Auto*) rearview

mirror

espera [iʃ'pɛra] *f* (*demora*) wait;
(*expectativa*) expectation; **à ~ de**
waiting for; **à minha ~** waiting
for me

esperança [iʃpe'rãsa] *f* hope;
(*expectativa*) expectation; **dar ~s a
alguém** to raise sb's hopes; **esperançoso, -a** [iʃperã'sozu, ɔza]
adj hopeful

esperar [iʃpe'ra°] *vt* to wait for;
(*contar com: bebê*) to expect; (*desejar*)
to hope for ▷ *vi* to wait; to hope;
to expect

esperma [iʃ'pɛxma] *f* sperm

espertalhão, -lhona [iʃpexta-
'ʎãw, ʎona] (*pl* -**ões**, ~**s**) *adj* crafty,
shrewd

esperteza [iʃpex'teza] *f*
cleverness; (*astúcia*) cunning

esperto, -a [iʃ'pɛxtu, a] *adj*
clever; (*espertalhão*) crafty

espetacular [iʃpetaku'la°] *adj*
spectacular

espetáculo [iʃpe'takulu] *m*
(*Teatro*) show; (*vista*) sight; (*cena
ridícula*) spectacle; **dar ~** to make a
spectacle of o.s.

espetar [iʃpe'ta°] *vt* (*carne*) to put
on a spit; (*cravar*) to stick; **espetar-
se** *vr* to prick o.s.; ~ **algo em algo** to
pin sth to sth

espeto [iʃ'petu] *m* spit; (*pau*)
pointed stick; **ser um ~** (*ser difícil*)
to be awkward

espevitado, -a [iʃpevi'tadu, a]
adj (*fig: vivo*) lively

espiã [iʃ'pjã] *f de* **espião**

espiada [iʃ'pjada] *f*: **dar uma ~** to
have a look

espião, -piã [iʃ'pjãw, 'pjã] (*pl*
-**ões**, ~**s**) *m/f* spy

espiar [iʃ'pja°] *vt* to spy on; (*uma
ocasião*) to watch out for; (*olhar*) to
watch ▷ *vi* to spy; (*olhar*) to peer

espiga [iʃ'piga] *f* (*de milho*) ear

espinafre [iʃpi'nafri] *m* spinach

espingarda [iʃpĩ'gaxda] *f* shotgun, rifle

espinha [iʃ'piɲa] *f* (*de peixe*) bone; (*na pele*) spot, pimple; (*coluna vertebral*) spine

espinho [iʃ'piɲu] *m* thorn; (*de animal*) spine; (*fig: dificuldade*) snag; **espinhoso, -a** [iʃpi'ɲozu, ɔza] *adj* (*planta*) prickly, thorny; (*fig: difícil*) difficult; (: *problema*) thorny

espiões [iʃ'pjõjʃ] *mpl de* **espião**

espionar [iʃpjo'na°] *vt* to spy on ▷ *vi* to spy, snoop

espírito [iʃ'piritu] *m* spirit; (*pensamento*) mind; **~ esportivo** sense of humo(u)r; **E~ Santo** Holy Spirit

espiritual [iʃpiri'twaw] (*pl* -**ais**) *adj* spiritual

espirituoso, -a [iʃpiri'twozu, ɔza] *adj* witty

espirrar [iʃpi'xa°] *vi* to sneeze; (*jorrar*) to spurt out ▷ *vt* (*água*) to spurt; **espirro** [iʃ'pixu] *m* sneeze

esplêndido, -a [iʃ'plẽdʒidu, a] *adj* splendid

esplendor [iʃplẽ'do°] *m* splendour (*BRIT*), splendor (*US*)

esponja [iʃ'põʒa] *f* sponge

espontâneo, -a [iʃpõ'tanju, a] *adj* spontaneous; (*pessoa*) straightforward

esporádico, -a [iʃpo'radʒiku, a] *adj* sporadic

esporte [iʃ'pɔxtʃi] (*BR*) *m* sport; **esportista** [iʃpox'tʃiʃta] *adj* sporting ▷ *m/f* sportsman/woman; **esportivo, -a** [iʃpox'tʃivu, a] *adj* sporting

esposa [iʃ'poza] *f* wife

esposo [iʃ'pozu] *m* husband

espreguiçadeira [iʃpregisa'dejra] *f* deck chair; (*com lugar para as pernas*) lounger

espreguiçar-se [iʃpregi'saxsi] *vr* to stretch

espreita [iʃ'prejta] *f*: **ficar à ~** to keep watch

espreitar [iʃprej'ta°] *vt* to spy on; (*observar*) to observe, watch

espremer [iʃpre'me°] *vt* (*fruta*) to squeeze; (*roupa molhada*) to wring out; (*pessoas*) to squash; **espremer-se** *vr* (*multidão*) to be squashed together; (*uma pessoa*) to squash up

espuma [iʃ'puma] *f* foam; (*de cerveja*) froth, head; (*de sabão*) lather; (*de ondas*) surf; **~ de borracha** foam rubber; **espumante** [iʃpu'mãtʃi] *adj* frothy, foamy; (*vinho*) sparkling

esq. *abr* (= *esquerdo/a*) l

esquadra [iʃ'kwadra] *f* (*Náut*) fleet; (*PT: da polícia*) police station

esquadrão [iʃkwa'drãw] (*pl* -**ões**) *m* squadron

esquadrilha [iʃkwa'driʎa] *f* squadron

esquadrões [iʃkwa'drõjʃ] *mpl de* **esquadrão**

esquartejar [iʃkwaxte'ʒa°] *vt* to quarter

esquecer [iʃke'se°] *vt, vi* to forget; **esquecer-se** *vr*: **~-se de** to forget

esqueleto [iʃke'letu] *m* skeleton; (*arcabouço*) framework

esquema [iʃ'kema] *m* outline; (*plano*) scheme; (*diagrama*) diagram, plan

esquentar [iʃkẽ'ta°] *vt* to heat (up), warm (up); (*fig: irritar*) to annoy ▷ *vi* to warm up; (*casaco*) to be warm; **esquentar-se** *vr* to get annoyed

esquerda [iʃ'kexda] *f* (*tb: Pol*) left; **à ~** on the left

esquerdista [iʃkex'dʒiʃta] *adj* left-wing ▷ *m/f* left-winger

esquerdo, -a [iʃ'kexdu, a] *adj* left

esqui [iʃ'ki] *m* (*patim*) ski; (*esporte*) skiing; **~ aquático** water skiing;

fazer ~ to go skiing; **esquiar** [iʃ'kjaˇ] vi to ski
esquilo [iʃ'kilu] m squirrel
esquina [iʃ'kina] f corner
esquisito, -a [iʃki'zitu, a] adj strange, odd
esquivar-se [iʃki'vaxs i] vr: **~ de** to escape from, get away from; (deveres) to get out of
esquivo, -a [iʃ'kivu, a] adj aloof, standoffish
essa ['ɛsa] pron: **~ é/foi boa** that is/was a good one; **~ não, sem ~** come off it!; **vamos nessa** let's go!; **ainda mais ~!** that's all I need!; **corta ~!** cut it out!; **por ~s e outras** for these and other reasons; **~ de fazer ...** this business of doing ...
esse ['es i] adj (sg) that; (pl) those; (BR: este: sg) this; (: pl) these ▷ pron (sg) that one; (pl) those; (BR: este: sg) this one; (: pl) these
essência [e'sẽsja] f essence; **essencial** [esẽ'sjaw] (pl **-ais**) adj essential; (principal) main ▷ m: **o essencial** the main thing
esta ['ɛʃta] f de **este**
estabelecer [iʃtabele'seˇ] vt to establish; (fundar) to set up
estabelecimento [iʃtabelesi'mẽtu] m establishment; (casa comercial) business
estábulo [iʃ'tabulu] m cow-shed
estaca [iʃ'taka] f post, stake; (de barraca) peg
estação [iʃta'sãw] (pl **-ões**) f station; (do ano) season; **~ de águas** spa; **~ balneária** seaside resort; **~ emissora** broadcasting station
estacionamento [iʃtasjona'mẽtu] m (ato) parking; (lugar) car park (BRIT), parking lot (US)
estacionar [iʃtasjo'naˇ] vt to park ▷ vi to park; (não mover) to remain stationary

estacionário, -a [iʃtasjo'narju, a] adj (veículo) stationary; (Com) slack
estações [iʃta'sõjʃ] fpl de **estação**
estada [iʃ'tada] f stay
estadia [iʃta'dʒia] f = **estada**
estádio [iʃ'tadʒu] m stadium
estadista [iʃta'dʒiʃta] m/f statesman/woman
estado [i'ʃtadu] m state; **E~s Unidos (da América)** United States (of America); **~ civil** marital status; **~ de espírito** state of mind; **~ maior** staff; **estadual** [iʃta'dwaw] (pl **-ais**) adj state atr
estafa [iʃ'tafa] f fatigue; (esgotamento) nervous exhaustion
estagiário, -a [iʃta'ʒjarju, a] m/f probationer, trainee; (professor) student teacher; (médico) junior doctor
estágio [iʃ'taʒu] m (aprendizado) traineeship; (fase) stage
estagnado, -a [iʃtag'nadu, a] adj stagnant
estalar [iʃta'laˇ] vt to break; (os dedos) to snap ▷ vi to split, crack; (crepitar) to crackle
estalido [iʃta'lidu] m pop
estalo [iʃ'talu] m (do chicote) crack; (dos dedos) snap; (dos lábios) smack; (de foguete) bang; **~ de trovão** thunderclap; **de ~** suddenly
estampa [iʃ'tãpa] f (figura impressa) print; (ilustração) picture
estampado, -a [iʃtã'padu, a] adj printed ▷ m (tecido) print; (num tecido) pattern
estampar [iʃtã'paˇ] vt to print; (marcar) to stamp
estancar [iʃtã'kaˇ] vt to staunch; (fazer cessar) to stop; **estancar-se** vr to stop
estância [iʃ'tãsja] f ranch, farm
estandarte [iʃtã'daxtʃi] m standard, banner

estanho [iʃ'taɲu] *m* (*metal*) tin
estante [iʃ'tãtʃi] *f* bookcase;
(*suporte*) stand

○ **PALAVRA CHAVE**

estar [iʃ'ta*] *vi* **1**(*lugar*) to be; (*em
casa*) to be in; (*no telefone*): **a Lúcia
está? – não, ela não está** is Lúcia
there? – no, she's not here
2(*estado*) to be; **~ doente** to be
ill; **~ bem** (*de saúde*) to be well;
(*financeiramente*) to be well off; **~
calor/frio** to be hot/cold; **~ com
fome/sede/medo** to be hungry/
thirsty/afraid
3(*ação contínua*): **~ fazendo** (BR) *ou*
a fazer (PT) to be doing
4(+ *pp*: = *adj*): **~ sentado/cansado**
to be sitting down/tired
5(+ *pp*: *uso passivo*): **está
condenado à morte** he's been
condemned to death; **o livro está
emprestado** the book's been
borrowed
6: **~ de**: **~ de férias/licença** to
be on holiday (BRIT) *ou* vacation
(US)/leave; **ela estava de chapéu**
she had a hat on, she was wearing
a hat
7: **~ para**: **~ para fazer** to be about
to do; **ele está para chegar a
qualquer momento** he'll be here
any minute; **não ~ para
conversas** not to be in the mood
for talking
8: **~ por fazer** to be still to be done
9: **~ sem**: **~ sem dinheiro** to have
no money; **~ sem dormir** not to
have slept; **estou sem dormir há
três dias** I haven't slept for three
days; **está sem terminar** it isn't
finished yet
10(*frases*): **está bem, tá (bem)**
(*col*) OK; **~ bem com** to be on good
terms with

estardalhaço [iʃtaxda'ʎasu] *m*
fuss; (*ostentação*) ostentation
estas ['ɛʃtaʃ] *fpl de* **este**
estatal [iʃta'taw] (*pl* **-ais**) *adj*
nationalized, state-owned ▷ *f*
state-owned company
estático, -a [iʃ'tatʃiku, a] *adj*
static
estatística [iʃta'tʃiʃtʃika] *f*
statistic; (*ciência*) statistics *sg*
estatizar [iʃtatʃi'za*] *vt* to
nationalize
estátua [iʃ'tatwa] *f* statue
estatura [iʃta'tura] *f* stature
estável [iʃ'tavew] (*pl* **-eis**) *adj*
stable
este ['ɛʃtʃi] *m* east ▷ *adj inv* (*região*)
eastern; (*vento, direção*) easterly
este, -ta ['eʃtʃi, 'ɛʃta] *adj* (*sg*)
this; (*pl*) these ▷ *pron* this one;
(*pl*) these; (*a quem/que se referiu
por último*) the latter; **esta noite**
(*noite passada*) last night; (*noite de
hoje*) tonight
esteira [iʃ'tejra] *f* mat; (*de navio*)
wake; (*rumo*) path
esteja *etc* [iʃ'teʒa] *vb* V **estar**
estelionato [iʃteljo'natu] *m*
fraud
estender [iʃtẽ'de*] *vt* to extend;
(*mapa*) to spread out; (*pernas*)
to stretch; (*massa*) to roll out;
(*conversa*) to draw out; (*corda*) to pull
tight; (*roupa molhada*) to hang out;
estender-se *vr* to lie down; (*fila,
terreno*) to stretch, extend; **~ a mão**
to hold out one's hand; **~-se sobre
algo** to dwell on sth, expand on sth
estéreis [iʃ'terejʃ] *adj pl de* **estéril**
estereo... [iʃterju] *prefixo* stereo...;
estereofônico, -a [iʃterjo'foniku,
a] *adj* stereo(phonic); **estereótipo**
[iʃte'rjɔtʃipu] *m* stereotype
estéril [iʃ'tεriw] (*pl* **-eis**) *adj*
sterile; (*terra*) infertile; (*fig*) futile;
esterilizar [iʃterili'za*] *vt* to

sterilize

esteve [iʃ'tevi] vb V **estar**

esticar [iʃtʃi'ka°] vt to stretch; **esticar-se** vr to stretch out

estigma [iʃ'tʃigima] m mark, scar; (fig) stigma

estilhaçar [iʃtʃiʎa'sa°] vt to splinter; (despedaçar) to shatter; **estilhaçar-se** vr to shatter; **estilhaço** [iʃtʃi'ʎasu] m fragment; (de pedra) chip; (de madeira, metal) splinter

estilo [iʃ'tʃilu] m style; (Tec) stylus; **~ de vida** way of life

estima [iʃ'tʃima] f esteem; (afeto) affection; **ter ~ a** to have a high regard for

estimação [iʃtʃima'sãw] f: ... **de ~** favourite (BRIT) ..., favorite (US) ...

estimado, -a [iʃtʃi'madu, a] adj respected; (em cartas): **E~ Senhor** Dear Sir

estimar [iʃtʃi'ma°] vt to appreciate; (avaliar) to value; (ter estima a) to have a high regard for; (calcular aproximadamente) to estimate

estimativa [iʃtʃima'tʃiva] f estimate

estimulante [iʃtʃimu'lãtʃi] adj stimulating ▷ m stimulant

estimular [iʃtʃimu'la°] vt to stimulate; (incentivar) to encourage; **estímulo** [iʃ'tʃimulu] m stimulus; (ânimo) encouragement

estipular [iʃtʃipu'la°] vt to stipulate

estirar [iʃtʃi'ra°] vt to stretch (out); **estirar-se** vr to stretch

estive etc [iʃ'tʃivi] vb V **estar**

estocada [iʃto'kada] f stab, thrust

estocar [iʃto'ka°] vt to stock

estofo [iʃ'tofu] m (tecido) material; (para acolchoar) padding, stuffing

estojo [iʃ'toʒu] m case; **~ de ferramentas** tool kit; **~ de unhas** manicure set

estômago [iʃ'tomagu] m stomach; **ter ~ para (fazer) algo** to be up to (doing) sth

estontear [iʃtõ'tʃja°] vt to stun, daze

estoque [iʃ'tɔki] m (Com) stock

estourado, -a [iʃto'radu, a] adj (temperamental) explosive; (col: cansado) shattered, worn out

estourar [iʃto'ra°] vi to explode; (pneu) to burst; (escândalo) to blow up; (guerra) to break out; (BR: chegar) to turn up, arrive; **~ (com alguém)** (zangar-se) to blow up (at sb)

estouro [iʃ'toru] m explosion; **dar o ~** (fig: zangar-se) to blow up, blow one's top

estrábico, -a [iʃ'trabiku, a] adj cross-eyed

estraçalhar [iʃtrasa'ʎa°] vt (livro, objeto) to pull to pieces; (pessoa) to tear to pieces

estrada [iʃ'trada] f road; **~ de ferro** (BR) railway (BRIT), railroad (US); **~ principal** main road (BRIT), state highway (US)

estrado [iʃ'tradu] m (tablado) platform; (de cama) base

estragado, -a [iʃtra'gadu, a] adj ruined; (fruta) rotten; (muito mimado) spoiled, spoilt (BRIT)

estraga-prazeres [iʃtraga-] m/f inv spoilsport

estragar [iʃtra'ga°] vt to spoil; (arruinar) to ruin, wreck; (desperdiçar) to waste; (saúde) to damage; (mimar) to spoil; **estrago** [iʃ'tragu] m destruction; waste; damage; **os estragos da guerra** the ravages of war

estrangeiro, -a [iʃtrã'ʒejru, a] adj foreign ▷ m/f foreigner; **no ~** abroad

estrangular [iʃtrãgu'la*] vt to strangle

estranhar [iʃtra'ɲa*] vt to be surprised at; (achar estranho): ~ **algo** to find sth strange; **estranhei o clima** the climate did not agree with me; **não é de se** ~ it's not surprising

estranho, -a [iʃ'traɲu, a] adj strange, odd; (influências) outside ▷ m/f (desconhecido) stranger; (de fora) outsider

estratégia [iʃtra'tɛʒa] f strategy

estrear [iʃ'trja*] vt (vestido) to wear for the first time; (peça de teatro) to perform for the first time; (veículo) to use for the first time; (filme) to show for the first time, première; (iniciar): ~ **uma carreira** to embark on ou begin a career ▷ vi (ator, jogador) to make one's first appearance; (filme, peça) to open

estrebaria [iʃtreba'ria] f stable

estréia [iʃ'treja] f (de artista) debut; (de uma peça) first night; (de um filme) première, opening

estreitar [iʃtrej'ta*] vt to narrow; (roupa) to take in; (abraçar) to hug; (laços de amizade) to strengthen ▷ vi (estrada) to narrow

estreito, -a [iʃ'trejtu, a] adj narrow; (saia) straight; (vínculo, relação) close; (medida) strict ▷ m strait

estrela [iʃ'trela] f star; ~ **cadente** falling star; **estrelado, -a** [iʃtre-'ladu, a] adj (céu) starry; (ovo) fried

estremecer [iʃtreme'se*] vt to shake; (amizade) to strain; (fazer tremer): ~ **alguém** to make sb shudder ▷ vi to shake; (tremer) to tremble; (horrorizar-se) to shudder; (amizade) to be strained

estremecimento [iʃtremesi-'mẽtu] m shaking, trembling; (tremor) tremor; (numa amizade) tension

estresse [iʃ'trɛsi] m stress

estribeira [iʃtri'bejra] f: **perder as** ~**s** (col) to fly off the handle, lose one's temper

estridente [iʃtri'dẽtʃi] adj shrill, piercing

estrofe [iʃ'trɔfi] f stanza

estrondo [iʃ'trõdu] m (de trovão) rumble; (de armas) din

estrutura [iʃtru'tura] f structure; (armação) framework; (de edifício) fabric

estudante [iʃtu'dãtʃi] m/f student; **estudantil** [iʃtudã'tʃiw] (pl **-is**) adj student atr

estudar [iʃtu'da*] vt, vi to study

estúdio [iʃ'tudʒu] m studio

estudo [iʃ'tudu] m study

estufa [iʃ'tufa] f (fogão) stove; (de plantas) greenhouse; (de fogão) plate warmer; **efeito** ~ greenhouse effect

estufado [iʃtu'fadu] (PT) m stew

estupefato, -a [iʃtupe'fatu, a] (PT **-ct-**) adj dumbfounded

estupendo, -a [iʃtu'pẽdu, a] adj wonderful, terrific

estupidez [iʃtupi'deʒ] f stupidity; (ato, dito) stupid thing; (grosseria) rudeness

estúpido, -a [iʃ'tupidu, a] adj stupid; (grosseiro) rude, churlish ▷ m/f idiot; oaf

estuprar [iʃtu'pra*] vt to rape; **estupro** [iʃ'tupru] m rape

esvaziar [iʒva'zja*] vt to empty; **esvaziar-se** vr to empty

etapa [e'tapa] f stage

etc. abr (= et cetera) etc.

eternidade [etexni'dadʒi] f eternity

ética ['ɛtʃika] f ethics pl

ético, -a ['ɛtʃiku, a] adj ethical

Etiópia [e'tʃjɔpja] f: **a** ~ Ethiopia

etiqueta [etʃi'keta] f etiquette; (rótulo, em roupa) label; (que se *amarra*) tag

étnico, -a ['ɛtʃniku, a] *adj* ethnic

etos ['ɛtuʃ] *m inv* ethos

eu [ew] *pron* I ▷ *m* self; **sou ~** it's me

EUA *abr mpl* (= *Estados Unidos da América*) USA

eucaristia [ewkariʃ'tʃia] *f* Holy Communion

euro ['ewru] *m* (*moeda*) euro

Europa [ew'rɔpa] *f*: **a ~** Europe; **europeu, -péia** [ewro'peu, 'pɛja] *adj, m/f* European

evacuar [eva'kwa*] *vt* to evacuate; (*sair de*) to leave; (*Med*) to discharge ▷ *vi* to defecate

evadir [eva'dʒi*] *vt* to evade; **evadir-se** *vr* to escape

evangelho [evã'ʒeʎu] *m* gospel

evaporar [evapo'ra*] *vt, vi* to evaporate; **evaporar-se** *vr* to evaporate; (*desaparecer*) to vanish

evasão [eva'zãw] (*pl* **-ões**) *f* escape, flight; (*fig*) evasion

evasiva [eva'ziva] *f* excuse

evasivo, -a [eva'zivu, a] *adj* evasive

evasões [eva'zõjʃ] *fpl de* **evasão**

evento [e'vētu] *m* event; (*eventualidade*) eventuality

eventual [evē'tuaw] (*pl* **-ais**) *adj* fortuitous, accidental; **eventualidade** [evētwali'dadʒi] *f* eventuality

evidência [evi'dēsja] *f* evidence, proof; **evidenciar** [evidē'sja*] *vt* to prove; (*mostrar*) to show; **evidenciar-se** *vr* to be evident, be obvious

evidente [evi'dētʃi] *adj* obvious, evident

evitar [evi'ta*] *vt* to avoid; **~ de fazer algo** to avoid doing sth

evocar [evo'ka*] *vt* to evoke; (*espíritos*) to invoke

evolução [evolu'sãw] (*pl* **-ões**)

f development; (*Mil*) manoeuvre (*BRIT*), maneuver (*US*); (*movimento*) movement; (*Bio*) evolution

evoluir [evo'lwi*] *vi* to evolve; **~ para** to evolve into

Ex.a *abr* = **Excelência**

exacto, -a *etc* [e'zatu, a] (*PT*) = **exato** *etc*

exagerar [ezaʒe'ra*] *vt* to exaggerate ▷ *vi* to exaggerate; (*agir com exagero*) to overdo it; **exagero** [eza'ʒeru] *m* exaggeration

exalar [eza'la*] *vt* (*odor*) to give off

exaltado, -a [ezaw'tadu, a] *adj* fanatical; (*apaixonado*) overexcited

exaltar [ezaw'ta*] *vt* (*elevar: pessoa, virtude*) to exalt; (*louvar*) to praise; (*excitar*) to excite; (*irritar*) to annoy; **exaltar-se** *vr* (*irritar-se*) to get worked up; (*arrebatar-se*) to get carried away

exame [e'zami] *m* (*Educ*) examination, exam; (*Med etc*) examination; **fazer um ~** (*Educ*) to take an exam; (*Med*) to have an examination

examinar [ezami'na*] *vt* to examine

exatidão [ezatʃi'dãw] *f* accuracy; (*perfeição*) correctness

exato, -a [e'zatu, a] *adj* right, correct; (*preciso*) exact; **~!** exactly!

exaustão [ezaw'ʃtãw] *f* exhaustion; **exausto, -a** [e'zawʃtu, a] *adj* exhausted

exaustor [ezaw'ʃto*] *m* extractor fan

exceção [ese'sãw] (*pl* **-ões**) *f* exception; **com ~ de** with the exception of; **abrir ~** to make an exception

excedente [ese'dētʃi] *adj* excess; (*Com*) surplus ▷ *m* (*Com*) surplus

exceder [ese'de*] *vt* to exceed; (*superar*) to surpass; **exceder-se** *vr* (*cometer excessos*) to go too far;

(*cansar-se*) to overdo things

excelência [ese'lẽsja] *f* excellence; **por ~** par excellence; **Vossa E~** Your Excellency; **excelente** [ese'lẽtʃi] *adj* excellent

excêntrico, -a [e'sẽtriku, a] *adj, m/f* eccentric

excepção [ese'sãw] (*PT*) *f* = **exceção**

excepcional [esepsjo'naw] (*pl* **-ais**) *adj* exceptional; (*especial*) special; (*Med*) handicapped

excepto *etc* [e'sɛtu] (*PT*) = **exceto** *etc*

excesso [e'sɛsu] *m* excess; (*Com*) surplus

exceto [e'sɛtu] *prep* except (for), apart from

excitação [esita'sãw] *f* excitement

excitado, -a [esi'tadu, a] *adj* excited; (*estimulado*) aroused

excitante [esi'tãtʃi] *adj* exciting

exclamação [iʃklama'sãw] (*pl* **-ões**) *f* exclamation

exclamar [iʃkla'ma°] *vi* to exclaim

excluir [iʃ'klwi°] *vt* to exclude, leave out; (*eliminar*) to rule out; (*ser incompatível com*) to preclude; **exclusão** [iʃklu'zãw] *f* exclusion; **exclusivo, -a** [iʃklu'zivu, a] *adj* exclusive

excursão [iʃkux'sãw] (*pl* **-ões**) *f* outing, excursion; **~ a pé** hike; **excursionista** [iʃkuxsjo'niʃta] *m/f* tourist; (*para o dia*) day-tripper; (*a pé*) hiker

execução [ezeku'sãw] (*pl* **-ões**) *f* execution; (*de música*) performance

executar [ezeku'ta°] *vt* to execute; (*Mús*) to perform; (*plano*) to carry out; (*papel teatral*) to play

executivo, -a [ezeku'tʃivu, a] *adj, m/f* executive

exemplar [ezẽ'pla°] *adj*

exemplary ▷ *m* model, example; (*Bio*) specimen; (*livro*) copy; (*peça*) piece

exemplo [e'zẽplu] *m* example; **por ~** for example

exercer [ezex'se°] *vt* to exercise; (*influência, pressão*) to exert; (*função*) to perform; (*profissão*) to practise (*BRIT*), practice (*US*); (*obrigações*) to carry out

exercício [ezex'sisju] *m* exercise; (*de medicina*) practice; (*Mil*) drill; (*Com*) financial year

exercitar [ezexsi'ta°] *vt* (*profissão*) to practise (*BRIT*), practice (*US*); (*direitos, músculos*) to exercise; (*adestrar*) to train

exército [e'zexsito] *m* army

exibição [ezibi'sãw] (*pl* **-ões**) *f* show, display; (*de filme*) showing

exibir [ezi'bi°] *vt* to show, display; (*alardear*) to show off; (*filme*) to show, screen; **exibir-se** *vr* to show off; (*indecentemente*) to expose o.s.

exigência [ezi'ʒẽsja] *f* demand; (*o necessário*) requirement

exigir [ezi'ʒi°] *vt* to demand

exíguo, -a [e'zigwu, a] *adj* (*diminuto*) small; (*escasso*) scanty

exilado, -a [ezi'ladu, a] *m/f* exile

exilar [ezi'la°] *vt* to exile; **exilar-se** *vr* to go into exile; **exílio** [e'zilju] *m* exile; (*forçado*) deportation

existência [eziʃ'tẽsja] *f* existence; (*vida*) life

existir [eziʃ'tʃi°] *vi* to exist; **existe/existem ...** (*há*) there is/are ...

êxito ['ezitu] *m* result; (*sucesso*) success; (*música, filme etc*) hit; **ter ~ (em)** to succeed (in), be successful (in)

Exmo(s)/a(s) *abr* (= *Excelentíssimo(s)/a(s)*) Dear

êxodo ['ezodu] *m* exodus

exorcista [ezox'siʃta] *m/f*

exorcist

exótico, -a [e'zɔtʃiku, a] *adj*
exotic

expandir [iʃpã'dʒi°] *vt* to expand;
(*espalhar*) to spread; **expandir-se** *vr*
to expand; **~-se com alguém** to be
frank with sb

expansão [iʃpã'sãw] *f* expansion,
spread; (*de alegria*) effusiveness

expansivo, -a [iʃpã'sivu, a] *adj*
(*pessoa*) outgoing

expeça *etc* [iʃ'pɛsa] *vb* V **expedir**

expectativa [iʃpekta'tʃiva] *f*
expectation

expedição [iʃpedʒi'sãw] (*pl* **-ões**) *f*
(*viagem*) expedition; (*de mercadorias*)
despatch; (*por navio*) shipment; (*de
passaporte etc*) issue

expediente [iʃpe'dʒjẽtʃi] *m*
means; (*serviço*) working day;
(*correspondência*) correspondence
▷ *adj* expedient; **~ bancário**
banking hours *pl*; **~ do escritório**
office hours *pl*

expedir [iʃpe'dʒi°] *vt* to send,
despatch; (*bilhete, passaporte,
decreto*) to issue

expelir [iʃpe'li°] *vt* to expel;
(*sangue*) to spit

experiência [iʃpe'rjẽsja] *f*
experience; (*prova*) experiment,
test; **em ~** on trial

experimentar [iʃperimẽ'ta°]
vt (*comida*) to taste; (*vestido*) to
try on; (*pôr à prova*) to try out,
test; (*conhecer pela experiência*)
to experience; (*sofrer*) to
suffer, undergo; **experimento**
[iʃperi'mẽtu] *m* experiment

expilo *etc* [iʃ'pilu] *vb* V **expelir**

expirar [iʃpi'ra°] *vt* to exhale,
breathe out ▷ *vi* to die; (*terminar*)
to end

explicação [iʃplika'sãw] (*pl* **-ões**)
f explanation

explicar [iʃpli'ka°] *vt, vi* to

explain; **explicar-se** *vr* to explain
o.s.

explícito, -a [iʃ'plisitu, a] *adj*
explicit, clear

explodir [iʃplo'dʒi°] *vt, vi* to
explode

exploração [iʃplora'sãw] *f*
exploration; (*abuso*) exploitation;
(*de uma mina*) working

explorador, a [iʃplora'do°, a] *m/f*
explorer; (*de outros*) exploiter

explorar [iʃplo'ra°] *vt* (*região*)
to explore; (*mina*) to work, run;
(*ferida*) to probe; (*trabalhadores etc*)
to exploit

explosão [iʃplo'zãw] (*pl* **-ões**) *f*
explosion; (*fig*) outburst; **explosivo,
-a** [iʃplo'zivu, a] *adj* explosive;
(*pessoa*) hot-headed ▷ *m* explosive

expor [iʃ'po°] (*irreg: como* **pôr**) *vt*
to expose; (*a vida*) to risk; (*teoria*)
to explain; (*revelar*) to reveal;
(*mercadorias*) to display; (*quadros*) to
exhibit; **expor-se** *vr* to expose o.s.

exportação [iʃpoxta'sãw] *f* (*ato*)
export(ing); (*mercadorias*) exports *pl*

exportador, a [iʃpoxta'do°, a] *adj*
exporting ▷ *m/f* exporter

exportar [iʃpox'ta°] *vt* to export

exposição [iʃpozi'sãw] (*pl* **-ões**) *f*
exhibition; (*explicação*) explanation;
(*declaração*) statement; (*narração*)
account; (*Foto*) exposure

exposto, -a [iʃ'poʃtu, 'pɔʃta] *adj*
(*lugar*) exposed; (*quadro, mercadoria*)
on show *ou* display ▷ *m*: **o acima
~** the above

expressão [iʃpre'sãw] (*pl* **-ões**) *f*
expression

expressar [iʃpre'sa°] *vt* to
express; **expressivo, -a**
[iʃpre'sivu, a] *adj* expressive;
(*pessoa*) demonstrative

expresso, -a [iʃ'prɛsu, a] *pp de*
exprimir ▷ *adj* definite, clear; (*trem,
ordem, carta*) express ▷ *m* express

expressões [iʃpre'sõjʃ] *fpl de* **expressão**

exprimir [iʃpri'mi*ʃ] *vt* to express

expulsão [iʃpul'sãw] (*pl* **-ões**) *f* expulsion; (*Esporte*) sending off

expulsar [iʃpuw'sa*ʃ] *vt* to expel; (*de uma festa, clube etc*) to throw out; (*inimigo*) to drive out; (*estrangeiro*) to expel, deport; (*jogador*) to send off

expulso, -a [iʃ'puwsu, a] *pp de* **expulsar**

expulsões [iʃpul'sõjʃ] *fpl de* **expulsão**

êxtase ['eʃtazi] *m* ecstasy

extenso, -a [iʃ'tẽsu, a] *adj* extensive; (*comprido*) long; (*artigo*) full, comprehensive; **por ~** in full

extenuante [iʃte'nwãtʃi] *adj* exhausting; (*debilitante*) debilitating

exterior [iʃte'rjo*ʃ] *adj* (*de fora*) outside, exterior; (*aparência*) outward; (*comércio*) foreign ▷ *m* (*da casa*) outside; (*aspecto*) outward appearance; **do ~** (*do estrangeiro*) from abroad; **no ~** abroad

exterminar [iʃtexmi'na*ʃ] *vt* (*inimigo*) to wipe out, exterminate; (*acabar com*) to do away with

externo, -a [iʃ'tɛxnu, a] *adj* external; (*aparente*) outward; **aluno ~** day pupil

extinguir [iʃtʃĩ'gi*ʃ] *vt* (*fogo*) to put out, extinguish; (*um povo*) to wipe out; **extinguir-se** *vr* (*fogo, luz*) to go out; (*Bio*) to become extinct

extinto, -a [iʃ'tʃĩtu, a] *adj* (*fogo*) extinguished; (*língua, pessoa*) dead; (*animal, vulcão*) extinct; (*associação etc*) defunct; **extintor** [iʃtʃĩ'to*ʃ] *m* (fire) extinguisher

extorsão [iʃtox'sãw] *f* extortion

extra ['ɛʃtra] *adj* extra ▷ *m/f* extra person; (*Teatro*) extra

extração [iʃtra'sãw] (*PT* **-cç-**) (*pl* **-ões**) *f* extraction; (*de loteria*) draw

extracto [iʃ'tratu] (*PT*) *m* = **extrato**

extrair [iʃtra'ji*ʃ] *vt* to extract, take out

extraordinário, -a [iʃtraoxdʒi-'narju, a] *adj* extraordinary; (*despesa*) extra; (*reunião*) special

extrato [iʃ'tratu] *m* extract; (*resumo*) summary; **~ (bancário)** (bank) statement

extravagância [iʃtrava'gãsja] *f* extravagance; **extravagante** [iʃtrava'gãtʃi] *adj* extravagant; (*roupa*) outlandish; (*conduta*) wild

extravasar [iʃtrava'za*ʃ] *vi* to overflow

extraviado, -a [iʃtra'vjadu, a] *adj* lost, missing

extraviar [iʃtra'vja*ʃ] *vt* to mislay; (*pessoa*) to lead astray; (*dinheiro*) to embezzle; **extraviar-se** *vr* to get lost; **extravio** [iʃtra'viu] *m* loss; embezzlement; (*fig*) deviation

extremado, -a [iʃtre'madu, a] *adj* extreme

extremidade [iʃtremi'dadʒi] *f* extremity; (*do dedo*) tip; (*ponta*) end; (*beira*) edge

extremo, -a [iʃ'trɛmu, a] *adj* extreme ▷ *m* extreme; **ao ~** extremely

extrovertido, -a [eʃtrovex'tʃidu, a] *adj* extrovert, outgoing ▷ *m/f* extrovert

exultante [ezuw'tãtʃi] *adj* jubilant, exultant

f

fã [fã] (col) m/f fan

fábrica ['fabrika] f factory; **~ de cerveja** brewery; **a preço de ~** wholesale

fabricação [fabrika'sãw] f manufacture; **~ em série** mass production

fabuloso, -a [fabu'lozu, ɔza] adj fabulous

faca ['faka] f knife; **facada** [fa'kada] f stab, cut

façanha [fa'saɲa] f exploit, deed

facção [fak'sãw] (pl **-ões**) f faction

face ['fasi] f face; (bochecha) cheek; **em ~ de** in view of; **fazer ~ a** to face up to; **disquete de ~ simples/dupla** (Comput) single-/double-sided disk

fáceis ['fasejʃ] adj pl de **fácil**

faceta [fa'seta] f facet

fachada [fa'ʃada] f façade, front

fácil ['fasiw] (pl **-eis**) adj easy; (temperamento, pessoa) easy-going ▷ adv easily; **facilidade** [fasili'dadʒi] f ease; (jeito) facility; **facilidades** fpl (recursos) facilities; **ter facilidade para algo** to have a talent for sth

facilitar [fasili'ta*] vt to facilitate, make easy; (fornecer): **~ algo a alguém** to provide sb with sth

faço etc ['fasu] vb V **fazer**

facto ['faktu] (PT) m = **fato**

factor [fak'to*] (PT) m = **fator**

factual [fak'twaw] (pl **-ais**) adj factual

factura etc [fak'tura] (PT) = **fatura** etc

faculdade [fakuw'dadʒi] f (ger, Educ) faculty; (poder) power

facultativo, -a [fakuwta'tʃivu, a] adj optional ▷ m/f doctor

fadado, -a [fa'dadu, a] adj destined

fadiga [fa'dʒiga] f fatigue

fadista [fa'dʒiʃta] m/f fado singer ▷ m (PT) ruffian

fado ['fadu] m fate; (canção) fado; see boxed note

faia ['faja] f beech (tree)
faisão [faj'zāw] (-ies, pl -ães) m
pheasant
faísca [fa'iʃka] f spark; (brilho)
flash
faisões [faj'zōjʃ] mpl de **faisão**
faixa ['fajʃa] f (cinto, Judô) belt;
(tira) strip; (área) zone; (Auto: pista)
lane; (BR: para pedestres) zebra
crossing (BRIT), crosswalk (US);
(Med) bandage; (num disco) track
fala ['fala] f speech; **chamar às ~s**
to call to account; **sem ~** speechless
falante [fa'lātʃi] adj talkative
falar [fa'la°] vt (língua) to speak;
(besteira etc) to talk; (dizer) to say;
(verdade, mentira) to tell ▷ vi to
speak; **~ algo a alguém** to tell sb
sth; **~ de ou em algo** to talk about
sth; **~ com alguém** to talk to sb;
por ~ em speaking of; **sem ~ em**
not to mention; **falou!, 'tá falado!**
(col) OK!
falcão [faw'kāw] (pl -ões) m
falcon
falecer [fale'se°] vi to die;
falecimento [falesi'mētu] m
death
falência [fa'lēsja] f bankruptcy;
abrir ~ to declare o.s. bankrupt;
ir à ~ to go bankrupt; **levar à ~** to
bankrupt
falésia [fa'lɛzja] f cliff
falha ['faʎa] f fault; (lacuna)
omission; (de caráter) flaw
falhar [fa'ʎa°] vi to fail; (não
acertar) to miss; (errar) to be wrong;
sua voz está falhando (Tel) you're
breaking up
falho, -a ['faʎu, a] adj faulty;
(deficiente) wanting
falido, -a [fa'lidu, a] adj, m/f
bankrupt
falir [fa'li°] vi to fail; (Com) to go
bankrupt
falsário, -a [faw'sarju, a] m/f
forger
falsidade [fawsi'dadʒi] f
falsehood; (fingimento) pretence
(BRIT), pretense (US)
falsificar [fawsifi'ka°] vt
(forjar) to forge; (falsear) to falsify;
(adulterar) to adulterate; (desvirtuar)
to misrepresent
falso, -a ['fawsu, a] adj false;
(fraudulento) dishonest; (errôneo)
wrong; (jóia, moeda, quadro) fake;
pisar em ~ to blunder
falta ['fawta] f (carência) lack;
(ausência) absence; (defeito, culpa)
fault; (Futebol) foul; **por ou na ~
de** for lack of; **sem ~** without fail;
fazer ~ to be lacking, be needed;
sentir ~ de alguém/algo to
miss sb/sth; **ter ~ de** to lack, be
in need of
faltar [faw'ta°] vi to be lacking,
be wanting; (pessoa) to be absent;
(falhar) to fail; **~ ao trabalho** to be
absent from work; **~ à palavra** to
break one's word; **falta pouco para
...** it won't be long until ...
fama ['fama] f (renome) fame;
(reputação) reputation
família [fa'milja] f family
familiar [fami'lja°] adj (da família)
family atr; (conhecido) familiar ▷ m/f
relation, relative; **familiaridade**
[familjari'dadʒi] f familiarity;
(sem-cerimônia) informality
famoso, -a [fa'mozu, ɔza] adj
famous
fanático, -a [fa'natʃiku, a] adj
fanatical ▷ m/f fanatic
fantasia [fāta'zia] f fantasy;
(imaginação) imagination; (capricho)
fancy; (traje) fancy dress
fantasiar [fāta'zja°] vt to imagine
▷ vi to daydream; **fantasiar-se** vr to
dress up (in fancy dress)
fantasma [fā'taʒma] m ghost;
(alucinação) illusion

fantástico, -a [fãˈtaʃtʃiku, a]
adj fantastic; (*ilusório*) imaginary;
(*incrível*) unbelievable

fantoche [fãˈtɔʃi] *m* puppet

farda [ˈfaxda] *f* uniform

farei *etc* [faˈrej] *vb* V **fazer**

farinha [faˈriɲa] *f*: **~ (de mesa)**
(*manioc*) flour; **~ de rosca**
breadcrumbs *pl*; **~ de trigo** plain
flour

farmacêutico, -a [faxma-
ˈsewtʃiku, a] *adj* pharmaceutical
▷ *m/f* pharmacist, chemist (*BRIT*)

farmácia [faxˈmasja] *f* pharmacy,
chemist's (shop) (*BRIT*)

faro [ˈfaru] *m* sense of smell;
(*fig*) flair

farofa [faˈrɔfa] *f* (*Culin*) side dish
based on manioc flour

farol [faˈrɔw] (*pl* **-óis**) *m*
lighthouse; (*Auto*) headlight; **com
~ alto** (*Auto*) on full (*BRIT*) *ou* high
(*US*) beam; **com ~ baixo** dipped
headlights *pl* (*BRIT*), dimmed
beam (*US*)

farra [ˈfaxa] *f* binge, spree

farrapo [faˈxapu] *m* rag

farsa [ˈfaxsa] *f* farce; **farsante**
[faxˈsãtʃi] *m/f* joker

fartar [faxˈtaʲ] *vt* to satiate;
(*encher*) to fill up; **fartar-se** *vr* to
gorge o.s.

farto, -a [ˈfaxtu, a] *adj* full,
satiated; (*abundante*) plentiful;
(*aborrecido*) fed up

fartura [faxˈtura] *f* abundance

fascinante [fasiˈnãtʃi] *adj*
fascinating

fascinar [fasiˈnaʲ] *vt* to fascinate;
(*encantar*) to charm; **fascínio**
[faˈsinju] *m* fascination

fase [ˈfazi] *f* phase

fashion [fɛʃjõ] (*col*) *adj* trendy

fatal [faˈtaw] (*pl* **-ais**) *adj* (*mortal*)
fatal; (*inevitável*) inevitable;
fatalidade [fataliˈdadʒi] *f* fate;

(*desgraça*) disaster

fatia [faˈtʃia] *f* slice

fatigante [fatʃiˈgãtʃi] *adj* tiring;
(*aborrecido*) tiresome

fatigar [fatʃiˈgaʲ] *vt* to tire;
(*aborrecer*) to bore; **fatigar-se** *vr*
to get tired

Fátima [ˈfatima] *f* Fatima; *see
boxed note*

● **FÁTIMA**
●
● Fátima, situated in central
● Portugal, is known worldwide as
● a site of pilgrimage for Catholics.
● It is said that, in 1917, the Virgin
● Mary appeared six times to
● three shepherd children (*os três
● pastorinhos*). Millions of pilgrims
● visit Fátima every year.

fato [ˈfatu] *m* fact; (*acontecimento*)
event; (*PT: traje*) suit; **~ de banho**
(*PT*) swimming costume (*BRIT*),
bathing suit (*US*); **de ~** in fact, really

fator [faˈtoʲ] *m* factor

fatura [faˈtura] *f* bill, invoice;
faturar [fatuˈraʲ] *vt* to invoice;
(*dinheiro*) to make ▷ *vi* (*col: ganhar
dinheiro*): **faturar (alto)** to rake it in

fava [ˈfava] *f* broad bean; **mandar
alguém às ~s** to send sb packing

favela [faˈvɛla] *f* slum

favor [faˈvoʲ] *m* favour (*BRIT*), favor
(*US*); **a ~ de** in favo(u)r of; **por ~**
please; **faça** *ou* **faz o ~ de ...** would
you be so good as to ..., kindly ...;
favorável [favoˈravew] (*pl* **-eis**)
adj: **favorável (a)** favo(u)rable (to);
favorecer [favoreˈseʲ] *vt* to
favo(u)r; (*beneficiar*) to benefit; (*suj:
vestido*) to suit; (: *retrato*) to flatter;
favorito [favoˈritu, a] *adj, m/f*
favo(u)rite

fax [faks] *m* (*carta*) fax; (*máquina*)
fax (machine); **enviar por ~** to fax

faxina [fa'ʃina] f: **fazer ~** to clean up; **faxineiro, -a** [faʃi'nejɾu, a] m/f cleaner

fazenda [fa'zẽda] f farm; (de café) plantation; (de gado) ranch; (pano) cloth, fabric; (Econ) treasury; **fazendeiro** [fazẽ'dejɾu] m farmer; (de café) plantation-owner; (de gado) rancher, ranch-owner

○ **PALAVRA CHAVE**

fazer [fa'ze*] vt **1** (fabricar, produzir) to make; (construir) to build; (pergunta) to ask; (poema, música) to write; **~ um filme/ruído** to make a film/noise

2 (executar) to do; **o que você está fazendo?** what are you doing?; **~ a comida** to do the cooking; **~ o papel de** (Teatro) to play

3 (estudos, alguns esportes) to do; **~ medicina/direito** to do ou study medicine/law; **~ ioga/ginástica** to do yoga/keep-fit

4 (transformar, tornar): **sair o fará sentir melhor** going out will make him feel better; **sua partida fará o trabalho mais difícil** his departure will make work more difficult

5 (como sustituto de vb): **ele bebeu e eu fiz o mesmo** he drank and I did likewise

6: **~ anos: ele faz anos hoje** it's his birthday today; **fiz 30 anos ontem** I was 30 yesterday

▷ vi **1** (portar-se) to act, behave; **~ bem/mal** to do the right/wrong thing; **não fiz por mal** I didn't mean it; **faz como quem não sabe** act as if you don't know anything

2: **~ com que alguém faça algo** to make sb do sth

▷ vb impess **1**: **faz calor/frio** it's hot/cold

2 (tempo): **faz um ano** a year ago;

faz dois anos que ele se formou it's two years since he graduated; **faz três meses que ele está aqui** he's been here for three months

3: **não faz mal** never mind; **tanto faz** it's all the same

fazer-se vr **1**: **~-se de desentendido** to pretend not to understand

2: **faz-se com ovos e leite** it's made with eggs and milk; **isso não se faz** that's not done

fé [fɛ] f faith; (crença) belief; (confiança) trust; **de boa/má ~** in good/bad faith

febre ['fɛbɾi] f fever; (fig) excitement; **~ do feno** hay fever; **febril** [fe'briw] (pl **-is**) adj feverish

fechado, -a [fe'ʃadu, a] adj shut, closed; (pessoa) reserved; (sinal) red; (luz, torneira) off; (tempo) overcast; (cara) stern

fechadura [feʃa'duɾa] f lock

fechar [fe'ʃa*] vt to close, shut; (concluir) to finish, conclude; (luz, torneira) to turn off; (rua) to close off; (ferida) to close up; (bar, loja) to close down ▷ vi to close (up), shut; to close down; (tempo) to cloud over; **fechar-se** vr to close, shut; (pessoa) to withdraw; **~ à chave** to lock

fecho ['feʃu] m fastening; (trinco) latch; (término) close; **~ ecler** zip fastener (BRIT), zipper (US)

fécula ['fɛkula] f starch

feder [fe'de*] vi to stink

federação [federa'sãw] (pl **-ões**) f federation

federal [fede'raw] (pl **-ais**) adj federal; (col: grande) huge

fedor [fe'do*] m stench

feijão [fej'ʒãw] (pl **-ões**) m bean(s) (pl); (preto) black bean(s) (pl); **feijoada** [fej'ʒwada] f (Culin) meat, rice and black beans

feio, -a ['feju, a] *adj* ugly; (*situação*) grim; (*atitude*) bad; (*tempo*) horrible ▷ *adv* (*perder*) badly

feira ['fejra] *f* fair; (*mercado*) market

feiticeira [fejtʃi'sejra] *f* witch

feitiço [fej'tʃisu] *m* charm, spell

feitio [fej'tʃiu] *m* shape, pattern; (*caráter*) nature, manner; (*Tec*) workmanship

feito, -a ['fejtu, a] *pp de* **fazer** ▷ *adj* finished, ready ▷ *m* act, deed; (*façanha*) feat ▷ *conj* like; **~ a mão** hand-made; **homem ~** grown man

feiúra [fe'jura] *f* ugliness

felicidade [felisi'dadʒi] *f* happiness; (*sorte*) good luck; (*êxito*) success; **~s** *fpl* (*congratulações*) congratulations

felicitações [felisita'sõjʃ] *fpl* congratulations, best wishes

feliz [fe'liʒ] *adj* happy; (*afortunado*) lucky; **felizmente** [feliʒ'mētʃi] *adv* fortunately

feltro ['fewtru] *m* felt

fêmea ['femja] *f* female

feminino, -a [femi'ninu, a] *adj* feminine; (*sexo*) female; (*equipe, roupa*) women's; (*Ling*) feminine

feminista [femi'niʃta] *adj, m/f* feminist

feno ['fenu] *m* hay

fenomenal [fenome'naw] (*pl* **-ais**) *adj* phenomenal; (*espantoso*) amazing; (*pessoa*) brilliant

fenômeno [fe'nomenu] *m* phenomenon

fera ['fɛra] *f* wild animal

feriado [fe'rjadu] *m* holiday (*BRIT*), vacation (*US*)

férias ['fɛrjaʃ] *fpl* holidays, vacation *sg*; **de ~** on holiday; **tirar ~** to have *ou* take a holiday

ferida [fe'rida] *f* wound, injury; *V tb* **ferido**

ferido, -a [fe'ridu, a] *adj* injured; (*em batalha*) wounded; (*magoado*) hurt ▷ *m/f* casualty

ferimento [feri'mētu] *m* injury; (*em batalha*) wound

ferir [fe'ri*] *vt* to injure; (*tb fig*) to hurt; (*em batalha*) to wound; (*ofender*) to offend

fermentar [fexmē'ta*] *vi* to ferment

fermento [fex'mētu] *m* yeast; **~ em pó** baking powder

feroz [fe'roʒ] *adj* fierce, ferocious; (*cruel*) cruel

ferragem [fe'xaʒẽ] (*pl* **-ns**) *f* (*peças*) hardware; (*guarnição*) metalwork; **loja de ferragens** ironmonger's (*BRIT*), hardware store

ferramenta [fexa'mēta] *f* tool; (*caixa de* **~s**) tool kit; **~ de busca** (*Comput*) search engine

ferrão [fe'xãw] (*pl* **-ões**) *m* goad; (*de inseto*) sting

ferrenho, -a [fe'xeɲu, a] *adj* (*vontade*) iron

ferro ['fɛxu] *m* iron; **~s** *mpl* (*algemas*) shackles, chains; **~ batido** wrought iron; **~ de passar** iron; **~ fundido** cast iron; **~ ondulado** corrugated iron

ferrões [fe'xõjʃ] *mpl de* **ferrão**

ferrolho [fe'xoʎu] *m* (*trinco*) bolt

ferrovia [fexo'via] *f* railway (*BRIT*), railroad (*US*); **ferroviário, -a** [fexo'vjarju, a] *adj* railway *atr* (*BRIT*), railroad *atr* (*US*) ▷ *m/f* railway *ou* railroad worker

ferrugem [fe'xuʒẽ] *f* rust

fértil ['fɛxtʃiw] (*pl* **-eis**) *adj* fertile; **fertilizante** [fextʃili'zãtʃi] *m* fertilizer; **fertilizar** [fextʃili'za*] *vt* to fertilize

ferver [fex've*] *vt, vi* to boil; **~ de raiva/indignação** to seethe with rage/indignation; **~ em fogo baixo** (*Culin*) to simmer

fervilhar [fexvi'ʎa*] *vi* to simmer;

(*com atividade*) to hum; (*pulular*): ~
de to swarm with
fervor [fex'vo°] *m* fervour (*BRIT*),
fervor (*US*)
festa ['fɛʃta] *f* (*reunião*) party;
(*conjunto de ceremônias*) festival; **~s**
fpl (*carícia*) embrace *sg*; **boas ~s**
Merry Christmas and a Happy New
Year; **dia de ~** public holiday
festejar [feʃte'ʒa°] *vt* to celebrate;
(*acolher*) to welcome, greet;
festejo [feʃ'teʒu] *m* festivity; (*ato*)
celebration
festival [feʃtʃi'vaw] (*pl* **-ais**) *m*
festival
festividade [feʃtʃivi'dadʒi] *f*
festivity
festivo, -a [feʃ'tʃivu, a] *adj* festive
fetiche [fe'tʃiʃi] *m* fetish
feto ['fɛtu] *m* (*Med*) foetus (*BRIT*),
fetus (*US*)
fevereiro [feve'rejru] (*PT* **F-**) *m*
February
fez [fɛʒ] *vb* V **fazer**
fezes ['fɛziʃ] *fpl* faeces (*BRIT*),
feces (*US*)
fiado, -a ['fjadu, a] *adv*: **comprar/
vender ~** to buy/sell on credit
fiador, a [fja'do°, a] *m/f* (*Jur*)
guarantor; (*Com*) backer
fiambre ['fjãbri] *m* cold meat;
(*presunto*) ham
fiança ['fjãsa] *f* guarantee; (*Jur*)
bail; **prestar ~ por** to stand bail for;
sob ~ on bail
fiar ['fja°] *vt* (*algodão etc*) to spin;
(*confiar*) to entrust; (*vender a crédito*)
to sell on credit; **fiar-se** *vr*: **~-se
em** to trust
fibra ['fibra] *f* fibre (*BRIT*), fiber (*US*)

○ **PALAVRA CHAVE**

ficar [fi'ka°] *vi* **1** (*permanecer*)
to stay; (*sobrar*) to be left; **~
perguntando/olhando** *etc* to keep

asking/looking *etc*; **~ por fazer** to
have still to be done; **~ para trás** to
be left behind
2 (*tornar-se*) to become; **~ cego/
surdo/louco** to go blind/deaf/mad;
**fiquei contente ao saber da
notícia** I was happy when I heard
the news; **~ com raiva/medo** to
get angry/frightened; **~ de bem/
mal com alguém** (*col*) to make
up/fall out with sb
3 (*posição*) to be; **a casa fica ao lado
da igreja** the house is next to the
church; **~ sentado/deitado** to be
sitting down/lying down
4 (*tempo: durar*): **ele ficou duas
horas para resolver** he took two
hours to decide; (: *ser adiado*): **a
reunião ficou para amanhã** the
meeting was postponed until the
following day
5: **~ bem** (*comportamento*): **sua
atitude não ficou bem** his (*ou* her
etc) behaviour was inappropriate;
(*cor*): **você fica bem em azul** blue
suits you, you look good in blue;
(*roupa*): **~ bem para** to suit
6: **~ bom** (*de saúde*) to be cured;
(*trabalho, foto etc*) to turn out well
7: **~ de fazer algo** (*combinar*) to
arrange to do sth; (*prometer*) to
promise to do sth
8: **~ de pé** to stand up

ficção [fik'sãw] *f* fiction
ficha ['fiʃa] *f* (*tb*: **~ de telefone**)
token; (*tb*: **~ de jogo**) chip; (*de
fichário*) (index) card; (*Polícia*) record;
(*PT: Elet*) plug; (*em loja, lanchonete*)
ticket
fichário [fi'ʃarju] *m* filing cabinet;
(*caixa*) card index; (*caderno*) file
ficheiro [fi'ʃejru] (*PT*) *m* =**fichário**
fidelidade [fideli'dadʒi] *f* fidelity,
loyalty; (*exatidão*) accuracy
fiel [fjɛw] (*pl* **-éis**) *adj* (*leal*)

faithful, loyal; (*acurado*) accurate; (*que não falha*) reliable

figa ['figa] *f* talisman; **fazer uma ~** to make a *figa* ≈ cross one's fingers; **de uma ~** (*col*) damned

fígado ['figadu] *m* liver

figo ['figu] *m* fig; **figueira** [fi'gejra] *f* fig tree

figura [fi'gura] *f* figure; (*forma*) form, shape; (*Ling*) figure of speech; (*aspecto*) appearance

figurino [figu'rinu] *m* model; (*revista*) fashion magazine

fila ['fila] *f* row, line; (*BR: fileira de pessoas*) queue (*BRIT*), line (*US*); (*num teatro, cinema*) row; **em ~** in a row; **fazer ~** to form a line, queue; **~ indiana** single file

filé [fi'lɛ] *m* (*bife*) steak; (*peixe*) fillet

fileira [fi'lejra] *f* row, line; **~s** *fpl* (*serviço militar*) military service *sg*

filho, -a ['fiʎu, a] *m/f* son/ daughter; **~s** *mpl* children; (*de animais*) young

filhote [fi'ʌɔtʃi] *m* (*de leão, urso etc*) cub; (*cachorro*) pup (py)

filial [fi'ljaw] (*pl* **-ais**) *f* (*sucursal*) branch

Filipinas [fili'pinaʃ] *fpl*: **as ~** the Philippines

filmadora [fiwma'dora] *f* camcorder

filmar [fiw'ma°] *vt, vi* to film

filme ['fiwmi] *m* film (*BRIT*), movie (*US*)

filosofia [filozo'fia] *f* philosophy; **filósofo, -a** [fi'lɔzofu, a] *m/f* philosopher

filtrar [fiw'tra°] *vt* to filter; **filtrar-se** *vr* to filter; (*infiltrar-se*) to infiltrate

filtro ['fiwtru] *m* (*Tec*) filter

fim [fĩ] (*pl* **-ns**) *m* end; (*motivo*) aim, purpose; (*de história, filme*) ending; **a ~ de** in order to; **no ~ das contas** after all; **por ~** finally;

sem ~ endless; **levar ao ~** to carry through; **pôr ou dar ~ a** to put an end to; **ter ~** to come to an end; **~ de semana** weekend

finado, -a [fi'nadu, a] *m/f* deceased; **dia dos F~s** day of the dead; *see boxed note*

● **DIA DOS FINADOS**
●
● The **dia dos Finados**, 2 November,
● a holiday throughout Brazil,
● is dedicated to remembering
● the dead. On this day, people
● usually gather in cemeteries to
● remember their family dead,
● and also to worship at the
● graves of popular figures from
● Brazilian culture and society,
● such as singers, actors and other
● personalities. It is popularly
● believed that these people can
● work miracles.

final [fi'naw] (*pl* **-ais**) *adj* final, last ▷ *m* end; (*Mús*) finale ▷ *f* (*Esporte*) final; **finalista** [fina'liʃta] *m/f* finalist; **finalizar** [finali'za°] *vt* to finish, conclude

finanças [fi'nãsaʃ] *fpl* finance *sg*; **financeiro, -a** [finã'sejru, a] *adj* financial ▷ *m/f* financier; **financiar** [finã'sja°] *vt* to finance

fingimento [fĩʒi'mẽtu] *m* pretence (*BRIT*), pretense (*US*)

fingir [fĩ'ʒi°] *vt* to feign ▷ *vi* to pretend; **fingir-se** *vr*: **~-se de** to pretend to be

finito, -a [fi'nitu, a] *adj* finite

finlandês, -esa [fĩlã'deʃ, eza] *adj* Finnish ▷ *m/f* Finn ▷ *m* (*Ling*) Finnish

Finlândia [fĩ'lãdʒja] *f*: **a ~** Finland

fino, -a ['finu, a] *adj* fine; (*delgado*) slender; (*educado*) polite; (*som, voz*) shrill; (*elegante*) refined ▷ *adv*: **falar**

~ to talk in a high voice

fins [fiʃ] *mpl de* **fim**

fio ['fiu] *m* thread; (*Bot*) fibre (*BRIT*), fiber (*US*); (*Elet*) wire; (*Tel*) line; (*de líquido*) trickle; (*gume*) edge; (*encadeamento*) series; **horas/dias a** ~ hours/days on end

firewall [fajau'aw] *m* firewall

firma ['fixma] *f* signature; (*Com*) firm, company

firmar [fix'ma°] *vt* to secure, make firm; (*assinar*) to sign; (*estabelecer*) to establish; (*basear*) to base ▷ *vi* (*tempo*) to settle; **firmar-se** *vr*: **~-se em** (*basear-se*) to rest on, be based on

firme ['fixmi] *adj* firm; (*estável*) stable; (*sólido*) solid; (*tempo*) settled ▷ *adv* firmly; **firmeza** [fix'meza] *f* firmness; stability; solidity

fiscal [fiʃ'kaw] (*pl* **-ais**) *m/f* supervisor; (*aduaneiro*) customs officer; (*de impostos*) tax inspector; **fiscalizar** [fiʃkali'za°] *vt* to supervise; (*examinar*) to inspect, check

fisco ['fiʃku] *m*: **o** ~ ≈ the Inland Revenue (*BRIT*), ≈ the Internal Revenue Service (*US*)

física ['fizika] *f* physics *sg*; *V tb* **físico**

físico, -a ['fiziku, a] *adj* physical ▷ *m/f* (*cientista*) physicist ▷ *m* (*corpo*) physique

fisionomia [fizjono'mia] *f* (*rosto*) face; (*ar*) expression, look; (*aspecto de algo*) appearance

fissura [fi'sura] *f* crack

fita ['fita] *f* tape; (*tira*) strip, band; (*filme*) film; (*para máquina de escrever*) ribbon; ~ **durex** ® adhesive tape, sellotape ® (*BRIT*), scotchtape ® (*US*); ~ **métrica** tape measure

fitar [fi'ta°] *vt* to stare at, gaze at

fivela [fi'vela] *f* buckle

fixar [fik'sa°] *vt* to fix; (*colar,*

prender) to stick; (*data, prazo, regras*) to set; (*atenção*) to concentrate; **fixar-se** *vr*: **~-se em** (*assunto*) to concentrate on; (*detalhe*) to fix on; (*apegar-se a*) to be attached to; ~ **os olhos em** to stare at; ~ **residência** to set up house

fixo, -a ['fiksu, a] *adj* fixed; (*firme*) firm; (*permanente*) permanent; (*cor*) fast

fiz *etc* [fiʒ] *vb V* **fazer**

flagelado, -a [flaʒe'ladu, a] *m/f*: **os ~s** the afflicted, the victims

flagrante [fla'grãtʃi] *adj* flagrant; **apanhar em** ~ **(delito)** to catch red-handed *ou* in the act

flagrar [fla'gra°] *vt* to catch

flanela [fla'nɛla] *f* flannel

flash [flaʃ] *m* (*Foto*) flash

flauta ['flawta] *f* flute

flecha ['flɛʃa] *f* arrow

fleu(g)ma [flewma] *f* phlegm

floco ['flɔku] *m* flake; ~ **de milho** cornflake; ~ **de neve** snowflake

flor [flo°] *f* flower; (*o melhor*) **a** ~ **de** the cream of, the pick of; **em** ~ in bloom; **à** ~ **de** on the surface of

florescente [flore'sẽtʃi] *adj* (*Bot*) in flower; (*próspero*) flourishing

florescer [flore'se°] *vi* (*Bot*) to flower; (*prosperar*) to flourish

floresta [flo'reʃta] *f* forest; ~ **tropical** rainforest; **florestal** [floreʃ'taw] (*pl* **florestais**) *adj* forest *atr*

florido, -a [flo'ridu, a] *adj* (*jardim*) in flower

fluente [flu'ẽtʃi] *adj* fluent

fluido, -a ['flwidu, a] *adj* fluid ▷ *m* fluid

fluir [flwi°] *vi* to flow

fluminense [flumi'nẽsi] *adj* from the state of Rio de Janeiro ▷ *m/f* native *ou* inhabitant of the state of Rio de Janeiro

flutuar [flu'twa°] *vi* to float;

(*bandeira*) to flutter; (*fig*: *vacilar*)
to waver
fluvial [flu'vjaw] (*pl* **-ais**) *adj*
river *atr*
fluxo ['fluksu] *m* (*corrente*) flow;
(*Elet*) flux; **~ de caixa** (*Com*) cash
flow
fobia [fo'bia] *f* phobia
foca ['fɔka] *f* seal
foco ['fɔku] *m* focus; (*Med*, *fig*) seat,
centre (*BRIT*), center (*US*); **fora de ~
em/fora de ~** out of focus, in/out
of focus
fofo, -a ['fofu, a] *adj* soft; (*col*:
pessoa) cute
fofoca [fo'fɔka] *f* piece of gossip;
~s *fpl* (*mexericos*) gossip *sg*; **fofocar**
[fofo'ka°] *vi* to gossip
fogão [fo'gãw] (*pl* **-ões**) *m* stove,
cooker
fogareiro [foga'rejru] *m* stove
foge *etc* ['fɔʒi] *vb* V **fugir**
fogo ['fogu] *m* fire; (*fig*) ardour
(*BRIT*), ardor (*US*); **você tem ~?** have
you got a light?; **~s de artifício**
fireworks; **pôr ~ a** to set fire to
fogões [fo'gõjʃ] *mpl de* **fogão**
fogueira [fo'gejra] *f* bonfire
foguete [fo'getʃi] *m* rocket
foi [foj] *vb* V **ir**; **ser**
folclore [fowk'lɔri] *m* folklore
folclórico, -a [fowk'lɔriku, a]
adj (*música etc*) folk; (*comida*, *roupa*)
ethnic
fôlego ['folegu] *m* breath; (*folga*)
breathing space; **perder o ~** to get
out of breath
folga ['fɔwga] *f* rest, break; (*espaço
livre*) clearance; (*ócio*) inactivity;
(*col*: *atrevimento*) cheek; **dia de ~** day
off; **folgado, -a** [fow'gadu, a] *adj*
(*roupa*) loose; (*vida*) leisurely; (*col*:
atrevido) cheeky; **folgar** [fow'ga°]
vt to loosen ▷ *vi* (*descansar*) to rest;
(*divertir-se*) to have fun
folha ['foʎa] *f* leaf; (*de papel*, *de*

metal) sheet; (*página*) page; (*de faca*)
blade; (*jornal*) paper; **novo em ~**
brand new; **~ de estanho** tinfoil
(*BRIT*), aluminum foil (*US*); **~ de
exercícios** worksheet
folhagem [fo'ʎaʒẽ] *f* foliage
folheto [fo'ʎetu] *m* booklet,
pamphlet
fome ['fɔmi] *f* hunger; (*escassez*)
famine; (*fig*: *avidez*) longing; **passar
~** to go hungry; **estar com** *ou* **ter ~**
to be hungry
fone ['fɔni] *m* telephone, phone;
(*peça do telefone*) receiver
fonte ['fõtʃi] *f* (*nascente*) spring;
(*chafariz*) fountain; (*origem*) source;
(*Anat*) temple
for *etc* [fo°] *vb* V **ir**; **ser**
fora¹ ['fɔra] *adv* out, outside
▷ *prep* (*além de*) apart from ▷ *m*:
dar o ~ (*bateria*, *radio*) to give out;
(*pessoa*) to leave, be off; **dar um ~**
to slip up; **dar um ~ em/levar um
~** (*namorado*) to chuck *ou* dump/be
given the boot; (*esnobar*) to snub
sb/get the brush-off; **~ de** outside;
~ de si beside o.s.; **estar ~** (*viajando*)
to be away; **estar ~ (de casa)** (*de
casa*) to be out; **lá ~** outside; (*no
exterior*) abroad; **jantar ~** to eat
out; **com os braços de ~** with bare
arms; **ser de ~** to be from out of
town; **ficar de ~** not to join in; **lá
para ~** outside; **ir para ~** (*viajar*)
to go out of town; **com a cabeça
para ~ da janela** with one's head
sticking out of the window;
costurar/cozinhar para ~ to do
sewing/cooking for other people;
por ~ on the outside; **cobrar por
~** (*cobrar*) to charge extra, extra;
~ de dúvida beyond doubt; **~ de
propósito** irrelevant
fora² *etc* *vb* V **ir**; **ser**
foragido, -a [fora'ʒidu, a] *adj*,
m/f (*fugitivo*) fugitive

forasteiro, -a [foraʃ'tejru, a] *m/f* outsider, stranger; (*de outro país*) foreigner
força ['foxsa] *f* strength; (*Tec, Elet*) power; (*esforço*) effort; (*coerção*) force; **à ~** by force; **à ~ de** by dint of; **com ~** hard; **por ~** of necessity; **fazer ~** to try (hard); **~ de trabalho** workforce
forçado, -a [fox'sadu, a] *adj* forced; (*afetado*) false
forçar [fox'sa*] *vt* to force; (*olhos, voz*) to strain
forma ['fɔxma] *f* form; (*de um objeto*) shape; (*físico*) figure; (*maneira*) way; (*Med*) fitness; **desta ~** in this way; **de qualquer ~** anyway; **manter a ~** to keep fit
fôrma ['foxma] *f* (*Culin*) cake tin; (*molde*) mould (BRIT), mold (US)
formação [foxma'sãw] (*pl* **-ões**) *f* formation; (*antecedentes*) background; (*caráter*) make-up; (*profissional*) training
formado, -a [fox'madu, a] *adj* (*modelado*): **ser ~ de** to consist of ▷ *m/f* graduate
formal [fox'maw] (*pl* **-ais**) *adj* formal; **formalidade** [foxmali'dadʒi] *f* formality
formar [fox'ma*] *vt* to form; (*constituir*) to constitute, make up; (*educar*) to train; **formar-se** *vr* to form; (*Educ*) to graduate
formatar [foxma'ta*] *vt* (*Comput*) to format
formidável [foxmi'davew] (*pl* **-eis**) *adj* tremendous, great
formiga [fox'miga] *f* ant
formigar [foxmi'ga*] *vi* to abound; (*sentir comichão*) to itch
formoso, -a [fox'mozu, ɔza] *adj* beautiful; (*esplêndido*) superb
fórmula ['fɔxmula] *f* formula
formular [foxmu'la*] *vt* to formulate; (*queixas*) to voice
formulário [foxmu'larju] *m* form; **~s** *mpl*: **~s contínuos** (*Comput*) continuous stationery *sg*
fornecedor, a [foxnese'do*, a] *m/f* supplier ▷ *f* (*empresa*) supplier
fornecer [foxne'se*] *vt* to supply, provide; **fornecimento** [foxnesi'mẽtu] *m* supply
forno ['foxnu] *m* (*Culin*) oven; (*Tec*) furnace; (*para cerâmica*) kiln; **alto ~** blast furnace
foro ['foru] *m* forum; (*Jur*) Court of Justice; **~s** *mpl* (*privilégios*) privileges
forro ['foxu] *m* covering; lining
fortalecer [foxtale'se*] *vt* to strengthen
fortaleza [foxta'leza] *f* fortress; (*força*) strength; (*moral*) fortitude
forte ['fɔxtʃi] *adj* strong; (*pancada*) hard; (*chuva*) heavy; (*tocar*) loud; (*dor*) sharp ▷ *adv* strongly; (*tocar*) loud(ly) ▷ *m* fort; (*talento*) strength; **ser ~ em algo** (*versado*) to be good at sth *ou* strong in sth
fortuito, -a [fox'twitu, a] *adj* accidental
fortuna [fox'tuna] *f* fortune, (good) luck; (*riqueza*) fortune, wealth
fosco, -a ['foʃku, a] *adj* dull; (*opaco*) opaque
fósforo ['fɔʃforu] *m* match
fossa ['fɔsa] *f* pit
fosse *etc* ['fosi] *vb V* **ir; ser**
fóssil ['fɔsiw] (*pl* **-eis**) *m* fossil
fosso ['fosu] *m* trench, ditch
foto ['fɔtu] *f* photo
fotocópia [foto'kɔpja] *f* photocopy; **fotocopiadora** [fotokoja'dora] *f* photocopier; **fotocopiar** [fotoko'pja*] *vt* to photocopy
fotografar [fotogra'fa*] *vt* to photograph
fotografia [fotogra'fia] *f*

photography; (*uma ~*) photograph

fotógrafo, -a [fo'tɔgrafu, a] *m/f*
photographer

foz [fɔʒ] *f* mouth of river

fração [fra'sãw] (*pl* **-ões**) *f*
fraction

fracassar [fraka'sa°] *vi* to fail;
fracasso [fra'kasu] *m* failure

fracção [fra'sãw] (*PT*) *f* = **fração**

fraco, -a [' fraku, a] *adj* weak; (*sol,*
som) faint

fractura *etc* [fra'tura] (*PT*) *f* =
fratura *etc*

frágil ['fraʒiw] (*pl* **-eis**) *adj* (*débil*)
fragile; (*Com*) breakable; (*pessoa*)
frail; (*saúde*) delicate, poor

fragmento [frag'mẽtu] *m*
fragment

fragrância [fra'grãsja] *f*
fragrance, perfume

fralda ['frawda] *f* (*da camisa*) shirt
tail; (*para bebê*) nappy (*BRIT*), diaper
(*US*); (*de montanha*) foot

framboesa [frã'beza] *f* raspberry

França ['frãsa] *f* France

francamente [frãka'mẽtʃi] *adv*
(*abertamente*) frankly; (*realmente*)
really

francês, -esa [frã'seʃ, eza] *adj*
French ▷ *m/f* Frenchman/woman
▷ *m* (*Ling*) French

franco, -a ['frãku, a] *adj* frank;
(*isento de pagamento*) free; (*óbvio*)
clear ▷ *m* franc; **entrada franca**
free admission

frango ['frãgu] *m* chicken

franja ['frãʒa] *f* fringe (*BRIT*),
bangs *pl* (*US*)

franquia [frã'kia] *f* (*Com*)
franchise; (*isenção*) exemption

franzino, -a [frã'zinu, a] *adj*
skinny

fraqueza [fra'keza] *f* weakness

frasco ['fraʃku] *m* bottle

frase ['frazi] *f* sentence; **~ feita**
set phrase

fratura [fra'tura] *f* fracture,
break; **fraturar** [fratu'ra°] *vt* to
fracture

freada [fre'ada] (*BR*) *f*: **dar uma ~**
to slam on the brakes

frear [fre'a°] (*BR*) *vt* to curb,
restrain; (*veículo*) to stop ▷ *vi*
(*veículo*) to brake

freezer ['frize°] *m* freezer

freguês, -guesa [fre'geʃ, 'geza]
m/f customer; (*PT*) parishioner;
freguesia [frege'zia] *f* customers
pl; parish

freio ['freju] *m* (*BR: de veículo*)
brake; (*de cavalo*) bridle; (*bocado*
do ~) bit; **~ de mão** handbrake

freira ['frejra] *f* nun

frenesi [frene'zi] *m* frenzy;
frenético, -a [fre'nɛtʃiku, a] *adj*
frantic, frenzied

frente ['frẽtʃi] *f* front; (*rosto*) face;
(*fachada*) façade; **~ a ~** face to face;
de ~ para facing; **em ~ de** in front
of; (*de fronte a*) opposite; **para a ~**
ahead, forward; **porta da ~** front
door; **seguir em ~** to go straight on;
na minha (*ou* **sua** *etc*) **~** in front of
me (*ou* you *etc*); **sair da ~** to get out
of the way; **pra ~** (*col*) fashionable,
trendy

freqüência [fre'kwẽsja] *f*
frequency; **com ~** often, frequently

freqüentar [frekwẽ'ta°] *vt* to
frequent

freqüente [fre'kwẽtʃi] *adj*
frequent

fresco, -a ['freʃku, a] *adj* fresh;
(*vento, tempo*) cool; (*col: efeminado*)
camp; (*: afetado*) pretentious; (*: cheio*
de luxo) fussy ▷ *m* (*ar*) fresh air

frescobol [freʃko'bɔw] *m* (kind
of) racketball (*played mainly on*
the beach)

frescura [freʃ'kura] *f* freshness;
(*frialdade*) coolness; (*col:*
luxo) fussiness; (*: afetaçao*)

pretentiousness

frete ['fretʃi] m (carregamento) freight, cargo; (tarifa) freightage

frevo ['frevu] m improvised Carnival dance

fria ['fria] f: **dar uma ~ em alguém** to give sb the cold shoulder; **estar/ entrar numa ~** (col) to be in/get into a mess

fricção [frik'sãw] f friction; (ato) rubbing; (Med) massage

frieza ['frjeza] f coldness; (indiferença) coolness

frigideira [friʒi'dejra] f frying pan

frigorífico [frigo'rifiku] m refrigerator; (congelador) freezer

frio, -a ['friu, a] adj cold ▷ m cold; **~s** mpl (Culin) cold meats; **estou com ~** I'm cold; **faz ou está ~** it's cold

frisar [fri'za°] vt (encrespar) to curl; (salientar) to emphasize

fritar [fri'ta°] vt to fry

fritas ['fritas] fpl chips (BRIT), French fries (US)

frito, -a ['fritu, a] adj fried; (col): **estar ~** to be done for

frívolo, -a ['frivolu, a] adj frivolous

fronha ['froɲa] f pillowcase

fronteira [frõ'tejra] f frontier, border

frota ['frɔta] f fleet

frouxo, -a ['frofu, a] adj loose; (corda, fig: pessoa) slack; (fraco) weak; (col: condescendente) soft

frustrar [fruʃ'tra°] vt to frustrate

fruta ['fruta] f fruit; **frutífero, -a** [fru'tʃiferu, a] adj (proveitoso) fruitful; (árvore) fruit-bearing

fruto ['frutu] m (Bot) fruit; (resultado) result, product; **dar ~** (fig) to bear fruit

fubá [fu'ba] m corn meal

fugir [fu'ʒi°] vi to flee, escape; (prisioneiro) to escape

fui [fuj] vb V **ir; ser**

fulano, -a [fu'lanu, a] m/f so-and-so

fulminante [fuwmi'nãtʃi] adj devastating; (palavras) scathing

fulo, -a ['fulu, a] adj: **estar ou ficar ~ de raiva** to be furious

fumaça [fu'masa] (BR) f (de fogo) smoke; (de gás) fumes pl

fumador, a [fuma'do°, a] (PT) m/f smoker

fumante [fu'mãtʃi] m/f smoker

fumar [fu'ma°] vt, vi to smoke

fumo ['fumu] m (PT: de fogo) smoke; (: de gás) fumes pl; (BR: tabaco) tobacco; (fumar) smoking

função [fũ'sãw] (pl -ões) f function; (ofício) duty; (papel) role; (espetáculo) performance

funcionalismo [fũsjona'liʒmu] m: **~ público** civil service

funcionamento [fũsjona'mẽtu] m functioning, working; **pôr em ~** to set going, start

funcionar [fũsjo'na°] vi to function; (máquina) to work, run; (dar bom resultado) to work

funcionário, -a [fũsjo'narju, a] m/f official; **~ (público)** civil servant

funções [fũ'sõjʃ] fpl de **função**

fundação [fũda'sãw] (pl -ões) f foundation

fundamental [fũdamẽ'taw] (pl -ais) adj fundamental, basic

fundamento [fũda'mẽtu] m (fig) foundation, basis; (motivo) motive

fundar [fũ'da°] vt to establish, found; (basear) to base; **fundar-se** vr: **~-se em** to be based on

fundir [fũ'dʒi°] vt to fuse; (metal) to smelt, melt down; (Com: empresas) to merge; (em molde) to cast; **fundir-se** vr to melt; (juntar-se) to merge

fundo, -a ['fũdu, a] adj deep; (fig) profound ▷ m (do mar, jardim) bottom; (*profundidade*) depth; (*base*) basis; (*da loja, casa, do papel*) back; (*de quadro*) background; (*de dinheiro*) fund ▷ *adv* deeply; **~s** *mpl* (*Com*) funds; (*da casa etc*) back *sg*; **a ~** thoroughly; **no ~** at the bottom; (*da casa etc*) at the back; (*fig*) basically

fúnebre ['funebri] *adj* funeral *atr*, funereal; (*fig*) gloomy

funeral [fune'raw] (*pl* **-ais**) *m* funeral

funil [fu'niw] (*pl* **-is**) *m* funnel

furacão [fura'kãw] (*pl* **-ões**) *m* hurricane

furado, -a [fu'radu, a] *adj* perforated; (*pneu*) flat; (*orelha*) pierced

furão, -rona [fu'rãw, 'rɔna] (*pl* **-ões, ~s**) *m* ferret ▷ *m/f* (*col*) go-getter ▷ *adj* (*col*) hard-working, dynamic

furar [fu'ra*] *vt* to perforate; (*orelha*) to pierce; (*penetrar*) to penetrate; (*frustrar*) to foil; (*fila*) to jump ▷ *vi* (*col: programa*) to fall through

fúria ['furja] *f* fury, rage; **furioso, -a** [fu'rjozu, ɔza] *adj* furious

furo ['furu] *m* hole; (*num pneu*) puncture

furões [fu'rõjʃ] *mpl de* **furão**

furona [fu'rɔna] *f de* **furão**

furor [fu'ro*] *m* fury, rage; **fazer ~** to be all the rage

furtar [fux'ta*] *vt, vi* to steal; **furtar-se** *vr*: **~-se a** to avoid

furtivo, -a [fux'tʃivu, a] *adj* furtive, stealthy

furto ['fuxtu] *m* theft

fusível [fu'zivew] (*pl* **-eis**) *m* fuse

fuso ['fuzu] *m* (*Tec*) spindle; **~ horário** time zone

fusões [fu'zõjʃ] *fpl de* **fusão**

futebol [futʃi'bɔw] *m* football; **~ de salão** five-a-side football

futevôlei [futʃi'volej] *m* see boxed note

● **FUTEVÔLEI**
●
● **Futevôlei** is a type of volleyball
● in which the ball is allowed to
● touch only the feet, legs, trunk
● and head of the players. It is very
● popular on the beaches of Rio
● de Janeiro, where tournaments
● take place during the summer, in
● which many famous footballers
● take part.

fútil ['futʃiw] (*pl* **-eis**) *adj* (*pessoa*) shallow; (*insignificante*) trivial

futilidade [futʃili'dadʒi] *f* (*de pessoa*) shallowness; (*insignificância*) triviality; (*coisa*) trivial thing

futuro, -a [fu'turu, a] *adj* future ▷ *m* future; **no ~** in the future

fuzil [fu'ziw] (*pl* **-is**) *m* rifle; **fuzilar** [fuzi'la*] *vt* to shoot

fuzis [fu'ziʃ] *mpl de* **fuzil**

g

g. *abr* (= *grama*) gr.

gabar [ga'ba°] *vt* to praise; **gabar-se** *vr*: **~-se de** to boast about

gabinete [gabi'netʃi] *m* (*Com*) office; (*escritório*) study; (*Pol*) cabinet

gado ['gadu] *m* livestock; (*bovino*) cattle; **~ leiteiro** dairy cattle; **~ suíno** pigs *pl*

gafanhoto [gafa'ɲotu] *m* grasshopper

gafe ['gafi] *f* gaffe, faux pas

gagueira [ga'gejra] *f* stutter

gaguejar [gage'ʒa°] *vi* to stammer, stutter

gaiato, -a [ga'jatu, a] *adj* funny

gaiola [ga'jɔla] *f* cage; (*cadeia*) jail ▷ *m* (*barco*) riverboat

gaita ['gajta] *f* harmonica; **~ de foles** bagpipes *pl*

gaivota [gaj'vɔta] *f* seagull

gajo ['gaʒu] (*PT: col*) *m* guy, fellow

gala ['gala] *f*: **traje de ~** evening dress; **festa de ~** gala

galão [ga'lãw] (*pl* **-ões**) *m* (*Mil*) stripe; (*medida*) gallon; (*PT: café*) white coffee; (*passamanaria*) braid

Galápagos [ga'lapaguʃ]: **(as) Ilhas ~** *fpl* (the) Galapagos Islands

galáxia [ga'laksja] *m* galaxy

galera [ga'lɛra] *f* (*Náut*) galley; (*col: pessoas, público*) crowd

galeria [gale'ria] *f* gallery; (*Teatro*) circle

Gales ['galiʃ] *m*: **País de ~** Wales

galho ['gaʎu] *m* (*de árvore*) branch

galinha [ga'liɲa] *f* hen; (*Culin*) chicken

galo ['galu] *m* cock, rooster; (*inchação*) bump; **missa do ~** midnight mass

galões [ga'lõjʃ] *mpl de* **galão**

galopar [galo'pa°] *vi* to gallop; **galope** [ga'lɔpi] *m* gallop

gama ['gama] *f* (*Mús*) scale; (*fig*) range; (*Zool*) doe

gambá [gã'ba] *m* (*Zool*) opossum

Gana ['gana] *m* Ghana

gana ['gana] *f* craving, desire; (*ódio*) hate; **ter ~s de (fazer) algo** to feel like (doing) sth; **ter ~ de alguém** to hate sb

ganância [ga'nãsja] *f* greed; **ganancioso, -a** [ganã'sjozu, ɔza] *adj* greedy

gancho ['gãʃu] *m* hook; (*de calça*) crotch

gangue ['gãgi] (*col*) *f* gang

ganhador, a [gaɲa'do°, a] *adj* winning ▷ *m/f* winner

ganha-pão ['gaɲa-] (*pl* **-ães**) *m* living, livelihood

ganhar [ga'ɲa°] *vt* to win; (*salário*) to earn; (*adquirir*) to get; (*lugar*) to reach; (*lucrar*) to gain ▷ *vi* to win; **~ de alguém** (*num jogo*) to beat sb; **ganho, -a** ['gaɲu, a] *pp de* **ganhar** ▷ *m* profit, gain; **ganhos** *mpl* (*ao jogo*) winnings

ganso, -a ['gãsu, a] *m/f*
gander/goose

garagem [ga'raʒẽ] (*pl* **-ns**) *f*
garage

garantia [garã'tʃia] *f* guarantee;
(*de dívida*) surety

garçom [gax'sõ] (BR) (*pl* **-ns**) *m*
waiter

garçonete [gaxso'netʃi] (BR) *f*
waitress

garçons [gax'sõʃ] *mpl de* **garçom**

garfo ['gaxfu] *m* fork

gargalhada [gaxga'ʎada] *f* burst
of laughter; **rir às ~s** to roar with
laughter; **dar** *ou* **soltar uma ~** to
burst out laughing

gargalo [gax'galu] *m* (*tb fig*)
bottleneck

garganta [gax'gãta] *f* throat;
(*Geo*) gorge, ravine

gargarejo [gaxga'reʒu] *m* (*ato*)
gargling; (*líquido*) gargle

gari ['gari] *m/f* (*na rua*)
roadsweeper (BRIT), streetsweeper
(US); (*lixeiro*) dustman (BRIT),
garbage man (US)

garoa [ga'roa] *f* drizzle; **garoar**
[ga'rwa°] *vi* to drizzle

garotada [garo'tada] *f*: **a ~** the
kids *pl*

garoto, -a [ga'rotu, a] *m/f* boy/
girl; (*namorado*) boyfriend/girlfriend
▷ *m* (PT: *café*) coffee with milk

garoupa [ga'ropa] *f* (*peixe*)
grouper

garrafa [ga'xafa] *f* bottle

garupa [ga'rupa] *f* (*de cavalo*)
hindquarters *pl*; (*de moto*) back seat;
andar na ~ (*de moto*) to ride pillion

gás [gajʃ] *m* gas; **gases** *mpl*
(*do intestino*) wind *sg*; **~ natural**
natural gas

gasóleo [ga'zɔlju] *m* diesel oil

gasolina [gazo'lina] *f* petrol
(BRIT), gas(oline) (US)

gasosa [ga'zɔza] *f* fizzy drink

gasoso, -a [ga'zozu, ɔza] *adj*
(*água*) sparkling; (*bebida*) fizzy

gastador, -deira [gaʃta'do°,
'dejra] *adj, m/f* spendthrift

gastar [gaʃ'ta°] *vt* to spend;
(*gasolina, eletricidade*) to use; (*roupa,
sapato*) to wear out; (*salto, piso etc*)
to wear down; (*saúde*) to damage;
(*desperdiçar*) to waste ▷ *vi* to spend;
to wear out; to wear down; **gastar-
se** *vr* to wear out; to wear down

gata ['gata] *f* (she-)cat

gatilho [ga'tʃiʎu] *m* trigger

gato ['gatu] *m* cat; **~ montês**
wild cat

gatuno, -a [ga'tunu, a] *adj*
thieving ▷ *m/f* thief

gaveta [ga'veta] *f* drawer

geada ['ʒjada] *f* frost

geladeira [ʒela'dejra] (BR) *f*
refrigerator, icebox (US)

gelado, -a [ʒe'ladu, a] *adj* frozen
▷ *m* (PT: *sorvete*) ice cream

gelar [ʒe'la°] *vt* to freeze; (*vinho
etc*) to chill ▷ *vi* to freeze

gelatina [ʒela'tʃina] *f* gelatine;
(*sobremesa*) jelly (BRIT), jello (US)

geléia [ʒe'lɛja] *f* jam

gélido, -a ['ʒɛlidu, a] *adj* chill, icy

gelo ['ʒelu] *adj inv* light grey (BRIT)
ou gray (US) ▷ *m* ice; (*cor*) light grey
(BRIT) *ou* gray (US)

gema ['ʒɛma] *f* yolk; (*pedra
preciosa*) gem

gêmeo, -a ['ʒemju, a] *adj,
m/f* twin; **G~s** *mpl* (*Astrologia*)
Gemini *sg*

gemer [ʒe'me°] *vi* (*de dor*) to
groan, moan; (*lamentar-se*) to wail;
(*animal*) to whine; (*vento*) to howl;
gemido [ʒe'midu] *m* groan,
moan; wail; whine

gene ['ʒeni] *m* gene

Genebra [ʒe'nɛbra] *n* Geneva

general [ʒene'raw] (*pl* **-ais**) *m*
general

generalizar [ʒeneraliˈzaˣ] vt to propagate ▷ vi to generalize; **generalizar-se** vr to become general, spread

gênero [ˈʒeneru] m type, kind; (Bio) genus; (Ling) gender; **~s** mpl (produtos) goods; **~s alimentícios** foodstuffs; **~ humano** humankind, human race

generosidade [ʒeneroziˈdadʒi] f generosity

generoso, -a [ʒeneˈrozu, ɔza] adj generous

genética [ʒeˈnɛtʃika] f genetics sg

gengibre [ʒẽˈʒibri] m ginger

gengiva [ʒẽˈʒiva] f (Anat) gum

genial [ʒeˈnjaw] (pl **-ais**) adj inspired, brilliant; (col) terrific, fantastic

gênio [ˈʒenju] m (temperamento) nature; (irascibilidade) temper; (talento, pessoa) genius; **de bom/mau ~** good-natured/bad-tempered

genital [ʒeniˈtaw] (pl **-ais**) adj: **órgãos genitais** genitals pl

genro [ˈʒẽxu] m son-in-law

gente [ˈʒẽtʃi] f people pl; (col) folks pl, family; (: alguém): **tem ~ batendo à porta** there's somebody knocking at the door; **a ~** (nós: suj) we; (: objeto) us; **a casa da ~** our house; **toda a ~** everybody; **~ grande** grown-ups pl

gentil [ʒẽˈtʃiw] (pl **-is**) adj kind; **gentileza** [ʒẽtʃiˈleza] f kindness; **por gentileza** if you please; **tenha a gentileza de fazer ...?** would you be so kind as to do ...?

genuíno, -a [ʒeˈnwinu, a] adj genuine

geografia [ʒeograˈfia] f geography

geometria [ʒeomeˈtria] f geometry

geração [ʒeraˈsãw] (pl **-ões**) f generation

gerador, a [ʒeraˈdoˣ, a] m/f (produtor) creator ▷ m (Tec) generator

geral [ʒeˈraw] (pl **-ais**) adj general ▷ f (Teatro) gallery; **em ~** in general, generally; **de um modo ~** on the whole; **geralmente** [ʒerawˈmẽtʃi] adv generally, usually

gerânio [ʒeˈranju] m geranium

gerar [ʒeˈraˣ] vt to produce; (eletricidade) to generate

gerência [ʒeˈrẽsja] f management; **gerenciar** [ʒerẽˈsjaˣ] vt, vi to manage

gerente [ʒeˈrẽtʃi] adj managing ▷ m/f manager

gerir [ʒeˈriˣ] vt to manage, run

germe [ˈʒexmi] m (embrião) embryo; (micróbio) germ

gesso [ˈʒesu] m plaster (of Paris)

gesticular [ʒeʃtʃikuˈlaˣ] vi to make gestures, gesture

gesto [ˈʒeʃtu] m gesture

Gibraltar [ʒibrawˈtaˣ] f Gibraltar

gigante, -ta [ʒiˈgãtʃi, ta] adj gigantic, huge ▷ m giant; **gigantesco, -a** [ʒigãˈteʃku, a] adj gigantic

gim [ʒĩ] (pl **-ns**) m gin

ginásio [ʒiˈnazju] m gymnasium; (escola) secondary (BRIT) ou high (US) school

ginástica [ʒiˈnaʃtʃika] f gymnastics sg; (para fortalecer o corpo) keep-fit

ginecologia [ʒinekoloˈʒia] f gynaecology (BRIT), gynecology (US)

ginecologista [ʒinekoloˈʒiʃta] m/f gynaecologist (BRIT), gynecologist (US)

ginjinha [ʒĩˈʒiɲa] (PT) f cherry brandy

gira-discos [ˈʒira-] (PT) m inv record-player

girafa [ʒiˈrafa] f giraffe
girar [ʒiˈra*] vt to turn, rotate;
(como pião) to spin ▷ vi to go round;
to spin; (vaguear) to wander
girassol [ʒiraˈsɔw] (pl **-óis**) m
sunflower
gíria [ˈʒirja] f (calão) slang; (jargão)
jargon
giro¹ [ˈʒiru] m turn; **dar um ~** to go
for a wander; (de veículo) to go for a
spin; **que ~!** (PT) terrific!
giro² etc vb V **gerir**
giz [ʒiʒ] m chalk
glacê [glaˈse] m icing
glacial [glaˈsjaw] (pl **-ais**) adj icy
glamouroso, -a [glamuˈrozu,
ɔza] adj glamorous
glândula [ˈglãdula] f gland
global [gloˈbaw] (pl **-ais**) adj
global; (total) overall; **quantia
~** lump sum; **globalização**
[globalizaˈsãw] (pl **-ões**) f
globalization
globo [ˈglobu] m globe; **~ ocular**
eyeball
glória [ˈglɔrja] f glory; **glorificar**
[glorifiˈka*] vt to glorify; **glorioso,
-a** [gloˈrjozu, ɔza] adj glorious
glossário [gloˈsarju] m glossary
gnomo [ˈgnomu] m gnome
goiaba [goˈjaba] f guava;
goiabada [gojaˈbada] f guava jelly
gol [gow] (pl **-s**) m goal
gola [ˈgɔla] f collar
gole [ˈgɔli] m gulp, swallow;
(pequeno) sip; **tomar um ~ de** to sip
goleiro [goˈlejru] (BR) m
goalkeeper
golfe [ˈgowfi] m golf; **campo de
~** golf course
golfinho [gowˈfiɲu] m (Zool)
dolphin
golfo [ˈgowfu] m gulf
golinho [goˈliɲu] m sip; **beber
algo aos ~s** to sip sth
golo [ˈgolu] (PT) m = **gol**

golpe [ˈgɔwpi] m (tb fig) blow;
(de mão) smack; (de punho) punch;
(manobra) ploy; (de vento) gust; **de
um só ~** at a stroke; **dar um ~ em
alguém** to hit sb; (fig: trapacear)
to trick sb; **~ (de estado)** coup
(d'état); **~ de mestre** masterstroke;
golpear [gowˈpja*] vt to hit;
(com navalha) to stab; (com o punho)
to punch
goma [ˈgɔma] f gum, glue; (de
roupa) starch; **~ de mascar** chewing
gum
gomo [ˈgomu] m (de laranja) slice
gordo, -a [ˈgoxdu, a] adj fat;
(gordurento) greasy; (carne) fatty; (fig:
quantia) considerable, ample ▷ m/f
fat man/woman
gordura [goxˈdura] f fat;
(derretida) grease; (obesidade)
fatness; **gorduroso, -a** [goxduˈrozu,
ɔza] adj (pele) greasy; (comida) fatty
gorila [goˈrila] m gorilla
gorjeta [goxˈʒeta] f tip, gratuity
gorro [ˈgoxu] m cap; (de lã) hat
gosma [ˈgɔʒma] f spittle; (fig) slime
gostar [goʃˈta*] vi: **~ de** to like;
(férias, viagem etc) to enjoy; **gostar-
se** vr to like each other; **~ mais de ...**
to prefer ..., like ... better
gosto [ˈgoʃtu] m taste; (prazer)
pleasure; **a seu ~** to your liking;
com ~ willingly; (vestir-se)
tastefully; (comer) heartily; **de bom/
mau ~** in good/bad taste; **ter ~ de**
to taste of; **gostoso, -a** [goʃˈtozu,
ɔza] adj tasty; (agradável) pleasant;
(cheiro) lovely; (risada) good; (col:
pessoa) gorgeous
gota [ˈgota] f drop; (de suor) bead;
(Med) gout; **~ a ~** drop by drop
goteira [goˈtejra] f (cano) gutter;
(buraco) leak
gourmet [guxˈme] (pl **-s**) m/f
gourmet
governador, a [govexnaˈdo*, a]

m/f governor

governamental [govexnamẽ'taw] (*pl* **-ais**) *adj* government *atr*

governante [govex'nãtʃi] *adj* ruling ▷ *m/f* ruler ▷ *f* governess

governar [govex'na*] *vt* to govern, rule; (*barco*) to steer

governo [go'vexnu] *m* government; (*controle*) control

gozação [goza'sãw] (*pl* **-ões**) *f* enjoyment; (*zombaria*) teasing; (*uma ~*) joke

gozado, -a [go'zadu, a] *adj* funny; (*estranho*) strange, odd

gozar [go'za*] *vt* to enjoy; (*col: rir de*) to make fun of ▷ *vi* to enjoy o.s.; **~ de** to enjoy; to make fun of; **gozo** ['gozu] *m* (*prazer*) pleasure; (*uso*) enjoyment, use; (*orgasmo*) orgasm

Grã-Bretanha [grã-bre'taɲa] *f* Great Britain

graça ['grasa] *f* (*Rel*) grace; (*charme*) charm; (*gracejo*) joke; (*Jur*) pardon; **de ~** (*grátis*) for nothing; (*sem motivo*) for no reason; **sem ~** dull, boring; **fazer** *ou* **ter ~** to be funny; **ficar sem ~** to be embarrassed; **~s a** thanks to

gracejar [grase'ʒa*] *vi* to joke; **gracejo** [gra'seʒu] *m* joke

gracioso, -a [gra'sjozu, ɔza] *adj* (*pessoa*) charming; (*gestos*) gracious

grade ['gradʒi] *f* (*no chão*) grating; (*grelha*) grill; (*na janela*) bars *pl*; (*col: cadeia*) nick, clink

gradear [gra'dʒja*] *vt* (*janela*) to put bars up at; (*jardim*) to fence off

graduação [gradwa'sãw] (*pl* **-ões**) *f* (*classificação*) grading; (*Educ*) graduation; (*Mil*) rank

gradual [gra'dwaw] (*pl* **-ais**) *adj* gradual

graduar [gra'dwa*] *vt* (*classificar*) to grade; (*luz, fogo*) to regulate; **graduar-se** *vr* to graduate

gráfica ['grafika] *f* graphics *sg*;

V tb **gráfico**

gráfico, -a ['grafiku, a] *adj* graphic ▷ *m/f* printer ▷ *m* (*Mat*) graph; (*diagrama*) diagram, chart; **~s** *mpl* (*Comput*) graphics; **~ de barras** bar chart

grã-fino, -a [grã'finu, a] (*col*) *adj* posh ▷ *m/f* nob, toff

grama ['grama] *m* gramme ▷ *f* (*BR: capim*) grass

gramado [gra'madu] (*BR*) *m* lawn; (*Futebol*) pitch

gramática [gra'matʃika] *f* grammar

grampear [grã'pja*] *vt* to staple

grampo ['grãpu] *m* staple; (*no cabelo*) hairgrip; (*de carpinteiro*) clamp; (*de chapéu*) hatpin

grande ['grãdʒi] *adj* big, large; (*alto*) tall; (*notável, intenso*) great; (*longo*) long; (*adulto*) grown-up; **mulher ~** big woman; **~ mulher** great woman; **grandeza** [grã'deza] *f* size; (*fig*) greatness; (*ostentação*) grandeur

grandioso, -a [grã'dʒjozu, ɔza] *adj* magnificent, grand

granito [gra'nitu] *m* granite

granizo [gra'nizu] *m* hailstone; **chover ~** to hail; **chuva de ~** hailstorm

granulado, -a [granu'ladu, a] *adj* grainy; (*açúcar*) granulated

grão [grãw] (*pl* **~s**) *m* grain; (*semente*) seed; (*de café*) bean; **grão-de-bico** (*pl* **grãos-de-bico**) *m* chickpea

gratidão [gratʃi'dãw] *f* gratitude

gratificar [gratʃifi'ka*] *vt* to tip; (*dar bônus a*) to give a bonus to; (*recompensar*) to reward

grátis ['gratʃiʃ] *adj* free

grato, -a ['gratu, a] *adj* grateful; (*agradável*) pleasant

gratuito, -a [gra'twitu, a] *adj* (*grátis*) free; (*infundado*) gratuitous

grau [graw] *m* degree; (*nível*) level; (*Educ*) class; **em alto ~** to a high degree; **ensino de primeiro/segundo ~** primary (*BRIT*) *ou* elementary (*US*)/secondary education

gravação [grava'sãw] *f* (*em madeira*) carving; (*em disco, fita*) recording

gravador [grava'do°] *m* tape recorder; **~ de CD/DVD** CD/DVD burner, CD/DVD writer

gravar [gra'va°] *vt* to carve; (*metal, pedra*) to engrave; (*na memória*) to fix; (*disco, fita*) to record

gravata [gra'vata] *f* tie; **~ borboleta** bow tie

grave ['gravi] *adj* serious; (*tom*) deep; **gravemente** [grave'mẽtʃi] *adv* (*doente, ferido*) seriously

grávida ['gravida] *adj* pregnant

gravidade [gravi'dadʒi] *f* gravity

gravidez [gravi'deʒ] *f* pregnancy

gravura [gra'vura] *f* (*em madeira*) engraving; (*estampa*) print

graxa ['graʃa] *f* (*para sapatos*) polish; (*lubrificante*) grease

Grécia ['grɛsja] *f*: **a ~** Greece; **grego, -a** ['gregu, a] *adj, m/f* Greek ▷ *m* (*Ling*) Greek

grelha ['grɛʎa] *f* grill; (*de fornalha*) grate; **bife na ~** grilled steak; **grelhado** [gre'ʎadu] *m* (*prato*) grill

grêmio ['gremju] *m* (*associação*) guild; (*clube*) club

grená [gre'na] *adj, m* dark red

greve ['grɛvi] *f* strike; **fazer ~** to go on strike; **~ branca** go-slow; **grevista** [gre'viʃta] *m/f* striker

grilo ['grilu] *m* cricket; (*Auto*) squeak; (*col: de pessoa*) hang-up; **qual é o ~?** what's the matter?; **não tem ~!** (*col*) (there's) no problem!

gringo, -a ['grĩgu, a] (*col: pej*) *m/f* foreigner

gripado, -a [gri'padu, a] *adj*: **estar/ficar ~** to have/get a cold

gripe ['gripi] *f* flu, influenza; **~ do frango** bird flu

grisalho, -a [gri'zaʎu, a] *adj* (*cabelo*) grey (*BRIT*), gray (*US*)

gritante [gri'tãtʃi] *adj* (*hipocrisia*) glaring; (*desigualdade*) gross; (*mentira*) blatant; (*cor*) loud, garish

gritar [gri'ta°] *vt* to shout, yell ▷ *vi* to shout; (*de dor, medo*) to scream; **~ com alguém** to shout at sb; **grito** ['gritu] *m* shout; (*de medo*) scream; (*de dor*) cry; (*de animal*) call; **dar um grito** to cry out; **falar aos gritos** to shout

Groenlândia [grwẽ'lãdʒja] *f*: **a ~** Greenland

grosseiro, -a [gro'sejru, a] *adj* rude; (*piada*) crude; (*modos, tecido*) coarse; **grosseria** [grose'ria] *f* rudeness; (*ato*): **fazer uma grosseria** to be rude; (*dito*): **dizer uma grosseria** to be rude, say something rude

grosso, -a ['grosu, 'grɔsa] *adj* thick; (*áspero*) rough; (*voz*) deep; (*col: pessoa, piada*) rude ▷ *m*: **o ~ de** the bulk of

grotesco, -a [gro'teʃku, a] *adj* grotesque

grudar [gru'da°] *vt* to glue, stick ▷ *vi* to stick

grude ['grudʒi] *f* glue; **grudento, -a** [gru'dẽtu, a] *adj* sticky

grunhir [gru'ɲi°] *vi* (*porco*) to grunt; (*tigre*) to growl; (*resmungar*) to grumble

grupo ['grupu] *m* group

guarda-chuva (*pl* **guarda-chuvas**) *m* umbrella

guarda-costas *m inv* (*Náut*) coastguard boat; (*capanga*) bodyguard

guardados [gwax'daduʃ] *mpl* keepsakes, valuables

guarda-louça [gwaxda'losaj] (*pl* **guarda-louças**) *m* sideboard

guardanapo [gwaxda'napu]
  m napkin
guarda-redes (PT) *m inv* goalkeeper
guarda-roupa (*pl* **guarda-roupas**) *m* wardrobe
guarda-sol (*pl* **guarda-sóis**) *m*
  sunshade, parasol
guardião, -diã [gwax'dʒjāw,
  'dʒjã] (*pl* **-ães** *ou* **-ões**, **-s**) *m/f*
  guardian
guarnição [gwaxni'sāw] (*pl* **-ões**)
  f (*Mil*) garrison; (*Náut*) crew; (*Culin*)
  garnish
Guatemala [gwate'mala] *f*: **a ~**
  Guatemala
gude ['gudʒi] *m*: **bola de ~** marble;
  (*jogo*) marbles *pl*
guerra ['gɛxa] *f* war; **em ~** at
  war; **fazer ~** to wage war; **~ civil**
  civil war; **~ mundial** world war;
  guerreiro, -a [ge'xejru, a] *adj*
  (*espírito*) fighting; (*belicoso*) warlike
  ▷ *m* warrior
guerrilha [ge'xiʎa] *f* (*luta*)
  guerrilla warfare; (*tropa*) guerrilla
  band; **guerrilheiro, -a** [gexi'ʎejru,
  a] *m/f* guerrilla
guia ['gia] *f* guidance; (*Com*)
  permit, bill of lading; (*formulário*)
  advice slip ▷ *m* (*livro*) guide(book)
  ▷ *m/f* (*pessoa*) guide
Guiana ['gjana] *f*: **a ~** Guyana
guiar [gja°] *vt* to guide; (*Auto*) to
  drive ▷ *vi* to drive; **guiar-se** *vr*: **~-se
  por** to go by
guichê [gi'ʃe] *m* ticket window;
  (*em banco, repartição*) window,
  counter
guinada [gi'nada] *f*: **dar uma ~**
  (*com o carro*) to swerve
guindaste [gĩ'daʃtʃi] *m* crane
guisado [gi'zadu] *m* stew
guitarra [gi'taxa] *f* (electric)
  guitar
guloso, -a [gu'lozu, ɔza] *adj*
  greed

há [a] *vb V* **haver**
hábil ['abiw] (*pl* **-eis**) *adj*
  competent, capable; (*astucioso,
  esperto*) clever; (*sutil*) diplomatic;
  em tempo ~ in reasonable time;
  habilidoso, -a [abili'dozu, ɔza]
  adj skilled, clever
habilitação [abilita'sāw] (*pl* **-ões**)
  f competence; (*ato*) qualification;
  habilitações *fpl* (*conhecimentos*)
  qualifications
habilitar [abili'ta°] *vt* to enable;
  (*dar direito a*) to qualify, entitle;
  (*preparar*) to prepare
habitação [abita'sāw] (*pl* **-ões**)
  f dwelling, residence; (*alojamento*)
  housing
habitante [abi'tãtʃi] *m/f*
  inhabitant
habitar [abi'ta°] *vt* to live in;
  (*povoar*) to inhabit ▷ *vi* to live
hábito ['abitu] *m* habit; (*social*)
  custom; (*Rel: traje*) habit

habituado, -a [abi'twadu, a] *adj*:
~ **a (fazer) algo** used to (doing)
sth
habituar [abi'twa°] *vt*: ~ **alguém**
a to get sb used to, accustom sb
to; **habituar-se** *vr*: ~-**se a** to get
used to
hacker ['ake°] (*pl* ~**s**) *m* (*Comput*)
hacker
Haia ['aja] *n* The Hague
haja *etc* ['aʒa] *vb* V **haver**
hálito ['alitu] *m* breath
hall [xɔw] (*pl* ~**s**) *m* hall; (*de*
teatro, hotel) foyer; ~ **de entrada**
entrance hall
hambúrguer [ã'buxge°] *m*
hamburger
hão [ãw] *vb* V **haver**
hardware ['xadwe°] *m* (*Comput*)
hardware
harmonia [axmo'nia] *f* harmony
harmonioso, -a [axmo'njozu,
ɔza] *adj* harmonious
harmonizar [axmoni'za°] *vt*
(*Mús*) to harmonize; (*conciliar*):
~ **algo (com algo)** to reconcile
sth (with sth); **harmonizar-se**
vr: ~(-**se**) (*idéias etc*) to coincide;
(*pessoas*) to be in agreement
harpa ['axpa] *f* harp
Havaí [avaj'i] *m*: **o** ~ Hawaii

○ **PALAVRA CHAVE**

haver [a've°] *vb aux* **1** (*ter*) to have;
ele havia saído/comido he had
left/eaten
2: ~ **de**: **quem ~ia de dizer que ...?**
who would have thought that ...?
▷ *vb impess* **1** (*existência*): **há** (*sg*)
there is; (*pl*) there are; **o que é que**
há? what's the matter?; **o que é que**
houve? what happened?, what was
that?; **não há de quê** don't mention
it, you're welcome; **haja o que**
houver come what may

2 (*tempo*): **há séculos/cinco dias**
que não o vejo I haven't seen him
for ages/five days; **há um ano que**
ela chegou it's a year since she
arrived; **há cinco dias (atrás)** five
days ago
▷ **haver-se** *vr*: ~-**se com alguém** to
sort things out with sb
▷ *m* (*Com*) credit; ~**es** *mpl*
(*pertences*) property *sg*, possessions;
(*riqueza*) wealth *sg*

haxixe [a'ʃiʃi] *m* hashish
hebraico, -a [e'brajku, a] *adj*
Hebrew ▷ *m* (*Ling*) Hebrew
Hébridas ['ɛbridaʃ] *fpl*: **as (ilhas)** ~
the Hebrides
hediondo, -a [e'dʒjõdu, a] *adj*
vile, revolting; (*crime*) heinous
hei [ej] *vb* V **haver**
hélice ['ɛlisi] *f* propeller
helicóptero [eli'kɔpteru] *m*
helicopter
hematoma [ema'tɔma] *m* bruise
hemorragia [emoxa'ʒia] *f*
haemorrhage (*BRIT*), hemorrhage
(*US*); ~ **nasal** nosebleed
hemorróidas [emo'xɔjdaʃ] *fpl*
haemorrhoids (*BRIT*), hemorrhoids
(*US*), piles
hepatite [epa'tʃitʃi] *f* hepatitis
hera ['ɛra] *f* ivy
herança [e'rãsa] *f* inheritance;
(*fig*) heritage
herdar [ex'da°] *vt*: ~ **algo (de)**
to inherit sth (from); ~ **a** to
bequeath to
herdeiro, -a [ex'dejru, a] *m/f*
heir(ess)
herói [e'rɔj] *m* hero
heroína [ero'ina] *f* heroine;
(*droga*) heroin
hesitação [ezita'sãw] *f* (*pl* -**ões**)
hesitation
hesitante [ezi'tãtʃi] *adj* hesitant
hesitar [ezi'ta°] *vi* to hesitate

heterossexual [eterosek'swaw]
(*pl* **-ais**) *adj, m/f* heterosexual
híbrido, -a ['ibridu, a] *adj* hybrid
hidratante [idra'tãtʃi] *m*
moisturizer
hidráulico, -a [i'drawliku, a] *adj*
hydraulic
hidrelétrico, -a [idre'lɛtriku, a]
(*PT* **-ct-**) *adj* hydroelectric
hidro... [idru] *prefixo* hydro...,
water... *atr*
hidrogênio [idro'ʒenju] *m*
hydrogen
hífen ['ifẽ] (*pl* **-s**) *m* hyphen
higiene [i'ʒjeni] *f* hygiene;
higiênico, -a [i'ʒjeniku, a] *adj*
hygienic; (*pessoa*) clean; **papel**
higiênico toilet paper
hindu [ĩ'du] *adj, m/f* Hindu
hino ['inu] *m* hymn; **~ nacional**
national anthem
hipermercado [ipexmex'kadu]
m hypermarket
hipertensão [ipextẽ'sãw] *f* high
blood pressure
hipismo [i'piʒmu] *m* (*turfe*) horse
racing; (*equitação*) (horse) riding
hipocrisia [ipokri'sia] *f*
hypocrisy; **hipócrita** [i'pɔkrita] *adj*
hypocritical ▷ *m/f* hypocrite
hipódromo [i'pɔdromu] *m*
racecourse
hipopótamo [ipo'pɔtamu] *m*
hippopotamus
hipoteca [ipo'tɛka] *f* mortgage;
hipotecar [ipote'ka°] *vt* to
mortgage
hipótese [i'pɔtezi] *f* hypothesis;
na ~ de in the event of; **em ~**
alguma under no circumstances;
na melhor/pior das ~s at
best/worst
hispânico, -a [iʃ'paniku, a] *adj*
Hispanic
histeria [iʃte'ria] *f* hysteria;
histérico, -a [iʃ'tɛriku, a] *adj*

hysterical
história [iʃ'tɔrja] *f* history; (*conto*)
story; **~s** *fpl* (*chateação*) bother
sg, fuss *sg*; **isso é outra ~** that's a
different matter; **que ~ é essa?**
what's going on?; **historiador,**
a [iʃtorja'do°, a] *m/f* historian;
histórico, -a [iʃ'tɔriku, a] *adj*
historical; (*fig: notável*) historic
▷ *m* history
hobby ['xɔbi] (*pl* **-bies**) *m* hobby
hoje ['oʒi] *adv* today; (*tb:* **~ em dia**)
now(adays); **~ à noite** tonight
Holanda [o'lãda] *f*: **a ~** Holland;
holandês, -esa [olã'deʃ, eza] *adj*
Dutch ▷ *m/f* Dutchman/woman
▷ *m* (*Ling*) Dutch
holocausto [olo'kawʃtu] *m*
holocaust
homem ['omẽ] (*pl* **-ns**) *m*
man; (*a humanidade*) mankind;
~ de empresa *ou* **negócios**
businessman; **~ de estado**
statesman; **homem-bomba** (*pl*
homens-bomba) *m* suicide
bomber
homenagear [omena'ʒja°] *vt*
(*pessoa*) to pay tribute to, honour
(*BRIT*), honor (*US*)
homenagem [ome'naʒẽ] *f*
tribute; (*Rel*) homage; **prestar ~ a**
alguém to pay tribute to sb
homens ['omẽʃ] *mpl de* **homem**
homeopático, -a [omjo'patʃiku]
adj homoeopathic
homicida [omi'sida] *adj*
homicidal ▷ *m/f* murderer;
homicídio [omi'sidʒju] *m*
murder; **homicídio involuntário**
manslaughter
homologar [omolo'ga°] *vt* to
ratify
homólogo, -a [o'mɔlogu, a] *adj*
homologous; (*fig*) equivalent ▷ *m/f*
opposite number
homossexual [omosek'swal] (*pl*

-ais) adj, m/f homosexual

Honduras [õ'duraʃ] f Honduras

honestidade [oneʃtʃi'dadʒi]
f honesty; (*decência*) decency;
(*justeza*) fairness

honesto, -a [o'nɛʃtu, a] adj
honest; (*decente*) decent; (*justo*)
fair, just

honorário, -a [ono'rarju, a] adj
honorary; **honorários** [ono'rarjuʃ]
mpl fees

honra ['õxa] f honour (BRIT),
honor (US); **em ~ de** in hono(u)r of

honrado, -a [õ'xadu, a] adj
honest; (*respeitado*) honourable
(BRIT), honorable (US)

honrar [õ'xa°] vt to honour (BRIT),
honor (US)

honroso, -a [õ'xozu, ɔza] adj
hono(u)rable

hóquei ['ɔkej] m hockey; **~ sobre
gelo** ice hockey

hora ['ɔra] f (60 minutos) hour;
(*momento*) time; **a que ~s?** (at) what
time?; **que ~s são?** what time is it?;
são duas ~s it's two o'clock; **você
tem as ~s?** have you got the time?;
fazer ~ to kill time; **de ~ em ~** every
hour; **na ~** on the spot; **chegar
na ~** to be on time; **de última ~**
▷ adj last-minute ▷ adv at the last
minute; **meia ~** half an hour; **~s
extras** overtime sg; **horário, -a**
[o'rarju, a] adj: **100 km horários**
100 km an hour ▷ m timetable;
(*hora*) time; **horário de expediente**
working hours pl; (*de um escritório*)
office hours pl

horizontal [orizõ'taw] (pl **-ais**) adj
horizontal

horizonte [ori'zõtʃi] m horizon

horóscopo [o'rɔʃkopu] m
horoscope

horrível [o'xivew] (pl **-eis**) adj
awful, horrible

horror [o'xo°] m horror; **que ~!**

how awful!; **ter ~ a algo** to hate
sth; **horrorizar** [oxori'za°] vt
to horrify, frighten; **horroroso,
-a** [oxo'rozu, ɔza] adj horrible,
ghastly

hortaliças [oxta'lisaʃ] fpl
vegetables

hortelã [oxte'lã] f mint; **~
pimenta** peppermint

horticultor, a [oxtʃikuw'to°, a]
m/f market gardener (BRIT), truck
farmer (US)

hortifrutigranjeiros [oxtʃi-
frutʃigrã'ʒejruʃ] mpl fruit and
vegetables

horto ['oxtu] m market garden
(BRIT), truck farm (US)

hospedagem [oʃpe'daʒẽ] f guest
house

hospedar [oʃpe'da°] vt to put
up; **hospedar-se** vr to stay, lodge;
hospedaria [oʃpeda'ria] f guest
house

hóspede ['ɔʃpedʒi] m (*amigo*)
guest; (*estranho*) lodger

hospedeira [oʃpe'dejra] f
landlady; (PT: *de bordo*) stewardess,
air hostess (BRIT)

hospício [oʃ'pisju] m mental
hospital

hospital [oʃpi'taw] (pl **-ais**) m
hospital

hospitalidade [oʃpitali'dadʒi] f
hospitality

hostil [oʃ'tʃiw] (pl **-is**) adj hostile

hotel [o'tɛw] (pl **-éis**) m hotel;
hoteleiro, -a [ote'lejru, a] m/f
hotelier

houve etc ['ovi] vb V **haver**

humanidade [umani'dadʒi] f
(*os homens*) man(kind); (*compaixão*)
humanity

humanitário, -a [umani'tarju,
a] adj humane

humano, -a [u'manu, a] adj
human; (*bondoso*) humane

húmido, -a ['umidu, a] (PT) adj
wet, moist; (roupa) damp; (clima)
humid

humildade [umiw'dadʒi] f
humility; (pobreza) poverty

humilde [u'miwdʒi] adj humble;
(pobre) poor

humilhar [umi'ʎa°] vt to
humiliate

humor [u'mo°] m mood, temper;
(graça) humour (BRIT), humor (US);
de bom/mau ~ in a good/bad
mood; **humorista** [umo'riʃta]
m/f comedian; **humorístico, -a**
[umo'riʃtʃiku, a] adj humorous

húngaro, -a ['ũgaru, a] adj, m/f
Hungarian

Hungria [ũ'gria] f: **a ~** Hungary

hurra ['uxa] m cheer ▷ excl hurrah!

ia etc ['ia] vb V **ir**

iate ['jatʃi] m yacht; **~ clube**
yacht club

ibérico, -a [i'bɛriku, a] adj, m/f
Iberian

ibero-americano, -a [iberu-]
adj, m/f Ibero-American

ICM (BR) abr m (= Imposto sobre
Circulação de Mercadorias) ≈ VAT

ícone [i'kɔni] m (gen, Comput) icon

ida ['ida] f going, departure; **~ e
volta** round trip, return; **a (viagem
de) ~** the outward journey; **na ~** on
the way there

idade [i'dadʒi] f age; **ter cinco
anos de ~** to be five (years old);
de meia ~ middle-aged; **qual é a
~ dele?** how old is he?; **na minha
~** at my age; **ser menor/maior de
~** to be under/of age; **pessoa de ~**
elderly person; **I~ Média** Middle
Ages pl

ideal [ide'jaw] (pl **-ais**) adj, m

ideal; **idealista** [idea'liʃta] *adj*
idealistic ▷ *m/f* idealist
idéia [i'dɛja] *f* idea; (*mente*) mind;
mudar de ~ to change one's mind;
não ter a mínima ~ to have no
idea; **não faço ~** I can't imagine!
estar com ~ de fazer to plan to do
idem ['idẽ] *pron* ditto
idêntico, -a [i'dẽtʃiku, a] *adj*
identical
identidade [idẽtʃi'dadʒi] *f*
identity
identificação [idẽtʃifika'sãw] *f*
identification
identificar [idẽtʃifi'ka*] *vt* to
identify; **identificar-se** *vr*: **~-se**
com to identify with
idioma [i'dʒoma] *m* language
idiota [i'dʒɔta] *adj* idiotic ▷ *m/f*
idiot
ido, -a ['idu, a] *adj* past
ídolo ['idolu] *m* idol
idoso, -a [i'dozu, ɔza] *adj*
elderly, old
ignorado, -a [igno'radu, a] *adj*
unknown
ignorância [igno'rãsja] *f*
ignorance; **ignorante** [igno'rãtʃi]
adj ignorant, uneducated ▷ *m/f*
ignoramus
ignorar [igno'ra*] *vt* not to know;
(*não dar atenção a*) to ignore
igreja [i'greʒa] *f* church
igual [i'gwaw] (*pl* **-ais**) *adj* equal;
(*superfície*) even ▷ *m/f* equal
igualar [igwa'la*] *vt* to equal;
(*fazer igual*) to make equal; (*nivelar*)
to level ▷ *vi*: **~ a** *ou* **com** to be equal
to, be the same as; (*ficar no mesmo
nível*) to be level with; **igualar-se** *vr*:
~-se a alguém to be sb's equal
igualdade [igwaw'dadʒi] *f*
equality; (*uniformidade*) uniformity
igualmente [igwaw'mẽtʃi] *adv*
equally; (*também*) likewise, also; **~!**
(*saudação*) the same to you!

ilegal [ile'gaw] (*pl* **-ais**) *adj* illegal
ilegítimo, -a [ile'ʒitʃimu, a] *adj*
illegitimate; (*ilegal*) unlawful
ilegível [ile'ʒivew] (*pl* **-eis**) *adj*
illegible
iletrado, -a [ile'tradu, a] *adj*
illiterate
ilha ['iʎa] *f* island; **ilhéu, ilhoa**
[i'ʎɛw, i'ʎoa] *m/f* islander
ilícito, -a [i'lisitu, a] *adj* illicit
ilimitado, -a [ilimi'tadu, a] *adj*
unlimited
iluminar [ilumi'na*] *vt* to light
up; (*estádio etc*) to floodlight
ilusão [ilu'zãw] (*pl* **-ões**) *f* illusion;
(*quimera*) delusion; **ilusório, -a**
[ilu'zɔrju, a] *adj* deceptive
ilustração [iluʃtra'sãw] (*pl* **-ões**)
f illustration
ilustrado, -a [iluʃ'tradu, a] *adj*
illustrated; (*erudito*) learned
ilustrar [iluʃ'tra*] *vt* to illustrate;
(*instruir*) to instruct
ilustre [i'luʃtri] *adj* illustrious;
um ~ desconhecido a complete
stranger
ímã ['imã] *m* magnet
imagem [i'maʒẽ] (*pl* **-ns**) *f* image;
(*semelhança*) likeness; (*TV*) picture;
imagens *fpl* (*Literatura*) imagery *sg*
imaginação [imaʒina'sãw] (*pl*
-ões) *f* imagination
imaginar [imaʒi'na*] *vt* to
imagine; (*supor*) to suppose;
imaginar-se *vr* to imagine o.s.;
imagine só! just imagine!;
imaginário, -a [imaʒi'narju, a]
adj imaginary
imaturo, -a [ima'turu, a] *adj*
immature
imbatível [ĩba'tʃivew] (*pl* **-eis**) *adj*
invincible
imbecil [ĩbe'siw] (*pl* **-is**) *adj* stupid
▷ *m/f* imbecile; **imbecilidade**
[ĩbesili'dadʒi] *f* stupidity
imediações [imedʒa'sõjʃ] *fpl*

vicinity sg, neighbourhood sg (BRIT), neighborhood sg (US)

imediatamente
[imedʒata'mẽtʃi] adv
immediately, right away

imediato, -a [ime'dʒatu, a] adj
immediate; (seguinte) next; **~ a** next
to; **de ~** straight away

imenso, -a [i'mẽsu, a] adj
immense, huge; (ódio, amor) great

imigração [imigra'sãw] (pl **-ões**)
f immigration

imigrante [imi'grãtʃi] adj, m/f
immigrant

iminente [imi'nẽtʃi] adj
imminent

imitação [imita'sãw] (pl **-ões**) f
imitation

imitar [imi'ta*] vt to imitate;
(assinatura) to copy

imobiliária [imobi'ljarja] f
estate agent's (BRIT), real estate
broker's (US)

imobiliário, -a [imobi'ljarju, a]
adj property atr

imobilizar [imobili'za*] vt to
immobilize; (fig) to bring to a
standstill

imoral [imo'raw] (pl **-ais**) adj
immoral

imortal [imox'taw] (pl **-ais**) adj
immortal

imóvel [i'mɔvew] (pl **-eis**) adj
motionless, still; (não movediço)
immovable ⊳ m property; (edifício)
building; **imóveis** mpl (propriedade)
real estate sg, property sg

impaciência [ĩpa'sjẽsja] f
impatience; **impacientar-se**
[ĩpasjẽ'taxsi] vr to lose one's
patience; **impaciente** [ĩpa'sjẽtʃi]
adj impatient

impacto [ĩ'paktu] (PT **-cte**) m
impact

ímpar ['ĩpa*] adj (número) odd;
(sem igual) unique, unequalled

imparcial [ĩpax'sjaw] (pl **-ais**) adj
fair, impartial

impecável [ĩpe'kavew] (pl **-eis**)
adj perfect, impeccable

impeço etc [ĩ'pesu] vb V **impedir**

impedido, -a [ĩpe'dʒidu, a] adj
(Futebol) offside; (PT: Tel) engaged
(BRIT), busy (US)

impedimento [ĩpedʒi'mẽtu] m
impediment

impedir [ĩpe'dʒi*] vt to obstruct;
(estrada, tráfego) to block;
(movimento, progresso) to impede; **~**
alguém de fazer algo to prevent sb
from doing sth; (proibir) to forbid sb
to do sth; **~ (que aconteça) algo** to
prevent sth (happening)

impenetrável [ĩpene'travew] (pl
-eis) adj impenetrable

impensado, -a [ĩpẽ'sadu, a]
adj thoughtless; (não calculado)
unpremeditated; (imprevisto)
unforeseen

imperador [ĩpera'do*] m
emperor

imperativo, -a [ĩpera'tʃivu, a]
adj imperative ⊳ m imperative

imperatriz [ĩpera'triʒ] f empress

imperdoável [ĩpex'dwavew] (pl **-**
eis) adj unforgivable, inexcusable

imperfeito, -a [ĩpex'fejtu, a]
adj imperfect ⊳ m (Ling) imperfect
(tense)

imperial [ĩpe'rjaw] (pl **-ais**) adj
imperial

imperícia [ĩpe'risja] f inability;
(inexperiência) inexperience

império [ĩ'perju] m empire

impermeável [ĩpex'mjavew] (pl
-eis) adj: **~ a** (tb fig) impervious
to; (à água) waterproof ⊳ m
raincoat

impessoal [ĩpe'swaw] (pl **-ais**) adj
impersonal

ímpeto ['ĩpetu] m (Tec) impetus;
(movimento súbito) start; (de cólera)

fit; (*de emoção*) surge; (*de chamas*) fury; **agir com ~** to act on impulse; **levantar-se num ~** to get up with a start

impiedoso, -a [ĩpje'dozu, ɔza] *adj* merciless, cruel

implacável [ĩpla'kavew] (*pl* **-eis**) *adj* relentless; (*pessoa*) unforgiving

implantação [ĩplãta'sãw] (*pl* **-ões**) *f* introduction; (*Med*) implant

implementar [ĩplemẽ'ta*] *vt* to implement

implicar [ĩpli'ka*] *vt* (*envolver*) to implicate; (*pressupor*) to imply ▷ *vi*: **~ com alguém** (*chatear*) to tease sb, pick on sb; **implicar-se** *vr* to get involved; **~ (em) algo** to involve sth

implícito, -a [ĩ'plisitu, a] *adj* implicit

implorar [ĩplo'ra*] *vt*: **~ (algo a alguém)** to beg *ou* implore (sb for sth)

impopular [ĩpopu'la*] *adj* unpopular; **impopularidade** [ĩpopulari'dadʒi] *f* unpopularity

impor [ĩ'po*] (*irreg: como* **pôr**) *vt* to impose; (*respeito*) to command; **impor-se** *vr* to assert o.s.; **~ algo a alguém** to impose sth on sb

importação [impoxta'sãw] (*pl* **-ões**) *f* (*ato*) importing; (*mercadoria*) import

importador, a [ĩpoxta'do*, a] *adj* import *atr* ▷ *m/f* importer

importância [ĩpox'tãsja] *f* importance; (*de dinheiro*) sum, amount; **não tem ~** it doesn't matter, never mind; **ter ~** to be important; **sem ~** unimportant; **importante** [ĩpox'tãtʃi] *adj* important ▷ *m*: **o (mais) importante** the (most) important thing

importar [ĩpox'ta*] *vt* (*Com*) to import; (*trazer*) to bring in; (*causar: prejuízos etc*) to cause; (*implicar*) to imply, involve ▷ *vi* to matter, be important; **importar-se** *vr*: **~-se com algo** to mind sth; **não me importo** I don't care

importunar [ĩpoxtu'na*] *vt* to bother, annoy

importuno, -a [ĩpox'tunu, a] *adj* annoying; (*inoportuno*) inopportune ▷ *m/f* nuisance

impossibilitado, -a [ĩposibili'tadu, a] *adj*: **~ de fazer** unable to do

impossibilitar [ĩposibili'ta*] *vt*: **~ algo** to make sth impossible; **~ alguém de fazer, ~ a alguém fazer** to prevent sb from doing; **~ algo a alguém, ~ alguém para algo** to make sth impossible for sb

impossível [ĩpo'sivew] (*pl* **-eis**) *adj* impossible; (*insuportável: pessoa*) insufferable; (*incrível*) incredible

imposto [ĩ'poʃtu] *m* tax; **antes/ depois de ~s** before/after tax; **~ de renda** (*BR*) income tax; **~ predial** rates *pl*; **I~ sobre Circulação de Mercadorias (e Serviços)** (*BR*), **~ sobre valor acrescentado** (*PT*) value added tax (*BRIT*), sales tax (*US*)

impotente [ĩpo'tẽtʃi] *adj* powerless; (*Med*) impotent

impraticável [ĩpratʃi'kavew] (*pl* **-eis**) *adj* impracticable; (*rua, rio etc*) impassable

impreciso, -a [ĩpre'sizu, a] *adj* vague; (*falto de rigor*) inaccurate

imprensa [ĩ'prẽsa] *f* printing; (*máquina, jornais*) press

imprescindível [ĩpresĩ'dʒivew] (*pl* **-eis**) *adj* essential, indispensable

impressão [impre'sãw] (*pl* **-ões**) *f* impression; (*de livros*) printing; (*marca*) imprint; **causar boa ~** to make a good impression; **ficar com/ter a ~ (de) que** to get/have the impression that

impressionante [ĩpresjo'nãtʃi]

adj impressive

impressionar [ĩpresjo'na°] *vt*
to affect ▷ *vi* to be impressive;
(*pessoa*) to make an impression;
impressionar-se *vr*: **~-se (com
algo)** to be moved (by sth)

impresso, -a [ĩ'presu, a] *pp de*
imprimir ▷ *adj* printed ▷ *m* (*para
preencher*) form; (*folheto*) leaflet; **~s**
mpl (*formulário*) printed matter *sg*

impressões [impre'sõjʃ] *fpl de*
impressão

impressora [ĩpre'sora] *f* printing
machine; (*Comput*) printer; **~
matricial/a laser** dot-matrix/laser
printer

imprestável [ĩpreʃ'tavew] (*pl
-eis*) *adj* (*inútil*) useless; (*pessoa*)
unhelpful

imprevisível [ĩprevi'zivew] (*pl
-eis*) *adj* unforeseeable

imprevisto, -a [ĩpre'viʃtu, a] *adj*
unexpected, unforeseen ▷ *m*: **um ~**
something unexpected

imprimir [ĩpri'mi°] *vt* to print;
(*marca*) to stamp; (*infundir*) to
instil (*BRIT*), instill (*US*); (*Comput*)
to print out

impróprio, -a [ĩ'prɔprju, a] *adj*
inappropriate; (*indecente*) improper

improvável [ĩpro'vavew] (*pl -eis*)
adj unlikely

improviso [ĩpro'vizu]: **de ~**
adv (*de repente*) suddenly; (*sem
preparação*) without preparation

imprudente [ĩpru'dẽtʃi] *adj*
(*irrefletido*) rash; (*motorista*) careless

impulsivo, -a [ĩpuw'sivu, a] *adj*
impulsive

impulso [ĩ'puwsu] *m* impulse;
(*fig: estímulo*) urge

impune [ĩ'puni] *adj* unpunished;
impunidade [ĩpuni'dadʒi] *f*
impunity

imundície [imũ'dʒisji] *f* filth;
imundo, -a [i'mũdu, a] *adj* filthy;

(*obsceno*) dirty

imune [i'muni] *adj*: **~ a** immune
to; **imunidade** [imuni'dadʒi] *f*
immunity

inábil [i'nabiw] (*pl -eis*) *adj*
incapable; (*desajeitado*) clumsy

inabitado, -a [inabi'tadu, a] *adj*
uninhabited

inacabado, -a [inaka'badu, a]
adj unfinished

inacreditável [inakredʒi'tavew]
(*pl -eis*) *adj* unbelievable,
incredible

inactivo, -a *etc* [ina'tivu, a] (*PT*) =
inativo/a *etc*

inadequado, -a [inade'kwadu,
a] *adj* inadequate; (*impróprio*)
unsuitable

inadiável [ina'dʒjavew] (*pl -eis*)
adj pressing

inadimplência [inadʒĩ'plẽsja] *f*
(*Jur*) breach of contract, default

inaptidão [inaptʃi'dãw] (*pl -ões*)
f inability

inatingível [inatʃĩ'ʒivew] (*pl -eis*)
adj unattainable

inativo, -a [ina'tʃivu, a] *adj*
inactive; (*aposentado, reformado*)
retired

inauguração [inawgura'sãw] (*pl
-ões*) *f* inauguration; (*de exposição*)
opening; **inaugural** [inawgu'raw]
(*pl -ais*) *adj* inaugural; **inaugurar**
[inawgu'ra°] *vt* to inaugurate;
(*exposição*) to open

incapacidade [ĩkapas i'dadʒi]
f incapacity; (*incompetência*)
incompetence

incapacitado, -a [ĩkapas i'tadu,
a] *adj* (*inválido*) disabled,
handicapped ▷ *m/f* handicapped
person; **estar ~ de fazer** to be
unable to do

incapaz [ĩka'pajʒ] *adj*, *m/f*
incompetent; **~ de fazer** incapable
of doing; **~ para** unfit for

incendiar [ĩsẽ'dʒja°] *vt* to set fire to; (*fig*) to inflame; **incendiar-se** *vr* to catch fire

incêndio [ĩ'sẽdʒju] *m* fire; **~ criminoso** *ou* **premeditado** arson

incenso [ĩ'sẽsu] *m* incense

incentivar [ĩsẽtʃi'va°] *vt* to stimulate, encourage

incentivo [ĩsẽ'tʃivu] *m* incentive; **~ fiscal** tax incentive

incerteza [ĩsex'teza] *f* uncertainty

incerto, -a [ĩ'sextu, a] *adj* uncertain

incesto [ĩ'seʃtu] *m* incest

inchado, -a [ĩ'ʃadu, a] *adj* swollen; (*fig*) conceited

inchar [ĩ'ʃa°] *vt*, *vi* to swell

incidência [ĩsi'dẽsja] *f* incidence, occurrence

incidente [ĩsi'dẽtʃi] *m* incident

incisivo, -a [ĩsi'zivu, a] *adj* cutting, sharp; (*fig*) incisive

incitar [ĩsi'ta°] *vt* to incite; (*pessoa, animal*) to drive on

inclinação [ĩklina'sãw] (*pl* **-ões**) *f* inclination; **~ da cabeça** nod

inclinar [ĩkli'na°] *vt* to tilt; (*cabeça*) to nod ▷ *vi* to slope; (*objeto*) to tilt; **inclinar-se** *vr* to tilt; (*dobrar o corpo*) to bow, stoop; **~-se sobre algo** to lean over sth

incluir [ĩ'klwi°] *vt* to include; (*em carta*) to enclose; **incluir-se** *vr* to be included

inclusão [ĩklu'zãw] *f* inclusion; **inclusive** [ĩklu'zivi] *prep* including ▷ *adv* inclusive; (*até mesmo*) even

incoerente [ĩkoe'rẽtʃi] *adj* incoherent; (*contraditório*) inconsistent

incógnita [ĩ'kɔgnita] *f* (*Mat*) unknown; (*fato incógnito*) mystery; **incógnito, -a** [ĩ'kɔgnitu, a] *adj* unknown ▷ *adv* incognito

incolor [ĩko'lo°] *adj* colourless (*BRIT*), colorless (*US*)

incomodar [ĩkomo'da°] *vt* to bother, trouble; (*aborrecer*) to annoy ▷ *vi* to be bothersome; **incomodar-se** *vr* to bother, put o.s. out; **~-se com algo** to be bothered by sth, mind sth; **não se incomode!** don't worry!

incômodo, -a [ĩ'komodu, a] *adj* uncomfortable; (*incomodativo*) troublesome; (*inoportuno*) inconvenient

incompetente [ĩkõpe'tẽtʃi] *adj*, *m/f* incompetent

incompreendido, -a [ĩkõprjẽ'dʒidu, a] *adj* misunderstood

incomum [ĩko'mũ] *adj* uncommon

incomunicável [ĩkomuni'kavew] (*pl* **-eis**) *adj* cut off; (*privado de comunicação, fig*) incommunicado; (*preso*) in solitary confinement

inconformado, -a [ĩkõfox'madu, a] *adj* bitter; **~ com** unreconciled to

inconfundível [ĩkõfũ'dʒivew] (*pl* **-eis**) *adj* unmistakeable

inconsciência [ĩkõ'sjẽsja] *f* (*Med*) unconsciousness; (*irreflexão*) thoughtlessness

inconsciente [ĩkõ'sjẽtʃi] *adj* unconscious ▷ *m* unconscious

inconseqüente [ĩkõse'kwẽtʃi] *adj* inconsistent; (*contraditório*) illogical; (*irresponsável*) irresponsible

inconsistente [ĩkõsiʃ'tẽtʃi] *adj* inconsistent; (*sem solidez*) runny

inconstante [ĩkõ'tãtʃi] *adj* fickle; (*tempo*) changeable

incontrolável [ĩkõtro'lavew] (*pl* **-eis**) *adj* uncontrollable

inconveniência [ĩkõve'njẽsja] *f* inconvenience; (*impropriedade*) inappropriateness

inconveniente [ĩkõve'njẽtʃi]

adj inconvenient; (*inoportuno*) awkward; (*grosseiro*) rude; (*importuno*) annoying ▷ *m* disadvantage; (*obstáculo*) difficulty, problem

incorreto, -a [ĩko'xɛtu, a] (*PT* **-ect-**) *adj* incorrect; (*desonesto*) dishonest

incrédulo, -a [ĩ'krɛdulu, a] *adj* incredulous; (*cético*) sceptical (*BRIT*), skeptical (*US*) ▷ *m/f* sceptic (*BRIT*), skeptic (*US*)

incrível [ĩ'krivew] (*pl* **-eis**) *adj* incredible

incumbência [ĩkũ'bẽsja] *f* task, duty

incumbir [ĩkũ'bi°] *vt*: **~ alguém de algo** *ou* **algo a alguém** to put sb in charge of sth ▷ *vi*: **~ a alguém** to be sb's duty; **incumbir-se** *vr*: **~-se de** to undertake, take charge of

indagação [ĩdaga'sãw] (*pl* **-ões**) *f* investigation; (*pergunta*) inquiry, question

indagar [ĩda'ga°] *vt* to investigate ▷ *vi* to inquire; **indagar-se** *vr*: **~-se a si mesmo** to ask o.s.; **~ algo de alguém** to ask sb about sth

indecente [ĩde'sẽtʃi] *adj* indecent, improper; (*obsceno*) rude, vulgar

indecoroso, -a [ĩdeko'rozu, ɔza] *adj* indecent, improper

indefinido, -a [ĩdefi'nidu, a] *adj* indefinite; (*vago*) vague, undefined; **por tempo ~** indefinitely

indefiro *etc* [ĩde'firu] *vb V* **indeferir**

indelicado, -a [ĩdeli'kadu, a] *adj* impolite, rude

indenização [ĩdeniza'sãw] (*PT* **-mn-**) (*pl* **-ões**) *f* compensation; (*Com*) indemnity

indenizar [ĩdeni'za°] (*PT* **-mn-**) *vt*: **~ alguém por** *ou* **de algo** (*compensar*) to compensate sb

for sth; (*por gastos*) to reimburse sb for sth

independência [ĩdepẽ'dẽsja] *f* independence; **independente** [ĩdepẽ'dẽtʃi] *adj* independent

indesejável [ĩdeze'ʒavew] (*pl* **-eis**) *adj* undesirable

indevido, -a [ĩde'vidu, a] *adj* (*imerecido*) unjust; (*impróprio*) inappropriate

Índia ['ĩdʒa] *f*: **a ~** India; **as ~s Ocidentais** the West Indies; **indiano, -a** [ĩ'dʒjanu, a] *adj*, *m/f* Indian

indicação [ĩdʒika'sãw] (*pl* **-ões**) *f* indication; (*de termômetro*) reading; (*para um cargo, prêmio*) nomination; (*recomendação*) recommendation; (*de um caminho*) directions *pl*

indicado, -a [ĩdʒi'kadu, a] *adj* appropriate

indicador, a [ĩdʒika'do°, a] *adj*: **~ de** indicative of ▷ *m* indicator; (*Tec*) gauge; (*dedo*) index finger; (*ponteiro*) pointer

indicar [ĩdʒi'ka°] *vt* to indicate; (*apontar*) to point to; (*temperatura*) to register; (*recomendar*) to recommend; (*para um cargo*) to nominate; (*determinar*) to determine; **~ o caminho a alguém** to give sb directions

índice ['ĩdʒisi] *m* (*de livro*) index; (*taxa*) rate

indício [in'dʒisju] *m* (*sinal*) sign; (*vestígio*) trace; (*Jur*) clue

indiferença [ĩdʒife'rẽsa] *f* indifference

indígena [ĩ'dʒiʒena] *adj*, *m/f* native; (*índio: da América*) Indian

indigência [ĩdʒi'ʒẽsja] *f* poverty; (*fig*) lack, need

indigestão [ĩdʒiʒeʃ'tãw] *f* indigestion

indigesto, -a [ĩdʒi'ʒeʃtu, a] *adj*

indigestible

indignação [ĩdʒigna'sãw]
f indignation; **indignado, -a**
[ĩdʒig'nadu, a] adj indignant

indignar [ĩdʒig'na°] vt to anger,
incense; **indignar-se** vr to get angry

índio, -a [ˈĩdʒju, a] adj, m/f (da
América) Indian; **o Oceano Í~** the
Indian Ocean

indireto, -a [ĩdʒi'rɛtu, a] (PT **-ct-**)
adj indirect

indiscreto, -a [ĩdʒiʃ'krɛtu, a] adj
indiscreet

indiscutível [ĩdʒiʃku'tʃivew] (pl
-eis) adj indisputable

indispensável [ĩdʒiʃpẽ'savew] (pl
-eis) adj essential, vital ▷ m: **o ~**
the essentials pl

indispor [ĩdʒiʃ'po°] (irreg: como
pôr) vt (de saúde) to make ill;
(aborrecer) to upset; **indisposto,
-a** [ĩdʒiʃ'poʃtu, 'poʃta] adj unwell,
poorly; upset

indistinto, -a [ĩdʒiʃ'tʃĩtu, a] adj
indistinct

individual [ĩdʒivi'dwaw] (pl **-ais**)
adj individual

indivíduo [ĩdʒi'vidwu] m
individual; (col: sujeito) guy

indócil [ĩ'dɔsiw] (pl **-eis**) adj
unruly, wayward; (impaciente)
restless

índole [ˈĩdoli] f (temperamento)
nature; (tipo) sort, type

indolor [ĩdo'lo°] adj painless

Indonésia [ĩdo'nɛzja] f: **a ~**
Indonesia

indústria [ĩ'duʃtrja] f industry;
industrial [ĩduʃ'trjaw] (pl **-ais**)
adj industrial ▷ m/f industrialist;
industrializar [ĩduʃtrjali'za°] vt
(país) to industrialize; (aproveitar)
to process

induzir [ĩdu'zi°] vt to induce;
(persuadir) to persuade

inédito, -a [i'nɛdʒitu, a] adj

(livro) unpublished; (incomum)
unheard-of, rare

inegável [ine'gavew] (pl **-eis**) adj
undeniable

inelutável [inelu'tavew] (pl **-eis**)
adj inescapable

inepto, -a [i'nɛptu, a] adj inept,
incompetent

inequívoco, -a [ine'kivoku, a]
adj (evidente) clear; (inconfundível)
unmistakeable

inércia [i'nɛxsja] f lethargy; (Fís)
inertia

inerente [ine'rẽtʃi] adj: **~ a**
inherent in ou to

inerte [i'nɛxtʃi] adj lethargic;
(Fís) inert

inesgotável [inezgo'tavew]
(pl **-eis**) adj inexhaustible;
(superabundante) boundless

inesperado, -a [ineʃpe'radu, a]
adj unexpected, unforeseen ▷ m: **o
~** the unexpected

inesquecível [ineʃke'sivew] (pl
-eis) adj unforgettable

inestimável [ineʃtʃi'mavew] (pl
-eis) adj invaluable

inexato, -a [ine'zatu, a] (PT **-ct-**)
adj inaccurate

inexistência [inezi'tẽsja] f lack

inexperiência [ineʃpe'rjẽsja]
f inexperience; **inexperiente**
[ineʃpe'rjẽtʃi] adj inexperienced;
(ingênuo) naive

inexpressivo, -a [ineʃpre'sivu,
a] adj expressionless

infância [ĩ'fãsja] f childhood

infantil [ĩfã'tʃiw] (pl **-is**) adj
(ingênuo) childlike; (pueril) childish;
(para crianças) children's

infarto [ĩ'faxtu] m heart attack

infecção [ĩfek'sãw] (pl
-ões) f infection; **infeccionar**
[ĩfeksjo'na°] vt (ferida) to infect;
infeccioso, -a [ĩfek'sjozu, ɔza] adj
infectious

infectar [ĩfek'ta*] (PT) vt = **infetar**

infelicidade [ĩfelisi'dadʒi] f unhappiness; (desgraça) misfortune

infeliz [ĩfe'liʒ] adj unhappy; (infausto) unlucky; (ação, medida) unfortunate; (sugestão, idéia) inappropriate ▷ m/f unhappy person; **infelizmente** [ĩfeliʒ'mẽtʃi] adv unfortunately

inferior [ĩfe'rjo*] adj: ~ **(a)** (em valor, qualidade) inferior (to); (mais baixo) lower (than) ▷ m/f inferior, subordinate

infernal [ĩfex'naw] (pl -ais) adj infernal

inferno [ĩ'fɛxnu] m hell; **vá pro ~!** (col) piss off!

infetar [ĩfe'ta*] vt to infect

infiel [ĩ'fjew] (pl -éis) adj disloyal; (marido, mulher) unfaithful; (texto) inaccurate ▷ m/f (Rel) non-believer

ínfimo, -a [ĩfimu, a] adj lowest; (qualidade) poorest

infindável [ĩfĩ'davew] (pl -eis) adj unending, constant

infinidade [ĩfini'dadʒi] f infinity; **uma ~ de** countless

infinitivo [ĩfini'tʃivu] m (Ling) infinitive

inflação [ĩfla'sãw] f inflation; **inflacionário, -a** [ĩflasjo'narju, a] adj inflationary

inflamação [ĩflama'sãw] (pl -ões) f inflammation; **inflamado, -a** [ĩfla'madu, a] adj (Med) inflamed; (discurso) heated

inflamar [ĩfla'ma*] vt (madeira, pólvora) to set fire to; (Med, fig) to inflame; **inflamar-se** vr to catch fire; (fig) to get worked up; **~-se de algo** to be consumed with sth

inflamável [ĩfla'mavew] (pl -eis) adj inflammable

inflar [ĩ'fla*] vt to inflate, blow up; **inflar-se** vr to swell (up)

inflexível [ĩflek'sivew] (pl -eis) adj stiff, rigid; (fig) unyielding

influência [ĩ'flwẽsja] f influence; **sob a ~ de** under the influence of; **influenciar** [ĩflwẽ'sja*] vt to influence ▷ vi: **influenciar em algo** to influence sth, have an influence on sth; **influenciar-se** vr: **influenciar-se por** to be influenced by; **influente** [ĩ'flwẽtʃi] adj influential; **influir** [ĩ'flwi*] vi to matter, be important; **influir em** ou **sobre** to influence, have an influence on

informação [ĩfoxma'sãw] (pl -ões) f (piece of) information; (notícia) news sg; **informações** fpl (detalhes) information sg; **Informações** (Tel) directory enquiries (BRIT), information (US); **pedir informações sobre** to ask about, inquire about

informal [ĩfox'maw] (pl -ais) adj informal

informar [ĩfox'ma*] vt: **~ alguém (de/sobre algo)** to inform sb (of/about sth) ▷ vi to inform, be informative; **informar-se** vr: **~-se de** to find out about, inquire about; **~ de** to report on

informática [ĩfox'matʃika] f computer science; (ramo) computing, computers pl

informativo, -a [ĩfoxma'tʃivu, a] adj informative

informatizar [ĩfoxmatʃi'za*] vt to computerize

infortúnio [ĩfox'tunju] m misfortune

infração [ĩfra'sãw] (PT -cç-; pl -ões) f breach, infringement; (Esporte) foul

infrator, a [ĩfra'to*, a] (PT) m/f = **infrator, a**

infrator, a [ĩfra'to*, a] m/f offender

infrutífero, -a [ĩfru'tʃiferu, a]

adj fruitless

ingênuo, -a [ĩ'ʒenwu, a] *adj* ingenuous, naïve; *(comentário)* harmless ▷ *m/f* naïve person

ingerir [ĩʒe'ri°] *vt* to ingest; *(engolir)* to swallow

Inglaterra [ĩgla'tɛxa] *f:* **a ~** England; **inglês, -esa** [ĩ'gleʃ, eza] *adj* English ▷ *m/f* Englishman/ woman ▷ *m* (*Ling*) English; **os ingleses** *mpl* the English

ingrediente [ĩgre'dʒjẽtʃi] *m* ingredient

íngreme [ĩgremi] *adj* steep

ingressar [ĩgre'sa°] *vi:* **~ em** to enter, go into; *(um clube)* to join

ingresso [ĩ'grɛsu] *m* (*entrada*) entry; *(admissão)* admission; *(bilhete)* ticket

inibição [inibi'sãw] *(pl* **-ões)** *f* inhibition

inibido, -a [ini'bidu, a] *adj* inhibited

inibir [ini'bi°] *vt* to inhibit

inicial [ini'sjaw] *(pl* **-ais**) *adj, f* initial

iniciar [ini'sja°] *vt, vi* (*começar*) to begin, start; **~ alguém em algo** (*arte, seita*) to initiate sb into sth

iniciativa [inisja'tʃiva] *f* initiative; **a ~ privada** (*Econ*) private enterprise

início [i'nisju] *m* beginning, start; **no ~** at the start

inimigo, -a [ini'migu, a] *adj, m/f* enemy

injeção [ĩʒe'sãw] *(PT* **-cç-**; *pl* **-ões**) *f* injection

injetar [ĩʒe'ta°] *(PT* **-ct-**) *vt* to inject

injúria [ĩ'ʒurja] *f* insult

injustiça [ĩʒuʃ'tʃisa] *f* injustice

inocência [ino'sẽsja] *f* innocence

inocentar [inosẽ'ta°] *vt:* **~ alguém (de algo)** to clear sb (of sth)

inocente [ino'sẽtʃi] *adj* innocent

▷ *m/f* innocent man/woman

inofensivo, -a [inofẽ'sivu, a] *adj* harmless, inoffensive

inovação [inova'sãw] *(pl* **-ões**) *f* innovation

INPS (*BR*) *abr m* (= *Instituto Nacional de Previdência Social*) ≈ DSS (*BRIT*), ≈ Welfare Dept (*US*)

inquérito [ĩ'kɛritu] *m* inquiry; *(Jur)* inquest

inquietação [ĩkjeta'sãw] *f* anxiety, uneasiness; *(agitação)* restlessness

inquietante [ĩkje'tãtʃi] *adj* worrying, disturbing

inquietar [ĩkje'ta°] *vt* to worry, disturb; **inquietar-se** *vr* to worry, bother

inquilino, -a [ĩki'linu, a] *m/f* tenant

insalubre [ĩsa'lubri] *adj* unhealthy

insanidade [ĩsani'dadʒi] *f* madness, insanity; **insano, -a** [ĩ'sanu, a] *adj* insane

insatisfatório, -a [ĩsatʃiʃfa'tɔrju, a] *adj* unsatisfactory

insatisfeito, -a [ĩsatʃiʃ'fejtu, a] *adj* dissatisfied, unhappy

inscrever [ĩʃkre've°] *vt* to inscribe; *(aluno)* to enrol (*BRIT*), enroll (*US*); *(em registro)* to register

inscrito, -a [ĩ'ʃkritu, a] *pp de* **inscrever**

insecto *etc* [ĩ'sɛtu] *(PT)* = **inseto** *etc*

insegurança [ĩsegu'rãsa] *f* insecurity; **inseguro, -a** [ĩse'guru, a] *adj* insecure

insensato, -a [ĩsẽ'satu, a] *adj* unreasonable, foolish

inserir [ĩse'ri°] *vt* to insert, put in; *(Comput: dados)* to enter

inseticida [ĩsetʃi'sida] *m* insecticide

inseto [ĩ'sɛtu] *m* insect

insípido, -a [ĩ'sipidu, a] *adj*
insipid

insiro *etc* [ĩ'siru] *vb V* **inserir**

insistência [ĩsiʃ'tẽsja] *f*: **~
(em)** insistence (on); (*obstinação*)
persistence (in); **insistente**
[ĩsiʃ'tẽtʃi] *adj* (*pessoa*) insistent;
(*apelo*) urgent

insistir [ĩsiʃ'tʃi°] *vi*: **~ (em)** to
insist (on); (*perseverar*) to persist
(in); **~ (em) que** to insist that

insolação [ĩsola'sãw] *f*
sunstroke; **pegar uma ~** to get
sunstroke

insólito, -a [ĩ'sɔlitu, a] *adj*
unusual

insônia [ĩ'sɔnja] *f* insomnia

insosso, -a [ĩ'sosu, a] *adj*
unsalted; (*sem sabor*) tasteless;
(*pessoa*) uninteresting, dull

inspeção [ĩʃpe'sãw] (*PT* **-cç-**; *pl*
-ões) *f* inspection, check;
inspecionar [ĩʃpesjo'na°] (*PT* **-cc-**)
vt to inspect

inspetor, a [ĩʃpe'to°, a] (*PT* **-ct-**)
m/f inspector

inspirar [ĩʃpi'ra°] *vt* to inspire;
(*Med*) to inhale; **inspirar-se** *vr* to
be inspired

instalação [ĩʃtala'sãw] (*pl* **-ões**)
f installation; **~ elétrica** (*de casa*)
wiring

instalar [ĩʃta'la°] *vt* to install;
(*estabelecer*) to set up; **instalar-se** *vr*
(*numa cadeira*) to settle down

instantâneo, -a [ĩʃtã'tanju, a]
adj instant, instantaneous ▷ *m*
(*Foto*) snap

instante [ĩʃ'tãtʃi] *adj* urgent
▷ *m* moment; **num ~** in an instant,
quickly; **só um ~!** just a moment!

instável [ĩʃ'tavew] (*pl* **-eis**) *adj*
unstable; (*tempo*) unsettled

instintivo, -a [ĩʃtʃĩ'tʃivu, a] *adj*
instinctive

instinto [ĩʃ'tʃĩtu] *m* instinct; **por**

~ instinctively

instituição [ĩʃtʃitwi'sãw] (*pl* **-ões**)
f institution

instituto [ĩʃtʃi'tutu] *m* (*escola*)
institute; (*instituição*) institution; **~
de beleza** beauty salon

instrução [ĩʃtru'sãw] (*PT* **-cç-**;
pl **-ões**) *f* education; (*erudição*)
learning; (*diretriz*) instruction; (*Mil*)
training; **instruções** *fpl* (*para o
uso*) instructions (for use)

instructor, a [ĩʃtru'tor, a] (*PT*)
m/f = **instrutor, a**

instruído, -a [ĩʃ'trwidu, a] *adj*
educated

instruir [ĩʃ'trwi°] *vt* to instruct;
(*Mil*) to train; **instruir-se** *vr*: **~-se
em algo** to learn sth; **~ alguém
de** *ou* **sobre algo** to inform sb
about sth

instrumento [ĩʃtru'mẽtu]
m instrument; (*ferramenta*)
implement; (*Jur*) deed, document;
~ de cordas/percussão/sopro
stringed/percussion/wind
instrument; **~ de trabalho** tool

instrutivo, -a [ĩʃtru'tʃivu, a] *adj*
instructive

instrutor, a [ĩʃtru'to°, a] *m/f*
instructor; (*Esporte*) coach

insubordinação [ĩsuboxdʒina-
'sãw] *f* rebellion; (*Mil*)
insubordination

insubstituível [ĩsubiʃtʃi'twivew]
(*pl* **-eis**) *adj* irreplaceable

insuficiência [ĩsufi'sjẽsja] *f*
inadequacy; (*carência*) shortage;
(*Med*) deficiency; **~ cardíaca** heart
failure

insulina [ĩsu'lina] *f* insulin

insultar [ĩsuw'ta°] *vt* to insult;
insulto [ĩ'suwtu] *m* insult

insuportável [ĩsupox'tavew] (*pl*
-eis) *adj* unbearable

insurgir-se [ĩsux'ʒixsi] *vr* to
rebel, revolt

insurreição [ĩsuxej'sãw] (pl -**ões**)
f rebellion, insurrection

intato, -a [ĩ'tatu, a] (PT -**act**-)
adj intact

Íntegra ['ĩtegra] f: **na ~** in full

integral [ĩte'graw] (pl -**ais**) adj
whole ▷ f (Mat) integral; **pão ~**
wholemeal (BRIT) ou wholewheat
(US) bread; **integralmente**
[ĩtegraw'mẽtʃi] adv in full, fully

integrar [ĩte'gra*] vt to unite,
combine; (completar) to form,
make up; (Mat, raças) to integrate;
integrar-se vr to become complete;
~-se em ou **a algo** to join sth;
(adaptar-se) to integrate into sth

integridade [ĩtegri'dadʒi] f
entirety; (fig: de pessoa) integrity

íntegro, -a ['ĩtegru, a] adj entire;
(honesto) upright, honest

inteiramente [ĩtejra'mẽtʃi] adv
completely

inteirar [ĩtej'ra*] vt (completar) to
complete; **inteirar-se** vr: **~-se de**
to find out about; **~ alguém de** to
inform sb of

inteiro, -a [ĩ'tejru, a] adj whole,
entire; (ileso) unharmed; (não
quebrado) undamaged

intelecto [ĩte'lɛktu] m intellect;
intelectual [ĩtelek'twaw] (pl -**ais**)
adj, m/f intellectual

inteligência [ĩteli'ʒẽsja]
f intelligence; **inteligente**
[ĩteli'ʒẽtʃi] adj intelligent, clever

inteligível [ĩteli'ʒivew] (pl -**eis**)
adj intelligible

intenção [ĩtẽ'sãw] (pl -**ões**) f
intention; **segundas intenções**
ulterior motives; **ter a ~ de**
to intend to; **intencionado,
-a** [ĩtẽsjo'nadu, a] adj: **bem
intencionado** well-meaning;
mal intencionado spiteful;
intencional [ĩtẽsjo'naw] (pl
-**ais**) adj intentional, deliberate;

intencionar [ĩtẽsjo'na*] vt to
intend

intensificar [ĩtẽsifi'ka*] vt to
intensify; **intensificar-se** vr to
intensify

intensivo, -a [ĩtẽ'sivu, a] adj
intensive

intenso, -a [ĩ'tẽsu, a] adj
intense; (emoção) deep; (impressão)
vivid; (vida social) full

interação [ĩtera'sãw] (PT -**cç**-) f
interaction

interativo, -a [ĩtera'tʃivu, a] (PT
-**ct**-) adj (Comput) interactive

intercâmbio [ĩtex'kãbju] m
exchange

interdição [ĩtexdʒi'sãw] (pl -**ões**)
f (de estrada, porta) closure; (Jur)
injunction

interditar [ĩtexdʒi'ta*] vt
(importação etc) to ban; (estrada,
praia) to close off; (cinema etc) to
close down

interessado, -a [ĩtere'sadu,
a] adj interested; (amizade) self-
seeking

interessante [ĩtere'sãtʃi] adj
interesting

interessar [ĩtere'sa*] vt to
interest ▷ vi to be interesting;
interessar-se vr: **~-se em** ou **por**
to take an interest in, be interested
in; **a quem possa ~** to whom it
may concern

interesse [ĩte'resi] m interest;
(próprio) self-interest; (proveito)
advantage; **no ~ de** for the sake of;
por ~ (próprio) for one's own ends;
interesseiro, -a [ĩtere'sejru, a]
adj self-seeking

interface [ĩtex'fasi] f (Comput)
interface

interferência [ĩtexfe'rẽsja] f
interference

interferir [ĩtexfe'ri*] vi: **~ em** to
interfere in

interfone [ĩtex'fɔni] *m* intercom

interior [ĩte'rju°] *adj* inner, inside; (*Com*) domestic, internal ▷ *m* inside, interior; (*do país*): **no ~** inland; **Ministério do I~** ≈ Home Office (*BRIT*), ≈ Department of the Interior (*US*)

interjeição [ĩtexʒej'sãw] (*pl* **-ões**) *f* interjection

interlocutor, a [ĩtexloku'to°, a] *m/f* speaker; **meu ~** the person I was speaking to

intermediário, -a [ĩtexme-'dʒjarju, a] *adj* intermediary ▷ *m/f* (*Com*) middleman; (*mediador*) intermediary, mediator

intermédio [ĩtex'mɛdʒu] *m*: **por ~ de** through

internação [ĩtexna'sãw] (*pl* **-ões**) *f* (*de doente*) admission

internacional [ĩtexnasjo'naw] (*pl* **-ais**) *adj* international

internações [ĩtexna'sõjʃ] *fpl de* **internação**

internar [ĩtex'na°] *vt* (*aluno*) to put into boarding school; (*doente*) to take into hospital; (*Mil, Pol*) to intern

internauta [ĩtex'nawta] *m/f* Internet user, web *ou* net surfer (*col*)

Internet [ĩtex'nɛtʃi] *f*: **a ~** the Internet

interno, -a [ĩ'tɛxnu, a] *adj* internal; (*Pol*) domestic; **de uso ~** (*Med*) for internal use

interpretação [ĩtexpreta'sãw] (*pl* **-ões**) *f* interpretation; (*Teatro*) performance

interpretar [ĩtexpre'ta°] *vt* to interpret; (*um papel*) to play; **intérprete** [ĩ'tɛxpretʃi] *m/f* interpreter; (*Teatro*) performer, artist

interrogação [ĩtexoga'sãw] (*pl* **-ões**) *f* interrogation; **ponto de ~** question mark

interrogar [ĩtexo'ga°] *vt* to question, interrogate; (*Jur*) to cross-examine

interromper [ĩtexõ'pe°] *vt* to interrupt; (*parar*) to stop; (*Elet*) to cut off

interruptor [ĩtexup'to°] *m* (*Elet*) switch

interseção [ĩtexse'sãw] (*PT* **-cç-**; *pl* **-ões**) *f* intersection

interurbano, -a [ĩterux'banu, a] *adj* (*Tel*) long-distance ▷ *m* long-distance *ou* trunk call

intervalo [ĩtex'valu] *m* interval; (*descanso*) break; **a ~s** every now and then

intervir [ĩtex'vi°] (*irreg: como* **vir**) *vi* to intervene; (*sobrevir*) to come up

intimação [ĩtʃima'sãw] (*pl* **-ões**) *f* (*ordem*) order; (*Jur*) summons

intimar [ĩtʃi'ma°] *vt* (*Jur*) to summon; **~ alguém a fazer** *ou* **a alguém que faça** to order sb to do

íntimo, -a ['ĩtʃimu, a] *adj* intimate; (*sentimentos*) innermost; (*amigo*) close; (*vida*) private ▷ *m/f* close friend; **no ~** at heart

intolerante [ĩtole'rãtʃi] *adj* intolerant

intolerável [ĩtole'ravew] (*pl* **-eis**) *adj* intolerable, unbearable

intoxicação [ĩtoksika'sãw] *f* poisoning; **~ alimentar** food poisoning

intoxicar [ĩtoksi'ka°] *vt* to poison

intranet [ĩtra'nɛtʃi] *f* intranet

intransitável [ĩtrãsi'tavew] (*pl* **-eis**) *adj* impassable

intratável [ĩtra'tavew] (*pl* **-eis**) *adj* (*pessoa*) contrary, awkward; (*doença*) untreatable; (*problema*) insurmountable

intriga [ĩ'triga] *f* intrigue; (*enredo*) plot; (*fofoca*) piece of gossip; **~s**

(*fofocas*) gossip *sg*; **~ amorosa** (*PT*) love affair; **intrigante** [ĩtri'gãtʃi] *m/f* troublemaker ▷ *adj* intriguing; **intrigar** [ĩtri'ga*] *vt* to intrigue ▷ *vi* to be intriguing

introdução [ĩtrodu'sãw] (*pl* **-ões**) *f* introduction

introduzir [ĩtrodu'zi*] *vt* to introduce

intrometer-se [ĩtrome'texsi] *vr* to interfere, meddle

introvertido, -a [ĩtrovex'tʃidu, a] *adj* introverted ▷ *m/f* introvert

intruso, -a [ĩ'truzu, a] *m/f* intruder

intuição [ĩtwi'sãw] (*pl* **-ões**) *f* intuition

intuito [ĩ'tuito] *m* intention, aim

inúmero, -a [i'numeru, a] *adj* countless, innumerable

inundação [inũda'sãw] (*pl* **-ões**) *f* (*enchente*) flood; (*ato*) flooding

inundar [inũ'da*] *vt* to flood; (*fig*) to inundate ▷ *vi* to flood

inusitado, -a [inuzi'tadu, a] *adj* unusual

inútil [i'nutʃiw] (*pl* **-eis**) *adj* useless; (*esforço*) futile; (*desnecessário*) pointless; **inutilizar** [inutʃili'za*] *vt* to make useless, render useless; (*incapacitar*) to put out of action; (*danificar*) to ruin; (*esforços*) to thwart; **inutilmente** [inutʃiw'mẽtʃi] *adv* in vain

invadir [ĩva'dʒi*] *vt* to invade; (*suj: água*) to overrun; (: *sentimento*) to overcome

inválido, -a [ĩ'validu, a] *adj, m/f* invalid

invasão [ĩva'zãw] (*pl* **-ões**) *f* invasion

inveja [ĩ'vɛʒa] *f* envy; **invejar** [ĩve'ʒa*] *vt* to envy; (*cobiçar*) to covet ▷ *vi* to be envious; **invejoso, -a** [ĩve'ʒozu, ɔza] *adj* envious

invenção [ĩvẽ'sãw] (*pl* **-ões**) *f* invention

inventar [ĩvẽ'ta*] *vt* to invent

inventivo, -a [ĩvẽ'tʃivu, a] *adj* inventive

inventor, a [ĩvẽ'to*, a] *m/f* inventor

inverno [ĩ'vɛxnu] *m* winter

inverossímil [ĩvero'simiw] (*PT* **-osí-**; *pl* **-eis**) *adj* unlikely, improbable; (*incredível*) implausible

invés [ĩ'vɛʃ] *m*: **ao ~ de** instead of

investigação [ĩveʃtʃiga'sãw] (*pl* **-ões**) *f* investigation; (*pesquisa*) research

investigar [ĩveʃtʃi'ga*] *vt* to investigate; (*examinar*) to examine

investimento [ĩveʃtʃi'mẽtu] *m* investment

investir [ĩveʃ'tʃi*] *vt* (*dinheiro*) to invest

inviável [ĩ'vjavew] (*pl* **-eis**) *adj* impracticable

invisível [ĩvi'zivew] (*pl* **-eis**) *adj* invisible

invisto *etc* [ĩ'viʃtu] *vb V* **investir**

invocar [ĩvo'ka*] *vt* to invoke

ioga ['jɔga] *f* yoga

iogurte [jo'guxtʃi] *m* yogurt

IR (*BR*) *abr m* = **Imposto de Renda**

○ **PALAVRA CHAVE**

ir [i*] *vi* **1** to go; (*a pé*) to walk; (*a cavalo*) to ride; (*viajar*) to travel; **~ caminhando** to walk; **fui de trem** I went *ou* travelled by train; **vamos!, vamos nessa!** (*col*), **vamos embora!** let's go!; **já vou!** I'm coming!; **~ atrás de alguém** (*seguir*) to follow sb; (*confiar*) to take sb's word for it

2 (*progredir: pessoa, coisa*) to go; **o trabalho vai muito bem** work is going very well; **como vão as coisas?** how are things going?; **vou**

muito bem I'm very well; (*na escola etc*) I'm getting on very well
▷ *vb aux* **1** (+ *infin*): **vou fazer** I will do, I am going to do
2 (+ *gerúndio*): **~ fazendo** to keep on doing
▷ **ir-se** *vr* to go away, leave

ira ['ira] *f* anger, rage
Irã [i'rã] *m*: **o ~** Iran
iraniano, -a [ira'njanu, a] *adj, m/f* Iranian
Irão [i'rãw] (*PT*) *m* = **Irã**
Iraque [i'raki] *m*: **o ~** Iraq;
 iraquiano, -a [ira'kjanu, a] *adj, m/f* Iraqi
ir-e-vir (*pl* **ires-e-vires**) *m* comings and goings *pl*
Irlanda [ix'lãda] *f*: **a ~** Ireland; **a ~ do Norte** Northern Ireland;
 irlandês, -esa [ixlã'deʃ, eza] *adj* Irish ▷ *m/f* Irishman/woman ▷ *m* (*Ling*) Irish
irmã [ix'mã] *f* sister; **~ de criação** adoptive sister; **~ gêmea** twin sister
irmão [ix'mãw] (*pl* **~s**) *m* brother; (*fig: similar*) twin; (*col: companheiro*) mate; **~ de criação** adoptive brother; **~ gêmeo** twin brother
ironia [iro'nia] *f* irony
irra! ['ixa] (*PT*) *excl* damn!
irracional [ixasjo'naw] (*pl* **-ais**) *adj* irrational
irreal [ixe'aw] (*pl* **-ais**) *adj* unreal
irregular [ixegu'la*] *adj* irregular; (*vida*) unconventional; (*feições*) unusual; (*aluno, gênio*) erratic
irremediável [ixeme'dʒjavew] (*pl* **-eis**) *adj* irremediable; (*sem remédio*) incurable
irrequieto, -a [ixe'kjetu, a] *adj* restless
irresistível [ixeziʃ'tʃivew] (*pl* **-eis**) *adj* irresistible
irresponsável [ixeʃpõ'savew] (*pl* **-eis**) *adj* irresponsible

irrigar [ixi'ga*] *vt* to irrigate
irritação [ixita'sãw] (*pl* **-ões**) *f* irritation
irritadiço, -a [ixita'dʒisu, a] *adj* irritable
irritante [ixi'tãtʃi] *adj* irritating, annoying
irritar [ixi'ta*] *vt* to irritate;
 irritar-se *vr* to get angry, get annoyed
irromper [ixõ'pe*] *vi* (*entrar subitamente*): **~ (em)** to burst in(to)
isca ['iʃka] *f* (*Pesca*) bait; (*fig*) lure, bait
isenção [izē'sãw] (*pl* **-ões**) *f* exemption
isentar [izē'ta*] *vt* to exempt; (*livrar*) to free
Islã [iʒ'lã] *m* Islam
Islândia [iʒ'lãdʒa] *f*: **a ~** Iceland
isolado, -a [izo'ladu, a] *adj* isolated; (*solitário*) lonely
isolamento [izola'mētu] *m* isolation; (*Elet*) insulation
isqueiro [iʃ'kejru] *m* (*cigarette*) lighter
Israel [iʒxa'ɛw] *m* Israel;
 israelense [iʒxae'lēsi] *adj, m/f* Israeli
isso ['isu] *pron* that; (*col: isto*) this; **~ mesmo** exactly; **por ~** therefore, so; **por ~ mesmo** for that very reason; **só ~?** is that all?
isto ['iʃtu] *pron* this; **~ é** that is, namely
Itália [i'talja] *f*: **a ~** Italy; **italiano, -a** [ita'ljanu, a] *adj, m/f* Italian ▷ *m* (*Ling*) Italian
Itamarati [ıtamara'tʃi] *m*: **o ~** the Brazilian Foreign Ministry; *see boxed note*

● **ITAMARATI**

● The Palace of Itamarati was
● built in 1855 in Rio de Janeiro. It

became the seat of government
when Brazil became a republic in
1889, and was later the Foreign
Ministry. It ceased to be this
when the Brazilian capital was
transferred to Brasília, but
Itamarati is still used to refer to
the Foreign Ministry.

item ['itẽ] (*pl* **-ns**) *m* item
itinerário [itʃine'rarju] *m*
itinerary; (*caminho*) route

já [ʒa] *adv* already; (*em perguntas*)
yet; (*agora*) now; (*imediatamente*)
right away; (*agora mesmo*) right
now ▷ *conj* on the other hand; **até**
~ bye; **desde ~** from now on; **~ não**
no longer; **~ que** as, since; **~ se vê**
of course; **~ vou** I'm coming; **~ até**
even; **~, ~** right away
jabuti [ʒabu'tʃi] *m* giant tortoise
jabuticaba [ʒabutʃi'kaba] *f*
jaboticaba (*type of berry*)
jaca ['ʒaka] *f* jack fruit
jacaré [ʒaka'rɛ] (*BR*) *m* alligator
jacto ['ʒaktu] (*PT*) *m* =**jato**
jaguar [ʒa'gwa*] *m* jaguar
jaguatirica [ʒagwatʃi'rika] *f*
leopard cat
Jamaica [ʒa'majka] *f*: **a ~** Jamaica
jamais [ʒa'majʃ] *adv* never; (*com
palavra negativa*) ever
janeiro [ʒa'nejru] (*PT* **J-**) *m*
January
janela [ʒa'nɛla] *f* window

jangada [ʒãˈgada] f raft
jantar [ʒãˈtaº] m dinner ▷vt to
have for dinner ▷vi to have dinner
Japão [ʒaˈpãw] m: **o ~** Japan;
japonês, -esa [ʒapoˈneʃ, eza] adj,
m/f Japanese ▷m (Ling) Japanese
jararaca [ʒaraˈraka] f jararaca
(snake)
jardim [ʒaxˈdʒĩ] (pl **-ns**) m garden;
~ zoológico zoo; **jardim-de-
infância** (pl **jardins-de-infância**)
m kindergarten; **jardinagem**
[ʒaxdʒiˈnaʒẽ] f gardening
jardineira [ʒaxdʒiˈnejra] f (caixa)
trough; (calça) dungarees pl; V tb
jardineiro
jardineiro, -a [ʒaxdʒiˈnejru, a]
m/f gardener
jardins [ʒaxˈdʒĩʃ] mpl de **jardim**
jargão [ʒaxˈgãw] m jargon
jarra [ˈʒaxa] f pot
jarro [ˈʒaxu] m jug
jasmim [ʒaʒˈmĩ] m jasmine
jato [ˈʒatu] m jet; (de luz) flash; (de
ar) blast; **a ~** at top speed
jaula [ˈʒawla] f cage
jazigo [ʒaˈzigu] m grave;
(monumento) tomb
jazz [dʒɛz] m jazz
jeito [ˈʒejtu] m (maneira) way;
(aspecto) appearance; (habilidade)
skill, knack; (modos pessoais)
manner; **ter ~ de** to look like;
não ter ~ (pessoa) to be awkward;
(situação) to be hopeless; **dar um
~ em** (pé) to twist; (quarto, casa,
papéis) to tidy up; (consertar) to fix;
dar um ~ to find a way; **o ~ é ...** the
thing to do is ...; **é o ~** it's the best
way; **ao ~ de** in the style of; **com ~**
tactfully; **daquele ~** (in) that way;
(col: em desordem, mal) anyhow; **de
qualquer ~** anyway; **de ~ nenhum!**
no way!
jejuar [ʒeˈʒwaº] vi to fast
jejum [ʒeˈʒũ] (pl **-ns**) m fast; **em**

~ fasting
Jesus [ʒeˈzuʃ] m Jesus ▷excl
heavens!
jibóia [ʒiˈbɔja] f boa (constrictor)
jiló [ʒiˈlɔ] m kind of vegetable
jingle [ˈdʒĩgew] m jingle
joalheria [ʒoaʎeˈria] f jeweller's
(shop) (BRIT), jewelry store (US)
joaninha [ʒwaˈniɲa] f ladybird
(BRIT), ladybug (US)
joelho [ʒoˈeʎu] m knee; **de ~s**
kneeling; **ficar de ~s** to kneel down
jogada [ʒoˈgada] f move; (lanço)
throw; (negócio) scheme, move
jogador, a [ʒogaˈdoº, a] m/f
player; (de jogo de azar) gambler
jogar [ʒoˈgaº] vt to play; (em jogo
de azar) to gamble; (atirar) to throw;
(indiretas) to drop ▷vi to play; to
gamble; (barco) to pitch; **~ fora** to
throw away
jogging [ˈʒɔgĩŋ] m jogging;
(roupa) track suit; **fazer ~** to go
jogging, jog
jogo [ˈʒogu] m game; (jogar) play;
(de azar) gambling; (conjunto) set;
(artimanha) trick; **J~s Olímpicos**
Olympic Games
jóia [ˈʒɔja] f jewel
Jordânia [ʒoxˈdanja] f: **a ~** Jordan;
Jordão [ʒoxˈdãw] m: **o (rio) Jordão**
the Jordan (River)
jornada [ʒoxˈnada] f journey; **~
de trabalho** working day
jornal [ʒoxˈnaw] (pl **-ais**) m
newspaper; (TV, Rádio) news sg;
jornaleiro, -a [ʒoxnaˈlejru, a] m/f
newsagent (BRIT), newsdealer (US)
jornalismo [ʒoxnaˈliʒmu] m
journalism; **jornalista** [ʃoxnaˈliʃta]
m/f journalist
jovem [ˈʒɔvẽ] (pl **-ns**) adj young
▷m/f young person
jovial [ʒoˈvjaw] (pl **-ais**) adj jovial,
cheerful
Jr abr = **Júnior**

judaico, -a [ʒu'dajku, a] *adj* Jewish

judeu, judia [ʒu'dew, ʒu'dʒia] *adj* Jewish ▷ *m/f* Jew

judiar [ʒu'dʒja*] *vi:* **~ de** to ill-treat

judicial [ʒudʒi'sjaw] (*pl* **-ais**) *adj* judicial

judiciário, -a [ʒudʒi'sjarju, a] *adj* judicial; **o (poder) ~** the judiciary

judô [ʒu'do] *m* judo

juiz, -íza [ʒwiʒ, 'iza] *m/f* judge; (*em jogos*) referee; **~ de paz** justice of the peace; **juizado** [ʒwi'zado] *m* court

juízo ['ʒwizu] *m* judgement; (*parecer*) opinion; (*siso*) common sense; (*foro*) court; **~!** behave yourself!

julgamento [ʒuwga'metu] *m* judgement; (*audiência*) trial; (*sentença*) sentence

julgar [ʒuw'ga*] *vt* to judge; (*achar*) to think; (*Jur: sentenciar*) to sentence; **julgar-se** *vr:* **~-se algo** to consider o.s. sth, think of o.s. as sth

julho ['ʒuʎu] (*PT* **J-**) *m* July

jumento, -a [ʒu'metu, a] *m/f* donkey

junção [ʒũ'sãw] (*pl* **-ões**) *f* (*ato*) joining; (*junta*) join

junco ['ʒũku] *m* reed, rush

junções [ʒũ'sõjʃ] *fpl* de **junção**

junho ['ʒuɲu] (*PT* **J-**) *m* June

júnior ['ʒunjo*] (*pl* **juniores**) *adj* younger, junior ▷ *m/f* (*Esporte*) junior; **Eduardo Autran J~** Eduardo Autran Junior

juntar [ʒũ'ta*] *vt* to join; (*reunir*) to bring together; (*aglomerar*) to gather together; (*recolher*) to collect up; (*acrescentar*) to add; (*dinheiro*) to save up ▷ *vi* to gather; **juntar-se** *vr* to gather; (*associar-se*) to join up; **~-se a alguém** to join sb

junto, -a ['ʒũtu, a] *adj* joined; (*chegado*) near; **ir ~s** to go together;

~ a/de near/next to; **segue ~** (*Com*) please find enclosed

jura ['ʒura] *f* vow

jurado, -a [ʒu'radu, a] *adj* sworn ▷ *m/f* juror

juramento [ʒura'metu] *m* oath

jurar [ʒu'ra*] *vt, vi* to swear; **jura?** really?

júri ['ʒuri] *m* jury

jurídico, -a [ʒu'ridʒiku, a] *adj* legal

juros ['ʒuruʃ] *mpl* (*Econ*) interest *sg*; **~ simples/compostos** simple/compound interest

justamente [ʒuʃta'metʃi] *adv* fairly, justly; (*precisamente*) exactly

justiça [ʒuʃ'tʃisa] *f* justice; (*poder judiciário*) judiciary; (*eqüidade*) fairness; (*tribunal*) court; **com ~** justly, fairly; **ir à ~** to go to court

justificar [ʒuʃtʃifi'ka*] *vt* to justify

justo, -a ['ʒuʃtu, a] *adj* just, fair; (*legítimo: queixa*) legitimate, justified; (*exato*) exact; (*apertado*) tight ▷ *adv* just

juvenil [ʒuve'niw] (*pl* **-is**) *adj* youthful; (*roupa*) young; (*livro*) for young people; (*Esporte: equipe, campeonato*) youth *atr*, junior

juventude [ʒuve'tudʒi] *f* youth; (*jovialidade*) youthfulness; (*jovens*) young people *pl*, youth

kg *abr* (= *quilograma*) kg
kit ['kitʃi] (*pl* **~s**) *m* kit; **~ mãos livres** hands-free set
kitchenette [kitʃe'netʃi] *f* studio flat
km *abr* (= *quilômetro*) km
km/h *abr* (= *quilômetros por hora*) km/h

-la [la] *pron* her; (*você*) you; (*coisa*) it
lá [la] *adv* there ▷ *m* (*Mús*) A; **~ fora** outside; **~ em baixo** down there; **por ~** (*direção*) that way; (*situação*) over there; **até ~** (*no espaço*) there; (*no tempo*) until then
lã [lã] *f* wool
labia ['labja] *f* (*astúcia*) cunning; **ter ~** to have the gift of the gab
lábio ['labju] *m* lip
labirinto [labi'rĩtu] *m* labyrinth, maze
laboratório [labora'tɔrju] *m* laboratory
laca ['laka] *f* lacquer
laçar [la'sa°] *vt* to bind, tie
laço ['lasu] *m* bow; (*de gravata*) knot; (*armadilha*) snare; (*fig*) bond, tie; **dar um ~** to tie a bow
lacrar [la'kra°] *vt* to seal (with wax); **lacre** ['lakri] *m* sealing wax
lacuna [la'kuna] *f* gap; (*omissão*) omission; (*espaço em branco*) blank

ladeira [la'dejra] f slope
lado ['ladu] m side; (Mil) flank; (rumo) direction; **ao ~** (perto) close by; **a casa ao ~** the house next door; **ao ~ de** beside; **deixar de ~** to set aside; (fig) to leave out; **de um ~ para outro** back and forth
ladra ['ladra] f thief, robber; (picareta) crook
ladrão, -ona [la'drãw, ɔna] (pl -ões, ~s) adj thieving ▷ m/f thief, robber; (picareta) crook
ladrilho [la'driʎu] m tile; (chão) tiled floor, tiles pl
ladrões [la'drõjʃ] mpl de **ladrão**
lagarta [la'gaxta] f caterpillar
lagartixa [lagax'tʃiʃa] f gecko
lagarto [la'gaxtu] m lizard
lago ['lagu] m lake; (de jardim) pond
lagoa [la'goa] f pool, pond; (lago) lake
lagosta [la'goʃta] f lobster
lagostim [lagoʃ'tʃĩ] (pl -ns) m crayfish
lágrima ['lagrima] f tear
lama ['lama] f mud
lamaçal [lama'saw] (pl -ais) m quagmire; (pântano) bog, marsh
lamber [lã'be*] vt to lick; **lambida** [lã'bida] f: **dar uma lambida em algo** to lick sth
lambuzar [lãbu'za*] vt to smear
lamentar [lamẽ'ta*] vt to lament; (sentir) to regret; **lamentar-se** vr: **~-se (de algo)** to lament (sth); **~ (que)** to be sorry (that); **lamentável** [lamẽ'tavew] (pl -eis) adj regrettable; (deplorável) deplorable
lâmina ['lamina] f (chapa) sheet; (placa) plate; (de faca) blade; (de persiana) slat
lâmpada ['lãpada] f lamp; (tb: ~ elétrica) light bulb; **~ de mesa** table lamp
lançar [lã'sa*] vt to throw; (navio,

produto, campanha) to launch; (disco, filme) to release; (Com: em livro) to enter; (em leilão) to bid
lancha ['lãʃa] f launch; **~ torpedeira** torpedo boat
lanchar [lã'ʃa*] vi to have a snack ▷ vt to have as a snack; **lanche** ['lãʃi] m snack
lanchonete [lãʃo'netʃi] (BR) f snack bar
lanterna [lã'texna] f lantern; (portátil) torch (BRIT), flashlight (US)
lápide ['lapidʒi] f (tumular) tombstone; (comemorativa) memorial stone
lápis ['lapiʃ] m inv pencil; **~ de cor** coloured (BRIT) ou colored (US) pencil, crayon; **~ de olho** eyebrow pencil; **lapiseira** [lapi'zejra] f propelling (BRIT) ou mechanical (US) pencil; (caixa) pencil case
lapso ['lapsu] m lapse; (de tempo) interval; (erro) slip
lar [la*] m home
laranja [la'rãʒa] adj inv orange ▷ f orange ▷ m (cor) orange; **laranjada** [larã'ʒada] f orangeade
lareira [la'rejra] f hearth, fireside
larga ['laxga] f: **à ~** lavishly; **dar ~s a** to give free rein to; **viver à ~** to lead a lavish life
largada [lax'gada] f start; **dar a ~** to start; (fig) to make a start
largar [lax'ga*] vt to let go of, release; (deixar) to leave; (deixar cair) to drop; (risada) to let out; (velas) to unfurl; (piada) to tell; (pôr em liberdade) to let go ▷ vi (Náut) to set sail; **largar-se** vr (desprender-se) to free o.s.; (ir-se) to go off; (pôr-se) to proceed
largo, -a ['laxgu, a] adj wide, broad; (amplo) extensive; (roupa) loose, baggy; (conversa) long ▷ m (praça) square; (alto-mar) open sea; **ao ~** at a distance, far off; **passar de**

~ sobre um assunto to gloss over a subject; **passar ao ~ de algo** (fig) to sidestep sth; **largura** [lax'gura] f width, breadth

laringite [larĩ'ʒitʃi] f laryngitis

lasanha [la'zaɲa] f lasagna

laser ['lejze°] m laser; **raio ~** laser beam

lástima ['laʃtʃima] f pity, compassion; (infortúnio) misfortune; **é uma ~ (que)** it's a shame (that); **lastimar** [laʃtʃi'ma°] vt to lament; **lastimar-se** vr to complain, be sorry for o.s

lata ['lata] f tin (BRIT), can; (material) tin-plate; **~ de lixo** rubbish bin (BRIT), garbage can (US); **~ velha** (col: carro) old banger (BRIT) ou clunker (US)

latão [la'tãw] m brass

lataria [lata'ria] f (Auto) bodywork; (enlatados) canned food

latejar [late'ʒa°] vi to throb

latente [la'tẽtʃi] adj latent

lateral [late'raw] (pl **-ais**) adj side, lateral ▷ f(Futebol) sideline ▷ m (Futebol) throw-in

latido [la'tʃidu] m bark(ing), yelp(ing)

latifundiário, -a [latʃifũ'dʒjarju, a] m/f landowner

latifúndio [latʃi'fũdʒju] m large estate

latim [la'tʃĩ] m (Ling) Latin; **gastar o seu ~** to waste one's breath

latino, -a [la'tʃinu, a] adj Latin; **latino-americano, -a** adj, m/f Latin-American

latir [la'tʃi°] vi to bark, yelp

latitude [latʃi'tudʒi] f latitude; (largura) breadth; (fig) scope

latrocínio [latro'sinju] m armed robbery

laudo ['lawdu] m (Jur) decision; (resultados) findings pl; (peça escrita) report

lava ['lava] f lava

lavabo [la'vabu] m toilet

lavadeira [lava'dejra] f washerwoman

lavagem [la'vaʒẽ] f washing; **~ a seco** dry cleaning; **~ cerebral** brainwashing

lavanda [la'vãda] f (Bot) lavender; (colônia) lavender water; (para lavar os dedos) fingerbowl

lavar [la'va°] vt to wash; (culpa) to wash away; **~ a seco** to dry clean

lavatório [lava'tɔrju] m washbasin; (aposento) toilet

lavoura [la'vora] f tilling; (agricultura) farming; (terreno) plantation

laxativo, -a [laʃa'tʃivu, a] adj laxative ▷ m laxative

lazer [la'ze°] m leisure

leal [le'aw] (pl **-ais**) adj loyal; **lealdade** [leaw'dadʒi] f loyalty

leão [le'ãw] (pl **-ões**) m lion; **L~** (Astrologia) Leo

lebre ['lebri] f hare

lecionar [lesjo'na°] (PT **-cc-**) vt, vi to teach

lectivo, -a [lek'tivu, a] (PT) adj = **letivo**

legal [le'gaw] (pl **-ais**) adj legal, lawful; (col) fine; (: pessoa) nice ▷ adv (col) well; **(tá) ~!** OK!; **legalidade** [legali'dadʒi] f legality, lawfulness; **legalizar** [legali'za°] vt to legalize; (documento) to authenticate

legendário, -a [leʒẽ'darju, a] adj legendary

legislação [leʒiʒla'sãw] f legislation

legislar [leʒiʒ'la°] vi to legislate ▷ vt to pass

legislativo, -a [leʒiʒla'tʃivu, a] adj legislative ▷ m legislature

legitimar [leʒitʃi'ma°] vt to legitimize; (justificar) to legitimate

legume [le'gumi] *m* vegetable

lei [lej] *f* law; (*regra*) rule; (*metal*) standard

leigo, -a ['lejgu, a] *adj* (*Rel*) lay, secular ▷ *m* layman; **ser ~ em algo** (*fig*) to be no expert at sth, be unversed in sth

leilão [lej'lãw] (*pl* **-ões**) *m* auction; **vender em ~** to sell by auction, auction off; **leiloar** [lej'lwa°] *vt* to auction

leio *etc* ['leju] *vb V* **ler**

leitão, -toa [lej'tãw, 'toa] (*pl* **-ões, ~s**) *m/f* sucking (BRIT) *ou* suckling (US) pig

leite ['lejtʃi] *m* milk; **~ em pó** powdered milk; **~ desnatado** *ou* **magro** skimmed milk; **~ de magnésia** milk of magnesia; **~ semidesnatado** semi-skimmed milk; **leiteira** [lej'tejra] *f* (*para ferver*) milk pan; (*para servir*) milk jug; **leiteiro, -a** [lej'tejru, a] *adj* (*vaca, gado*) dairy ▷ *m/f* milkman/ woman

leitões [lej'tõjʃ] *mpl de* **leitão**

leitor, a [lej'to°, a] *m/f* reader; (*professor*) lector

leitura [lej'tura] *f* reading; (*livro etc*) reading matter

lema ['lema] *m* motto; (*Pol*) slogan

lembrança [lẽ'brãsa] *f* recollection, memory; (*presente*) souvenir; **~s** *fpl* (*recomendações*): **~s a sua mãe!** regards to your mother!

lembrar [lẽ'bra°] *vt*, *vi* to remember; **lembrar-se** *vr*: **~(-se) de** to remember; **~(-se) (de) que** to remember that; **~ algo a alguém, ~ alguém de algo** to remind sb of sth; **~ alguém de que, ~ a alguém que** to remind sb that; **ele lembra meu irmão** he reminds me of my brother, he is like my brother; **lembrete** [lẽ'bretʃi] *m* reminder

leme ['lɛmi] *m* rudder; (*Náut*)

helm; (*fig*) control

lenço ['lẽsu] *m* handkerchief; (*de pescoço*) scarf; (*de cabeça*) headscarf; **~ de papel** tissue

lençol [lẽ'sɔw] (*pl* **-óis**) *m* sheet; **estar em maus lençóis** to be in a fix

lenda ['lẽda] *f* legend; (*fig: mentira*) lie; **lendário, -a** [lẽ'darju, a] *adj* legendary

lenha ['lɛɲa] *f* firewood

lente ['lẽtʃi] *f* lens *sg*; **~ de aumento** magnifying glass; **~s de contato** contact lenses

lentidão [lẽtʃi'dãw] *f* slowness

lento, -a ['lẽtu, a] *adj* slow

leoa [le'oa] *f* lioness

leões [le'õjʃ] *mpl de* **leão**

leopardo [ljo'paxdu] *m* leopard

lepra ['lɛpra] *f* leprosy

leque ['lɛki] *m* fan; (*fig*) array

ler [le°] *vt*, *vi* to read

lesão [le'zãw] (*pl* **-ões**) *f* harm, injury; (*Jur*) violation; (*Med*) lesion; **~ corporal** (*Jur*) bodily harm

lesar [le'za°] *vt* to harm, damage; (*direitos*) to violate

lésbica ['lɛʒbika] *f* lesbian

lesma ['lɛʒma] *f* slug; (*fig: pessoa*) slowcoach

lesões [le'zõjʃ] *fpl de* **lesão**

lesse *etc* ['lesi] *vb V* **ler**

leste ['lɛʃtʃi] *m* east

letal [le'taw] (*pl* **-ais**) *adj* lethal

letargia [letax'ʒia] *f* lethargy

letivo, -a [le'tʃivu, a] *adj* school *atr*; **ano ~** academic year

letra ['letra] *f* letter; (*caligrafia*) handwriting; (*de canção*) lyrics *pl*; **L~s** *fpl* (*curso*) language and literature; **à ~** literally; **ao pé da ~** literally, word for word; **~ de câmbio** (*Com*) bill of exchange; **~ de imprensa** print; **letrado, -a** [le'tradu, a] *adj* learned, erudite ▷ *m/f* scholar; **letreiro** [le'trejru] *m* sign, notice; (*inscrição*) inscription; (*Cinema*) subtitle

leu *etc* [lew] *vb* V **ler**

léu [lɛw] *m*: **ao ~** (*à toa*) aimlessly; (*à mostra*) uncovered

leucemia [lewse'mia] *f* leukaemia (BRIT), leukemia (US)

levado, -a [le'vadu, a] *adj* mischievous; (*criança*) naughty

levantador, a [levãta'do°, a] *adj* lifting ▷ *m/f*: **~ de pesos** weightlifter

levantamento [levãta'mẽtu] *m* lifting, raising; (*revolta*) uprising, rebellion; (*arrolamento*) survey

levantar [levã'ta°] *vt* to lift, raise; (*voz, capital*) to raise; (*apanhar*) to pick up; (*suscitar*) to arouse; (*ambiente*) to brighten up ▷ *vi* to stand up; (*da cama*) to get up; (*dar vida*) to brighten; **levantar-se** *vr* to stand up; (*da cama*) to get up; (*rebelar-se*) to rebel

levar [le'va°] *vt* to take; (*portar*) to carry; (*tempo*) to pass, spend; (*roupa*) to wear; (*lidar com*) to handle; (*induzir*) to lead; (*filme*) to show; (*peça teatral*) to do, put on; (*vida*) to lead ▷ *vi* to get a beating; **~ a** to lead to; **~ a mal** to take amiss

leve ['lɛvi] *adj* light; (*insignificante*) slight; **de ~** lightly, softly

leviandade [levjã'dadʒi] *f* frivolity

leviano, -a [le'vjanu, a] *adj* frivolous

lha(s) [ʎa(ʃ)] = **lhe** + **a(s)**

lhe [ʎi] *pron* (*a ele*) to him; (*a ela*) to her; (*a você*) to you

lhes [ʎiʃ] *pron pl* (*a eles/elas*) to them; (*a vocês*) to you

lho(s) [ʎu(ʃ)] = **lhe** + **o(s)**

li *etc* [li] *vb* V **ler**

Líbano ['libanu] *m*: **o ~** (the) Lebanon

libélula [li'bɛlula] *f* dragonfly

liberação [libera'sãw] *f* liberation

liberal [libe'raw] (*pl* -**ais**) *adj, m/f* liberal

liberar [libe'ra°] *vt* to release; (*libertar*) to free

liberdade [libex'dadʒi] *f* freedom; **~s** *fpl* (*direitos*) liberties; **pôr alguém em ~** to set sb free; **~ condicional** probation; **~ de palavra** freedom of speech; **~ sob palavra** parole

libertação [libexta'sãw] *f* release

libertino, -a [libex'tʃinu, a] *adj* loose-living ▷ *m/f* libertine

Líbia ['libja] *f*: **a ~** Libya

libidinoso, -a [libidʒi'nozu, ɔza] *adj* lecherous, lustful

líbio, -a ['libju, a] *adj, m/f* Libyan

libra ['libra] *f* pound; **L~** (*Astrologia*) Libra

lição [li'sãw] (*pl* -**ões**) *f* lesson

licença [li'sẽsa] *f* licence (BRIT), license (US); (*permissão*) permission; (*do trabalho, Mil*) leave; **com ~** excuse me; **estar de ~** to be on leave; **dá ~?** may I?

licenciado, -a [lisẽ'sjadu, a] *m/f* graduate

licenciar [lisẽ'sja°] *vt* to license; **licenciar-se** *vr* (*Educ*) to graduate; (*ficar de licença*) to take leave; **licenciatura** [lisẽsja'tura] *f* (*título*) degree; (*curso*) degree course

liceu [li'sew] (PT) *m* secondary (BRIT) *ou* high (US) school

lições [li'sõjʃ] *fpl de* **lição**

licor [li'ko°] *m* liqueur

lidar [li'da°] *vi*: **~ com** (*ocupar-se*) to deal with; (*combater*) to struggle against; **~ em algo** to work in sth

líder ['lide°] *m/f* leader; **liderança** [lide'rãsa] *f* leadership; (*Esporte*) lead; **liderar** [lide'ra°] *vt* to lead

ligado, -a [li'gadu, a] *adj* (*Tec*) connected; (*luz, rádio etc*) on;

(*metal*) alloy

ligadura [liga'dura] *f* bandage

ligamento [liga'mẽtu] *m* ligament

ligar [li'ga°] *vt* to tie, bind; (*unir*) to join, connect; (*luz, TV*) to switch on; (*afetivamente*) to bind together; (*carro*) to start (up) ▷ *vi* (*telefonar*) to ring; **ligar-se** *vr* to join; **~-se com alguém** to join with sb; **~-se a algo** to be connected with sth; **~ para alguém** to ring sb up; **~ para** *ou* **a algo** (*dar atenção*) to take notice of sth; (*dar importância*) to care about sth; **eu nem ligo** it doesn't bother me; **não ligo a mínima (para)** I couldn't care less (about)

ligeiro, -a [li'ʒejru, a] *adj* light; (*ferimento*) slight; (*referência*) passing; (*conhecimentos*) scant; (*rápido*) quick, swift; (*ágil*) nimble ▷ *adv* swiftly, nimbly

lilás [li'laʃ] *adj, m* lilac

lima ['lima] *f* (*laranja*) type of (very sweet) orange; (*ferramenta*) file; **~ de unhas** nailfile

limão [li'mãw] (*pl* **-ões**) *m* lime; **limão(-galego)** (*pl* **limões (-galegos)**) *m* lemon

limiar [li'mja°] *m* threshold

limitação [limita'sãw] (*pl* **-ões**) *f* limitation, restriction

limitar [limi'ta°] *vt* to limit, restrict; **limitar-se** *vr*: **~-se a** to limit o.s. to; **~-se com** to border on; **limite** [li'mitʃi] *m* limit, boundary; (*fig*) limit; **passar dos limites** to go too far

limo ['limu] *m* (*Bot*) water weed; (*lodo*) slime

limoeiro [li'mwejru] *m* lemon tree

limões [li'mõjʃ] *mpl de* **limão**

limonada [limo'nada] *f* lemonade (*BRIT*), lemon soda (*US*)

limpar [lĩ'pa°] *vt* to clean;

(*lágrimas, suor*) to wipe away; (*polir*) to shine, polish; (*fig*) to clean up; (*roubar*) to rob

limpo, -a ['lĩpu, a] *pp de* **limpar** ▷ *adj* clean; (*céu, consciência*) clear; (*Com*) net; (*fig*) pure; (*col: pronto*) ready; **passar a ~** to make a fair copy; **tirar a ~** to find out the truth about, clear up; **estar ~ com alguém** (*col*) to be in with sb

linchar [lĩ'ʃa°] *vt* to lynch

lindo, -a ['lĩdu, a] *adj* lovely

lingerie [lĩʒe'ri] *m* lingerie

língua ['lĩgwa] *f* tongue; (*linguagem*) language; **botar a ~ para fora** to stick out one's tongue; **dar com a ~ nos dentes** to let the cat out of the bag; **estar na ponta da ~** to be on the tip of one's tongue

linguado [lĩ'gwadu] *m* (*peixe*) sole

linguagem [lĩ'gwaʒẽ] (*pl* **-ns**) *f* (*tb: Comput*) language; (*falada*) speech; **~ de máquina** (*Comput*) machine language

linguarudo, -a [lĩgwa'rudu, a] *adj* gossiping ▷ *m/f* gossip

lingüiça [lĩ'gwisa] *f* sausage

linha ['liɲa] *f* line; (*para costura*) thread; (*barbante*) string, cord; **~s** *fpl* (*carta*) letter *sg*; **em ~** in line, in a row; (*Comput*) on line; **fora de ~** (*Comput*) off line; **manter/perder a ~** to keep/lose one's cool; **o telefone não deu ~** the line was dead; **~ aérea** airline; **~ de mira** sights *pl*; **~ de montagem** assembly line; **~ férrea** railway (*BRIT*), railroad (*US*)

linho ['liɲu] *m* linen; (*planta*) flax

liquidação [likida'sãw] (*pl* **-ões**) *f* liquidation; (*em loja*) (clearance) sale; (*de conta*) settlement; **em ~** on sale

liquidar [liki'da°] *vt* to liquidate; (*conta*) to settle; (*mercadoria*) to sell off; (*assunto*) to lay to rest ▷ *vi* (*loja*) to have a sale; **liquidar-se** *vr* (*destruir-se*) to be destroyed; **~ (com) alguém** (*fig: arrasar*) to destroy sb; (*: matar*) to do away with sb

liqüidificador [likwidʒifika'do°] *m* liquidizer

líquido, -a ['likidu, a] *adj* liquid, fluid; (*Com*) net ▷ *m* liquid

lira ['lira] *f* lyre; (*moeda*) lira

lírio ['lirju] *m* lily

Lisboa [liʒ'boa] *n* Lisbon; **lisboeta** [liʒ'bweta] *adj* Lisbon *atr* ▷ *m/f* inhabitant *ou* native of Lisbon

liso, -a ['lizu, a] *adj* smooth; (*tecido*) plain; (*cabelo*) straight; (*col: sem dinheiro*) broke

lisonjear [lizõ'ʒja°] *vt* to flatter

lista ['liʃta] *f* list; (*listra*) stripe; (*PT: menu*) menu; **~ negra** blacklist; **~ telefônica** telephone directory; **listar** [liʃ'ta°] *vt* (*Comput*) to list

listra ['liʃtra] *f* stripe; **listrado, -a** [liʃ'tradu, a] *adj* striped

literal [lite'raw] (*pl* **-ais**) *adj* literal

literário, -a [lite'rarju, a] *adj* literary

literatura [litera'tura] *f* literature; **~ de cordel** *see boxed note*

● LITERATURA DE CORDEL
●
● **Literatura de cordel** is a type of
● literature typical of the north-
● east of Brazil, and published in the
● form of cheaply printed booklets.
● Their authors hang these booklets
● from wires attached to walls in
● the street so that people can look
● at them. While they do this, the
● authors sing their stories aloud.
● **Literatura de cordel** deals both
● with local events and people, and
● with everyday public life, almost
● always in an irreverent manner.

litoral [lito'raw] (*pl* **-ais**) *adj* coastal ▷ *m* coast, seaboard

litro ['litru] *m* litre (BRIT), liter (US)

livrar [li'vra°] *vt* to release, liberate; (*salvar*) to save; **livrar-se** *vr* to escape; **~-se de** to get rid of; (*compromisso*) to get out of; **Deus me livre!** Heaven forbid!

livraria [livra'ria] *f* bookshop (BRIT), bookstore (US)

livre ['livri] *adj* free; (*lugar*) unoccupied; (*desimpedido*) clear, open; **~ de impostos** tax-free

livro ['livru] *m* book; **~ brochado** paperback; **~ de bolso** pocket-sized book; **~ de cheques** cheque book (BRIT), check book (US); **~ de consulta** reference book; **~ encadernado** *ou* **de capa dura** hardback

lixa ['liʃa] *f* sandpaper; (*de unhas*) nailfile; (*peixe*) dogfish; **lixar** [li'ʃa°] *vt* to sand

lixeira [li'ʃejra] *f* dustbin (BRIT), garbage can (US)

lixeiro [li'ʃejru] *m* dustman (BRIT), garbage man (US)

lixo ['liʃu] *m* rubbish, garbage (US); **ser um ~** (*col*) to be rubbish; **~ atômico** nuclear waste

-lo [lu] *pron* him; (*você*) you; (*coisa*) it

lobo ['lobu] *m* wolf

locação [loka'sãw] (*pl* **-ões**) *f* lease; (*de vídeo etc*) rental

locador, a [loka'do°, a] *m/f* (*de casa*) landlord; (*de carro, filme*) rental agent ▷ *f* rental company; **~a de vídeo** video rental shop

local [lo'kaw] (*pl* **-ais**) *adj* local ▷ *m* site, place ▷ *f* (*notícia*) story; **localidade** [lokali'dadʒi] *f* (*lugar*) locality; (*povoação*) town; **localização** [lokaliza'sãw] (*pl* **-ões**) *f* location; **localizar** [lokali'za°] *vt* to locate; (*situar*) to place; **localizar-se** vr to be located; (orientar-se) to get one's bearings

loção [lo'sãw] (pl **-ões**) f lotion; **~ após-barba** aftershave (lotion)

locatário, -a [loka'tarju, a] m/f (de casa) tenant; (de carro, filme) hirer

loções [lo'sõjʃ] fpl de **loção**

locomotiva [lokomo'tʃiva] f railway (BRIT) ou railroad (US) engine, locomotive

locomover-se [lokomo'vexsi] vr to move around

locutor, a [loku'to°, a] m/f (TV, Rádio) announcer

lógica ['lɔʒika] f logic; **lógico, -a** ['lɔʒiku, a] adj logical; **(é) lógico!** of course!

logo ['lɔgu] adv (imediatamente) right away, at once; (em breve) soon; (justamente) just, right; (mais tarde) later; **~, ~** straightaway, without delay; **~ mais** later; **~ no começo** right at the start; **~ que, tão ~** as soon as; **até ~!** bye!; **~ antes/depois** just before/shortly afterwards; **~ de saída** ou **de cara** straightaway, right away

logotipo [logo'tʃipu] m logo

lograr [lo'gra°] vt (alcançar) to achieve; (obter) to get, obtain; (enganar) to cheat; **~ fazer** to manage to do

loiro, -a ['lojru, a] adj = **louro/a**

loja ['lɔʒa] f shop; **lojista** [lo'ʒiʃta] m/f shopkeeper

lombo ['lõbu] m back; (carne) loin

lona ['lɔna] f canvas

Londres ['lõdriʃ] n London

longa-metragem (pl **longas-metragens**) m: **(filme de) ~** feature (film)

longe ['lõʒi] adv far, far away ▷ adj distant; **ao ~** in the distance; **de ~** from far away; (sem dúvida) by a long way; **~ de** a long way ou far from; **~ disso** far from it; **ir ~ demais** (fig)

to go too far

longínquo, -a [lõ'ʒĩkwu, a] adj distant, remote

longitude [lõʒi'tudʒi] f (Geo) longitude

longo, -a ['lõgu, a] adj long ▷ m (vestido) long dress, evening dress; **ao ~ de** along, alongside

lotação [lota'sãw] f capacity; (de funcionários) complement; (BR: ônibus) bus; **~ completa** ou **esgotada** (Teatro) sold out

lotado, -a [lo'tadu, a] adj (Teatro) full; (ônibus) full up; (bar, praia) packed, crowded

lotar [lo'ta°] vt to fill, pack; (funcionário) to place ▷ vi to fill up

lote ['lɔtʃi] m portion, share; (em leilão) lot; (terreno) plot; (de ações) parcel, batch

loteria [lote'ria] f lottery; **~ esportiva** football pools pl (BRIT), lottery (US)

louça ['losa] f china; (conjunto) crockery; (tb: **~ sanitária**) bathroom suite; **de ~** china atr; **~ de barro** earthenware; **~ de jantar** dinner service; **lavar a ~** to do the washing up (BRIT) ou the dishes

louco, -a ['loku, a] adj crazy, mad; (sucesso) runaway; (frio) freezing ▷ m/f lunatic; **~ varrido** raving mad; **~ de fome/raiva** ravenous/ hopping mad; **~ por** crazy about; **deixar alguém ~** to drive sb crazy

louro, -a ['loru, a] adj blond, fair ▷ m laurel; (Culin) bay leaf; (papagaio) parrot; **~s** mpl (fig) laurels

louva-a-deus ['lova-] m inv praying mantis

louvar [lo'va°] vt to praise ▷ vi: **~ a** to praise

louvor [lo'vo°] m praise

LP abr m LP

Ltda. abr (= Limitada) Ltd (BRIT),

Inc. (*us*)

lua ['lua] *f* moon; **estar** *ou* **viver no mundo da ~** to have one's head in the clouds; **estar de ~** (*col*) to be in a mood; **ser de ~** (*col*) to be moody; **~ cheia/nova** full/new moon; **lua-de-mel** *f* honeymoon

luar ['lwa*] *m* moonlight

lubrificante [lubrifi'kãtʃi] *m* lubricant

lúcido, -a ['lusidu, a] *adj* lucid

lúcio ['lusju] *m* (*peixe*) pike

lucrar [lu'kra*] *vt* (*tirar proveito*) to profit from *ou* by; (*dinheiro*) to make; (*gozar*) to enjoy ▷ *vi* to make a profit; **~ com** *ou* **em** to profit by

lucrativo, -a [lukra'tʃivu, a] *adj* lucrative, profitable

lucro ['lukru] *m* gain; (*Com*) profit; **~s e perdas** (*Com*) profit and loss

lugar [lu'ga*] *m* place; (*espaço*) space, room; (*para sentar*) seat; (*emprego*) job; (*ocasião*) opportunity; **em ~ de** instead of; **dar ~ a** (*causar*) to give rise to; **~ comum** commonplace; **em primeiro ~** in the first place; **em algum/ nenhum/todo ~** somewhere/ nowhere/everywhere; **em outro ~** somewhere else, elsewhere; **ter ~** (*acontecer*) to take place; **~ de nascimento** place of birth; **lugarejo** [luga'reʒu] *m* village

lula ['lula] *f* squid

lume ['lumi] *m* fire; (*luz*) light

luminária [lumi'narja] *f* lamp; **~s** *fpl* (*iluminações*) illuminations

luminosidade [luminozi'dadʒi] *f* brightness

luminoso, -a [lumi'nozu, ɔza] *adj* luminous; (*fig: raciocínio*) clear; (: *idéia, talento*) brilliant; (*letreiro*) illuminated

lunar [lu'na*] *adj* lunar ▷ *m* (*na pele*) mole

lunático, -a [lu'natʃiku, a]

adj mad

lusitano, -a [luzi'tanu, a] *adj* Portuguese, Lusitanian

luso, -a ['luzu, a] *adj* Portuguese; **luso-brasileiro, -a** (*pl* **luso-brasileiros, -as**) *adj* Luso-Brazilian

lustre ['luʃtri] *m* gloss, sheen; (*fig*) lustre (*BRIT*), luster (*us*); (*luminária*) chandelier

luta ['luta] *f* fight, struggle; **~ de boxe** boxing; **~ livre** wrestling; **lutador, a** [luta'do*, a] *m/f* fighter; (*atleta*) wrestler; **lutar** [lu'ta*] *vi* to fight, struggle; (*luta livre*) to wrestle ▷ *vt* (*caratê, judô*) to do; **lutar contra/por algo** to fight against/for sth; **lutar para fazer algo** to fight *ou* struggle to do sth; **lutar com** (*dificuldades*) to struggle against; (*competir*) to fight with

luto ['lutu] *m* mourning; (*tristeza*) grief; **de ~** in mourning; **pôr ~** to go into mourning

luva ['luva] *f* glove; **~s** *fpl* (*pagamento*) payment *sg*; (*ao locador*) fee *sg*

Luxemburgo [luʃẽ'buxgu] *m*: **o ~** Luxembourg

luxo ['luʃu] *m* luxury; **de ~** luxury *atr*; **dar-se ao ~ de** to allow o.s. to; **luxuoso, -a** [lu'ʃwozu, ɔza] *adj* luxurious

luxúria [lu'ʃurja] *f* lust

luz [luʒ] *f* light; (*eletricidade*) electricity; **à ~ de** by the light of; (*fig*) in the light of; **a meia ~** with subdued lighting; **dar à ~ (um filho)** to give birth (to a son); **deu-me uma ~** I had an idea

m

ma [ma] *pron* = **me** + **a**

má [ma] *f de* **mau**

maca ['maka] *f* stretcher

maçã [ma'sã] *f* apple; **~ do rosto** cheekbone

macabro, -a [ma'kabru, a] *adj* macabre

macacão [maka'kãw] (*pl* **-ões**) *m* (*de trabalhador*) overalls *pl* (*BRIT*), coveralls *pl* (*US*); (*da moda*) jump-suit

macaco, -a [ma'kaku, a] *m/f* monkey ▷ *m* (*Mecânica*) jack; **(fato)** **~** (*PT*) overalls *pl* (*BRIT*), coveralls *pl* (*US*); **~ velho** (*fig*) old hand

macacões [maka'kõjʃ] *mpl de* **macacão**

maçador, a [masa'do°, a] (*PT*) *adj* boring

maçaneta [masa'neta] *f* knob

maçante [ma'sãtʃi] (*BR*) *adj* boring

macarrão [maka'xãw] *m* pasta;

(*em forma de canudo*) spaghetti; **macarronada** [makaxo'nada] *f* pasta with cheese and tomato sauce

macete [ma'setʃi] *m* mallet

machado [ma'ʃadu] *m* axe (*BRIT*), ax (*US*)

machista [ma'ʃiʃta] *adj* chauvinistic, macho ▷ *m* male chauvinist

macho ['maʃu] *adj* male; (*fig*) virile, manly; (*valentão*) tough ▷ *m* male; (*Tec*) tap

machucado, -a [maʃu'kadu, a] *adj* hurt; (*pé, braço*) bad ▷ *m* injury; (*área machucada*) sore patch

machucar [maʃu'ka°] *vt* to hurt; (*produzir contusão*) to bruise ▷ *vi* to hurt; **machucar-se** *vr* to hurt o.s

maciço, -a [ma'sisu, a] *adj* solid; (*espesso*) thick; (*quantidade*) massive

macio, -a [ma'siu, a] *adj* soft; (*liso*) smooth

maço ['masu] *m* (*de folhas, notas*) bundle; (*de cigarros*) packet

maçom [ma'sõ] (*pl* **-ns**) *m* (free)mason

maconha [ma'kɔɲa] *f* dope; **cigarro de ~** joint

maçons [ma'sõʃ] *mpl de* **maçom**

má-criação (*pl* **-ões**) *f* rudeness; (*ato, dito*) rude thing

mácula ['makula] *f* stain, blemish

macumba [ma'kũba] *f* ≈ voodoo; (*despacho*) macumba offering; **macumbeiro, -a** [makũ'bejru, a] *adj* ≈ voodoo *atr* ▷ *m/f* follower of macumba

madama [ma'dama] *f* = **madame**

madame [ma'dami] *f* (*senhora*) lady; (*col: dona-de-casa*) lady of the house

madeira [ma'dejra] *f* wood ▷ *m* Madeira (wine); **de ~** wooden; **bater na ~** (*fig*) to touch (*BRIT*) *ou* knock on (*US*) wood; **~**

compensada plywood
madeirense [madej'rẽsi] *adj,
m/f* Madeiran
madeixa [ma'dejʃa] *f (de cabelo)*
lock
madrasta [ma'draʃta] *f*
stepmother
madrepérola [madre'pɛrola] *f*
mother of pearl
Madri [ma'dri] *n* Madrid
Madrid [ma'drid] (PT) *n* Madrid
madrinha [ma'driɲa] *f*
godmother
madrugada [madru'gada] *f*
(early) morning; (*alvorada*) dawn,
daybreak
madrugar [madru'ga°] *vi* to get
up early; (*aparecer cedo*) to be early
maduro, -a [ma'duro, a] *adj* ripe;
(*fig*) mature; (: *prudente*) prudent
mãe [mãj] *f* mother; **~ adotiva** *ou*
de criação adoptive mother
maestro, -trina [ma'ɛʃtru,
'trina] *m/f* conductor
má-fé *f* malicious intent
magia [ma'ʒia] *f* magic
mágica ['maʒika] *f* magic; (*truque*)
magic trick; V *tb* **mágico**
mágico, -a ['maʒiku, a] *adj* magic
▷ *m/f* magician
magistério [maʒiʃ'tɛrju] *m*
(*ensino*) teaching; (*profissão*)
teaching profession; (*professorado*)
teachers *pl*
magnético, -a [mag'nɛtʃika, a]
adj magnetic
magnífico, -a [mag'nifiku, a] *adj*
splendid, magnificent
mago ['magu] *m* magician; **os
reis ~s** the Three Wise Men, the
Three Kings
mágoa ['magwa] *f (tristeza)*
sorrow, grief; (*fig: desagrado*) hurt
magoado, -a [ma'gwadu, a]
adj hurt
magoar [ma'gwa°] *vt, vi* to hurt;

magoar-se *vr*: **~-se com algo** to be
hurt by sth
magro, -a ['magru, a] *adj*
(*pessoa*) slim; (*carne*) lean; (*fig: parco*)
meagre (BRIT), meager (US); (*leite*)
skimmed
maio ['maju] (PT **M-**) *m* May
maiô [ma'jo] (BR) *m* swimsuit
maionese [majo'nezi] *f*
mayonnaise
maior [ma'jɔ°] *adj* (*compar: de
tamanho*) bigger; (: *de importância*)
greater; (*superl: de tamanho*) biggest;
(: *de importância*) greatest ▷ *m/f*
adult; **~ de idade** of age, adult; **~ de
21 anos** over 21; **maioria** [majo'ria]
f majority; **a maioria de** most
of; **maioridade** [majori'dadʒi] *f*
adulthood

○ **PALAVRA CHAVE**

mais [majʃ] *adv* **1** (*compar*): **~
magro/inteligente (do que)**
thinner/more intelligent (than); **ele
trabalha ~ (do que eu)** he works
more (than me)
2 (*superl*): **o ~ ...** the most ...; **o ~
magro/inteligente** the thinnest/
most intelligent
3 (*negativo*): **ele não trabalha ~
aqui** he doesn't work here any
more; **nunca ~** never again
4 (+ *adj: valor intensivo*): **que livro ~
chato!** what a boring book!
5: **por ~ que** however much; **por
~ que se esforce ...** no matter
how hard you try ...; **por ~ que eu
quisesse ...** much as I should like
to ...
6: **a ~: temos um a ~** we've got
one extra
7 (*tempo*): **~ cedo ou ~ tarde** sooner
or later; **~ a tempo** sooner; **logo ~**
later on; **no ~ tardar** at the latest
8 (*frases*): **~ ou menos** more or less;

~ uma vez once more; **cada vez ~** more and more; **sem ~ nem menos** out of the blue

▷ *adj* 1(*compar*): **~ (do que)** more (than); **ele tem ~ dinheiro (do que o irmão)** he's got more money (than his brother) 2 (*superl*): **ele é quem tem ~ dinheiro** he's got most money 3 (+ *números*): **ela tem ~ de dez bolsas** she's got more than ten bags 4 (*negativo*): **não tenho ~ dinheiro** I haven't got any more money 5 (*adicional*) else; **~ alguma coisa?** anything else?; **nada/ninguém ~** nothing/no-one else

▷ *prep*: **2 ~ 2 são 4** 2 and 2 *ou* plus 2 are 4

▷ *m*: **o ~** the rest

maisena [maj'zena] *f* cornflower

maiúscula [ma'juʃkula] *f* capital letter

majestade [maʒeʃ'tadʒi] *f* majesty

major [ma'ʒɔ*] *m* (*Mil*) major

majoritário, -a [maʒori'tarju, a] *adj* majority *atr*

mal [maw] (*pl* **~es**) *m* harm; (*Med*) illness ▷ *adv* badly; (*quase não*) hardly ▷ *conj* hardly; **~ desliguei o fone, a campainha tocou** I had hardly put the phone down when the doorbell rang; **falar ~ de alguém** to speak ill of sb, run sb down; **não faz ~** never mind; **estar ~ (doente)** to be ill; **passar ~** to be sick; **estar de ~ com alguém** not to be speaking to sb

mal- [mal-] *prefixo* badly

mala ['mala] *f* suitcase; (*BR*: *Auto*) boot, trunk (*US*); **~s** *fpl* (*bagagem*) luggage *sg*; **fazer as ~s** to pack

malabarismo [malaba'riʒmu] *m* juggling

mal-acabado, -a *adj* badly finished; (*pessoa*) deformed

malagueta [mala'geta] *f* chilli (*BRIT*) *ou* chili (*US*) pepper

Malaísia [mala'izja] *f*: **a ~** Malaysia

malandragem [malã'draʒẽ] *f* (*patifaria*) double-dealing; (*preguiça*) idleness; (*esperteza*) cunning

malária [ma'larja] *f* malaria

mal-arrumado, -a [-axu'madu, a] *adj* untidy

malcomportado, -a [mawkõpox'tadu, a] *adj* badly behaved

malcriado, -a [maw'krjadu, a] *adj* rude ▷ *m/f* slob

maldade [maw'dadʒi] *f* cruelty; (*malícia*) malice

maldição [mawdʒi'sãw] (*pl* **-ões**) *f* curse

maldizer [mawdʒi'ze*] (*irreg*: *como* **dizer**) *vt* to curse

maldoso, -a [maw'dozu, ɔza] *adj* wicked; (*malicioso*) malicious

maledicência [maledʒi'sẽsja] *f* slander

mal-educado, -a *adj* rude ▷ *m/f* slob

malefício [male'fisju] *m* harm; **maléfico, -a** [ma'lɛfiku, a] *adj* (*pessoa*) malicious; (*prejudicial*: *efeito*) harmful, injurious

mal-entendido, -a *adj* misunderstood ▷ *m* misunderstanding

mal-estar *m* indisposition; (*embaraço*) uneasiness

malfeito, -a [mal'fejtu, a] *adj* (*roupa*) poorly made; (*corpo*) misshapen

malfeitor, a [mawfej'to*, a] *m/f* wrong-doer

malha ['maʎa] *f* (*de rede*) mesh; (*tecido*) jersey; (*suéter*) sweater; (*de ginástica*) leotard; **fazer ~** (*PT*) to knit; **artigos de ~** knitwear

malhar [ma'ʎa*] vt (bater) to beat; (cereais) to thresh; (col: criticar) to knock, run down

mal-humorado, -a [-umo'radu, a] adj grumpy, sullen

maligno, -a [ma'lignu, a] adj evil, malicious; (danoso) harmful; (Med) malignant

malograr [malo'gra*] vt (planos) to upset; (frustrar) to thwart, frustrate ▷ vi (planos) to fall through; (fracassar) to fail; **malograr-se** vr to fall through; to fail

mal-passado, -a adj underdone; (bife) rare

malsucedido, -a [mawsuse'dʒidu, a] adj unsuccessful

Malta ['mawta] f Malta

malta ['mawta] (PT) f gang, mob

maltrapilho, -a [mawtra'piʎu, a] adj in rags, ragged ▷ m/f ragamuffin

maluco, -a [ma'luku, a] adj crazy, daft ▷ m/f madman/woman

malvadeza [mawva'deza] f wickedness; (ato) wicked thing

malvado, -a [maw'vadu, a] adj wicked

Malvinas [maw'vinaʃ] fpl: **as (ilhas) ~** the Falklands, the Falkland Islands

mama ['mama] f breast

mamadeira [mama'dejra] (BR) f feeding bottle

mamãe [ma'mãj] f mum, mummy

mamão [ma'mãw] (pl -ões) m papaya

mamar [ma'ma*] vt to suck; (dinheiro) to extort ▷ vi to be breastfed; **dar de ~ a um bebê** to (breast)feed a baby

mamífero [ma'miferu] m mammal

mamilo [ma'milu] m nipple

mamões [ma'mõjʃ] mpl de **mamão**

manada [ma'nada] f herd, drove

mancada [mã'kada] f (erro) mistake; (gafe) blunder; **dar uma ~** to blunder

mancar [mã'ka*] vt to cripple ▷ vi to limp; **mancar-se** vr (col) to get the message, take the hint

Mancha ['mãʃa] f: **o canal da ~** the English Channel

mancha ['mãʃa] f stain; (na pele) mark, spot; **manchar** [mã'ʃa*] vt to stain, mark

manchete [mã'ʃetʃi] f headline

manco, -a ['mãku, a] adj crippled, lame ▷ m/f cripple

mandado [mã'dadu] m order; (Jur) writ; (: tb: ~ de segurança) injunction; **~ de prisão/busca** warrant for sb's arrest/search warrant; **~ de segurança** injunction

mandão, -dona [mã'dãw, 'dɔna] (pl -ões, ~s) adj bossy, domineering

mandar [mã'da*] vt (ordenar) to order; (enviar) to send ▷ vi to be in charge; **mandar-se** vr (col: partir) to make tracks, get going; (fugir) to take off; **~ buscar** ou **chamar** to send for; **~ fazer um vestido** to have a dress made; **~ que alguém faça, ~ alguém fazer** to tell sb to do; **o que é que você manda?** (col) what can I do for you?; **~ em alguém** to boss sb around

mandato [mã'datu] m mandate; (ordem) order; (Pol) term of office

mandioca [mã'dʒjɔka] f cassava, manioc

mandões [mã'dõjʃ] mpl de **mandão**

mandona [mã'dɔna] f de **mandão**

maneira [ma'nejra] f (modo) way;

(estilo) style, manner; **~s** *fpl (modas)* manners; **à ~ de** like; **de ~ que** so that; **de ~ alguma** *ou* **nenhuma** not at all; **desta ~** in this way; **de qualquer ~** anyway; **não houve ~ de convencê-lo** it was impossible to convince him

maneiro, -a [ma'nejru, a] *adj* *(ferramenta)* easy to use; *(roupa)* attractive; *(trabalho)* easy; *(pessoa)* capable; *(col: bacana)* great, brilliant

manejar [mane'ʒa*] *vt* *(instrumento)* to handle; *(máquina)* to work; **manejo** [ma'neʒu] *m* handling

manequim [mane'kĩ] *(pl* **-ns**) *m* *(boneco)* dummy ▷ *m/f* model

manga ['mãga] *f* sleeve; *(fruta)* mango; **em ~s de camisa** in (one's) shirt sleeves

mangueira [mã'gejra] *f* hose(pipe); *(árvore)* mango tree

manha ['maɲa] *f* guile, craftiness; *(destreza)* skill; *(ardil)* trick; *(birra)* tantrum; **fazer ~** to have a tantrum

manhã [ma'ɲã] *f* morning; **de** *ou* **pela ~** in the morning; **amanhã/ hoje de ~** tomorrow/this morning

manhoso, -a [ma'ɲozu, ɔza] *adj* crafty, sly; *(criança)* whining

mania [ma'nia] *f* *(Med)* mania; *(obsessão)* craze; **estar com ~ de ...** to have a thing about ...; **maníaco, -a** [ma'niaku, a] *adj* manic ▷ *m/f* maniac

manicômio [mani'komju] *m* asylum, mental hospital

manifestação [manifeʃta'sãw] *(pl* **-ões**) *f* show, display; *(expressão)* expression, declaration; *(política)* demonstration

manifestante [manifeʃ'tãtʃi] *m/f* demonstrator

manifestar [manifeʃ'ta*] *vt* to show, display; *(declarar)* to express, declare

manifesto, -a [mani'feʃtu, a] *adj* obvious, clear ▷ *m* manifesto

manipulação [manipula'sãw] *f* handling; *(fig)* manipulation

manipular [manipu'la*] *vt* to manipulate; *(manejar)* to handle

manjericão [mãʒeri'kãw] *m* basil

manobra [ma'nɔbra] *f* manoeuvre (BRIT), maneuver (US); *(de mecanismo)* operation; *(de trens)* shunting; **manobrar** [mano'bra*] *vt* to manoeuvre *ou* maneuver; *(mecanismo)* to operate, work; *(governar)* to take charge of; *(manipular)* to manipulate ▷ *vi* to manoeuvre *ou* maneuver

manso, -a ['mãsu, a] *adj* gentle; *(mar)* calm; *(animal)* tame

manta ['mãta] *f* blanket; *(xale)* shawl; *(agasalho)* cloak

manteiga [mã'tejga] *f* butter; **~ de cacau** cocoa butter

manter [mã'te*] *(irreg: como* **ter**) *vt* to maintain; *(num lugar)* to keep; *(uma família)* to support; *(a palavra)* to keep; *(princípios)* to abide by; **manter-se** *vr* to support o.s.; *(permanecer)* to remain;

mantimento [mãtʃi'mẽtu] *m* maintenance; **mantimentos** *mpl* *(alimentos)* provisions

manual [ma'nwaw] *(pl* **-ais**) *adj* manual ▷ *m* handbook, manual

manufatura [manufa'tura] *(PT* **-ct-**) *f* manufacture; **manufaturar** [manufatu'ra*] *(PT* **-ct-**) *vt* to manufacture

manusear [manu'zja*] *vt* to handle; *(livro)* to leaf through

mão [mãw] *(pl* **~s**) *f* hand; *(de animal)* paw; *(de pintura)* coat; *(de direção)* flow of traffic; **à ~** by hand; *(perto)* at hand; **de segunda ~** second-hand; **em ~** by hand; **dar a ~ a alguém** to hold sb's hand;

(*cumprimentar*) to shake hands with sb; **dar uma ~ a alguém** to give sb a hand, help sb out; **~ única/dupla** one-way/two-way traffic; **rua de duas ~s** two-way street; **mão-de-obra** f (*trabalhadores*) labour (BRIT), labor (US); (*coisa difícil*) tricky thing

mapa ['mapa] m map; (*gráfico*) chart

maquiagem [ma'kjaʒẽ] f = **maquilagem**

maquiar [ma'kja*] vt to make up; **maquiar-se** vr to make o.s. up, put on one's make-up

maquilagem [maki'laʒẽ] (PT **-lha-**) f make-up; (*ato*) making up

máquina ['makina] f machine; (*de trem*) engine; (*fig*) machinery; **~ de calcular/costura/escrever** calculator/sewing machine/typewriter; **~ fotográfica** camera; **~ de filmar** camera; (*de vídeo*) camcorder; **~ de lavar (roupa)/pratos** washing machine/dishwasher; **escrito à ~** typewritten

maquinar [maki'na*] vt to plot ▷ vi to conspire

maquinista [maki'niʃta] m (*Ferro*) engine driver; (*Náut*) engineer

mar [ma*] m sea; **por ~** by sea; **fazer-se ao ~** to set sail; **pleno ~, ~ alto** high sea; **o ~ Morto/Negro/Vermelho** the Dead/Black/Red Sea

maracujá [maraku'ʒa] m passion fruit; **pé de ~** passion flower

maratona [mara'tona] f marathon

maravilha [mara'viʎa] f marvel, wonder; **maravilhoso, -a** [maravi'ʎozu, ɔza] adj marvellous (BRIT), marvelous (US)

marca ['maxka] f mark; (*Com*) make, brand; (*carimbo*) stamp; **~ de**

fábrica trademark; **~ registrada** registered trademark

marcação [maxka'sãw] (pl **-ões**) f marking; (*em jogo*) scoring; (*de instrumento*) reading; (*Teatro*) action; (PT: *Tel*) dialling

marcador [maxka'do*] m marker; (*de livro*) bookmark; (*Esporte: quadro*) scoreboard; (*: jogador*) scorer

marcapasso [maxka'pasu] m (*Med*) pacemaker

marcar [max'ka*] vt to mark; (*hora, data*) to fix, set; (PT: *Tel*) to dial; (*gol, ponto*) to score ▷ vi to make one's mark; **~ uma consulta, ~ hora** to make an appointment; **~ um encontro com alguém** to arrange to meet sb

marcha ['maxʃa] f march; (*de acontecimentos*) course; (*passo*) pace; (*Auto*) gear; (*progresso*) progress; **~ à ré** (BR), **~ atrás** (PT) reverse (gear); **pôr-se em ~** to set off

marchar [max'ʃa*] vi to go; (*andar a pé*) to walk; (*Mil*) to march

marco ['maxku] m landmark; (*de janela*) frame; (*fig*) frontier; (*moeda*) mark

março ['maxsu] (PT **M-**) m March

maré [ma'rɛ] f tide

marechal [mare'ʃaw] (pl **-ais**) m marshal

maremoto [mare'mɔtu] m tidal wave

marfim [max'fĩ] m ivory

margarida [maxga'rida] f daisy

margarina [maxga'rina] f margarine

margem ['maxʒẽ] (pl **-ns**) f (*borda*) edge; (*de rio*) bank; (*litoral*) shore; (*de impresso*) margin; (*fig: tempo*) time; (*: lugar*) space; **à ~ de** alongside

marginal [maxʒi'naw] (pl **-ais**) adj marginal ▷ m/f delinquent

marido [ma'ridu] m husband

marimbondo [marĩ'bõdu] m
hornet
marinha [ma'riɲa] f (tb: **~
de guerra**) navy; **~ mercante**
merchant navy; **marinheiro**
[mari'ɲejru] m seaman, sailor
marinho, -a [ma'riɲu, a] adj sea
atr, marine
mariposa [mari'poza] f moth
marítimo, -a [ma'ritʃimu, a]
adj sea atr
marketing ['maxketʃĩŋ] m
marketing
marmelada [maxme'lada] f
quince jam
marmelo [max'mɛlu] m quince
marmita [max'mita] f (vasilha)
pot
mármore ['maxmori] m marble
marquês, -quesa [max'keʃ,
'keza] m/f marquis/marchioness
marquise [max'kizi] f awning,
canopy
Marrocos [ma'xɔkuʃ] m: **o ~**
Morocco
marrom [ma'xõ] (pl **-ns**) adj, m
brown
martelar [maxte'la°] vt to
hammer; (amolar) to bother ▷ vi
to hammer; (insistir): **~ (em algo)**
to keep ou harp on (about sth);
martelo [max'tɛlu] m hammer
mártir ['maxtʃi°] m/f martyr;
martírio [max'tʃirju] m
martyrdom; (fig) torment
marxista [max'ksiʃta] adj, m/f
Marxist
mas [ma(j)ʃ] conj but ▷ pron =
me + as
mascar [maʃ'ka°] vt to chew
máscara ['maʃkara] f mask; (para
limpeza de pele) face pack; **sob a ~
de** under the guise of; **mascarar**
[maʃka'ra°] vt to mask; (disfarçar)
to disguise; (encobrir) to cover up
mascote [maʃ'kɔtʃi] f mascot

masculino, -a [maʃku'linu, a]
adj masculine; (Bio) male
massa ['masa] f (Fís, fig) mass; (de
tomate) paste; (Culin: de pão) dough;
(: macarrão etc) pasta
massacrar [masa'kra°] vt to
massacre; **massacre** [ma'sakri]
f massacre
massagear [masa'ʒja°] vt to
massage; **massagem** [ma'saʒẽ] (pl
-ns) f massage
mastigar [maʃtʃi'ga°] vt to chew
mastro ['maʃtru] m (Náut) mast;
(para bandeira) flagpole
masturbar-se [maʃtux'baxsi°] vr
to masturbate
mata ['mata] f forest, wood
matadouro [mata'doru] m
slaughterhouse
matança [ma'tãsa] f massacre;
(de reses) slaughter(ing)
matar [ma'ta°] vt to kill; (sede) to
quench; (fome) to satisfy; (aula)
to skip; (trabalho: não aparecer) to
skive off; (: fazer rápido) to dash
off; (adivinhar) to guess ▷ vi to kill;
matar-se vr to kill o.s.; (esfalfar-se)
to wear o.s. out; **um calor/uma dor
de ~** stifling heat/excruciating pain
mate ['matʃi] adj matt ▷ m (chá)
maté tea; (xeque-~) checkmate
matemática [mate'matʃika]
f mathematics sg, maths sg
(BRIT), math (US); **matemático,
-a** [mate'matʃiku, a]
adj mathematical ▷ m/f
mathematician
matéria [ma'tɛrja] f matter; (Tec)
material; (Educ: assunto) subject;
(tema) topic; (jornalística) story,
article; **em ~ de** on the subject of
material [mate'rjaw] (pl **-ais**)
adj material; (físico) physical
▷ m material; (Tec) equipment;
materialista [materja'liʃta]
adj materialistic; **materializar**

[materjali'za°] *vt* to materialize;
materializar-se *vr* to materialize
maternal [matex'naw] (*pl* **-ais**) *adj*
motherly, maternal; **escola ~**
nursery (school)
materno, -a [ma'tεxnu, a] *adj*
motherly, maternal; (*língua*) native
matinê [matʃi'ne] *f* matinée
matiz [ma'tʃiʒ] *m* (*de cor*) shade
mato ['matu] *m* scrubland, bush;
(*plantas agrestes*) scrub; (*o campo*)
country
matraca [ma'traka] *f* rattle
matrícula [ma'trikula] *f* (*lista*)
register; (*inscrição*) registration;
(*pagamento*) enrolment (BRIT) *ou*
enrollment (US) fee; (PT: *Auto*)
registration number (BRIT), license
number (US); **fazer a ~** to enrol
(BRIT), enroll (US)
matrimonial [matrimo'njaw] (*pl*
-ais) *adj* marriage *atr*, matrimonial
matrimônio [matri'monju] *m*
marriage
matriz [ma'triʒ] *f* (*Med*) womb;
(*fonte*) source; (*molde*) mould (BRIT),
mold (US); (*Com*) head office
maturidade [maturi'dadʒi] *f*
maturity
mau, má [maw, ma] *adj* bad;
(*malvado*) evil, wicked ▷ *m* bad; (*Rel*)
evil; **os ~s** *mpl* (*pessoas*) bad people;
(*num filme*) the baddies
maus-tratos *mpl* ill-treatment *sg*
maxila [mak'sila] *f* jawbone
maxilar [maksi'la°] *m* jawbone
máxima ['masima] *f* maxim
máximo, -a ['masimu, a] *adj*
(*maior que todos*) greatest; (*o maior
possível*) maximum ▷ *m* maximum;
(*o cúmulo*) peak; (*temperature*) high;
no ~ at most; **ao ~** to the utmost
MCE *abr m* = **Mercado Comum
Europeu**
me [mi] *pron* (*direto*) me; (*indireto*)
(to) me; (*reflexivo*) (to) myself

meado ['mjadu] *m* middle; **em ~s**
ou **no(s) ~(s) de julho** in mid-July
Meca ['mεka] *n* Mecca
mecânica [me'kanika] *f* (*ciência*)
mechanics *sg*; (*mecanismo*)
mechanism; *V tb* **mecânico**
mecânico, -a [me'kaniku, a] *adj*
mechanical ▷ *m/f* mechanic
mecanismo [meka'niʒmu]
m mechanism; **~ de busca** (BR:
Comput) search engine
meço *etc* ['mεsu] *vb V* **medir**
medalha [me'daʎa] *f* medal
média ['mεdʒja] *f* average; (*café*)
coffee with milk; **em ~** on average
mediano, -a [me'dʒjanu, a] *adj*
medium; (*médio*) average; (*medíocre*)
mediocre
mediante [me'dʒjātʃi] *prep* by
(means of), through; (*a troco de*) in
return for
medicamento [medʒika'mẽtu]
m medicine
medicina [medʒi'sina] *f*
medicine
médico, -a ['mεdʒiku, a] *adj*
medical ▷ *m/f* doctor; **receita
médica** prescription
medida [me'dʒida] *f* measure;
(*providência*) step; (*medição*)
measurement; (*moderação*)
prudence; **à ~ que** while, as; **na
~ em que** in so far as; **feito sob ~**
made to measure; **ir além da ~** to
go too far; **tirar as ~s de alguém**
to take sb's measurements; **tomar
~s** to take steps; **tomar as ~s de**
to measure
medieval [medʒje'vaw] (*pl* **-ais**)
adj medieval
médio, -a ['mεdʒju, a] *adj* (*dedo,
classe*) middle; (*tamanho, estatura*)
medium; (*mediano*) average; **ensino
~** secondary education
medir [me'dʒi°] *vt* to measure;
(*atos, palavras*) to weigh; (*avaliar*:

conseqüências, distâncias) to weigh up ▷ vi to measure; **quanto você mede? – meço 1,60** m how tall are you? – I'm 1.60 m (tall)
meditar [medʒi'ta°] vi to meditate; **~ sobre algo** to ponder (on) sth
mediterrâneo, -a [medʒite'xanju, a] adj Mediterranean ▷ m: **o M~** the Mediterranean
medo ['medu] m fear; **com ~** afraid; **meter ~ em alguém** to frighten sb; **ter ~ de** to be afraid of
medonho, -a [me'doɲu, a] adj terrible, awful
medroso, -a [me'drozu, ɔza] adj (com medo) frightened; (tímido) timid
megabyte [mega'bajtʃi] m megabyte
meia ['meja] f stocking; (curta) sock; (meia-entrada) half-price ticket ▷ num six; **meia-idade** f middle age; **pessoa de meia-idade** middle-aged person; **meia-noite** f midnight
meigo, -a ['mejgu, a] adj sweet
meio, -a ['meju, a] adj half ▷ adv a bit, rather ▷ m middle; (social, profissional) milieu; (tb: **~ ambiente**) environment; (maneira) way; (recursos: tb: **~s**) means pl; **~ quilo** half a kilo; **um mês e ~** one and a half months; **cortar ao ~** to cut in half; **dividir algo ~ a ~** to divide sth in half ou fifty-fifty; **em ~ a** amid; **no ~ (de)** in the middle (of); **~s de comunicação (de massa)** (mass) media pl; **por ~ de** through; **meio-dia** m midday, noon; **meio-fio** m kerb (BRIT), curb (US); **meio-termo** (pl **meios-termos**) m (fig) compromise
mel [mɛw] m honey
melaço [me'lasu] m treacle (BRIT), molasses pl (US)

melancia [melã'sia] f watermelon
melancolia [melãko'lia] f melancholy, sadness; **melancólico, -a** [melã'kɔliku, a] adj melancholy, sad
melão [me'lãw] (pl **-ões**) m melon
melhor [me'ʎɔ°] adj, adv (compar) better; (superl) best; **~ que nunca** better than ever; **quanto mais ~** the more the better; **seria ~ começarmos** we had better begin; **tanto ~** so much the better; **ou ~ ...** (ou antes) or rather ...; **melhora** [me'ʎɔra] f improvement; **melhoras!** get well soon!; **melhorar** [meʎo'ra°] vt to improve, make better; (doente) to cure ▷ vi to improve, get better
melodia [melo'dʒia] f melody; (composição) tune
melões [me'lõjʃ] mpl de **melão**
melro ['mewxu] m blackbird
membro ['mẽbru] m member; (Anat: braço, perna) limb
memória [me'mɔrja] f memory; **~s** fpl (de autor) memoirs; **de ~** by heart
memorizar [memori'za°] vt to memorize
mencionar [mẽsjo'na°] vt to mention
mendigar [mẽdʒi'ga°] vt to beg for ▷ vi to beg; **mendigo, -a** [mẽ'dʒigu, a] m/f beggar
menina [me'nina] f: **~ do olho** pupil; **ser ~ dos olhos de alguém** (fig) to be the apple of sb's eye; V tb **menino**
meninada [meni'nada] f kids pl
menino, -a [me'ninu, a] m/f boy/girl
menopausa [meno'pawza] f menopause
menor [me'nɔ°] adj (mais pequeno: compar) smaller; (: superl) smallest; (mais jovem: compar) younger; (: superl) youngest; (o mínimo) least,

slightest; (tb: **~ de idade**) under
age ▷ m/f juvenile, young person;
(Jur) minor; **não tenho a ~ idéia** I
haven't the slightest idea

○ **PALAVRA CHAVE**

menos ['menuʃ] adj **1** (compar):
~ (do que) (quantidade) less (than);
(número) fewer (than); **com ~
entusiasmo** with less enthusiasm;
~ gente fewer people
2 (superl) least; **é o que tem ~ culpa**
he is the least to blame
▷ adv **1** (compar): **~ (do que)** less
(than); **gostei ~ do que do outro** I
liked it less than the other one
2 (superl): **é o ~ inteligente da
classe** he is the least bright in his
class; **de todas elas é a que ~ me
agrada** out of all of them she's
the one I like least; **pelo ~** at (the
very) least
3 (frases): **temos sete a ~** we are
seven short; **não é para ~** it's
no wonder; **isso é o de ~** that's
nothing
▷ prep (exceção) except; (números)
minus; **todos ~ eu** everyone except
(for) me; **5 ~ 2** 5 minus 2
▷ conj: **a ~ que** unless; **a ~ que ele
venha amanhã** unless he comes
tomorrow
▷ m: **o ~** the least

menosprezar [menuʃpre'za°] vt
(subestimar) to underrate; (desprezar)
to despise, scorn
mensageiro, -a [mēsa'ʒejru, a]
m/f messenger
mensagem [mē'saʒē] (pl **-ns**)
f message; **~ de texto** text
(message); **mandar uma ~ de
texto para** to text; **eu te mando
uma ~ de texto quando voltar**
I'll text you when I get back;

(sistema m **de) mensagems** fpl
instantâneas instant messaging
mensal [mē'saw] (pl **-ais**) adj
monthly; **ele ganha £1000
mensais** he earns £1000 a month;
mensalidade [mēsali'dadʒi] f
monthly payment; **mensalmente**
[mēsaw'mētʃi] adv monthly
menstruação [mēʃtrwa'sãw] f
period; (Med) menstruation
menta ['mēta] f mint
mental [mē'taw] (pl **-ais**)
adj mental; **mentalidade**
[mētali'dadʒi] f mentality
mente ['mētʃi] f mind; **de boa ~**
willingly; **ter em ~** to bear in mind
mentir [mē'tʃi°] vi to lie
mentira [mē'tʃira] f lie; (ato)
lying; **parece ~ que** it seems
incredible that; **de ~** not for real; **~!**
(acusação) that's a lie!, you're lying!;
(de surpresa) you don't say!, no!;
mentiroso, -a [mētʃi'rozu, ɔza]
adj lying ▷ m/f liar
menu [me'nu] m (tb: Comput)
menu
mercado [mex'kadu] m market;
M~ Comum Common Market; **~
negro** ou **paralelo** black market
mercadoria [mexkado'ria] f
commodity; **~s** fpl (produtos) goods
mercearia [mexsja'ria] f grocer's
(shop); (BRIT), grocery store
mercúrio [mex'kurju] m mercury
merda ['mɛxda] (col!) f shit (!)
▷ m/f (pessoa) jerk; **a ~ do carro** the
bloody (BRIT!) ou goddamn (US!) car
merecer [mere'se°] vt to deserve;
(consideração) to merit; (valer) to be
worth ▷ vi to be worthy; **merecido,
-a** [mere'sidu, a] adj deserved;
(castigo, prêmio) just
merenda [me'rēda] f packed
lunch
merengue [me'rēgi] m meringue
mergulhador, a [mexguʎa'do°,

a] *m/f* diver

mergulhar [mexguˈʎa°] *vi* to dive; (*penetrar*) to plunge ▷ *vt*: ~ **algo em algo** (*num líquido*) to dip sth into sth; (*na terra etc*) to plunge sth into sth; **mergulho** [mexˈguʎu] *m* dip(ping), immersion; (*em natação*) dive; **dar um mergulho** (*na praia*) to go for a dip

mérito [ˈmɛritu] *m* merit

mero, -a [ˈmɛru, a] *adj* mere

mês [meʃ] *m* month

mesa [ˈmeza] *f* table; (*de trabalho*) desk; (*comitê*) board; (*numa reunião*) panel; **pôr/tirar a ~** to lay/clear the table; **à ~** at the table; **~ de toalete** dressing table; **~ telefônica** switchboard

mesada [meˈzada] *f* monthly allowance; (*de criança*) pocket money

mesa-de-cabeceira (*pl* **mesas-de-cabeceira**) *f* bedside table

mesmo, -a [ˈmeʒmu, a] *adj* same; (*enfático*) very ▷ *adv* (*exatamente*) right; (*até*) even; (*realmente*) really ▷ *m/f*: **o ~, a mesma** the same (one); **o ~** (*a mesma coisa*) the same (thing); **este ~ homem** this very man; **ele ~ o fez** he did it himself; **dá no ~** *ou* **na mesma** it's all the same; **aqui/agora/hoje ~** right here/right now/this very day; **~ que** even if; **é ~** it's true; **é ~?** really?; **(é) isso ~!** exactly!; **por isso ~** that's why; **nem ~** not even; **só ~** only; **por si ~** by oneself

mesquinho, -a [meʃˈkiɲu, a] *adj* mean

mesquita [meʃˈkita] *f* mosque

mestre, -a [ˈmɛʃtri, a] *adj* (*chave, viga*) master; (*linha, estrada*) main ▷ *m/f* master/mistress; (*professor*) teacher; **obra mestra** masterpiece

meta [ˈmɛta] *f* (*em corrida*) finishing post; (*gol*) goal; (*objetivo*) aim

metade [meˈtadʒi] *f* half; (*meio*) middle

metáfora [meˈtafora] *f* metaphor

metal [meˈtaw] (*pl* **-ais**) *m* metal; **metais** *mpl* (*Mús*) brass *sg*; **metálico, -a** [meˈtaliku, a] *adj* metallic; (*de metal*) metal *atr*

meteorologia [meteoroloˈʒia] *f* meteorology

meter [meˈte°] *vt* (*colocar*) to put; (*envolver*) to involve; (*introduzir*) to introduce; **meter-se** *vr* (*esconder-se*) to hide; **~-se a fazer algo** to decide to have a go at sth; **~-se com** (*provocar*) to pick a quarrel with; (*associar-se*) to get involved with; **~-se em** to get involved in; (*intrometer-se*) to interfere in

meticuloso, -a [metʃikuˈlozu, ɔza] *adj* meticulous

metido, -a [meˈtʃidu, a] *adj* (*envolvido*) involved; (*intrometido*) meddling; **~ (a besta)** snobbish

metódico, -a [meˈtɔdʒiku, a] *adj* methodical

método [ˈmɛtodu] *m* method

metralhadora [metraʎaˈdora] *f* sub-machine gun

métrico, -a [ˈmɛtriku, a] *adj* metric

metro [ˈmɛtru] *m* metre (*BRIT*), meter (*US*); (*PT*) = **metrô**

metrô [meˈtro] (*BR*) *m* underground (*BRIT*), subway (*US*)

metrópole [meˈtrɔpoli] *f* metropolis; (*capital*) capital

meu, minha [mew, ˈmiɲa] *adj* my ▷ *pron* mine; **os ~s** *mpl* (*minha família*) my family *ou* folks (*col*); **um amigo ~** a friend of mine

mexer [meˈʃe°] *vt* to move; (*cabeça: dizendo sim*) to nod; (: *dizendo não*) to shake; (*misturar*) to stir; (*ovos*) to scramble ▷ *vi* to move;

mexer-se vr to move; (apressar-se) to get a move on; **~ em algo** to touch sth; **mexa-se!** get going!, move yourself!

mexerico [meʃe'riku] m piece of gossip; **~s** mpl (fofocas) gossip sg

México ['mɛʃiku] m: **o ~** Mexico

mexido, -a [me'ʃidu, a] adj (papéis) mixed up; (ovos) scrambled

mexilhão [meʃi'ʎãw] (pl **-ões**) m mussel

mi [mi] m (Mús) E

miau [mjaw] m miaow

micro... [mikru] prefixo micro...; **micro(computador)** [mikro(kõ-puta'do°)] m micro(computer); **microfone** [mikro'fɔni] m microphone; **microondas** [mikro'õdaʃ] m inv (tb: **forno de microondas**) microwave (oven); **microprocessador** [mikroprosesa'do°] m microprocessor; **microscópio** [mikro'ʃkɔpju] m microscope

mídia ['midʒja] f media pl

migalha [mi'gaʎa] f crumb; **~s** fpl (restos, sobras) scraps

migrar [mi'gra°] vi to migrate

mijar [mi'ʒa°] (col) vi to pee; **mijar-se** vr to wet o.s

mil [miw] num thousand; **dois ~** two thousand

milagre [mi'lagri] m miracle; **por ~** miraculously; **milagroso, -a** [mila'grozu, ɔza] adj miraculous

milhão [mi'ʎãw] (pl **-ões**) m million; **um ~ de vezes** hundreds of times

milhar [mi'ʎa°] m thousand; **turistas aos ~es** tourists in their thousands

milho ['miʎu] m maize (BRIT), corn (US)

milhões [mi'ʎõjʃ] mpl de **milhão**

miligrama [mili'grama] m milligram(me)

milionário, -a [miljo'narju, a] m/f millionaire

militar [mili'ta°] adj military ▷ m soldier ▷ vi to fight; **~ em** (Mil: regimento) to serve in; (Pol: partido) to belong to, be active in; (profissão) to work in

mim [mĩ] pron me; (reflexivo) myself; **de ~ para ~** to myself

mímica ['mimika] f mime

mimo ['mimu] m gift; (pessoa, coisa encantadora) delight; (carinho) tenderness; (gentileza) kindness; **cheio de ~s** (criança) spoiled, spoilt (BRIT); **mimoso, -a** [mi'mozu, ɔza] adj (delicado) delicate; (carinhoso) tender, loving; (encantador) delightful

mina ['mina] f mine

mindinho [mĩ'dʒiɲu] m (tb: **dedo ~**) little finger

mineiro, -a [mi'nejru, a] adj mining atr ▷ m/f miner

mineral [mine'raw] (pl **-ais**) adj, m mineral

minério [mi'nɛrju] m ore

míngua ['mĩgwa] f lack; **à ~ de** for want of; **viver à ~** to live in poverty; **minguado, -a** [mĩ'gwadu, a] adj scant; (criança) stunted; **minguado de algo** short of sth

minguar [mĩ'gwa°] vi (diminuir) to decrease, dwindle; (faltar) to run short

minha ['miɲa] f de **meu**

minhoca [mi'ɲɔka] f (earth)worm

mini... [mini] prefixo mini...

miniatura [minja'tura] adj, f miniature

MiniDisc [mini'dʒiʃki] ® m MiniDisc ®

mínima ['minima] f (temperatura) low; (Mús) minim

mínimo, -a ['minimu, a] adj minimum ▷ m minimum; (tb: **dedo**

~) little finger; **não dou** ou **ligo a mínima para isso** I couldn't care less about it; **no ~** at least

minissaia [mini'saja] f miniskirt

ministério [mini'ʃtɛrju] m ministry; **~ da Fazenda** ≈ Treasury (BRIT), ≈ Treasury Department (US); **M~ das Relações Exteriores** ≈ Foreign Office (BRIT), ≈ State Department (US)

ministro, -a [mi'niʃtru, a] m/f minister

minoria [mino'ria] f minority

minto etc ['mĩtu] vb V **mentir**

minucioso, -a [minu'sjozu, ɔza] adj (indivíduo, busca) thorough; (explicação) detailed

minúsculo, -a [mi'nuʃkulu, a] adj minute, tiny; **letra minúscula** lower case

minuta [mi'nuta] f rough draft

minuto [mi'nutu] m minute

miolo ['mjolu] m inside; (polpa) pulp; (de maçã) core; **~s** mpl (cérebro, inteligência) brains

míope ['miopi] adj short-sighted

mira ['mira] f (de fuzil) sight; (pontaria) aim; (fig) aim, purpose; **à ~ de** on the lookout for; **ter em ~** to have one's eye on

miragem [mi'raʒẽ] (pl **-ns**) f mirage

miserável [mize'ravew] (pl **-eis**) adj (digno de compaixão) wretched; (pobre) impoverished; (avaro) stingy, mean; (insignificante) paltry; (lugar) squalid; (infame) despicable ▷ m wretch; (coitado) poor thing; (pessoa infame) rotter

miséria [mi'zɛrja] f misery; (pobreza) poverty; (avareza) stinginess

misericórdia [mizeri'kɔxdʒja] f (compaixão) pity, compassion; (graça) mercy

missa ['misa] f (Rel) mass

missão [mi'sãw] (pl **-ões**) f mission; (dever) duty

míssil ['misiw] (pl **-eis**) m missile

missionário, -a [misjo'narju, a] m/f missionary

missões [mi'sõjʃ] fpl de **missão**

mistério [miʃ'tɛrju] m mystery; **misterioso, -a** [miʃte'rjozu, ɔza] adj mysterious

mistificar [miʃtʃifi'ka*] vt, vi to fool

misto, -a ['miʃtu, a] adj mixed; (confuso) mixed up ▷ m mixture; **misto-quente** (pl **mistos-quentes**) m toasted cheese and ham sandwich

mistura [miʃ'tura] f mixture; (ato) mixing; **misturar** [miʃtu'ra*] vt to mix; (confundir) to mix up

mito ['mitu] m myth

miudezas [mju'dezaʃ] fpl minutiae; (bugigangas) odds and ends; (objetos pequenos) trinkets

miúdo, -a ['mjudu, a] adj tiny, minute ▷ m/f (PT: criança) youngster, kid; **~s** mpl (dinheiro) change sg; (de aves) giblets; **dinheiro ~** small change

mm abr (= milímetro) mm

mo [mu] pron = **me** + **o**

moa etc ['moa] vb V **moer**

móbil ['mɔbiw] (pl **-eis**) adj = **móvel**

móbile ['mɔbili] m mobile

mobília [mo'bilja] f furniture; **mobiliar** [mobi'lja*] (BR) vt to furnish; **mobiliário** [mobi'ljarju] m furnishings pl

moça ['mosa] f girl, young woman

Moçambique [mosã'biki] m Mozambique

moção [mo'sãw] (pl **-ões**) f motion

mochila [mo'ʃila] f rucksack

mocidade [mosi'dadʒi] f youth; (os moços) young people pl

moço, -a ['mosu, a] *adj* young
▷ *m* young man, lad

moções [mo'sõjʃ] *fpl de* **moção**

moda ['mɔda] *f* fashion; **estar na
~** to be in fashion, be all the rage;
fora da ~ old-fashioned; **sair da** *ou*
cair de ~ to go out of fashion

modalidade [modali'dadʒi] *f*
kind; (*Esporte*) event

modelo [mo'dɛlu] *m* model;
(*criação de estilista*) design

moderar [mode'ra*] *vt* to
moderate; (*violência*) to control,
restrain; (*velocidade*) to reduce; (*voz*)
to lower; (*gastos*) to cut down

modernizar [modexni'za*] *vt* to
modernize; **modernizar-se** *vr* to
modernize

moderno, -a [mo'dɛxnu, a] *adj*
modern; (*atual*) present-day

modéstia [mo'dɛʃtʃja] *f* modesty

módico, -a ['mɔdʒiku, a] *adj*
moderate; (*preço*) reasonable;
(*bens*) scant

modificar [modʒifi'ka*] *vt* to
modify, alter

modista [mo'dʒiʃta] *f* dressmaker

modo ['mɔdu] *m* (*maneira*) way,
manner; (*método*) way; (*Mús*) mode;
~s *mpl* (*comportamento*) manners;
de (tal) ~ que so (that); **de ~
nenhum** in no way; **de qualquer
~** anyway, anyhow; **~ de emprego**
instructions *pl* for use

módulo ['mɔdulu] *m* module

moeda ['mwɛda] *f* (*uma ~*) coin;
(*dinheiro*) currency; **uma ~ de 10p**
a 10p piece; **~ corrente** currency;
Casa da M~ ≈ the Mint (*BRIT*), ≈ the
(*US*) Mint

moedor [moe'do*] *m* (*de café*)
grinder; (*de carne*) mincer

moer [mwe*] *vt* (*café*) to grind;
(*cana*) to crush

mofado, -a [mo'fadu, a] *adj*
mouldy (*BRIT*), moldy (*US*)

mofo ['mofu] *m* (*Bot*) mo(u)ld;
cheiro de ~ musty smell

mogno ['mɔgnu] *m* mahogany

mói *etc* [mɔj] *vb V* **moer**

moía *etc* [mo'ia] *vb V* **moer**

moído, -a [mo'idu, a] *adj* (*café*)
ground; (*carne*) minced; (*cansado*)
tired out; (*corpo*) aching

moinho ['mwiɲu] *m* mill; (*de café*)
grinder; **~ de vento** windmill

mola ['mɔla] *f* (*Tec*) spring; (*fig*)
motive, motivation

moldar [mow'da*] *vt* to mould
(*BRIT*), mold (*US*); (*metal*) to cast;
molde ['mɔwdʒi] *m* mo(u)ld; (*de
papel*) pattern; (*fig*) model; **molde
de vestido** dress pattern

moldura [mow'dura] *f* (*de pintura*)
frame

mole ['mɔli] *adj* soft; (*sem energia*)
listless; (*carnes*) flabby; (*col: fácil*)
easy; (*lento*) slow; (*preguiçoso*)
sluggish ▷ *adv* (*lentamente*) slowly

moleque [mo'lɛki] *m* (*de rua*)
urchin; (*menino*) youngster; (*pessoa
sem palavra*) unreliable person;
(*canalha*) scoundrel ▷ *adj* (*levado*)
mischievous; (*brincalhão*) funny

molestar [moleʃ'ta*] *vt* to upset;
(*enfadar*) to annoy; (*importunar*)
to bother

moléstia [mo'lɛʃtʃja] *f* illness

moleza [mo'leza] *f* softness; (*falta
de energia*) listlessness; (*falta de
força*) weakness; **ser (uma) ~** (*col*)
to be easy; **na ~** without exerting
oneself

molhado, -a [mo'ʎadu, a] *adj*
wet, damp

molhar [mo'ʎa*] *vt* to wet;
(*de leve*) to moisten, dampen;
(*mergulhar*) to dip; **molhar-se** *vr*
to get wet

molho¹ ['mɔʎu] *m* (*de chaves*)
bunch; (*de trigo*) sheaf

molho² ['moʎu] *m* (*Culin*) sauce;

(: *de salada*) dressing; (: *de carne*) gravy; **pôr de ~** to soak; **estar/deixar de ~** (*roupa etc*) to be/leave to soak

momentâneo, -a [momẽ'tanju, a] *adj* momentary

momento [mo'mẽtu] *m* moment; (*Tec*) momentum; **a todo ~** constantly; **de um ~ para outro** suddenly; **no ~ em que** just as

Mônaco ['monaku] *m* Monaco

monarquia [monax'kia] *f* monarchy

monitor [moni'to°] *m* monitor

monopólio [mono'pɔlju] *m* monopoly; **monopolizar** [monopoli'za°] *vt* to monopolize

monotonia [monoto'nia] *f* monotony; **monótono, -a** [mo'nɔtonu, a] *adj* monotonous

monstro, -a ['mõʃtru, a] *adj inv* giant ▷ *m* (*tb fig*) monster; **monstruoso, -a** [mõʃtrwozu, ɔza] *adj* monstrous; (*enorme*) gigantic, huge

montagem [mõ'taʒẽ] (*pl* **-ns**) *f* assembly; (*Arq*) erection; (*Cinema*) editing; (*Teatro*) production

montanha [mõ'taɲa] *f* mountain; **montanha-russa** *f* roller coaster

montante [mõ'tãtʃi] *m* amount, sum; **a ~** (*nadar*) upstream

montar [mõ'ta°] *vt* (*cavalo*) to mount, get on; (*colocar em*) to put on; (*cavalgar*) to ride; (*peças*) to assemble, put together; (*loja, máquina*) to set up; (*casa*) to put up; (*peça teatral*) to put on ▷ *vi* to ride; **~ a ou em** (*animal*) to get on; (*cavalgar*) to ride; (*despesa*) to come to

monte ['mõtʃi] *m* hill; (*pilha*) heap, pile; **um ~ de** (*muitos*) a lot of, lots of; **gente aos ~s** loads of people

montra ['mõtra] (*PT*) *f* shop window

monumento [monu'mẽtu] *m* monument

moqueca [mo'kɛka] *f* fish or seafood simmered in coconut cream and palm oil; **~ de camarão** prawn *moqueca*

morada [mo'rada] *f* home, residence; (*PT*: *endereço*) address; **moradia** [mora'dʒia] *f* home, dwelling; **morador, a** [mora'do°, a] *m/f* resident; (*de casa alugada*) tenant

moral [mo'raw] (*pl* **-ais**) *adj* moral ▷ *f* (*ética*) ethics *pl*; (*conclusão*) moral ▷ *m* (*de pessoa*) sense of morality; (*ânimo*) morale; **moralidade** [morali'dadʒi] *f* morality

morango [mo'rãgu] *m* strawberry

morar [mo'ra°] *vi* to live, reside

mórbido, -a ['mɔxbidu, a] *adj* morbid

morcego [mox'segu] *m* (*Bio*) bat

mordaça [mox'dasa] *f* (*de animal*) muzzle; (*fig*) gag

morder [mox'de°] *vt* to bite; (*corroer*) to corrode; **mordida** [mox'dʒida] *f* bite

mordomia [moxdo'mia] *f* (*de executivos*) perk; (*col*: *regalia*) luxury, comfort

mordomo [mox'dɔmu] *m* butler

moreno, -a [mo'renu, a] *adj* dark(-skinned); (*de cabelos*) dark(-haired); (*de tomar sol*) brown ▷ *m/f* dark person

mormaço [mox'masu] *m* sultry weather

morno, -a ['moxnu, 'mɔxna] *adj* lukewarm, tepid

morrer [mo'xe°] *vi* to die; (*luz, cor*) to fade; (*fogo*) to die down; (*Auto*) to stall

morro ['moxu] *m* hill; (*favela*) slum

mortadela [moxta'dɛla] *f* salami

mortal [mox'taw] (*pl* **-ais**) *adj*

mortal; (*letal, insuportável*) deadly ▷ *m* mortal

mortalidade [moxtali'dadʒi] *f* mortality

morte ['mɔxtʃi] *f* death

mortífero, -a [mox'tʃiferu, a] *adj* deadly, lethal

morto, -a ['moxtu, 'mɔxta] *pp de* **matar** ▷ *pp de* **morrer** ▷ *adj* dead; (*cor*) dull; (*exausto*) exhausted; (*inexpressivo*) lifeless ▷ *m/f* dead man/woman; **estar/ser ~** to be dead/killed; **estar ~ de inveja** to be green with envy; **estar ~ de vontade de** to be dying to

mos [muʃ] *pron* = **me** + **os**

mosca ['moʃka] *f* fly; **estar às ~s** (*bar etc*) to be deserted

Moscou [moʃ'ku] (BR) *n* Moscow

Moscovo [moʃ'kovu] (PT) *n* Moscow

mosquito [moʃ'kitu] *m* mosquito

mostarda [moʃ'taxda] *f* mustard

mosteiro [moʃ'tejru] *m* monastery; (*de monjas*) convent

mostrador [moʃtra'do°] *m* (*de relógio*) face, dial

mostrar [moʃ'tra°] *vt* to show; (*mercadorias*) to display; (*provar*) to demonstrate, prove; **mostrar-se** *vr* to show o.s. to be; (*exibir-se*) to show off

motel [mo'tɛw] (*pl* **-éis**) *m* motel

motivar [motʃi'va°] *vt* (*causar*) to cause, bring about; (*estimular*) to motivate; **motivo** [mo'tʃivu] *m* (*causa*): **motivo (de** *ou* **para)** cause (of), reason (for); (*fim*) motive; (*Arte, Mús*) motif; **por motivo de** because of, owing to

moto ['mɔtu] *f* motorbike ▷ *m* (*lema*) motto

motocicleta [motosi'kleta] *f* motorcycle, motorbike

motociclista [motosi'kliʃta] *m/f* motorcyclist

motociclo [moto'siklu] (PT) *m* = **motocicleta**

motor, motriz [mo'to°, mo'triʒ] *adj*: **força motriz** driving force ▷ *m* motor; (*de carro, avião*) engine; **~ diesel/de explosão** diesel/internal combustion engine; **~ de pesquisa** (PT: *Comput*) search engine

motorista [moto'riʃta] *m/f* driver

móvel ['mɔvew] (*pl* **-eis**) *adj* movable ▷ *m* piece of furniture; **móveis** *mpl* (*mobília*) furniture *sg*

mover-se *vr* to move

movimentado, -a [movimē'tadu, a] *adj* (*rua, lugar*) busy; (*pessoa*) active; (*show, música*) up-tempo

movimentar [movimē'ta°] *vt* to move; (*animar*) to liven up

movimento [movi'mētu] *m* movement; (*Tec*) motion; (*na rua*) activity, bustle; **de muito ~** busy

muamba ['mwāba] (*col*) *f* (*contrabando*) contraband; (*objetos roubados*) loot

muçulmano, -a [musuw'manu, a] *adj, m/f* Moslem

muda ['muda] *f* (*planta*) seedling; (*vestuário*) outfit; **~ de roupa** change of clothes

mudança [mu'dāsa] *f* change; (*de casa*) move; (*Auto*) gear

mudar [mu'da°] *vt* to change; (*deslocar*) to move ▷ *vi* to change; (*ave*) to moult (BRIT), molt (US); **mudar-se** *vr* (*de casa*) to move (away); **~ de roupa/de assunto** to change clothes/the subject; **~ de casa** to move (house); **~ de idéia** to change one's mind

mudo, -a ['mudu, a] *adj* dumb; (*calado, Cinema*) silent; (*telefone*) dead ▷ *m/f* mute

○ **PALAVRA CHAVE**

muito, -a ['mwĩtu, a] *adj*

(*quantidade*) a lot of; (: *em frase negativa ou interrogativa*) much; (*número*) lots of, a lot of; many; **~ esforço** a lot of effort; **faz ~ calor** it's very hot; **~ tempo** a long time; **muitas amigas** lots *ou* a lot of friends; **muitas vezes** often
▷ *pron* a lot; (*em frase negativa ou interrogativa*: *sg*) much; (: *pl*) many; **tenho ~ que fazer** I've got a lot to do; **~s dizem que ...** a lot of people say that ...
▷ *adv* **1** a lot; (+ *adj*) very; (+ *compar*): **~ melhor** much *ou* far *ou* a lot better; **gosto ~ disto** I like it a lot; **sinto ~** I'm very sorry; **~ interessante** very interesting
2 (*resposta*) very; **está cansado? – ~** are you tired? – very
3 (*tempo*): **~ depois** long after; **há ~** a long time ago; **não demorou ~** it didn't take long

mula ['mula] *f* mule
mulato, -a [mu'latu, a] *adj, m/f* mulatto
muleta [mu'leta] *f* crutch; (*fig*) support
mulher [mu'ʎe*] *f* woman; (*esposa*) wife; **mulher-bomba** (*pl* **mulheres-bomba**) *f* suicide bomber
multa ['muwta] *f* fine; **levar uma ~** to be fined; **multar** [muw'ta*] *vt* to fine; **multar alguém em $1000** to fine sb $1000
multi... [muwtʃi] *prefixo* multi...
multidão [muwtʃi'dãw] (*pl* **-ões**) *f* crowd; **uma ~ de** (*muitos*) lots of
multimídia [muwtʃi'midʒja] *adj* multimedia
multinacional [muwtʃinasjo'naw] (*pl* **-ais**) *adj, f* multinational
multiplicar [muwtʃipli'ka*] *vt* to multiply; (*aumentar*) to increase
múltiplo, -a ['muwtʃiplu, a] *adj* multiple ▷ *m* multiple

múmia ['mumja] *f* mummy
mundial [mũ'dʒjaw] (*pl* **-ais**) *adj* worldwide; (*guerra, recorde*) world *atr* ▷ *m* world championship
mundo ['mũdu] *m* world; **todo o ~** everybody; **um ~ de** lots of, a great many
munição [muni'sãw] (*pl* **-ões**) *f* (*de armas*) ammunition; (*chumbo*) shot; (*Mil*) munitions *pl*, supplies *pl*
municipal [munisi'paw] (*pl* **-ais**) *adj* municipal
município [muni'sipju] *m* local authority; (*cidade*) town; (*condado*) county
munições [muni'sõjʃ] *fpl de* **munição**
munir [mu'ni*] *vt*: **~ de** to provide with, supply with; **munir-se** *vr*: **~-se de** (*provisões*) to equip o.s. with
muralha [mu'raʎa] *f* (*de fortaleza*) rampart; (*muro*) wall
murchar [mux'ʃa*] *vt* (*Bot*) to wither; (*sentimentos*) to dull; (*pessoa*) to sadden ▷ *vi* to wither, wilt; (*fig*) to fade
murmurar [muxmu'ra*] *vi* to murmur, whisper; (*queixar-se*) to mutter, grumble; (*água*) to ripple; (*folhagem*) to rustle ▷ *vt* to murmur; **murmúrio** [mux'murju] *m* murmuring, whispering; grumbling; rippling; rustling
muro ['muru] *m* wall
murro ['muxu] *m* punch; **dar um ~ em alguém** to punch sb
musa ['muza] *f* muse
musculação [muʃkula'sãw] *f* body-building
músculo ['muʃkulu] *m* muscle; **musculoso, -a** [muʃku'lozu, ɔza] *adj* muscular
museu [mu'zew] *m* museum; (*de pintura*) gallery
musgo ['muzgu] *m* moss
música ['muzika] *f* music;

(canção) song; **músico, -a**
['muziku, a] adj musical ▷ m/f
musician
mútuo, -a ['mutwu, a] adj mutual

N abr (= norte) N
na [na] = **em + a**
-na [na] pron her; (coisa) it
nabo ['nabu] m turnip
nação [na'sãw] (pl **-ões**) f nation
nacional [nasjo'naw] (pl **-ais**) adj
national; (carro, vinho etc) domestic,
home-produced; **nacionalidade**
[nasjonali'dadʒi] f nationality;
nacionalismo [nasjona'liʒmu]
m nationalism; **nacionalista**
[nasjona'liʃta] adj, m/f nationalist
nações [na'sõjʃ] fpl de **nação**
nada ['nada] pron nothing ▷ adv
at all; **antes de mais ~** first of all;
não é ~ difícil it's not at all hard, it's
not hard at all; **~ mais** nothing else;
~ de novo nothing new; **obrigado
– de ~** thank you – not at all ou don't
mention it
nadador, a [nada'do°, a] m/f
swimmer
nadar [na'da°] vi to swim

nádegas ['nadegaʃ] *fpl* buttocks

nado ['nadu] *m*: **atravessar a ~** to swim across; **~ borboleta/de costas/de peito** butterfly (stroke)/backstroke/breaststroke

naipe ['najpi] *m* (*cartas*) suit

namorado, -a [namo'radu, a] *m/f* boyfriend/girlfriend

namorar [namo'ra*] *vt* (*ser namorado de*) to be going out with

namoro [na'moru] *m* relationship

não [nãw] *adv* not; (*resposta*) no ▷ *m* no; **~ sei** I don't know; **~ muito** not much; **~ só ... mas também** not only ... but also; **agora ~** not now; **~ tem de quê** don't mention it; **~ é?** isn't it?, won't you? (*etc, segundo o verbo precedente*); **eles são brasileiros, ~ é?** they're Brazilian, aren't they?

não- [nãw-] *prefixo* non-

naquele(s), -a(s) [na'keli(ʃ), na'kɛla(ʃ)] = **em + aquele(s), a(s)**

naquilo [na'kilu] = **em + aquilo**

narina [na'rina] *f* nostril

nariz [na'riʒ] *m* nose

narração [naxa'sãw] (*pl* **-ões**) *f* narration; (*relato*) account

narrar [na'xa*] *vt* to narrate

narrativa [naxa'tʃiva] *f* narrative; (*história*) story

nas [naʃ] = **em + as**

-nas [naʃ] *pron* them

nascença [na'sẽsa] *f* birth; **de ~** by birth; **ele é surdo de ~** he was born deaf

nascente [na'sẽtʃi] *m*: **o ~** the East, the Orient ▷ *f*(*fonte*) spring

nascer [na'se*] *vi* to be born; (*plantas*) to sprout; (*o sol*) to rise; (*ave*) to hatch; (*fig: ter origem*) to come into being ▷ *m*: **~ do sol** sunrise; **ele nasceu para médico** *etc* he's a born doctor *etc*;

nascimento [nasi'mẽtu] *m* birth;

(*fig*) origin; (*estirpe*) descent

nata ['nata] *f* cream

natação [nata'sãw] *f* swimming

natais [na'tajʃ] *adj pl de* **natal**

Natal [na'taw] *m* Christmas; **Feliz ~!** Merry Christmas!

natal [na'taw] (*pl* **-ais**) *adj* (*relativo ao nascimento*) natal; (*país*) native; **cidade ~** home town

natalino, -a [nata'linu, a] *adj* Christmas *atr*

nativo, -a [na'tʃivu, a] *adj, m/f* native

natural [natu'raw] (*pl* **-ais**) *adj* natural; (*nativo*) native ▷ *m/f* native; **ao ~** (*Culin*) fresh, uncooked; **naturalidade** [naturali'dadʒi] *f* naturalness; **de naturalidade paulista** *etc* born in São Paulo *etc*; **naturalizar** [naturali'za*] *vt* to naturalize; **naturalizar-se** *vr* to become naturalized; **naturalmente** [naturaw'mẽtʃi] *adv* naturally; **naturalmente!** of course!

natureza [natu'reza] *f* nature; (*espécie*) kind, type

nau [naw] *f* (*literário*) ship

náusea ['nawzea] *f* nausea; **dar ~s a alguém** to make sb feel sick; **sentir ~s** to feel sick

náutico, -a ['nawtʃiku, a] *adj* nautical

naval [na'vaw] (*pl* **-ais**) *adj* naval; **construção ~** shipbuilding

navalha [na'vaʎa] *f* (*de barba*) razor; (*faca*) knife

nave ['navi] *f* (*de igreja*) nave

navegação [navega'sãw] *f* navigation, sailing; **~ aérea** air traffic; **companhia de ~** shipping line

navegar [nave'ga*] *vt* to navigate; (*mares*) to sail ▷ *vi* to sail; (*dirigir o rumo*) to navigate

navio [na'viu] *m* ship; **~
aeródromo/cargueiro/petroleiro**
aircraft carrier/cargo ship/oil
tanker; **~ de guerra** (BR) battleship
nazi [na'zi] (PT) *adj, m/f* = **nazista**
nazista [na'ziʃta] *adj, m/f* Nazi
NB *abr* (= *note bem*) NB
neblina [ne'blina] *f* fog, mist
nebuloso, -a [nebu'lozu, ɔza]
adj foggy, misty; (*céu*) cloudy;
(*fig*) vague
necessário, -a [nese'sarju,
a] *adj* necessary ▷ *m*: **o ~** the
necessities *pl*
necessidade [nesesi'dadʒi] *f*
need, necessity; (*o que se necessita*)
need; (*pobreza*) poverty, need; **ter ~
de** to need; **em caso de ~** if need be
necessitado, -a [nesesi'tadu, a]
adj needy, poor; **~ de** in need of
necessitar [nesesi'ta*] *vt* to
need, require ▷ *vi*: **~ de** to need
neerlandês, -esa [neexlã'deʃ,
eza] *adj* Dutch ▷ *m/f* Dutchman/
woman
Neerlândia [neex'lãdʒa] *f* the
Netherlands *pl*
negar [ne'ga*] *vt* to deny; (*recusar*)
to refuse; **negar-se** *vr*: **~-se a** to
refuse to
negativa [nega'tʃiva] *f* negative;
(*recusa*) denial
negativo, -a [nega'tʃivu, a] *adj*
negative ▷ *m* (*Tec, Foto*) negative
▷ *excl* (*col*) nope!
negligência [negli'ʒẽsja]
f negligence, carelessness;
negligente [negli'ʒẽtʃi] *adj*
negligent, careless
negociação [negosja'sãw] (*pl*
-ões) *f* negotiation
negociante [nego'sjãtʃi] *m/f*
businessman/woman
negociar [nego'sja*] *vt* to
negotiate; (*Com*) to trade ▷ *vi*: **~
(com)** to negotiate (with); to trade

ou deal (in)
negócio [ne'gɔsju] *m* (*Com*)
business; (*transação*) deal; (*questão*)
matter; (*col: troço*) thing; (*assunto*)
affair, business; **homem de ~s**
businessman; **a ~s** on business;
fechar um ~ to make a deal
negro, -a ['negru, a] *adj* black;
(*raça*) Black; (*fig: lúgubre*) black,
gloomy ▷ *m/f* Black man/woman
nele(s), -a(s) ['neli(ʃ), 'nɛla(ʃ)] =
em + ele(s), ela(s)
nem [nẽj] *conj* nor, neither; **~
(sequer)** not even; **~ que** even
if; **~ bem** hardly; **~ um só** not a
single one; **~ estuda ~ trabalha** he
neither studies nor works; **~ eu** nor
me; **sem ~** without even; **~ todos**
not all; **~ tanto** not so much; **~
sempre** not always
nenê [ne'ne] *m/f* baby
neném [ne'nẽj] (*pl* **-ns**) *m/f* =
nenê
nenhum, a [ne'ɲũ, 'ɲuma] *adj*
no, not any ▷ *pron* (*nem um só*) none,
not one; (*de dois*) neither; **~ lugar**
nowhere
nervo ['nexvu] *m* (*Anat*) nerve;
(*fig*) energy, strength; **nervoso,
-a** [nex'vozu, ɔza] *adj* nervous;
(*irritável*) touchy, on edge; (*exaltado*)
worked up; **ele me deixa nervoso**
he gets on my nerves
nesse(s), -a(s) ['nesi(ʃ), 'nɛsa(ʃ)]
= **em + esse(s), -a(s)**
neste(s), -a(s) ['neʃtʃi(ʃ),
'nɛʃta(ʃ)] = **em + este(s), -a(s)**
neto, -a ['nɛtu, a] *m/f* grandson/
daughter; **~s** *mpl* grandchildren
neurose [new'rɔzi] *f* neurosis;
neurótico, -a [new'rɔtʃiku, a] *adj,
m/f* neurotic
neutro, -a ['newtru, a] *adj* (*Ling*)
neuter; (*imparcial*) neutral
nevar [ne'va*] *vi* to snow;
nevasca [ne'vaʃka] *f* snowstorm;

neve ['nɛvi] f snow
névoa ['nɛvoa] f fog; **nevoeiro** [nevo'ejru] m thick fog
nexo ['nɛksu] m connection, link; **sem ~** disconnected, incoherent
Nicarágua [nika'ragwa] f: **a ~** Nicaragua
nicotina [niko'tʃina] f nicotine
Nigéria [ni'ʒɛrja] f: **a ~** Nigeria
Nilo ['nilu] m: **o ~** the Nile
ninguém [nĩ'gẽj] pron nobody, no-one
ninho ['niɲu] m nest; (toca) lair; (lar) home
nisso ['nisu] = **em** + **isso**
nisto ['niʃtu] = **em** + **isto**
nitidez [nitʃi'deʒ] f (clareza) clarity; (brilho) brightness; (imagem) sharpness
nítido, -a ['nitʃidu, a] adj clear, distinct; (brilhante) bright; (imagem) sharp, clear
nível ['nivew] (pl **-eis**) m level; (fig: padrão) standard; (: ponto) point, pitch; **~ de vida** standard of living
no [nu] = **em** + **o**
-no [nu] pron him; (coisa) it
n³ abr (= número) no
nó [nɔ] m knot; (de uma questão) crux; **~s dos dedos** knuckles; **dar um ~** to tie a knot
nobre ['nɔbri] adj, m/f noble; **horário ~** prime time; **nobreza** [no'breza] f nobility
noção [no'sãw] (pl **-ões**) f notion; **noções** fpl (rudimentos) rudiments, basics; **~ vaga** inkling; **não ter a menor ~ de algo** not to have the slightest idea about sth
nocaute [no'kawtʃi] m knockout ▷ adv: **pôr alguém ~** to knock sb out
nocivo, -a [no's ivu, a] adj harmful
noções [no'sõjʃ] fpl de **noção**
nocturno, -a [no'tuxnu, a] (PT) adj = **noturno**

nódoa ['nɔdwa] f spot; (mancha) stain
nogueira [no'gejra] f (árvore) walnut tree; (madeira) walnut
noite ['nojtʃi] f night; **à** ou **de ~** at night, in the evening; **boa ~** good evening; (despedida) good night; **da ~ para o dia** overnight; **tarde da ~** late at night
noivado [noj'vadu] m engagement
noivo, -a ['nojvu, a] m/f (prometido) fiancé(e); (no casamento) bridegroom/bride; **os ~s** mpl (prometidos) the engaged couple; (no casamento) the bride and groom; (recém-casados) the newly-weds
nojento, -a [no'ʒẽtu, a] adj disgusting
nojo ['noʒu] m nausea; (repulsão) disgust, loathing; **ela é um ~** she's horrible; **este trabalho está um ~** this work is messy
no-la(s) = **nos** + **a(s)**
no-lo(s) = **nos** + **o(s)**
nome ['nɔmi] m name; (fama) fame; **de ~** by name; **escritor de ~** famous writer; **um restaurante de ~** a restaurant with a good reputation; **em ~ de** in the name of; **~ de batismo** Christian name
nomear [no'mja*] vt to nominate; (conferir um cargo a) to appoint; (dar nome a) to name
nono, -a ['nɔnu, a] num ninth
nora ['nɔra] f daughter-in-law
nordeste [nox'dɛftʃi] m, adj northeast
norma ['nɔxma] f standard, norm; (regra) rule; **como ~** as a rule
normal [nox'maw] (pl **-ais**) adj normal; (habitual) usual; **normalizar** [noxmali'za*] vt to bring back to normal; **normalizar-se** vr to return to normal
noroeste [nor'wɛftʃi] adj

northwest, northwestern ▷ *m* northwest

norte ['nɔxtʃi] *adj* northern, north; (*vento, direção*) northerly ▷ *m* north; **norte-americano, -a** *adj*, *m/f* (North) American

Noruega [nor'wega] *f* Norway; **norueguês, -esa** [norwe'geʃ, geza] *adj*, *m/f* Norwegian ▷ *m* (*Ling*) Norwegian

nos [nuʃ] = **em** + **os** *pron* (*direto*) us; (*indireto*) us, to us, for us; (*reflexivo*) (to) ourselves; (*recíproco*) (to) each other

-nos [nuʃ] *pron* them

nós [nɔʃ] *pron* we; (*depois de prep*) us; **~ mesmos** we ourselves

nosso, -a ['nɔsu, a] *adj* our ▷ *pron* ours; **um amigo ~** a friend of ours; **Nossa Senhora** (*Rel*) Our Lady

nostalgia [noʃtaw'ʒia] *f* nostalgia; (*saudades da pátria etc*) homesickness; **nostálgico, -a** [noʃ'tawʒiku, a] *adj* nostalgic; homesick

nota ['nɔta] *f* note; (*Educ*) mark; (*conta*) bill; (*cédula*) banknote; **~ de venda** sales receipt; **~ fiscal** receipt

notar [no'ta*] *vt* to notice, note; **notar-se** *vr* to be obvious; **fazer ~** to call attention to; **notável** [no'tavew] (*pl* -**eis**) *adj* notable, remarkable

notícia [no'tʃisja] *f* (*uma ~*) piece of news; (*TV etc*) news item; **~s** *fpl* (*informações*) news *sg*; **pedir ~s de** to inquire about; **ter ~s de** to hear from; **noticiário** [notʃi'sjarju] *m* (*de jornal*) news section; (*Cinema*) newsreel; (*TV, Rádio*) news bulletin

notório, -a [no'tɔrju, a] *adj* well-known

noturno, -a [no'tuxnu, a] *adj* nocturnal, nightly; (*trabalho*) night *atr* ▷ *m* (*trem*) night train

nova ['nɔva] *f* piece of news; **~s** *fpl* (*novidades*) news *sg*

novamente [nova'mētʃi] *adv* again

novato, -a [no'vatu, a] *adj* inexperienced, raw ▷ *m/f* beginner, novice; (*Educ*) fresher

Nova Zelândia *f* New Zealand

nove ['nɔvi] *num* nine

novela [no'vela] *f* short novel, novella; (*Rádio, TV*) soap opera

novelo [no'velu] *m* ball of thread

novembro [no'vẽbru] (*PT* **N-**) *m* November

noventa [no'vẽta] *num* ninety

novidade [novi'dadʒi] *f* novelty; (*notícia*) piece of news; **~s** *fpl* (*notícias*) news *sg*

novilho, -a [no'viʎu, a] *m/f* young bull/heifer

novo, -a ['novu, 'nɔva] *adj* new; (*jovem*) young; (*adicional*) further; **de ~** again

noz [nɔʒ] *f* nut; (*da nogueira*) walnut; **~ moscada** nutmeg

nu, a [nu, 'nua] *adj* naked; (*árvore, sala, parede*) bare ▷ *m* nude

nublado, -a [nu'bladu, a] *adj* cloudy, overcast

nuclear [nu'klja*] *adj* nuclear

núcleo ['nuklju] *m* nucleus *sg*; (*centro*) centre (*BRIT*), center (*US*)

nudez [nu'deʒ] *f* nakedness, nudity; (*de paredes etc*) bareness

nudista [nu'dʒiʃta] *adj*, *m/f* nudist

nulo, -a ['nulu, a] *adj* (*Jur*) null, void; (*nenhum*) non-existent; (*sem valor*) worthless; (*esforço*) vain, useless

num [nũ] = **em** + **um**

numa(s) ['numa(ʃ)] = **em** + **uma(s)**

numeral [nume'raw] (*pl* -**ais**) *m* numeral

numerar [nume'ra*] *vt* to number

numérico, -a [nu'mɛriku, a] *adj*
numerical

número ['numeru] *m* number;
(*de jornal*) issue; (*Teatro etc*) act;
(*de sapatos, roupa*) size; **sem
~** countless; **~ de matrícula**
registration (BRIT) *ou* license
plate (US) number; **numeroso, -a**
[nume'rozu, ɔza] *adj* numerous

nunca ['nũka] *adv* never; **~ mais**
never again; **quase ~** hardly ever;
mais que ~ more than ever

nuns [nũʃ] = **em + uns**

núpcias ['nupsjaʃ] *fpl* nuptials,
wedding *sg*

nutrição [nutri'sãw] *f* nutrition

nuvem ['nuvẽj] (*pl* **-ns**) *f* cloud; (*de
insetos*) swarm

o, a [u, a] *art def* **1** the; **o livro/a
mesa/os estudantes** the book/
table/students
2 (*com n abstrato: não se traduz*): **o
amor/a juventude** love/youth
3 (*posse: traduz-se muitos vezes por
adj possessivo*): **quebrar o braço**
to break one's arm; **ele levantou
a mão** he put his hand up; **ela
colocou o chapéu** she put her
hat on
4 (*valor descritivo*): **ter a boca
grande/os olhos azuis** to have a
big mouth/blue eyes
▷ *pron demonstrativo*: **meu livro e
o seu** my book and yours; **as de
Pedro são melhores** Pedro's are
better; **não a(s) branca(s) mas
a(s) cinza(s)** not the white one(s)
but the grey one(s)
▷ *pron relativo*: **o que** *etc* **1** (*indef*):

o(s) que quiser(em) pode(m) sair
anyone who wants to can leave;
leve o que mais gustar take the
one you like best
2 (def): **o que comprei ontem** the
one I bought yesterday; **os que
sairam** those who left
3: **o que** what; **o que eu acho/mais
gosto** what I think/like most
▷ pron pessoal **1** (pessoa: m) him;
(: f) her; (: pl) them; **não posso
vê-lo(s)** I can't see him/them;
vemo-la todas as semanas we see
her every week
2 (animal, coisa: sg) it; (: pl) them;
não posso vê-lo(s) I can't see
it/them; **acharam-nos na praia**
they found us on the beach

obedecer [obede'se°] vi: **~ a** to
obey; **obediência** [obe'dʒēsja] f
obedience; **obediente** [obe'dʒētʃi]
adj obedient
óbito ['ɔbitu] m death; **atestado
de ~** death certificate
objeção [obʒe'sãw] (PT -**cç**-; pl
-**ões**) f objection; **fazer** ou **pôr
objeções a** to object to
objetivo, -a [obʒe'tʃivu, a] (PT
-**ct**-) adj objective ▷ m objective
objeto [ob'ʒetu] (PT -**ct**-) m object
obra ['ɔbra] f work; (Arq) building,
construction; (Teatro) play; **em ~s**
under repair; **ser ~ de alguém/
algo** to be the work of sb/the result
of sth; **~ de arte** work of art; **~s
públicas** public works; **obra-prima**
(pl **obras-primas**) f masterpiece
obrigação [obriga'sãw] (pl -**ões**) f
obligation; (Com) bond
obrigado, -a [obri'gadu, a] adj
obliged, compelled ▷ excl thank
you; (recusa) no, thank you
obrigar [obri'ga°] vt to oblige,
compel; **obrigar-se** vr: **~-se a
fazer algo** to undertake to do sth;

obrigatório, -a [obriga'tɔrju, a]
adj compulsory, obligatory
obsceno, -a [obi'sɛnu, a] adj
obscene
obscurecer [obiʃkure'se°] vt to
darken; (entendimento, verdade etc) to
obscure ▷ vi to get dark
obscuro, -a [obi'ʃkuru, a] adj
dark; (fig) obscure
observação [obisexva'sãw] (pl
-**ões**) f observation; (comentário)
remark, comment; (de leis, regras)
observance
observador, a [obisexva'do°, a]
m/f observer
observar [obisex'va°] vt to
observe; (notar) to notice; **~ algo a
alguém** to point sth out to sb
observatório [obisexva'tɔrju] m
observatory
obsessão [obise'sãw] (pl -**ões**)
f obsession; **obsessivo, -a**
[obise'sivu, a] adj obsessive
obsoleto, -a [obiso'lɛtu, a] adj
obsolete
obstinado, -a [obiʃtʃi'nadu, a]
adj obstinate, stubborn
obstrução [obiʃtru'sãw] (pl -**ões**)
f obstruction; **obstruir** [obiʃ'trwi°]
vt to obstruct; (impedir) to impede
obter [obi'te°] (irreg: como **ter**) vt
to obtain, get; (alcançar) to gain
obturação [obitura'sãw] (pl -**ões**)
f (de dente) filling
obtuso, -a [obi'tuzu, a] adj (ger)
obtuse; (fig: pessoa) thick
óbvio, -a ['ɔbvju, a] adj obvious;
(é) ~! of course!
ocasião [oka'zjãw] (pl -**ões**) f
opportunity, chance; (momento,
tempo) occasion; **ocasionar**
[okazjo'na°] vt to cause, bring
about
oceano [o'sjanu] m ocean
ocidental [osidē'taw] (pl -**ais**) adj
western ▷ m/f westerner

ocidente [osiˈdẽtʃi] m west

ócio [ˈɔsju] m (lazer) leisure; (inação) idleness; **ocioso, -a** [oˈsjozu, ɔza] adj idle; (vaga) unfilled

oco, -a [ˈoku, a] adj hollow, empty

ocorrência [okoˈxẽsja] f incident, event; (circunstância) circumstance

ocorrer [okoˈxe*] vi to happen, occur; (vir ao pensamento) to come to mind; **~ a alguém** to happen to sb; to occur to sb

oculista [okuˈliʃta] m/f optician

óculo [ˈɔkulu] m spyglass; **~s** mpl (para ver melhor) glasses, spectacles; **~s de proteção** goggles

ocultar [okuwˈta*] vt to hide, conceal; **oculto, -a** [oˈkuwtu, a] adj hidden; (desconhecido) unknown; (secreto) secret; (sobrenatural) occult

ocupação [okupaˈsãw] (pl **-ões**) f occupation

ocupado, -a [okuˈpadu, a] adj (pessoa) busy; (lugar) taken, occupied; (BR: telefone) engaged (BRIT), busy (US); **sinal de ~** (BR: Tel) engaged tone (BRIT), busy signal (US)

ocupar [okuˈpa*] vt to occupy; (tempo) to take up; (pessoa) to keep busy; **ocupar-se** vr: **~-se com** ou **de** ou **em algo** (dedicar-se a) to deal with sth; (cuidar de) to look after sth; (passar seu tempo com) to occupy o.s. with sth

odiar [oˈdʒja*] vt to hate; **ódio** [ˈɔdʒju] m hate, hatred

odor [oˈdo*] m smell

oeste [ˈwɛʃtʃi] m west ▷ adj inv (região) western; (direção, vento) westerly

ofegante [ofeˈgãtʃi] adj breathless, panting

ofender [ofẽˈde*] vt to offend;

ofender-se vr: **~-se (com)** to take offence (BRIT) ou offense (US) (at)

ofensa [oˈfẽsa] f insult; (à lei, moral) offence (BRIT), offense (US); **ofensiva** [ofẽˈsiva] f offensive; **ofensivo, -a** [ofẽˈsivu, a] adj offensive

oferecer [ofereˈse*] vt to offer; (dar) to give; (jantar) to give; (propor) to propose; (dedicar) to dedicate; **oferecer-se** vr (pessoa) to offer o.s., volunteer; (oportunidade) to present itself, arise; **~-se para fazer** to offer to do; **oferecimento** [ofereziˈmẽtu] m offer; **oferta** [oˈfɛxta] f offer; (dádiva) gift; (Com) bid; (em loja) special offer

oficial [ofiˈsjaw] (pl **-ais**) adj official ▷ m/f official; (Mil) officer; **~ de justiça** bailiff

oficina [ofiˈsina] f workshop; **~ mecânica** garage

ofício [oˈfisju] m profession, trade; (Rel) service; (carta) official letter; (função) function; (encargo) job, task

oitavo, -a [ojˈtavu, a] num eighth

oitenta [ojˈtẽta] num eighty

oito [ˈojtu] num eight

olá [oˈla] excl hello!

olaria [olaˈria] f (fábrica: de louças de barro) pottery; (: de tijolos) brickworks sg

óleo [ˈɔlju] m (lubricante) oil; **~ diesel/de bronzear** diesel/suntan oil; **oleoso, -a** [oˈljozu, ɔza] adj oily; (gorduroso) greasy

olfato [owˈfatu] m sense of smell

olhada [oˈʎada] f glance, look; **dar uma ~** to have a look

olhadela [oʎaˈdɛla] f peep

olhar [oˈʎa*] vt to look at; (observar) to watch; (ponderar) to consider; (cuidar de) to look after ▷ vi to look ▷ m look; **olhar-se** vr to look at o.s.; (duas pessoas) to look at each other; **~ fixamente** to stare at; **~ para** to look at; **~ por** to look after; **~ fixo** stare

olho ['oʎu] m (*Anat, de agulha*) eye; (*vista*) eyesight; **~ nele!** watch him!; **~ vivo!** keep your eyes open!; **a ~** (*medir, calcular etc*) by eye; **~ mágico** (*na porta*) peephole; **~ roxo** black eye; **num abrir e fechar de ~s** in a flash

olimpíada [oli'piada] f: **as O~s** the Olympics

oliveira [oli'vejra] f olive tree

ombro ['õbru] m shoulder; **encolher os ~s, dar de ~s** to shrug one's shoulders

omeleta [ome'leta] (*PT*) f = **omelete**

omelete [ome'letʃi] (*BR*) f omelette (*BRIT*), omelet (*US*)

omissão [omi'sãw] (*pl* **-ões**) f omission; (*negligência*) negligence

omitir [omi'tʃi°] vt to omit

omoplata [omo'plata] f shoulder blade

onça ['õsa] f ounce; (*animal*) jaguar

onda ['õda] f wave; (*moda*) fashion; **~ curta/média/longa** short/medium/long wave; **~ de calor** heat wave

onde ['õdʒi] adv where ▷ conj where, in which; **de ~ você é?** where are you from?; **por ~** through which; **por ~?** which way?; **~ quer que** wherever

ondulado, -a [õdu'ladu, a] adj wavy

ônibus ['onibuʃ] (*BR*) m inv bus; **ponto de ~** bus-stop

ontem ['õtẽ] adv yesterday; **~ à noite** last night

ONU ['onu] abr f (= *Organização das Nações Unidas*) UNO

ônus ['onuʃ] m inv onus; (*obrigação*) obligation; (*Com*) charge; (*encargo desagradável*) burden

onze ['õzi] num eleven

opaco, -a [o'paku, a] adj opaque; (*obscuro*) dark

opção [op'sãw] (*pl* **-ões**) f option, choice; (*preferência*) first claim, right

ópera ['ɔpera] f opera

operação [opera'sãw] (*pl* **-ões**) f operation; (*Com*) transaction

operador, a [opera'do°, a] m/f operator; (*cirurgião*) surgeon; (*num cinema*) projectionist

operar [ope'ra°] vt to operate; (*produzir*) to effect, bring about; (*Med*) to operate on ▷ vi to operate; (*agir*) to act, function; **operar-se** vr (*suceder*) to take place; (*Med*) to have an operation

operário, -a [ope'rarju, a] adj working ▷ m/f worker; **classe operária** working class

opinar [opi'na°] vt to think ▷ vi to give one's opinion

opinião [opi'njãw] (*pl* **-ões**) f opinion; **mudar de ~** to change one's mind

oponente [opo'nẽtʃi] adj opposing ▷ m/f opponent

opor [o'po°] (*irreg: como* **pôr**) vt to oppose; (*resistência*) to put up, offer; (*objeção, dificuldade*) to raise; **opor-se** vr: **~-se a** to object to; (*resistir*) to oppose

oportunidade [opoxtuni'dadʒi] f opportunity

oportunista [opoxtu'niʃta] adj, m/f opportunist

oportuno, -a [opox'tunu, a] adj (*momento*) opportune, right; (*oferta de ajuda*) well-timed; (*conveniente*) convenient, suitable

oposição [opozi'sãw] f opposition; **em ~ a** against; **fazer ~ a** to oppose

opressão [opre'sãw] (*pl* **-ões**) f oppression; **opressivo, -a**

[opreˈsivu, a] *adj* oppressive
oprimir [opriˈmiˈ] *vt* to oppress; (*comprimir*) to press
optar [opˈtaˈ] *vi* to choose; **~ por** to opt for; **~ por fazer** to opt to do
óptico, -a *etc* [ˈɔtiku, a] (*PT*) = **ótico** *etc*
óptimo, -a *etc* [ˈɔtimu, a] (*PT*) *adj* = **ótimo** *etc*
ora [ˈɔra] *adv* now ▷ *conj* well; **por ~** for the time being; **~ ..., ~ ...** one moment ..., the next ...; **~ bem** now then
oração [oraˈsãw] (*pl* **-ões**) *f* prayer; (*discurso*) speech; (*Ling*) clause
oral [oˈraw] (*pl* **-ais**) *adj* oral ▷ *f* oral (exam)
orar [oˈraˈ] *vi* (*Rel*) to pray
órbita [ˈɔxbita] *f* orbit; (*do olho*) socket
Órcades [ˈɔxkadʒiʃ] *fpl* **as ~** the Orkneys
orçamento [oxsaˈmẽtu] *m* (*do estado etc*) budget; (*avaliação*) estimate
orçar [oxˈsaˈ] *vt* to value, estimate ▷ *vi*: **~ em** (*gastos etc*) to be valued at, be put at
ordem [ˈoxdẽ] (*pl* **-ns**) *f* order; **até nova ~** until further notice; **de primeira ~** first-rate; **estar em ~** to be tidy; **por ~** in order, in turn; **~ do dia** agenda; **~ pública** public order, law and order
ordenado, -a [oxdeˈnadu, a] *adj* (*posto em ordem*) in order; (*metódico*) orderly ▷ *m* salary, wages *pl*
ordens [ˈoxdẽʃ] *fpl de* **ordem**
ordinário, -a [oxdʒiˈnarju, a] *adj* ordinary; (*comum*) usual; (*medíocre*) mediocre; (*grosseiro*) coarse, vulgar; (*de má qualidade*) inferior; **de ~** usually
orelha [oˈreʎa] *f* ear; (*aba*) flap
orelhão [oreˈʎãw] (*col*) *m* payphone

órfão, -fã [ˈɔxfãw, fã] (*pl* **~s**) *adj*, *m/f* orphan
orgânico, -a [oxˈganiku, a] *adj* organic
organismo [oxgaˈniʒmu] *m* organism; (*entidade*) organization
organização [oxganizaˈsãw] (*pl* **-ões**) *f* organization; **organizar** [oxganiˈzaˈ] *vt* to organize
órgão [ˈɔxgãw] (*pl* **~s**) *m* organ; (*governamental etc*) institution, body
orgasmo [oxˈgaʒmu] *m* orgasm
orgia [oxˈʒia] *f* orgy
orgulho [oxˈguʎu] *m* pride; (*arrogância*) arrogance; **orgulhoso, -a** [oxguˈʎozu, ɔza] *adj* proud; haughty
orientação [orjẽtaˈsãw] *f* direction; (*posição*) position; **~ educacional** training, guidance
oriental [orjẽˈtaw] (*pl* **-ais**) *adj* eastern; (*do Extremo Oriente*) oriental
orientar [orjẽˈtaˈ] *vt* to orientate; (*indicar o rumo*) to direct; (*aconselhar*) to guide; **orientar-se** *vr* to get one's bearings; **~-se por algo** to follow sth
oriente [oˈrjẽtʃi] *m*: **o O~** the East; **Extremo O~** Far East; **O~ Médio** Middle East
origem [oˈriʒẽ] (*pl* **-ns**) *f* origin; (*ascendência*) lineage, descent; **lugar de ~** birthplace
original [oriʒiˈnaw] (*pl* **-ais**) *adj* original; (*estranho*) strange, odd ▷ *m* original; **originalidade** [oriʒinaliˈdadʒi] *f* originality; (*excentricidade*) eccentricity
originar [oriʒiˈnaˈ] *vt* to give rise to, start; **originar-se** *vr* to arise; **~-se de** to originate from
oriundo, -a [oˈrjũdu, a] *adj*: **~ de** arising from; (*natural*) native of
orla [ˈɔxla] *f*: **~ marítima** seafront
ornamento [oxnaˈmẽtu] *m* adornment, decoration

orquestra [ox'kɛʃtra] (PT **-esta**)
f orchestra

orquídea [ox'kidʒja] f orchid

ortodoxo, -a [oxto'dɔksu, a] adj
orthodox

ortografia [oxtogra'fia] f
spelling

orvalho [ox'vaʎu] m dew

os [uʃ] art def V **o**

osso ['osu] m bone

ostensivo, -a [oʃtẽ'sivu, a] adj
ostensible

ostentar [oʃtẽ'ta*] vt to show;
(alardear) to show off, flaunt

ostra ['oʃtra] f oyster

OTAN ['otã] abr f (= Organização do
Tratado do Atlântico Norte) NATO

ótica ['ɔtʃika] f optics sg; (loja)
optician's; (fig: ponto de vista)
viewpoint; V tb **ótico**

ótico, -a ['ɔtʃiku, a] adj optical
▷ m/f optician

otimista [otʃi'miʃta] adj
optimistic ▷ m/f optimist

ótimo, -a ['ɔtʃimu, a] adj excellent,
splendid ▷ excl great!, super!

ou [o] conj or; **~ este ~ aquele**
either this one or that one; **~ seja** in
other words

ouço etc ['osu] vb V **ouvir**

ouriço [o'risu] m (europeu)
hedgehog; (casca) shell

ouro ['oru] m gold; **~s** mpl (Cartas)
diamonds

ousadia [oza'dʒia] f daring

ousar [o'za*] vt, vi to dare

outono [o'tonu] m autumn

○ **PALAVRA CHAVE**

outro, -a ['otru, a] adj **1** (distinto:
sg) another; (: pl) other; **outra
coisa** something else; **de ~ modo,
de outra maneira** otherwise; **no
~ dia** the next day; **ela está outra**
(mudada) she's changed

2 (adicional): **traga-me ~ café, por
favor** can I have another coffee,
please?; **outra vez** again
▷ pron **1 o ~** the other one; **(os) ~s**
(the) others; **de ~** somebody else's
2 (recíproco): **odeiam-se uns aos ~s**
they hate one another ou each other
3: **~ tanto** the same again; **comer
~ tanto** to eat the same ou as much
again; **ele recebeu uma dezena
de telegramas e outras tantas
chamadas** he got about ten
telegrams and as many calls

outubro [o'tubru] (PT **O-**) m
October

ouvido [o'vidu] m (Anat) ear;
(sentido) hearing; **de ~** by ear; **dar ~s
a** to listen to

ouvinte [o'vĩtʃi] m/f listener;
(estudante) auditor

ouvir [o'vi*] vt to hear; (com
atenção) to listen to; (missa) to
attend ▷ vi to hear; to listen; **~
dizer que ...** to hear that ...; **~ falar
de** to hear of

ova ['ova] f roe

oval [o'vaw] (pl **-ais**) adj, f oval

ovário [o'varju] m ovary

ovelha [o'veʎa] f sheep

óvni ['ɔvni] m UFO

ovo ['ovu] m egg; **~s de granja**
free-range eggs; **~ pochê** (BR)
ou **escalfado** (PT) poached egg;
~ estrelado ou **frito** fried egg;
~s mexidos scrambled eggs; **~
quente/cozido duro** hard-boiled/
soft-boiled egg

oxidar [oksi'da*] vt to rust;
oxidar-se vr to rust, go rusty

oxigenado, -a [oksiʒe'nadu,
a] adj (cabelo) bleached; **água
oxigenada** peroxide

oxigênio [oksi'ʒenju] m oxygen

ozônio [o'zonju] m ozone;
camada de ~ ozone layer

P

P. _abr_ (= Praça) Sq.

pá [pa] _f_ shovel; (_de remo, hélice_) blade ▷ _m_ (PT) pal, mate; **~ de lixo** dustpan

paca ['paka] _f_ (Zool) paca

pacato, -a [pa'katu, a] _adj_ (_pessoa_) quiet; (_lugar_) peaceful

paciência [pa'sjēsja] _f_ patience; **paciente** [pa'sjētʃi] _adj, m/f_ patient

pacífico, -a [pa'sifiku, a] _adj_ (_pessoa_) peace-loving; (_aceito sem discussão_) undisputed; (_sossegado_) peaceful; **o (Oceano) P~** the Pacific (Ocean)

pacote [pa'kɔtʃi] _m_ packet; (_embrulho_) parcel; (_Econ, Comput, Turismo_) package

pacto ['paktu] _m_ pact; (_ajuste_) agreement

padaria [pada'ria] _f_ bakery, baker's (shop)

padeiro [pa'dejru] _m_ baker

padiola [pa'dʒjɔla] _f_ stretcher

padrão [pa'drãw] (_pl_ **-ões**) _m_ standard; (_medida_) gauge; (_desenho_) pattern; (_fig: modelo_) model; **~ de vida** standard of living

padrasto [pa'draʃtu] _m_ stepfather

padre ['padri] _m_ priest

padrinho [pa'driɲu] _m_ godfather; (_de noivo_) best man; (_patrono_) sponsor

padroeiro, -a [pa'drwejru, a] _m/f_ patron; (_santo_) patron saint

padrões [pa'drõjʃ] _mpl de_ **padrão**

pães [pãjʃ] _mpl de_ **pão**

pagador, a [paga'do*, a] _adj_ paying ▷ _m/f_ payer; (_de salário_) pay clerk; (_de banco_) teller

pagamento [paga'mẽtu] _m_ payment; **~ a prazo** ou **em prestações** payment in instal(l)ments; **~ à vista** cash payment; **~ contra entrega** (Com) COD, cash on delivery

pagar [pa'ga*] _vt_ to pay; (_compras, pecados_) to pay for; (_o que devia_) to pay back; (_retribuir_) to repay ▷ _vi_ to pay; **~ por algo** (_tb fig_) to pay for sth; **~ a prestações** to pay in instal(l)ments; **~ de contado** (PT) to pay cash

página ['paʒina] _f_ page; **~ (da) web** web page

pago, -a ['pagu, a] _pp de_ **pagar** ▷ _adj_ paid; (_fig_) even ▷ _m_ pay

pai [paj] _m_ father; **~s** _mpl_ parents

painel [paj'nɛw] (_pl_ **-éis**) _m_ panel; (_quadro_) picture; (_Auto_) dashboard; (_de avião_) instrument panel

país [pa'jiʃ] _m_ country; (_região_) land; **~ natal** native land

paisagem [paj'zaʒẽ] (_pl_ **-ns**) _f_ scenery, landscape

paisano, -a [paj'zanu, a] _adj_ civilian ▷ _m/f_ (_não militar_) civilian; (_compatriota_) fellow countryman

Países Baixos *mpl*: **os ~** the
Netherlands
paixão [paj'ʃãw] (*pl* **-ões**) *f*
passion
palácio [pa'lasju] *m* palace; **~ da
justiça** courthouse; **~ do Planalto**
see boxed note

● **PALACIO DO PLANALTO**
●
● **Palácio do Planalto** is the seat
● of the Brazilian government, in
● Brasília. The name comes from
● the fact that the Brazilian capital
● is situated on a plateau. It has
● come to be a byword for central
● government.

paladar [pala'da°] *m* taste; (*Anat*)
palate
palafita [pala'fita] *f* (*estacaria*)
stilts *pl*; (*habitação*) stilt house
palavra [pa'lavra] *f* word; (*fala*)
speech; (*promessa*) promise; (*direito
de falar*) right to speak; **dar a ~ a
alguém** to give sb the chance to
speak; **ter ~** (*pessoa*) to be reliable;
~s cruzadas crossword (puzzle) *sg*;
palavrão [pala'vrãw] (*pl* **-ões**) *m*
swearword
palco ['palku] *m* (*Teatro*) stage;
(*fig: local*) scene
Palestina [paleʃ'tʃina] *f*: **a ~**
Palestine; **palestino, -a** [paleʃ-
'tʃinu, a] *adj, m/f* Palestinian
palestra [pa'leʃtra] *f* chat, talk;
(*conferência*) lecture
paletó [pale'tɔ] *m* jacket
palha ['paʎa] *f* straw
palhaço [pa'ʎasu] *m* clown
pálido, -a ['palidu, a] *adj* pale
palito [pa'litu] *m* stick; (*para os
dentes*) toothpick
palma ['pawma] *f* (*folha*) palm
leaf; (*da mão*) palm; **bater ~s** to
clap; **palmada** [paw'mada] *f* slap

palmeira [paw'mejra] *f* palm tree
palmo ['pawmu] *m* span; **~ a ~**
inch by inch
palpável [paw'pavew] (*pl* **-eis**) *adj*
tangible; (*fig*) obvious
pálpebra ['pawpebra] *f* eyelid
palpitação [pawpita'sãw]
(*pl* **-ões**) *f* beating, throbbing;
palpitações *fpl* (*batimentos
cardíacos*) palpitations
palpitante [pawpi'tãtʃi]
adj beating, throbbing; (*fig:
emocionante*) thrilling; (: *de interesse
atual*) sensational
palpitar [pawpi'ta°] *vi* (*coração*)
to beat
palpite [paw'pitʃi] *m* (*intuição*)
hunch; (*Jogo, Turfe*) tip; (*opinião*)
opinion
pampa ['pãpa] *f* pampas
Panamá [pana'ma] *m*: **o ~**
Panama, the Panama Canal
pancada [pã'kada] *f* (*no corpo*)
blow, hit; (*choque*) knock; (*de relógio*)
stroke; **dar ~ em alguém** to hit sb;
pancadaria [pãkada'ria] *f* (*surra*)
beating; (*tumulto*) fight
pandeiro [pã'dejru] *m* tambourine
pane ['pani] *f* breakdown
panela [pa'nɛla] *f* (*de barro*)
pot; (*de metal*) pan; (*de cozinhar*)
saucepan; (*no dente*) hole; **~ de
pressão** pressure cooker
panfleto [pã'fletu] *m* pamphlet
pânico ['paniku] *m* panic; **entrar
em ~** to panic
pano ['panu] *m* cloth; (*Teatro*)
curtain; (*vela*) sheet, sail; **~ de
pratos** tea-towel; **~ de pó** duster; **~
de fundo** (*tb fig*) backdrop
panorama [pano'rama] *m* view
panqueca [pã'kɛka] *f* pancake
pantanal [pãta'naw] (*pl* **-ais**) *m*
swampland
pântano ['pãtanu] *m* marsh,

swamp

pantera [pã'tɛra] *f* panther

pão [pãw] (*pl* **pães**) *m* bread; **o P~ de Açúcar** (*no Rio*) Sugarloaf Mountain; **~ torrado** toast; **pãoduro** (*pl* **pães-duros**) (*col*) *adj* mean, stingy ▷ *m/f* miser; **pãozinho** [pãw'ziɲu] *m* roll

papa ['papa] *m* Pope; (*mingau*) porridge

papagaio [papa'gaju] *m* parrot; (*pipa*) kite

papai [pa'paj] *m* dad, daddy; **P~ Noel** Santa Claus, Father Christmas

papel [pa'pɛw] (*pl* **-éis**) *m* paper; (*Teatro, função*) role; **~ de embrulho/de escrever/de alumínio** wrapping paper/writing paper/tinfoil; **~ higiênico/usado** toilet/waste paper; **~ de parede/de seda/transparente** wallpaper/tissue paper/tracing paper; **papelão** [pape'lãw] *m* cardboard; (*fig*) fiasco; **papelaria** [papela'ria] *f* stationer's (shop); **papel-carbono** *m* carbon paper

papo ['papu] (*col*) *m* (*queixo duplo*) double chin; (*conversa*) chat; **bater (um) ~** to have a chat, chat (*tb: Internet*); **ficar de ~ para o ar** (*fig*) to laze around

paquerar [pake'ra*] (*col*) *vi* to flirt ▷ *vt* to chat up

paquistanês, -esa [pakiʃta'neʃ, eza] *adj, m/f* Pakistani

Paquistão [pakiʃ'tãw] *m*: **o ~** Pakistan

par [pa*] *adj* (*igual*) equal; (*número*) even ▷ *m* pair; (*casal*) couple; (*pessoa na dança*) partner; **~ a ~** side by side, level; **sem ~** incomparable

para ['para] *prep* for; (*direção*) to, towards; **~ que** so that, in order that; **~ quê?** what for?, why?; **ir ~ casa** to go home; **~ com** (*atitude*) towards; **de lá ~ cá** since then; **~ a**

semana next week; **estar ~** to be about to; **é ~ nós ficarmos aqui?** should we stay here?

parabéns [para'bẽjʃ] *mpl* congratulations; (*no aniversário*) happy birthday; **dar ~ a** to congratulate

pára-brisa ['para-] (*pl* **~s**) *m* windscreen (*BRIT*), windshield (*US*)

pára-choque ['para-] (*pl* **~s**) *m* (*Auto*) bumper

parada [pa'rada] *f* stop; (*Com*) stoppage; (*militar, colegial*) parade

parado, -a [pa'radu, a] *adj* (*imóvel*) standing still; (*sem vida*) lifeless; (*carro*) stationary; (*máquina*) out of action; (*olhar*) fixed; (*trabalhador, fábrica*) idle

paradoxo [para'dɔksu] *m* paradox

parafuso [para'fuzu] *m* screw

paragem [pa'raʒẽj] (*pl* **-ns**) *f* stop; **paragens** *fpl* (*lugares*) places, parts; **~ de eléctrico** (*PT*) tram (*BRIT*) *ou* streetcar (*US*) stop

parágrafo [pa'ragrafu] *m* paragraph

Paraguai [para'gwaj] *m*: **o ~** Paraguay; **paraguaio, -a** [para'gwaju, a] *adj, m/f* Paraguayan

paraíso [para'izu] *m* paradise

pára-lama ['para-] (*pl* **~s**) *m* wing (*BRIT*), fender (*US*); (*de bicicleta*) mudguard

paralelepípedo [paralele'pipedu] *m* paving stone

paralelo, -a [para'lɛlu, a] *adj* parallel

parapeito [para'pejtu] *m* wall, parapet; (*da janela*) windowsill

parapente [para'pẽtʃi] *m* (*Esporte*) paragliding; (*equipamento*) paraglider

pára-quedas ['para-] *m inv* parachute

parar [pa'ra*] *vi* to stop; (*ficar*) to

stay ▷ vt to stop; **fazer ~** (deter) to stop; **~ na cadeia** to end up in jail; **~ de fazer** to stop doing

pára-raios ['para-] m inv lightning conductor

parasita [para'zita] m parasite

parceiro, -a [pax'sejru, a] adj matching ▷ m/f partner

parcela [pax'sela] f piece, bit; (de pagamento) instalment (BRIT), installment (US); (de terra) plot; (do eleitorado etc) section; (Mat) item

parceria [paxse'ria] f partnership

parcial [pax'sjaw] (pl **-ais**) adj partial; (feito por partes) in parts; (pessoa) bias(s)ed; (Pol) partisan; **parcialidade** [paxsjali'dadʒi] f bias, partiality

pardal [pax'daw] (pl **-ais**) m sparrow

pardieiro [pax'dʒjejru] m ruin, heap

pardo, -a ['paxdu, a] adj (cinzento) grey (BRIT), gray (US); (castanho) brown; (mulato) mulatto

parecer [pare'se°] m, vi (ter a aparência de) to look, seem; **parecer-se** vr: **~-se com alguém** to look like sb; **~ (com)** (ter semelhança com) to look (like); **ao que parece** apparently; **parece-me que** I think that, it seems to me that; **que lhe parece?** what do you think?; **parece que** it looks as if

parecido, -a [pare'sidu, a] adj alike, similar; **~ com** like

parede [pa'redʒi] f wall

parente, -a [pa'rētʃi] m/f relative, relation; **parentesco** [parē'teʃku] m relationship; (fig) connection

parêntese [pa'rētezi] m parenthesis; (na escrita) bracket; (fig: digressão) digression

páreo ['parju] m race; (fig) competition

parir [pa'ri°] vt to give birth to ▷ vi to give birth; (mulher) to have a baby

Paris [pa'riʃ] n Paris; **parisiense** [pari'zjēsi] adj, m/f Parisian

parlamentar [paxlamē'ta°] adj parliamentary ▷ m/f member of parliament

parlamento [paxla'mētu] m parliament

paróquia [pa'rɔkja] f (Rel) parish

parque ['paxki] m park; **~ industrial/infantil** industrial estate/children's playground; **~ nacional** national park

parte ['paxtʃi] f part; (quinhão) share; (lado) side; (ponto) point; (Jur) party; (papel) role; **a maior ~ de** most of; **à ~** aside; (separado) separate; (separadamente) separately; (além de) apart from; **da ~ de alguém** on sb's part; **em alguma/qualquer ~** somewhere/ anywhere; **em ~ alguma** nowhere; **por toda (a) ~** everywhere; **pôr de ~** to set aside; **tomar ~ em** to take part in; **dar ~ de alguém à polícia** to report sb to the police

participar [paxtʃisi'pa°] vt to announce, notify of ▷ vi: **~ de** ou **em** to participate in, take part in; (compartilhar) to share in

particípio [paxtʃi'sipju] m participle

particular [paxtʃiku'la°] adj particular, special; (privativo, pessoal) private ▷ m particular; (indivíduo) individual; **~es** mpl (pormenores) details; **em ~** in private; **particularmente** [paxtʃikulax'mētʃi] adv privately; (especialmente) particularly

partida [pax'tʃida] f (saída) departure; (Esporte) game, match

partidário, -a [paxtʃi'darju, a] adj supporting ▷ m/f supporter, follower

partido [pax'tʃidu] *m* (*Pol*) party;
tirar ~ de to profit from; **tomar o ~
de** to side with
partilhar [paxtʃi'ʎaˀ] *vt* to share;
(*distribuir*) to share out
partir [pax'tʃiˀ] *vt* to break;
(*dividir*) to divide, split ▷ *vi* (*pôr-se
a caminho*) to set off, set out; (*ir-se
embora*) to leave, depart; **partir-se**
vr to break; **a ~ de** (*starting*) from
parto ['paxtu] *m* (*child*)birth;
estar em trabalho de ~ to be in
labour (*BRIT*) *ou* labor (*US*)
Páscoa ['paʃkwa] *f* Easter; (*dos
judeus*) Passover
pasmo, -a ['paʒmu, a] *adj*
astonished ▷ *m* amazement
passa ['pasa] *f* raisin
passadeira [pasa'dejra] *f* (*tapete*)
stair carpet; (*mulher*) ironing lady;
(*PT: para peões*) zebra crossing
(*BRIT*), crosswalk (*US*)
passado, -a [pa'sadu, a] *adj* past;
(*antiquado*) old-fashioned; (*fruta*)
bad; (*peixe*) off ▷ *m* past; **o ano ~**
last year; **bem/mal passado** (*carne*)
well done/rare
passageiro, -a [pasa'ʒejru, a] *adj*
passing ▷ *m/f* passenger
passagem [pa'saʒẽ] (*pl* **-ns**) *f*
passage; (*preço de condução*) fare;
(*bilhete*) ticket; **~ de ida e volta**
return ticket, round trip ticket
(*US*); **~ de nível** level (*BRIT*) *ou* grade
(*US*) crossing; **~ de pedestres**
pedestrian crossing (*BRIT*),
crosswalk (*US*); **~ subterrânea**
underpass, subway (*BRIT*)
passaporte [pasa'poxtʃi] *m*
passport
passar [pa'saˀ] *vt* to pass; (*exceder*)
to go beyond, exceed; (*a ferro*) to
iron; (*o tempo*) to spend; (*a outra
pessoa*) to pass on; (*pomada*) to put
on ▷ *vi* to pass; (*na rua*) to go past;
(*tempo*) to go by; (*dor*) to wear off;

(*terminar*) to be over; **passar-se** *vr*
(*acontecer*) to go on, happen; **~ bem**
(*de saúde*) to be well; **passava das
dez horas** it was past ten
o' clock; **~ alguém para trás** to
con sb; (*cônjuge*) to cheat on sb; **~
por algo** (*sofrer*) to go through sth;
(*transitar: estrada*) to go along sth;
(*ser considerado como*) to be thought
of as sth; **~ sem** to do without
passarela [pasa'rɛla] *f* footbridge
pássaro ['pasaru] *m* bird
passatempo [pasa'tẽpu] *m*
pastime
passe ['pasi] *m* pass
passear [pa'sjaˀ] *vt* to take for
a walk ▷ *vi* (*a pé*) to go for a walk;
(*sair*) to go out; **~ a cavalo** (*ou de
carro*) to go for a ride; **passeata**
[pa'sjata] *f* (*marcha coletiva*) protest
march; **passeio** [pa'seju] *m* walk;
(*de carro*) drive, ride; (*excursão*)
outing; (*calçada*) pavement (*BRIT*),
sidewalk (*US*); **dar um passeio** to
go for a walk; (*de carro*) to go for a
drive *ou* ride
passível [pa'sivew] (*pl* **-eis**) *adj*:
~ de (*dor etc*) susceptible to; (*pena,
multa*) subject to
passivo, -a [pa'sivu, a] *adj*
passive ▷ *m* (*Com*) liabilities *pl*
passo ['pasu] *m* step; (*medida*)
pace; (*modo de andar*) walk; (*ruído
dos passos*) footstep; (*sinal de pé*)
footprint; **ao ~ que** while; **ceder o ~
a** to give way to
pasta ['paʃta] *f* paste; (*de couro*)
briefcase; (*de cartolina*) folder; (*de
ministro*) portfolio; **~ dentifrícia** *ou*
de dentes toothpaste
pastar [paʃ'taˀ] *vt* to graze on
▷ *vi* to graze
pastel [paʃ'tɛw] (*pl* **-éis**) *adj inv*
(*cor*) pastel ▷ *m* samosa
pastelão [paʃte'lãw] *m* slapstick
pastelaria [paʃtela'ria] *f* cake

shop; (*comida*) pastry

pasteurizado, -a [paʃtewri'zadu, a] *adj* pasteurized

pastilha [paʃ'tʃiʎa] *f* (*Med*) tablet; (*doce*) pastille; (*Comput*) chip

pastor, a [paʃ'to°, a] *m/f* shepherd(ess) ▷ *m* (*Rel*) clergyman, pastor

pata ['pata] *f* (*pé de animal*) foot, paw; (*ave*) duck; (*col: pé*) foot

patamar [pata'ma°] *m* (*de escada*) landing; (*fig*) level

pateta [pa'teta] *adj* stupid, daft ▷ *m/f* idiot

patético, -a [pa'tɛtʃiku, a] *adj* pathetic, moving

patife [pa'tʃifi] *m* scoundrel, rogue

patim [pa'tʃĩ] (*pl* **-ns**) *m* skate; **patins em linha** Rollerblades®; **patins de roda** roller skates; **patinar** [patʃi'na°] *vi* to skate; (*Auto: derrapar*) to skid

patins [pa'tʃĩʃ] *mpl de* **patim**

pátio ['patʃju] *m* (*de uma casa*) patio, backyard; (*espaço cercado de edifícios*) courtyard; (*tb:* **~ de recreio**) playground; (*Mil*) parade ground

pato ['patu] *m* duck; (*macho*) drake

patologia [patolo'ʒia] *f* pathology; **patológico, -a** [pato'lɔʒiku, a] *adj* pathological

patrão [pa'trãw] (*pl* **-ões**) *m* (*Com*) boss; (*dono de casa*) master; (*proprietário*) landlord; (*Náut*) skipper

pátria ['patrja] *f* homeland

patrimônio [patri'monju] *m* (*herança*) inheritance; (*fig*) heritage; (*bens*) property

patriota [pa'trjɔta] *m/f* patriot

patrocinar [patrosi'na°] *vt* to sponsor; (*proteger*) to support; **patrocínio** [patro'sinju] *m* sponsorship, backing; support

patrões [pa'trõjʃ] *mpl de* **patrão**

patrulha [pa'truʎa] *f* patrol; **patrulhar** [patru'ʎa°] *vt, vi* to patrol

pau [paw] *m* (*madeira*) wood; (*vara*) stick; **~s** *mpl* (*Cartas*) clubs; **~ a ~** neck and neck

pausa ['pawza] *f* pause; (*intervalo*) break; (*descanso*) rest

pauta ['pawta] *f* (*linha*) (guide)line; (*ordem do dia*) agenda; (*indicações*) guidelines *pl*; **sem ~** (*papel*) plain; **em ~** on the agenda

pavão, -voa [pa'vãw, 'voa] (*pl* **-ões, ~s**) *m/f* peacock/peahen

pavilhão [pavi'ʎãw] (*pl* **-ões**) *m* tent; (*de madeira*) hut; (*no jardim*) summerhouse; (*em exposição*) pavilion; (*bandeira*) flag

pavimento [pavi'mẽtu] *m* (*chão, andar*) floor; (*da rua*) road surface

pavões [pa'võjʃ] *mpl de* **pavão**

pavor [pa'vo°] *m* dread, terror; **ter ~ a** to be terrified of; **pavoroso, -a** [pavo'rozu, ɔza] *adj* dreadful, terrible

paz [pajʒ] *f* peace; **fazer as ~es** to make up, be friends again

PC *abr m* = **personal computer**

Pça. *abr* (= **Praça**) Sq.

pé [pɛ] *m* foot; (*da mesa*) leg; (*fig: base*) footing; (*de milho, café*) plant; **ir a ~** to walk, go on foot; **ao ~ de** near, by; **ao ~ da letra** literally; **estar de ~** (*festa etc*) to be on; **em** *ou* **de ~** standing (up); **dar no ~** (*col*) to run away, take off; **não ter ~ nem cabeça** (*fig*) to make no sense

peão [pjãw] (*PT: pl* **-ões**) *m* pedestrian

peça ['pɛsa] *f* piece; (*Auto*) part; (*aposento*) room; (*Teatro*) play; **~ de reposição** spare part; **~ de roupa** garment

pecado [pe'kadu] *m* sin

pecar [pe'ka°] *vi* to sin; **~ por excesso de zelo** to be over-zealous

pechincha [pe'ʃĩʃa] *f* (*vantagem*)

godsend; (*coisa barata*) bargain;
pechinchar [peʃĩ'ʃaʳ] *vi* to
bargain, haggle
peço *etc* ['pɛsu] *vb V* **pedir**
peculiar [peku'ljaʳ] *adj* special,
peculiar; (*particular*) particular
pedaço [pe'dasu] *m* piece; (*fig:
trecho*) bit; **aos ~s** in pieces
pedágio [pe'daʒiu] (*BR*) *m*
(*pagamento*) toll
pedal [pe'daw] (*pl* **-ais**) *m* pedal;
pedalar [peda'laʳ] *vt, vi* to pedal
pedante [pe'dãtʃi] *adj*
pretentious ▷ *m/f* pseud
pedestre [pe'dɛʃtri] (*BR*) *m*
pedestrian
pedicuro, -a [pedʒi'kuru, a] *m/f*
chiropodist (*BRIT*), podiatrist (*US*)
pedido [pe'dʒidu] *m* request;
(*Com*) order; **~ de demissão**
resignation; **~ de desculpa** apology
pedinte [pe'dʒĩtʃi] *m/f* beggar
pedir [pe'dʒiʳ] *vt* to ask for; (*Com,
comida*) to order; (*exigir*) to demand
▷ *vi* to ask; (*num restaurante*) to
order; **~ algo a alguém** to ask sb for
sth; **~ a alguém que faça, ~ para
alguém fazer** to ask sb to do
pedra ['pɛdra] *f* stone; (*rochedo*)
rock; (*de granizo*) hailstone; (*de
açúcar*) lump; (*quadro-negro*) slate; **~
de gelo** ice cube
pegada [pe'gada] *f* (*de pé*)
footprint; (*Futebol*) save
pegado, -a [pe'gadu, a] *adj*
stuck; (*unido*) together
pegajoso, -a [pega'ʒozu, ɔza]
adj sticky
pegar [pe'gaʳ] *vt* to catch; (*selos*)
to stick (on); (*segurar*) to take hold
of; (*hábito, mania*) to get into;
(*compreender*) to take in; (*trabalho*)
to take on; (*estação de rádio*) to pick
up, get ▷ *vi* to stick; (*planta*) to
take; (*moda*) to catch on; (*doença*)
to be catching; (*motor*) to start;

~ em (*segurar*) to grab, pick up;
ir ~ (*buscar*) to go and get; **~ um
emprego** to get a job; **~ fogo a
algo** to set fire to sth; **~ no sono** to
fall asleep
pego, -a ['pɛgu, a] *pp de* **pegar**
peito ['pejtu] *m* (*Anat*) chest; (*de
ave, mulher*) breast; (*fig*) courage
peitoril [pejto'riw] (*pl* **-is**) *m*
windowsill
peixada [pej'ʃada] *f* fish cooked in a
seafood sauce
peixaria [pejʃa'ria] *f* fish shop,
fishmonger's (*BRIT*)
peixe ['pejʃi] *m* fish; **P~s** *mpl*
(*Astrologia*) Pisces *sg*
pela ['pɛla] = **por + a**
pelada [pe'lada] *f* football game;
see boxed note

● **PELADA**
●
● **Pelada** is an improvised, generally
● short, game of football, which in
● the past was played with a ball
● made out of socks, or an inflatable
● rubber ball. It is still played today
● on any piece of open land, or even
● in the street.

pelado, -a [pe'ladu, a] *adj* (*sem
pele*) skinned; (*sem pêlo, cabelo*)
shorn; (*nu*) naked, in the nude; (*sem
dinheiro*) broke
pelar [pe'laʳ] *vt* (*tirar a pele*) to
skin; (*tirar o pêlo*) to shear
pelas ['pɛlaʃ] = **por + as**
pele ['pɛli] *f* skin; (*couro*) leather;
(*como agasalho*) fur; (*de animal*) hide
película [pe'likula] *f* film
pelo ['pɛlu] = **por + o**
pêlo ['pelu] *m* hair; (*de animal*) fur,
coat; **nu em ~** stark naked
pelos ['pɛluʃ] = **por + os**
peludo, -a [pe'ludu, a] *adj* hairy;
(*animal*) furry

pena ['pena] f feather; (de caneta) nib; (escrita) writing; (Jur) penalty, punishment; (sofrimento) suffering; (piedade) pity; **que ~!** what a shame!; **dar ~** to be upsetting; **ter ~ de** to feel sorry for; **~ capital** capital punishment

pênalti ['penawtʃi] m (Futebol) penalty (kick)

penar [pe'na°] vt to grieve ▷ vi to suffer

pendência [pē'dēsja] f dispute, quarrel

pendente [pē'dētʃi] adj hanging; (por decidir) pending; (inclinado) sloping; (dependente): **~ (de)** dependent (on) ▷ m pendant

pêndulo ['pēdulu] m pendulum

pendurar [pēdu'ra°] vt to hang

penedo [pe'nedu] m rock, boulder

peneira [pe'nejra] f sieve; **peneirar** [penej'ra°] vt to sift, sieve ▷ vi (chover) to drizzle

penetrar [pene'tra°] vt to get into, penetrate; (compreender) to understand ▷ vi: **~ em** ou **por** ou **entre** to penetrate; **~ em** (segredo) to find out

penhasco [pe'ɲaʃku] m cliff, crag

penhorar [peɲo'ra°] vt (dar em penhor) to pledge, pawn

penicilina [penisi'lina] f penicillin

península [pe'nīsula] f peninsula

pênis ['penif] m inv penis

penitência [peni'tēsja] f penitence; (expiação) penance; **penitenciária** [penitē'sjarja] f prison

penoso, -a [pe'nozu, ɔza] adj (assunto, tratamento) painful; (trabalho) hard

pensamento [pēsa'mētu] m thought; (mente) mind; (opinião) way of thinking; (idéia) idea

pensão [pē'sāw] (pl **-ões**) f (tb:

casa de **~**) boarding house; (comida) board; **~ completa** full board; **~ de aposentadoria** (retirement) pension

pensar [pē'sa°] vi to think; (imaginar) to imagine; **~ em** to think of ou about; **~ fazer** to intend to do; **pensativo, -a** [pēsa'tʃivu, a] adj thoughtful, pensive

pensionista [pēsjo'niʃta] m/f pensioner

pensões [pē'sōjʃ] fpl de **pensão**

pente ['pētʃi] m comb; **penteado, -a** [pē'tʃjadu, a] adj (cabelo) in place; (pessoa) smart ▷ m hairdo, hairstyle; **pentear** [pē'tʃja°] vt to comb; (arranjar o cabelo) to do, style; **pentear-se** vr to comb one's hair; to do one's hair

penúltimo, -a [pe'nuwtʃimu, a] adj last but one, penultimate

penumbra [pe'nūbra] f twilight, dusk; (sombra) shadow; (meia-luz) half-light

penúria [pe'nurja] f poverty

peões [pjōjʃ] mpl de **peão**

pepino [pe'pinu] m cucumber

pequeno, -a [pe'kenu, a] adj small; (mesquinho) petty ▷ m boy

pequerrucho [peke'xuʃu] m thimble

Pequim [pe'kī] n Peking, Beijing

pêra ['pera] f pear

perambular [perābu'la°] vi to wander

perante [pe'rātʃi] prep before, in the presence of

per capita [pɛx'kapita] adv, adj per capita

perceber [pexse'be°] vt to realize; (por meio dos sentidos) to perceive; (compreender) to understand; (ver) to see; (ouvir) to hear; (ver ao longe) to make out; (dinheiro: receber) to receive

percentagem [pexsē'taʒē] f
percentage

percepção [pexsep'sāw]
f perception; **perceptível**
[pexsep'tʃivew] (pl **-eis**) adj
perceptible, noticeable; (som)
audible

percevejo [pexse'veʒu] m (inseto)
bug; (prego) drawing pin (BRIT),
thumbtack (US)

perco etc ['pexku] vb V **perder**

percorrer [pexko'xe°] vt (viajar
por) to travel (across ou over);
(passar por) to go through, traverse;
(investigar) to search through

percurso [pex'kuxsu] m (espaço
percorrido) distance (covered);
(trajeto) route; (viagem) journey

percussão [pexku'sãw] f (Mús)
percussion

perda ['pexda] f loss; (desperdício)
waste; **~s e danos** damages, losses

perdão [pex'dãw] m pardon,
forgiveness; **~!** sorry!

perder [pex'de°] vt to lose; (tempo)
to waste; (trem, show, oportunidade)
to miss ▷ vi to lose; **perder-se** vr to
get lost; (arruinar-se) to be ruined;
(desaparecer) to disappear; **~-se de
alguém** to lose sb

perdido, -a [pex'dʒidu, a] adj
lost; **~s e achados** lost and found,
lost property

perdiz [pex'dʒiʒ] f partridge

perdoar [pex'dwa°] vt to forgive

perdurar [pexdu'ra°] vi to last
a long time; (continuar a existir) to
still exist

perecível [pere'sivew] (pl **-eis**) adj
perishable

peregrinação [peregrina'sãw]
(pl **-ões**) f (viagem) travels pl; (Rel)
pilgrimage

peregrino, -a [pere'grinu, a]
m/f pilgrim

peremptório, -a [perẽp'tɔrju, a]

adj final; (decisivo) decisive

perene [pe'reni] adj everlasting;
(Bot) perennial

perfeição [pexfej'sãw] f
perfection

perfeitamente [pexfejta'mētʃi]
adv perfectly ▷ excl exactly!

perfeito, -a [pex'fejtu, a] adj
perfect ▷ m (Ling) perfect

perfil [pex'fiw] (pl **-is**) m profile;
(silhueta) silhouette, outline; (Arq)
(cross) section

perfume [pex'fumi] m perfume,
scent

perfurar [pexfu'ra°] vt (o chão)
to drill a hole in; (papel) to punch
(a hole in)

pergunta [pex'gūta] f question;
fazer uma ~ a alguém to ask sb a
question; **perguntar** [pexgū'ta°]
vt to ask; (interrogar) to question
▷ vi: **perguntar por alguém** to
ask after sb; **perguntar-se** vr to
wonder; **perguntar algo a alguém**
to ask sb sth

perícia [pe'risja] f expertise;
(destreza) skill; (exame) investigation

periferia [perife'ria] f periphery;
(da cidade) outskirts pl

perigo [pe'rigu] m danger;
perigoso, -a [peri'gozu, ɔza] adj
dangerous; (arriscado) risky

período [pe'riodu] m period;
(estação) season

periquito [peri'kitu] m parakeet

perito, -a [pe'ritu, a] adj expert
▷ m/f expert; (quem faz perícia)
investigator

permanecer [pexmane'se°]
vi to remain; (num lugar) to stay;
(continuar a ser) to remain, keep; **~
parado** to keep still

permanência [pexma'nēsja]
f permanence; (estada) stay;
permanente [pexma'nētʃi] adj
(dor) constant; (cor) fast; (residência,

pregas) permanent ▷ *m* (*cartão*) pass ▷ f perm

permissão [pexmi'sãw] f permission, consent; **permissivo, -a** [pexmi'sivu, a] *adj* permissive

permitir [pexmi'tʃi*] *vt* to allow, permit

perna ['pɛxna] f leg; **~s tortas** bow legs

pernil [pex'niw] (*pl* **-is**) *m* (*de animal*) haunch; (*Culin*) leg

pernilongo [pexni'lõgu] *m* mosquito

pernis [pex'niʃ] *mpl de* **pernil**

pernoitar [pexnoj'ta*] *vi* to spend the night

pérola ['pɛrola] f pearl

perpendicular [pexpẽdʒiku'la*] *adj, f* perpendicular

perpetuar [pexpe'twa*] *vt* to perpetuate; **perpétuo, -a** [pex'pɛtwu, a] *adj* perpetual

persa ['pɛxsa] *adj, m/f* Persian

perseguição [pexsegi'sãw] f pursuit; (*Rel, Pol*) persecution

perseguir [pexse'gi*] *vt* to pursue; (*correr atrás*) to chase (after); (*Rel, Pol*) to persecute; (*importunar*) to harass, pester

perseverante [pexseve'rãtʃi] *adj* persistent

perseverar [pexseve'ra*] *vi*: **~ (em)** to persevere (in), persist (in)

Pérsia ['pɛxsja] f: **a ~** Persia

persiana [pex'sjana] f blind

Pérsico, -a ['pɛxsiku, a] *adj*: **o golfo ~** the Persian Gulf

persigo *etc* [pex'sigu] *vb V* **perseguir**

persistir [pexsiʃ'tʃi*] *vi*: **~ (em)** to persist (in)

personagem [pexso'naʒẽ] (*pl* **-ns**) *m/f* famous person, celebrity; (*num livro, filme*) character

personalidade [pexsonali'dadʒi] f personality

perspectiva [pexʃpek'tʃiva] f perspective; (*panorama*) view; (*probabilidade*) prospect

perspicácia [pexʃpi'kasja] f insight, perceptiveness

persuadir [pexswa'dʒi*] *vt* to persuade; **persuadir-se** *vr* to convince o.s.; **persuasão** [pexswa-'zãw] f persuasion; **persuasivo, -a** [pexswa'zivu, a] *adj* persuasive

pertencente [pextẽ'sẽtʃi] *adj*: **~ a** pertaining to

pertencer [pextẽ'se*] *vi*: **~ a** to belong to; (*referir-se*) to concern

pertences [pex'tẽsiʃ] *mpl* (*de uma pessoa*) belongings

pertinência [pextʃi'nẽsja] f relevance; **pertinente** [pextʃi'nẽtʃi] *adj* relevant; (*apropriado*) appropriate

perto, -a ['pɛxtu, a] *adj* nearby ▷ *adv* near; **~ de** near to; (*em comparação com*) next to; **de ~** closely; (*ver*) close up; (*conhecer*) very well

perturbar [pextux'ba*] *vt* to disturb; (*abalar*) to upset, trouble; (*atrapalhar*) to put off; (*andamento, trânsito*) to disrupt; (*envergonhar*) to embarrass; (*alterar*) to affect

Peru [pe'ru] *m*: **o ~** Peru

peru, a [pe'ru, a] *m/f* turkey

peruca [pe'ruka] f wig

perverso, -a [pex'vɛxsu, a] *adj* perverse; (*malvado*) wicked

perverter [pexvex'te*] *vt* to corrupt, pervert; **pervertido, -a** [pexvex'tʃidu, a] *adj* perverted ▷ *m/f* pervert

pesadelo [peza'delu] *m* nightmare

pesado, -a [pe'zadu, a] *adj* heavy; (*ambiente*) tense; (*trabalho*) hard; (*estilo*) dull, boring; (*andar*) slow; (*piada*) coarse; (*comida*) stodgy; (*tempo*) sultry ▷ *adv* heavily

pêsames ['pesamiʃ] *mpl*
condolences, sympathy *sg*

pesar [pe'za°] *vt* to weigh; (*fig*)
to weigh up ▷ *vi* to weigh; (*ser
pesado*) to be heavy; (*influir*) to carry
weight; (*causar mágoa*): **~ a** to hurt,
grieve ▷ *m* grief; **~ sobre** (*recair*)
to fall upon

pesaroso, -a [peza'rozu, ɔza]
adj sorrowful, sad; (*arrependido*)
regretful, sorry

pesca ['pɛʃka] *f* fishing; (*os peixes*)
catch; **ir à ~** to go fishing

pescada [peʃ'kada] *f* whiting

pescado [peʃ'kadu] *m* fish

pescador, a [peʃka'do°, a] *m/f*
fisherman/woman; **~ à linha**
angler

pescar [peʃ'ka°] *vt* (*peixe*) to catch;
(*tentar apanhar*) to fish for; (*retirar da
água*) to fish out ▷ *vi* to fish

pescoço [peʃ'kosu] *m* neck

peso ['pezu] *m* weight; (*fig: ônus*)
burden; (*importância*) importance; **~
bruto/líquido** gross/net weight

pesquisa [peʃ'kiza] *f* inquiry,
investigation; (*científica, de mercado*)
research; **pesquisar** [peʃki'za°] *vt*,
vi to investigate; to research

pêssego ['pesegu] *m* peach

pessimista [pesi'miʃta] *adj*
pessimistic ▷ *m/f* pessimist

péssimo, -a ['pɛsimu, a] *adj* very
bad, awful

pessoa [pe'soa] *f* person; **~s** *fpl*
(*gente*) people; **pessoal** [pe'swaw]
(*pl* **~is**) *adj* personal ▷ *m* personnel
pl, staff *pl*; (*col*) people *pl*, folks
pl

pestana [peʃ'tana] *f* eyelash

peste ['pɛʃtʃi] *f* epidemic;
(*bubônica*) plague; (*fig*) pest,
nuisance

pétala ['petala] *f* petal

petição [petʃi'sãw] (*pl* **-ões**) *f*
request; (*documento*) petition

petisco [pe'tʃiʃku] *m* savoury
(*BRIT*), savory (*US*), titbit (*BRIT*),
tidbit (*US*)

petróleo [pe'trɔlju] *m* oil, petroleum; **~ bruto** crude oil

peúga ['pjuga] (*PT*) *f* sock

pevide [pe'vidʒi] (*PT*) *f* (*de melão*)
seed; (*de maçã*) pip

p. ex. *abr* (= *por exemplo*) e.g.

pia ['pia] *f* wash basin; (*da cozinha*)
sink; **~ batismal** font

piada ['pjada] *f* joke

pianista [pja'niʃta] *m/f* pianist

piano ['pjanu] *m* piano

piar [pja°] *vi* (*pinto*) to cheep;
(*coruja*) to hoot

picada [pi'kada] *f* (*de agulha etc*)
prick; (*de abelha*) sting; (*de mosquito,
cobra*) bite; (*de avião*) dive; (*de
navalha*) stab; (*atalho*) path, trail

picante [pi'kãtʃi] *adj* (*tempero*) hot

picar [pi'ka°] *vt* to prick; (*suj:
abelha*) to sting; (: *mosquito*) to bite;
(: *pássaro*) to peck; (*um animal*)
to goad; (*carne*) to mince; (*papel*)
to shred; (*fruta*) to chop up ▷ *vi*
(*comichar*) to prickle

picareta [pika'reta] *f* pickaxe
(*BRIT*), pickax (*US*) ▷ *m/f* crook

pico ['piku] *m* (*cume*) peak; (*ponta
aguda*) sharp point; (*PT: um pouco*) a
bit; **mil e ~** just over a thousand

picolé [piko'le] *m* lolly

picotar [piko'ta°] *vt* to perforate;
(*bilhete*) to punch

piedade [pje'dadʒi] *f* piety;
(*compaixão*) pity; **ter ~ de** to have
pity on; **piedoso, -a** [pje'dozu, ɔza]
adj pious; (*compassivo*) merciful

piercing ['pixsĩ] (*pl* **-s**) *m* piercing

pifar [pi'fa°] (*col*) *vi* (*carro*) to
break down; (*rádio etc*) to go wrong;
(*plano, programa*) to fall through

pijama [pi'ʒama] *m ou f* pyjamas
pl (*BRIT*), pajamas *pl* (*US*)

pilantra [pi'lãtra] (*col*) *m/f* crook

pilar [pi'la*] vt to pound, crush
▷ m pillar

pilha ['piʎa] f (Elet) battery;
(monte) pile, heap

pilhar [pi'ʎa] vt to plunder,
pillage; (roubar) to rob; (surpreender)
to catch

pilotar [pilo'ta*] vt (avião) to fly

piloto [pi'lotu] m pilot; (motorista)
(racing) driver; (bico de gás) pilot
light ▷ adj inv (usina, plano) pilot;
(peça) sample atr

pílula ['pilula] f pill; **a ~
(anticoncepcional)** the pill

pimenta [pi'mẽta] f (Culin)
pepper; **~ de Caiena** cayenne
pepper; **pimenta-do-reino** f black
pepper; **pimenta-malagueta** (pl
pimentas-malaguetas) f chilli
(BRIT) ou chili (US) pepper;
pimentão [pimẽ'tãw] (pl **-ões**) m
(Bot) pepper

pinça ['pĩsa] f (de sobrancelhas)
tweezers pl; (de casa) tongs pl; (Med)
callipers pl (BRIT), calipers pl (US)

pincel [pĩ'sɛw] (pl **-éis**) m brush;
(para pintar) paintbrush; **pincelar**
[pĩse'la*] vt to paint

pinga ['pĩga] f (cachaça) rum; (PT:
trago) drink

pingar [pĩ'ga*] vi to drip

pingo ['pĩgu] m (gota) drop

pingue-pongue ® [pĩgi-'põgi] m
ping-pong ®

pingüim [pĩ'gwĩ] (pl **-ns**) m
penguin

pinheiro [pi'ɲejru] m pine (tree)

pinho ['piɲu] m pine

pino ['pinu] m (peça) pin; (Auto: na
porta) lock; **a ~** upright

pinta ['pĩta] f (mancha) spot

pintar [pĩ'ta*] vt to paint; (cabelo)
to dye; (rosto) to make up; (descrever)
to describe; (imaginar) to picture
▷ vi to paint; **pintar-se** vr to make
o.s. up

pintarroxo [pĩta'xoʃu] m (BR)
linnet; (PT) robin

pinto ['pĩtu] m chick; (col!)
prick (!)

pintor, a [pĩ'to*, a] m/f painter

pintura [pĩ'tura] f painting;
(maquiagem) make-up

piolho ['pjoʎu] m louse

pioneiro, -a [pjo'nejru, a] m/f
pioneer

pior ['pjɔ*] adj, adv (compar) worse;
(superl) worst ▷ m: **o ~** worst of all;
piorar [pjo'ra*] vt to make worse,
worsen ▷ vi to get worse

pipa ['pipa] f barrel, cask; (de
papel) kite

pipi [pi'pi] (col) m pee; **fazer ~** to
have a pee

pipoca [pi'pɔka] f popcorn

pipocar [pipo'ka*] vi to go
pop, pop

pique etc vb V **picar**

piquenique [piki'niki] m picnic

pirâmide [pi'ramidʒi] f pyramid

piranha [pi'raɲa] f piranha (fish)

pirata [pi'rata] m pirate

pires ['piriʃ] m inv saucer

Pirineus [piri'newʃ] mpl: **os ~** the
Pyrenees

pirulito [piru'litu] (BR) m lollipop

pisar [pi'za*] vt to tread on;
(esmagar, subjugar) to crush ▷ vi to
step, tread

pisca-pisca [piʃka-'piʃka] (pl **-s**)
m (Auto) indicator

piscar [piʃ'ka*] vt to blink; (dar
sinal) to wink; (estrelas) to twinkle
▷ m: **num ~ de olhos** in a flash

piscina [pi'sina] f swimming pool

piso ['pizu] m floor

pisotear [pizo'tʃja*] vt to trample
(on)

pista ['piʃta] f (vestígio) trace;
(indicação) clue; (de corridas) track;
(Aviat) runway; (de estrada) lane; (de
dança) (dance) floor

pistola [piʃˈtɔla] f pistol
pitada [piˈtada] f (porção) pinch
pivete [piˈvetʃi] m child thief
pivô [piˈvo] m pivot; (fig) central figure, prime mover
pizza [ˈpitsa] f pizza
placa [ˈplaka] f plate; (Auto) number plate (BRIT), license plate (US); (comemorativa) plaque; (na pele) blotch; **~ de memória** (Phot) memory card; **~ de sinalização** roadsign
placar [plaˈkaⁿ] m scoreboard
plácido, -a [ˈplasidu, a] adj calm; (manso) placid
plágio [ˈplaʒu] m plagiarism
planalto [plaˈnawtu] m tableland, plateau
planar [plaˈnaⁿ] vi to glide
planear [plaˈnjaⁿ] (PT) vt = **planejar**
planejamento [planeʒaˈmẽtu] m planning; **~ familiar** family planning
planejar [planeˈʒaⁿ] (BR) vt to plan; (edifício) to design
planeta [plaˈneta] m planet
planície [plaˈnisi] f plain
planilha [plaˈniʎa] f spreadsheet
plano, -a [ˈplanu, a] adj flat, level; (liso) smooth ▷ m plan; **em primeiro/em último ~** in the foreground/background; **P~ Real** see boxed note

● speeded up the privatization of
● state-owned companies, reduced
● public spending and raised
● interest rates to rein in consumer
● demand.

planta [ˈplãta] f plant; (de pé) sole; (Arq) plan
plantação [plãtaˈsãw] f (ato) planting; (terreno) planted land; (plantio) crops pl
plantão [plãˈtãw] (pl -ões) m duty; (noturno) night duty; (plantonista) person on duty; (Mil: serviço) sentry duty; (: pessoa) sentry; **estar de ~** to be on duty
plantar [plãˈtaⁿ] vt to plant; (estaca) to drive in; (estabelecer) to set up
plantões [plãˈtõjʃ] mpl de **plantão**
plástico, -a [ˈplaʃtʃiku, a] adj plastic ▷ m plastic
plataforma [plataˈfɔxma] f platform; **~ de exploração de petróleo** oil rig; **~ de lançamento** launch pad
platéia [plaˈteja] f (Teatro etc) stalls pl (BRIT), orchestra (US); (espectadores) audience
platina [plaˈtʃina] f platinum
platinados [platʃiˈnaduʃ] mpl (Auto) points
plausível [plawˈzivew] (pl -eis) adj credible, plausible
playground [plejˈgrãwdʒi] (pl -s) m (children's) playground
plenamente [plenaˈmẽtʃi] adv fully, completely
pleno, -a [ˈplenu, a] adj full; (completo) complete; **em ~ dia** in broad daylight; **em ~ inverno** in the middle ou depths of winter
plural [pluˈraw] (pl -ais) adj, m plural
pneu [ˈpnew] m tyre (BRIT),

tire (US)

pneumonia [pnewmo'nia] f
pneumonia

pó [pɔ] m powder; (sujeira) dust;
sabão em ~ soap powder; **tirar o ~
(de algo)** to dust (sth)

pobre ['pɔbri] adj poor ▷ m/f
poor person; **pobreza** [po'breza]
f poverty

poça ['posa] f puddle, pool

poção [po'sãw] (pl -ões) f potion

poço ['posu] m well; (de mina,
elevador) shaft

poções [po'sõjʃ] fpl de **poção**

pôde etc ['podʒi] vb V **poder**

pó-de-arroz m face powder

O **PALAVRA CHAVE**

poder [po'de°] vi **1** (capacidade) can,
be able to; **não posso fazê-lo** I can't
do it, I'm unable to do it
2 (ter o direito de) can, may, be
allowed to; **posso fumar aqui?**
can I smoke here?; **pode entrar?**
(posso?) can I come in?
3 (possibilidade) may, might, could;
pode ser maybe; **pode ser que** it
may be that; **ele ~á vir amanhã** he
might come tomorrow
4: **não ~ com**: **não posso com ele** I
cannot cope with him
5 (col: indignação): **pudera!** no
wonder!; **como é que pode?** you're
joking!
▷ m power; (autoridade) authority;
~ aquisitivo purchasing power;
estar no ~ to be in power; **em ~ de
alguém** in sb's hands

poderoso, -a [pode'rozu, ɔza] adj
mighty, powerful

podre ['podri] adj rotten;
podridão [podri'dãw] f decay,
rottenness; (fig) corruption

põe etc [põj] vb V **pôr**

poeira ['pwejra] f dust; **~
radioativa** fall-out; **poeirento, -a**
[pwej'rẽtu, a] adj dusty

poema ['pwɛma] m poem

poesia [poe'zia] f poetry; (poema)
poem

poeta ['pwɛta] m poet; **poético,
-a** ['pwɛtʃiku, a] adj poetic;
poetisa [pwe'tʃiza] f (woman)
poet

pois [pojʃ] adv (portanto) so; (PT:
assentimento) yes ▷ conj as, since;
(mas) but; **~ bem** well then; **~ é**
that's right; **~ não!** (BR) of course!;
~ não? (BR: numa loja) what can I do
for you? (PT) isn't it?, aren't you?,
didn't they? etc; **~ sim!** certainly
not!; **~ (então)** then

polaco, -a [po'laku, a] adj Polish
▷ m/f Pole ▷ m (Ling) Polish

polar [po'la°] adj polar

polegada [pole'gada] f inch

polegar [pole'ga°] m (tb: **dedo
~**) thumb

polêmica [po'lemika] f
controversy; **polêmico, -a**
[po'lemiku, a] adj controversial

pólen ['pɔlẽ] m pollen

polícia [po'lisja] f police, police
force ▷ m/f policeman/woman;
policial [poli'sjaw] (pl -ais) adj
police atr ▷ m/f (BR) policeman/
woman; **novela** ou **romance
policial** detective novel; **policiar**
[poli'sja°] vt to police; (instintos,
modos) to control, keep in check

polidez [poli'deʒ] f good manners
pl, politeness

polido, -a [po'lidu, a] adj
polished, shiny; (cortês) well-
mannered, polite

pólio ['pɔlju] f polio

polir [po'li°] vt to polish

política [po'litʃika] f politics
sg; (programa) policy; **político, -a**
[po'litʃiku, a] adj political ▷ m/f

politician

pólo ['pɔlu] *m* pole; (*Esporte*) polo; **P~ Norte/Sul** North/South Pole

polonês, -esa [polo'neʃ, eza] *adj* Polish ▷ *m/f* Pole ▷ *m* (*Ling*) Polish

Polônia [po'lonja] *f*: **a ~** Poland

polpa ['powpa] *f* pulp

poltrona [pow'trɔna] *f* armchair

poluição [polwi'sãw] *f* pollution; **poluir** [po'lwi°] *vt* to pollute

polvo ['powvu] *m* octopus

pólvora ['pɔwvora] *f* gunpowder

pomada [po'mada] *f* ointment

pomar [po'ma°] *m* orchard

pomba ['põba] *f* dove

pombo ['põbu] *m* pigeon

ponderação [põdera'sãw] *f* consideration, meditation; (*prudência*) prudence

ponderado, -a [põde'radu, a] *adj* prudent

ponderar [põde'ra°] *vt* to consider, weigh up ▷ *vi* to meditate, muse

ponho *etc* ['poɲu] *vb V* **pôr**

ponta ['põta] *f* tip; (*de faca*) point; (*de sapato*) toe; (*extremidade*) end; (*Futebol: posição*) wing; (: *jogador*) winger; **uma ~ de** (*um pouco*) a touch of; **~ do dedo** fingertip

pontapé [põta'pɛ] *m* kick; **dar ~s em alguém** to kick sb

pontaria [põta'ria] *f* aim; **fazer ~** to take aim

ponte ['põtʃi] *f* bridge; **~ aérea** air shuttle, airlift; **~ de safena** (heart) bypass operation

ponteiro [põ'tejru] *m* (*indicador*) pointer; (*de relógio*) hand

pontiagudo, -a [põtʃja'gudu, a] *adj* sharp, pointed

ponto ['põtu] *m* point; (*Med, Costura, Tricô*) stitch; (*pequeno sinal, do i*) dot; (*na pontuação*) full stop (*BRIT*), period (*US*); (*na pele*) spot; (*de ônibus*) stop; (*de táxi*)

rank (*BRIT*), stand (*US*); (*matéria escolar*) subject; **estar a ~ de fazer** to be on the point of doing; **às cinco em ~** at five o'clock on the dot; **dois ~s** colon *sg*; **~ de admiração** (*PT*) exclamation mark; **~ de exclamação/interrogação** exclamation/question mark; **~ de vista** point of view, viewpoint; **ponto-e-vírgula** (*pl* **ponto-e-vírgulas**) *m* semicolon

pontuação [põtwa'sãw] *f* punctuation

pontual [põ'twaw] (*pl* **-ais**) *adj* punctual

pontudo, -a [põ'tudu, a] *adj* pointed

popa ['popa] *f* stern

população [popula'sãw] (*pl* **-ões**) *f* population

popular [popu'la°] *adj* popular; **popularidade** [populari'dadʒi] *f* popularity

pôquer ['poke°] *m* poker

○ **PALAVRA CHAVE**

por [po°] (*por + o(s), a(s) = pelo(s), pela(s)*) *prep* **1** (*objetivo*) for; **lutar pela pátria** to fight for one's country

2 (*+ infin*): **está ~ acontecer** it is about to happen, it is yet to happen; **está ~ fazer** it is still to be done

3 (*causa*) out of, because of; **~ falta de fundos** through lack of funds; **~ hábito/natureza** out of habit/by nature; **faço isso ~ ela** I do it for her; **~ isso** therefore; **a razão pela qual ...** the reason why ...; **pelo amor de Deus!** for Heaven's sake!

4 (*tempo*): **pela manhã** in the morning; **~ volta das duas horas** at about two o'clock; **ele vai ficar ~ uma semana** he's staying for a week

5 (*lugar*): **~ aqui** this way; **viemos pelo parque** we came through the park; **passar ~ São Paulo** to pass through São Paulo; **~ fora/dentro** outside/inside

6 (*troca, preço*) for; **trocar o velho pelo novo** to change old for new; **comprei o livro ~ dez libras** I bought the book for ten pounds

7 (*valor proporcional*): **~ cento** per cent; **~ hora/dia/semana/mês/ ano** hourly/daily/weekly/monthly/ yearly; **~ cabeça** a *ou* per head; **~ mais difícil** *etc* **que seja** however difficult *etc* it is

8 (*modo, meio*) by; **~ correio/avião** by post/air; **~ sí** by o.s.; **~ escrito** in writing; **entrar pela entrada principal** to go in through the main entrance

9: **~ que** (*por causa*) because (*PT*), why (*BR*); **~ quê?** why?

10: **~ mim tudo bem** as far as I'm concerned, that's OK

O PALAVRA CHAVE

pôr [po°] *vt* **1** (*colocar*) to put; (*roupas*) to put on; (*objeções, dúvidas*) to raise; (*ovos, mesa*) to lay; (*defeito*) to find; **põe mais forte** turn it up; **você põe açúcar?** do you take sugar?; **~ de lado** to set aside

2 (+ *adj*) to make; **você está me pondo nervoso** you're making me nervous

▷ **pôr-se** *vr* **1** (*sol*) to set

2 (*colocar-se*): **~-se de pé** to stand up; **ponha-se no meu lugar** put yourself in my position

3: **~-se a** to start to; **ela pôs-se a chorar** she started crying

▷ *m*: **o ~ do sol** sunset

porão [po'rãw] (*pl* **-ões**) *m* (*de*

casa) basement; (*: armazém*) cellar

porca ['poxka] *f* (*animal*) sow

porção [pox'sãw] (*pl* **-ões**) *f* portion, piece; **uma ~ de** a lot of

porcaria [poxka'ria] *f* filth; (*dito sujo*) obscenity; (*coisa ruim*) piece of junk

porcelana [poxse'lana] *f* porcelain

porcentagem [poxsẽ'taʒẽ] (*pl -ns*) *f* percentage

porco, -a ['poxku, 'poxka] *adj* filthy ▷ *m* (*animal*) pig; (*carne*) pork

porções [pox'sõjʃ] *fpl de* **porção**

porém [po'rẽ] *conj* however

pormenor [poxme'no°] *m* detail

pornografia [poxnogra'fia] *f* pornography

poro ['pɔru] *m* pore

porões [po'rõjs] *mpl de* **porão**

porque ['poxke] *conj* because; (*interrogativo*: *PT*) why

porquê [pox'ke] *adv* why ▷ *m* reason, motive; **~?** (*PT*) why?

porrete [po'xetʃi] *m* club

porta ['pɔxta] *f* door; (*vão da ~*) doorway; (*de um jardim*) gate

portador, a [poxta'do°, a] *m/f* bearer

portagem [pox'taʒẽ] (*PT*) (*pl -ns*) *f* toll

portal [pox'taw] (*pl -ais*) *m* doorway

porta-luvas *m inv* (*Auto*) glove compartment

porta-malas *m inv* (*Auto*) boot (*BRIT*), trunk (*US*)

porta-níqueis *m inv* purse

portanto [pox'tãtu] *conj* so, therefore

portão [pox'tãw] (*pl -ões*) *m* gate

portar [pox'ta°] *vt* to carry; **portar-se** *vr* to behave

portaria [poxta'ria] *f* (*de um edifício*) entrance hall; (*recepção*) reception desk; (*do governo*) edict, decree

portátil [pox'tatʃiw] (pl **-eis**) adj
portable

porta-voz (pl **-es**) m/f (pessoa)
spokesman/woman

porte ['pɔxtʃi] m transport; (custo)
freight charge, carriage; **~ pago**
post paid; **de grande ~** far-
reaching, important

porteiro, -a [pox'tejru, a] m/f
caretaker; **~ eletrônico** entryphone

pórtico ['pɔxtʃiku] m porch,
portico

porto ['pɔxtu] m (do mar) port,
harbour (BRIT), harbor (US); (vinho)
port; **o P~** Oporto

portões [pox'tõjʃ] mpl de **portão**

Portugal [poxtu'gaw] m
Portugal; **português, -guesa**
[portu'geʃ, 'geza] adj Portuguese
▷ m/f Portuguese inv ▷ m (Ling)
Portuguese

porventura [poxvẽ'tura] adj
by chance; **se ~ você ...** if you
happen to ...

pôs [poʃ] vb V **pôr**

posar [po'za*] vi (Foto): **~ (para)**
to pose (for)

posição [pozi'sãw] (pl **-ões**) f
position; (social) standing, status;
posicionar [pozisjo'na*] vt to
position

positivo, -a [pozi'tʃivu, a] adj
positive

possante [po'sãtʃi] adj powerful,
strong; (carro) flashy

possessão [pose'sãw] f
possession; **possessivo, -a**
[pose'sivu, a] adj possessive

possibilidade [posibili'dadʒi] f
possibility; **~s** fpl (recursos) means

possibilitar [posibili'ta*] vt to
make possible, permit

possível [po'sivew] (pl **-eis**) adj
possible; **fazer todo o ~** to do
one's best

posso etc ['posu] vb V **poder**

possuidor, a [poswi'do*, a] m/f
owner

possuir [po'swi*] vt (casa, livro etc)
to own; (dinheiro, talento) to possess

postal [poʃ'taw] (pl **-ais**) adj
postal ▷ m postcard

poste ['pɔʃtʃi] m pole, post

posterior [poʃte'rjo*] adj (mais
tarde) subsequent, later; (traseiro)
rear, back; **posteriormente**
[poʃterjox'mẽtʃi] adv later,
subsequently

postiço, -a [poʃ'tʃisu, a] adj
false, artificial

posto, -a ['poʃtu, 'poʃta] pp de
pôr ▷ m post, position; (emprego)
job; **~ de gasolina** service ou petrol
station; **~ que** although; **~ de
saúde** health centre ou center

póstumo, -a ['poʃtumu, a] adj
posthumous

postura [poʃ'tura] f posture;
(aspecto físico) appearance

potável [po'tavew] (pl **-eis**) adj
drinkable; **água ~** drinking water

pote ['pɔtʃi] m jug, pitcher; (de
geléia) jar; (de creme) pot; **chover a
~s** (PT) to rain cats and dogs

potência [po'tẽsja] f power

potencial [potẽ'sjaw] (pl **-ais**) adj,
m potential

potente [po'tẽtʃi] adj powerful,
potent

○ PALAVRA CHAVE

pouco, -a ['poku, a] adj **1** (sg)
little, not much; **~ tempo** little ou
not much time; **de ~ interesse** of
little interest, not very interesting;
pouca coisa not much
2 (pl) few, not many; **uns ~s** a few,
some; **poucas vezes** rarely; **poucas
crianças comem o que devem** few
children eat what they should

▷ *adv* **1** little, not much; **custa ~** it doesn't cost much; **dentro em ~, daqui a ~** shortly; **~ antes** shortly before

2 (+ *adj*: = *negativo*): **ela é ~ inteligente/simpática** she's not very bright/friendly

3: **por ~ eu não morri** I almost died

4: **~ a ~** little by little

5: **aos ~s** gradually

▷ *m*: **um ~** a little, a bit; **nem um ~** not at all

poupador, a [popa'do°, a] *adj* thrifty

poupança [po'pãsa] *f* thrift; (*economias*) savings *pl*; (*tb*: **caderneta de ~**) savings bank

poupar [po'pa°] *vt* to save; (*vida*) to spare

pousada [po'zada] *f* (*hospedagem*) lodging; (*hospedaria*) inn

pousar [po'za°] *vt* to place; (*mão*) to rest ▷ *vi* (*avião, pássaro*) to land; (*pernoitar*) to spend the night

povo ['povu] *m* people; (*raça*) people *pl*, race; (*plebe*) common people *pl*; (*multidão*) crowd

povoação [povwa'sãw] (*pl* **-ões**) *f* (*aldeia*) village, settlement; (*habitantes*) population

povoado [po'vwadu] *m* village

povoar [po'vwa°] *vt* (*de habitantes*) to people, populate; (*de animais etc*) to stock

pra [pra] (*col*) *prep* = **para a**

praça ['prasa] *f* (*largo*) square; (*mercado*) marketplace; (*soldado*) soldier; **~ de touros** bullring

praga ['praga] *f* nuisance; (*maldição*) curse; (*desgraça*) misfortune; (*erva daninha*) weed

pragmático, -a [prag'matʃiku, a] *adj* pragmatic

praia ['praja] *f* beach

prancha ['prãʃa] *f* plank; (*de surfe*) board

prata ['prata] *f* silver; (*col: cruzeiro*) ≈ quid (*BRIT*), ≈ buck (*US*)

prateleira [prate'lejra] *f* shelf

prática ['pratʃika] *f* practice; (*experiência*) experience, know-how; (*costume*) habit, custom; V *tb* **prático**

praticante [pratʃi'kãtʃi] *adj* practising (*BRIT*), practicing (*US*) ▷ *m/f* apprentice; (*de esporte*) practitioner

praticar [pratʃi'ka°] *vt* to practise (*BRIT*), practice (*US*); (*roubo, operação*) to carry out; **prático, -a** ['pratʃiku, a] *adj* practical ▷ *m/f* expert

prato ['pratu] *m* plate; (*comida*) dish; (*de uma refeição*) course; (*de toca-discos*) turntable; **~s** *mpl* (*Mús*) cymbals

praxe ['praksi] *f* custom, usage; **de ~** usually; **ser de ~** to be the norm; **código da ~** *see boxed note*

● **PRAXE**
●
● Student life in Portugal follows
● the traditions set out in a written
● set of rules known as the *código da*
● *praxe*. It begins in freshers' week,
● where freshers are jeered at by
● their seniors, and are subjected to
● a number of humiliating practical
● jokes, such as having their hair
● cut against their will and being
● made to walk around town in
● fancy dress.

prazer [pra'ze°] *m* pleasure; **muito ~ em conhecê-lo** pleased to meet you

prazo ['prazu] *m* term, period; (*vencimento*) expiry date, time limit; **a curto/médio/longo ~** in the short/medium/long term; **comprar a ~** to buy on hire purchase (BRIT) ou on the installment plan (US)

precário, -a [pre'karju, a] adj precarious; (escasso) failing

precaução [prekaw'sãw] (pl -ões) f precaution

precaver-se [preka'vexsi] vr: **~ (contra** ou **de)** to be on one's guard (against); **precavido, -a** [preka'vidu, a] adj cautious

prece ['prɛsi] f prayer; (súplica) entreaty

precedente [prese'dẽtʃi] adj preceding ▷ m precedent

preceder [prese'de°] vt, vi to precede; **~ a algo** to precede sth; (ter primazia) to take precedence over sth

precioso, -a [pre'sjozu, ɔza] adj precious

precipício [presi'pisju] m precipice; (fig) abyss

precipitação [presipita'sãw] f haste; (imprudência) rashness

precipitado, -a [presipi'tadu, a] adj hasty; (imprudente) rash

precisamente [presiza'mẽtʃi] adv precisely

precisar [presi'za°] vt to need; (especificar) to specify; **precisar-se** vr: **"precisa-se"** "needed"; **~ de** to need; (uso impess): **não precisa você se preocupar** you needn't worry

preciso, -a [pre'sizu, a] adj precise, accurate; (necessário) necessary; (claro) concise; **é ~ você ir** you must go

preço ['presu] m price; (custo) cost; (valor) value; **a ~ de banana** (BR) ou **de chuva** (PT) dirt cheap

preconceito [prekõ'sejtu] m prejudice

predador [preda'do°] m predator

predileto, -a [predʒi'lɛtu, a] (PT **-ct-**) adj favourite (BRIT), favorite (US)

prédio ['prɛdʒju] m building; **~ de apartamentos** block of flats (BRIT), apartment house (US)

predispor [predʒiʃ'po°] (irreg: como **pôr**) vt: **~ alguém contra** to prejudice sb against; **predispor-se** vr: **~-se a/para** to get o.s. in the mood to/for

predominar [predomi'na°] vi to predominate, prevail

preencher [preẽ'ʃe°] vt (formulário) to fill in (BRIT) ou out, complete; (requisitos) to fulfil (BRIT), fulfill (US), meet, to fill

prefácio [pre'fasju] m preface

prefeito, -a [pre'fejtu, a] m/f mayor; **prefeitura** [prefej'tura] f town hall

preferencial [preferẽ'sjaw] (pl -ais) adj (rua) main ▷ f main road (with priority)

preferido, -a [prefe'ridu, a] adj favourite (BRIT), favorite (US)

preferir [prefe'ri°] vt to prefer

prefiro etc [pre'firu] vb V **preferir**

prefixo [pre'fiksu] m (Ling) prefix; (Tel) code

prega ['prɛga] f pleat, fold

pregar¹ [pre'ga°] vt, vi to preach

pregar² [pre'ga°] vt (com prego) to nail; (fixar) to pin, fasten; (cosendo) to sew on; **~ uma peça** to play a trick; **~ um susto em alguém** to give sb a fright

prego ['prɛgu] m nail; (col: casa de penhor) pawn shop

preguiça [pre'gisa] f laziness; (animal) sloth; **estar com ~** to feel lazy; **preguiçoso, -a** [pregi'sozu, ɔza] adj lazy

pré-histórico, -a [prɛ-] adj prehistoric

preia-mar (PT) f high tide

prejuízo [preˈʒwizu] m damage, harm; (em dinheiro) loss; **em ~ de** to the detriment of

prematuro, -a [premaˈturu, a] adj premature

premiado, -a [preˈmjadu, a] adj prize-winning; (bilhete) winning ▷ m/f prize-winner

premiar [preˈmja°] vt to award a prize to; (recompensar) to reward

prêmio [ˈpremju] m prize; (recompensa) reward; (Seguros) premium

prenda [ˈprẽda] f gift, present; (em jogo) forfeit; **~s domésticas** housework sg

prendedor [prẽdeˈdo°] m fastener; (de cabelo, gravata) clip; **~ de roupa** clothes peg; **~ de papéis** paper clip

prender [prẽˈde°] vt to fasten, fix; (roupa) to pin; (cabelo) to put back; (capturar) to arrest; (atar, ligar) to tie; (atenção) to catch; (afetivamente) to tie, bind; (reter: doença, compromisso) to keep; (movimentos) to restrict; **prender-se** vr to get caught, stick; **~-se a alguém** (por amizade) to be attached to sb

preocupação [preokupaˈsãw] (pl **-ões**) f preoccupation; (inquietação) worry, concern

preocupar [preokuˈpa°] vt to preoccupy; (inquietar) to worry; **preocupar-se** vr: **~-se com** to worry about, be worried about

preparação [preparaˈsãw] (pl **-ões**) f preparation

preparar [prepaˈra°] vt to prepare; **preparar-se** vr to get ready; **preparativos** [preparaˈtʃivuʃ] mpl preparations, arrangements

preponderante [prepõdeˈrãtʃi] adj predominant

preposição [prepoziˈsãw] (pl **-ões**) f preposition

prepotente [prepoˈtẽtʃi] adj predominant; (despótico) despotic; (atitude) overbearing

prescrever [preʃkreˈve°] vt to prescribe; (prazo) to set

presença [preˈzẽsa] f presence; (freqüência) attendance; **ter boa ~** to be presentable; **presenciar** [prezẽˈsja°] vt to be present at; (testemunhar) to witness

presente [preˈzẽtʃi] adj present; (fig: interessado) attentive; (: evidente) clear, obvious ▷ m present ▷ f (Com: carta): **a ~** this letter; **os ~s** mpl (pessoas) those present; **presentear** [prezẽˈtʃja°] vt: **presentear alguém (com algo)** to give sb (sth as) a present

preservação [prezexvaˈsãw] f preservation

presidente, -a [preziˈdẽtʃi, ta] m/f president

presidiário, -a [preziˈdʒjarju, a] m/f convict

presídio [preˈzidʒju] m prison

presidir [preziˈdʒi°] vt, vi: **~ (a)** to preside over; (reunião) to chair; (suj: leis, critérios) to govern

preso, -a [ˈprezu, a] adj imprisoned; (capturado) under arrest; (atado) tied ▷ m/f prisoner; **estar ~ a alguém** to be attached to sb

pressa [ˈpresa] f haste, hurry; (rapidez) speed; (urgência) urgency; **às ~s** hurriedly; **estar com ~** to be in a hurry; **ter ~ de** ou **em fazer** to be in a hurry to do

presságio [preˈsaʒu] m omen, sign; (pressentimento) premonition

pressão [preˈsãw] (pl **-ões**) f pressure; **(colchete de) ~** press stud, popper

pressentimento [presẽtʃiˈmẽtu] m premonition

pressentir [prese'tʃi°] vt to foresee; (suspeitar) to sense

pressionar [presjo'na°] vt (botão) to press; (coagir) to pressure ▷ vi to press, put on pressure

pressões [pre'sõjʃ] fpl de **pressão**

pressupor [presu'po°] (irreg: como **pôr**) vt to presuppose

prestação [preʃta'sãw] (pl **-ões**) f instalment (BRIT), installment (US); (por uma casa) repayment

prestar [preʃ'ta°] vt (cuidados) to give; (favores, serviços) to do; (contas) to render; (informações) to supply; (uma qualidade a algo) to lend ▷ vi: ~ **a alguém para algo** to be of use to sb for sth; **prestar-se** vr: **~-se a** to be suitable for; (admitir) to lend o.s. to; (dispor-se) to be willing to; **~ atenção** to pay attention

prestes ['preʃtiʃ] adj inv ready; (a ponto de) **~ a partir** about to leave

prestígio [preʃ'tʃiʒu] m prestige

presunção [prezũ'sãw] (pl **-ões**) f presumption; (vaidade) conceit, self-importance; **presunçoso, -a** [prezũ'sozu, ɔza] adj vain, self-important

presunto [pre'zũtu] m ham

pretender [pretē'de°] vt to claim; (cargo, emprego) to go for; **~ fazer** to intend to do

pretensão [pretē'sãw] (pl **-ões**) f claim; (vaidade) pretension; (propósito) aim; (aspiração) aspiration; **pretensioso, -a** [pretē'sjozu, ɔza] adj pretentious

pretérito [pre'tɛritu] m (Ling) preterite

pretexto [pre'teʃtu] m pretext

preto, -a ['pretu, a] adj black ▷ m/f Black (man/woman)

prevalecer [prevale'se°] vi to prevail; **prevalecer-se** vr: **~-se de** (aproveitar-se) to take advantage of

prevenção [prevē'sãw] (pl **-ões**) f prevention; (preconceito) prejudice; (cautela) caution; **estar de ~ com** ou **contra alguém** to be bias(s)ed against sb

prevenido, -a [preve'nidu, a] adj cautious, wary

prevenir [preve'ni°] vt to prevent; (avisar) to warn; (preparar) to prepare

prever [pre've°] (irreg: como **ver**) vt to predict, foresee; (pressupor) to presuppose

prévio, -a ['prɛvju, a] adj prior; (preliminar) preliminary

previsão [previ'zãw] (pl **-ões**) f foresight; (prognóstico) prediction, forecast; **~ do tempo** weather forecast

previsível [previ'zivew] (pl **-eis**) adj predictable

previsões [previ'zõjʃ] fpl de **previsão**

prezado, -a [pre'zadu, a] adj esteemed; (numa carta) dear

prezar [pre'za°] vt (amigos) to value highly; (autoridade) to respect; (gostar de) to appreciate

primário, -a [pri'marju, a] adj primary; (elementar) basic, rudimentary; (primitivo) primitive ▷ m (curso) elementary education

primavera [prima'vɛra] f spring; (planta) primrose

primeira [pri'mejra] f (Auto) first (gear)

primeiro, -a [pri'mejru, a] adj, adv first; **de primeira** first-class

primo, -a ['primu, a] m/f cousin; **~ irmão** first cousin

princesa [prĩ'seza] f princess

principal [prĩsi'paw] (pl **-ais**) adj principal; (entrada, razão, rua) main ▷ m head, principal; (essencial, de dívida) principal

príncipe ['prĩsipi] m prince

principiante [prĩsi'pjãtʃi] m/f

beginner
principiar [prĩsi'pja°] *vt, vi* to
begin
princípio [prĩ'sipju] *m*
beginning, start; (*origem*) origin;
(*legal, moral*) principle; **~s** *mpl* (*de
matéria*) rudiments
prioridade [prjori'dadʒi] *f* priority
prisão [pri'zãw] (*pl* **-ões**) *f*
imprisonment; (*cadeia*) prison,
jail; (*detenção*) arrest; **~ de ventre**
constipation; **prisioneiro, -a**
[prizjo'nejru, a] *m/f* prisoner
privacidade [privasi'dadʒi] *f*
privacy
privada [pri'vada] *f* toilet
privado, -a [pri'vadu, a] *adj*
private; (*carente*) deprived
privar [pri'va°] *vt* to deprive
privativo, -a [priva'tʃivu, a] *adj*
(*particular*) private; **~ de** peculiar to
privilegiado, -a [privile'ʒjadu, a]
adj privileged; (*excepcional*) unique,
exceptional
privilegiar [privile'ʒja°] *vt* to
privilege; (*favorecer*) to favour (BRIT),
favor (US)
privilégio [privi'lɛʒu] *m* privilege
pró [prɔ] *adv* for, in favour (BRIT) ou
favor (US) ▷ *m* advantage; **os ~s e
os contras** the pros and cons; **em ~
de** in favo(u)r of
pró- [prɔ] *prefixo* pro-
proa ['proa] *f* prow, bow
probabilidade [probabili'dadʒi] *f*
probability; **~s** *fpl* (*chances*) odds
problema [prob'lema] *m* problem
procedência [prose'dẽsja] *f*
origin, source; (*lugar de saída*) point
of departure
proceder [prose'de°] *vi* to
proceed; (*comportar-se*) to
behave; (*agir*) to act ▷ *m* conduct;
procedimento [prosedʒi'mẽtu] *m*
conduct, behaviour (BRIT), behavior
(US); (*processo*) procedure; (*Jur*)

proceedings *pl*
processamento [prosesa'mẽtu]
m processing; (*Jur*) prosecution;
(*verificação*) verification; **~ de texto**
word processing
processar [prose'sa°] *vt* (*Jur*)
to take proceedings against,
prosecute; (*requerimentos, Comput*)
to process
processo [pro'sɛsu] *m* process;
(*procedimento*) procedure; (*Jur*)
lawsuit, legal proceedings *pl*;
(: *autos*) record; (*conjunto de
documentos*) documents *pl*
procissão [prosi'sãw] (*pl* **-ões**) *f*
procession
proclamação [proklama'sãw]
f proclamation; **P~ da República**
(BR) *see boxed note*

● **PROCLAMAÇÃO DA REPÚBLICA**
●
● Commemorated on 15 November,
● which is a public holiday in Brazil,
● the proclamation of the republic
● in 1889 was a military coup, led
● by Marshal Deodoro da Fonseca.
● It brought down the empire
● which had been established after
● independence, and installed a
● federal republic in Brazil.

proclamar [prokla'ma°] *vt* to
proclaim
procura [pro'kura] *f* search; (*Com*)
demand
procuração [prokura'sãw] *f*: **por
~** by proxy
procurador, a [prokura'do°,
a] *m/f* attorney; **P~ Geral da
República** Attorney General
procurar [proku'ra°] *vt* to look
for, seek; (*emprego*) to apply for; (*ir
visitar*) to call on; (*contatar*) to get in
touch with; **~ fazer** to try to do
produção [produ'sãw] (*pl* **-ões**)

f production; (*volume de produção*)
output; (*produto*) product; **~
em massa, ~ em série** mass
production

produtivo, -a [produ'tʃivu, a] *adj*
productive; (*rendoso*) profitable

produto [pro'dutu] *m* product;
(*renda*) proceeds *pl*, profit

produtor, a [produ'to°, a] *adj*
producing ▷ *m/f* producer

produzir [produ'zi°] *vt* to
produce; (*ocasionar*) to cause, bring
about; (*render*) to bring in

proeminente [proemi'nẽtʃi] *adj*
prominent

proeza [pro'eza] *f* achievement,
feat

profanar [profa'na°] *vt* to
desecrate, profane; **profano, -a**
[pro'fanu, a] *adj* profane ▷ *m/f*
layman/woman

profecia [profe'sia] *f* prophecy

professor, a [profe'so°, a] *m/f*
teacher; (*universitário*) lecturer

profeta, -isa [pro'fɛta,
profe'tʃiza] *m/f* prophet

profissão [profi'sãw] (*pl -
ões*) *f* profession; **profissional**
[profisjo'naw] (*pl -ais*) *adj, m/f*
professional; **profissionalizante**
[profisjonali'zãtʃi] *adj* (*ensino*)
vocational

profundidade [profũdʒi'dadʒi]
f depth

profundo, -a [pro'fũdu, a] *adj*
deep; (*fig*) profound

profusão [profu'zãw] *f* profusion,
abundance

prognóstico [prog'nɔʃtʃiku] *m*
prediction, forecast

programa [pro'grama] *m*
programme (*BRIT*), program (*US*);
(*Comput*) program; (*plano*) plan;
(*diversão*) thing to do; (*de um curso*)
syllabus; **programar** [progra'ma°]
vt to plan; (*Comput*) to program

progredir [progre'dʒi°] *vi* to
progress; (*avançar*) to move forward;
(*infecção*) to progress

progressista [progre'siʃta] *adj,
m/f* progressive

progressivo, -a [progre'sivu, a]
adj progressive; (*gradual*) gradual

progresso [pro'grɛsu] *m* progress

progrido *etc* [pro'gridu] *vb V*
progredir

proibição [proibi'sãw] (*pl -ões*) *f*
prohibition, ban

proibir [proi'bi°] *vt* to prohibit;
(*livro, espetáculo*) to ban; **"é proibido
fumar"** "no smoking"; **~ alguém
de fazer, ~ que alguém faça** to
forbid sb to do

projeção [proʒe'sãw] (*PT* **-cç-**; *pl*
-ões) *f* projection

projetar [proʒe'ta°] (*PT* **-ct-**) *vt*
to project

projétil [pro'ʒɛtʃiw] (*PT* **-ct-**; *pl*
-eis) *m* projectile, missile

projeto [pro'ʒetu] (*PT* **-ct-**) *m*
project; (*plano, Arq*) plan; (*Tec*)
design; **~ de lei** bill

projetor [proʒe'to°] (*PT* **-ct-**) *m*
(*Cinema*) projector

proliferar [prolife'ra°] *vi* to
proliferate

prolongação [prolõga'sãw] *f*
extension

prolongado, -a [prolõ'gadu, a]
adj prolonged; (*alongado*) extended

prolongar [prolõ'ga°] *vt* to
extend, lengthen; (*decisão etc*)
to postpone; (*vida*) to prolong;
prolongar-se *vr* to extend; (*durar*)
to last

promessa [pro'mɛsa] *f* promise

prometer [prome'te°] *vt, vi* to
promise

promíscuo, -a [pro'miʃkwu,
a] *adj* disorderly, mixed up;
(*comportamento sexual*) promiscuous

promissor, a [promi'so°, a] *adj*

promising

promoção [promo'sãw] (*pl* **-ões**)
f promotion; **fazer ~ de alguém/
algo** to promote sb/sth

promotor, a [promo'to°, a] *m/f*
promoter; (*Jur*) prosecutor

promover [promo've°] *vt* to
promote; (*causar*) to cause, bring
about

pronome [pro'nɔmi] *m* pronoun

pronto, -a [prõtu, a] *adj* ready;
(*rápido*) quick, speedy; (*imediato*)
prompt ▷ *adv* promptly; **de ~**
promptly; **estar ~ a ...** to be
prepared *ou* willing to ...; **pronto-
socorro** (*pl* **prontos-socorros**) (*PT*)
m towtruck

pronúncia [pro'nũsja] *f*
pronunciation; (*Jur*) indictment

pronunciar [pronũ'sja°] *vt* to
pronounce; (*discurso*) to make,
deliver; (*Jur: réu*) to indict;
(*: sentença*) to pass

propaganda [propa'gãda] *f* (*Pol*)
propaganda; (*Com*) advertising;
(*: uma ~*) advert, advertisement;
fazer ~ de to advertise

propagar [propa'ga°] *vt* to
propagate; (*fig: difundir*) to
disseminate

propensão [propẽ'sãw] (*pl* **-ões**)
f inclination, tendency; **propenso,
-a** [pro'pẽsu, a] *adj*: **propenso a**
inclined to; **ser propenso a** to be
inclined to, have a tendency to

propina [pro'pina] *f* (*gorjeta*) tip;
(*PT: cota*) fee

propor [pro'po°] (*irreg: como* **pôr**)
vt to propose; (*oferecer*) to offer; (*um
problema*) to pose; **propor-se** *vr*:
~-se (a) fazer (*pretender*) to intend
to do; (*visar*) to aim to do; (*dispor-
se*) to decide to do; (*oferecer-se*) to
offer to do

proporção [propox'sãw] (*pl*
-ões) *f* proportion; **proporções**

fpl (*dimensões*) dimensions;

proporcional [propoxsjo'naw]
(*pl* **-ais**) *adj* proportional;

proporcionar [propoxsjo'na°]
vt to provide, give; (*adaptar*) to
adjust, adapt

proposição [propozi'sãw] (*pl*
-ões) *f* proposition, proposal

proposital [propozi'taw] (*pl* **-ais**)
adj intentional

propósito [pro'pɔzitu] *m*
(*intenção*) purpose; (*objetivo*) aim; **a
~** by the way; **a ~ de** with regard to;
de ~ on purpose

proposta [pro'pɔʃta] *f* proposal;
(*oferecimento*) offer

propriamente [proprja'mẽtʃi]
adv properly, exactly; **~ falando** *ou*
dito strictly speaking

propriedade [proprje'dadʒi] *f*
property; (*direito de proprietário*)
ownership; (*o que é apropriado*)
propriety

proprietário, -a [proprje'tarju,
a] *m/f* owner, proprietor

próprio, -a ['prɔprju, a] *adj*
own, of one's own; (*mesmo*)
very, selfsame; (*hora, momento*)
opportune, right; (*nome*) proper;
(*característico*) characteristic;
(*sentido*) proper, true; (*depois de
pronome*) -self; **~ (para)** suitable
(for); **eu ~** I myself; **por si ~** of one's
own accord; **ele é o ~ inglês** he's a
typical Englishman; **é o ~** it's him
himself

prorrogação [proxoga'sãw] (*pl*
-ões) *f* extension

prosa ['prɔza] *f* prose; (*conversa*)
chatter; (*fanfarrice*) boasting,
bragging ▷ *adj* full of oneself

prospecto [proʃ'pɛktu] *m* leaflet;
(*em forma de livro*) brochure

prosperar [proʃpe'ra°] *vi* to
prosper, thrive; **prosperidade**
[proʃperi'dadʒi] *f* prosperity;

(*bom êxito*) success; **próspero, -a** ['prɔʃperu, a] *adj* prosperous; (*bem sucedido*) successful; (*favorável*) favourable (*BRIT*), favorable (*US*)

prosseguir [prose'gi*] *vt, vi* to continue; **~ em** to continue (with)

prostíbulo [prɔʃ'tʃibulu] *m* brothel

prostituta [prɔʃtʃi'tuta] *f* prostitute

prostrado, -a [prɔʃ'tradu, a] *adj* prostrate

protagonista [protago'niʃta] *m/f* protagonist

proteção [prote'sãw] (*PT* **-cç-**) *f* protection

protector, a [protɛk'to*, a] (*PT*) = **protetor, a**

proteger [prote'ʒe*] *vt* to protect; **protegido, -a** [prote'ʒidu, a] *m/f* protégé(e)

proteína [prote'ina] *f* protein

protejo *etc* [pro'teʒu] *vb V* **proteger**

protestante [proteʃ'tãtʃi] *adj, m/f* Protestant

protestar [proteʃ'ta*] *vt, vi* to protest; **protesto** [pro'tɛʃtu] *m* protest

protetor, a [prote'to*, a] *adj* protective ▷ *m/f* protector; **~ solar** sunscreen; **~ de tela** (*Comput*) screensaver

protuberância [protube'rãsja] *f* bump; **protuberante** [protube-'rãtʃi] *adj* sticking out

prova ['prɔva] *f* proof; (*Tec*: *teste*) test, trial; (*Educ*: *exame*) examination; (*sinal*) sign; (*de comida, bebida*) taste; (*de roupa*) fitting; (*Esporte*) competition; (*Tip*) proof; **~(s)** *f(pl)* (*Jur*) evidence *sg*; **à ~ de bala/fogo/água** bulletproof/fireproof/waterproof; **pôr à ~** to put to the test

provar [pro'va*] *vt* to prove; (*comida*) to taste, try; (*roupa*) to try

on ▷ *vi* to try

provável [pro'vavew] (*pl* **-eis**) *adj* probable, likely

provedor, a [prove'do*, a] *m/f* supplier; **~ de acesso à Internet** Internet service provider

proveito [pro'vejtu] *m* advantage; (*ganho*) profit; **em ~ de** for the benefit of; **fazer ~ de** to make use of

proveniente [prove'njẽtʃi] *adj*: **proveniente de** originating from; (*que resulta de*) arising from

prover [pro've*] (*irreg: como* **ver**) *vt* to provide, supply; (*vaga*) to fill ▷ *vi*: **~ a** to take care of, see to

provérbio [pro'vɛxbju] *m* proverb

providência [provi'dẽsja] *f* providence; **~s** *fpl* (*medidas*) measures, steps; **providencial** [providẽ'sjaw] (*pl* **-ais**) *adj* opportune; **providenciar** [providẽ'sja*] *vt* to provide; (*tomar providências*) to arrange ▷ *vi* to make arrangements, take steps; **providenciar para que** to see to it that

província [pro'vĩsja] *f* province

provisório, -a [provi'zɔrju, a] *adj* provisional, temporary

provocador, a [provoka'do*, a] *adj* provocative

provocante [provo'kãtʃi] *adj* provocative

provocar [provo'ka*] *vt* to provoke; (*ocasionar*) to cause; (*atrair*) to tempt, attract; (*estimular*) to rouse, stimulate

próximo, -a ['prɔsimu, a] *adj* (*no espaço*) near, close; (*no tempo*) close; (*seguinte*) next; (*amigo, parente*) close; (*vizinho*) neighbouring (*BRIT*), neighboring (*US*) ▷ *adv* near ▷ *m* fellow man; **~ a** *ou* **de** near, close to; **até a próxima!** see you again soon!

prudência [pru'dẽsja] *f* care,

prudence; **prudente** [pru'dētʃi] *adj* prudent

prurido [pru'ridu] *m* itch

psicanálise [psika'nalizi] *f* psychoanalysis

psicologia [psikolo'ʒia] *f* psychology; **psicológico, -a** [psiko'lɔʒiku, a] *adj* psychological; **psicólogo, -a** [psi'kɔlogu, a] *m/f* psychologist

psique ['psiki] *f* psyche

psiquiatra [psi'kjatra] *m/f* psychiatrist

psiquiatria [psikja'tria] *f* psychiatry

psíquico, -a ['psikiku, a] *adj* psychological

puberdade [pubex'dadʒi] *f* puberty

publicação [publika'sãw] *f* publication

publicar [publi'ka*] *vt* to publish; (*divulgar*) to divulge; (*proclamar*) to announce

publicidade [publisi'dadʒi] *f* publicity; (*Com*) advertising; **publicitário, -a** [publisi'tarju, a] *adj* publicity *atr*; advertising *atr*

público, -a ['publiku, a] *adj* public ⊳ *m* public; (*Cinema, Teatro etc*) audience

pude *etc* ['pudʒi] *vb* ∨ **poder**

pudera *etc* [pu'dɛra] *vb* ∨ **poder**

pudim [pu'dʒĩ] (*pl* -**ns**) *m* pudding

pudor [pu'do*] *m* bashfulness, modesty; (*moral*) decency

pular [pu'la*] *vi* to jump; (*no Carnaval*) to celebrate ⊳ *vt* to jump (over); (*páginas, trechos*) to skip; ~ **Carnaval** to celebrate Carnival; ~ **corda** to skip

pulga ['puwga] *f* flea

pulmão [puw'mãw] (*pl* -**ões**) *m* lung

pulo¹ ['pulu] *m* jump; **dar um ~ em** to stop off at

pulo¹ *etc* *vb* ∨ **polir**

pulôver [pu'love*] (*BR*) *m* pullover

pulsação [puwsa'sãw] *f* pulsation, beating; (*Med*) pulse

pulseira [puw'sejra] *f* bracelet; (*de sapato*) strap

pulso ['puwsu] *m* (*Anat*) wrist; (*Med*) pulse; (*fig*) vigour (*BRIT*), vigor (*US*), energy

punha *etc* ['puɲa] *vb* ∨ **pôr**

punhado [pu'ɲadu] *m* handful

punhal [pu'ɲaw] (*pl* -**ais**) *m* dagger

punho ['puɲu] *m* fist; (*de manga*) cuff; (*de espada*) hilt

punição [puni'sãw] (*pl* -**ões**) *f* punishment

punir [pu'ni*] *vt* to punish

pupila [pu'pila] *f* (*Anat*) pupil

purê [pu're] *m* purée; ~ **de batatas** mashed potatoes

pureza [pu'reza] *f* purity

purificar [purifi'ka*] *vt* to purify

puritano, -a [puri'tanu, a] *adj* puritanical; (*seita*) puritan ⊳ *m/f* puritan

puro, -a ['puru, a] *adj* pure; (*uísque etc*) neat; (*verdade*) plain; (*intenções*) honourable (*BRIT*), honorable (*US*); (*estilo*) clear

pus¹ [puʃ] *m* pus

pus² *etc* [puʃ] *vb* ∨ **pôr**

puser *etc* [pu'ze*] *vb* ∨ **pôr**

puta ['puta] (*col!*) *f* whore; ∨ *tb* **puto**

puto, -a ['putu, a] (*col!*) *m/f* (*semvergonha*) bastard ⊳ *adj* (*zangado*) furious; (*incrível*): **um ~ ...** a hell of a ...; **o ~ de ...** the bloody ...

pútrido, -a ['putridu, a] *adj* putrid, rotten

puxador [puʃa'do*] *m* handle, knob

puxão [pu'ʃãw] (*pl* -**ões**) *m* tug, jerk

puxar [pu'ʃa*] *vt* to pull; (*sacar*) to pull out; (*assunto*) to bring up; (*conversa*) to strike up; (*briga*) to pick ⊳ *vi*: ~ **de uma perna** to limp; ~ **a** to take after

puxões [pu'ʃõjʃ] *mpl de* **puxão**

q

QG abr m (= Quartel-General) HQ

QI abr m (= Quociente de Inteligência)
IQ

quadra ['kwadra] f (quarteirão)
block; (de tênis etc) court; (período)
time, period

quadrado, -a [kwa'dradu, a] adj
square ▷ m square ▷ m/f(col)
square

quadril [kwa'driw] (pl **-is**) m
hip

quadrinho [kwa'driɲu] m:
história em ~s (BR) cartoon, comic
strip

quadris [kwa'driʃ] mpl de **quadril**

quadro ['kwadru] m painting;
(gravura, foto) picture; (lista) list;
(tabela) chart, table; (Tec: painel)
panel; (pessoal) staff; (time) team;
(Teatro, fig) scene; **quadro-negro**
(pl **quadros-negros**) m blackboard

quadruplicar [kwadrupli'ka*] vt,
vi to quadruple

qual [kwaw] (pl **-ais**) pron which
▷ conj as, like ▷ excl what!; **o ~**
which; (pessoa: suj) who; (: objeto)
whom; **seja ~ for** whatever ou
whichever it may be; **cada ~**
each one

qualidade [kwali'dadʒi] f
quality

qualificação [kwalifika'sãw] (pl
-ões) f qualification

qualificado, -a [kwalifi'kadu, a]
adj qualified

qualificar [kwalifi'ka*] vt to
qualify; (avaliar) to evaluate;
qualificar-se vr to qualify; **~ de** ou
como to classify as

qualquer [kwaw'ke*] (pl
quaisquer) adj, pron any; **~ pessoa**
anyone, anybody; **~ um dos dois**
either; **~ que seja** whichever it may
be; **a ~ momento** at any moment

quando ['kwãdu] adv when ▷ conj
when; (interrogativo) when?; (ao
passo que) whilst; **~ muito** at
most

quantia [kwã'tʃia] f sum, amount

quantidade [kwãtʃi'dadʒi] f
quantity, amount

○ **PALAVRA CHAVE**

quanto, -a ['kwãtu, a] adj **1**
(interrogativo: sg) how much?; (: pl)
how many?; **~ tempo?** how long?
2 (o que for) necessário) all that, as
much as; **daremos ~s exemplares
ele precisar** we'll give him as many
copies as ou all the copies he needs
3: tanto/tantos ... ~ as much/
many ... as
▷ pron **1** how much?; how many?; **~
custa?** how much?; **a ~ está o jogo?**
what's the score?
2: tudo ~ everything that, as much as
3: tanto/tantos ~ ... as much/as
many as ...

4: **um tanto ~** somewhat, rather ▷ *adv* **1**: **~ a** as regards; **~ a mim** as for me
2: **~ antes** as soon as possible
3: **~ mais** (*principalmente*) especially; (*muito menos*) let alone; **~ mais cedo melhor** the sooner the better
4: **tanto ~ possível** as much as possible; **tão ... ~ ...** as ... as ... ▷ *conj* **1**: **~ mais trabalha, mais ele ganha** the more he works, the more he earns; **~ mais, (tanto) melhor** the more, the better

quarenta [kwa'rẽta] *num* forty
quarentena [kwarẽ'tɛna] *f* quarantine
quaresma [kwa'reʒma] *f* Lent
quarta ['kwaxta] *f* (*tb*: **~-feira**) Wednesday; (*parte*) quarter; (*Auto*) fourth (gear); **quarta-feira** (*pl* **quartas-feiras**) *f* Wednesday; **quarta-feira de cinzas** Ash Wednesday
quarteirão [kwaxtej'rãw] (*pl* **-ões**) *m* (*de casas*) block
quartel [kwax'tɛw] (*pl* **-éis**) *m* barracks *sg*; **quartel-general** *m* headquarters *pl*
quarteto [kwax'tetu] *m* quartet(te)
quarto, -a ['kwaxtu, a] *num* fourth ▷ *m* quarter; (*aposento*) room; **~ de banho/dormir** bathroom/bedroom; **três ~s de hora** three quarters of an hour
quase ['kwazi] *adv* almost, nearly; **~ nunca** hardly ever
quatorze [kwa'toxzi] *num* fourteen
quatro ['kwatru] *num* four

○ **PALAVRA CHAVE**

que [ki] *conj* **1** (*com oração*

subordinada: *muitas vezes não se traduz*) that; **ele disse ~ viria** he said (that) he would come; **não há nada ~ fazer** there's nothing to be done; **espero ~ sim/não** I hope so/not; **dizer ~ sim/não** to say yes/no
2 (*consecutivo*: *muitas vezes não se traduz*) that; **é tão pesado ~ não consigo levantá-lo** it's so heavy (that) I can't lift it
3 (*comparações*): **(do) ~** than; *V tb* **mais; menos; mesmo** ▷ *pron* **1** (*coisa*) which, that; (*+ prep*) which; **o chapéu ~ você comprou** the hat (that *ou* which) you bought
2 (*pessoa*: *suj*) who, that; (: *complemento*) whom, that; **o amigo ~ me levou ao museu** the friend who took me to the museum; **a moça ~ eu convidei** the girl (that *ou* whom) I invited
3 (*interrogativo*) what?; **o ~ você disse?** what did you say?
4 (*exclamação*) what!; **~ pena!** what a pity!; **~ lindo!** how lovely!

quê [ke] *m* (*col*) something ▷ *pron* what; **~!** what!; **não tem de ~** don't mention it; **para ~?** what for?; **por ~?** why?
quebra ['kɛbra] *f* break, rupture; (*falência*) bankruptcy; (*de energia elétrica*) cut; **de ~** in addition; **quebra-cabeça** (*pl* **quebra-cabeças**) *m* puzzle, problem; (*jogo*) jigsaw puzzle
quebrado, -a [ke'bradu, a] *adj* broken; (*cansado*) exhausted; (*falido*) bankrupt; (*carro, máquina*) broken down; (*telefone*) out of order
quebrar [ke'bra°] *vt* to break ▷ *vi* to break; (*carro*) to break down; (*Com*) to go bankrupt; (*ficar sem dinheiro*) to go broke
queda ['kɛda] *f* fall; (*fig*) downfall; **ter ~ para algo** to have a bent

for sth; **~ de barreira** landslide;
queda-d'água (*pl* **quedas-d'água**)
f waterfall

queijo ['kejʒu] *m* cheese

queimado, -a [kej'madu, a] *adj*
burnt; (*de sol: machucado*) sunburnt;
(: *bronzeado*) brown, tanned;
(*plantas, folhas*) dried up

queimadura [kejma'dura] *f*
burn; (*de sol*) sunburn

queimar [kej'ma*] *vt* to burn;
(*roupa*) to scorch; (*com líquido*)
to scald; (*bronzear a pele*) to tan;
(*planta, folha*) to wither ▷ *vi* to burn;
queimar-se *vr* (*pessoa*) to burn o.s.;
(*de sol*) to tan

queima-roupa *f*: **à ~** point-blank,
at point-blank range

queira *etc* ['kejra] *vb V* **querer**

queixa ['kejʃa] *f* complaint;
(*lamentação*) lament; **fazer ~ de
alguém** to complain about sb

queixar-se [kej'ʃaxsi] *vr* to
complain; **~ de** to complain about;
(*dores etc*) to complain of

queixo ['kejʃu] *m* chin; (*maxilar*)
jaw; **bater o ~** to shiver

quem [kẽj] *pron* who; (*como objeto*)
who(m); **de ~ é isto?** whose is this?;
~ diria! who would have thought
(it)!; **~ sabe** (*talvez*) perhaps

Quênia ['kenja] *m*: **o ~** Kenya

quente ['kẽtʃi] *adj* hot; (*roupa*)
warm

quer [ke*] *vb V* **querer** ▷ *conj*: **~
... ~ ...** whether ... or ...; **~ chova
~ não** whether it rains or not;
onde/quando/quem ~ que
wherever/whenever/whoever; **o
que ~ que seja** whatever it is

○ **PALAVRA CHAVE**

querer [ke're*] *vt* **1** (*desejar*) to
want; **quero mais dinheiro** I want
more money; **queria um chá** I'd

like a cup of tea; **quero ajudar/que
vá** I want to help/you to go; **você
vai ~ sair amanhã?** do you want
to go out tomorrow?; **eu vou ~
uma cerveja** (*num bar etc*) I'd like
a beer; **por/sem ~** intentionally/
unintentionally; **como queira** as
you wish

2 (*perguntas para pedir algo*): **você
quer fechar a janela?** will you shut
the window?; **quer me dar uma
mão?** can you give me a hand?

3 (*amar*) to love

4 (*convite*): **quer entrar/sentar** do
come in/sit down

5: **~ dizer** (*significar*) to mean;
(*pretender dizer*) to mean to say;
quero dizer I mean; **quer dizer**
(*com outras palavras*) in other words
▷ *vi*: **~ bem a** to be fond of
▷ **querer-se** *vr* to love one another
▷ *m* (*vontade*) wish; (*afeto*) affection

querido, -a [ke'ridu, a] *adj* dear
▷ *m/f* darling; **Q~ João** Dear John

querosene [kero'zɛni] *m*
kerosene

questão [keʃ'tãw] (*pl* **-ões**) *f*
question, inquiry; (*problema*)
matter, question; (*Jur*) case;
(*contenda*) dispute, quarrel; **fazer
~ (de)** to insist (on); **em ~** in
question; **há ~ de um ano** about a
year ago; **questionar** [keʃtʃjo'na*]
vi to question ▷ *vt* to question,
call into question; **questionário**
[keʃtʃjo'narju] *m* questionnaire;
questionável [keʃtʃjo'navew] (*pl*
-eis) *adj* questionable

quicar [ki'ka*] *vt, vi* to bounce

quieto, -a ['kjɛtu, a] *adj* quiet;
(*imóvel*) still; **quietude** [kje'tudʒi] *f*
calm, tranquillity

quilate [ki'latʃi] *m* carat

quilo ['kilu] *m* kilo; **quilobyte**
[kilo'bajtʃi] *m* kilobyte;

quilograma [kilo'grama] *m*
kilogram; **quilometragem**
[kilome'traʒẽ] *f* number of
kilometres *ou* kilometers travelled,
≈ mileage; **quilômetro** [ki'lometru]
m kilometre (*BRIT*), kilometer (*US*);
quilowatt [kilo'watʃi] *m* kilowatt
química ['kimika] *f* chemistry
químico, -a ['kimiku, a] *adj*
chemical ▷ *m/f* chemist
quina ['kina] *f* corner; (*de mesa
etc*) edge; **de ~** edgeways (*BRIT*),
edgewise (*US*)
quindim [kĩ'dʒĩ] *m* sweet made of
egg yolks, coconut and sugar
quinhão [ki'ɲãw] (*pl* **-ões**) *m*
share, portion
quinhentos, -as [ki'ɲẽtuʃ, aʃ]
num five hundred
quinhões [ki'ɲõjʃ] *mpl de*
quinhão
quinquilharias [kĩkiʎa'riaʃ] *fpl*
odds and ends; (*miudezas*) knick-
knacks, trinkets
quinta ['kĩta] *f* (*tb:* **~-feira)**
Thursday; (*propriedade*) estate; (*PT*)
farm; **quinta-feira** ['kĩta'fejra] (*pl*
quintas-feiras) *f* Thursday
quintal [kĩ'taw] (*pl* **-ais**) *m* back
yard
quinteto [kĩ'tetu] *m* quintet(te)
quinto, -a ['kĩtu, a] *num* fifth
quinze ['kĩzi] *num* fifteen; **duas e
~** a quarter past (*BRIT*) *ou* after (*US*)
two; **~ para as sete** a quarter to
(*BRIT*) *ou* of (*US*) seven
quinzena [kĩ'zɛna] *f* two
weeks, fortnight (*BRIT*); **quinzenal**
[kĩze'naw] (*pl* **-is**) *adj* fortnightly;
quinzenalmente [kĩzenaw'mẽtʃi]
adv fortnightly
quiosque ['kjɔʃki] *m* kiosk
quis *etc* [kiʒ] *vb V* **querer**
quiser *etc* [ki'ze°] *vb V* **querer**
quisto ['kiʃtu] *m* cyst
quitanda [ki'tãda] *f* grocer's

(shop) (*BRIT*), grocery store (*US*)
quitar [ki'ta°] *vt* (*dívida: pagar*)
to pay off; (: *perdoar*) to cancel;
(*devedor*) to release
quite ['kitʃi] *adj* (*livre*) free; (*com
um credor*) squared up; (*igualado*)
even; **estar ~ (com alguém)** to be
quits (with sb)
quitute [ki'tutʃi] *m* titbit (*BRIT*),
tidbit (*US*)
quota ['kwota] *f* quota; (*porção*)
share, portion
quotidiano, -a [kwotʃi'dʒanu,
a] *adj* everyday

r

R abr (= rua) St

R\$ abr = **real**

rã [xã] f frog

rabanete [xaba'netʃi] m radish

rabiscar [xabiʃ'ka°] vt to scribble; (papel) to scribble on ▷ vi to scribble; (desenhar) to doodle

rabo ['xabu] m tail

rabugento, -a [xabu'ʒẽtu, a] adj grumpy

raça ['xasa] f breed; (grupo étnico) race; **cão/cavalo de ~** pedigree dog/thoroughbred horse

racha ['xaʃa] f (fenda) split; (greta) crack; **rachadura** [xaʃa'dura] f crack; **rachar** [xa'ʃa°] vt to crack; (objeto, despesas) to split; (lenha) to chop ▷ vi to split; (cristal) to crack; **rachar-se** vr to split; to crack

racial [xa'sjaw] (pl -ais) adj racial

raciocínio [xasjo'sinju] m reasoning

racional [xasjo'naw] (pl -ais) adj rational; **racionalizar** [xasjonali-'za°] vt to rationalize

racionamento [xasjona'mẽtu] m rationing

racismo [xa'siʒmu] m racism; **racista** [xa'siʃta] adj, m/f racist

radar [xa'da°] m radar

radiação [xadʒja'sãw] f radiation

radiador [xadʒja'do°] m radiator

radical [xadʒi'kaw] (pl -ais) adj radical

radicar-se [xadʒi'kaxs i] vr to take root; (fixar residência) to settle

rádio ['xadʒju] m radio; (Quím) radium; **radioativo, -a** [xadʒjua-'tʃivu, a] (PT -act-) adj radioactive; **radiodifusão** [xadʒjodʒifu'zãw] f broadcasting; **radiografar** [xadʒjogra'fa°] vt to X-ray; **radiografia** [xadʒjogra'fia] f X-ray

raia ['xaja] f (risca) line; (fronteira) boundary; (limite) limit; (de corrida) lane; (peixe) ray

raiar [xa'ja°] vi to shine

rainha [xa'iɲa] f queen

raio ['xaju] m (de sol) ray; (de luz) beam; (de roda) spoke; (relâmpago) flash of lightning; (alcance) range; (Mat) radius; **~s X** X-rays

raiva ['xajva] f rage, fury; (Med) rabies sg; **estar/ficar com ~ (de)** to be/get angry (with); **ter ~ de** to hate; **raivoso, -a** [xaj'vozu, ɔza] adj furious

raiz [xa'iʒ] f root; (origem) origin, source; **~ quadrada** square root

rajada [xa'ʒada] f (vento) gust

ralado, -a [xa'ladu, a] adj grated; **ralador** [xala'do°] m grater

ralar [xa'la°] vt to grate

ralhar [xa'ʎa°] vi to scold; **~ com alguém** to tell sb off

rali [xa'li] m rally

ralo, -a ['xalu, a] adj (cabelo) thinning; (tecido) flimsy; (vegetação) sparse; (sopa) thin, watery; (café) weak ▷ *m* (*de regador*) rose, nozzle; (*de pia, banheiro*) drain

rama ['xama] *f* branches *pl*, foliage; **pela ~** superficially; **ramagem** [xa'maʒẽ] *f* branches *pl*, foliage; **ramal** [xa'maw] (*pl ~is*) *m* (*Ferro*) branch line; (*Tel*) extension; (*Auto*) side road

ramificar-se [xamifi'kaxsi] *vr* to branch out

ramo ['xamu] *m* branch; (*profissão, negócios*) line; (*de flores*) bunch; **Domingo de R~s** Palm Sunday

rampa ['xãpa] *f* ramp; (*ladeira*) slope

ranger [xã'ʒe°] *vi* to creak ▷ *vt*: **~ os dentes** to grind one's teeth

ranhura [xa'ɲura] *f* groove; (*para moeda*) slot

rapar [xa'pa°] *vt* to scrape; (*a barba*) to shave; (*o cabelo*) to crop

rapariga [xapa'riga] *f* girl

rapaz [xa'pajʒ] *m* boy; (*col*) lad

rapidez [xapi'deʒ] *f* speed

rápido, -a ['xapidu, a] *adj* fast, quick ▷ *adv* fast, quickly ▷ *m* (*trem*) express

rapina [xa'pina] *f* robbery; **ave de ~** bird of prey

raptar [xap'ta°] *vt* to kidnap; **rapto** ['xaptu] *m* kidnapping; **raptor** [xap'to°] *m* kidnapper

raquete [xa'ketʃi] *f* racquet

raquítico, -a [xa'kitʃiku, a] *adj* (*franzino*) puny; (*vegetação*) poor

raramente [xara'mẽtʃi] *adv* rarely, seldom

raro, -a ['xaru, a] *adj* rare ▷ *adv* rarely, seldom

rasgado, -a [xaʒ'gadu, a] *adj* (*roupa*) torn, ripped

rasgão [xaʒ'gãw] (*pl -ões*) *m* tear, rip

rasgar [xaʒ'ga°] *vt* to tear, rip; (*destruir*) to tear up, rip up; **rasgar-se** *vr* to split; **rasgo** ['xaʒgu] *m*

tear, rip

rasgões [xaʒ'gõjʃ] *mpl de* **rasgão**

raso, -a ['xazu, a] *adj* (*liso*) flat, level; (*não fundo*) shallow; (*baixo*) low; **soldado ~** private

raspa ['xaʃpa] *f* (*de madeira*) shaving; (*de metal*) filing

raspão [xaʃ'pãw] (*pl -ões*) *m* scratch, graze

raspar [xaʃ'pa°] *vt* to scrape; (*alisar*) to file; (*tocar de raspão*) to graze; (*arranhar*) to scratch; (*pêlos, cabeça*) to shave; (*apagar*) to rub out ▷ *vi*: **~ em** to scrape

raspões [xaʃ'põjʃ] *mpl de* **raspão**

rasteira [xaʃ'tejra] *f*: **dar uma ~ em alguém** to trip sb up

rasteiro, -a [xaʃ'tejru, a] *adj* crawling; (*planta*) creeping

rastejar [xaʃte'ʒa°] *vi* to crawl; (*furtivamente*) to creep; (*fig: rebaixar-se*) to grovel ▷ *vt* (*fugitivo etc*) to track

rasto ['xaʃtu] *m* (*pegada*) track; (*de veículo*) trail; (*fig*) sign, trace; **andar de ~s** to crawl

rastro ['xaʃtru] *m* = **rasto**

rata ['xata] *f* rat; (*pequena*) mouse

ratificar [xatʃifi'ka°] *vt* to ratify

rato ['xatu] *m* rat; (*pequeno*) mouse; **~ de hotel/praia** hotel/beach thief

ravina [xa'vina] *f* ravine

razão [xa'zãw] (*pl -ões*) *f* reason; (*argumento*) reasoning; (*Mat*) ratio ▷ *m* (*Com*) ledger; **à ~ de** at the rate of; **em ~ de** on account of; **dar ~ a alguém** to support sb; **ter/não ter ~** to be right/wrong; **razoável** [xa'zwavew] (*pl -eis*) *adj* reasonable

r/c (*PT*) *abr* = **rés-do-chão**

RDSI *abr f* (= *Rede Digital de Serviços Integrados*) ISDN

ré [xɛ] *f* (*Auto*) reverse (gear); **dar (marcha à) ~** to reverse, back up;

V tb **réu**

reabastecer [xeabaʃte'se°] *vt*
(*avião*) to refuel; (*carro*) to fill up;
reabastecer-se *vr*: **~-se de** to
replenish one's supply of

reação [xea'sãw] (*PT* **-cç-**; *pl* **-ões**)
f reaction

reagir [xea'ʒi°] *vi* to react; (*doente,
time perdedor*) to fight back; **~ a**
(*resistir*) to resist; (*protestar*) to rebel
against

reais [xe'ajʃ] *adj pl de* **real**

reaja *etc* [xe'aʒa] *vb V* **reagir;
reaver**

reajuste [xea'ʒuʃtʃi] *m*
adjustment

real [xe'aw] (*pl* **-ais**) *adj* real;
(*relativo à realeza*) royal ▷ *m* (*moeda*)
real

realçar [xeaw'sa°] *vt* to highlight;
realce [xe'awsi] *m* emphasis;
(*mais brilho*) highlight; **dar realce a**
to enhance

realeza [xea'leza] *f* royalty

realidade [xeali'dadʒi] *f* reality;
na ~ actually, in fact

realista [xea'liʃta] *adj* realistic
▷ *m/f* realist

realização [xealiza'sãw] *f*
fulfilment (*BRIT*), fulfillment (*US*),
realization; (*de projeto*) execution,
carrying out

realizador, a [xealiza'do°, a] *adj*
enterprising

realizar [xeali'za°] *vt* to achieve;
(*projeto*) to carry out; (*ambições,
sonho*) to fulfil (*BRIT*), fulfill (*US*),
realize; (*negócios*) to transact;
(*perceber*) to realize; **realizar-se**
vr to take place; (*ambições*) to be
realized; (*sonhos*) to come true

realmente [xeaw'mẽtʃi] *adv*
really; (*de fato*) actually

reanimar [xeani'ma°] *vt* to revive;
(*encorajar*) to encourage; **reanimar-
se** *vr* to cheer up

reatar [xea'ta°] *vt* to resume, take
up again

reaver [xea've°] *vt* to recover,
get back

rebaixar [xebaj'ʃa°] *vt* to lower;
(*mercadorias*) to lower the price of;
(*humilhar*) to put down, humiliate
▷ *vi* to drop; **rebaixar-se** *vr* to
demean o.s.

rebanho [xe'baɲu] *m* (*de carneiros,
fig*) flock; (*de gado, elefantes*) herd

rebelar-se [xebe'laxsi] *vr* to rebel;
rebelde [xe'bɛwdʒi] *adj* rebellious;
(*indisciplinado*) unruly, wild ▷ *m/f*
rebel; **rebeldia** [xebew'dʒia] *f*
rebelliousness; (*fig: obstinação*)
stubbornness; (*: oposição*) defiance

rebelião [xebe'ljãw] (*pl* **-ões**) *f*
rebellion

rebentar [xebẽ'ta°] *vi* (*guerra*) to
break out; (*louça*) to smash; (*corda*)
to snap; (*represa*) to burst; (*ondas*) to
break ▷ *vt* to smash; to snap; (*porta*)
to break down

rebocador [xeboka'do°] *m*
tug(boat)

rebocar [xebo'ka°] *vt* (*paredes*) to
plaster; (*veículo*) to tow

rebolar [xebo'la°] *vt* to swing
▷ *vi* to sway

reboque¹ [xe'bɔki] *m* tow;
(*veículo: tb:* **carro ~**) trailer; (*cabo*)
towrope; (*BR: de socorro*) towtruck;
a ~ on *ou* in (*US*) tow

reboque² *etc vb V* **rebocar**

rebuçado [xebu'sadu] (*PT*) *m*
sweet, candy (*US*)

recado [xe'kadu] *m* message;
deixar ~ to leave a message

recair [xeka'i°] *vi* (*doente*) to
relapse

recalcar [xekaw'ka°] *vt* to repress

recalque *etc* [xe'kawki] *vb V*
recalcar

recanto [xe'kãtu] *m* corner, nook

recapitular [xekapitu'la°] *vt* to

sum up, recapitulate; (*fatos*) to review; (*matéria escolar*) to revise

recarga [xe'kaxga] f (*de celular*) top-up; **preciso fazer a ~ do meu celular** I need to top up my mobile

recarregar [xekaxe'ga°] vt (*celular*) to top up; (*bateria*) to recharge; (*cartucho*) to refill

recatado, -a [xeka'tadu, a] adj (*modesto*) modest; (*reservado*) reserved

recauchutado, -a [xekawʃu'tadu, a] adj: **pneu ~** (*Auto*) retread, remould (*BRIT*)

recear [xe'sja°] vt to fear ▷ vi: **~ por** to fear for; **~ fazer/que** to be afraid to do/that

receber [xese'be°] vt to receive; (*ganhar*) to earn, get; (*hóspedes*) to take in; (*convidados*) to entertain; (*acolher bem*) to welcome ▷ vi (*~ convidados*) to entertain; **recebimento** [xesebi'mẽtu] (*BR*) m reception; (*de uma carta*) receipt; **acusar o recebimento de** to acknowledge receipt of

receio [xe'seju] m fear; **ter ~ de que** to fear that

receita [xe'sejta] f income; (*do Estado*) revenue; (*Med*) prescription; (*Culin*) recipe; **R~ Federal** ≈ Inland Revenue (*BRIT*), ≈ IRS (*US*); **receitar** [xesej'ta°] vt to prescribe

recém [xe'sẽ] adv recently, newly; **recém-casado, -a** adj: **os recém-casados** the newlyweds; **recém-chegado, -a** m/f newcomer; **recém-nascido, -a** m/f newborn child

recente [xe'sẽtʃi] adj recent; (*novo*) new ▷ adv recently; **recentemente** [xesẽtʃi'mẽtʃi] adv recently

receoso, -a [xe'sjozu, ɔza] adj frightened, fearful; **estar ~ de (fazer)** to be afraid of (doing)

recepção [xesep'sãw] (*pl* **-ões**) f reception; (*PT: de uma carta*) receipt; **acusar a ~ de** (*PT*) to acknowledge receipt of; **recepcionista** [xesepsjo'niʃta] m/f receptionist

receptivo, -a [xesep'tʃivu, a] adj receptive; (*acolhedor*) welcoming

receptor [xesep'to°] m receiver

recessão [xese'sãw] (*pl* **-ões**) f recession

recessões [xese'sõjʃ] fpl de **recessão**

recheado, -a [xe'ʃjadu, a] adj (*ave, carne*) stuffed; (*empada, bolo*) filled; (*cheio*) full, crammed

rechear [xe'ʃja°] vt to fill; (*ave, carne*) to stuff; **recheio** [xe'ʃeju] m stuffing; (*de empada, de bolo*) filling; (*o conteúdo*) contents pl

rechonchudo, -a [xeʃõ'ʃudu, a] adj chubby, plump

recibo [xe'sibu] m receipt

reciclar [xesi'kla°] vt to recycle

reciclável [xesi'klavew] (*pl* **-eis**) adj recyclable

recinto [xe'sĩtu] m enclosure; (*lugar*) area

recipiente [xesi'pjẽtʃi] m container, receptacle

recíproco, -a [xe'siproku, a] adj reciprocal

recitar [xesi'ta°] vt to recite

reclamação [xeklama'sãw] (*pl* **-ões**) f complaint

reclamar [xekla'ma°] vt to demand; (*herança*) to claim ▷ vi to complain

reclinar [xekli'na°] vt to rest, lean; **reclinar-se** vr to lie back; (*deitar-se*) to lie down

recobrar [xeko'bra°] vt to recover, get back; **recobrar-se** vr to recover

recolher [xeko'ʎe°] vt to collect; (*coisas dispersas*) to pick up; (*gado, roupa do varal*) to bring in; (*juntar*) to gather together; **recolhido, -a**

[xeko'ʎidu, a] *adj* (*lugar*) secluded; (*pessoa*) withdrawn; **recolhimento** [xekoʎi'mɛtu] *m* retirement; (*arrecadação*) collection; (*ato de levar*) taking

recomeçar [xekome'sa*] *vt, vi* to restart

recomendação [xekomẽda'saw] (*pl* **-ões**) *f* recommendation; **recomendações** *fpl* (*cumprimentos*) regards

recomendar [xekomẽ'da*] *vt* to recommend; **recomendável** [xekomẽ'davew] (*pl* **-eis**) *adj* advisable

recompensa [xekõ'pẽsa] *f* reward; **recompensar** [xekõpẽ'sa*] *vt* to reward

recompor [xekõ'po*] (*irreg: como* **pôr**) *vt* to reorganize; (*restabelecer*) to restore

reconciliar [xekõsi'lja*] *vt* to reconcile

reconhecer [xekoɲe'se*] *vt* to recognize; (*Mil*) to reconnoitre (*BRIT*), reconnoiter (*US*); **reconhecido, -a** [xekoɲe'sidu, a] *adj* recognized; (*agradecido*) grateful, thankful; **reconhecimento** [xekoɲesi-'mɛtu] *m* recognition; (*admissão*) admission; (*gratidão*) gratitude; (*Mil*) reconnaissance; **reconhecível** [xekoɲe'sivew] (*pl* **-eis**) *adj* recognizable

reconstruir [xekõʃ'trwi*] *vt* to rebuild

recordação [xekoxda'saw] (*pl* **-ões**) *f* (*reminiscência*) memory; (*objeto*) memento

recordar [xekox'da*] *vt* to remember; (*parecer*) to look like; (*recapitular*) to revise; **recordar-se** *vr*: **~-se de** to remember; **~ algo a alguém** to remind sb of sth

recorde [xe'kɔxdʒi] *adj inv* record

atr ▷ *m* record

recorrer [xeko'xe*] *vi*: **~ a** to turn to; (*valer-se de*) to resort to

recortar [xekox'ta*] *vt* to cut out; **recorte** [xe'kɔxtʃi] *m* (*ato*) cutting out; (*de jornal*) cutting, clipping

recreação [xekrja'saw] *f* recreation

recreio [xe'kreju] *m* recreation

recriminar [xekrimi'na*] *vt* to reproach, reprove

recrutamento [xekruta'mɛtu] *m* recruitment

recrutar [xekru'ta*] *vt* to recruit

rectângulo [xek'tãgulu] (*PT*) = **retângulo**

recto, -a *etc* ['xɛkto, a] (*PT*) = **reto** *etc*

recuar [xe'kwa*] *vt* to move back ▷ *vi* to move back; (*exército*) to retreat

recuperar [xekupe'ra*] *vt* to recover; (*tempo perdido*) to make up for; (*reabilitar*) to rehabilitate; **recuperar-se** *vr* to recover

recurso [xe'kuxsu] *m* resource; (*Jur*) appeal; **~s** *mpl* (*financeiros*) resources

recusa [xe'kuza] *f* refusal; (*negação*) denial; **recusar** [xeku'za*] *vt* to refuse; to deny; **recusar-se** *vr*: **recusar-se a** to refuse to

redação [xeda'saw] (*PT* **-cç-**; *pl* **-ões**) *f* (*ato*) writing; (*Educ*) composition, essay; (*redatores*) editorial staff

redator, a [xeda'to*, a] (*PT* **-act-**) *m/f* journalist; (*editor*) editor; (*quem redige*) writer

rede ['xedʒi] *f* net; (*de dormir*) hammock; (*cilada*) trap; (*Ferro, Tec, fig*) network; **a R~** (*a Internet*) the Net

rédea ['xɛdʒja] *f* rein

redentor, a [xedẽ'to*, a] *adj* redeeming

redigir [xedʒi'ʒi*] vt, vi to write
redobrar [xedo'bra*] vt (aumentar) to increase; (esforços) to redouble
redondamente [xedõda'mētʃi] adv (completamente) completely
redondezas [xedõ'dezaʃ] fpl surroundings
redondo, -a [xe'dõdu, a] adj round
redor [xe'do*] m: **ao** ou **em ~ (de)** around, round about
redução [xedu'sãw] (pl **-ões**) f reduction
redundância [xedũ'dãsja] f redundancy; **redundante** [xedũ'dãtʃi] adj redundant
reduzido, -a [xedu'zidu, a] adj reduced; (limitado) limited; (pequeno) small
reduzir [xedu'zi*] vt to reduce; **reduzir-se** vr: **~-se a** to be reduced to; (fig: resumir-se em) to come down to
reembolsar [xeẽbow'sa*] vt to recover; (restituir) to reimburse; (depósito) to refund; **reembolso** [xeẽ'bowsu] m (de depósito) refund; (de despesa) reimbursement
reencontro [xeẽ'kõtru] m reunion
refeição [xefej'sãw] (pl **-ões**) f meal; **refeitório** [xefej'tɔrju] m refectory
refém [xe'fẽ] (pl **-ns**) m hostage
referência [xefe'rẽsja] f reference; **~s** fpl (informaçoes para emprego) references; **fazer ~ a** to make reference to, refer to
referente [xefe'rẽtʃi] adj: **~ a** concerning, regarding
referir [xefe'ri*] vt to relate, tell; **referir-se** vr: **~-se a** to refer to
REFESA f (= Rede Ferroviária SA) ≈ BR
refinamento [xefina'mẽtu] m refinement

refinaria [xefina'ria] f refinery
refiro etc [xe'firu] vb V **referir**
refletir [xefle'tʃi*] (PT **-ct-**) vt to reflect ▷ vi: **~ em** ou **sobre** to consider, think about
reflexão [xeflek'sãw] (pl **-ões**) f reflection
reflexo, -a [xe'flɛksu, a] adj (luz) reflected; (ação) reflex ▷ m reflection; (Anat) reflex; (no cabelo) highlight
reflexões [xeflek'sõjʃ] fpl de **reflexão**
reflito etc [xe'flitu] vb V **refletir**
reforçado, -a [xefox'sadu, a] adj reinforced; (pessoa) strong; (café da manhã, jantar) hearty
reforçar [xefox'sa*] vt to reinforce; (revigorar) to invigorate; **reforço** [xe'foxsu] m reinforcement
reforma [xe'fɔxma] f reform; (Arq) renovation; **reformado, -a** [xefox'madu, a] adj reformed; renovated; (Mil) retired; **reformar** [xefox'ma*] vt to reform; to renovate; **reformar-se** vr to reform
refractário, -a [xefra'tarju, a] (PT) adj = **refratário/a**
refrão [xe'frãw] (pl **-ãos** ou **-ães**) m chorus, refrain; (provérbio) saying
refratário, -a [xefra'tarju, a] adj (Tec) heat-resistant; (Culin) ovenproof
refrear [xefre'a*] vt (cavalo) to rein in; (inimigo) to contain, check; (paixões, raiva) to control; **refrear-se** vr to restrain o.s
refrescante [xefreʃ'kãtʃi] adj refreshing
refrescar [xefreʃ'ka*] vt (ar, ambiente) to cool; (pessoa) to refresh ▷ vi to cool down
refresco [xe'freʃku] m cool fruit drink, squash; **~s** mpl (refrigerantes) refreshments
refrigerador [xefriʒera'do*] m

refrigerator, fridge (*BRIT*)
refrigerante [xefriʒe'rãtʃi] *m*
soft drink
refugiado, -a [xefu'ʒjadu, a] *adj*,
m/f refugee
refugiar-se [xefu'ʒjaxsi] *vr* to
take refuge; **refúgio** [xe'fuʒju]
m refuge
refugo [xe'fugu] *m* rubbish,
garbage (*US*); (*mercadoria*) reject
rega ['xɛga] (*PT*) *f* irrigation
regador [xega'do*] *m* watering
can
regalia [xega'lia] *f* privilege
regar [xe'ga*] *vt* (*plantas, jardim*)
to water; (*umedecer*) to sprinkle
regatear [xega'tʃja*] *vt* (*o preço*)
to haggle over, bargain for ▷ *vi*
to haggle
regenerar [xeʒene'ra*] *vt* to
regenerate
reger [xe'ʒe*] *vt* to govern;
(*orquestra*) to conduct; (*empresa*) to
run ▷ *vi* to rule; (*maestro*) to conduct
região [xe'ʒjãw] (*pl* **-ões**) *f* region,
area
regime [xe'ʒimi] *m* (*Pol*) regime;
(*dieta*) diet; (*maneira*) way; **estar de**
~ to be on a diet
regimento [xeʒi'mẽtu] *m*
regiment
regiões [xe'ʒjõjʃ] *fpl de* **região**
regional [xeʒjo'naw] (*pl* **-ais**) *adj*
regional
registrar [xeʒiʃ'tra*] (*PT* **-ista-**) *vt*
to register; (*anotar*) to record
registro [xe'ʒiʃtru] (*PT* **-to**)
registration; (*anotação*) recording;
(*livro, Ling*) register; (*histórico*)
record; **~ civil** registry office
regra ['xɛgra] *f* rule; **~s** *fpl* (*Med*)
periods
regravável [xegra'vavew] (*pl* **-eis**)
adj rewritable
regressar [xegre'sa*] *vi* to come
(*ou* go) back, return; **regresso**

[xe'grɛsu] *m* return
régua ['xɛgwa] *f* ruler; **~ de**
calcular slide rule
regulador [xegula'do*] *m*
regulator
regulamento [xegula'mẽtu] *m*
rules *pl*, regulations *pl*
regular [xegu'la*] *adj* regular;
(*estatura*) average, medium;
(*tamanho*) normal; (*razoável*) not bad
▷ *vt* to regulate; (*reger*) to govern;
(*máquina*) to adjust; (*carro, motor*)
to tune ▷ *vi* to work, function;
regularidade [xegulari'dadʒi] *f*
regularity
rei [xej] *m* king; **Dia de R~s**
Epiphany; **R~ Momo** carnival king
reinado [xej'nadu] *m* reign
reinar [xej'na*] *vi* to reign
reino ['xejnu] *m* kingdom; (*fig*)
realm; **o R~ Unido** the United
Kingdom
reivindicação [xejvĩdʒika'sãw]
(*pl* **-ões**) *f* claim, demand
reivindicar [xejvĩdʒi'ka*] *vt* to
claim; (*aumento salarial, direitos*)
to demand
rejeição [xeʒej'sãw] (*pl* **-ões**) *f*
rejection
rejeitar [xeʒej'ta*] *vt* to reject;
(*recusar*) to refuse
rejo *etc* ['xeju] *vb V* **reger**
rejuvenescer [xeʒuvene'se*] *vt*
to rejuvenate
relação [xela'sãw] (*pl* **-ões**) *f*
relation; (*conexão*) connection;
(*relacionamento*) relationship;
(*Mat*) ratio; (*lista*) list; **com** *ou* **em**
~ a regarding, with reference to;
relações públicas public relations;
relacionamento [xelasjona'mẽtu]
m relationship; **relacionar**
[xelasjo'na*] *vt* to make a list of;
(*ligar*): **relacionar algo com algo**
to connect sth with sth, relate
sth to sth; **relacionar-se** *vr* to be

connected *ou* related

relâmpago [xe'lãpagu] *m* flash of lightning; **~s** *mpl* (*clarões*) lightning *sg*

relance [xe'lãsi] *m* glance; **olhar de ~** to glance at

relapso, -a [xe'lapsu, a] *adj* (*negligente*) negligent

relatar [xela'ta*] *vt* to give an account of

relativo, -a [xela'tʃivu, a] *adj* relative

relato [xe'latu] *m* account

relatório [xela'tɔrju] *m* report

relaxado, -a [xela'ʃadu, a] *adj* relaxed; (*desleixado*) slovenly, sloppy; (*relapso*) negligent

relaxante [xela'ʃãtʃi] *adj* relaxing

relaxar [xela'ʃa*] *vt, vi* to relax

relegar [xele'ga*] *vt* to relegate

relembrar [xelẽ'bra*] *vt* to recall

relevante [xele'vãtʃi] *adj* relevant

relevo [xe'levu] *m* relief

religião [xeli'ʒãw] (*pl* **-ões**) *f* religion; **religioso, -a** [xeli'ʒozu, ɔza] *adj* religious ⊳ *m/f* religious person; (*frade/freira*) monk/nun

relíquia [xe'likja] *f* relic; **~ de família** family heirloom

relógio [xe'lɔʒu] *m* clock; (*de gás*) meter; **~ (de pulso)** (wrist)watch; **~ de sol** sundial

relutante [xelu'tãtʃi] *adj* reluctant

relva ['xɛwva] *f* grass; (*terreno gramado*) lawn

relvado [xew'vadu] (PT) *m* lawn

remar [xe'ma*] *vt, vi* to row

rematar [xema'ta*] *vt* to finish off

remediar [xeme'dʒja*] *vt* to put right, remedy

remédio [xe'mɛdʒju] *m* (*medicamento*) medicine; (*recurso, solução*) remedy; (*Jur*) recourse; **não tem ~** there's no way

remendar [xemẽ'da*] *vt* to mend; (*com pano*) to patch; **remendo** [xe'mẽdu] *m* repair; patch

remessa [xe'mɛsa] *f* shipment; (*de dinheiro*) remittance

remetente [xeme'tẽtʃi] *m/f* sender

remexer [xeme'ʃe*] *vt* (*papéis*) to shuffle; (*sacudir: braços*) to wave; (*folhas*) to shake; (*revolver: areia, lama*) to stir up ⊳ *vi*: **~ em** to rummage through

reminiscência [xemini'sẽsja] *f* reminiscence

remo ['xɛmu] *m* oar; (*Esporte*) rowing

remoção [xemo'sãw] *f* removal

remorso [xe'mɔxsu] *m* remorse

remover [xemo've*] *vt* to move; (*transferir*) to transfer; (*demitir*) to dismiss; (*retirar, afastar*) to remove; (*terra*) to churn up

renal [xe'naw] (*pl* **-ais**) *adj* renal, kidney *atr*

Renascença [xena'sẽsa] *f*: **a ~** the Renaissance

renascer [xena'se*] *vi* to be reborn; (*fig*) to revive

renascimento [xenasi'mẽtu] *m* rebirth; (*fig*) revival; **o R~** the Renaissance

renda ['xẽda] *f* income; (*nacional*) revenue; (*de aplicação, locação*) yield; (*tecido*) lace

render [xẽ'de*] *vt* (*lucro, dinheiro*) to bring in, yield; (*preço*) to fetch; (*homenagem*) to pay; (*graças*) to give; (*serviços*) to render; (*armas*) to surrender; (*guarda*) to relieve; (*causar*) to cause ⊳ *vi* (*dar lucro*) to pay; **render-se** *vr* to surrender; **rendição** [xẽdʒi'sãw] *f* surrender

rendimento [xẽdʒi'mẽtu] *m* income; (*lucro*) profit; (*juro*) yield, interest

renegar [xene'ga*] *vt* (*crença*) to

renounce; (*detestar*) to hate; (*trair*) to betray; (*negar*) to deny; (*desprezar*) to reject

renomado, -a [xeno'madu, a] *adj* renowned

renovar [xeno'va°] *vt* to renew; (*Arq*) to renovate

rentabilidade [xẽtabili'dadʒi] *f* profitability

rentável [xẽ'tavew] (*pl* -**eis**) *adj* profitable

renúncia [xe'nũsja] *f* resignation

renunciar [xenũ'sja°] *vt* to give up, renounce ▷ *vi* to resign; (*abandonar*): ~ **a algo** to give sth up

reouve *etc* [xe'ovi] *vb V* **reaver**

reouver *etc* [xeo've°] *vb V* **reaver**

reparação [xepara'sãw] (*pl* -**ões**) *f* mending, repairing; (*de mal, erros*) remedying; (*fig*) amends *pl*, reparation

reparar [xepa'ra°] *vt* to repair; (*forças*) to restore; (*mal, erros*) to remedy; (*prejuizo, danos, ofensa*) to make amends for; (*notar*) to notice ▷ *vi*: ~ **em** to notice; **reparo** [xe'paru] *m* repair; (*crítica*) criticism; (*observação*) observation

repartição [xepaxtʃi'sãw] (*pl* -**ões**) *f* distribution

repartir [xepax'tʃi°] *vt* (*distribuir*) to distribute; (*dividir entre vários*) to share out; (*dividir em várias porções*) to divide up

repelente [xepe'lẽtʃi] *adj, m* repellent

repente [xe'pẽtʃi] *m* outburst; **de ~** suddenly; (*col: talvez*) maybe

repentino, -a [xepẽ'tʃinu, a] *adj* sudden

repercussão [xepexku'sãw] (*pl* -**ões**) *f* repercussion

repercutir [xepexku'tʃi°] *vt* to echo ▷ *vi* to reverberate, echo; (*fig*): ~ **(em)** to have repercussions (on)

repertório [xepex'tɔrju] *m* list;

(*coleção*) collection; (*Mús*) repertoire

repetidamente [xepetʃida-'mẽtʃi] *adv* repeatedly

repetir [xepe'tʃi°] *vt* to repeat ▷ *vi* (*ao comer*) to have seconds; **repetir-se** *vr* to happen again; (*pessoa*) to repeat o.s.; **repetitivo, -a** [xepetʃi'tʃivu, a] *adj* repetitive

repito *etc* [xe'pitu] *vb V* **repetir**

repleto, -a [xe'plɛtu, a] *adj* replete, full up

réplica ['xɛplika] *f* replica; (*contestação*) reply, retort

replicar [xepli'ka°] *vt* to answer, reply to ▷ *vi* to reply, answer back

repolho [xe'poʎu] *m* cabbage

repor [xe'po°] (*irreg: como* **pôr**) *vt* to put back, replace; (*restituir*) to return; **repor-se** *vr* to recover

reportagem [xepox'taʒẽ] (*pl* -**ns**) *f* reporting; (*notícia*) report

repórter [xe'pɔxte°] *m/f* reporter

repousar [xepo'za°] *vi* to rest; **repouso** [xe'pozu] *m* rest

representação [xeprezẽta'sãw] (*pl* -**ões**) *f* representation; (*Teatro*) performance; **representante** [xeprezẽ'tãtʃi] *m/f* representative

representar [xeprezẽ'ta°] *vt* to represent; (*Teatro: papel*) to play; (: *peça*) to put on ▷ *vi* to act; **representativo, -a** [xeprezẽta'tʃivu, a] *adj* representative

repressão [xepre'sãw] (*pl* -**ões**) *f* repression

reprimir [xepri'mi°] *vt* to repress

reprodução [xeprodu'sãw] (*pl* -**ões**) *f* reproduction

reproduzir [xeprodu'zi°] *vt* to reproduce; (*repetir*) to repeat; **reproduzir-se** *vr* to breed

reprovar [xepro'va°] *vt* to disapprove of; (*aluno*) to fail

réptil ['xɛptʃiw] (*pl* -**eis**) *m* reptile

república [xe'publika] *f* republic;

republicano, -a [xepubli'kanu, a] *adj, m/f* republican

repudiar [xepu'dʒja*] *vt* to repudiate; **repúdio** [xe'pudʒju] *m* repudiation

repulsivo, -a [xepuw'sivu, a] *adj* repulsive

reputação [reputa'sãw] (*pl* **-ões**) *f* reputation

requeijão [xekej'ʒãw] *m* cheese spread

requerer [xeke're*] *vt* (*emprego*) to apply for; (*pedir*) to request; (*exigir*) to require; **requerimento** [xekeri'mẽtu] *m* application; request; (*petição*) petition

requintado, -a [xekĩ'tadu, a] *adj* refined, elegant

requinte [xe'kĩtʃi] *m* refinement, elegance; (*cúmulo*) height

requisito [xeki'zitu] *m* requirement

rês-do-chão [xɛʒ-] (*PT*) *m inv* ground floor (*BRIT*), first floor (*US*)

reserva [xe'zɛxva] *f* reserve; (*para hotel, fig*) reservation ▷ *m/f* (*Esporte*) reserve

reservado, -a [xezex'vadu, a] *adj* reserved

reservar [xezex'va*] *vt* to reserve; (*guardar de reserva*) to keep; (*forças*) to conserve; **reservar-se** *vr* to save o.s

reservatório [xezexva'tɔrju] *m* reservoir

resfriado, -a [xeʃ'frjadu, a] (*BR*) *adj*: **estar/ficar ~** to have a cold/ catch (a) cold ▷ *m* cold, chill

resgatar [xeʒga'ta*] *vt* (*salvar*) to rescue; (*prisioneiro*) to ransom; (*retomar*) to get back, recover; **resgate** [xeʒ'gatʃi] *m* rescue; ransom; recovery

residência [xezi'dẽsja] *f* residence; **residencial** [xezidẽ'sjaw] (*pl* **-ais**) *adj*

residential; (*computador, telefone etc*) home *atr*; **residente** [xezi'dẽtʃi] *adj, m/f* resident

residir [xezi'dʒi*] *vi* to live, reside

resíduo [xe'zidwu] *m* residue

resignação [xezigna'sãw] (*pl* **-ões**) *f* resignation

resignar-se [xezig'naxsi] *vr*: **~ com** to resign o.s. to

resina [xe'zina] *f* resin

resistente [xeziʃ'tẽtʃi] *adj* resistant; (*material, objeto*) hard-wearing, strong

resistir [xeziʃ'tʃi*] *vi* to hold; (*pessoa*) to hold out; **~ a** to resist; (*sobreviver*) to survive

resmungar [xeʒmũ'ga*] *vt, vi* to mutter, mumble

resolução [xezolu'sãw] (*pl* **-ões**) *f* resolution; (*de um problema*) solution; **resoluto, -a** [xezo'lutu, a] *adj* decisive

resolver [xezow've*] *vt* to sort out; (*problema*) to solve; (*questão*) to resolve; (*decidir*) to decide; **resolver-se** *vr*: **~-se (a fazer)** to make up one's mind (to do), decide (to do)

respectivo, -a [xeʃpek'tʃivu, a] *adj* respective

respeitar [xeʃpej'ta*] *vt* to respect; **respeitável** [xeʃpej'tavew] (*pl* **-eis**) *adj* respectable; (*considerável*) considerable

respeito [xeʃ'pejtu] *m*: **~ (a ou por)** respect (for); **~s** *mpl* (*cumprimentos*) regards; **a ~ de, com ~ a** as to, as regards; (*sobre*) about; **dizer ~ a** to concern; **em ~ a** with respect to

respiração [xeʃpira'sãw] *f* breathing

respirar [xeʃpi'ra*] *vt, vi* to breathe

respiro [xeʃ'piru] *m* breath

resplandecente [xeʃplãde'sẽtʃi] *adj* resplendent

responder [xeʃpõ'de*] *vt* to

answer ▷ *vi* to answer; (*ser respondão*) to answer back; **~ por** to be responsible for, answer for

responsabilidade [xeʃpõsabili'dadʒi] *f* responsibility

responsabilizar [xeʃpõsabiliza°] *vt*: **~ alguém (por algo)** to hold sb responsible (for sth); **responsabilizar-se** *vr*: **--se por** to take responsibility for

responsável [xeʃpõ'savew] (*pl* **-eis**) *adj*: **~ (por)** responsible (for); **~ a** answerable to, accountable to

resposta [xeʃ'pɔʃta] *f* answer, reply

resquício [xeʃ'kisju] *m* (*vestígio*) trace

ressabiado, -a [xesa'bjadu, a] *adj* wary; (*ressentido*) resentful

ressaca [xe'saka] *f* undertow; (*mar bravo*) rough sea; (*fig: de quem bebeu*) hangover

ressalva [xe'sawva] *f* safeguard

ressentido, -a [xesē'tʃidu, a] *adj* resentful

ressentimento [xesētʃi'mētu] *m* resentment

ressentir-se [xesē'tʃixsi] *vr*: **~ de** (*ofender-se*) to resent; (*magoar-se*) to be hurt by; (*sofrer*) to suffer from, feel the effects of

ressurgimento [xesuxʒi'mētu] *m* resurgence, revival

ressuscitar [xesusi'ta°] *vt, vi* to revive

restabelecer [xeʃtabele'se°] *vt* to re-establish, restore; **restabelecer-se** *vr* to recover, recuperate; **restabelecimento** [xeʃtabelesi'mētu] *m* re-establishment; restoration; recovery

restante [xeʃ'tãtʃi] *adj* remaining ▷ *m* rest

restar [xeʃ'ta°] *vi* to remain, be left

restauração [xeʃtawra'sãw] (*pl* **-ões**) *f* restoration; (*de costumes, usos*) revival

restaurante [xeʃtaw'rãtʃi] *m* restaurant

restaurar [xeʃtaw'ra°] *vt* to restore

restituição [xeʃtʃitwi'sãw] (*pl* **-ões**) *f* restitution, return; (*de dinheiro*) repayment

restituir [xeʃtʃi'twi°] *vt* to return; (*dinheiro*) to repay; (*forças, saúde*) to restore; (*usos*) to revive; (*reempossar*) to reinstate

resto ['xeʃtu] *m* rest; (*Mat*) remainder; **~s** *mpl* (*sobras*) remains; (*de comida*) scraps

restrição [xeʃtri'sãw] (*pl* **-ões**) *f* restriction

resultado [xezuw'tadu] *m* result

resultante [xezuw'tãtʃi] *adj* resultant; **~ de** resulting from

resultar [xezuw'ta°] *vi*: **~ (de/em)** to result (from/in) ▷ *vi* (*vir a ser*) to turn out to be

resumir [xezu'mi°] *vt* to summarize; (*livro*) to abridge; (*reduzir*) to reduce; (*conter em resumo*) to sum up; **resumo** [xe'zumu] *m* summary, résumé; **em resumo** in short, briefly

retaguarda [xeta'gwaxda] *f* rearguard; (*posição*) rear

retaliação [xetalja'sãw] (*pl* **-ões**) *f* retaliation

retângulo [xe'tãgulu] *m* rectangle

retardar [xetax'da°] *vt* to hold up, delay; (*adiar*) to postpone

reter [xe'te°] (*irreg: como* **ter**) *vt* (*guardar, manter*) to keep; (*deter*) to stop; (*segurar*) to hold; (*ladrão, suspeito*) to detain; (*na memória*) to retain; (*lágrimas, impulsos*) to hold back; (*impedir de sair*) to keep back

reticente [xetʃi'sētʃi] *adj* reticent

retificar [xetʃifi'ka°] *vt* to rectify

retirada [xetʃi'rada] *f (Mil)* retreat; (*salário, saque*) withdrawal

reto, -a ['xɛtu, a] *adj* straight; (*fig: justo*) fair; (*: honesto*) honest, upright ▷ *m (Anat)* rectum

retorcer [xetox'se°] *vt* to twist; **retorcer-se** *vr* to wriggle, writhe

retornar [xetox'na°] *vi* to return, go back; **retorno** [xe'toxnu] *m* return; **dar retorno** to do a U-turn; **retorno (do carro)** *(Comput)* (carriage) return

retraído, -a [xetra'idu, a] *adj* (*tímido*) reserved, timid

retrair [xetra'i°] *vt* to withdraw; (*contrair*) to contract; (*pessoa*) to make reserved

retrato [xe'tratu] *m* portrait; (*Foto*) photo; (*fig: efígie*) likeness; (*: representação*) portrayal; **~ falado** Identikit ® picture

retribuir [xetri'bwi°] *vt* to reward, recompense; (*pagar*) to remunerate; (*hospitalidade, favor, sentimento, visita*) to return

retroceder [xetrose'de°] *vi* to retreat, fall back; **retrocesso** [xetro'sɛsu] *m* retreat; (*ao passado*) return

retrógrado, -a [xe'trɔgradu, a] *adj* retrograde; (*reacionário*) reactionary

retrospecto [xetro'ʃpɛktu] *m*: **em ~** in retrospect

retrovisor [xetrovi'zo°] *adj, m*: **(espelho) ~** (rear-view) mirror

réu, -ré [xɛw, xɛ] *m/f* defendant; (*culpado*) culprit, criminal

reumatismo [xewma'tʃiȝmu] *m* rheumatism

reunião [xeu'njãw] (*pl* **-ões**) *f* meeting; (*ato, reencontro*) reunion; (*festa*) get-together, party; **~ de cúpula** summit (meeting)

revanche [xe'vãʃi] *f* revenge

reveillon [xeve'jõ] *m* New Year's Eve

revelação [xevela'sãw] (*pl* **-ões**) *f* revelation

revelar [xeve'la°] *vt* to reveal; (*Foto*) to develop; **revelar-se** *vr* to turn out to be

revelia [xeve'lia] *f* default; **à ~** by default; **à ~ de** without the knowledge *ou* consent of

revendedor, a [xevẽde'do°, a] *m/f* dealer

rever [xe've°] (*irreg: como* **ver**) *vt* to see again; (*examinar*) to check; (*revisar*) to revise

reverência [xeve'rẽsja] *f* reverence, respect; (*ato*) bow; (*: de mulher*) curtsey; **fazer uma ~** to bow, to curtsey

reverso [xe'vɛxsu] *m* reverse

reverter [xevex'te°] *vt* to revert

revestir [xeveʃ'tʃi°] *vt* (*paredes etc*) to cover; (*interior de uma caixa etc*) to line

revezar [xeve'za°] *vt, vi* to alternate; **revezar-se** *vr* to take turns, alternate

revidar [xevi'da°] *vt* (*soco, insulto*) to return; (*retrucar*) to answer; (*crítica*) to rise to, respond to ▷ *vi* to hit back; (*retrucar*) to respond

revirar [xevi'ra°] *vt* to turn round; (*gaveta*) to turn out, go through

revisão [xevi'zãw] (*pl* **-ões**) *f* revision; (*de máquina*) overhaul; (*de carro*) service; (*Jur*) appeal

revisar [xevi'za°] *vt* to revise

revisões [xevi'zõjʃ] *fpl de* **revisão**

revista [xe'viʃta] *f* (*busca*) search; (*Mil, exame*) inspection; (*publicação*) magazine; (*: profissional, erudita*) journal; (*Teatro*) revue

revisto *etc* [xe'viʃtu] *vb V* **revestir**

revogar [xevo'ga°] *vt* to revoke

revolta [xe'vɔwta] *f* revolt; (*fig:*

indignação) disgust; **R~ da Vacina** *see boxed note*

revoltado, -a [xevow'tadu, a] *adj* in revolt; (*indignado*) disgusted; (*amargo*) bitter

revoltante [xevow'tãtʃi] *adj* disgusting, revolting

revoltar [xevow'ta°] *vt* to disgust; **revoltar-se** *vr* to rebel, revolt; (*indignar-se*) to be disgusted

revolto, -a [xe'vowtu, a] *pp de* **revolver** ▷ *adj* (*década*) turbulent; (*mundo*) troubled; (*cabelo*) untidy, unkempt; (*mar*) rough; (*desarrumado*) untidy

revolução [xevolu'sãw] (*pl* **-ões**) *f* revolution

revolver [xevow've°] *vi* to revolve, rotate

revólver [xe'vɔwve°] *m* revolver

reza ['xeza] *f* prayer; **rezar** [xe'za°] *vi* to pray

riacho ['xjaʃu] *m* brook, stream

ribeiro [xi'bejru] *m* brook, stream

rico, -a ['xiku, a] *adj* rich; (*PT:*

lindo) beautiful; (*: excelente*) splendid ▷ *m/f* rich man/woman

ridicularizar [xidʒikulari'za°] *vt* to ridicule

ridículo, -a [xi'dʒikulu, a] *adj* ridiculous

rifa ['xifa] *f* raffle

rifle ['xifli] *m* rifle

rigidez [xiʒi'deʒ] *f* rigidity, stiffness; (*austeridade*) severity, strictness

rígido, -a [xiʒidu, a] *adj* rigid, stiff; (*fig*) strict

rigor [xi'go°] *m* rigidity; (*meticulosidade*) rigour (BRIT), rigor (US); (*severidade*) harshness, severity; (*exatidão*) precision; **ser de ~** to be essential *ou* obligatory

rijo, -a ['xiʒu, a] *adj* tough, hard; (*severo*) harsh, severe

rim [xĩ] (*pl* **-ns**) *m* kidney; **rins** *mpl* (*parte inferior das costas*) small *sg* of the back

rima ['xima] *f* rhyme; (*poema*) verse, poem; **rimar** [xi'ma°] *vt*, *vi* to rhyme

rímel® ['ximew] (*pl* **-eis**) *m* mascara

ringue ['xĩgi] *m* ring

rins [xĩʃ] *mpl de* **rim**

Rio ['xiu] *m*: **o ~ (de Janeiro)** Rio (de Janeiro)

rio ['xiu] *m* river

riqueza [xi'keza] *f* wealth, riches *pl*; (*qualidade*) richness

rir [xi°] *vi* to laugh; **~ de** to laugh at

risada [xi'zada] *f* laughter

risca ['xiʃka] *f* stroke; (*listra*) stripe; (*no cabelo*) parting

riscar [xiʃ'ka°] *vt* (*marcar*) to mark; (*apagar*) to cross out; (*desenhar*) to outline

risco ['xiʃku] *m* (*marca*) mark, scratch; (*traço*) stroke; (*desenho*) drawing, sketch; (*perigo*) risk; **correr o ~ de** to run the risk of

riso ['xizu] *m* laughter; **risonho, -a** [xi'zoɲu, a] *adj* smiling; (*contente*) cheerful

ríspido, -a ['xiʃpidu, a] *adj* brusque; (*áspero*) harsh

ritmo ['xitʃmu] *m* rhythm

rito ['xitu] *m* rite

ritual [xi'twaw] (*pl* **-ais**) *adj*, *m* ritual

rival [xi'vaw] (*pl* **-ais**) *adj*, *m/f* rival; **rivalidade** [xivali'dadʒi] *f* rivalry; **rivalizar** [xivali'za°] *vt* to rival ▷ *vi*: **rivalizar com** to compete with, vie with

roa *etc* ['xoa] *vb* V **roer**

robô [xo'bo] *m* robot

roça ['xɔsa] *f* plantation; (*no mato*) clearing; (*campo*) country

rocha ['xɔʃa] *f* rock; (*penedo*) crag

rochedo [xo'ʃedu] *m* crag, cliff

rock-and-roll [-ã'xɔw] *m* rock and roll

roda ['xɔda] *f* wheel; (*círculo*) circle; **~ dentada** cog(wheel); **em ou à ~ de** round, around

rodada [xo'dada] *f* (*de bebidas*, *Esporte*) round

rodar [xo'da°] *vt* to turn, spin; (*viajar por*) to tour, travel round; (*quilômetros*) to do; (*filme*) to make; (*imprimir*) to print; (*Comput*: *programa*) to run ▷ *vi* to turn round; (*Auto*) to drive around; **~ por** (*a pé*) to wander around; (*de carro*) to drive around

rodela [xo'dɛla] *f* (*pedaço*) slice

rodízio [xo'dʒizju] *m* rota; **em ~** on a rota basis

rodopiar [xodo'pja°] *vi* to whirl around, swirl

rodovia [xodo'via] *f* highway, ≈ motorway (BRIT), ≈ interstate (US)

rodoviária [xodo'vjarja] *f* (*tb*: **estação ~**) bus station; V *tb* **rodoviário**

rodoviário, -a [xodo'vjarju, a]

adj road *atr*; (*polícia*) traffic *atr*

roer [xwe°] *vt* to gnaw, nibble; (*enferrujar*) to corrode; (*afligir*) to eat away

rogar [xo'ga°] *vi* to ask, request; **~ a alguém que faça (algo)** to beg sb to do (sth)

rói [xɔj] *vb* V **roer**

roía *etc* [xo'ia] *vb* V **roer**

rolar [xo'la°] *vt*, *vi* to roll

roleta [xo'leta] *f* roulette; (*borboleta*) turnstile

rolha ['xoʎa] *f* cork

roliço, -a [xo'lisu, a] *adj* (*pessoa*) plump, chubby; (*objeto*) round, cylindrical

rolo ['xolu] *m* (*de papel etc*) roll; (*para nivelar o solo*, *para pintura*) roller; (*para cabelo*) curler; (*col*: *briga*) brawl, fight; **cortina de ~** roller blind; **~ compressor** steamroller

Roma ['xoma] *n* Rome

romã [xo'mã] *f* pomegranate

romance [xo'mãsi] *m* novel; (*caso amoroso*) romance; **~ policial** detective story

romano, -a [xo'manu, a] *adj*, *m/f* Roman

romântico, -a [xo'mãtʃiku, a] *adj* romantic

rombo ['xõbu] *m* (*buraco*) hole; (*fig*: *desfalque*) embezzlement; (: *prejuízo*) loss, shortfall

Romênia [xo'menja] *f*: **a ~** Romania; **romeno, -a** [xo'mɛnu, a] *adj*, *m/f* Rumanian ▷ *m* (*Ling*) Rumanian

romper [xõ'pe°] *vt* to break; (*rasgar*) to tear; (*relações*) to break off ▷ *vi* (*sol*) to appear, emerge; (: *surgir*) to break through; (*ano*, *dia*) to start, begin; **~ em pranto** *ou* **lágrimas** to burst into tears; **rompimento** [xõpi'mẽtu] *m* breakage; (*fenda*) break; (*de relações*) breaking off

roncar [xõ'ka°] *vi* to snore; **ronco**

['xõku] *m* snore

ronda ['xõda] *f* patrol, beat; **fazer a ~ de** to go the rounds of, patrol; **rondar** [xõ'da*] *vt* to patrol; (*espreitar*) to prowl ▷ *vi* to prowl, lurk; (*fazer a ronda*) to patrol; **a inflação ronda os 30% ao mês** inflation is in the region of 30% a month

rosa ['xɔza] *adj inv* pink ▷ *f* rose; **rosado, -a** [xo'zadu, a] *adj* rosy, pink

rosário [xo'zarju] *m* rosary

rosbife [xoʒ'bifi] *m* roast beef

roseira [xo'zejra] *f* rosebush

rosnar [xoʒ'na*] *vi* (*cão*) to growl, snarl; (*murmurar*) to mutter, mumble

rosto ['xoʃtu] *m* face

rota ['xɔta] *f* route, course

roteiro [xo'tejru] *m* itinerary; (*ordem*) schedule; (*guia*) guidebook; (*de filme*) script

rotina [xo'tʃina] *f* routine; **rotineiro, -a** [xotʃi'nejru, a] *adj* routine

roto, -a ['xotu, a] *adj* broken; (*rasgado*) torn

rotular [xotu'la*] *vt* to label; **rótulo** ['xɔtulu] *m* label

roubar [xo'ba*] *vt* to steal; (*loja, casa, pessoa*) to rob ▷ *vi* to steal; (*em jogo, no preço*) to cheat; **~ algo a alguém** to steal sth from sb; **roubo** ['xobu] *m* theft, robbery

rouco, -a ['xoku, a] *adj* hoarse

round ['xãwdʒi] (*pl* **~s**) *m* (*Boxe*) round

roupa ['xopa] *f* clothes *pl*, clothing; **~ de baixo** underwear; **~ de cama** bedclothes *pl*, bed linen

roupão [xo'pãw] (*pl* **-ões**) *m* dressing gown

rouxinol [xoʃi'nɔw] (*pl* **-óis**) *m* nightingale

roxo, -a ['xoʃu, a] *adj* purple, violet

royalty ['xɔjawtʃi] (*pl* **-ies**) *m* royalty

rua ['xua] *f* street; **~ principal** main street; **~ sem saída** no through road, cul-de-sac

rubéola [xu'bɛola] *f* (*Med*) German measles *sg*

rubi [xu'bi] *m* ruby

rubor [xu'bo*] *m* blush; (*fig*) shyness, bashfulness; **ruborizar-se** [xubori'axs i] *vr* to blush

rubrica [xu'brika] *f* (*signed*) initials *pl*

rubro, -a ['xubru, a] *adj* (*faces*) rosy, ruddy

ruço, -a ['xusu, a] *adj* grey (BRIT), gray (US), dun; (*desbotado*) faded

ruela ['xwɛla] *f* lane, alley

ruga ['xuga] *f* (*na pele*) wrinkle; (*na roupa*) crease

ruge ['xuʒi] *m* rouge

rugido [xu'ʒidu] *m* roar

rugir [xu'ʒi*] *vi* to roar

ruído [xu'widu] *m* noise; **ruidoso, -a** [xwi'dozu, ɔza] *adj* noisy

ruim [xu'ĩ] (*pl* **-ns**) *adj* bad; (*defeituoso*) defective

ruína ['xwina] *f* ruin; (*decadência*) downfall

ruins [xu'ĩʃ] *pl de* **ruim**

ruir ['xwi*] *vi* to collapse, go to ruin

ruivo, -a ['xwivu, a] *adj* red-haired ▷ *m/f* redhead

rum [xũ] *m* rum

rumo ['xumu] *m* course, bearing; (*fig*) course; **~ a** bound for; **sem ~** adrift

rumor [xu'mo*] *m* noise; (*notícia*) rumour (BRIT), rumor (US), report

ruptura [xup'tura] *f* break, rupture

rural [xu'raw] (*pl* **-ais**) *adj* rural

rush [xaʃ] *m* rush; **(a hora do) ~** rush hour

Rússia ['xusja] *f*: **a ~** Russia; **russo, -a** ['xusu, a] *adj, m/f* Russian ▷ *m* (*Ling*) Russian

S

S. abr (= Santo, -a ou São) St
SA abr (= Sociedade Anônima) Ltd (BRIT), Inc. (US)
sã [sã] f de **são**
Saara [sa'ara] m: **o ~** the Sahara
sábado ['sabadu] m Saturday
sabão [sa'bãw] (pl -**ões**) m soap
sabedoria [sabedo'ria] f wisdom; (erudição) learning
saber [sa'be*] vt, vi to know; (descobrir) to find out ▷ m knowledge; **a ~** namely; **~ fazer** to know how to do, be able to do; **que eu saiba** as far as I know
sabiá [sa'bja] m/f thrush
sabido, -a [sa'bidu, a] adj knowledgeable; (esperto) shrewd
sabões [sa'bõjʃ] mpl de **sabão**
sabonete [sabo'netʃi] m toilet soap
sabor [sa'bo*] m taste, flavour (BRIT), flavor (US); **saboroso, -a** [sabo'rozu, ɔza] adj tasty, delicious

sabotagem [sabo'taʒẽ] f sabotage
sabotar [sabo'ta*] vt to sabotage
saca ['saka] f sack
sacar [sa'ka*] vt to take out; (dinheiro) to withdraw; (arma, cheque) to draw; (Esporte) to serve; (col: entender) to understand ▷ vi (col: entender) to understand; **~ sobre um devedor** to borrow money from sb
saca-rolhas m inv corkscrew
sacerdote [sasex'dɔtʃi] m priest
saciar [sa'sja*] vt (fome, curiosidade) to satisfy; (sede) to quench
saco ['saku] m bag; (enseada) inlet; **~ de café** coffee filter; **~ de dormir** sleeping bag
sacode etc [sa'kɔdʒi] vb V **sacudir**
sacola [sa'kɔla] f bag
sacramento [sakra'mẽtu] m sacrament
sacrificar [sakrifi'ka*] vt to sacrifice; **sacrifício** [sakri'fisju] m sacrifice
sacrilégio [sakri'lɛʒju] m sacrilege
sacro, -a ['sakru, a] adj sacred
sacudida [saku'dʒida] f shake
sacudir [saku'dʒi*] vt to shake; **sacudir-se** vr to shake
sádico, -a ['sadʒiku, a] adj sadistic
sadio, -a [sa'dʒiu, a] adj healthy
safado, -a [sa'fadu, a] adj shameless; (imoral) dirty; (travesso) mischievous ▷ m rogue
safira [sa'fira] f sapphire
safra ['safra] f harvest
Sagitário [saʒi'tarju] m Sagittarius
sagrado, -a [sa'gradu, a] adj sacred, holy
saia ['saja] f skirt
saiba etc ['sajba] vb V **saber**

saída [sa'ida] f exit, way out;
(*partida*) departure; (*ato: de pessoa*)
going out; (*fig: solução*) way out;
(*Comput: de programa*) exit; (*: de
dados*) output; **~ de emergência**
emergency exit

sair [sa'i*] vi to go (*ou* come) out;
(*partir*) to leave; (*realizar-se*) to turn
out; (*Comput*) to exit; **sair-se** vr:
~-se bem/mal to be successful/
unsuccessful in

sal [saw] (*pl* **sais**) m salt; **sem ~**
(*comida*) salt-free; (*pessoa*) lacklustre
(BRIT), lackluster (US)

sala ['sala] f room; (*num edifício
público*) hall; (*classe, turma*) class;
~ (de aula) classroom; **~ de bate-
papo** (*Internet*) chatroom; **~ de
espera/(de estar)/de jantar**
waiting/living/dining room; **~ de
operação** (*Med*) operating theatre
(BRIT) *ou* theater (US)

salada [sa'lada] f salad; (*fig*)
confusion, jumble

sala-e-quarto (*pl* **~s** *ou* **salas-e-
quarto**) m two-room flat (BRIT) *ou*
apartment (US)

salão [sa'lãw] (*pl* **-ões**) m large
room, hall; (*exposição*) show; **~ de
beleza** beauty salon

salário [sa'larju] m wages pl,
salary

saldo ['sawdu] m balance; (*sobra*)
surplus

saleiro [sa'lejru] m salt cellar

salgadinho [sawga'dʒiɲu] m
savoury (BRIT), savory (US), snack

salgado, -a [saw'gadu, a] adj
salty, salted

salgueiro [saw'gejru] m willow;
~ chorão weeping willow

salientar [saljẽ'ta*] vt to point
out; (*acentuar*) to stress, emphasize;

saliente [sa'ljẽtʃi] adj prominent;
(*evidente*) clear, conspicuous;
(*importante*) outstanding;

(*assanhado*) forward

saliva [sa'liva] f saliva

salmão [saw'mãw] (*pl* **-ões**) m
salmon

salmoura [saw'mora] f brine

salões [sa'lõjʃ] mpl *de* **salão**

salsa ['sawsa] f parsley

salsicha [saw'siʃa] f sausage;
salsichão [sawsi'ʃãw] (*pl* **-ões**)
m sausage

saltar [saw'ta*] vt to jump (over),
leap (over); (*omitir*) to skip ▷ vi to
jump, leap; (*sangue*) to spurt out; (*de
ônibus, cavalo*): **~ de** to get off

salto ['sawtu] m jump, leap; (*de
calçado*) heel; **~ de vara/em altura/
em distância** pole vault/high
jump/long jump

salubre [sa'lubri] adj healthy,
salubrious

salvamento [sawva'mẽtu] m
rescue; (*de naufrágio*) salvage

salvar [saw'va*] vt to save;
(*resgatar*) to rescue; (*objetos, de ruína*)
to salvage; (*honra*) to defend;
salvar-se vr to escape

salva-vidas m inv (*bóia*) lifebuoy
▷ m/f inv (*pessoa*) lifeguard; **barco
~** lifeboat

salvo, -a ['sawvu, a] adj safe
▷ prep except, save; **a ~** in safety

samba ['sãba] m samba; *see
boxed note*

sanar [sa'na°] *vt* to cure; (*remediar*) to remedy

sanção [sã'sãw] (*pl* **-ões**) *f* sanction; **sancionar** [sãsjo'na°] *vt* to sanction

sandália [sã'dalja] *f* sandal

sandes ['sãdəʃ] (*PT*) *f inv* sandwich

sanduíche [sand'wiʃi] (*BR*) *m* sandwich

saneamento [sanja'mẽtu] *m* sanitation

sanear [sa'nja°] *vt* to clean up

sangrar [sã'gra°] *vt, vi* to bleed

sangue ['sãgi] *m* blood

sanguinário, -a [sãgi'narju, a] *adj* bloodthirsty

sanguíneo, -a [sã'ginju, a] *adj:* **grupo ~** blood group; **pressão sanguínea** blood pressure; **vaso ~** blood vessel

sanidade [sani'dadʒi] *f* (*saúde*) health; (*mental*) sanity

sanita [sa'nita] (*PT*) *f* toilet, lavatory

sanitário, -a [sani'tarju, a] *adj* sanitary; **vaso ~** toilet, lavatory (bowl); **sanitários** [sani'tarjuʃ] *mpl* toilets

santo, -a ['sãtu, a] *adj* holy ▷ *m/f* saint

santuário [sã'twarju] *m* shrine, sanctuary

São [sãw] *m* Saint

são, sã [sãw, sã] (*pl* **~s, ~s**) *adj* healthy; (*conselho*) sound; (*mentalmente*) sane; **~ e salvo** safe and sound

São Paulo [-'pawlu] *n* São Paulo

sapataria [sapata'ria] *f* shoe shop

sapateiro [sapa'tejru] *m* shoemaker; (*vendedor*) shoe salesman; (*que conserta*) shoe repairer; (*loja*) shoe repairer's

sapatilha [sapa'tʃiʎa] *f* (*de balé*) shoe; (*sapato*) pump; (*de atleta*) running shoe

sapato [sa'patu] *m* shoe

sapo ['sapu] *m* toad

saque¹ ['saki] *m* (*de dinheiro*) withdrawal; (*Com*) draft, bill; (*Esporte*) serve; (*pilhagem*) plunder, pillage; **~ a descoberto** (*Com*) overdraft

saque² *etc vb V* **sacar**

saquear [sa'kja°] *vt* to pillage, plunder

sarampo [sa'rãpu] *m* measles *sg*

sarar [sa'ra°] *vt* to cure; (*ferida*) to heal ▷ *vi* to recover

sarcasmo [sax'kaʒmu] *m* sarcasm

sarda ['saxda] *f* freckle

Sardenha [sax'dɛɲa] *f:* **a ~** Sardinia

sardinha [sax'dʒiɲa] *f* sardine

sargento [sax'ʒẽtu] *m* sergeant

sarjeta [sax'ʒeta] *f* gutter

Satã [sa'tã] *m* Satan

Satanás [sata'naʃ] *m* Satan

satélite [sa'tɛlitʃi] *m* satellite

sátira ['satʃira] *f* satire

satisfazer [satʃiʃfa'ze°] (*irreg: como* **fazer**) *vt* to satisfy ▷ *vi* to be satisfactory; **satisfazer-se** *vr* to be satisfied; (*saciar-se*) to fill o.s. up; **~ a** to satisfy; **satisfeito, -a** [satʃiʃ'fejtu, a] *adj* satisfied; (*saciado*) full; **dar-se por satisfeito com algo** to be content with sth

saudação [sawda'sãw] (*pl* **-ões**) *f* greeting

saudade [saw'dadʒi] *f* longing, yearning; (*lembrança nostálgica*) nostalgia; **deixar ~s** to be greatly missed; **ter ~(s) de** (*desejar*) to long for; (*sentir falta de*) to miss; **~(s) de casa, ~(s) da pátria** homesickness *sg*

saudar [saw'da°] *vt* to greet; (*dar as boas vindas*) to welcome; (*aclamar*) to acclaim

saudável [saw'davew] (pl **-eis**) adj
healthy; (moralmente) wholesome

saúde [sa'udʒi] f health; (brinde)
toast; **~!** (brindando) cheers!; (quando
se espirra) bless you!; **beber à ~ de** to
drink to, toast; **estar bem/mal de
~** to be well/ill

saudosismo [sawdo'ziʒmu] m
nostalgia

saudoso, -a [saw'dozu, ɔza] adj
(nostálgico) nostalgic; (da família
ou terra natal) homesick; (de uma
pessoa) longing; (que causa saudades)
much-missed

sauna ['sawna] f sauna

saxofone [sakso'fɔni] m
saxophone

sazonal [sazo'naw] (pl **-ais**) adj
seasonal

scanner ['skane°] m scanner

○ **PALAVRA CHAVE**

se [si] pron **1** (reflexivo: impess)
oneself; (: m) himself; (: f) herself;
(: coisa) itself; (: você) yourself; (: pl)
themselves; (: vocês) yourselves;
ela está ~ vestindo she's getting
dressed; (usos léxicos del pron) V o vb
em questão p. ex. **arrepender-se**
2 (uso recíproco) each other, one
another; **olharam-~** they looked at
each other
3 (impess): **come-~ bem aqui** you
can eat well here; **sabe-~ que ...** it is
known that ...; **vende(m)-~ jornais
naquela loja** they sell newspapers
in that shop
▷ conj if; (em pergunta indireta)
whether; **~ bem que** even though

sê [se] vb V **ser**

sebe ['sɛbi] (PT) f fence; **~ viva**
hedge

sebo ['sebu] m tallow

seca ['seka] f drought

secador [seka'do°] m: **~ de cabelo/
roupa** hairdryer/clothes horse

seção [se'sãw] (pl **-ões**) f section;
(em loja, repartição) department

secar [se'ka°] vt to dry; (planta) to
parch ▷ vi to dry; to wither; (fonte)
to dry up

secção [sek'sãw] (PT) = **seção**

seco, -a ['seku, a] adj dry; (ríspido)
curt, brusque; (magro) thin; (pessoa:
frio) cold; (: sério) serious

seções [se'sõjʃ] fpl de **seção**

secretaria [sekreta'ria] f general
office; (de secretário) secretary's
office; (ministério) ministry

secretária [sekre'tarja] f writing
desk; **~ eletrônica** (telephone)
answering machine; V tb
secretário

secretário, -a [sekre'tarju, a]
m/f secretary; **S~ de Estado de ...**
Secretary of State for ...

sector [sek'to°] (PT) m = **setor**

século ['sɛkulu] m century;
(época) age

secundário, -a [seku'darju, a]
adj secondary

seda ['seda] f silk

sedativo [seda'tʃivu] m sedative

sede¹ ['sɛdʒi] f (de empresa,
instituição) headquarters sg; (de
governo) seat; (Rel) see, diocese

sede² ['sedʒi] f thirst; **estar com
ou ter ~** to be thirsty; **sedento, -a**
[se'dẽtu, a] adj thirsty

sediar [se'dʒja°] vt to base

sedução [sedu'sãw] (pl **-ões**) f
seduction

sedutor, a [sedu'to°, a] adj
seductive; (oferta etc) tempting

seduzir [sedu'zi°] vt to seduce;
(fascinar) to fascinate

segmento [seg'mẽtu] m segment

segredo [se'gredu] m secret;
(sigilo) secrecy; (de fechadura)
combination

segregar [segre'ga°] *vt* to segregate

seguidamente [segida'mētʃi] *adv* (*sem parar*) continuously; (*logo depois*) soon afterwards

seguido, -a [se'gidu, a] *adj* following; (*contínuo*) continuous, consecutive; **~ de** *ou* **por** followed by; **três dias ~s** three days running; **horas seguidas** for hours on end; **em seguida** next; (*logo depois*) soon afterwards; (*imediatamente*) immediately, right away

seguimento [segi'mētu] *m* continuation; **dar ~ a** to proceed with; **em ~ de** after

seguinte [se'gītʃi] *adj* following, next; **eu lhe disse o ~** this is what I said to him

seguir [se'gi°] *vt* to follow; (*continuar*) to continue ▷ *vi* to follow; to continue, carry on; (*ir*) to go; **seguir-se** *vr*: **~-se (a)** to follow; **logo a ~** next; **~-se (de)** to result (from)

segunda [se'gũda] *f* (*tb*: **~-feira**) Monday; (*Auto*) second (gear); **de ~** second-rate; **segunda-feira** (*pl* **segundas-feiras**) *f* Monday

segundo, -a [se'gũdu, a] *adj* second ▷ *prep* according to ▷ *conj* as, from what ▷ *adv* secondly ▷ *m* second; **de segunda mão** second-hand; **de segunda (classe)** second-class; **~ ele disse** according to what he said; **~ dizem** apparently; **~ me consta** as far as I know; **segundas intenções** ulterior motives

seguramente [segura'mētʃi] *adv* certainly; (*muito provavelmente*) surely

segurança [segu'rãsa] *f* security; (*ausência de perigo*) safety; (*confiança*) confidence ▷ *m/f* security guard; **com ~** assuredly

segurar [segu'ra°] *vt* to hold;

(*amparar*) to hold up; (*Com: bens*) to insure ▷ *vi*: **~ em** to hold; **segurar-se** *vr*: **~-se em** to hold on to

seguro, -a [se'guru, a] *adj* safe; (*livre de risco, firme*) secure; (*certo*) certain, assured; (*confiável*) reliable; (*de si mesmo*) confident; (*tempo*) settled ▷ *adv* confidently ▷ *m* (*Com*) insurance; **estar ~ de/de que** to be sure of/that; **fazer ~** to take out an insurance policy; **~ contra acidentes/incêndio** accident/fire insurance; **seguro-saúde** (*pl* **seguros-saúde**) *m* health insurance

sei [sej] *vb V* **saber**

seio ['seju] *m* breast, bosom; (*âmago*) heart; **~ paranasal** sinus

seis [sejʃ] *num* six

seita ['sejta] *f* sect

seixo ['sejʃu] *m* pebble

seja *etc* ['seʒa] *vb V* **ser**

sela ['sɛla] *f* saddle

selar [se'la°] *vt* (*carta*) to stamp; (*documento oficial, pacto*) to seal; (*cavalo*) to saddle

seleção [sele'sãw] (*PT* **-cç-**) (*pl* **-ões**) *f* selection; (*Esporte*) team

selecionar [selesjo'na°] (*PT* **-cc-**) *vt* to select

seleções [sele'sõjʃ] *fpl de* **seleção**

seleto, -a [se'lɛtu, a] (*PT* **-ct-**) *adj* select

selim [se'lĩ] (*pl* **-ns**) *m* saddle

selo ['selu] *m* stamp; (*carimbo, sinete*) seal

selva ['sɛwva] *f* jungle

selvagem [sew'vaʒẽ] (*pl* **-ns**) *adj* wild; (*feroz*) fierce; (*povo*) savage; **selvageria** [sewvaʒe'ria] *f* savagery

sem [sẽ] *prep* without ▷ *conj*: **~ que eu peça** without my asking; **estar/ficar ~ dinheiro/gasolina** to have no/have run out of money/petrol

semáforo [se'maforu] *m* (*Auto*) traffic lights *pl*; (*Ferro*) signal

semana [se'mana] *f* week; **semanal** [sema'naw](*pl* **~is**) *adj* weekly; **semanário** [sema'narju] *m* weekly (publication)

semear [se'mja°] *vt* to sow

semelhante [seme'ʎãtʃi] *adj* similar; (*tal*) such ▷ *m* fellow creature

sêmen ['semẽ] *m* semen

semente [se'mẽtʃi] *f* seed

semestral [semeʃ'traw](*pl* **-ais**) *adj* half-yearly, bi-annual

semestre [se'mɛʃtri] *m* six months; (*Educ*) semester

semi... [semi] *prefixo* semi..., half...; **semicírculo** [semi'sixkulu] *m* semicircle

seminário [semi'narju] *m* seminar; (*Rel*) seminary

sem-número *m*: **um ~ de coisas** loads of things

sempre ['sẽpri] *adv* always; **você ~ vai?** (*PT*) are you still going?; **~ que** whenever; **como ~** as usual; **a comida/hora** *etc* **de ~** the usual food/time *etc*

sem-terra *m/f inv* landless labourer (*BRIT*) *ou* laborer (*US*)

sem-teto *m/f inv*: **os ~** the homeless

sem-vergonha *adj inv* shameless ▷ *m/f inv* (*pessoa*) rogue

senado [se'nadu] *m* senate; **senador, a** [sena'do°, a] *m/f* senator

senão [se'nãw](*pl* **-ões**) *conj* otherwise; (*mas sim*) but, but rather ▷ *prep* except ▷ *m* flaw, defect

senha ['seɲa] *f* sign; (*palavra de passe*) password; (*de caixa automático*) PIN number; (*recibo*) receipt; (*passe*) pass

senhor, a [se'ɲo°, a] *m* (*homem*) man; (*formal*) gentleman; (*homem idoso*) elderly man; (*Rel*) lord; (*dono*) owner; (*tratamento*) Mr(.); (*tratamento respeitoso*) sir ▷ *f* (*mulher*) lady; (*esposa*) wife; (*mulher idosa*) elderly lady; (*dona*) owner; (*tratamento*) Mrs(.), Ms(.); (*tratamento respeitoso*) madam; **o ~, a ~a** (*você*) you; **nossa ~a!** (*col*) gosh!; **sim, ~(a)!** yes indeed!

senhorita [seɲo'rita] *f* young lady; (*tratamento*) Miss, Ms(.); **a ~** (*você*) you

senil [se'niw](*pl* **-is**) *adj* senile

senões [se'nõjʃ] *mpl de* **senão**

sensação [sẽsa'sãw](*pl* **-ões**) *f* sensation; **sensacional** [sẽsasjo'naw](*pl* **-ais**) *adj* sensational

sensível [sẽ'sivew](*pl* **-eis**) *adj* sensitive; (*visível*) noticeable; (*considerável*) considerable; (*dolorido*) tender

senso ['sẽsu] *m* sense; (*juízo*) judgement

sensual [sẽ'swaw](*pl* **-ais**) *adj* sensual

sentado, -a [sẽ'tadu, a] *adj* sitting

sentar [sẽ'ta°] *vt* to seat ▷ *vi* to sit; **sentar-se** *vr* to sit down

sentença [sẽ'tẽsa] *f* (*Jur*) sentence; **sentenciar** [sẽtẽ'sja°] *vt* (*julgar*) to pass judgement on; (*condenar por sentença*) to sentence

sentido, -a [sẽ'tʃidu, a] *adj* (*magoado*) hurt; (*choro, queixa*) heartfelt ▷ *m* sense; (*direção*) direction; (*atenção*) attention; (*aspecto*) respect; **~!** (*Mil*) attention!; **em certo ~** in a sense; **(não) ter ~** (not) to be acceptable; **"~ único"** (*PT*: *sinal*) "one-way"

sentimental [sẽtʃimẽ'taw] (*pl* **-ais**) *adj* sentimental; **vida ~** love life

sentimento [sẽtʃi'mẽtu] *m*

feeling; (*senso*) sense; **~s** *mpl*
(*pêsames*) condolences
sentinela [sētʃi'nɛla] *f* sentry,
guard
sentir [sē'tʃi*] *vt* to feel; (*perceber,
pressentir*) to sense; (*ser afetado por*)
to be affected by; (*magoar-se*) to
be upset by ▷ *vi* to feel; (*sofrer*) to
suffer; **sentir-se** *vr* to feel; (*julgar-se*)
to consider o.s. (to be); **~ (a) falta
de** to miss; **~ cheiro/gosto (de)** to
smell/taste; **~ vontade de** to feel
like; **sinto muito** I am very sorry
separação [separa'sãw] (*pl* **-ões**)
f separation
separado, -a [sepa'radu, a] *adj*
separate; **em ~** separately, apart
separar [sepa'ra*] *vt* to separate;
(*dividir*) to divide; (*pôr de lado*) to put
aside; **separar-se** *vr* to separate; to
be divided
sepultamento [sepuwta'mẽtu]
m burial
sepultar [sepuw'ta*] *vt* to bury;
sepultura [sepuw'tura] *f* grave,
tomb
seqüência [se'kwẽsja] *f* sequence
sequer [se'kɛ*] *adv* at least; **(nem)
~** not even
seqüestrar [sekweʃ'tra*] *vt* (*bens*)
to seize, confiscate; (*raptar*) to
kidnap; (*avião etc*) to hijack;
seqüestro [se'kwɛʃtru] *m* seizure;
abduction, kidnapping, hijack

○ **PALAVRA CHAVE**

ser [se*] *vi* **1** (*descrição*) to be; **ela
é médica/muito alta** she's a
doctor/very tall; **é Ana** (*Tel*) Ana
speaking *ou* here; **ela é de uma
bondade incrível** she's incredibly
kind; **ele está é danado** he's really
angry; **~ de mentir/briga** to be the
sort to lie/fight
2 (*horas, datas, números*): **é uma**

hora it's one o'clock; **são seis e
meia** it's half past six; **é dia 1³ de
junho** it's the first of June; **somos/
são seis** there are six of us/them
3 (*origem, material*): **~ de** to be *ou*
come from; (*feito de*) to be made of;
(*pertencer*) to belong to; **sua família
é da Bahia** his (*ou* her *etc*) family is
from Bahia; **a mesa é de mármore**
the table is made of marble; **é
de Pedro** it's Pedro's, it belongs
to Pedro
4 (*em orações passivas*): **já foi
descoberto** it had already been
discovered
5 (*locuções com subjun*): **ou seja** that
is to say; **seja quem é** for whoever it
may be; **se eu fosse você** if I were
you; **se não fosse você, ...** if it
hadn't been for you, ...
6 (*locuções*): **a não ~** except; **a não
~ que** unless; **é** (*resposta afirmativa*)
yes; **..., não é?...**, isn't it?, ..., don't
you? *etc*; **ah, é?** really?; **que foi?** (*o
que aconteceu?*) what happened?;
(*qual é o problema?*) what's the
problem?; **~á que ...?** I wonder if ...?
▷ *m* being; **~es** *mpl* (*criaturas*)
creatures

sereia [se'reja] *f* mermaid
série ['sɛri] *f* series; (*seqüência*)
sequence, succession; (*Educ*) grade;
(*categoria*) category; **fora de ~** out of
order; (*fig*) extraordinary
seriedade [serje'dadʒi] *f*
seriousness; (*honestidade*) honesty
seringa [se'rĩga] *f* syringe
sério, -a ['sɛrju, a] *adj* serious;
(*honesto*) honest, decent;
(*responsável*) responsible; (*confiável*)
reliable; (*roupa*) sober ▷ *adv*
seriously; **a ~** seriously; **~?** really?
sermão [sex'mãw] (*pl* **-ões**) *m*
sermon; (*fig*) telling-off
serpente [sex'pẽtʃi] *f* snake

serra ['sɛxa] f (montanhas) mountain range; (Tec) saw

serralheiro, -a [sexa'ʎejru, a] m/f locksmith

serrano, -a [se'xanu, a] adj highland atr ▷ m/f highlander

serrar [se'xa°] vt to saw

sertanejo, -a [sexta'neʒu, a] adj rustic, country ▷ m/f inhabitant of the sertão

sertão [sex'tãw] (pl -ões) m backwoods pl, bush (country)

servente [sex'vẽtʃi] m/f servant; (operário) labourer (BRIT), laborer (US)

serviçal [sexvi'saw] (pl -ais) adj obliging, helpful ▷ m/f servant; (trabalhador) wage earner

serviço [sex'visu] m service; (de chá etc) set; **estar de ~** to be on duty; **prestar ~** to help

servidor, a [sexvi'do°, a] m/f servant; (funcionário) employee; **~ público** civil servant

servil [sex'viw] (pl -is) adj servile

servir [sex'vi°] vt to serve ▷ vi to serve; (ser útil) to be useful; (ajudar) to help; (roupa: caber) to fit; **servir-se** vr: **~-se (de)** (comida, café) to help o.s. (to); (meios): **~-se de** to use, make use of; **~ de** (prover) to supply with, provide with; **você está servido?** (num bar) are you all right for a drink?; **~ de algo** to serve as sth; **qualquer ônibus serve** any bus will do

servis [sex'viʃ] adj pl de **servil**

sessão [se'sãw] (pl -ões) f (do parlamento etc) session; (reunião) meeting; (de cinema) showing

sessenta [se'sẽta] num sixty

sessões [se'sõjʃ] fpl de **sessão**

sesta ['sɛʃta] f siesta, nap

seta ['seta] f arrow

sete ['sɛtʃi] num seven

setembro [se'tẽbru] (PT S-) m September; **7 de setembro** see boxed note

setenta [se'tẽta] num seventy

sétimo, -a ['sɛtʃimu, a] num seventh

setor [se'to°] m sector

seu, sua [sew, 'sua] adj (dele) his; (dela) her; (de coisa) its; (deles, delas) their; (de você, vocês) your ▷ pron: **(o) ~, (a) sua** his; hers; its; theirs; yours ▷ m (senhor) Mr(.)

severidade [severi'dadʒi] f severity

severo, -a [se'vɛru, a] adj severe

sexo ['sɛksu] m sex

sexta ['seʃta] f (tb: **~-feira**) Friday; **sexta-feira** (pl **sextas-feiras**) f Friday; **Sexta-feira Santa** Good Friday

sexto, -a ['seʃtu, a] num sixth

sexual [se'kswaw] (pl -ais) adj sexual; (vida, ato) sex atr

sexy ['sɛksi] (pl ~s) adj sexy

s.f.f. (PT) abr = **se faz favor**

short ['ʃɔxtʃi] m (pair of) shorts pl

si [si] pron oneself; (ele) himself; (ela) herself; (coisa) itself; (PT: você) yourself, you; (: vocês) yourselves; (eles, elas) themselves

SIDA ['sida] (PT) abr f (= síndrome
de deficiência imunológica adquirida)
a ~ AIDS
siderúrgica [side'ruxʒika] f steel
industry
sigilo [si'ʒilu] m secrecy
sigla ['sigla] f acronym;
(abreviação) abbreviation
significado [signifi'kadu] m
meaning
significar [signifi'ka°] vt to
mean, signify; **significativo, -a**
[signifika'tʃivu, a] adj significant
signo ['signu] m sign
sigo etc ['sigu] vb V **seguir**
sílaba ['silaba] f syllable
silenciar [silẽ'sja°] vt to silence
silêncio [si'lẽsju] m silence,
quiet; **silencioso, -a** [silẽ'sjozu,
ɔza] adj silent, quiet ▷ m (Auto)
silencer (BRIT), muffler (US)
silhueta [si'ʎweta] f silhouette
silvestre [siw'vɛʃtri] adj wild
sim [sĩ] adv yes; **creio que ~** I
think so
símbolo ['sĩbolu] m symbol
simetria [sime'tria] f symmetry
similar [simi'la°] adj similar
simpatia [sĩpa'tʃia] f liking;
(afeto) affection; (afinidade,
solidariedade) sympathy; **~s**
fpl (inclinações) sympathies;
simpático, -a [sĩ'patʃiku, a]
adj (pessoa, decoração etc) nice;
(lugar) pleasant, nice; (amável)
kind; **simpatizar** [sĩpatʃi'za°] vi:
simpatizar com (pessoa) to like;
(causa) to sympathize with
simples ['sĩpliʃ] adj inv simple;
(único) single; (fácil) easy; (mero)
mere; (ingênuo) naïve ▷ adv simply;
simplicidade [sĩplisi'dadʒi] f
simplicity; **simplificar** [sĩplifi'ka°]
vt to simplify
simular [simu'la°] vt to simulate
simultaneamente [simuwtanja-
'mẽtʃi] adv simultaneously
simultâneo, -a [simuw'tanju, a]
adj simultaneous
sinagoga [sina'gɔga] f
synagogue
sinal [si'naw] (pl **-ais**) m sign;
(gesto, Tel) signal; (na pele) mole;
(: de nascença) birthmark; (depósito)
deposit; (tb: **~ de tráfego, ~
luminoso**) traffic light; **por ~** (por
falar nisso) by the way; (aliás) as a
matter of fact; **~ de chamada** (Tel)
ringing tone; **~ de discar** (BR) ou
de marcar (PT) dialling tone (BRIT),
dial tone (US); **~ de ocupado** (BR)
ou **de impedido** (PT) engaged tone
(BRIT), busy signal (US); **sinalização**
[sinaliza'sãw] f (ato) signalling;
(para motoristas) traffic signs pl
sincero, -a [sĩ'sɛru, a] adj
sincere
sindicalista [sĩdʒika'liʃta] m/f
trade unionist
sindicato [sĩdʒi'katu] m trade
union; (financeiro) syndicate
síndrome ['sĩdromi] f syndrome;
~ de Down Down's syndrome
sinfonia [sĩfo'nia] f symphony
singular [sĩgu'la°] adj singular;
(extraordinário) exceptional; (bizarro)
odd, peculiar
sino ['sinu] m bell
sintaxe [sĩ'tasi] f syntax
síntese ['sĩtezi] f synthesis;
sintético, -a [sĩ'tɛtʃiku, a] adj
synthetic
sinto etc ['sĩtu] vb V **sentir**
sintoma [sĩ'tɔma] m symptom
sinuca [si'nuka] f snooker
sinuoso, -a [si'nwozu, ɔza] adj
(caminho) winding; (linha) wavy
siri [si'ri] m crab
sirvo etc ['sixvu] vb V **servir**
sistema [siʃ'tɛma] m system;
(método) method
site ['sajtʃi] m (na Internet) website

sítio ['sitʃju] *m* (*Mil*) siege; (*propriedade rural*) small farm; (*PT: lugar*) place

situação [sitwa'sãw] (*pl -ões*) *f* situation; (*posição*) position

situado, -a [si'twadu, a] *adj* situated

situar [si'twa*] *vt* to place, put; (*edifício*) to situate, locate; **situar-se** *vr* to position o.s.; (*estar situado*) to be situated

slogan [iʃ'logã] (*pl ~s*) *m* slogan

SME *abr m* (= *Sistema Monetário Europeu*) ERM

smoking [iʒ'mokiʃ] (*pl ~s*) *m* dinner jacket (*BRIT*), tuxedo (*US*)

só [sɔ] *adj* alone; (*único*) single; (*solitário*) solitary ▷ *adv* only; **a ~s** alone

soar [swa*] *vi* to sound ▷ *vt* (*horas*) to strike; (*instrumento*) to play; **~ a** to sound like; **~ bem/mal** (*fig*) to go down well/badly

sob [sob] *prep* under; **~ juramento** on oath; **~ medida** (*roupa*) made to measure

sobe *etc* ['sɔbi] *vb V* **subir**

soberano, -a [sobe'ranu, a] *adj* sovereign; (*fig: supremo*) supreme ▷ *m/f* sovereign

sobra ['sɔbra] *f* surplus, remnant; **~s** *fpl* (*restos*) remains; (*de tecido*) remnants; (*de comida*) leftovers; **ter algo de ~** to have sth extra; (*tempo, comida, motivos*) to have plenty of sth; **ficar de ~** to be left over

sobrado [so'bradu] *m* (*andar*) floor; (*casa*) house (*of two or more storeys*)

sobrancelha [sobrã'seʎa] *f* eyebrow

sobrar [so'bra*] *vi* to be left; (*dúvidas*) to remain

sobre ['sobri] *prep* on; (*por cima de*) over; (*acima de*) above; (*a respeito de*) about

sobrecarregar [sobrikaxe'ga*] *vt* to overload

sobremesa [sobri'meza] *f* dessert

sobrenatural [sobrinatu'raw] (*pl -ais*) *adj* supernatural

sobrenome [sobri'nɔmi] (*BR*) *m* surname, family name

sobrepor [sobri'po*] (*irreg: como pôr*) *vt:* **~ algo a algo** to put sth on top of sth

sobressair [sobrisa'i*] *vi* to stand out; **sobressair-se** *vr* to stand out

sobressalente [sobrisa'lẽtʃi] *adj, m* spare

sobressalto [sobri'sawtu] *m* start; (*temor*) trepidation; **de ~** suddenly

sobretaxa [sobri'taʃa] *f* surcharge

sobretudo [sobri'tudu] *m* overcoat ▷ *adv* above all, especially

sobrevivência [sobrivi'vẽsja] *f* survival; **sobrevivente** [sobrivi'vẽtʃi] *adj* surviving ▷ *m/f* survivor

sobreviver [sobrivi've*] *vi:* **~ (a)** to survive

sobrinho, -a [so'briɲu, a] *m/f* nephew/niece

sóbrio, -a ['sɔbrju, a] *adj* sober; (*moderado*) moderate, restrained

socar [so'ka*] *vt* to hit, strike; (*calcar*) to crush, pound; (*massa de pão*) to knead

social [so'sjaw] (*pl -ais*) *adj* social; **socialista** [sosja'liʃta] *adj, m/f* socialist

sociedade [sosje'dadʒi] *f* society; (*Com: empresa*) company; (*associação*) association; **~ anônima** limited company (*BRIT*), incorporated company (*US*)

sócio, -a ['sɔsju, a] *m/f* (*Com*) partner; (*de clube*) member

soco ['soku] *m* punch; **dar um ~**

em to punch

socorrer [soko'xe*] vt to help, assist; (salvar) to rescue; **socorrer-se** vr: **~-se de** to resort to, have recourse to; **socorro** [so'koxu] m help, assistance; (reboque) breakdown (BRIT) ou tow (US) truck; **socorro!** help!; **primeiros socorros** first aid sg

soda ['sɔda] f soda (water)

sofá [so'fa] m sofa, settee; **sofá-cama** (pl **sofás-camas**) m sofa-bed

sofisticado, -a [sofiʃtʃi'kadu, a] adj sophisticated; (afetado) pretentious

sofrer [so'fre*] vt to suffer; (acidente) to have; (agüentar) to bear, put up with; (experimentar) to undergo ▷ vi to suffer; **sofrido, -a** [so'fridu, a] adj long-suffering; **sofrimento** [sofri'mẽtu] m suffering

software [sof'twe*] m (Comput) software

sogro, -a ['sogru, 'sɔgra] m/f father-in-law/mother-in-law

sóis [sɔjʃ] mpl de **sol**

soja ['sɔʒa] f soya (BRIT), soy (US)

sol [sɔw] (pl **sóis**) m sun; (luz) sunshine, sunlight; **fazer ~** to be sunny; **tomar ~** to sunbathe

sola ['sɔla] f sole

solar [sola*] adj solar; **energia/painel ~** solar energy/panel

soldado [sow'dadu] m soldier

soleira [so'lejra] f doorstep

solene [so'leni] adj solemn; **solenidade** [soleni'dadʒi] f solemnity; (cerimônia) ceremony

soletrar [sole'tra*] vt to spell

solicitar [solisi'ta*] vt to ask for; (emprego etc) to apply for; (amizade, atenção) to seek; **~ algo a alguém** to ask sb for sth

solícito, -a [so'lisitu, a] adj

helpful

solidão [soli'dãw] f solitude; (sensação) loneliness

solidariedade [solidarje'dadʒi] f solidarity

solidário, -a [soli'darju, a] adj: **ser ~ a** ou **com** (pessoa) to stand by; (causa) to be sympathetic to, sympathize with

sólido, -a ['sɔlidu, a] adj solid

solitário, -a [soli'tarju, a] adj lonely; (isolado) solitary ▷ m hermit

solo ['sɔlu] m ground, earth; (Mús) solo

soltar [sow'ta*] vt to set free; (desatar) to loosen; (largar) to let go of; (emitir) to emit; (grito) to let out; (cabelo) to let down; (freio) to release; **soltar-se** vr to come loose; (desinibir-se) to let o.s. go

solteirão, -ona [sowtej'rãw, rɔna] (pl **-ões, ~s**) adj unmarried, single ▷ m/f confirmed bachelor/spinster

solteiro, -a [sow'tejru, a] adj unmarried, single ▷ m/f bachelor/single woman

solteirões [sowtej'rõjʃ] mpl de **solteirão**

solteirona [sowtej'rɔna] f de **solteirão**

solto, -a ['sowtu, a] pp de **soltar** ▷ adj loose; (livre) free; (sozinho) alone

solução [solu'sãw] (pl **-ões**) f solution

soluçar [solu'sa*] vi (chorar) to sob; (Med) to hiccup

solucionar [solusjo'na*] vt to solve; (decidir) to resolve

soluço [so'lusu] m sob; (Med) hiccup

soluções [solu'sõjʃ] fpl de **solução**

som [sõ] (pl **-ns**) m sound; **~ cd** compact disc player

soma ['sɔma] f sum; **somar** [so'ma*] vt (adicionar) to add (up); (chegar a) to add up to, amount to ▷ vi to add up

sombra ['sõbra] f shadow; (proteção) shade; (indício) trace, sign

sombrinha [sõ'briɲa] f parasol, sunshade

some etc ['sɔmi] vb V **sumir**

somente [so'mẽtʃi] adv only

somos ['somoʃ] vb V **ser**

sonâmbulo, -a [so'nãbulu, a] m/f sleepwalker

sondar [sõ'da*] vt to probe; (opinião etc) to sound out

soneca [so'nɛka] f nap, snooze

sonegar [sone'ga*] vt (dinheiro, valores) to conceal, withhold; (furtar) to steal, pilfer; (impostos) to dodge, evade; (informações, dados) to withhold

soneto [so'netu] m sonnet

sonhar [so'ɲa*] vt, vi to dream; **~ com** to dream about; **sonho** ['soɲu] m dream; (Culin) doughnut

sono ['sɔnu] m sleep; **estar com** ou **ter ~** to be sleepy

sonolento, -a [sono'lẽtu, a] adj sleepy, drowsy

sonoro, -a [so'nɔru, a] adj resonant

sons [sõʃ] mpl de **som**

sonso, -a ['sõsu, a] adj sly, artful

sopa ['sopa] f soup

soporífero [sopo'riferu], **soporífico** [sopo'rifiku] m sleeping drug

soprar [so'pra*] vt to blow; (balão) to blow up; (vela) to blow out; (dizer em voz baixa) to whisper ▷ vi to blow; **sopro** ['sopru] m blow, puff; (de vento) gust

sórdido, -a ['sɔxdʒidu, a] adj sordid; (imundo) squalid

soro ['soru] m (Med) serum

sorridente [soxi'dẽtʃi] adj smiling

sorrir [so'xi*] vi to smile; **sorriso** [so'xizu] m smile

sorte ['sɔxtʃi] f luck; (casualidade) chance; (destino) fate, destiny; (condição) lot; (espécie) sort, kind; **de ~ que** so that; **dar ~** (trazer sorte) to bring good luck; (ter sorte) to be lucky; **estar com** ou **ter ~** to be lucky

sortear [sox'tʃja*] vt to draw lots for; (rifar) to raffle; (Mil) to draft; **sorteio** [sox'teju] m draw; raffle; draft

sortido, -a [sox'tʃidu, a] adj (abastecido) supplied, stocked; (variado) assorted; (loja) well-stocked

sortudo, -a [sox'tudu, a] (col) adj lucky

sorvete [sox'vetʃi] (BR) m ice cream

SOS abr SOS

sossegado, -a [sose'gadu, a] adj peaceful, calm

sossegar [sose'ga*] vt to calm, quieten ▷ vi to quieten down

sossego [so'segu] m peace (and quiet)

sótão ['sɔtãw] (pl **-s**) m attic, loft

sotaque [so'taki] m accent

soterrar [sote'xa*] vt to bury

sou [so] vb V **ser**

soube etc ['sobi] vb V **saber**

soutien [su'tʃjã] (PT) m = **sutiã**

sova ['sɔva] f beating, thrashing

sovaco [so'vaku] m armpit

sovina [so'vina] adj mean, stingy ▷ m/f miser

sozinho, -a [sɔ'ziɲu, a] adj (all) alone, by oneself; (por si mesmo) by oneself

spam [iʃpã] (pl **-s**) m (Comput) spam

squash [iʃ'kwɛʃ] m squash

Sr. abr (= senhor) Mr(.)

Sr.a *abr* (= *senhora*) Mrs(.)
Sr.ta *abr* (= *senhorita*) Miss
sua ['sua] *f de* **seu**
suar [swa*] *vt*, *vi* to sweat
suave ['swavi] *adj* gentle; (*música*, *voz*) soft; (*sabor*, *vinho*) smooth; (*cheiro*) delicate; (*dor*) mild; (*trabalho*) light
subalterno, -a [subaw'tɛxnu, a] *adj*, *m/f* subordinate
subconsciente [subkõ'sjẽtʃi] *adj*, *m* subconscious
subdesenvolvido, -a [subdʒizẽvow'vidu, a] *adj* underdeveloped
subentender [subẽtẽ'de*] *vt* to understand, assume; **subentendido, -a** [subẽtẽ'dʒidu, a] *adj* implied ▷ *m* implication
subestimar [subeʃtʃi'ma*] *vt* to underestimate
subida [su'bida] *f* ascent, climb; (*ladeira*) slope; (*de preços*) rise
subir [su'bi*] *vi* to go up; (*preço*, *de posto etc*) to rise ▷ *vt* to raise; (*ladeira, escada, rio*) to climb, go up; **~ em** to climb, go up; (*cadeira, palanque*) to climb onto, get up onto; (*ônibus*) to get on
súbito, -a ['subitu, a] *adj* sudden ▷ *adv* (*tb*: **de ~**) suddenly
subjetivo, -a [subʒe'tʃivu, a] (*PT* **-ct-**) *adj* subjective
subjuntivo, -a [subʒũ'tʃivu, a] *adj* subjunctive ▷ *m* subjunctive
sublime [su'blimi] *adj* sublime
sublinhar [subli'ɲa*] *vt* to underline; (*destacar*) to emphasize, stress
submarino, -a [subma'rinu, a] *adj* underwater ▷ *m* submarine
submeter [subme'te*] *vt* to subdue; (*plano*) to submit; (*sujeitar*): **~ a** to subject to; **submeter-se** *vr*: **~-se a** to submit to; (*operação*) to undergo
submisso, -a [sub'misu, a] *adj*

submissive
subnutrição [subnutri'sãw] *f* malnutrition
subornar [subox'na*] *vt* to bribe; **suborno** [su'boxnu] *m* bribery
subseqüente [subse'kwẽtʃi] *adj* subsequent
subserviente [subsex'vjẽtʃi] *adj* obsequious, servile
subsidiária [subsi'dʒjarja] *f* (*Com*) subsidiary (company)
subsidiário, -a [subsi'dʒjarju, a] *adj* subsidiary
subsídio [sub'sidʒu] *m* subsidy; (*ajuda*) aid
subsistência [subsiʃ'tẽsja] *f* subsistence
subsistir [subsiʃ'tʃi*] *vi* to exist; (*viver*) to subsist
subsolo [sub'sɔlu] *m* (*de prédio*) basement
substância [subʃ'tãsja] *f* substance; **substancial** [subʃtã'sjaw] (*pl* **-ais**) *adj* substantial
substantivo, -a [subʃtã'tʃivu] *m* noun
substituir [subʃtʃi'twi*] *vt* to substitute
subtil *etc* [sub'tiw] (*PT*) = **sutil** *etc*
subtrair [subtra'i*] *vt* to steal; (*deduzir*) to subtract ▷ *vi* to subtract
subumano, -a [subu'manu, a] *adj* subhuman; (*desumano*) inhuman
suburbano, -a [subux'banu, a] *adj* suburban
subúrbio [su'buxbju] *m* suburb
subvenção [subvẽ'sãw] (*pl* **-ões**) *f* subsidy, grant
subversivo, -a [subvex'sivu, a] *adj*, *m/f* subversive
sucata [su'kata] *f* scrap metal
succão [suk'sãw] *f* suction
suceder [suse'de*] *vi* to happen ▷ *vt* to succeed; **~ a** (*num cargo*) to succeed; (*seguir*) to follow
sucessão [suse'sãw] (*pl* **-ões**) *f*

succession

sucesso [su'sɛsu] m success; (*música, filme*) hit; **fazer** *ou* **ter ~** to be successful

sucinto, -a [su'sĩtu, a] *adj* succinct

suco ['suku] (*BR*) m juice

suculento, -a [suku'lẽtu, a] *adj* succulent

sucumbir [sukũ'bi*] *vi* to succumb; (*morrer*) to die, perish

sucursal [sukux'saw] (*pl* **-ais**) f (*Com*) branch

Sudão [su'dãw] m: **o ~** (the) Sudan

sudeste [su'dɛʃtʃi] m south-east

súdito ['sudʒitu] m (*de rei etc*) subject

sudoeste [sud'wɛʃtʃi] m south-west

Suécia ['swɛsja] f: **a ~** Sweden; **sueco, -a** ['swɛku, a] *adj* Swedish ▷ *m/f* Swede ▷ m (*Ling*) Swedish

suéter ['swete*] (*BR*) m *ou* f sweater

suficiente [sufi'sjẽtʃi] *adj* sufficient, enough

sufixo [su'fiksu] m suffix

sufocar [sufo'ka*] *vt, vi* to suffocate

sugar [su'ga*] *vt* to suck

sugerir [suʒe'ri*] *vt* to suggest

sugestão [suʒeʃ'tãw] (*pl* **-ões**) f suggestion; **dar uma ~** to make a suggestion; **sugestivo, -a** [suʒeʃ'tʃivu, a] *adj* suggestive

sugiro *etc* [su'ʒiru] *vb* V **sugerir**

Suíça ['swisa] f: **a ~** Switzerland

suíças ['swisaʃ] *fpl* sideburns; V *tb* **suíço**

suicida [swi'sida] *adj* suicidal ▷ *m/f* suicidal person; (*morto*) suicide; **suicidar-se** [swisi'daxsi] *vr* to commit suicide; **suicídio** [swi'sidʒju] m suicide

suíço, -a ['swisu, a] *adj, m/f* Swiss

suíte ['switʃi] f (*Mús, em hotel*) suite

sujar [su'ʒa*] *vt* to dirty ▷ *vi* to make a mess; **sujar-se** *vr* to get dirty

sujeira [su'ʒejra] f dirt; (*estado*) dirtiness; (*col*) dirty trick

sujeito, -a [su'ʒejtu, a] *adj*: **~ a** subject to ▷ m (*Ling*) subject ▷ *m/f* man/woman

sujo, -a ['suʒu, a] *adj* dirty; (*fig: desonesto*) dishonest ▷ m dirt

sul [suw] *adj inv* south, southern ▷ m: **o ~** the south; **sul-africano, -a** *adj, m/f* South African; **sul-americano, -a** *adj, m/f* South American

suma ['suma] f: **em ~** in short

sumário, -a [su'marju, a] *adj* (*breve*) brief, concise; (*Jur*) summary; (*biquíni*) skimpy ▷ m summary

sumiço [su'misu] m disappearance

sumir [su'mi*] *vi* to disappear, vanish

sumo, -a ['sumu, a] *adj* (*importância*) extreme; (*qualidade*) supreme ▷ m (*PT*) juice

sunga ['sũga] f swimming trunks *pl*

suor [swɔ*] m sweat

super- [supe*-] *prefixo* super-

superado, -a [supe'radu, a] *adj* (*idéias*) outmoded

superar [supe'ra*] *vt* (*rival*) to surpass; (*inimigo, dificuldade*) to overcome; (*expectativa*) to exceed

superfície [supex'fisi] f surface; (*extensão*) area; (*fig: aparência*) appearance

supérfluo, -a [su'pɛxflwu, a] *adj* superfluous

superior [supe'rjo*] *adj* superior; (*mais elevado*) higher; (*quantidade*) greater; (*mais acima*) upper ▷ m superior; **superioridade** [superjori'dadʒi] f superiority

superlotado, -a [supexlo'tadu,

a] *adj* crowded; (*excessivamente cheio*) overcrowded

supermercado [supexmex'kadu] *m* supermarket

superpotência [supexpo'tēsja] *f* superpower

superstição [supexʃtʃi'sãw] (*pl* **-ões**) *f* superstition; **supersticioso, -a** [supexʃtʃi'sjozu, ɔza] *adj* superstitious

supervisão [supexvi'zãw] *f* supervision; **supervisionar** [supexvizjo'na*] *vt* to supervise; **supervisor, a** [supexvi'zo*, a] *m/f* supervisor

suplemento [suple'mētu] *m* supplement

súplica ['suplika] *f* supplication, plea; **suplicar** [supli'ka*] *vt, vi* to plead, beg

suplício [su'plisju] *m* torture

supor [su'po*] (*irreg: como* **pôr**) *vt* to suppose; (*julgar*) to think

suportar [supox'ta*] *vt* to hold up, support; (*tolerar*) to bear, tolerate; **suporte** [su'pɔxtʃi] *m* support

suposto, -a [su'poʃtu, 'pɔʃta] *adj* supposed ▷ *m* assumption, supposition

supremo, -a [su'prɛmu, a] *adj* supreme

suprimir [supri'mi*] *vt* to suppress

surdo, -a ['suxdu, a] *adj* deaf; (*som*) muffled, dull ▷ *m/f* deaf person; **surdo-mudo, surda-muda** *adj* deaf and dumb ▷ *m/f* deaf-mute

surfe ['suxfi] *m* surfing

surfista [sux'fiʃta] *m/f* surfer

surgir [sux'ʒi*] *vi* to appear; (*problema, oportunidade*) to arise

surjo *etc* ['suxju] *vb V* **surgir**

surpreendente [suxprjē'dētʃi] *adj* surprising

surpreender [suxprjē'de*] *vt* to

surprise; **surpreender-se** *vr*: **~-se (de)** to be surprised (at); **surpresa** [sux'preza] *f* surprise; **surpreso, -a** [sux'prezu, a] *pp de* **surpreender** ▷ *adj* surprised

surra ['suxa] *f* (*ger, Esporte*): **dar uma ~ em** to thrash; **levar uma ~ (de)** to get thrashed (by); **surrar** [su'xa*] *vt* to beat, thrash

surtir [sux'tʃi*] *vt* to produce, bring about

surto ['suxtu] *m* outbreak

suspeita [suʃ'pejta] *f* suspicion; **suspeitar** [suʃpej'ta*] *vt* to suspect ▷ *vi*: **suspeitar de algo** to suspect sth; **suspeito, -a** [suʃ'pejtu, a] *adj, m/f* suspect

suspender [suʃpē'de*] *vt* (*levantar*) to lift; (*pendurar*) to hang; (*trabalho, funcionário etc*) to suspend; (*encomenda*) to cancel; (*sessão*) to adjourn, defer; (*viagem*) to put off; **suspensão** [suʃpē'sãw] (*pl* **-ões**) *f* (*ger, Auto*) suspension; (*de trabalho, pagamento*) stoppage; (*de viagem, sessão*) deferment; (*de encomenda*) cancellation; **suspense** [suʃ'pēsi] *m* suspense; **filme de suspense** thriller; **suspenso, -a** [suʃ'pēsu, a] *pp de* **suspender**

suspensórios [suʃpē'sɔrjuʃ] *mpl* braces (BRIT), suspenders (US)

suspirar [suʃpi'ra*] *vi* to sigh; **suspiro** [suʃ'piru] *m* sigh; (*doce*) meringue

sussurrar [susu'xa*] *vt, vi* to whisper

sustentar [suʃtē'ta*] *vt* to sustain; (*prédio*) to hold up; (*padrão*) to maintain; (*financeiramente, acusação*) to support; **sustentável** [suʃtē'tavew] (*pl* **-eis**) *adj* sustainable

susto ['suʃtu] *m* fright, scare

sutiã [su'tʃjã] *m* bra(ssiere)

sutil [su'tʃiw] (*pl* **-is**) *adj* subtle; **sutileza** [sutʃi'leza] *f* subtlety

ta [ta] = **te** + **a**

tabacaria [tabaka'ria] *f*
tobacconist's (shop)

tabaco [ta'baku] *m* tobacco

tabela [ta'bɛla] *f* table, chart;
(*lista*) list; **por ~** indirectly

taberna [ta'bɛxna] *f* tavern, bar

tablete [ta'blɛtʃi] *m* (*de chocolate*)
bar

tabu [ta'bu] *adj, m* taboo

tábua ['tabwa] *f* plank, board;
(*Mat*) table; **~ de passar roupa**
ironing board

tabuleiro [tabu'lejru] *m* tray;
(*Xadrez*) board

tabuleta [tabu'leta] *f* (*letreiro*)
sign, signboard

taça ['tasa] *f* cup

tacha ['taʃa] *f* tack

tachinha [ta'ʃiɲa] *f* drawing pin
(*BRIT*), thumb tack (*US*)

taco ['taku] *m* (*Bilhar*) cue;
(*Golfe*) club

táctico, -a *etc* ['tatiku, a] (*PT*) =
tático *etc*

tacto ['tatu] (*PT*) *m* = **tato**

tagarelar [tagare'la*] *vi* to chatter

Tailândia [taj'lãdʒja] *f*: **a ~**
Thailand

tal [taw] (*pl* **tais**) *adj* such; **~ e
coisa** this and that; **um ~ de Sr.
X** a certain Mr. X; **que ~?** what do
you think?; (*PT*) how are things?;
que ~ um cafezinho? what about
a coffee?; **que ~ nós irmos ao
cinema?** what about (us) going
to the cinema?; **~ pai, ~ filho** like
father, like son; **~ como** such as;
(*da maneira que*) just as; **~ qual** just
like; **o ~ professor** that teacher;
a ~ ponto to such an extent; **de
~ maneira** in such a way; **e ~** and
so on; **o ~, a ~** (*col*) the greatest; **o
Pedro de ~** Peter what's-his-name;
na rua ~ in such and such a street;
**foi um ~ de gente ligar lá para
casa** there were people ringing
home non-stop

talão [ta'lãw] (*pl* **-ões**) *m* (*de
recibo*) stub; **~ de cheques** cheque
book (*BRIT*), check book (*US*)

talco ['tawku] *m* talcum powder;
pó de ~ (*PT*) talcum powder

talento [ta'lẽtu] *m* talent;
(*aptidão*) ability

talha ['taʎa] *f* carving; (*vaso*)
pitcher; (*Náut*) tackle

talher [ta'ʎe*] *m* set of cutlery; **~es**
mpl cutlery *sg*

talo ['talu] *m* stalk, stem

talões [ta'lõjʃ] *mpl de* **talão**

talvez [taw've3] *adv* perhaps,
maybe

tamanco [ta'mãku] *m* clog,
wooden shoe

tamanduá [tamã'dwa] *m*
anteater

tamanho, -a [ta'maɲu, a] *adj*
such (a) great ▷ *m* size

tâmara ['tamara] f date

também [tã'bẽj] adv also, too, as well; (além disso) besides; **~ não** not ... either, nor

tambor [tã'bo*] m drum

tamborim [tãbo'rĩ] (pl **-ns**) m tambourine

Tâmisa ['tamiza] m: **o ~ the** Thames

tampa ['tãpa] f lid; (de garrafa) cap

tampão [tã'pãw] (pl **-ões**) m tampon; (de olho) (eye) patch

tampar [tã'pa*] vt (lata, garrafa) to put the lid on; (cobrir) to cover

tampinha [tã'piɲa] f lid, top

tampo ['tãpu] m lid

tampões [tã'põjʃ] mpl de **tampão**

tampouco [tã'poku] adv nor, neither

tangerina [tãʒe'rina] f tangerine

tanque ['tãki] m tank; (de lavar roupa) sink

tanto, -a ['tãtu, a] adj, pron (sg) so much; (: + interrogativa/negativa) as much; (pl) so many; (: + interrogativa/negativa) as many ▷ adv so much; **~ ... como ...** both ... and ...; **~ ... quanto ...** as much ... as ...; **~ tempo** so long; **quarenta e ~s anos** forty-odd years; **~ faz** it's all the same to me, I don't mind; **um ~ (quanto)** (como adv) rather, somewhat; **~ (assim) que** so much so that

tão [tãw] adv so; **~ rico quanto** as rich as; **tão-só** adv only

tapa ['tapa] m ou f slap

tapar [ta'pa*] vt to cover; (garrafa) to cork; (caixa) to put the lid on; (orifício) to block up; (encobrir) to block out

tapear [ta'pja*] vt, vi to cheat

tapeçaria [tapesa'ria] f tapestry

tapete [ta'petʃi] m carpet, rug

tardar [tax'da*] vi to delay; (chegar tarde) to be late ▷ vt to delay; **sem**

mais ~ without delay; **~ a** ou **em fazer** to take a long time to do; **o mais ~** at the latest

tarde ['taxdʒi] f afternoon ▷ adv late; **mais cedo ou mais ~** sooner or later; **antes ~ do que nunca** better late than never; **boa ~!** good afternoon!; **à** ou **de ~** in the afternoon

tardio, -a [tax'dʒiu, a] adj late

tarefa [ta'rɛfa] f task, job; (faina) chore

tarifa [ta'rifa] f tariff; (para transportes) fare; (lista de preços) price list; **~ alfandegária** customs duty

tartaruga [taxta'ruga] f turtle

tasca ['taʃka] (PT) f cheap eating place

tática ['tatʃika] f tactics pl

tático, -a ['tatʃiku, a] adj tactical

tato ['tatu] m touch; (fig: diplomacia) tact

tatu [ta'tu] m armadillo

tatuagem [ta'twaʒẽ] (pl **-ns**) f tattoo

taxa ['taʃa] f (imposto) tax; (preço) fee; (índice) rate; **~ de câmbio/juros** exchange/interest rate; **taxação** [taʃa'sãw] f taxation; **taxar** [ta'ʃa*] vt (fixar o preço de) to fix the price of; (lançar impostos sobre) to tax

táxi ['taksi] m taxi

tchau [tʃaw] excl bye!

tcheco, -a ['tʃɛku, a] adj, m/f Czech

Tchecoslováquia [tʃekoʒlo'vakja] f: **a ~** Czechoslovakia

te [tʃi] pron you; (para você) (to) you

teatro ['tʃjatru] m theatre (BRIT), theater (US); (obras) plays pl, dramatic works pl; (gênero, curso) drama; **peça de ~** play

tecer [te'se*] vt, vi to weave; **tecido** [te'sidu] m cloth, material; (Anat) tissue

tecla ['tɛkla] f key; **teclado**
[tek'ladu] m keyboard

técnica ['tɛknika] f technique;
V tb **técnico**

técnico, -a ['tɛkniku, a] adj
technical ▷ m/f technician;
(especialista) expert

tecnologia [teknolo'ʒia] f
technology; **tecnológico, -a**
[tekno'lɔʒiku, a] adj technological

tecto ['tɛktu] (PT) m = **teto**

tédio ['tɛdʒiu] m tedium, boredom

teia ['teja] f web; **~ de aranha**
cobweb

teimar [tej'ma°] vi to insist, keep
on; **~ em** to insist on

teimosia [tejmo'zia] f
stubbornness; **~ em fazer**
insistence on doing

teimoso, -a [tej'mozu, ɔza] adj
obstinate; (criança) wilful (BRIT),
willful (US)

Tejo ['teʒu] m: **o (rio) ~** the (River)
Tagus

tela ['tɛla] f fabric, material; (de
pintar) canvas; (Cinema, TV) screen

tele... ['tele] prefixo tele...;
telecomunicações
[telekomunika'sõjʃ] fpl
telecommunications;
teleconferência [telekõfe'rẽsja] f
teleconference

teleférico [tele'fɛriku] m cable
car

telefonar [telefo'na°] vi: **~ para
alguém** to (tele)phone sb

telefone [tele'fɔni] m phone,
telephone; (número) (tele)phone
number; (telefonema) phone
call; **~ celular** mobile phone
(BRIT), cellphone (US); **~ de
carro** carphone; **telefonema**
[telefo'nɛma] m phone call; **dar
um telefonema** to make a phone
call; **telefônico, -a** [tele'foniku,
a] adj telephone atr; **telefonista**

[telefo'niʃta] m/f telephonist; (na
companhia telefônica) operator

telegrama [tele'grama] m
telegram, cable; **passar um ~** to
send a telegram

tele...: telejornal [teleʒox'naw]
(pl **~jornais**) m television news
sg; **telemóvel** [tele'movew] (pl
-eis) m (PT) mobile (phone)
(BRIT), cellphone (US); **telenovela**
[teleno'vɛla] f (TV) soap opera;
telescópio [teleʃ'kɔpju] m
telescope; **telespectador, a**
[teleʃpekta'do°, a] m/f viewer;
televendas [tele'vẽdaʃ] fpl
telesales

televisão [televi'zãw] f
television; **~ por assinatura**
pay television; **~ a cabo** cable
television; **~ a cores** colo(u)r
television; **~ digital** digital
television; **~ via satélite** satellite
television; **aparelho de ~** television
set; **televisionar** [televizjo'na°] vt
to televise; **televisivo, -a** [televi-
'zivu, a] adj television atr

televisor [televi'zo°] m (aparelho)
television (set), TV (set)

telha ['teʎa] f tile; (col: cabeça)
head; **ter uma ~ de menos** to have
a screw loose

telhado [te'ʎadu] m roof

tema ['tɛma] m theme; (assunto)
subject; **temática** [te'matʃika]
f theme

temer [te'me°] vt to fear, be afraid
of ▷ vi to be afraid

temeroso, -a [teme'rozu, ɔza]
adj fearful, afraid; (pavoroso)
dreadful

temido, -a [te'midu, a] adj
fearsome, frightening

temível [te'mivew] (pl **-eis**) adj
= **temido**

temor [te'mo°] m fear

temperado, -a [tẽpe'radu, a]

adj (*clima*) temperate; (*comida*) seasoned

temperamento [tẽpera'mẽtu] *m* temperament, nature

temperar [tẽpe'ra°] *vt* to season

temperatura [tẽpera'tura] *f* temperature

tempero [tẽ'peru] *m* seasoning, flavouring (BRIT), flavoring (US)

tempestade [tẽpeʃ'tadʒi] *f* storm; **tempestuoso, -a** [tẽpeʃ'twozu, ɔza] *adj* stormy

templo ['tẽplu] *m* temple; (*igreja*) church

tempo ['tẽpu] *m* time; (*meteorológico*) weather; (*Ling*) tense; **o ~ todo** the whole time; **a ~** on time; **ao mesmo ~** at the same time; **a um ~** at once; **com ~** in good time; **de ~ em ~** from time to time; **nesse meio ~** in the meantime; **quanto ~?** how long?; **mais ~** longer; **há ~s** for ages; (*atrás*) ages ago; **~ livre** spare time; **primeiro/segundo ~** (*Esporte*) first/second half

temporada [tẽpo'rada] *f* season; (*tempo*) spell

temporal [tẽpo'raw] (*pl* **-ais**) *m* storm, gale

temporário, -a [tẽpo'rarju, a] *adj* temporary, provisional

tenacidade [tenasi'dadʒi] *f* tenacity

tencionar [tẽsjo'na°] *vt* to intend, plan

tenda ['tẽda] *f* tent

tendão [tẽ'dãw] (*pl* **-ões**) *m* tendon

tendões [tẽ'dõjʃ] *mpl de* **tendão**

tenebroso, -a [tene'brozu, ɔza] *adj* dark, gloomy; (*fig*) horrible

tenho *etc* ['teɲu] *vb V* **ter**

tênis ['teniʃ] *m inv* tennis; (*sapatos*) training shoes *pl*; (*um sapato*) training shoe; **~ de mesa**

table tennis; **tenista** [te'niʃta] *m/f* tennis player

tenor [te'no°] *m* (*Mús*) tenor

tenro, -a ['tẽxu, a] *adj* tender; (*macio*) soft; (*delicado*) delicate; (*novo*) young

tensão [tẽ'sãw] *f* tension; (*pressão*) pressure, strain; (*rigidez*) tightness; (*Elet: voltagem*) voltage

tenso, -a ['tẽsu, a] *adj* tense; (*sob pressão*) under stress, strained

tentação [tẽta'sãw] *f* temptation

tentáculo [tẽ'takulu] *m* tentacle

tentar [tẽ'ta°] *vt* to try; (*seduzir*) to tempt ▷ *vi* to try; **tentativa** [tẽta'tʃiva] *f* attempt; **tentativa de homicídio/suicídio/roubo** attempted murder/suicide/robbery; **por tentativas** by trial and error

tênue ['tenwi] *adj* tenuous; (*fino*) thin; (*delicado*) delicate; (*luz, voz*) faint; (*pequeníssimo*) minute

teor [te'o°] *m* (*conteúdo*) tenor; (*sentido*) meaning, drift

teoria [teo'ria] *f* theory; **teoricamente** [teorika'mẽtʃi] *adv* theoretically, in theory

tépido, -a ['tɛpidu, a] *adj* tepid

○ **PALAVRA CHAVE**

ter [te°] *vt* **1** (*possuir, ger*) to have; (*na mão*) to hold; **você tem uma caneta?** have you got a pen?; **ela vai ~ neném** she is going to have a baby

2 (*idade, medidas, estado*) to be; **ela tem 7 anos** she's 7 (years old); **a mesa tem 1 metro de comprimento** the table is 1 metre long; **~ fome/sorte** to be hungry/lucky; **~ frio/calor** to be cold/hot

3 (*conter*) to hold, contain; **a caixa tem um quilo de chocolates** the box holds one kilo of chocolates

4: **~ que** ou **de fazer** to have to do
5: **~ a ver com** to have to do with
6: ir ~ com to (go and) meet
▷ vb impess **1: tem** (sg) there is; (pl)
there are; **tem 3 dias que não saio
de casa** I haven't been out for 3 days
2: não tem de quê don't mention it

terapeuta [tera'pewta] m/f
therapist
terapia [tera'pia] f therapy
terça ['texsa] f (tb: **~-feira**)
Tuesday; **terça-feira** (pl **terças-
feiras**) f Tuesday; **terça-feira
gorda** Shrove Tuesday
terceiro, -a [tex'sejru, a] num
third; **~s** mpl (os outros) outsiders
terço ['texsu] m third (part)
termas ['texmaʃ] fpl bathhouse sg
térmico, -a ['texmiku, a]
adj thermal; **garrafa térmica**
(Thermos ®) flask
terminal [texmi'naw] (pl **-ais**) adj
terminal ▷ m (de rede, Elet, Comput)
terminal ▷ f terminal; **~ (de vídeo)**
monitor, visual display unit
terminar [texmi'na*] vt to finish
▷ vi (pessoa) to finish; (coisa) to end;
~ de fazer to finish doing; (ter feito
há pouco) to have just done; **~
por fazer algo** to end up doing
sth
término ['texminu] m end,
termination
termo ['texmu] m term; (fim)
end, termination; (limite) limit,
boundary; (prazo) period; (PT:
garrafa) (Thermos ®) flask; **meio
~ compromise; em ~s (de)** in
terms (of)
termômetro [tex'mometru] m
thermometer
terno, -a ['texnu, a] adj gentle,
tender ▷ m (BR: roupa) suit;
ternura [tex'nura] f gentleness,
tenderness

terra ['texa] f earth, world; (Agr,
propriedade) land; (pátria) country;
(chão) ground; (Geo) soil; (pó) dirt
terraço [te'xasu] m terrace
terramoto [texa'mɔtu] (PT) m =
terremoto
terreiro [te'xejru] m yard, square
terremoto [texe'mɔtu] m
earthquake
terreno, -a [te'xɛnu, a] m
ground, land; (porção de terra) plot of
land ▷ adj earthly
térreo, -a ['texju, a] adj: **andar
~** (BR) ground floor (BRIT), first
floor (US)
terrestre [te'xɛʃtri] adj land atr
território [texi'tɔrju] m territory
terrível [te'xivew] (pl **-eis**) adj
terrible, dreadful
terror [te'xo*] m terror, dread;
terrorista [texo'riʃta] adj, m/f
terrorist; **terrorista suicida** suicide
bomber
tese ['tezi] f proposition, theory;
(Educ) thesis; **em ~** in theory
teso, -a ['tezu, a] adj (cabo) taut;
(rígido) stiff
tesouraria [tezora'ria] f treasury
tesouro [te'zoru] m treasure;
(erário) treasury, exchequer; (livro)
thesaurus
testa ['tɛʃta] f brow, forehead
testar [teʃ'ta*] vt to test; (deixar em
testamento) to bequeath
teste ['tɛʃtʃi] m test
testemunha [teʃte'muɲa]
f witness; **testemunhar**
[teʃtemu'ɲa*] vi to testify ▷ vt to
give evidence about; (presenciar) to
witness; (confirmar) to demonstrate;
testemunho [teʃte'muɲu] m
evidence
testículo [teʃ'tʃikulu] m testicle
teta ['tɛta] f teat, nipple
tétano ['tɛtanu] m tetanus
teto ['tɛtu] m ceiling; (telhado)

roof; (*habitação*) home

teu, tua [tew, 'tua] *adj* your
▷ *pron* yours

teve ['tevi] *vb* V **ter**

têxtil ['teʃtʃiw] (*pl* -**eis**) *m* textile

texto ['teʃtu] *m* text

textura [teʃ'tura] *f* texture

thriller ['srila*] (*pl* ~**s**) *m* thriller

ti [tʃi] *pron* you

tia ['tʃia] *f* aunt

Tibete [tʃi'betʃi] *m*: **o** ~ Tibet

tido, -a ['tʃidu, a] *pp de* **ter** ▷ *adj*: ~
como *ou* **por** considered to be

tigela [tʃi'ʒɛla] *f* bowl

tigre ['tʃigri] *m* tiger

tijolo [tʃi'ʒolu] *m* brick

til [tʃiw] (*pl* **tis**) *m* tilde

timbre ['tʃĩbri] *m* insignia,
emblem; (*selo*) stamp; (*Mús*) tone,
timbre; (*de voz*) tone; (*em papel de
carta*) heading

time ['tʃimi] (*BR*) *m* team; **de
segundo** ~ (*fig*) second-rate

tímido, -a ['tʃimidu, a] *adj* shy,
timid

tímpano ['tʃĩpanu] *m* eardrum;
(*Mús*) kettledrum

tingir [tʃĩ'ʒi*] *vt* to dye; (*fig*)
to tinge

tinha *etc* ['tʃiɲa] *vb* V **ter**

tinjo *etc* ['tʃĩʒu] *vb* V **tingir**

tinta ['tʃĩta] *f* (*de pintar*) paint; (*de
escrever*) ink; (*para tingir*) dye; (*fig:
vestígio*) shade, tinge

tinto, -a ['tʃĩtu, a] *adj* dyed; (*fig*)
stained; **vinho** ~ red wine

tintura [tʃĩ'tura] *f* dye; (*ato*)
dyeing; (*fig*) tinge, hint

tinturaria [tʃĩtura'ria] *f* dry-
cleaner's

tio ['tʃiu] *m* uncle

típico, -a ['tʃipiku, a] *adj* typical

tipo ['tʃipu] *m* type; (*de imprensa*)
print; (*de impressora*) typeface; (*col:
sujeito*) guy, chap; (*pessoa*) person

tipografia [tʃipogra'fia] *f*

printing; (*estabelecimento*) printer's

tíquete ['tʃiketʃi] *m* ticket

tira ['tʃira] *f* strip ▷ *m* (*BR: col*) cop

tira-gosto (*pl* ~**s**) *m* snack,
savoury (*BRIT*)

tirar [tʃi'ra*] *vt* to take away; (*de
dentro*) to take out; (*de cima*) to take
off; (*roupa, sapatos*) to take off;
(*arrancar*) to pull out; (*férias*) to take,
have; (*boas notas*) to get; (*salário*) to
earn; (*curso*) to do, take; (*mancha*) to
remove; (*foto, cópia*) to take; (*mesa*)
to clear; ~ **algo a alguém** to take
sth from sb

tiritar [tʃiri'ta*] *vi* to shiver

tiro ['tʃiru] *m* shot; (*ato de disparar*)
shooting; ~ **ao alvo** target practice;
trocar ~**s** to fire at one another

tiroteio [tʃiro'teju] *m* shooting,
exchange of shots

tis [tʃiʃ] *mpl de* **til**

titular [tʃitu'la*] *adj* titular ▷ *m/f*
holder

título ['tʃitulu] *m* title; (*Com*)
bond; (*universitário*) degree; ~ **de
propriedade** title deed

tive *etc* ['tʃivi] *vb* V **ter**

to [tu] = **te** + **o**

toa ['toa] *f* towrope; **à** ~ at
random; (*sem motivo*) for no reason;
(*inutilmente*) in vain, for nothing

toalete [twa'lɛtʃi] *m* (*banheiro*)
toilet; (*traje*) outfit ▷ *f*: **fazer a** ~ to
have a wash

toalha [to'aʎa] *f* towel

toca ['tɔka] *f* burrow, hole

toca-discos (*BR*) *m inv* record-
player

tocador [toka'do*] *m* player; ~
MP3 MP3 player

toca-fitas *m inv* cassette player

tocaia [to'kaja] *f* ambush

tocante [to'kãtʃi] *adj* moving,
touching; **no** ~ **a** regarding,
concerning

tocar [to'ka*] *vt* to touch; (*Mús*)

to play ▷ *vi* to touch; to play;
(*campainha*, *sino*, *telefone*) to ring;
tocar-se *vr* to touch (each other); **~
a** (*dizer respeito a*) to concern, affect;
~ em to touch; (*assunto*) to touch
upon; **~ para alguém** (*telefonar*) to
ring sb (up), call sb; **pelo que me
toca** as far as I am concerned
tocha ['tɔʃa] *f* torch
todavia [toda'via] *adv* yet, still,
however

🔘 **PALAVRA CHAVE**

todo, -a ['todu, 'tɔda] *adj* **1** (*com
artigo sg*) all; **toda a carne** all the
meat; **toda a noite** all night, the
whole night; **~ o Brasil** the whole
of Brazil; **a toda (velocidade)** at
full speed; **~ o mundo** (*BR*), **toda a
gente** (*PT*) everybody, everyone; **em
toda (a) parte** everywhere
2 (*com artigo pl*) all; (: *cada*) every; **~s
os livros** all the books; **~s os dias/
todas as noites** every day/night; **~s
os que querem sair** all those who
want to leave; **~s nós** all of us
▷ *adv*: **ao ~** altogether; (*no total*) in
all; **de ~** completely
▷ *pron*: **~s** *mpl* everybody *sg*,
everyone *sg*

todo-poderoso, -a *adj* all-
powerful ▷ *m*: **o T~** the Almighty
toicinho [toj'siɲu] *m* bacon fat
tolerância [tole'rãsja] *f*
tolerance; **tolerante** [tole'rãtʃi]
adj tolerant
tolerar [tole'ra*] *vt* to tolerate;
tolerável [tole'ravew] (*pl* **-eis**) *adj*
tolerable, bearable; (*satisfatório*)
passable; (*falta*) excusable
tolice [to'lisi] *f* stupidity,
foolishness; (*ato*, *dito*) stupid thing
tom [tõ] (*pl* **-ns**) *m* tone; (*Mús*:
altura) pitch; (: *escala*) key; (*cor*)

shade
tomada [to'mada] *f* capture;
(*Elet*) socket
tomar [to'ma*] *vt* to take;
(*capturar*) to capture, seize; (*decisão*)
to make; (*bebida*) to drink; **~ café** (*de
manhã*) to have breakfast
tomara [to'mara] *excl*: **~!** if only!;
~ que venha hoje I hope he comes
today
tomate [to'matʃi] *m* tomato
tombadilho [tõba'dʒiʎu] *m* deck
tombar [tõ'ba*] *vi* to fall down,
tumble down ▷ *vt* to knock down,
knock over; **tombo** ['tõbu] *m*
tumble, fall
tomilho [to'miʎu] *m* thyme
tona ['tɔna] *f* surface; **vir à ~** to
come to the surface; (*fig*) to emerge;
trazer à ~ to bring up; (*recordações*)
to bring back
tonalidade [tonali'dadʒi] *f* (*de
cor*) shade; (*Mús*: *tom*) key
tonelada [tone'lada] *f* ton
tônica ['tonika] *f* (*água*) tonic
(water); (*fig*) keynote
tônico ['toniku] *m* tonic; **acento
~** stress
tons [tõʃ] *mpl de* **tom**
tonteira [tõ'tejra] *f* dizziness
tonto, -a ['tõtu, a] *adj* stupid,
silly; (*zonzo*) dizzy, lightheaded;
(*atarantado*) flustered
topar [to'pa*] *vt* to agree to ▷ *vi*:
~ com to come across; **topar-se**
vr (*duas pessoas*) to run into one
another; **~ em** (*tropeçar*) to stub
one's toe on; (*esbarrar*) to run into;
(*tocar*) to touch
tópico, -a ['tɔpiku, a] *adj* topical
▷ *m* topic
topless [tɔp'lɛs] *adj inv* topless
topo ['topu] *m* top; (*extremidade*)
end, extremity
toque *etc vb V* **tocar**
Tóquio ['tɔkju] *n* Tokyo

tora ['tɔra] f (pedaço) piece; (de madeira) log; (sesta) nap

toranja [to'rãʒa] f grapefruit

torção [tox'sãw] (pl **-ões**) m twist; (Med) sprain

torcedor, a [toxse'do*, a] m/f supporter, fan

torcer [tox'se*] vt to twist; (Med) to sprain; (desvirtuar) to distort, misconstrue; (roupa: espremer) to wring; (: na máquina) to spin; (vergar) to bend ▷ vi: **~ por** (time) to support; **torcer-se** vr to squirm, writhe

torcicolo [toxsi'kɔlu] m stiff neck

torcida [tox'sida] f (pavio) wick; (Esporte: ato de torcer) cheering; (: torcedores) supporters pl

torções [tox'sõjʃ] mpl de **torção**

tormenta [tox'mẽta] f storm

tormento [tox'mẽtu] m torment; (angústia) anguish

tornar [tox'na*] vi to return, go back ▷ vt: **~ algo em algo** to turn ou make sth into sth; **tornar-se** vr to become; **~ a fazer algo** to do sth again

torneio [tox'neju] m tournament

torneira [tox'nejra] f tap (BRIT), faucet (US)

tornozelo [toxno'zelu] m ankle

torpedo [tox'pedu] m (bomba) torpedo; (col: mensagem) text (message)

torrada [to'xada] f toast; **uma ~** a piece of toast; **torradeira** [toxa-'dejra] f toaster

torrão [to'xãw] (pl **-ões**) m turf, sod; (terra) soil, land; (de açúcar) lump

torrar [to'xa*] vt to toast; (café) to roast

torre ['toxi] f tower; (Xadrez) castle, rook; (Elet) pylon; **~ de controle** (Aer) control tower

tórrido, -a ['tɔxidu, a] adj torrid

torrões [to'xõjʃ] mpl de **torrão**

torso ['toxsu] m torso

torta ['tɔxta] f pie, tart

torto, -a ['toxtu, 'tɔxta] adj twisted, crooked; **a ~ e a direito** indiscriminately

tortuoso, -a [tox'twozu, ɔza] adj winding

tortura [tox'tura] f torture; (fig) anguish; **torturar** [toxtu'ra*] vt to torture; to torment

tos [tuʃ] = **te + os**

tosco, -a ['toʃku, a] adj rough, unpolished; (grosseiro) coarse, crude

tosse ['tɔsi] f cough; **~ de cachorro** whooping cough; **tossir** [to'si*] vi to cough

tosta ['tɔʃta] (PT) f toast; **~ mista** toasted cheese and ham sandwich

tostão [toʃ'tãw] m cash

tostar [toʃ'ta*] vt to toast; (pele, pessoa) to tan; **tostar-se** vr to get tanned

total [to'taw] (pl **-ais**) adj, m total

touca ['toka] f bonnet; **~ de banho** bathing cap

tourada [to'rada] f bullfight; **toureiro** [to'rejru] m bullfighter

touro ['toru] m bull; **T~** (Astrologia) Taurus

tóxico, -a ['tɔksiku, a] adj toxic ▷ m poison; (droga) drug; **toxicômano, -a** [toksi'komanu, a] m/f drug addict

TPM abr f (= tensão pré-menstrual) PMT

trabalhador, a [trabaʎa'do*, a] adj hard-working, industrious; (Pol: classe) working ▷ m/f worker

trabalhar [traba'ʎa*] vi to work ▷ vt (terra) to till; (madeira, metal) to work; (texto) to work on; **~ com** (comerciar) to deal in; **~ de** ou **como** to work as; **trabalhista** [traba'ʎiʃta] adj labour atr (BRIT), labor atr (US); **trabalho** [tra'baʎu] m work; (emprego, tarefa) job;

(*Econ*) labo(u)r; **trabalho braçal** manual work; **trabalho doméstico** housework; **trabalhoso, -a** [traba'ʎozu, ɔza] *adj* laborious, arduous

traça ['trasa] *f* moth

traçado [tra'sadu] *m* sketch, plan

tração [tra'sãw] *f* traction

traçar [tra'sa°] *vt* to draw; (*determinar*) to set out, outline; (*planos*) to draw up; (*escrever*) to compose

tracçao [tra'sãw] (*PT*) *f* = **tração**

tractor [tra'to°] (*PT*) *m* = **trator**

tradição [tradʒi'sãw] (*pl* **-ões**) *f* tradition; **tradicional** [tradʒisjo'naw] (*pl* **-ais**) *adj* traditional

tradução [tradu'sãw] (*pl* **-ões**) *f* translation

tradutor, a [tradu'to°, a] *m/f* translator

traduzir [tradu'zi°] *vt* to translate

trafegar [trafe'ga°] *vi* to move, go

tráfego ['trafegu] *m* traffic

traficante [trafi'kãtʃi] *m/f* trafficker, dealer

traficar [trafi'ka°] *vi*: **~ (com)** to deal (in)

tráfico ['trafiku] *m* traffic

tragar [tra'ga°] *vt* to swallow; (*fumaça*) to inhale; (*suportar*) to tolerate ▷ *vi* to inhale

tragédia [tra'ʒɛdʒja] *f* tragedy; **trágico, -a** ['traʒiku, a] *adj* tragic

trago[1] ['tragu] *m* mouthful

trago[2] *etc vb V* **trazer**

traiçoeiro, -a [traj'swejru, a] *adj* treacherous; disloyal

traidor, a [traj'do°, a] *m/f* traitor

trailer ['trejla°] (*pl* **-s**) *m* trailer; (*tipo casa*) caravan (*BRIT*), trailer (*US*)

trair [tra'i°] *vt* to betray; (*mulher, marido*) to be unfaithful to; (*esperanças*) not to live up to; **trair-**

se *vr* to give o.s. away

trajar [tra'ʒa°] *vt* to wear

traje ['traʒi] *m* dress, clothes *pl*; **~ de banho** swimsuit

trajeto [tra'ʒɛtu] (*PT* **-ct-**) *m* course, path

trajetória [traʒe'tɔrja] (*PT* **-ct-**) *f* trajectory, path; (*fig*) course

tralha ['traʎa] *f* fishing net

trama ['trama] *f* (*tecido*) weft (*BRIT*), woof (*US*); (*enredo, conspiração*) plot

tramar [tra'ma°] *vt* (*tecer*) to weave; (*maquinar*) to plot ▷ *vi*: **~ contra** to conspire against

trâmites ['tramitʃiʃ] *mpl* procedure *sg*, channels

trampolim [trãpo'lĩ] (*pl* **-ns**) *m* trampoline; (*de piscina*) diving board; (*fig*) springboard

tranca ['trãka] *f* (*de porta*) bolt; (*de carro*) lock

trança ['trãsa] *f* (*cabelo*) plait; (*galão*) braid

trancar [trã'ka°] *vt* to lock

tranqüilidade [trãkwili'dadʒi] *f* tranquillity; (*paz*) peace

tranqüilizante [trãkwili'zãtʃi] *m* (*Med*) tranquillizer

tranqüilizar [trãkwili'za°] *vt* to calm, quieten; (*despreocupar*): **~ alguém** to reassure sb, put sb's mind at rest; **tranqüilizar-se** *vr* to calm down

tranqüilo, -a [trã'kwilu, a] *adj* peaceful; (*mar, pessoa*) calm; (*criança*) quiet; (*consciência*) clear; (*seguro*) sure, certain

transação [trãza'sãw] (*PT* **-cç-**) (*pl* **-ões**) *f* transaction

transbordar [trãʒbox'da°] *vi* to overflow

transbordo [trãʒ'boxdu] *m* (*de viajantes*) change, transfer

transe ['trãzi] *m* ordeal; (*lance*) plight; (*hipnótico*) trance

transeunte [trã'zjũtʃi] m/f
passer-by

transferência [trãʃfe'rẽsja] f
transfer

transferir [trãʃfe'ri°] vt to
transfer; (adiar) to postpone

transformação [trãʃfoxma'sãw]
(pl **-ões**) f transformation

transformador [trãʃfoxma'do°]
m (Elet) transformer

transformar [trãʃfox'ma°] vt
to transform; **transformar-se** vr
to turn

transfusão [trãʃfu'zãw] (pl **-ões**)
f transfusion

transição [trãzi'sãw] (pl **-ões**) f
transition

transitivo, -a [trãzi'tʃivu, a] adj
(Ling) transitive

trânsito ['trãzitu] m transit,
passage; (na rua: veículos) traffic;
(: pessoas) flow; **transitório, -a**
[trãzi'tɔrju, a] adj transitory;
(período) transitional

transmissão [trãʒmi'sãw] (pl
-ões) f transmission; (transferência)
transfer; **~ ao vivo** live broadcast

transmissor [trãʒmi'so°] m
transmitter

transmitir [trãʒmi'tʃi°] vt to
transmit; (Rádio, TV) to broadcast;
(transferir) to transfer; (recado,
notícia) to pass on

transparente [trãʃpa'rẽtʃi] adj
transparent; (roupa) see-through;
(água) clear

transpirar [trãʃpi'ra°] vi to
perspire; (divulgar-se) to become
known; (verdade) to come out ▷ vt
to exude

transplante [trãʃ'plãtʃi] m
transplant

transportar [trãʃpox'ta°] vt to
transport; (levar) to carry; (enlevar)
to entrance, enrapture

transporte [trãʃ'pɔxtʃi] m

transport; (Com) haulage

transtorno [trãʃ'toxnu] m upset,
disruption

trapalhão, -lhona [trapa'ʎãw,
'ʎona] (pl **-ões**, **~s**) m/f bungler,
blunderer

trapo ['trapu] m rag

trarei etc [tra'rej] vb V **trazer**

trás [trajʃ] prep, adv: **para ~**
backwards; **por ~ de** behind; **de ~**
from behind

traseira [tra'zejra] f rear; (Anat)
bottom

traste ['traʃtʃi] m thing; (coisa sem
valor) piece of junk

tratado [tra'tadu] m treaty

tratamento [trata'mẽtu] m
treatment

tratar [tra'ta°] vt to treat; (tema)
to deal with; (combinar) to agree
▷ vi: **~ com** to deal with; (combinar)
to agree with; **~ de** to deal with; **de
que se trata?** what is it about?

trato ['tratu] m treatment;
(contrato) agreement, contract; **~s**
mpl (relações) dealings

trator [tra'to°] m tractor

trauma ['trawma] m trauma

travão [tra'vãw] (PT: pl **-ões**)
m brake

travar [tra'va°] vt (roda) to lock;
(iniciar) to engage in; (conversa) to
strike up; (luta) to wage; (carro)
to stop; (passagem) to block;
(movimentos) to hinder ▷ vi (PT)
to brake

trave ['travi] f beam; (Esporte)
crossbar

través [tra'vɛʃ] m slant, incline;
de ~ across, sideways

travessa [tra'vesa] f crossbeam,
crossbar; (rua) lane, alley; (prato)
dish; (para o cabelo) comb, slide

travessão [trave'sãw] (pl **-ões**) m
(de balança) bar, beam; (pontuação)
dash

travesseiro [trave'sejru] m
pillow

travessia [trave'sia] f (viagem)
journey, crossing

travessões [trave'sõjʃ] mpl de
travessão

travessura [trave'sura] f
mischief, prank

travões [tra'võjʃ] mpl de **travão**

trazer [tra'ze*] vt to bring

trecho ['treʃu] m passage; (de rua,
caminho) stretch; (espaço) space

trégua ['tregwa] f truce;
(descanso) respite

treinador, a [trejna'do*, a] m/f
trainer

treinamento [trejna'mẽtu] m
training

treinar [trej'na*] vt to train;
treinar-se vr to train; **treino**
['trejnu] m training

trejeito [tre'ʒejtu] m gesture;
(careta) grimace, face

trem [trẽj] (pl -**ns**) m train; ~ **de
aterrissagem** (avião) landing gear

tremendo, -a [tre'mẽdu, a] adj
tremendous; (terrível) terrible, awful

tremer [tre'me*] vi to shudder,
quake; (terra) to shake; (de frio,
medo) to shiver

trêmulo, -a ['tremulu, a] adj
shaky, trembling

trenó [tre'nɔ] m sledge, sleigh
(BRIT), sled (US)

trens [trẽjʃ] mpl de **trem**
creeper

trepar [tre'pa*] vt to climb ▷ vi: ~
em to climb

trepidar [trepi'da*] vi to tremble,
shake

três [treʃ] num three

trevas ['trɛvaʃ] fpl darkness sg

treze ['trezi] num thirteen

triângulo ['trjãgulu] m triangle

tribal [tri'baw] (pl -**ais**) adj tribal

tribo ['tribu] f tribe

tribuna [tri'buna] f platform,
rostrum; (Rel) pulpit

tribunal [tribu'naw] (pl -**ais**) m
court; (comissão) tribunal

tributo [tri'butu] m tribute;
(imposto) tax

tricô [tri'ko] m knitting; **tricotar**
[triko'ta*] vt, vi to knit

trigo ['trigu] m wheat

trilha ['triʎa] f (caminho) path;
(rasto) track, trail; ~ **sonora**
soundtrack

trilhão [tri'ʎãw] (pl -**ões**) m
billion (BRIT), trillion (US)

trilho ['triʎu] m (BR: Ferro) rail;
(vereda) path, track

trilhões [tri'ʎõjʃ] mpl de **trilhão**

trimestral [trimeʃ'traw] (pl -**ais**)
adj quarterly; **trimestralmente**
[trimeʃtraw'mẽtʃi] adv quarterly

trimestre [tri'mɛʃtri] m (Educ)
term; (Com) quarter

trincar [trĩ'ka*] vt to crunch;
(morder) to bite; (dentes) to grit ▷ vi
to crunch

trinco ['trĩku] m latch

trinta ['trĩta] num thirty

trio ['triu] m trio; ~ **elétrico** music
float; see boxed note

○ **TRIOS ELÉTRICOS**
○
○ **Trios elétricos** are lorries,
○ carrying floats equipped for
○ sound and/or live music, which
○ parade through the streets during
○ carnaval, especially in Bahia.
○ Bands and popular performers on
○ the floats draw crowds by giving
○ frenzied performances of various
○ types of music.

tripa ['tripa] f gut, intestine; ~**s**
fpl (intestinos) bowels; (vísceras)
guts; (Culin) tripe sg

tripé [tri'pɛ] m tripod

triplicar [tripli'ka*] vt, vi to treble; **triplicar-se** vr to treble

tripulação [tripula'sãw] (pl **-ões**) f crew

tripulante [tripu'lãtʃi] m/f crew member

triste ['triʃtʃi] adj sad; (lugar) depressing; **tristeza** [triʃ'teza] f sadness; gloominess

triturar [tritu'ra*] vt to grind

triunfar [trjũ'fa*] vi to triumph; **triunfo** ['trjũfu] m triumph

trivial [tri'vjaw] (pl **-ais**) adj common(place), ordinary; (insignificante) trivial

triz [triʒ] m: **por um ~** by a hair's breadth

troca ['trɔka] f exchange, swap

trocadilho [troka'dʒiʎu] m pun, play on words

trocado [tro'kadu] m: **~(s)** (small) change

trocador, a [troka'do*, a] m/f (em ônibus) conductor

trocar [tro'ka*] vt to exchange, swap; (mudar) to change; (inverter) to change ou swap round; (confundir) to mix up; **trocar-se** vr to change; **~ dinheiro** to change money

troco ['troku] m (dinheiro) change; (revide) retort, rejoinder

troféu [tro'fɛw] m trophy

tromba ['trõba] f (do elefante) trunk; (de outro animal) snout

trombeta [trõ'beta] f trumpet

trombone [trõ'bɔni] m trombone

trombose [trõ'bɔzi] f thrombosis

tronco ['trõku] m trunk; (ramo) branch; (de corpo) torso, trunk

trono ['trɔnu] m throne

tropa ['trɔpa] f troop; (exército) army; **ir para a ~** (PT) to join the army

tropeçar [trope'sa*] vi to stumble, trip; (fig) to blunder

tropical [tropi'kaw] (pl **-ais**) adj tropical

trotar [tro'ta*] vi to trot; **trote** ['trɔtʃi] m trot; (por telefone etc) hoax call

trouxe etc ['trosi] vb V **trazer**

trovão [tro'vãw] (pl **-ões**) m clap of thunder; (trovoada) thunder; **trovejar** [trove'ʒa*] vi to thunder; **trovoada** [tro'vwada] f thunderstorm

truque ['truki] m trick; (publicitário) gimmick

truta ['truta] f trout

tu [tu] (PT) pron you

tua ['tua] f de **teu**

tuba ['tuba] f tuba

tubarão [tuba'rãw] (pl **-ões**) m shark

tuberculose [tubexku'lɔzi] f tuberculosis

tubo ['tubu] m tube, pipe; **~ de ensaio** test tube

tucano [tu'kanu] m toucan

tudo ['tudu] pron everything; **~ quanto** everything that; **antes de ~** first of all; **acima de ~** above all

tufão [tu'fãw] (pl **-ões**) m typhoon

tulipa [tu'lipa] f tulip

tumba ['tũba] f tomb; (lápide) tombstone

tumor [tu'mo*] m tumour (BRIT), tumor (US)

túmulo ['tumulu] m tomb; (sepultura) burial

tumulto [tu'muwtu] m uproar, trouble; (grande movimento) bustle; (balbúrdia) hubbub; (motim) riot; **tumultuado, -a** [tumuw'twadu, a] adj riotous, heated; **tumultuar** [tumuw'twa*] vt to disrupt; (amotinar) to rouse, incite

túnel ['tunew] (pl **-eis**) m tunnel

túnica ['tunika] f tunic

Tunísia [tu'nizja] f: **a ~** Tunisia

tupi [tu'pi] m Tupi (tribe); (Ling) Tupi ▷ m/f Tupi Indian

tupi-guarani [-gwara'ni] m

(Ling) see boxed note

tupiniquim [tupini'kĩ] (*pej*) (*pl*
-ns) *adj* Brazilian (Indian)
turbilhão [tuxbi'ʎãw] (*pl* **-ões**)
m (*de vento*) whirlwind; (*de água*)
whirlpool
turbulência [tuxbu'lẽsja]
f turbulence; **turbulento, -a**
[tuxbu'lẽtu, a] *adj* turbulent
turco, -a ['tuxku, a] *adj* Turkish
▷ *m/f* Turk ▷ *m* (*Ling*) Turkish
turismo [tu'riʒmu] *m* tourism;
turista [tu'riʃta] *m/f* tourist ▷ *adj*
(*classe*) tourist *atr*
turma ['tuxma] *f* group; (*Educ*)
class
turquesa [tux'keza] *adj inv*
turquoise
Turquia [tux'kia] *f*: **a ~** Turkey
tusso *etc* ['tusu] *vb* V **tossir**
tutela [tu'tɛla] *f* protection; (*Jur*)
guardianship
tutor, a [tu'to*, a] *m/f* guardian
tutu [tu'tu] *m* (*Culin*) beans, bacon
and manioc flour
TV [te've] *abr f* (= *televisão*) TV

UE *abr f* (= *União Européia*) EU
UEM *abr f* (= *União Econômica e*
Monetária) EMU
Uganda [u'gãda] *m* Uganda
uísque ['wiʃki] *m* whisky (*BRIT*),
whiskey (*US*)
uivar [wi'va*] *vi* to howl; (*berrar*) to
yell; **uivo** ['wivu] *m* howl; (*fig*)
yell
úlcera ['uwsera] *f* ulcer
ultimamente [uwtʃima'mẽtʃi]
adv lately
ultimato [uwtʃi'matu] *m*
ultimatum
último, -a ['uwtʃimu, a] *adj* last;
(*mais recente*) latest; (*qualidade*)
lowest; (*fig*) final; **por ~** finally; **nos**
~s anos in recent years; **a última**
(*notícia*) the latest (news)
ultra- [uwtra-] *prefixo* ultra-
ultrajar [uwtra'ʒa*] *vt* to outrage;
(*insultar*) to insult, offend; **ultraje**
[uw'traʒi] *m* outrage; (*insulto*)

insult, offence (BRIT), offense (US)
ultramar [uwtra'ma*] m
overseas
ultrapassado, -a
[uwtrapa'sadu, a] adj (idéias etc)
outmoded
ultrapassar [uwtrapa'sa*] vt
(atravessar) to cross, go beyond; (ir
além de) to exceed; (transgredir) to
overstep; (Auto) to overtake (BRIT),
pass (US); (ser superior a) to surpass
▷ vi (Auto) to overtake (BRIT),
pass (US)
ultra-som m ultrasound
ultravioleta [uwtravjo'leta] adj
ultraviolet

○ **PALAVRA CHAVE**

um, uma [ũ, 'uma] (pl **uns, umas**)
num one; **~ e outro** both; **~ a ~** one
by one; **à ~a (hora)** at one (o'clock)
▷ adj: **uns cinco** about five; **uns
poucos** a few
▷ art indef **1** (sg) a; (: antes de vogal
ou 'h' mudo) an; (pl) some; **ela é de
~a beleza incrível** she's incredibly
beautiful
2 (dando ênfase): **estou com ~a
fome!** I'm so hungry!
3: **~ ao outro** one another; (entre
dois) each other

umbigo [ũ'bigu] m navel
umbilical [ũbili'kaw] (pl **-ais**) adj:
cordão ~ umbilical cord
umedecer [umede'se*] vt to
moisten, wet; **umedecer-se** vr
to get wet
umidade [umi'dadʒi] f
dampness; (clima) humidity
úmido, -a ['umidu, a] adj wet,
moist; (roupa) damp; (clima) humid
unânime [u'nanimi] adj
unanimous
unha ['uɲa] f nail; (garra) claw;

unhada [u'ɲada] f scratch
união [u'njãw] (pl **-ões**) f union;
(ato) joining; (unidade, solidariedade)
unity; (casamento) marriage; (Tec)
joint; **a U~ Européia** the European
Union
unicamente [unika'mẽtʃi]
adv only
único, -a ['uniku, a] adj only;
(sem igual) unique; (um só) single
unidade [uni'dadʒi] f unity;
(Tec, Com) unit; **~ central de
processamento** (Comput) central
processing unit; **~ de disco**
(Comput) disk drive
unido, -a [u'nidu, a] adj joined,
linked; (fig) united
unificar [unifi'ka*] vt to unite;
unificar-se vr to join together
uniforme [uni'fɔxmi] adj
uniform; (semelhante) alike, similar;
(superfície) even ▷ m uniform;
uniformizado, -a [unifoxmi'zadu,
a] adj uniform, standardized;
(vestido de uniforme) in uniform;
uniformizar [unifoxmi'za*] vt to
standardize
uniões [u'njõjʃ] fpl de **união**
unir [u'ni*] vt to join together;
(ligar) to link; (pessoas, fig) to unite;
(misturar) to mix together; **unir-se**
vr to come together; (povos etc)
to unite
uníssono [u'nisonu] m: **em ~**
in unison
universal [univex'saw] (pl **-ais**)
adj universal; (mundial) worldwide
universidade [univexsi'dadʒi]
f university; **universitário, -a**
[univexsi'tarju, a] adj university
atr ▷ m/f (professor) lecturer; (aluno)
university student
universo [uni'vɛxsu] m universe;
(mundo) world
uns [ũʃ] mpl de **um**
untar [ũ'ta*] vt (esfregar) to rub;

(*com óleo, manteiga*) to grease
urbanismo [uxba'niʒmu] *m*
town planning
urbano, -a [ux'banu, a] *adj* (*da cidade*) urban; (*fig*) urbane
urgência [ux'ʒēsja] *f* urgency;
com toda ~ as quickly as possible;
urgente [ux'ʒētʃi] *adj* urgent
urina [u'rina] *f* urine; **urinar**
[uri'na*] *vi* to urinate ▷ *vt* (*sangue*)
to pass; (*cama*) to wet; **urinar-se**
vr to wet o.s.; **urinol** [uri'nɔw] (*pl*
-óis) *m* chamber pot
urna ['uxna] *f* urn; **~ eleitoral**
ballot box
urrar [u'xa*] *vt, vi* to roar; (*de dor*) to yell
urso, -a ['uxsu, a] *m/f* bear
urtiga [ux'tʃiga] *f* nettle
Uruguai [uru'gwaj] *m*: **o ~**
Uruguay
urze ['uxzi] *m* heather
usado, -a [u'zadu, a] *adj* used;
(*comum*) common; (*roupa*) worn;
(*gasto*) worn out; (*de segunda mão*)
second-hand
usar [u'za*] *vt* (*servir-se de*) to use;
(*vestir*) to wear; (*gastar com o uso*)
to wear out; (*barba, cabelo curto*) to
have, wear ▷ *vi*: **~ de** to use; **modo
de ~** directions *pl*
usina [u'zina] *f* (*fábrica*) factory;
(*de energia*) plant
uso ['uzu] *m* use; (*utilização*) usage;
(*prática*) practice
usual [u'zwaw] (*pl* **-ais**) *adj* usual;
(*comum*) common
usuário, -a [u'zwarju, a] *m/f*
user
usufruir [uzu'frwi*] *vt* to enjoy
▷ *vi*: **~ de** to enjoy
úteis ['utejʃ] *pl de* **útil**
utensílio [utẽ'silju] *m* utensil
útero ['uteru] *m* womb, uterus
útil ['utʃiw] (*pl* **-eis**) *adj* useful;
(*vantajoso*) profitable, worthwhile;

utilização [utʃiliza'sãw] *f* use;
utilizar [utʃili'za*] *vt* to use;
utilizar-se *vr*: **utilizar-se de** to
make use of
uva ['uva] *f* grape

v *abr* (= volt) v

vá *etc* [va] *vb V* **ir**

vã [vã] *f de* **vão**

vaca ['vaka] *f* cow; **carne de ~** beef

vacina [va'sina] *f* vaccine

vácuo ['vakwu] *m* vacuum; (*fig*) void; (*espaço*) space

vaga ['vaga] *f* wave; (*em hotel, trabalho*) vacancy

vagão [va'gãw] (*pl* **-ões**) *m* (*de passageiros*) carriage; (*de cargas*) wagon; **vagão-leito** (*pl* **vagões-leitos**) (*PT*) *m* sleeping car; **vagão-restaurante** (*pl* **vagões-restaurantes**) *m* buffet car

vagar [va'ga°] *vi* to wander about; (*barco*) to drift; (*ficar vago*) to be vacant

vagaroso, -a [vaga'rozu, ɔza] *adj* slow

vagina [va'ʒina] *f* vagina

vago, -a ['vagu, a] *adj* vague; (*desocupado*) vacant, free

vagões [va'gõjʃ] *mpl de* **vagão**

vai *etc* [vaj] *vb V* **ir**

vaia ['vaja] *f* booing; **vaiar** [va'ja°] *vt, vi* to boo, hiss

vaidade [vaj'dadʒi] *f* vanity; (*futilidade*) futility

vaidoso, -a [vaj'dozu, ɔza] *adj* vain

vaivém [vaj'vẽj] *m* to-ing and fro-ing

vala ['vala] *f* ditch

vale ['vali] *m* valley; (*escrito*) voucher; **~ postal** postal order

valer [va'le°] *vi* to be worth; (*ser válido*) to be valid; (*ter influência*) to carry weight; (*servir*) to serve; (*ser proveitoso*) to be useful; **valer-se** *vr*: **~-se de** to use, make use of; **~ a pena** to be worthwhile; **~ por** (*equivaler*) to be worth the same as; **para ~** (*muito*) very much, a lot; (*realmente*) for real, properly; **vale dizer** in other words; **mais vale ... (do que ...)** it would be better to ... (than ...)

valeta [va'leta] *f* gutter

valha *etc* ['vaʎa] *vb V* **valer**

validade [vali'dadʒi] *f* validity

validar [vali'da°] *vt* to validate; **válido, -a** ['validu, a] *adj* valid

valioso, -a [va'ljozu, ɔza] *adj* valuable

valise [va'lizi] *f* case, grip

valor [va'lo°] *m* value; (*mérito*) merit; (*coragem*) courage; (*preço*) price; (*importância*) importance; **~es** *mpl* (*morais*) values; (*num exame*) marks; (*Com*) securities; **dar ~ a** to value; **valorizar** [valori'za°] *vt* to value

valsa ['vawsa] *f* waltz

válvula ['vawvula] *f* valve

vampiro, -a [vã'piru, a] *m/f* vampire

vandalismo [vãda'liʒmu] *m*

vandalism

vândalo, -a ['vãdalu, a] *m/f*
vandal

vangloriar-se [vãglo'rjaxsi] *vr*: **~
de** to boast of *ou* about

vanguarda [vã'gwaxda] *f*
vanguard; (*arte*) avant-garde

vantagem [vã'taʒẽ] (*pl* **-ns**) *f*
advantage; (*ganho*) profit, benefit;
tirar ~ de to take advantage of;

vantajoso, -a [vãta'ʒozu, ɔza] *adj*
advantageous; (*lucrativo*) profitable;
(*proveitoso*) beneficial

vão¹, vã [vãw, vã] (*pl* **~s, ~s**) *adj*
vain; (*fútil*) futile ▷ *m* (*intervalo*)
space; (*de porta etc*) opening

vão² *vb* V **ir**

vaqueiro [va'kejru] *m* cowboy

vara ['vara] *f* stick; (*Tec*) rod;
(*Jur*) jurisdiction; (*de porcos*) herd;
salto de ~ pole vault; **~ de condão**
magic wand

varal [va'raw] (*pl* **-ais**) *m* clothes
line

varanda [va'rãda] *f* verandah;
(*balcão*) balcony

varar [va'ra*] *vt* to pierce; (*passar*)
to cross

varejista [vare'ʒiʃta] (*BR*) *m/f*
retailer ▷ *adj* (*mercado*) retail

varejo [va'reʒu] (*BR*) *m* (*Com*) retail
trade; **a ~** retail

variação [varja'sãw] (*pl* **-ões**) *f*
variation

variado, -a [va'rjadu, a] *adj*
varied; (*sortido*) assorted

variar [va'rja*] *vt, vi* to vary

varicela [vari'sɛla] *f* chickenpox

variedade [varje'dadʒi] *f* variety

varinha [va'riɲa] *f* wand; **~ de
condão** magic wand

vário, -a ['varju, a] *adj* (*diverso*)
varied; (*pl*) various, several; (*Com*)
sundry

varizes [va'riziʃ] *fpl* varicose
veins

varrer [va'xe*] *vt* to sweep; (*fig*) to
sweep away

vaselina ® [vaze'lina] *f* vaseline®

vasilha [va'ziʎa] *f* (*para líquidos*)
jug; (*para alimentos*) dish; (*barril*)
barrel

vaso ['vazu] *m* pot; (*para flores*)
vase

vassoura [va'sora] *f* broom

vasto, -a ['vaʃtu, a] *adj* vast

vatapá [vata'pa] *m* fish or chicken
with coconut milk, shrimps, peanuts,
palm oil and spices

Vaticano [vatʃi'kanu] *m*: **o ~** the
Vatican

vazamento [vaza'mẽtu] *m* leak

vazão [va'zãw] (*pl* **-ões**) *f* flow;
(*venda*) sale; **dar ~ a** (*expressar*) to
give vent to; (*atender*) to deal with;
(*resolver*) to attend to

vazar [va'za*] *vt* to empty;
(*derramar*) to spill; (*verter*) to pour
out ▷ *vi* to leak

vazio, -a [va'ziu, a] *adj* empty;
(*pessoa*) empty-headed, frivolous;
(*cidade*) deserted ▷ *m* emptiness;
(*deixado por alguém/algo*) void

vazões [va'zõjʃ] *fpl de* **vazão**

vê *etc* [ve] *vb* V **ver**

veado ['vjadua] *m* deer; **carne
de ~** venison

vedado, -a [ve'dadu, a] *adj*
(*proibido*) forbidden; (*fechado*)
enclosed

vedar [ve'da*] *vt* to ban, prohibit;
(*buraco*) to stop up; (*entrada,
passagem*) to block; (*terreno*) to
close off

vegetação [veʒeta'sãw] *f*
vegetation

vegetal [veʒe'taw] (*pl* **-ais**) *adj*
vegetable *atr*; (*reino, vida*) plant *atr*
▷ *m* vegetable

vegetalista [veʒeta'liʃta] *adj,
m/f* vegan

vegetariano, -a [veʒeta'rjanu, a]

adj, m/f vegetarian

veia ['veja] *f* vein

veículo [ve'ikulu] *m* vehicle; (*fig: meio*) means *sg*; **~ com tração nas quatro rodas, ~ 4x4** four-wheel drive

veio ['veju] *vb V* **vir** ▷ *m* (*de rocha*) vein; (*na mina*) seam; (*de madeira*) grain

vejo *etc* ['veʒu] *vb V* **ver**

vela ['vɛla] *f* candle; (*Auto*) spark plug; (*Náut*) sail; **barco à ~** sailing boat (*BRIT*), sailboat (*US*)

velar [ve'la°] *vt* to veil; (*ocultar*) to hide; (*vigiar*) to keep watch over; (*um doente*) to sit up with ▷ *vi* (*não dormir*) to stay up; (*vigiar*) to keep watch; **~ por** to look after

veleiro [ve'lejru] *m* sailing boat (*BRIT*), sailboat (*US*)

velejar [vele'ʒa°] *vi* to sail

velhaco, -a [ve'ʎaku, a] *adj* crooked ▷ *m/f* crook

velhice [ve'ʎisi] *f* old age

velho, -a ['vɛʎu, a] *adj* old ▷ *m/f* old man/woman

velocidade [velosi'dadʒi] *f* speed, velocity; (*PT: Auto*) gear

velório [ve'lɔrju] *m* wake

veloz [ve'lɔʒ] *adj* fast

vem [vẽj] *vb V* **vir**

vêm [vẽj] *vb V* **vir**

vencedor, a [vẽse'do°, a] *adj* winning ▷ *m/f* winner

vencer [vẽ'se°] *vt* (*num jogo*) to beat; (*competição*) to win; (*inimigo*) to defeat; (*exceder*) to surpass; (*obstáculos*) to overcome; (*percorrer*) to pass ▷ *vi* (*num jogo*) to win; **vencido, -a** [vẽ'sidu, a] *adj*: **dar-se por vencido** to give in; **vencimento** [vẽsi'mẽtu] *m* (*Com*) expiry; (*data*) expiry date; (*salário*) salary; (*de gêneros alimentícios etc*) sell-by date; **vencimentos** *mpl* (*ganhos*) earnings

venda ['vẽda] *f* sale; (*pano*) blindfold; (*mercearia*) general store; **à ~** on sale, for sale

vendaval [vẽda'vaw] (*pl* **-ais**) *m* gale

vendedor, a [vẽde'do°, a] *m/f* seller; (*em loja*) sales assistant; **~ ambulante** street vendor

vender [vẽ'de°] *vt, vi* to sell; **~ por atacado/a varejo** to sell wholesale/retail

veneno [ve'nɛnu] *m* poison; **venenoso, -a** [vene'nozu, ɔza] *adj* poisonous

venerar [vene'ra°] *vt* to revere; (*Rel*) to worship

venéreo, -a [ve'nɛrju, a] *adj*: **doença venérea** venereal disease

Venezuela [vene'zwɛla] *f*: **a ~** Venezuela

venha *etc* ['vẽɲa] *vb V* **vir**

ventania [vẽta'nia] *f* gale

ventar [vẽ'ta°] *vi*: **está ventando** it is windy

ventilação [vẽtʃila'sãw] *f* ventilation

ventilador [vẽtʃila'do°] *m* ventilator; (*elétrico*) fan

vento ['vẽtu] *m* wind; (*brisa*) breeze; **ventoinha** [vẽ'twiɲa] *f* weathercock, weather vane; (*PT: Auto*) fan

ventre ['vẽtri] *m* belly

ver [ve°] *vt* to see; (*olhar para, examinar*) to look at; (*televisão*) to watch ▷ *vi* to see ▷ *m*: **a meu ~** in my opinion; **vai ~ que ...** maybe ...; **não tem nada a ~ (com)** it has nothing to do (with)

veracidade [verasi'dadʒi] *f* truthfulness

veraneio [vera'neju] *m* summer holidays *pl* (*BRIT*) *ou* vacation (*US*)

verão [ve'rãw] (*pl* **-ões**) *m* summer

verba ['vɛxba] *f* allowance; **~(s)**

f(pl) (recursos) funds pl

verbal [vex'baw] (pl **-ais**) adj
verbal

verbete [vex'betʃi] m (num
dicionário) entry

verbo ['vɛxbu] m verb

verdade [vex'dadʒi] f truth; **de
~** (falar) truthfully; (ameaçar etc)
really; **na ~** in fact; **para falar a ~**
to tell the truth; **verdadeiro, -a**
[vexda'dejru, a] adj true; (genuíno)
real; (pessoa) truthful

verde ['vexdʒi] adj green; (fruta)
unripe ▷ m green; (plantas etc)
greenery

verdura [vex'dura] f (hortaliça)
greens pl; (Bot) greenery; (cor verde)
greenness

verdureiro, -a [vexdu'rejru, a]
m/f greengrocer (BRIT), produce
dealer (US)

vereador, a [verja'do*, a] m/f
councillor (BRIT), councilor (US)

veredicto [vere'dʒiktu] m verdict

verga ['vexga] f (vara) stick; (de
metal) rod

vergonha [vex'goɲa] f shame;
(timidez) embarrassment;
(humilhação) humiliation; (ato
indecoroso) indecency; (brio) self-
respect; **ter ~** to be ashamed;
(tímido) to be shy; **vergonhoso, -a**
[vexgo'ɲozu, ɔza] adj shameful;
(indecoroso) disgraceful

verídico, -a [ve'ridʒiku, a] adj
true, truthful

verificar [verifi'ka*] vt to check;
(confirmar) to verify

verme ['vɛxmi] m worm

vermelho, -a [vex'meʎu, a] adj
red ▷ m red

verniz [vex'niʒ] m varnish; (couro)
patent leather

verões [ve'rõjʃ] mpl de **verão**

verossímil [vero'simiw] (PT **-osí-**)
(pl **-eis**) adj likely, probable; (crível)
credible

verruga [ve'xuga] f wart

versão [vex'sãw] (pl **-ões**) f
version; (tradução) translation

versátil [vex'satʃiw] (pl **-eis**) adj
versatile

verso ['vɛxsu] m verse; (linha) line
of poetry

versões [vex'sõjʃ] fpl de **versão**

verter [vex'te*] vt to pour; (por
acaso) to spill; (traduzir) to translate;
(lágrimas, sangue) to shed ▷ vi: **~
de** to spring from; **~ em** (rio) to
flow into

vertical [vextʃi'kaw] (pl **-ais**) adj
vertical; (de pé) upright, standing
▷ f vertical

vespa ['veʃpa] f wasp

véspera ['vɛʃpera] f: **a ~ de** the day
before; **a ~ de Natal** Christmas Eve

vestiário [veʃ'tʃjarju] m (em
casa, teatro) cloakroom; (Esporte)
changing room; (de ator) dressing
room

vestíbulo [veʃ'tʃibulu] m
hall(way), vestibule; (Teatro) foyer

vestido, -a [veʃ'tʃidu, a] adj: **~
de branco** etc dressed in white etc
▷ m dress

vestígio [veʃ'tʃiʒju] m (rastro)
track; (fig) sign, trace

vestimenta [veʃtʃi'mẽta] f
garment

vestir [veʃ'tʃi*] vt (uma criança)
to dress; (pôr sobre si) to put on;
(trajar) to wear; (comprar, dar roupa
para) to clothe; (fazer roupa para) to
make clothes for; **vestir-se** vr to get
dressed

vestuário [veʃ'twarju] m
clothing

veterano, -a [vete'ranu, a] adj,
m/f veteran

veterinário, -a [veteri'narju, a]
m/f vet(erinary surgeon)

veto ['vɛtu] m veto

véu [vɛw] *m* veil

vexame [ve'ʃami] *f* shame, disgrace; (*tormento*) affliction; (*humilhação*) humiliation; (*afronta*) insult

vez [veʒ] *f* time; (*turno*) turn; **uma ~** once; **algumas ~es, às ~es** sometimes; **~ por outra** sometimes; **cada ~ (que)** every time; **de ~ em quando** from time to time; **em ~ de** instead of; **uma ~ que** since; **3 ~es 6** 3 times 6; **de uma ~ por todas** once and for all; **muitas ~es** many times; (*freqüentemente*) often; **toda ~ que** every time; **um de cada ~** one at a time; **uma ~ ou outra** once in a while

vi [vi] *vb V* **ver**

via¹ ['via] *f* road, route; (*meio*) way; (*documento*) copy; (*conduto*) channel ▷ *prep* via, by way of; **em ~s de** about to; **por ~ terrestre/ marítima** by land/sea

via² *etc vb V* **ver**

viaduto [vja'dutu] *m* viaduct

viagem ['vjaʒẽ] (*pl* **-ns**) *f* journey, trip; (*o viajar*) travel; (*Náut*) voyage; **viagens** *fpl* (*jornadas*) travels; **~ de ida e volta** return trip, round trip

viajante [vja'ʒãtʃi] *adj* travelling (BRIT), traveling (US) ▷ *m* traveller (BRIT), traveler (US)

viajar [vja'ʒa*] *vi* to travel

viável ['vjavew] (*pl* **-eis**) *adj* feasible, viable

víbora ['vibora] *f* viper

vibração [vibra'sãw] (*pl* **-ões**) *f* vibration; (*fig*) thrill

vibrante [vi'brãtʃi] *adj* vibrant; (*discurso*) stirring

vibrar [vi'bra*] *vt* to brandish; (*fazer estremecer*) to vibrate; (*cordas*) to strike ▷ *vi* to vibrate; (*som*) to echo

vice ['visi] *m/f* deputy

vice- [visi-] *prefixo* vice-; **vice-**

presidente, -a *m/f* vice president; **vice-versa** [-'vɛxsa] *adv* vice-versa

viciado, -a [vi'sjadu, a] *adj* addicted; (*ar*) foul ▷ *m/f* addict; **~ em algo** addicted to sth

viciar [vi'sja*] *vt* (*falsificar*) to falsify; **viciar-se** *vr*: **~-se em algo** to become addicted to sth

vício ['visju] *m* vice; (*defeito*) failing; (*costume*) bad habit; (*em entorpecentes*) addiction

viço ['visu] *m* vigour (BRIT), vigor (US); (*da pele*) freshness

vida ['vida] *f* life; (*duração*) lifetime; (*fig*) vitality; **com ~** alive; **ganhar a ~** to earn one's living; **modo de ~** way of life; **dar a ~ por algo/por fazer algo** to give one's right arm for sth/to do sth; **estar bem de ~** to be well off

videira [vi'dejra] *f* grapevine

vidente [vi'dẽtʃi] *m/f* clairvoyant

vídeo ['vidʒju] *m* video; **videocassete** [vidʒjuka'sɛtʃi] *m* video cassette *ou* tape; (*aparelho*) video (recorder); **videoteipe** [vidʒju'tejpi] *m* video tape

vidraça [vi'drasa] *f* window pane

vidrado, -a [vi'dradu, a] *adj* glazed; (*porta*) glass *atr*; (*olhos*) glassy

vidro ['vidru] *m* glass; (*frasco*) bottle; **fibra de ~** fibreglass (BRIT), fiberglass (US); **~ de aumento** magnifying glass

vier *etc* [vje*] *vb V* **vir**

viés [vjɛʃ] *m* slant; **ao** *ou* **de ~** diagonally

vieste ['vjeʃtʃi] *vb V* **vir**

Vietnã [vjet'nã] *m*: **o ~** Vietnam; **vietnamita** [vjetna'mita] *adj*, *m/f* Vietnamese

vigiar [vi'ʒja*] *vt* to watch; (*ocultamente*) to spy on; (*presos, fronteira*) to guard ▷ *vi* to be on the lookout

vigilância [viʒi'lãsja] f vigilance

vigor [vi'go*] m energy, vigour
(BRIT), vigor (US); **em ~** in force;
entrar/pôr em ~ to take effect/put
into effect

vil [viw] (pl **vis**) adj vile

vila ['vila] f town; (casa) villa

vilão, -lã [vi'lãw, 'lã] (pl **~s, ~s**)
m/f villain

vilarejo [vila'reʒu] m village

vim [vĩ] vb V **vir**

vime ['vimi] m wicker

vinagre [vi'nagri] m vinegar

vinco ['vĩku] m crease; (sulco)
furrow; (no rosto) line

vincular [vĩku'la*] vt to link, tie;
vínculo ['vĩkulu] m bond, tie;
(relação) link

vinda ['vĩda] f arrival; (regresso)
return; **dar as boas ~s a** to
welcome

vingança [vĩ'gãsa] f vengeance,
revenge; **vingar-se** vr: **vingar-se de**
to take revenge on

vinha¹ ['viɲa] f vineyard; (planta)
vine

vinha² etc vb V **vir**

vinho ['viɲu] m wine; **~ branco/
rosado/tinto** white/rosé/red
wine; **~ seco/doce** dry/sweet wine;
~ do Porto port

vinte ['vĩtʃi] num twenty

viola ['vjɔla] f viola

violão [vjo'lãw] (pl **-ões**) m guitar

violar [vjo'la*] vt to violate; (a
lei) to break

violência [vjo'lẽsja] f violence;
violentar [vjolẽ'ta*] vt to force;
(mulher) to rape; **violento, -a**
[vjo'lẽtu, a] adj violent

violeta [vjo'leta] f violet

violino [vjo'linu] m violin

violões [vjo'lõjʃ] mpl de **violão**

violoncelo [vjolõ'sɛlu] m cello

vir¹ [vi*] vi to come; **~ a ser** to
turn out to be; **a semana que vem**
next week

vir² etc vb V **ver**

vira-lata ['vira-] (pl **~s**) m (cão)
mongrel

virar [vi'ra*] vt to turn; (página,
disco, barco) to turn over; (copo)
to empty; (transformar-se em) to
become ▷ vi to turn; (barco) to
capsize; (mudar) to change; **virar-se**
vr to turn; (voltar-se) to turn round;
(defender-se) to fend for o.s

virgem ['vixʒẽ] (pl **-ns**) f virgin; **V~**
(Astrologia) Virgo

vírgula ['vixgula] f comma;
(decimal) point

viril [vi'riw] (pl **-is**) adj virile

virilha [vi'riʎa] f groin

viris [vi'riʃ] adj pl de **viril**

virtual [vix'twaw] (pl **-ais**) adj
virtual; (potencial) potential

virtude [vix'tudʒi] f virtue; **em ~
de** owing to, because of

virulento, -a [viru'lẽtu, a] adj
virulent

vírus ['viruʃ] m inv virus

vis [viʃ] adj pl de **vil**

visão [vi'zãw] (pl **-ões**) f vision;
(Anat) eyesight; (vista) sight;
(maneira de perceber) view

visar [vi'za*] vt (alvo) to aim at; (ter
em vista) to have in view; (ter como
objetivo) to aim for

vísceras ['viseraʃ] fpl innards,
bowels

visita [vi'zita] f visit, call; (pessoa)
visitor; (na Internet) hit; **fazer uma
~ a** to visit; **visitante** [vizi'tãtʃi]
adj visiting ▷ m/f visitor; **visitar**
[vizi'ta*] vt to visit

visível [vi'zivew] (pl **-eis**) adj
visible

vislumbrar [viʒlũ'bra*] vt to
glimpse, catch a glimpse of;
vislumbre [viʒ'lũˉbri] m glimpse

visões [vi'zõjʃ] fpl de **visão**

visse etc ['visi] vb V **ver**

vista ['viʃta] f sight; (Med)
eyesight; (panorama) view; **à** ou **em
~ de** in view of; **dar na ~** to attract
attention; **dar uma ~ de olhos em**
to glance at; **fazer ~ grossa (a)** to
turn a blind eye (to); **ter em ~** to
have in mind; **à ~** visible, showing;
(Com) in cash; **até a ~!** see you!

visto, -a ['viʃtu, a] pp de **ver** ▷ adj
seen ▷ m (em passaporte) visa; (em
documento) stamp; **pelo ~** by the
looks of things

visto etc vb V **vestir**

vistoria [viʃto'ria] f inspection

vistoso, -a [viʃ'tozu, ɔza] adj
eye-catching

visual [vi'zwaw] (pl **-ais**) adj
visual; **visualizar** [vizwali'za*] vt
to visualize

vital [vi'taw] (pl **-ais**) adj vital;
vitalício, -a [vita'lisju, a] adj
for life

vitamina [vita'mina] f vitamin;
(para beber) fruit crush

vitela [vi'tɛla] f calf; (carne) veal

vítima ['vitʃima] f victim

vitória [vi'tɔrja] f victory;
vitorioso, -a [vito'rjozu, ɔza] adj
victorious

vitrina [vi'trina] f = **vitrine**

vitrine [vi'trini] f shop window;
(armário) display case

viúvo, -a ['vjuvu, a] m/f
widower/widow

viva ['viva] m cheer; **~!** hurray!

viva-voz [viva'vɔʒ] m (BR: Tel: em
telefone) speakerphone; (para celular)
hands-free kit

viveiro [vi'vejru] m nursery

vivência [vi'vẽsja] f existence;
(experiência) experience

vivenda [vi'vẽda] f (casa)
residence

viver [vi've*] vt, vi to live ▷ m life;
~ de to live on

vívido, -a ['vividu, a] adj vivid

vivo, -a ['vivu, a] adj living;
(esperto) clever; (cor) bright; (criança,
debate) lively ▷ m: **os ~s** the living

vizinhança [vizi'ɲãsa]
f neighbourhood (BRIT),
neighborhood (US)

vizinho, -a [vi'ziɲu, a] adj
neighbouring (BRIT), neighboring
(US); (perto) nearby ▷ m/f neighbour
(BRIT), neighbor (US)

voar [vo'a*] vi to fly; (explodir) to
blow up, explode

vocabulário [vokabu'larju] m
vocabulary

vocábulo [vo'kabulu] m word

vocal [vo'kaw] (pl **-ais**) adj vocal;

você, s [vo'se(ʃ)] pron (pl) you

vodca ['vɔdʒka] f vodka

vogal [vo'gaw] (pl **-ais**) f (Ling)
vowel

vol. abr (= volume) vol.

volante [vo'lãtʃi] m steering
wheel

vôlei ['volej] m volleyball

voleibol [volej'bɔw] m = **vôlei**

volt ['vɔwtʃi] (pl **-s**) m volt

volta ['vɔwta] f turn; (regresso)
return; (curva) bend, curve; (circuito)
lap; (resposta) retort; **dar uma ~** (a
pé) to go for a walk; (de carro) to go
for a drive; **estar de ~** to be back;
na ~ do correio by return (post);
por ~ de about, around; **à** ou **em ~
de** around; **na ~** (no caminho de ~) on
the way back

voltagem [vowl'taʒẽ] f voltage

voltar [vow'ta*] vt to turn ▷ vi to
return, go (ou come) back; **voltar-
se** vr to turn round; **~ a fazer** to
do again; **~ a si** to come to; **~~-se
para** to turn to; **~~-se contra** to
turn against

volume [vo'lumi] m volume;
(pacote) package; **volumoso, -a**
[volu'mozu, ɔza] adj bulky, big

voluntário, -a [volũ'tarju, a] *adj*
voluntary ▷ *m/f* volunteer
volúvel [vo'luvew] (*pl* **-eis**) *adj*
fickle
vomitar [vomi'ta*] *vt, vi* to
vomit; **vômito** ['vomitu] *m* (*ato*)
vomiting; (*efeito*) vomit
vontade [võ'tadʒi] *f* will; (*desejo*)
wish; **com ~** (*com prazer*) with
pleasure; (*com gana*) with gusto;
estar com *ou* **ter ~ de fazer** to feel
like doing
vôo ['vou] (*PT* **voo**) *m* flight;
levantar ~ to take off; **~ livre**
(*Esporte*) hang-gliding
voraz [vo'rajʒ] *adj* voracious
vos [vuʃ] *pron* you; (*indireto*) to you
vós [vɔʃ] *pron* you
vosso, -a ['vɔsu, a] *adj* your
▷ *pron*: **(o) ~** yours
votação [vota'sãw] (*pl* **-ões**) *f*
vote, ballot; (*ato*) voting
votar [vo'ta*] *vt* (*eleger*) to vote
for; (*aprovar*) to pass; (*submeter a
votação*) to vote on ▷ *vi* to vote; **voto**
['vɔtu] *m* vote; (*promessa*) vow;
votos *mpl* (*desejos*) wishes
vou [vo] *vb V* **ir**
vovó [vo'vɔ] *f* grandma
vovô [vo'vo] *m* grandad
voz [vɔʒ] *f* voice; (*clamor*) cry; **a
meia ~** in a whisper; **de viva ~**
orally; **ter ~ ativa** to have a say; **em
~ alta/baixa** aloud/in a low voice;
~ de comando command
vulcão [vuw'kãw] (*pl* **~s** *ou* **~ões**)
m volcano
vulgar [vuw'ga*] *adj* common;
(*pej: pessoa etc*) vulgar
vulnerável [vuwne'ravew] (*pl*
-eis) *adj* vulnerable
vulto ['vuwtu] *m* figure; (*volume*)
mass; (*fig*) importance; (*pessoa
importante*) important person

W

walkie-talkie [wɔki'tɔki] (*pl* **~s**)
m walkie-talkie
watt ['wɔtʃi] (*pl* **~s**) *m* watt
Web [wɛbi] *f* (*Comput*) web
webcam [wɛb'kã] *f* webcam
weblog [wɛb'lɔgi] *m* weblog
windsurfe [wĩd'suxʃi] *m*
windsurfing

X

government and directed by the brothers Orlando and Cláudio Vilasboas, who were known internationally for their efforts to preserve Brazil's indigenous people. Situated in the north of the state of Mato Grosso, it aims to preserve indigenous culture. It brings together sixteen communities, a total of two thousand Indians.

xadrez [ʃa'dreʒ] *m* chess; (*tabuleiro*) chessboard; (*tecido*) checked cloth

xampu [ʃã'pu] *m* shampoo

xarope [ʃa'rɔpi] *m* syrup; (*para a tosse*) cough syrup

xeque ['ʃɛki] *m* (*soberano*) sheikh; **pôr em ~** (*fig*) to call into question; **xeque-mate** (*pl* **xeques-mate**) *m* checkmate

xerocar [ʃero'ka*] *vt* to photocopy

xerox ® [ʃe'rɔks] *m* (*cópia*) photocopy; (*máquina*) photocopier

xícara ['ʃikara] (BR) *f* cup

xingar [ʃĩ'ga*] *vt* to swear at ▷ *vi* to swear

Xingu [ʃĩ'gu] *m*: **Parque Indígena do ~** *see boxed note*

XINGU

The **Xingu** National Park was created in 1961 by the federal

Z

zagueiro [za'gejru] m (Futebol) fullback

Zâmbia ['zābja] f Zambia

zangado, -a [zā'gadu, a] adj angry; annoyed; (irritadiço) bad-tempered

zangar [zā'ga*] vt to annoy, irritate ▷ vi to get angry; **zangar-se** vr (aborrecer-se) to get annoyed; **~-se com** to get cross with

zarpar [zax'pa*] vi (navio) to set sail; (ir-se) to set off; (fugir) to run away

zebra ['zebra] f zebra

zelador, a [zela'do*, a] m/f caretaker

zelar [ze'la*] vt, vi: **~ (por)** to look after

zerar [ze'ra*] vt (conta, inflação) to reduce to zero; (déficit) to pay off, wipe out

zero ['zɛru] m zero; (Esporte) nil; **zero-quilômetro** adj inv brand new

ziguezague [zigi'zagi] m zigzag

Zimbábue [zī'babwi] m: **o ~** Zimbabwe

-zinho, -a [-'ziɲu, a] sufixo little; **florzinha** little flower

zíper ['zipe*] m zip (BRIT), zipper (US)

zodíaco [zo'dʒiaku] m zodiac

zoeira ['zwejra] f din

zombar [zō'ba*] vi to mock; **~ de** to make fun of

zona ['zona] f area; (de cidade) district; (Geo) zone; (col: local de meretrício) red-light district; (: confusão) mess; (: tumulto) free-for-all; **~ eleitoral** electoral district, constituency

zonzo, -a ['zōzu, a] adj dizzy

zôo ['zou] m zoo

zoológico, -a [zo'lɔʒiku, a] adj zoological; **jardim ~** zoo

zumbido [zū'bidu] m buzz(ing); (de tráfego) hum

zunzum [zū'zū] m buzz(ing)